SPA

KB196863

2026
판례·기출
증보판

조충환·양건

형법각론 II

개정 형법·최신 판례 및 기출문제 완벽 반영

경찰승진·채용·간부·수사경과 / 해경승진·채용·간부
법원직·검찰직·승진 / 철도경찰·마약수사

조충환·양건 편저

동영상강의 www.pmg.co.kr

박문각

조충환·양건
SPA 형법

2026 SPA 형법 판례·기출증보판을 출간하면서

이번 2026 판례·기출증보판에서는 최근의 출제경향을 반영하여 다음과 같은 사안에 중점을 두었습니다.

첫째, 기출문제 반영
작년 SPA 형법 출간 이후의 2024년 기출문제(법원행정고등고시, 경위공채, 순경 1차·2차, 경력채용, 9급 검찰·마약수사·철도경찰, 9급 법원서기보, 7급 검찰, 해경 순경·수사·경위·경장 등)와 2025년 기출문제(변호사시험)를 전부 비교·분석하여 본문에 수정·교체·추가·기출표기를 하였고 기출문제(객관식)에도 추가하였습니다.

둘째, 판례 반영
최근 판례(2025.1.1. 대법원 판례공보 및 미간행판례)까지 빠짐없이 반영하였으며, 최근의 출제경향에 맞추어 기존 판례의 일부를 수정·교체·추가하였고, 판례마다 기출표기를 최신순으로 정리하였습니다.

셋째, 반복학습
본문 ⇨ 확인학습(OX문제) ⇨ 기출문제의 3단계 방식으로 편집하여 기본서, 판례집, 요약집(Sub-note), OX문제집, 객관식문제(기출문제)집을 별개로 공부하지 않고도, SPA 형법 1회독시 3회 이상의 반복학습의 효과로 한번에 형법을 끝낼 수 있도록 하였습니다.

넷째, 강약과 시간절약
법조문, 이론, 판례를 사안마다 키워드와 기출표기를 색표기하여 중요도를 파악하고, 반복학습시 시간을 단축하도록 하였습니다.

SPA 형법을 이해 위주로 반복학습하신다면 본 교재 한 권만으로도 어느 시험에서든지 고득점으로 합격·승진하는 데 아무런 지장이 없을 것이라 확신합니다.
우리 모두 어려운 시기에 무엇보다도 건강에 유의하시고 초지일관하시길 바라며, 수험생 여러분의 조기 합격과 승진을 믿고 간절히 기원합니다.

2025. 2.
공편저자 조충환·양건

CONTENTS

이 책의
차례

PART

01

개인적 법익에 대한 죄

제5장 재산에 대한 죄

제7절 ▶ 배임의 죄

① 서 설

> **관련판례**
>
> 1. 배임죄는 현실적인 재산상 손해액이 확정될 필요가 없고, 단지 재산상 권리의 실행을 불가능하게할 염려가 있는 상태 또는 손해발생의 위험이 있는 경우에 바로 성립되는 위태범(위험범)이다(대판 2000.4.11, 99도334). 20. 경찰승진
> 2. 배임죄에 있어서 타인의 사무를 처리하는 자라 함은 양자간의 신임관계에 기초를 둔 타인의 재산보호 내지 관리의무가 있음을 그 본질적 내용으로 하는 것이므로, 배임죄의 성립에 있어 행위자가 대외관계에서 타인의 재산을 처분할 적법한 대리권이 있음을 요하지 아니한다(대판 1999.9.17, 97도3219). 18. 순경 1차, 21. 순경 2차

② (업무상) 배임죄

> **제355조 제2항 【배임죄】** 타인의 사무를 처리하는 자가 그 임무에 위배하는 행위로써 재산상의 이익을취득하거나 제3자로 하여금 이를 취득하게 하여 본인에게 손해를 가한 때에도 전항의 형과 같다.
> **제356조 【업무상 배임죄】** 업무상의 임무에 위배하여 제355조 제2항의 죄를 범한 자는 10년 이하의징역 또는 3천만원 이하의 벌금에 처한다.

> 1. 미수범 처벌(제359조), 친족상도례 적용(제361조)
> 2. 배임액수가 5억원 이상인 때에는 특정경제범죄 가중처벌 등에 관한 법률 제3조에 의해 가중처벌
> 3. 업무상 배임으로 인한 재산상의 이익이 있었다는 점은 인정되지만 그 가액을 구체적으로 산정할 수 없는경우에는 재산상 이익의 가액을 기준으로 가중 처벌하는 특정경제범죄 가중처벌 등에 관한 법률 위반(배임)죄로 의율할 수는 없다(대판 2012.8.30, 2012도5220).

(1) 의 의

타인의 사무를 처리하는 자가 그 임무에 위배하는 행위로써 재산상의 이익을 취득하거나 제3자로 하여금 이를 취득하게 하여 본인에게 손해를 가함으로써 성립하는 범죄이다.

(2) 객관적 구성요건

㉠ 타인의 사무를 처리하는 자가 ㉡ 배임행위를 하여 ㉢ 재산상 이익을 취득하고 본인에 손해를가할 것을 요한다.

① **주체** : 타인의 사무를 처리한 자(진정신분범)

ⓐ 공무원도 업무상 배임죄의 주체가 될 수 있다(대판 2013.9.27, 2013도6835 **비교** 공무원이 그 임무에위배되는 행위로써 제3자로 하여금 재산상의 이익을 취득하게 하여 국가에 손해를 가한 경우에도 업무상배임죄는 성립한다). 19. 법원직, 20. 경찰간부, 22. 해경간부, 24. 경위공채 ⓑ **타인의 사무를 처리하는 자에**

는 고유의 권한으로서 그 처리를 하는 자에 한하지 않고, 그 업무담당자의 상급기관으로서 실행행위자의 배임행위에 적극 가담(배임행위를 교사하거나 배임행위의 전 과정에 관여하는 등)하거나(대판 2004.7.9, 2004도810) 보조기관으로서 직접 또는 간접으로 그 처리에 관한 사무를 담당하는 자도 포함된다(대판 1999.7.23, 99도1911). 17. 경찰승진, 23. 해경승진 ⓒ 타인의 사무를 처리하는 자라 함은 타인과의 대내관계에 있어서 신의성실의 원칙에 비추어 그 사무를 처리할 신임관계가 존재한다고 인정되는 자를 의미하고, 반드시 제3자에 대한 대외관계에서 그 사무에 관한 권한(예 대리권)이 존재할 것을 요하지 않는다(대판 2007.6.1, 2006도1813). 18. 7급 검찰·법원행시

ⓐ **사무의 타인성** : ⓐ '타인의 사무처리'로 인정되려면, 두 당사자 관계의 본질적 내용이 단순한 채권관계상의 의무(예 민사상의 채무불이행)를 넘어서 그들 간의 신임관계에 기초하여 타인의 재산을 보호 내지 관리하는 데 있어야 한다(∵ '타인의 사무'라고 하기 위하여는 그 타인의 재산보호가 신임관계의 전형적·본질적 내용이 되어야 하고, 그것이 단순한 부수적 사무에 불과할 경우에는 '타인의 사무'라고 할 수 없다. 17. 법원행시). ⓑ 만약, 그 사무가 타인의 사무가 아니고 자기의 사무(예 민사상의 채무)라면, 그 사무의 처리가 타인에게 이익이 되어 타인에 대하여 이를 처리할 의무를 부담하는 경우라도, 그는 타인의 사무를 처리하는 자에 해당하지 않는다(대판 2014.2.27, 2011도3482). 15. 수사경과

◆ 관련판례

● **타인의 사무에 해당하는 경우** _{임무위배} ➡ **배임죄 ○**

1. 계주가 계원들로부터 월불입금을 모두 징수하였음에도 불구하고 그 임무에 위배하여 이를 낙찰계원에게 지급하지 아니한 경우 ⇨ 배임죄 ○(대판 1987.2.24, 86도1744) 17. 법원행시, 20. 경찰간부·9급 검찰·마약수사 계가 정상적으로 운영되고 있음에도 계주가 그동안 성실하게 계불입금을 지급하여 온 계원에게 계가 깨졌다고 거짓말을 하여 그 계원이 계에 참석하여 계금을 탈 수 있는 기회를 박탈하여 손해를 가한 경우 ⇨ 배임죄 ○(대판 1995.9.29, 95도1176) 20. 경찰간부

   ▶ **비교판례** : 낙찰계의 계주가 계원들에게서 계불입금을 징수하지 않은 상태에서 부담하는 계금지급의무는 배임죄에서 말하는 '타인의 사무'에 해당하지 않는다. 계주가 계원들과의 약정을 위반하여 계불입금을 징수하지 않은 경우에도 동일하다(대판 2009.8.20, 2009도3143). 16. 경찰승진, 18. 법원행시, 22. 수사경과, 23. 해경승진

2. 미성년자와 친생자관계가 없으나 호적상 친모로 등재되어 있는 자가 미성년자의 상속재산을 처분한 경우 ⇨ 배임죄 ○(대판 2002.6.14, 2001도3534 ∵ 타인의 사무처리자 ○) 15. 경찰승진·순경 3차, 17. 수사경과

3. 채권의 담보를 목적으로 부동산의 소유권이전등기를 경료받은 채권자는 채무자가 변제기일까지 그 채무를 변제하면 채무자에게 그 소유명의를 환원하여 주기 위하여 그 소유권이전등기를 이행할 의무가 있으므로 그 변제기일 이전에 그 임무에 위배하여 이를 제3자에게 처분하였다면 변제기일까지 채무자의 변제가 없었다 하더라도 배임죄가 성립한다(대판 2007.1.25, 2005도7559). 21. 7급 검찰

   ▶ **유사판례** : 채무자가 차용원리금을 변제공탁한 것을 채권자(양도담보권자)가 아무런 이의 없이 이를 수령하고서도 담보물에 대한 경매 절차에 대하여 손을 쓰지 아니하는 바람에 타인에게 경락되게 하고 그 부동산의 경락잔금까지 받아간 경우 ⇨ 배임죄 ○(대판 1988.12.13, 88도184) 14. 경찰승진

4. 타인 소유의 특허권을 명의신탁받아 관리하는 업무를 수행해 오다가 제3자로부터 특허권을 이전해 달라는 제의를 받고 대금을 지급받고는 그 타인의 승낙도 받지 않은 채 제3자 앞으로 특허권을 이전 등록한 경우에는 업무상 배임죄가 성립한다(대판 2016.10.13, 2014도17211). 18. 변호사시험, 21. 해경간부

5. 다방을 임차하면서 임차기간 동안 영업허가 명의를 임차인 명의로 변경하고 임대차 종료시 임대인 에게 명의반환을 하기로 약정하고도 임대차 종료 후 임차인이 명의반환을 거부하는 경우 ⇨ 배임 죄 ○〔대판 1981.8.20, 80도1176 ∵ 다방 영업허가 ⇨ 재산적 가치 ○, 명의반환 협력의무 ⇨ 자신(임 차인)의 사무인 동시에 타인(임대인)의 사무 ○〕 20. 경찰간부

6. 지입차주가 자신이 실질적으로 소유하거나 처분권한을 가지는 자동차에 관하여 지입회사와 지입계약 을 체결함으로써 지입회사에게 그 자동차의 소유권등록 명의를 신탁하고 운송사업용 자동차로서 등록 및 그 유지 관련 사무의 대행을 위임한 경우에 지입회사 운영자는 지입차주와의 관계에서 '타인 의 사무를 처리하는 자'의 지위에 있다(대판 2021.6.24, 2018도14365). 21. 법원행시

7. 회사와 주주는 별개의 인격이므로 1인회사의 1인 주주가 회사 재산을 임의처분하여 회사에 재산상 손해가 발생하였을 경우 ⇨ 업무상 배임죄(대판 1996.8.23, 96도1525) 15. 수사경과, 23. 해경 3차

8. 피고인이 甲과 공동으로 토지를 매수하여 그 지상에 창고사업을 하는 내용의 동업약정을 하고 동업 재산이 될 토지에 관한 매매계약을 체결한 후, 甲 몰래 매도인과 사이에 위 매매계약을 해제하고 甲을 배제하는 내용의 새로운 매매계약을 체결한 다음 제3자 명의로 소유권이전등기를 마친 경우 ⇨ 甲에 대한 배임죄 ×, 조합에 대한 배임죄 ○(대판 2011.4.28, 2009도14268 ∵ 피고인은 '조합의 사 무를 처리하는 자'의 지위에 있음)

• 타인의 사무에 속하지 않는 경우 ──임무위배──▶ 배임죄 ×

'타인의 사무를 처리하는 자'라고 하려면, 타인의 재산관리에 관한 사무의 전부 또는 일부를 타인 을 위하여 대행하는 경우와 같이 당사자 관계의 전형적·본질적 내용이 통상의 계약에서의 이익 대립관계를 넘어서 그들 사이의 신임관계에 기초하여 타인의 재산을 보호 또는 관리하는 데에 있 어야 한다. 24. 7급 검찰 이익대립관계에 있는 통상의 계약관계에서 채무자의 성실한 급부이행에 의 해 상대방이 계약상 권리의 만족 내지 채권의 실현이라는 이익을 얻게 되는 관계에 있다거나, 계 약을 이행함에 있어 상대방을 보호하거나 배려할 부수적인 의무가 있다는 것만으로는 채무자를 타인의 사무를 처리하는 자라고 할 수 없고, 위임 등과 같이 계약의 전형적·본질적인 급부의 내 용이 상대방의 재산상 사무를 일정한 권한을 가지고 맡아 처리하는 경우에 해당하여야 한다(대판 2020.2.20, 2019도9756 전원합의체). 20. 법원행시, 24. 7급 검찰

🔟 ① 금전채무를 담보하기 위하여 동산이나 주식을 채권자에게 양도하기로 약정(양도담보설정계약 체결)하거나 양도담보로 제공한 채무자 ⇨ 타인의 사무처리자 ×(∵ 담보물을 제3자에게 처분하 는 등으로 담보가치를 감소 또는 상실시켜 채권자의 담보권 실행이나 이를 통한 채권실현에 위 험을 초래하더라도 배임죄가 성립한다고 할 수 없다.) 20. 법원행시

ㄱ 동산의 양도담보 : 채무자가 채권담보의 목적으로 점유개정 방식으로 채권자에게 동산을 양도 하고 이를 보관하던 중 임의로 제3자에게 처분한 경우나, 채무자가 동산에 관하여 양도담보설 정계약을 체결하여 이를 채권자에게 양도할 의무가 있음에도 제3자에게 처분한 경우 ⇨ 배임 죄 ×(대판 2020.2.20, 2019도9756 전원합의체), 횡령죄 ×(대판 2009.2.12, 2008도10971 ∵ 동산

의 소유권은 채무자에게 유보되어 있음) 21·22. 법원직, 22·23. 경찰간부

ⓛ 주식에 관하여 양도담보설정계약을 체결한 채무자가 제3자에게 해당 주식을 처분한 경우 ⇨ 배임죄 ×(대판 2020.2.20, 2019도9756 전원합의체) 23. 순경 1차

ⓒ 채무자가 '동산채권담보법(동산·채권 등의 담보에 관한 법률)'상 담보로 제공된 동산인 골재생산기기(크러셔)를 점유개정 방식으로 처분한 경우(예 주식회사의 대표이사가 A은행으로부터 대출받으면서 회사 소유의 기계에 대하여 동산양도담보설정계약을 체결하였으나 임의로 처분한 경우) ⇨ 배임죄 ×(대판 2020.8.27, 2019도14770 전원합의체) 21. 경찰승진·순경 1차, 24. 경찰간부·7급 검찰

ⓔ 권리이전에 등기·등록을 요하는 동산(자동차)에 양도담보설정계약을 체결한 채무자가 채권자에게 소유권이전등록의무를 이행하지 않은 채 제3자에게 담보목적 자동차를 처분하였다고 하더라도 배임죄가 성립하지 않는다(대판 2022.12.22, 2020도8682 전원합의체 ∵ '타인의 사무를 처리하는 자' ×). 23. 법원직, 24. 변호사시험·순경 1차

② 부동산의 양도담보 : 채무자가 금전채무에 대한 담보로 부동산에 관하여 양도담보설정계약을 체결하고 이에 따라 채권자에게 소유권이전등기를 해 줄 의무가 있음에도 제3자에게 그 부동산을 처분한 경우 ⇨ 배임죄 ×[대판 2020.6.18, 2019도14340 전원합의체 ∵ 소유권이전등기를 해줄 의무이행 ⇨ 채무자 자신의 사무 ○ ⇨ 타인(채권자)의 사무를 처리하는 자 ×]

③ 부동산의 이중저당 : 채무자가 금전채무에 대한 담보로 부동산에 관하여 저당권설정계약을 체결한 후 채무자가 제3자에게 먼저 담보물에 관한 저당권을 설정하거나(부동산의 이중저당) 담보물을 양도하는 등으로 담보가치를 감소 또는 상실시켜 채권자의 채권실현에 위험을 초래하더라도 배임죄가 성립한다고 할 수 없다[대판 2020.6.18, 2019도14340 전원합의체 ∵ 저당권설정계약에 따른 저당권을 설정할 의무이행 ⇨ 채무자 자신의 사무 ○ ⇨ 타인(채권자)의 사무를 처리하는 자 ×]. 22. 변호사시험·법원직, 23. 경찰간부·경찰승진, 24. 9급 검찰·마약수사·순경 1차

④ 피고인이 甲새마을금고로부터 특정 토지 위에 건물을 신축하는 데 필요한 공사자금을 대출받으면서 이를 담보하기 위하여 乙신탁회사를 수탁자, 甲금고를 우선수익자, 피고인을 위탁자 겸 수익자로 한 담보신탁계약 및 자금관리대리사무계약을 체결하였고 계약내용에 따라 건물이 준공된 후 乙회사에 신탁등기를 이행하여 甲금고의 우선수익권을 보장할 임무가 있음에도 이에 위배하여 丙 앞으로 건물의 소유권보존등기를 마쳐줌으로써 甲금고에 재산상 손해를 가한 경우 ⇨ 배임죄 ×(대판 2020.4.29, 2014도9907 ∵ 피고인은 甲금고에 우선수익권을 보장할 민사상 의무를 부담함에 불과하므로 배임죄에서의 '타인의 사무를 처리하는 자'에 해당하지 않는다.) 20. 법원행시, 21. 변호사시험

⑤ 아파트 수분양권 매도인이 수분양권 매매계약에 따라 매수인에게 수분양권을 이전할 의무를 이행하지 아니하고 수분양권 또는 이에 근거하여 향후 소유권을 취득하게 될 목적물을 미리 제3자에게 처분하더라도 형법상 배임죄가 성립하지 않는다(대판 2021.7.8, 2014도12104 ∵ 특별한 사정이 없는 한 수분양권 매도인이 수분양권 매매계약에 따라 매수인에게 수분양권을 이전할 의무는 자신의 사무에 해당할 뿐이므로, 매수인에 대한 관계에서 '타인의 사무를 처리하는 자'라고 할 수 없다). 21. 법원행시, 24. 법원직·순경 1차

⑥ 채무자가 채권양도담보계약에 따라 부담하는 '담보 목적 채권의 담보가치를 유지·보전할 의무'를 이행하는 것은 채무자 자신의 사무에 해당할 뿐이고, 채무자가 통상의 계약에서의 이익대립관계를

넘어서 채권자와의 신임관계에 기초하여 채권자의 사무를 맡아 처리한다고 볼 수 없으므로, 이 경우 채무자는 채권자에 대한 관계에서 '타인의 사무를 처리하는 자'에 해당한다고 할 수 없다〔대판 2021.7.15, 2015도3514 **예** 피고인(채무자)이 피해자(채권자)에게 전세보증금반환채권의 양도담보(채권양도담보계약)에 관한 대항요건을 갖추어 주기 전(채권양도의 통지를 하기 전)에 제3자에게 전세권근저당권을 설정하여 주었다 하더라도, 피고인이 피해자와의 신임관계에 의하여 '타인의 사무를 처리하는 자'의 지위에 있다고 볼 수 없어 배임죄는 성립하지 않는다〕. 21. 법원행시

▶ **유사판례** : 피고인이 피해자에게 채권양도담보에 관한 대항요건을 갖추어 주기 전에 담보 목적 채권을 타에 이중으로 양도하고 제3채무자에게 그 채권양도통지를 하였다 하더라도, 피고인이 피해자와의 신임관계에 의하여 '타인의 사무를 처리하는 자'의 지위에 있다고 볼 수 없어 배임 죄는 성립하지 않는다(대판 2021.7.15, 2015도5184 **예** 甲은 乙로부터 금전을 차용하면서 甲이 국민건강보험공단에 대하여 가지는 요양급여채권을 乙에게 포괄근담보로 제공하는 채권양도 담보계약을 체결한 이후 甲은 위 채권을 친형인 丙의 채권자에게 이중으로 양도하고 국민건강 보험공단으로부터 요양급여금을 지급받게 한 경우 ⇨ 배임죄 ×).

금전채권채무 관계에서 채권자가 채무자의 급부이행에 대한 신뢰를 바탕으로 금전을 대여하고 채무자의 성실한 급부이행에 의해 채권의 만족이라는 이익을 얻게 된다 하더라도, 채권자가 채무자에 대한 신임을 기초로 그의 재산을 보호 또는 관리하는 임무를 부여하였다고 할 수 없고, 금전채무의 이행은 어디까지나 채무자가 자신의 급부의무의 이행으로서 행하는 것이므로 이를 두고 채권자의 사무를 맡아 처리하는 것으로 볼 수 없다. 따라서 채무자를 채권자에 대한 관계에서 '타인의 사무를 처리하는 자'에 해당한다고 할 수 없다(대판 2020.10.22, 2020도6258 전원합의체).

예 저당권이 설정된 동산(자동차)을 임의처분한 경우 **및** 권리이전에 등기·등록을 요하는 동산(자동차)에 대한 이중양도의 경우 ⇨ 배임죄 ×(대판 2020.10.22, 2020도6258 전원합의체)

① 채무자가 금전채무를 담보하기 위하여 자동차 등 특정동산저당법 등에 따라 그 소유의 동산에 관하여 채권자에게 저당권을 설정해 주기로 약정하거나 저당권을 설정한 경우, 채무자를 채권자에 대한 관계에서 배임죄의 주체인 '타인의 사무를 처리하는 자'에 해당한다고 할 수 없으므로, 채무자가 담보물을 제3자에게 처분하는 등으로 담보가치를 감소 또는 상실시켜 채권자의 담보권 실행이나 이를 통한 채권실현에 위험을 초래하더라도 배임죄가 성립하지 아니한다(**예** 피고인이 M캐피탈 주식회사로부터 버스 구입자금을 대출받으면서 이 버스에 저당권을 각 설정하였으나, 이 버스를 담보목적에 맞게 보관하여야 할 임무를 위반하여 이를 처분함으로써 재산상 이익을 취득하고 M캐피탈 주식회사에게 재산상 손해를 가한 경우 ⇨ 배임죄 ×). 21·25. 변호사시험

② 위와 같은 법리는, 금전채무를 담보하기 위하여 공장 및 광업재단저당법에 따라 저당권이 설정된 동산을 채무자가 제3자에게 임의로 처분한 사안에도 마찬가지로 적용된다(**예** 공장저당권설정자의 금융기관에 대한 피담보채무와 공장저당권이 설정된 공장기계를 함께 양수한 자는 그 채무변제시까지 목적물을 담보목적에 맞게 보관해야 할 의무가 있음 ⇨ 그 임무에 위배하여 제3자에게 임의매도한 경우 ⇨ 배임죄 ×(∵ 채무자가 채권자의 담보권 실행에 협조할 의무 등은 모두 저당권 설정계약에 따라 부담하게 된 채무자 자신의 급부의무이다. 따라서 채무자를 채권자에 대한 관계에서 배임죄의 주체인 '타인의 사무를 처리하는 자'에 해당한다고 할 수 없다)〕.

③ 권리이전에 등기·등록을 요하는 동산에 대한 매매계약에서 계약금 및 중도금을 지급받은 매도인이 매수인에게 소유권이전등록을 하지 아니하고 타에 처분한 경우 배임죄가 성립하지 아니한다 (**예** 피고인이 피해자에게 버스 1대를 매도하기로 하여 그로부터 중도금까지 지급받았음에도 위 버스에 관하여 K금고에게 공동근저당권을 설정해 준 경우 ⇨ 배임죄 ×). 22. 법원직, 22·23. 경찰승진

1. 채권 담보 목적으로 부동산에 관한 대물변제예약을 체결한 채무자가 대물로 변제하기로 한 부동산을 제3자에게 처분한 경우 ⇨ 배임죄 ×(대판 2014.8.21, 2014도3363 전원합의체 ∵ 대물변제예약의 내용에 좇은 이행을 하여야 할 채무는 '자기의 사무'에 해당) 17. 경찰승진, 19. 변호사시험·9급 검찰·법원직, 20. 해경승진, 22. 경찰간부·수사경과·순경 1차, 23. 9급 검찰·마약수사·법원행시

2. 양도담보권자가 변제기 경과 후 담보권의 실행으로 원리금과 비용에 충당하고 나머지가 있음에도 이를 채무자에게 정산하여 주지 않는 경우(대판 1985.11.26, 85도1493 전원합의체)나 변제기 이후에 담보물을 부당하게 염가로 처분한 경우(대판 1997.12.23, 97도2430) ⇨ 배임죄 ×(∵ 자기의 사무처리에 해당) 18·20. 법원직·9급 검찰, 16·20. 경찰승진, 20. 해경 3차, 21. 해경승진

3. 보통예금(금전의 소비임치 계약으로 금전의 소유권은 금융기관에 이전되고 예금주는 예금반환채권을 취득함)의 경우, 금융기관의 임직원은 예금주와의 사이에서 그의 재산관리에 관한 사무를 처리하는 자의 지위에 있다고 할 수 없으므로, 금융기관의 임직원 甲이 임의로 예금주 乙의 예금계좌에서 5,000만원을 인출하였을지라도 甲에게 업무상 배임죄가 성립하지 않는다(대판 2008.4.24, 2008도1408). 16. 경찰승진, 18. 순경 1차·7급 검찰, 21. 순경 2차, 23. 법원직·법원행시

4. 주권발행 전 주식에 대한 양도계약에서 양도인이 양수인으로 하여금 회사 이외의 제3자에게 대항할 수 있도록 확정일자 있는 증서에 의한 양도통지 또는 승낙을 갖추어 주지 아니하고 위 주식을 다른 사람에게 처분한 경우 ⇨ 배임죄 ×(대판 2020.6.4, 2015도6057 ∵ 양도인이 양수인으로 하여금 회사 이외의 제3자에게 대항할 수 있도록 확정일자 있는 증서에 의한 양도통지 또는 승낙을 갖추어 주어야 할 채무를 부담한다 하더라도 이는 자기의 사무라고 보아야 하고, 이를 양수인과의 신임관계에 기초하여 양수인의 사무를 맡아 처리하는 것으로 볼 수 없다.) 21. 법원행시·경력채용, 21·22. 법원직

5. 계약명의신탁에 있어서 수탁자가 신탁자와의 신임관계에 기하여 신탁자를 위하여 신탁 부동산을 관리한다거나 신탁자의 허락 없이 이를 처분하여서는 아니 되는 의무를 부담하는 등으로 타인의 사무를 처리하는 자의 지위에 있다고 볼 수 없다(대판 2008.3.27, 2008도455 ∵ 수탁자가 임의처분 ⇨ 배임죄 ×). 15. 변호사시험·9급 검찰·마약수사

6. 피고인이 甲에게서 임야를 매수하면서, 계약금을 지급하는 즉시 피고인 앞으로 소유권을 이전받되 매매잔금은 위 임야를 담보로 대출을 받아 지급하기로 약정하였는데도, 피고인이 소유권이전등기를 받은 당일 이를 담보로 제공하여 융통한 자금을 甲에게 매매대금으로 지급하지 아니한 경우 ⇨ 배임죄 ×(대판 2011.4.28, 2011도3247 ∵ 그 대금의 지급은 당사자 사이의 신임관계에 기하여 매수인에게 위탁된 매도인의 사무가 아니라 애초부터 매수인 자신의 사무라고 할 것이다.) 14. 변호사시험·경찰간부, 17. 경찰승진

7. 타인으로부터 금원을 차용하여 주금을 납입하고 납입취급은행으로부터 납입금보관증명서를 발급받아 설립등기나 증자등기 후 바로 인출하여 차용금 변제에 사용하는 경우, 상법상 납입가장죄의 성립 외에 업무상 배임죄가 성립하지 않는다(대판 2005.4.29, 2005도856 ∵ 회사의 자본금에 아무런 변동 × ⇨ 불법이득의사 ×, 회사의 손해발생 ×). 12. 경찰승진, 15·20. 수사경과

8. 甲이 아울렛 의류매장의 운영과 관련하여 A로부터 투자를 받으면서 투자금반환채무의 변제를 위하여 의류매장에 관한 임차인 명의와 판매대금의 입금계좌 명의를 A 앞으로 변경해 주었음에도 B에게 의류매장에 관한 임차인의 지위 등 권리 일체를 양도한 경우 ⇨ 배임죄 ×(대판 2015.3.26, 2015도1301 ∵ 채무자가 투자금반환채무의 변제를 위하여 담보로 제공한 임차권 등의 권리를 그대로 유지할 계약상 의무는 투자금반환채무의 변제의 방법에 관한 것이고, 이는 배임죄에서 말하는 '타인의 사무'에 해당한다고 볼 수 없다.) 16. 사시, 20. 법원행시, 24. 해경간부

9. 서면에 의하지 아니한 증여계약이 행하여진 경우 증여자가 구두의 증여계약에 따라 수증자에 대하여 증여 목적물의 소유권을 이전하여 줄 의무를 부담한다고 하더라도 그 증여자는 수증자의 사무를 처리하는 자의 지위에 있다고 할 수 없다(대판 2005.12.9, 2005도5962 囲 느티나무를 증여하기로 구두 약정한 자가 나무를 베어버린 경우 ⇨ 배임죄 ×). 18. 법원행시, 23. 해경승진

▶ **비교판례** : 서면으로 부동산 증여의 의사를 표시한 증여자가 수증자에게 증여계약에 따라 부동산의 소유권을 이전하지 않고 부동산을 제3자에게 처분하여 등기를 하는 행위는 수증자와의 신임관계를 저버리는 행위로서 배임죄가 성립한다(대판 2018.12.13, 2016도19308). 20. 경찰간부 · 법원행시, 21 · 23. 순경 1차

10. 보험계약모집인이 체결한 보험계약이 위험성이 크므로 해약하라는 보험회사의 지시를 이행하지 않고 있는 사이에 보험사고가 발생하여 보험금을 지급한 경우 ⇨ 업무상 배임죄 ×(대판 1986.8.19, 85도2144 ∵ 보험모집인에게 보험계약자를 설득하여 해약시켜야 할 법적 의무 ×) 17. 법원행시

11. 상표권양도약정을 체결한 자가 그 상표권이전등록의무의 이행을 거부하고 그 상표를 계속 사용하는 경우 ⇨ 배임죄 ×(대판 1984.5.29, 83도2930 ∵ 자기의 채무의 불이행에 불과 ○, 양수인의 사무를 처리하는 자의 임무위배행위 ×) 17. 법원행시

12. 피해자는 자금만 투자하고 피고인은 공사 시공 및 일체의 거래행위를 담당하는 내용의 동업계약을 체결하였다가 위 계약이 종료되었는데, 그 정산과정에서 피고인이 임의로 제3자에 대하여 채권양도행위를 한 경우 배임죄가 성립하지 않는다(대판 1992.4.14, 91도2390 ∵ 정산의무나 정산과정에서 행하는 행위는 피고인 자신의 사무 ○, 피해자를 위하여 하는 타인의 사무 ×). 18. 경찰승진

▶ **유사판례** : 청산회사의 대표청산인이 청산회사에 채권을 신고한 사람이 아닌 다른 자에게 부동산에 관하여 소유권이전등기를 마쳐준 경우 ⇨ 배임죄 ×(대판 1990.5.25, 90도6 ∵ 청산회사의 대표청산인이 처리하는 채무의 변제, 재산의 환가처분 등 회사의 청산의무는 청산인 자신의 사무 또는 청산회사의 업무에 속하는 것이므로, 청산인은 회사의 채권자들에 대한 관계에 있어 직접 그들의 사무를 처리하는 자가 아니다.) 24. 법원직

13. ① 점포임차권 양도계약을 체결한 후 계약금과 중도금까지 지급받은 양도인(임차인)이 위 임차권을 이중으로 양도한 경우 ⇨ 배임죄 ×(대판 1986.9.23, 86도811 ∵ 잔금수령과 동시에 양수인에게 점포를 명도해 줄 양도인의 의무는 양도계약에 따른 민사상의 채무이지 타인의 사무 ×) 13. 법원행시, 16. 경찰간부 ② 음식점 임대차계약에 의한 임차인의 지위를 양도한 자가 임대사실을 임대인에게 통지하지 아니하여 임차인의 지위를 상실하게 한 경우 ⇨ 배임죄 ×(대판 1991.12.10, 91도2184 ∵ 양도사실을 임대인에게 통지할 임무는 임차권 양도인으로서 부담하는 채무로서 양도인 자신의 의무일 뿐이지 자기의 사무임과 동시에 양수인의 권리취득을 위한 사무의 일부를 이룬다고 볼 수 없음) 23. 법원행시

14. 골프시설의 운영자가 일반회원들을 위한 회원의 날을 없애고, 일반회원들 중에서 주말예약에 대하여 우선권이 있는 특별회원을 모집함으로써 일반회원들의 주말예약권을 사실상 제한하거나 박탈하

는 결과가 되었다고 하더라도, 골프시설의 운영자가 일반회원들의 골프회원권이라는 재산관리에 관한 사무를 대행하거나 그 재산의 보전행위에 협력하는 지위에 있다고 할 수는 없으므로 일반회원들에 대한 배임죄를 구성하지 아니한다(대판 2003.9.26, 2003도763). 08. 법원직

15. 피고인이 임차인 甲과 아파트에 관한 임대차계약을 체결하면서 자신이 소유권을 취득하는 즉시 甲에게 알려 甲이 전입신고를 하고 확정일자를 받아 1순위 근저당권자 다음으로 대항력을 취득할 수 있도록 하기로 약정하였는데, 그 후 甲에게서 전세금 전액을 수령하고 소유권을 취득하였음에도 취득 사실을 고지하지 않고 다른 2, 3순위 근저당권을 설정해 준 경우 ⇨ 배임죄 ×(대판 2015.11.26, 2015도4976 ∵ 단순한 채권관계상의 의무를 넘어서 피해자의 재산을 보호 내지 관리 × ⇨ 타인의 사무를 처리하는 자의 지위 ×)

16. 유치권자로부터 점유를 위탁받아 부동산을 점유하는 자가 부동산의 소유자로부터 인도소송을 당하여 재판상 자백을 한 경우, 재판상 자백을 할 당시 피해자들과의 신임관계에 기초를 둔 '타인의 사무를 처리하는 자'에 해당한다고 단정할 수 없고, 피고인이 유치권자로부터 위탁받은 점유임을 적극적으로 항변하지 않은 것이 신임관계를 저버린 임무위배행위에 해당한다고 보기 어렵다(대판 2017.2.3, 2016도3674).

17. 가상자산 권리자의 착오나 가상자산 운영 시스템의 오류 등으로 법률상 원인관계 없이 다른 사람의 가상자산 전자지갑에 가상자산이 이체된 경우, 가상자산을 이체받은 자는 가상자산의 권리자 등에 대한 부당이득반환의무를 부담하게 될 수 있다. 그러나 이는 당사자 사이의 민사상 채무에 지나지 않고 이러한 사정만으로 가상자산을 이체받은 사람이 신임관계에 기초하여 가상자산을 보존하거나 관리하는 지위에 있다고 볼 수 없다(대판 2021.12.16, 2020도9789 판례 피고인이 알 수 없는 경위로 甲의 특정 거래소 가상지갑에 들어 있던 비트코인을 자신의 계정으로 이체받은 후 이를 자신의 다른 계정으로 이체한 경우 ⇨ 배임죄 × ∵ 횡령죄의 착오송금 법리가 적용 ×). 23. 경찰간부 · 법원직 · 해경 3차, 24. 해경순경, 24 · 25. 변호사시험

ⓒ **사무처리의 근거** : 사무처리의 근거는 법령 · 계약은 물론 관습 · 사무관리 · 거래의 신의칙 등 사실상의 신임관계가 발생할 수 있는 경우도 포함된다. 또한 처리되는 사무는 사적 사무는 물론 공적 사무도 포함되며(대판 1974.11.12, 74도1138) 계속적이든 일시적이든 불문한다. 이때 법적인 권한이 소멸된 후에 사무를 처리하거나 사무처리자가 그 직에서 해임된 후 사무인계 전에 사무를 처리하는 경우도 사무를 처리하는 경우에 해당한다(대판 1999.6.22, 99도1095). 17. 법원행시, 23. 해경 3차 업무상 배임죄에 있어서의 업무의 근거는 법령, 계약, 관습의 어느 것에 의하건 묻지 않고, 사실상의 것도 포함한다(대판 2000.3.14, 99도457).

관련판례

• **사무처리의 근거가 된 법률행위가 당연무효인 때 ⇨ 본죄 ×**

1. 내연의 처와의 불륜관계를 지속하는 대가로서 부동산에 관한 소유권이전등기를 경료해 주기로 약정(증여계약)한 후에 등기의무를 이행하지 않는 경우 ⇨ 배임죄 ×(대판 1986.9.9, 86도1382 ∵ 부동산 증여계약은 선량한 풍속과 사회질서에 반한 것으로 무효 ⇨ 소유권이전등기의무 인정 안 됨) 11. 사시, 18 · 20. 수사경과

2. 국토이용관리법(제21조의 2)상 토지거래허가규제지역 내에 있는 토지를 거래허가를 받지 않고 매도한 매도인 ⇨ 타인사무를 처리하는 자 ×(대판 1996.8.23, 96도1514 ∵ 매도인에게 매수인에 대한 소유권이전등기에 협력할 의무 × ∴ 매수인으로부터 계약금과 중도금을 수령하였으나 토지거래허가를 받지 못한 상태에서 위 토지를 제3자에게 이중으로 매도하면서 토지거래허가를 받고 소유권이전등기까지 마쳐 준 경우 ⇨ 최초 매수인에 대한 배임죄 × ; 대판 1983.4.12, 82도2938) 13 · 17. 법원행시

ⓒ **사무처리의 내용** : 처리되는 사무가 재산상 사무이어야 하는가에 관하여 논의가 있으나 배임죄는 재산죄이므로 재산상 사무에 한정하여야 한다고 본다(다수설 · 판례).
② **객체** : 재산상 이익(순수한 이득죄임)
③ **행위** : 배임행위로서 재산상 이익을 취득하거나 제3자에게 취득하게 하여 본인에게 손해를 가하는 것
ⓖ **배임행위**

> **관련판례**

1. 임무에 위배하는 행위(배임행위)라 함은 구체적 상황에 비추어 법률의 규정, 계약의 내용 혹은 신의칙상 당연히 할 것으로 기대되는 행위를 하지 않거나 당연히 하지 않아야 할 것으로 기대하는 행위를 함으로써 본인과 사이의 신임관계를 저버리는 일체의 행위를 포함하는 것으로 그러한 행위가 법률상 유효한가 여부는 따져볼 필요가 없고, 19. 법원행시 행위자가 가사 본인을 위한다는 의사를 가지고 행위를 하였다고 하더라도 그 목적과 취지가 법령이나 사회상규에 위반된 위법한 행위로서 용인할 수 없는 경우에는 그 행위의 결과가 일부 본인을 위하는 측면이 있다고 하더라도 이는 본인과의 신임관계를 저버리는 행위로서 배임죄의 성립을 인정함에 영향이 없다(대판 2002.7.22, 2002도1696). 03 · 07. 사시
2. 업무상 배임죄는 타인과의 신뢰관계에서 일정한 임무에 따라 사무를 처리할 법적 의무가 있는 자가 그 상황에서 당연히 할 것이 법적으로 요구되는 행위를 하지 않는 부작위에 의해서도 성립할 수 있다. 그러한 부작위를 실행의 착수로 볼 수 있기 위해서는 작위의무가 이행되지 않으면 사무처리의 임무를 부여한 사람이 재산권을 행사할 수 없으리라고 객관적으로 예견되는 등으로 구성요건적 결과 발생의 위험이 구체화한 상황에서 부작위가 이루어져야 한다. 그리고 행위자는 부작위 당시 자신에게 주어진 임무를 위반한다는 점과 그 부작위로 인해 손해가 발생할 위험이 있다는 점을 인식하였어야 한다(대판 2021.5.27, 2020도15529). 22. 경찰간부, 24. 해경승진

● **배임행위에 해당 × ⇨ 배임죄 ×**
1. 부동산을 경락한 자가 경락허가결정이 확정된 후에 소유권자에게 경락을 포기하겠다고 약속하고도 대금을 완납하고 소유권을 취득한 경우(대판 1969.2.25, 69도46 ∵ 실질적인 권리관계에 상응한 조치 ⇨ 배임행위 ×) 11. 경찰승진
2. 직무발명에 대한 특허를 받을 수 있는 권리 등을 사용자 등에게 승계한다는 취지를 정한 약정이나 근무규정이 없는 한 종업원이 직무발명을 사용자가 아닌 종업원의 이름으로 특허출원하더라도 이는 자신의 권리를 행사하는 것으로서 업무상 배임죄가 성립할 여지는 없다(대판 2012.12.27, 2011도15093).

▶ **비교판례** : 그러나 그러한 약정 또는 근무규정의 적용을 받는 종업원 등이 그 임무에 위배하여 직무발명을 완성하고도 그 사실을 사용자 등에게 알리지 않은 채 그 발명에 대한 특허를 받을 수 있는 권리를 제3자에게 이중으로 양도하여 제3자가 특허권 등록까지 마치도록 한 경우 이는 사용자 등에게 손해를 가하는 행위로서 배임죄를 구성한다고 할 것이다(대판 2012.11.15, 2012도6676). 15. 법원행시, 24. 경찰간부

3. 전환사채 발행을 위한 이사회 결의에는 하자가 있었다 하더라도 실권된 전환사채를 제3자에게 배정하기로 의결한 이사회 결의에는 하자가 없는 경우, 전환사채의 발행절차를 진행한 것이 재산보호의무 위반으로서의 임무위배에 해당하지 않는다(대판 2009.5.29, 2007도4949 전원합의체). 24. 해경승진

● **배임행위에 해당 ○ ⇨ 배임죄 ○**

1. 기업의 영업비밀을 사외로 유출하지 않을 것을 서약한 회사의 직원이 경제적인 대가를 얻기 위하여 경쟁업체에 영업비밀을 유출하는 경우 ⇨ 배임죄 ○(대판 1999.3.12, 98도4704) 17. 법원직, 18 · 22. 수사경과, 23. 해경승진

① 회사직원이 재직 중에 영업비밀 또는 영업상 주요한 자산을 경쟁업체에 유출하거나 스스로의 이익을 위하여 이용할 목적으로 무단으로 반출하였다면 유출 또는 반출시에 업무상 배임죄의 기수가 된다(대판 2017.6.29, 2017도3808). 17. 순경 2차, 21. 수사경과

② 회사직원이 영업비밀 등을 적법하게 반출하여 반출행위가 업무상 배임죄에 해당하지 않는 경우라도(∵ 회사직원이 퇴사한 후에는 타인의 사무를 처리하는 자 ×), 23. 순경 2차, 24. 해경승진 퇴사시에 영업비밀 등을 회사에 반환하거나 폐기할 의무가 있음에도 경쟁업체에 유출하거나 스스로의 이익을 위하여 이용할 목적으로 이를 반환하거나 폐기하지 아니하였다면, 이러한 행위 역시 퇴사시에 업무상 배임죄의 기수가 된다(대판 2017.6.29, 2017도3808). 17. 순경 2차, 19. 9급 검찰 · 수사경과, 21. 해경간부 · 법원직 · 7급 검찰, 23. 경찰승진 · 법원행시, 24. 해경승진

③ 회사직원이 경쟁업체 또는 스스로의 이익을 위하여 이용할 의사로 무단으로 자료를 반출한 행위가 업무상 배임죄에 해당하기 위하여는, 그 자료가 반드시 영업비밀에 해당할 필요까지는 없다고 하겠지만 적어도 그 자료가 불특정 다수인에게 공개되어 있지 않아 보유자를 통하지 아니하고는 이를 통상 입수할 수 없고 그 보유자가 자료의 취득이나 개발을 위해 상당한 시간, 노력 및 비용을 들인 것으로서, 그 자료의 사용을 통해 경쟁상의 이익을 얻을 수 있는 정도의 영업상 주요한 자산에는 해당하여야 한다. 따라서 상당한 시간과 노력 및 비용을 들이지 않고도 통상적인 역설계 등의 방법으로 쉽게 입수 가능한 상태에 있는 정보라면 보유자를 통하지 아니하고서는 통상 입수할 수 없는 정보에 해당한다고 보기 어려우므로 영업상 주요한 자산에 해당하지 않는다(대판 2022.6.30, 2018도4794).

2. 1인 회사의 주주가 자신의 개인채무를 담보하기 위하여 회사 소유의 부동산에 대하여 근저당권설정등기를 마쳐 주어 배임죄가 성립한 이후에 그 부동산에 대하여 새로운 담보권을 설정해 주는 행위는 선순위 근저당권의 담보가치를 공제한 나머지 담보가치 상당의 재산상 이익을 침해하는 행위로서 별도의 배임죄가 성립한다(대판 2005.10.28, 2005도4915). 21. 7급 검찰, 23. 법원행시

3. 대기업의 회장 등이 경영상의 판단이라는 이유로 甲계열회사의 자금으로 재무구조가 상당히 불량한 상태에 있는 乙계열회사가 발행하는 신주를 액면가격으로 인수하는 것이 그 자체로 업무상 배임 행위임이 분명하고 배임에 대한 고의도 충분히 인정된다(대판 2004.6.24, 2004도520). 15. 경찰간부, 20 · 21. 수사경과

4. ① 회사의 대표이사가 회사가 속한 재벌그룹의 전(前) 회장이 부담하여야 할 원천징수 소득세의 납부를 위하여 다른 회사에 회사자금을 대여한 경우(대판 2010.10.28, 2009도1149) 16. 경찰승진, 21. 해경승진 ② 재벌그룹 회장과 그룹 구조조정추진본부 임원들이 해외금융자본과 특정 계열사의 분쟁을 해결하기 위하여 그 계열사의 유상증자에 다른 계열사들을 동원하여 참여시킴으로써 다른 계열사들에 손해를 입힌 경우(대판 2008.5.29, 2005도4640) 10. 사시 ③ 대기업 또는 대기업의 회장 등 개인이 정치적으로 난처한 상황에서 벗어나기 위하여 자회사 및 협력회사 등으로 하여금 특정 회사의 주식을 매입수량, 가격 및 매입시기를 미리 정하여 매입하게 한 경우(대판 2007.3.15, 2004도5742) 15. 경찰간부, 17. 법원행시 ④ 재벌그룹 소속 甲회사가 골프장 건설 사업을 진행 중인 비상장회사 乙의 주식 전부를 보유하고 乙회사를 위하여 수백억원의 채무보증을 한 상태에서 甲회사의 대표이사와 이사들이 乙회사의 주식 전부를 주당 1원으로 계산하여 그룹 회장인 위 대표이사와 그룹 계열사에 매도한 경우(대판 2008.5.15, 2005도7911) 15. 경찰간부

5. ① 회사의 대표가 회사에서 지급의무 없는 돈을 지급하거나(대판 1984.2.28, 83도2928) 08. 순경 ② 변제능력을 상실한 자에게 회사자금을 대여하거나(대판 2000.3.14, 99도457) ③ 지급능력 없는 타인발행의 약속어음에 회사명의로 배서한 경우(대판 2000.5.26, 99도2781 ∵ 대주주의 양해 ⇨ 회사손해 ○ 범의 ○, 이사회의 결의 ⇨ 배임행위가 정당화 ×, 경영상의 판단 ⇨ 배임죄 ○) 15. 법원행시

6. ① 상호지급보증 관계에 있는 회사 간에 보증회사가 채무변제 능력이 없는 피보증회사에 대하여 합리적인 채권회수책 없이 새로 금원을 대여하거나 예금담보를 제공한 경우(대판 2004.7.9, 2004도810) 15. 경찰간부 ② 대표이사가 회사에 필요한 물품을 할인된 가격으로 납품받을 수 있었음에도 자신이 이익을 취득할 의도로 납품업자에게 가공의 납품업체를 만들게 한 뒤 그 납품업체로부터 할인되지 않은 가격으로 납품을 받은 경우(대판 2009.10.15, 2009도5655) 11. 법원직 ③ 회사의 이사 등이 타인에게 회사자금을 대여할 때에 그 타인이 이미 채무변제능력을 상실하여 그에게 자금을 대여할 경우 회사에 손해가 발생하리라는 정을 충분히 알면서 상당하고도 합리적인 채권회수조치를 취하지 아니한 채 만연히 대여해 준 경우(대판 2012.7.12, 2009도7435) 21. 순경 2차 ④ 재무구조가 열악한 회사의 대표이사가 제3자에게 회사의 자산으로 거액의 기부를 한 경우 그 기부액수가 회사의 재정상태 등에 비추어 기업의 사회적 역할을 감당하는 정도를 넘는 과도한 규모로서 상당성을 결여한 경우(대판 2012.6.14, 2010도9871)

7. 대표이사가 임무에 배임하는 행위를 함으로써 주주 또는 회사 채권자에게 손해가 될 행위를 하였다면 그 회사의 이사회 또는 주주총회의 결의가 있었다고 하여 그 배임행위가 정당화될 수는 없다(대판 2005.10.28, 2005도4915). 09. 경찰승진, 20. 경찰간부

8. 공무원이 대통령의 퇴임 후 사용할 사저부지와 그 경호부지를 일괄 매수하는 사무를 처리하면서 감정평가 결과와 전혀 다르게 사저부지 가격을 낮게 평가하고 경호부지 가격을 높게 평가하여 매수대금을 배분한 경우 ⇨ 업무상 배임죄 ○(대판 2013.9.27, 2013도6835) 15. 법원행시, 19. 경찰간부

9. 회사경영자가 종업원의 재산형성을 통한 복리증진보다는 적대적 M&A로부터 안정주주를 확보하여 경영권 계속유지를 주된 목적으로 종업원 자사주매입에 회사자금을 지원한 경우(대판 1999.6.25, 99도1141) 15. 경찰승진, 24. 법원직

10. A주식회사를 인수하는 甲이 일단 금융기관으로부터 인수자금을 대출받아 회사를 인수한 다음, A주식회사에 아무런 반대급부를 제공하지 않고 그 회사의 자산을 위 인수자금 대출금의 담보로 제공하도록 하였다면, 甲에게는 배임죄가 성립한다(대판 2012.6.14, 2012도1283). 14. 변호사시험

11. 대학교수가 학교법인으로부터 교부받아 소지하고 있던 판공비지출용 법인신용카드를 업무와는 무관하게 지인들과의 식사대금 등의 결제 등 개인적 용도에 사용한 경우 업무상 배임죄로 처벌할 수 있다(대판 2006.5.26, 2003도8095). 19. 변호사시험

12. 지점장이 기한 연장 당시에는 채무자로부터 대출금을 모두 회수할 수 있었는데 기한을 연장해 주면 채무자의 자금사정이 대출금을 회수할 수 없을 정도로 악화되리라는 사정을 알고도 그 기한을 연장해 준 경우(대판 2002.6.28, 2000도3716). 09. 경찰승진

13. 특정 목적을 위해 조성된 기금(중소기업진흥기금이나 수산업경영개선자금)을 부적격업체에 부당지출하거나(대판 1997.10.24, 97도2042 ; 대판 2007.4.27, 2007도1038), 08. 순경, 09. 경찰승진 대학교총장이자 학교법인이사인 자가 명예총장을 추대하고 교비로써 명예총장의 활동비 및 전용운전사의 급여를 지급한 경우(대판 2003.1.10, 2002도758)

14. 재개발조합 조합장이 조합원들의 이주비 차용에 따른 약속어음공증신청을 법무사에게 일괄위임함에 있어 과다한 액수의 수수료 요구를 그대로 받아들여 용역계약을 체결한 경우(대판 1997.6.13, 97도618) 09. 경찰승진

15. 비등록·비상장 법인의 대표이사가 시세차익을 노려 주식시가보다 현저히 낮은 가액으로 전환사채를 발행하고 제3자 이름으로 인수한 후 전환권을 행사하여 인수한 주식 중 일부를 직원들에게 전환가격 상당에 배분한 경우(대판 2001.9.28, 2001도3191) 09. 법원행시

ⓒ **재산상 이익취득** : 배임죄가 성립하기 위해서는 배임행위로 인하여 재산상의 이익을 취득할 것을 요건으로 한다(본인에게 손해를 가하였다고 할지라도 행위자 또는 제3자가 재산상 이익을 취득한 사실이 없다면 배임죄가 성립할 수 없다 : 대판 2007.7.26, 2005도6439). 11. 법원직, 14. 경찰승진

관련판례

1. 영업사원인 甲이 회사가 정한 할인율보다 높은 할인율을 정하여 낮은 가격으로 제품을 판매하였다 하여도 시장 거래가격으로 판매하여 제3자인 거래처가 재산상 이익을 취득한 것으로 볼 수 없는 경우 ⇨ 업무상 배임죄 ✕(대판 2009.12.24, 2007도2484) 14. 경찰간부, 20. 경찰승진, 21. 수사경과, 23. 해경승진

2. 아파트 입주자대표회의 회장인 甲이 공공요금의 납부를 위한 지출결의서에 날인을 거부함으로써 아파트 입주자들에게 그에 대한 통상의 연체료를 부담시킨 경우 ⇨ 업무상 배임죄 ✕〔대판 2009.6.25, 2008도3792 ∵ 열 사용요금 납부 연체로 인하여 발생한 연체료는 금전채무 불이행으로 인한 손해배상에 해당하므로, 공공기관(SH공사 : 공급업체)이 연체료에 해당하는 재산상 이익을 취득 ✕〕 14. 변호사시험

ⓒ **재산상 손해**

ⓐ 재산상 손해에는 재산의 감소와 같은 적극적 손해를 야기한 경우는 물론, 객관적으로 보아 취득할 것이 충분히 기대되는데도 임무위배행위로 말미암아 이익을 얻지 못한 경우, 즉 소극적 손해를 야기한 경우도 포함된다. 이러한 소극적 손해는 임무위배행위가 없었다면 실현되었을 재산 상태와 임무위배행위로 말미암아 현실적으로 실현된 재산 상태를 비교하여 그 유무 및 범위를 산정하여야 한다(대판 2013.4.26, 2011도6798). 15. 순경 2차

ⓑ 재산상 손해는 반드시 현실적으로 손해를 발생시킨 경우뿐만 아니라 손해에 대한 위험이 발생한 경우(실해발생의 위험)도 포함하는 것이므로 손해액이 구체적으로 명백하게 산정되지 않았더라도 배임죄의 성립에는 영향이 없다(다수설·판례). 06. 법원행시

ⓒ 또한 재산상 손해의 유무판단은 본인의 모든 재산상태와의 관계에서 경제적 관점에 따라 판단되어야 하므로 법률적 판단에 의하여 당해 배임행위가 무효라 하더라도 경제적 관점에서 파악하여 본인에게 현실적인 손해를 가하였거나 재산상 실해 발생의 위험(본인에게 손해가 발생할 막연한 위험이 있는 것만으로는 부족하고 경제적인 관점에서 보아 본인에게 손해가 발생한 것과 같은 정도로 구체적인 위험이 있는 경우를 의미한다. 따라서 구체적·현실적인 위험이 야기된 정도에 이르러야 하고, 단지 막연한 가능성이 있다는 정도로는 부족하다.; 대판 2015.9.10, 2015도6745)을 초래한 경우에는 재산상의 손해를 가한 때에 해당하여 배임죄를 구성한다(대판 2006.6.2, 2004도7112). 18. 7급 검찰, 19. 변호사시험·경찰승진, 20. 수사경과, 21. 해경 2차, 22. 순경 1차, 23. 법원행시

ⓓ 따라서 부실대출의 경우 담보가치초과대출금이라 회수불가능한 금액만을 손해액으로 볼 것이 아니라, 손해발생위험이 있는 대출금 전액을 손해액으로 보아야 한다(대판 2000. 3.24, 2000도28). 19·23. 법원행시 회사직원인 甲이 업무상 임무에 위배하여 부당한 외상 거래행위를 함으로써 업무상 배임죄가 성립하는 경우, 재산상 권리의 실행이 불가능하게 될 염려가 있거나 손해발생의 위험이 있는 외상 거래 대금 전액을 그 손해액으로 보아야 한다(대판 2000.4.11, 99도334). 24. 해경순경 또한 배임행위에 의하여 손해배상청구권이나 원상회복청구권을 취득했거나, 피해가 사후에 회복되었다 하여 손해가 없어지는 것은 아니다(대판 2000.12.8, 99도3338).

ⓔ 업무상 배임죄에서 '재산상 이익 취득'과 '재산상 손해 발생'은 대등한 범죄성립요건이고, 이는 서로 대응하여 병렬적으로 규정되어 있다. 따라서 임무위배행위로 인하여 여러 재산상 이익과 손해가 발생하더라도 재산상 이익과 손해 사이에 서로 대응하는 관계에 있는 등 일정한 관련성이 인정되어야 업무상 배임죄가 성립한다(대판 2021.11.25, 2016도3452 **예** 甲새마을금고 임원인 피고인이 새마을금고의 여유자금 운용에 관한 규정을 위반하여 금융기관으로부터 원금 손실의 위험이 있는 금융상품을 매입함으로써 甲금고에 액수 불상의 재산상 손해를 가하고 금융기관에 수수료 상당의 재산상 이익을 취득하게 한 경우 ⇨ 업무상 배임죄 ✕ ∵ 피고인의 임무위배행위로 甲금고에 액수 불상의 재산상 손해가 발생하였더라도 금융기관이 취득한 수수료 상당의 이익을 그와 관련성 있는 재산상 이익이라고 인정할 수 없고, 또한 위 수수료 상당의 이익은 배임죄에서의 재산상 이익에 해당한다고 볼 수도 없다). 23. 순경 2차, 24. 법원행시

╭─ 관련판례

● **재산상 손해발생 내지 재산상 실해발생의 위험이 초래된 경우 ⇨ 배임죄 ○**

1. 甲조합의 대출업무 등 담당자인 피고인이 甲조합에 처와 모친 소유의 토지를 담보로 제공하고 그들 명의로 대출을 받은 다음 위임장 등을 위조하여 담보로 제공된 위 토지에 설정된 근저당권설정 등기를 말소한 경우 ⇨ 배임죄 ○(대판 2014.6.12, 2014도2578 ∵ 등기 말소로 甲조합에 손해가 발생

하였음) 15. 사시, 18. 법원행시

2. 甲이 A에게 전세권설정계약을 맺고 전세금의 중도금을 지급받은 후 당해 부동산에 임의로 제3자에게 근저당권설정등기를 경료해 주어 담보능력상실의 위험이 발생한 경우(대판 1993.9.28, 93도2206) 16. 9급 검찰·마약수사·해경순경

3. 재단법인 불교방송의 이사장 직무대리인이 후원회기부금을 정상 회계처리하지 않고 자신과 친분관계에 있는 신도로서 별다른 자력도 없는 채무자에게 확실한 담보도 제공받지 아니한 채 대여하였으나 그 신도가 이자금을 제때에 불입하고 나중에 원금을 변제한 경우(대판 2000.12.8, 99도3338) 10. 사시

4. 甲주식회사와 가맹점 관리대행계약 등을 체결하고 그 대리점으로서 가맹점 관리업무 등을 수행하는 乙주식회사 대표이사인 피고인이, 임무에 위배하여 甲회사의 가맹점을 다른 경쟁업체 가맹점으로 임의로 전환하여 甲회사에 재산상 손해를 가한 경우(대판 2012.5.10, 2010도3532) 14. 경찰승진

5. 실질적으로 전환사채 인수대금이 납입되지 않았음에도 전환사채를 발행한 경우, 전환사채 발행업무를 담당하는 사람이 업무상 배임죄의 죄책을 진다(대판 2015.12.10, 2012도235). 17. 법원행시

6. 금융기관이 상환능력이 의심스러운 채무자에게 실제로 대출금을 추가로 교부한 경우라도 새로운 대출금이 기존대출금의 원리금으로 상환되도록 약정이 있다고 하더라도 그 대출과 동시에 이미 손해 발생의 위험은 발생하였다고 보아야 할 것이므로 업무상 배임죄가 성립한다(대판 2003.10.10, 2003도3516). 07. 사시

7. 피고인이 영업정지가 임박한 단계에 있는 저축은행의 특정 예금채권자들에게만 그 사실을 알려주어 다른 고객들과 달리 영업정지 직전에 예금 전액을 인출할 수 있도록 한 경우(대판 2013.1.24, 2012도10629)

8. 피고인이 피해회사의 재정상태나 투자금 회수 가능성, 향후 해외 투자대상 법인(홍콩거래소에 상장된 법인)을 통한 ○○그룹 계열사의 사업 확장 및 발전 가능성 등에 관한 면밀한 분석이나 피해회사 내부의 실질적인 의결과정을 거치지 않은 채 피해회사의 자금을 해외투자대상 법인에 투자한 경우 재산상 실해 발생의 위험을 초래하였으므로 업무상 배임죄가 성립한다(대판 2018.12.13, 2018도13689).

9. 학교법인의 교육용 재산 처분 업무를 담당하였던 甲이 학교법인 소유 부동산의 소유권이전등기에 필요한 제반 서류를 보관하던 중 매매계약에 따른 매매대금을 모두 지급받지 못하였음에도 乙회사에 소유권이전에 필요한 서류 일체를 넘겨주어 乙회사 앞으로 소유권이전등기를 경료하였으나, 소유권이전등기에 무효 사유가 있었던 경우 ⇨ 배임죄 ○(대판 2023.8.31, 2023도7045 ∵ 소유권이전등기에 무효사유가 있더라도 乙회사 명의로 소유권이전등기가 실제로 경료된 이상 경제적 관점에서는 학교법인에 현실적인 손해가 발생하였거나 재산상 실해 발생의 위험이 초래되었다.)

● **배임죄에 있어서의 재산상 손해액**

1. 금융기관이 금원을 대출함에 있어 대출금 중 선이자를 공제한 나머지만 교부하거나 약속어음을 할인함에 있어 만기까지의 선이자를 공제한 경우, 배임행위로 인하여 금융기관이 입는 손해는 선이자를 공제한 금액이 아니라 선이자로 공제한 금원을 포함한 대출금 전액이거나 약속어음 액면금 상당액으로 보아야 한다(대판 2003.10.10, 2003도3516). 19. 변호사시험, 23. 법원행시

2. 타인을 위하여 도급계약을 체결할 임무가 있는 자가 부당하게 높은 가격으로 도급계약을 체결하여 타인에게 부당하게 많은 채무를 부담하게 하였다면 그로써 곧바로 업무상 배임죄가 성립하고, 그

경우 배임액은 도급계약의 도급금액 전액에서 정당한 도급금액을 공제한 금액으로 보아야 한다(대판 1999.4.27, 99도883). 23. 법원행시

3. 피고인이, 甲이 운영하는 乙주식회사의 부사장으로 피고인 자신이 乙회사 대표인 것처럼 가장하거나 피고인이 별도로 설립한 丙주식회사 명의로 금형제작 · 납품계약을 체결함으로써 乙회사에 손해를 가한 경우, 乙회사의 재산상 손해는 원칙적으로 계약을 체결한 때를 기준으로 금형제작 · 납품계약 대금(2억원)에 기초하여 산정하여야 하며, 계약대금 중에서 사후적으로 발생되는 미수금이나 계약 해지로 받지 못하게 되는 나머지 계약대금(1억원)은 특별한 사정이 없는 한 계약 대금에서 공제할 것이 아니다(대판 2013.4.26, 2011도6798). 13. 법원행시

4. 주식의 실질가치가 영인 회사가 발행하는 신주를 액면가격으로 인수하는 경우에 그로 인한 손해액은 그 신주 인수대금 전액 상당으로 보아야 한다(대판 2012.6.28, 2012도2623).

5. 부동산 매도인이 매수인 앞으로 소유권이전등기를 마쳐 주기 전에 제3자로부터 금원을 차용하고 그 담보로 근저당권을 설정해 준 경우 매수인이 입은 손해는 그 근저당권이 설정될 당시의 부동산 교환가치 중 근저당권에 이용되어 상실된 담보가치 상당이다. 그리고 배임죄에 있어서 손해액이 구체적으로 명백하게 산정되지 않았더라도 배임죄의 성립에는 영향이 없다고 할 것이나, 발생된 손해액을 구체적으로 산정하여 인정하는 경우 이를 잘못 산정하는 것은 위법하다(대판 2018.7.11, 2015도12692).

- **재산상 손해발생 내지 재산상 실해발생의 위험이 초래되지 않는 경우 ⇨ 배임죄 ×**

1. 대표이사가 개인명의로 작성 · 교부한 차용증에 추가로 회사의 법인 인감을 날인한 경우 ⇨ 배임죄 ×(대판 2004.4.9, 2004도771 ∵ 적법한 대표행위 ×, 회사가 차용증에 기한 차용금채무부담 ×, 회사가 대여자에 대해 사용자책임이나 불법행위책임 부담 ×) 14. 순경 1차, 19. 경찰승진, 24. 해경수사

   ▶ **유사판례**
   ① 甲주식회사 대표이사인 피고인이 자신의 채권자들에게 甲회사 명의의 금전소비대차 공정증서와 약속어음 공정증서를 작성해 준 경우 ⇨ 배임죄 ×(대판 2012.5.24, 2012도2142) 17. 변호사시험 · 경찰승진, 21. 경력채용, 23. 해경승진
   ② 대표이사 甲이 대표권을 남용하여 자신의 개인채무에 대하여 회사 명의의 차용증을 작성하여 주었고, 그 상대방이 이와 같은 진의를 알았거나 알 수 있었던 경우일지라도 무효인 차용증을 작성하여 준 것만으로는 업무상 배임죄가 성립하지 않는다(대판 2010.5.27, 2010도1490). 24. 해경순경

2. 새마을금고 임 · 직원이 동일인 대출한도 제한규정을 위반하여 초과대출행위를 하였더라도 대출채권 회수에 문제가 없는 것으로 판단되는 경우라면 업무상 배임죄가 성립하지 않는다(대판 2008.6.19, 2006도4876 전원합의체). 15. 순경 3차, 17. 수사경과, 17 · 20. 경찰승진, 24. 법원직 그러나 대출채권의 회수에 문제가 있는 것으로 판단되는 경우에는 업무상 배임죄가 성립한다고 할 것이다(대판 2011.8.18, 2009도7813).

3. 피해자 회사의 영업팀장이 체인점들에 대한 전매입고 금액을 삭제하여 전산상 회사의 체인점들에 대한 외상대금채권이 줄어든 것으로 처리하는 전산조작행위를 하였다 하여 반드시 회사에게 재산상 실해발생의 위험이 생기는 것은 아니며, 배임죄에 있어서 본인에게 손해를 가한 경우라 할지라도 재산상 이익을 행위자 또는 제3자가 취득한 사실이 없다면 배임죄가 성립하지 않는다(대판 2006.7.27, 2006도3145). 14. 순경 1차, 16. 순경 2차, 21. 해경 2차

4. 타인에 대한 채무의 담보로 제3채무자에 대한 채권에 대하여 권리질권을 설정하고, 질권설정자가 제3채무자에게 질권설정의 사실을 통지하거나 제3채무자가 이를 승낙한 상태에서, 질권설정자가 질권자의 동의 없이 제3채무자에게서 질권의 목적인 채권의 변제를 받은 경우 ⇨ 배임죄 ×(대판 2016.4.2, 2015도5665 ∵ 질권자에게 대항 ×, 질권자는 제3채무자에 대하여 채무변제 청구나 변제금액 공탁 청구 가능 ∴ 손해나 손해발생 위험 초래 ×) 17·21. 법원행시, 19. 순경 2차

5. 일반경쟁입찰에 의해 체결하여야 할 공사도급계약을 수의계약에 의하여 체결하였지만 수의계약에 의한 공사대금이 적정한 공사대금의 수준을 벗어나 부당하게 과대하여 일반경쟁입찰에 의해 공사도급계약을 체결할 경우 예상되는 공사대금의 범위를 벗어난 것이 아니라면 재산상 손해를 가한 때에 해당한다고 할 수 없다(대판 2005.3.25, 2004도5731). 17. 순경 1차

6. 이미 타인의 채무에 대하여 보증을 하였는데, 피보증인이 변제자력이 없어 결국 보증인이 그 보증채무를 이행하게 될 우려가 있고, 보증인이 피보증인에게 신규로 자금을 제공하거나 피보증인이 신규로 자금을 차용하는 데 담보를 제공하면서 그 신규자금이 이미 보증을 한 채무의 변제에 사용되도록 한 경우라면, 보증인으로서는 기보증채무와 별도로 새로 손해를 발생시킬 위험을 초래한 것이라고 볼 수 없다(대판 2013.9.26, 2013도5214). 16. 법원행시

7. 회사의 대표이사가 제3자를 위하여 회사의 재산을 담보로 제공한 후 이미 설정한 담보물을 교체하는 경우에 기존 담보물의 가치보다 새로 제공하는 담보물의 가치가 더 작거나 동일하다면 회사에 재산상 손해가 발생하였다고 볼 수 없으므로 배임죄가 성립하지 않는다(대판 2008.5.8, 2008도484). 21. 7급 검찰

8. 甲주식회사 대표이사인 피고인이 주주총회 의사록을 허위로 작성하고 이를 근거로 피고인을 비롯한 임직원들과 주식매수선택권부여계약을 체결한 경우, 상법과 정관에 위배되어 법률상 무효인 계약을 체결한 것만으로는 업무상 배임죄 구성요건이 완성되거나 범행이 종료되었다고 볼 수 없다(대판 2011.11.24, 2010도11394). 13. 법원행시, 14. 순경 1차

9. 금융기관이 거래처의 기존 대출금에 대한 원리금 및 연체이자에 충당하기 위하여 위 거래처가 신규대출을 받은 것처럼 서류상 정리하였더라도 금융기관이 실제로 위 거래처에게 대출금을 새로 교부한 것이 아니라면 그로 인하여 금융기관에게 어떤 새로운 손해가 발생하는 것은 아니라고 할 것이므로 따로 업무상 배임죄가 성립된다고 볼 수 없다(대판 2000.6.27, 2000도1155). 11. 사시·경찰승진

10. A은행 지점장인 甲이 A은행을 대리하여 乙이 丙에 대하여 장래 부담하게 될 물품대금 채무에 대하여 지급보증을 하였다고 하더라도, 乙과 丙이 거래를 개시하지 않아 지급보증의 대상인 물품대금 지급채무가 현실적으로 발생하지 않았다면, 甲에게 배임죄가 성립하는지 여부를 검토함에 있어, A은행에게 경제적인 관점에서 손해가 발생한 것과 같은 정도의 구체적인 위험이 발생하였다고 평가하기는 어렵다고 보아야 한다(대판 2015.9.10, 2015도6745 ∴ 배임죄 ×). 21. 법원행시, 24. 해경간부

11. 주식회사의 주주총회결의에서 자신이 대표이사로 선임된 것으로 주주총회의사록 등을 위조한 자가 회사를 대표하여 한 대물변제 등의 행위는 법률상 효력이 없어 그로 인하여 회사에 어떠한 손해가 발생한다고 할 수 없으므로, 배임죄를 구성하지 아니한다(대판 2013.3.28, 2010도7439).

12. 회사의 대표이사 등이 임무에 위배하여 회사로 하여금 다른 사업자와 용역계약을 체결하게 하면서 적정한 용역비의 수준을 벗어나 부당하게 과다한 용역비를 정하여 지급하게 하였다면 통상 그와 같이 지급한 용역비와 적정한 수준의 용역비 사이의 차액 상당의 손해를 회사에 가하였다고 볼 수 있다. 이 경우 적정한 수준에 비하여 과다한지 여부를 판단할 객관적이고 합리적인 평가방법이나

기준 없이 단지 임무위배행위가 없었다면 더 낮은 수준의 용역비로 정할 수도 있었다는 가능성만을 가지고 재산상 손해발생이 있었다고 쉽사리 단정하여서는 안 된다(대판 2018.2.13, 2017도17627).

13. 甲주식회사가 도시개발사업의 시행자인 乙조합으로 부터 기성금 명목으로 체비지를 지급받은 다음 이를 다시 丙에게 매도하였는데, 乙조합의 조합장인 丁이 환지처분 전 체비지대장에 소유권 취득자로 등재된 甲회사와 丙의 명의를 임의로 말소한 경우 丁의 행위는 배임죄를 구성한다고 볼 수 없다(대판 2022.10.14, 2018도13604 ∵ 丙이 매매계약에 따라 취득한 권리를 행사하는 것은 체비지대장의 기재 여부와는 무관하므로 체비지대장상 취득자란의 甲명의가 말소되었더라도 丙의 甲회사에 대한 권리가 침해되거나 재산상 실해 발생의 위험이 있다고 볼 수 없음). 24. 법원행시

㉣ 배임죄의 미수·기수

ⓐ 배임죄는 위험범으로 피해자에 대한 손해가 발생하였다거나 실해발생의 위험(구체적·현실적인 위험)이 있는 경우에는 배임죄의 기수이나, 그렇게 볼 수 없는 경우에는 배임의 범의로 임무위배행위를 함으로써 실행에 착수한 것이므로 배임죄의 미수범이 된다(대판 2017.7.20, 2014도1104 전원합의체). 21·23. 법원직

ⓑ 그런데 타인의 사무를 처리하는 자의 임무위배행위는 민사재판에서 법질서에 위배되는 법률행위로서 무효로 판단될 가능성이 적지 않고, 그 결과 본인에게도 아무런 손해가 발생하지 않는 경우가 많다. 이러한 때에는 배임죄의 기수를 인정할 수 없다.

ⓒ 그러나 의무부담행위로 인하여 실제로 채무의 이행이 이루어지거나 본인이 민법상 불법행위책임을 부담하게 되는 등 본인에게 현실적인 손해가 발생하거나 실해 발생의 위험이 생겼다고 볼 수 있는 사정이 있는 때에는 배임죄의 기수를 인정하여야 한다(대판 2017.9.21, 2014도9960). 21. 법원행시, 24. 해경수사

관련판례

• 주식회사의 대표이사가 대표권을 남용하여 회사 명의로 의무를 부담하는 행위를 한 경우(대판 2017. 7.20, 2014도1104 전원합의체)

1. 상대방이 대표이사의 진의를 알았거나 알 수 있었던 경우 : 특별한 사정(의무부담행위로 인하여 실제로 채무의 이행이 이루어졌다거나 회사가 민법상 불법행위책임을 부담하게 되었다는 사정)이 없는 이상 배임죄의 기수 ×(∵ 그 행위는 회사에 대하여 무효 ⇨ 회사에 대하여 현실적인 손해발생이나 실해발생 위험 초래 ×), 배임죄의 미수범 ○(∵ 배임의 범의로 임무위배행위를 함으로써 실행에 착수한 것임) 21. 변호사시험, 24. 9급 검찰·마약수사

2. 상대방이 대표권 남용 사실을 알지 못한 경우 : 그 의무부담행위가 회사에 대하여 유효 ⇨ 회사의 채무 발생(이행의무 부담) 자체로 현실적인 손해 또는 재산상 실해발생의 위험 ○ ⇨ 그 채무가 현실적으로 이행되기 전이라도 배임죄의 기수 ○ 22. 변호사시험, 24. 순경 1차

3. 회사의 대표이사가 대표권을 남용하여 회사 명의의 약속어음을 발행한 사실을 상대방이 알았거나 알 수 있었을 때에 해당하여 약속어음 발행이 무효(회사가 상대방에 대하여 채무부담 ×)라 하더라도 그 어음이 실제로 제3자에게 유통되었다면 배임죄의 기수범이 되고(∵ 약속어음 발행의 경우 어음법상 발행인은 종전의 소지인에 대한 인적 관계로 인한 항변으로써 소지인에게 대항하지 못함. ∴ 회사로서는

어음채무를 부담할 위험이 구체적·현실적으로 발생), 유통되지 않았다면 배임미수죄(∵ 손해발생이나 실해발생의 위험 ×)이다. 18. 순경 3차, 19. 변호사시험, 20. 법원직, 21. 법원행시·경찰간부·7급 검찰·순경 2차

(3) 주관적 구성요건 : 고의＋불법이득의사(통설·판례)

① 업무상 배임죄가 성립하려면 주관적 요건으로서 임무위배의 인식과 그로 인하여 자기 또는 제3자가 이익을 취득하고 본인에게 손해를 가한다는 인식, 즉 배임의 고의가 있어야 하고, 이러한 인식은 미필적 인식으로도 충분하다(대판 2000.12.8, 99도3338). 21. 순경 2차

② ㉠ 업무상 배임죄에 있어서 불법이득의 의사라 함은 자기 또는 제3자의 이익을 꾀할 목적으로 업무상 임무에 위배된 행위를 하는 의사를 의미한다. 법인의 운영자 또는 관리자가 법인의 자금을 이용하여 비자금을 조성하였다고 하더라도 그것이 해당 비자금의 소유자인 법인 이외의 제3자가 이를 발견하기 곤란하게 하기 위한 장부상의 분식에 불과하거나 법인의 운영에 필요한 자금을 조달하는 수단으로 인정되는 경우에는 불법이득의 의사를 인정하기 어렵다. 그러나 법인의 운영자 또는 관리자가 법인을 위한 목적이 아니라 법인과는 아무런 관련이 없거나 개인적인 용도로 착복할 목적으로 법인의 자금을 빼내어 별도로 비자금을 조성하였다면 그 조성행위 자체로써 불법이득의 의사가 실현된 것으로 볼 수 있다(대판 2021.10.14, 2016도2982). ㉡ 불법이득의사를 실현하는 행위로서의 배임행위가 있었다는 사정은 검사가 법관으로 하여금 합리적인 의심을 할 여지가 없을 정도의 확신을 생기게 하는 증명력을 가진 엄격한 증거에 의하여 증명하여야 하므로, 이와 같은 증거가 없다면 설령 피고인에게 유죄의 의심이 간다고 하더라도 피고인의 이익으로 판단할 수밖에 없다(대판 2021.10.14, 2016도2982).

┌─ 관련판례

● 배임의 고의가 인정되는 경우

1. 주식회사의 임원이 공적 업무수행을 위하여서만 사용이 가능한 법인카드를 개인 용도로 계속적·반복적으로 사용한 경우 실질적 1인 주주의 양해를 얻었다거나 실질적 1인 주주가 향후 그 법인카드 대금을 변상, 보전해 줄 것이라고 일방적으로 기대하였다는 사정만으로는 업무상 배임의 고의나 불법이득의 의사가 부정된다고 볼 수 없다(대판 2014.2.21, 2011도8870). 14. 순경 2차

2. 업무상 배임죄에서 고의는 업무상 타인의 사무를 처리하는 자가 본인에게 재산상의 손해를 입히고 그로 인하여 자기 또는 제3자의 재산상 이득을 취한다는 의사와 그러한 손익의 초래가 자신의 임무에 위배된다는 인식이 결합되어 성립한다. 경영자가 법령의 규정, 계약 내용 또는 신의성실의 원칙상 구체적 상황과 자신의 역할·지위에서 당연히 하여야 할 것으로 기대되는 행위를 하지 않거나 하지 않아야 할 것으로 기대되는 행위를 함으로써 재산상 이익을 취득하거나 제3자로 하여금 이를 취득하게 하고 본인에게 손해를 입혔다면 그에 관한 고의와 불법이득의 의사가 인정된다(대판 2017.5.30, 2017도1284). 12. 법원직

3. 경영상의 판단과 관련하여 기업의 경영자에게 자기 또는 제3자가 재산상 이익을 취득한다는 인식과 본인에게 손해를 가한다는 인식(미필적 인식을 포함)하의 의도적 행위임이 인정되는 경우에 한하여 배임죄의 고의가 인정하는 엄격한 해석기준은 유지되어야 할 것이고, 그러한 인식이 없는데 단순히

본인에게 손해가 발생하였다는 결과만으로 책임을 묻거나 주의의무를 소홀히 한 과실이 있다는 이유로 책임을 물을 수는 없다(대판 2010.1.14, 2007도10415). 24. 9급 검찰·마약수사

• **배임의 고의가 부정되는 경우**

1. 단위농협의 조합장이 대금회수 확보를 위한 담보취득 등의 조치 없이 변질의 우려가 있는 조합의 양곡을 외상판매한 경우 오로지 조합의 이익을 위하여 양곡을 신속히 처분하기 위한 것으로 위 양곡 외상판매행위가 위 조합에 손해를 가하고 자기 또는 제3자에게 재산상의 이익을 취득하게 한다는 인식·인용하에서 행해진 행위라고 할 수 없다(대판 1992.1.17, 91도1675 ∴ 업무상 배임죄 ×) 12. 경찰간부

2. 지상건물을 철거해 주기로 약정한 대지매도인 甲이 잔금 수령 후 철거약정기한 전에 그 건물에 관하여 타인 앞으로 소유권이전청구권 보전을 위한 가등기를 마쳐준 사안에서, 甲이 철거약정기한까지 위 가등기를 말소하고 건물철거의무를 이행할 수 있을 것으로 믿었고 객관적으로도 그 이행이 가능하였다는 등의 특별한 사정이 있는 경우에는 배임죄의 고의가 인정되지 않는다고 봄이 상당하다(대판 2006.2.21, 2006도2684). 10. 사시, 17. 수사경과

3. 동일한 기업집단에 속한 계열회사 사이의 지원행위가 합리적인 경영판단의 재량 범위 내에서 행하여진 것이라고 인정된다면 이러한 행위는 본인에게 손해를 가한다는 인식하의 의도적 행위라고 인정하기 어렵다(대판 2017.11.9, 2015도12633).

4. 주택조합 측으로부터 아파트부지의 선정과 매입에 관한 일체의 권한을 위임받은 주택조합장이 아파트부지 구입과정에서 계획적인 기망행위에 속아 대상토지의 공원용지지정해제에 필요한 경비를 교부한 경우(대판 1993.1.15, 92도166)

(4) 공범관계

┌─ **관련판례**

1. 업무상 배임죄의 실행으로 인하여 이익을 얻게 되는 수익자 또는 그와 밀접한 관련이 있는 제3자를 배임의 실행행위자와 공동정범으로 인정하기 위하여는 실행행위자의 행위가 피해자 본인에 대한 배임행위에 해당한다는 것을 알면서도 소극적으로 그 배임행위에 편승하여 이익을 취득한 것만으로는 부족하고, 실행행위자의 배임행위를 교사하거나 또는 배임행위의 전 과정에 관여하는 등으로 배임행위에 적극 가담할 것을 필요로 한다(대판 2007.4.12, 2007도1033). 17. 순경 1차, 18. 법원직, 21. 법원행시·경력채용, 23. 해경승진, 25. 변호사시험

   ▶ **유사판례** : 거래상대방의 대향적 행위의 존재를 필요로 하는 유형의 배임죄에 있어서 거래상대방이 배임행위를 교사하거나 그 배임행위의 전 과정에 관여하는 등으로 배임행위에 적극 가담함으로써 그 실행행위자와의 계약이 반사회적 법률행위에 해당하여 무효로 되는 경우라면 그 상대방은 배임죄의 교사범 또는 공동정범이 될 수 있다(대판 2005.10.28, 2005도4915). 15. 9급 철도경찰, 18. 변호사시험, 21. 해경간부

2. 회사직원이 영업비밀을 경쟁업체에 유출하거나 스스로의 이익을 위하여 이용할 목적으로 무단으로 반출한 때 업무상 배임죄의 기수에 이르렀다고 할 것이고, 그 이후에 위 직원과 접촉하여 영업비밀을 취득하려고 한 자는 업무상 배임죄의 공동정범이 될 수 없다(대판 2003.10.30, 2003도4382). 18. 경찰간부, 22. 해경간부, 23. 경찰승진, 24. 해경승진

3. 1인 회사의 주주가 개인적 거래에 수반하여 법인 소유의 부동산을 담보로 제공한다는 사정을 거래 상대방이 알면서 가등기의 설정을 요구하고 그 가등기를 경료받은 경우, 그 거래상대방이 배임행위의 교사범 또는 공동정범이나 방조범에 해당한다고 할 수 없다(대판 2005.10.28, 2005도4915). 18. 경찰 간부

4. 업무상 배임죄와 배임증재죄는 별개의 범죄로서 배임증재죄를 범한 자라 할지라도 그와 별도로 타인의 사무를 처리하는 지위에 있는 사람과 공범으로서는 업무상 배임죄를 범할 수도 있다(대판 1999. 4.27, 99도883). 19. 법원직

5. 점포의 임차인이 임대인이 그 점포를 타인에 매도한 사실을 알면서 임대차계약 당시 '타인에게 점포를 매도할 경우 우선적으로 임차인에게 매도한다.'는 특약을 구실로 매매대금을 일방적으로 공탁하고 임대인과 공모하여 임차인 명의로 소유권이전등기를 경료한 경우 ⇨ 배임죄의 공동정범(대판 1983. 7.12, 82도180) 13. 사시

⑸ 특히 문제가 되는 경우

① **부동산의 이중매매** : 부동산 매매계약에서 중도금이 지급되는 등 계약이 본격적으로 이행되는 단계에 이른 때에는 계약이 취소되거나 해제되지 않는 한 매도인은 매수인에게 부동산의 소유권을 이전해 줄 의무에서 벗어날 수 없다. 따라서 이러한 단계에 이른 때에 매도인은 매수인에 대하여 매수인의 재산보전에 협력하여 재산적 이익을 보호·관리할 신임관계에 있게 된다. 그때부터 매도인은 배임죄에서 말하는 '타인의 사무를 처리하는 자'에 해당한다 (대판 2018.5.17, 2017도4027 전원합의체 ∴ 부동산 매매계약에서 중도금이 지급되는 등 계약이 본격적으로 이행되는 단계에 이르렀음에도 불구하고 매도인이 매수인에게 계약 내용에 따라 부동산의 소유권을 이전해 주기 전에 그 부동산을 제3자에게 처분하고 제3자 앞으로 그 처분에 따른 등기를 마쳐주는 행위를 하는 경우 배임죄가 성립한다). 20. 법원행시·법원직·9급 검찰, 21. 7급 검찰, 22. 변호사시험·경찰승진·순경 2차, 23. 경찰간부

그리고 매도인이 매수인에게 순위보전의 효력이 있는 가등기를 마쳐 주었더라도 이는 향후 매수인에게 손해를 회복할 수 있는 방안을 마련하여 준 것일 뿐 그 자체로 물권변동의 효력이 있는 것은 아니어서 매도인으로서는 소유권을 이전하여 줄 의무에서 벗어날 수 없으므로, 그와 같은 가등기로 인하여 매수인의 재산보전에 협력하여 재산적 이익을 보호·관리할 신임관계의 전형적·본질적 내용이 변경된다고 할 수 없다(대판 2020.5.14, 2019도16228 **예** 매도인이 매수인에게 가등기를 해 준 후에 이중매매를 한 경우 ⇨ 배임죄 ○). 20. 법원행시

📕 1. **실행의 착수시기** : 후매수인(丙)으로부터 중도금 수령시(통설·판례)
2. **기수시기** : 丙에게 소유권이전등기 경료시(대판 1984.11.27, 83도1946), 25. 변호사시험 소유권이전청구권 보전을 위한 가등기 경료시(대판 2008.7.10, 2008도3766), 16. 9급 검찰·마약수사, 17. 수사경과, 22. 순경 2차, 24. 해경수사 중도금 수령 후 그 부동산에 대해 가등기나 근저당설정등기를 경료하거나(대판 1990. 10.16, 90도1702) 전세권등기를 경료한 경우(대판 1969.9.30, 69도1001) ⇨ 배임죄 ○

관련판례

1. 부동산을 이중으로 매도한 경우에 매도인이 선매수인에게 소유권이전의무를 이행하였다고 하여 후매수인에 대한 관계에서 그가 임무를 위법하게 위배한 것이라고 할 수 없다(대판 2009.2.26, 2008도11722 예 아파트 건축분양회사가 수분양자들에게 소유권이전등기절차를 이행하지 않은 채 분양 전 금융기관과 체결한 근저당권설정계약에 따라 근저당권설정등기를 경료해 준 경우, 수분양자들에 대한 배임죄의 성립을 부정한 사례). 10. 법원행시, 12 · 17. 경찰승진
2. 피고인이 제1차 매수인으로부터 계약금 및 중도금 명목의 금원을 교부받은 후 제2차 매수인에게 부동산을 매도하기로 하고 계약금만을 지급받은 뒤 더 이상의 계약 이행에 나아가지 않았다면 배임죄의 실행의 착수가 있었다고 볼 수 없다(대판 2003.3.25, 2002도7134) 16. 수사경과, 19. 법원행시 · 법원직
3. 부동산양도인이 계약금 및 중도금에 갈음하여 양수인 소유부동산에 관한 소유권이전등기 소요 서류를 모두 교부받았다면 양도인이 그 양도부동산을 제3자에게 이중양도하고 소유권이전등기를 마친 경우 배임죄가 성립한다(대판 1986.10.28, 86도936). 06. 법원행시
4. 부동산을 이중으로 매도하여 2차 매수인 앞으로 소유권이전등기를 마친 이상 배임죄를 구성하고 1차 매수인이 한 처분금지가처분의 효력으로 위 등기가 궁극적으로 말소되었다 하더라도 배임죄의 성립에 영향이 없다(대판 1973.1.16, 72도2494). 06. 법원행시, 24. 해경수사
   ▶ **유사판례** : 매도인이 부동산을 매도하고 매수인으로부터 계약금과 중도금을 수령한 후 제3자에게 담보조로 가등기를 경료해 주었다가 이를 말소한 경우 ⇨ 배임죄 ○(대판 1982.2.23, 81도3146) 01. 사시, 19. 경찰간부
5. 부동산 교환계약에 있어서 사회통념 내지 신의칙에 비추어 매매계약에서 중도금이 지급된 것과 마찬가지로 교환계약이 본격적으로 이행되는 단계에 이른 후에 그 부동산을 임의 처분한 경우에는 배임죄가 성립한다(대판 2018.10.4, 2016도11337).
6. 양수인에게 무허가건물을 인도할 의무를 부담하는 양도인이 중도금 또는 잔금까지 수령한 상태에서 양수인의 의사에 반하여 제3자에게 그 무허가건물을 이중으로 양도하고 중도금까지 수령하였다면 이는 양수인에 대한 관계에서 임무위배행위로서 배임죄의 실행의 착수가 있었다고 할 것이고, 더 나아가 제3자로부터 잔금을 수령하고 무허가건물을 인도하였다면 이는 배임죄의 기수에 해당한다(대판 2005.10.28, 2005도5713). 17. 법원행시

📋 매도인이 처음부터 乙에게는 소유권을 이전할 의사 없이 금전 편취의 목적으로 계약체결하고 대금수령 뒤 丙에게 매각한 경우 ⇨ 배임죄 ×(∵ 신뢰관계 ×), 사기죄 ○

② 동산의 이중양도담보와 이중매매

관련판례

• **동산의 이중양도담보**
1. 채무자가 그 소유의 동산에 대하여 점유개정의 방식으로 채권자들에게 이중의 양도담보 설정계약을 체결한 후 양도담보 설정자가 목적물을 임의로 제3자에게 처분하였다면 뒤의 채권자에 대한 관계에서 배임죄가 성립하지 않는다(대판 2004.6.25, 2004도1751). 15. 변호사시험, 19. 9급 검찰, 20. 순경 1차 · 해경승진, 21. 경찰간부

2. 피고인이 그 소유의 동산(에어컨)을 피해자에게 양도담보로 제공하고 점유개정의 방법으로 점유하고 있다가 다시 이를 제3자에게 양도담보로 제공하고 역시 점유개정의 방법으로 점유를 계속한 경우 배임죄를 구성하지 않는다(대판 1990.2.13, 89도1931). 14. 7급 검찰·철도경찰, 20. 순경 1차

● **동산의 이중매매(양도)**

매도인이 매수인으로부터 중도금을 수령한 이후에 매매목적물인 "동산"을 제3자에게 양도한 경우 (예 피고인이 피고인의 '인쇄기'를 甲에게 양도하기로 하고 계약금 및 중도금을 수령하였음에도 이를 자신의 채권자 乙에게 기존 채무 변제에 갈음하여 양도함으로써 재산상 이익을 취득하고 甲에게 동액 상당의 손해를 입힌 경우) ⇨ 배임죄 ×(대판 2011.1.20, 2008도10479 전원합의체 ∵ 동산인도채무 ⇨ 매도인의 자기사무 ○, 매수인의 사무를 처리하는 지위 ×) 18. 변호사시험·순경 1차, 20. 9급 검찰, 21. 경찰간부·해경간부, 22. 수사경과, 23. 경찰승진·법원행시

(6) 죄수 및 타죄와의 관계

① 죄 수

┌ **관련판례**

1. 본인에 대한 배임행위가 본인 이외의 제3자에 대한 사기죄를 구성한다 하더라도 그로 인하여 본인에 게 손해가 생긴 때에는 사기죄와 함께 배임죄가 성립한다(대판 2010.11.11, 2010도10690 예 건물관리 인이 건물주로부터 월세임대차계약 체결업무를 위임받고도 임차인들을 속여 전세임대차계약을 체결하고 그 보증금을 편취한 경우, 사기죄와 별도로 업무상 배임죄가 성립하고 두 죄가 실체적 경합 범의 관계에 있다). 18. 변호사시험, 19. 수사경과, 21. 해경간부

2. 甲이 부동산에 乙명의의 근저당권을 설정하여 줄 의사가 없음에도 乙을 속이고 근저당권 설정을 약정하여 금원을 편취한 후, 이러한 약정이 사기 등을 이유로 취소되지 않는 상태에서 그 부동산에 관하여 제3자 명의로 근저당권설정등기를 마친 경우 ⇨ 사기죄 ○, 배임죄 ×(대판 2020.6.18, 2019도 14340 전원합의체 ∵ 채무자가 저당권설정계약에 따라 채권자에 대하여 부담하는 저당권을 설정할 의무는 계약에 따라 부담하게 된 채무자 자신의 의무이다. 채무자가 위와 같은 의무를 이행하는 것은 채무자 자신의 사무에 해당할 뿐이므로, 채무자를 채권자에 대한 관계에서 '타인의 사무를 처리하는 자'라고 할 수 없다.) 19. 법원행시·경찰승진

3. 甲주식회사 대표이사인 피고인이 자신의 채권자 乙에게 차용금에 대한 담보로 甲회사 명의 정기예금에 질권을 설정하여 주었는데, 그 후 乙이 피고인의 동의하에 정기예금 계좌에 입금되어 있던 甲회사 자금을 전액 인출하였다면, 위와 같은 예금인출동의행위는 이미 배임행위로써 이루어진 질권설정행위의 불가벌적 사후행위에 해당하므로, 배임죄와 별도로 횡령죄까지 성립한다고 볼 수 없다 (대판 2012.11.29, 2012도10980). 13. 사시·순경 2차

4. 甲주식회사의 대표이사와 실질적 운영자인 피고인들이 공모하여, 자신들이 乙에 대해 부담하는 개인 채무 지급을 위하여 甲회사로 하여금 약속어음을 공동발행하게 하고 위 채무에 대하여 연대보증하게 한(배임죄) 후에 甲회사를 위하여 보관 중인 돈을 임의로 인출하여 乙에게 지급하여 위 채무를 변제한 경우(새로운 법익침해 ○, 배임 범행의 불가벌적 사후행위 ×, 횡령죄 ○) ⇨ 배임죄 + 횡령죄 ○(대판 2011.4.14, 2011도277) 17. 법원행시

5. 동일인 대출한도 초과대출 행위로 인하여 상호저축은행에 손해를 가함으로써 상호저축은행법 위반죄와 업무상 배임죄가 모두 성립한 경우, 위 두 죄는 형법 제40조 소정의 상상적 경합관계에 있다(대판 2012.6.28, 2012도2087). 13. 법원행시

6. 매도인 A가 甲에게 부동산을 매도한 후 계약금 및 중도금을 수령한 다음 그 부동산에 양도담보계약을 체결하고 乙에게서 돈을 차용한 경우(대판 2012.1.26, 2011도15179) ⇨ 甲에 대한 배임죄 ○, 乙에 대한 사기죄 ×(∵ 부동산의 이중매매나 이중양도담보에 있어서 제2의 매수인이나 양도담보권자의 매매목적물에 대한 권리실현에 장애가 안 됨)

7. 아파트 소유권자인 피고인이 가등기권리자 甲에게 아파트에 관한 소유권이전청구권가등기를 말소해 주면 대출은행을 변경한 후 곧바로 다시 가등기를 설정해 주겠다고 속여 가등기를 말소하게 하여 재산상 이익을 편취하고, 가등기를 회복해 줄 임무에 위배하여 아파트에 제3자 명의로 근저당권 및 전세권설정등기를 마친 경우 ⇨ 사기죄 ○, 배임죄 ×(대판 2017.2.15, 2016도15226 ∵ 피고인이 약속대로 가등기를 회복해주지 않고 제3자에게 근저당권설정등기 등을 마쳐준 행위는 처음부터 가등기를 말소시켜 이익을 취하려는 사기범행에 당연히 예정된 결과에 불과하여 그 사기범행의 실행행위에 포함된 것일 뿐이므로 사기죄와 비양립적 관계에 있는 각 배임죄는 성립하지 않는다.)

② **사기죄와의 관계**

┌─● **관련판례**

타인의 사무를 처리하는 자가 본인을 기망하여 제3자에게 재산상 이익을 발생시키는 처분을 하여 손해를 가한 경우 ⇨ 사기죄와 배임죄의 상상적 경합(대판 2002.7.18, 2002도669 전원합의체 **예** 보험회사의 외무사원이 피보험자에 관하여 회사를 기망하고 보험계약을 체결하게 하여 피보험자에게 이익을 얻게 하고 회사에 손해를 입힌 경우) 11. 7급 검찰, 18. 순경 3차

③ 배임수재죄 · 배임증재죄

> **제357조 제1항【배임수재죄】** 타인의 사무를 처리하는 자가 그 임무에 관하여 부정한 청탁을 받고 재물 또는 재산상의 이익을 취득하거나 제3자로 하여금 이를 취득하게 한 때에는 5년 이하의 징역 또는 1천만원 이하의 벌금에 처한다. 16 · 17. 법원행시, 23. 변호사시험
> **제357조 제2항【배임증재죄】** 제1항의 재물 또는 재산상 이익을 공여한 자는 2년 이하의 징역 또는 500만원 이하의 벌금에 처한다.
> **제357조 제3항** 범인 또는 그 사정을 아는 제3자가 취득한 제1항의 재물은 몰수한다. 그 재물을 몰수하기 불가능하거나 재산상의 이익을 취득한 때에는 그 가액을 추징한다.

🎯 미수범 처벌(제359조), 친족상도례 적용(제361조)

(1) 배임수재죄(제357조 제1항)

① **주체**: 타인의 사무를 처리하는 자(진정신분범)

배임죄와 달리 재산상의 사무를 처리하는 자에 한정되지 않는다. 07. 사시, 09. 경찰승진

관련판례

1. 배임수재죄의 주체로서 '타인의 사무를 처리하는 자'란 타인과 대내관계에서 신의성실의 원칙에 비추어 사무를 처리할 신임관계가 존재한다고 인정되는 자를 의미하고, 반드시 제3자에 대한 대외관계에서 사무에 관한 권한이 존재할 것을 요하지 않는다(대판 2003.2.26, 2002도6834). 17. 법원행시, 19. 경찰간부, 21. 해경 2차

2. 타인의 사무를 처리하는 자가 그 신임관계에 기한 사무의 범위에 속한 것으로서 장래에 담당할 것이 합리적으로 기대되는 임무에 관하여 부정한 청탁을 받고 재물 또는 재산상 이익을 취득한 후 그 청탁에 관한 임무를 현실적으로 담당하게 되었다면 이로써 타인의 사무를 처리하는 자의 청렴성은 훼손되는 것이어서 배임수재죄의 성립을 인정할 수 있다(대판 2010.4.15, 2009도4791). 16. 법원행시

   ▶ **비교판례** : 타인의 사무를 처리하는 자의 지위를 취득하기 전에 부정한 청탁을 받은 행위를 처벌하는 별도의 구성요건이 존재하지 않는 이상, 타인의 사무처리자의 지위를 취득하기 전에 부정한 청탁을 받은 경우에 배임수재죄로는 처벌할 수 없다(대판 2010.7.22, 2009도12878 **예** 대학교수인 甲이 A회사 간부인 乙로부터 시에서 발주한 도시형폐기물종합처리시설 건설사업과 관련하여 경쟁업체보다 A건설 컨소시엄이 제출한 설계도면에 유리한 점수를 주어 A건설 컨소시엄이 낙찰을 받을 수 있도록 해달라는 취지의 청탁과 함께 금전을 받은 후에 비로소 건설사업의 평가위원으로 위촉된 경우 ⇨ 배임수재죄 ×). 16 · 20. 변호사시험, 24. 해경경위

3. 주식회사의 이사는 법률의 규정에 의하여 타인의 사무를 처리하는 자로서 배임수재죄의 주체가 될 수 있다(대판 2002.4.9, 99도2165). 08. 법원직

② **객체** : 재물 또는 재산상 이익

③ **행위** : 임무에 관한 부정한 청탁을 받고 재물 또는 재산상 이익을 취득하거나 제3자로 하여금 취득하게 하는 것

   ㉠ **부정한 청탁** : 부정한 청탁이란 업무상 배임에 이르는 정도는 아니나, 사회상규 또는 신의성실의 원칙에 반하는 것을 내용으로 하는 청탁이면 족하다는 견해가 통설 · 판례의 입장이다(대판 1989.12.12, 89도495). 16. 법원직

   '부정한 청탁'이라 함은 청탁이 사회상규와 신의성실의 원칙에 반하는 것을 말하며, 그 청탁은 묵시적으로 이루어지더라도 무방하다(대판 2005.1.14, 2004도6646). 12. 순경 3차, 21. 해경승진 그러나 청탁의 내용은 어느 정도 구체적이고 특정한 임무행위에 관한 것임을 요하므로 다음과 같은 경우에는 부정한 청탁이 될 수 없다.

   예 직무를 처리함에 당하여 직무권한 범위 안에서 편의를 보아달라고 부탁하거나(대판 1980.4.8, 79도3108), 규정이 허용하는 범위 내에서 최대한 선처를 바란다는 부탁을 한 경우(대판 2006.3.24, 2005도6433), 15. 법원행시, 12. 순경 3차 계약관계를 유지시켜 기존의 권리를 확보하기 위한 부탁을 한 경우(대판 1985.10.22, 85도465), 미리 환심을 사두어 후일 범행이 발각되더라도 이를 누설하지 않게끔 하기 위하여 유류부정처분 대가를 미리 나누어 준 경우(대판 1983.12.27, 83도2472) ⇨ 부정한 청탁 ×

┌ **관련판례**

● **배임수재죄의 부정한 청탁에 해당하는 예**

1. 종합병원 의사들이 의료품 수입업자들로부터 특정 약을 본래의 적응중인 순환기질환뿐만 아니라 모든 병에 잘 듣는 약이라고 원외처방하여 달라는 청탁을 받고 돈을 받은 때(대판 1991.6.11, 91도413)

   ▶ **유사판례** : 대학병원 의사가 ① 의약품(조영제)을 사용해 준 대가 또는 향후 조영제를 지속적으로 납품할 수 있도록 해달라는 청탁의 취지로 제약회사 등이 제공하는 조영제에 관한 '시판 후 조사' (PMS) 연구용역계약을 체결하고 연구비 명목의 돈을 수수한 경우 ⇨ 배임수재죄 ×(∵ 부정한 청탁의 대가 ×) ② 의약품인 조영제나 의료재료를 지속적으로 납품할 수 있도록 해달라는 부정한 청탁 또는 의약품 등을 사용해 준 대가로 제약회사 등으로부터 명절 선물이나 골프접대 등 향응을 제공받은 경우 ⇨ 배임수재죄 ○(대판 2011.8.18, 2010도10290 ∵ 부정한 청탁의 대가 ○) 13. 경찰간부, 15. 법원행시

2. 회원제 골프장의 예약업무 담당자가 부킹대행업자의 청탁에 따라 회원에게 제공해야 하는 주말부킹 권을 부킹대행업자에게 판매하고 그 대금 명목의 금품을 받은 경우(대판 2008.12.11, 2008도6987) 18. 법원행시, 21. 해경간부

3. 시 · 도 화물자동차운송사업협회 대표자인 피고인들이 甲으로부터 전국화물자동차운송사업연합회 회장 선거에서 자신을 지지해달라는 취지의 부정한 청탁을 받고 돈을 수수한 경우(대판 2011.8.25, 2009도5618) 18. 법원행시

4. 甲주식회사를 사실상 관리하는 乙이 甲회사가 사업용 부지로 매수한 토지에 관하여 처분금지가처분 등기를 마쳐두었는데, 위 토지를 매수하려는 丙에게서 가처분을 취하해 달라는 취지의 청탁을 받고 돈을 수수한 경우(대판 2011.10.27, 2010도7624) 18. 법원행시

5. 가요담당 방송프로듀서가 직무상 알고 지내던 가수매니저들로부터 부정한 청탁과 함께 수십만원의 금품을 수십회에 걸쳐 받은 경우(대판 1991.1.15, 90도2257) 06. 법원행시

6. 한국전력공사 소속 송전배원으로 송전설비관리 및 송전선로공사의 현장감독업무를 하던 피고인이 송전선로 철탑이설공사를 도급받아 시공하는 자로부터 공사시공에 하자가 있더라도 묵인하여 달라는 취지의 부탁을 받고 금원을 수령한 경우(대판 1991.11.26, 91도2418) 06. 법원행시

7. 피고인은 KOC 위원장으로서 업무를 처리하는 과정에서 "KOC 위원으로 선임해 달라, 부산아시아경 기대회 조직위원회 조직위원 및 KOC 상임위원으로 선임해 달라."는 등의 부정한 청탁을 받고 합계 1억 3,000만원을 교부받은 경우(대판 2005.1.14, 2004도6646) 11. 경찰승진

8. 기자가 기업체들로부터 묵시적으로 부정적인 기사를 자제해 달라는 취지의 청탁을 받고 공동광고비 와 과다한 개별광고비를 받은 경우 ⇨ 배임수재죄 ○(대판 2014.5.16, 2012도11259)

9. 보도의 대상이 되는 자가 언론사 소속 기자에게 소위 '유료 기사' 게재를 청탁하는 행위는 배임수재 죄의 부정한 청탁에 해당한다. 설령 '유료 기사'의 내용이 객관적 사실과 부합하더라도, 언론 보도를 금전적 거래의 대상으로 삼은 이상 그 자체로 부정한 청탁에 해당한다(대판 2021.9.30, 2019도17102).

10. 주택조합아파트 시공회사 직원인 甲이 조합장으로부터 조합의 이중분양에 관한 민원을 회사에 보고 하지 않고 묵인하거나 이중분양에 대한 조치를 강구할 때 조합의 입장을 배려하여 달라는 청탁을 받고 위 아파트 분양권을 취득한 경우, 甲에게 배임수재죄가 성립한다(대판 2011.2.24, 2010도11784). 23. 법원행시

11. A언론사 논설주간으로서 사설 작성 방향에 관여하거나 경제분야에 관한 칼럼을 작성하는 등 언론계에서 상당한 영향력이 있다고 평가받는 甲이 B기업의 대표이사인 乙로부터 우호적인 여론형성에 도움을 달라는 취지의 청탁과 함께 자신의 유럽여행 비용 약 4,000만원을 지불받았다면 甲에게는 배임수재죄가 성립한다(대판 2024.3.12, 2020도1263). 25. 변호사시험

• **부정한 청탁을 부정한 경우**

1. 사회복지법인의 설립자 내지 운영자가(학교법인의 이사장 또는 사립학교경영자가) 사회복지법인(학교법인) 운영권을 양도하고 양수인으로부터 양수인 측을 사회복지법인(학교법인)의 임원으로 선임해 주는 대가로 양도대금을 받기로 하는 내용의 '청탁'을 받은 경우 ⇨ 부정한 청탁 ×(대판 2013.12.26, 2010도16681 ; 대판 2014.1.23, 2013도11735) 16. 법원직, 21. 해경간부, 23. 법원행시

2. 청탁 내용이 단순히 규정이 허용하는 범위 내에서 최대한 선처를 바란다는 내용에 불과하거나 위탁받은 사무의 적법하고 정상적인 처리범위에 속하는 것이라면 그 청탁의 사례로 금품을 수수하는 것은 배임수재에 해당하지 않는다(대판 2011.4.14, 2010도8743). 20. 변호사시험

3. 조합 이사장이 조합이 주관하는 도자기 축제의 대행기획사를 선정하는 과정에서 최종 기획사로 선정된 회사로부터 조합운영비 지급을 약속받고 위 축제가 끝난 후 조합운영비 명목으로 현금 3,000만원을 교부받아 조합운영비로 사용한 경우 ⇨ 배임수재죄 ×(대판 2008.4.24, 2006도1202) 18. 법원행시

4. 공인회계사인 피고인이 甲주식회사 부사장 乙에게서 '합병에 필요한 甲회사의 주식가치를 높게 평가해 달라.'는 부정한 청탁을 받고 금품을 수수한 경우 ⇨ 배임수재죄 ×(대판 2011.9.29, 2011도4397 ∵ 주식가치평가에 대한 언급을 사회상규에 반하는 부정한 청탁으로 보기 어렵다.)

ⓒ **재물 또는 재산상의 이익 취득** : 배임수재죄는 타인의 사무를 처리하는 자가 그 임무에 관하여 부정한 청탁을 받고 재물 또는 재산상 이익을 취득하는 경우에 성립하는 범죄이므로, 재물 또는 이익을 공여하는 사람과 취득하는 사람 사이에 부정한 청탁이 개재되지 않는 한 성립하지 않는다(대판 2008.12.11, 2008도6987). 24. 해경경위

┌ 관련판례 ┐

1. 타인의 사무를 처리하는 자가 그 임무에 관하여 부정한 청탁을 받은 이상 그 후 사직으로 인하여 그 직무를 담당하지 아니하게 된 상태에서 재물을 수수하게 되었다 하더라도, 그 재물 등의 수수가 부정한 청탁과 관련하여 이루어진 것이라면 배임수재죄가 성립한다(대판 1997.10.24, 97도2042). 10. 경찰승진, 13. 법원직

2. 배임수재죄 및 배임증재죄에서 공여 또는 취득하는 재물 또는 재산상 이익은 부정한 청탁에 대한 대가 또는 사례여야 한다. 따라서 거래상대방의 대향적 행위의 존재를 필요로 하는 유형의 배임죄에서 거래상대방이 양수대금 등 거래에 따른 계약상 의무를 이행하고 배임행위의 실행행위자가 이를 이행받은 것을 두고 부정한 청탁에 대한 대가로 수수하였다고 쉽게 단정하여서는 아니 된다(대판 2016.10.13, 2014도17211). 17. 법원행시, 20. 변호사시험

3. 배임수·중재죄에 있어서 타인의 업무를 처리하는 자에게 공여한 금품에 부정한 청탁의 대가로서의 성질과 그 외의 행위에 대한 사례로서의 성질이 불가분적으로 결합되어 있는 경우에는 그 전부가 불가분적으로 부정한 청탁의 대가로서의 성질을 갖는 것으로 보아야 한다(대판 2012.5.24, 2012도535). 23. 변호사시험

4. 부정한 청탁을 받고 나서 사후에 재물 또는 재산상의 이익을 취득하였다고 하더라도 재물 또는 재산 상의 이익이 청탁의 대가인 이상 배임수재죄가 성립되며, 또한 부정한 청탁의 결과로 상대방이 얻은 재물 또는 재산상 이익의 일부를 상대방으로부터 청탁의 대가로 취득한 경우에도 마찬가지이다(대판 2013.11.14, 2011도11174). 20. 변호사시험, 24. 해경경위

5. 타인의 사무를 처리하는 자가 증재자(贈財者)로부터 돈이 입금된 계좌의 예금통장이나 이를 인출할 수 있는 현금카드나 신용카드를 교부받아 이를 소지하면서 언제든지 위 예금통장 등을 이용하여 예금된 돈을 인출할 수 있다면, 예금된 돈을 취득한 것으로 보아야 한다(대판 2017.12.5, 2017도11564 예 골프장 건설공사를 총괄하기 위해 고용된 사장이 부정한 청탁을 받고 그 대가로 1억 9,800만원이 입금된 통장을 교부받거나 예금 인출 기능이 있는 신용카드를 교부받았으나 예금을 인출하여 소비 하지 않은 경우 ⇨ 배임수재죄의 기수). 23. 변호사시험

6. 다른 사람이 재물 또는 재산상 이익을 취득한 때에도 사회통념상 본인(부정한 청탁을 받은 자)이 직접 받은 것과 동일시 할 수 있는 경우(본인의 사자 또는 대리인으로서 취득한 경우나 본인이 평소 생활비 등을 부담하고 있었다거나 채무를 부담하고 있어 그 다른 사람이 재물 또는 재산상 이익을 받음으로써 그만큼 지출을 면하게 되는 경우) 구 형법 제357조 제1항 배임수재죄가 성립할 수 있다(대판 2017.12.7, 2017도12129). 18. 법원행시

7. 개정 형법 제357조의 '제3자'에는 다른 특별한 사정이 없는 한 사무처리를 위임한 타인은 포함되지 않는다고 봄이 타당하다. 그러나 부정한 청탁에 따른 재물이나 재산상 이익이 외형상 사무처리를 위임한 타인에게 지급된 것으로 보이더라도 사회통념상 그 타인이 재물 또는 재산상 이익을 받은 것을 부정한 청탁을 받은 사람이 직접 받은 것과 동일하게 평가할 수 있는 경우에는 배임수재죄가 성립될 수 있다(대판 2021.9.30, 2019도17102). 22. 법원행시

ⓒ **미수와 기수시기** : 배임수재죄가 성립되기 위해서는 타인의 사무를 처리하는 자가 그 임 무에 관하여 부정한 청탁을 받고 재물 또는 재산상 이익을 취득하는 것으로 족하고 그 부정한 청탁에 상응하는 부정행위 내지 배임행위에 나아갈 것이 요구되지 아니한다(대판 2010.9.9, 2009도10681). 17. 순경 1차, 21. 해경승진, 23. 법원행시 **본인에게 손해가 발생하였느냐의 여 부도 본죄의 성립에 영향이 없다**(대판 1984.8.21, 83도2447). 16. 경찰간부 · 법원직, 17. 법원행시

관련판례

배임수재죄에서 말하는 '재산상 이익의 취득'이라 함은 현실적인 취득만을 의미하므로 단순한 요구 또는 약속만을 한 경우에는 배임수재죄의 기수로 처벌하지 못한다(대판 1999.1.29, 98도4182 예 甲이 A로부터 골프장 회원권 제공의 의사표시를 받고 이를 승낙한 후 골프장 회원권의 입회신청서를 제출 한 경우, 그 골프장 회원권에 관하여 甲명의로 명의변경이 이루어지지 아니한 이상 현실적으로 재산상 이익을 취득 × ⇨ 배임수재죄 ×). 20. 변호사시험, 22. 해경 2차, 23. 법원행시, 24. 해경간부 · 해경경위

(2) 배임증재죄(제357조 제2항)

타인의 사무를 처리하는 자에게 그 임무에 관하여 부정한 청탁을 하고, 재물 또는 재산상의 이익을 공여함으로써 성립하는 범죄이다.

> **관련판례**

- **배임증재죄의 부정한 청탁에 해당하는 예**

1. 피고인이 광고대행업무를 수행하는 주식회사의 대표이사에게, 방송사 관계자에게 사례비를 지급하여서라도 특정학원 소속 강사만을 채용하고 특정회사에서 출판되는 교재를 채택하여 수능과외방송을 하는 내용의 방송협약을 체결해 달라고 부탁하고 금원을 제공한 경우(대판 2002.4.9, 99도2165) 06. 법원행시, 21. 해경간부

2. 피고인 甲이 더 이상 지구당의 공천비리를 조사하지 말아달라는 취지로 중앙당 당기위원회 소속 乙에게 금원을 교부한 경우(대판 1998.6.9, 96도837)

(3) 죄수 및 타죄와의 관계

> **관련판례**

1. 배임수재죄와 배임증재죄는 통상 필요적 공범의 관계에 있기는 하나 이것은 반드시 수재자와 증재자가 같이 처벌받아야 하는 것을 의미하는 것은 아니고 증재자에게는 정당한 업무에 속하는 청탁이라도 수재자에게는 부정한 청탁이 될 수도 있는 것이다(대판 1991.1.15, 90도2257). 16. 법원직, 17. 법원행시

2. 사무처리자가 부정한 청탁을 받고 재산상의 이익을 취득한 후 배임행위까지 나아간 경우 ⇨ 배임수재죄와 배임죄는 행위의 태양을 전혀 달리하고 있어 일반법과 특별법관계가 아닌 별개의 독립된 범죄이므로 위 양죄는 경합범이 된다(대판 1984.11.27, 84도1906). 12. 순경 2차, 13. 법원직

3. 업무상 배임죄와 배임증재죄는 별개의 범죄로서 배임증재죄를 범한 자라 할지라도 그와 별도로 타인의 사무를 처리하는 지위에 있는 사람과 공범으로서는 업무상 배임죄를 범할 수도 있다(대판 1999.4.27, 99도883). 19. 법원직

4. 타인의 사무를 처리하는 자가 여러 사람으로부터 각각 부정한 청탁을 받고 그들로부터 각각 금품을 수수한 경우에는 비록 그 청탁이 동종의 것이라고 하더라도 단일하고 계속된 범의 아래 이루어진 범행으로 보기 어려워 그 전체를 포괄일죄로 볼 수 없다(대판 2008.12.11, 2008도6987). 15. 법원직, 17. 경찰승진, 22. 변호사시험 · 해경 2차

5. 회사의 대표이사가 업무상 보관하던 회사 자금을 **빼돌려** 횡령한 다음 그중 일부를 더 많은 장비 납품 등의 계약을 체결할 수 있도록 해달라는 취지의 묵시적 청탁과 함께 배임증재에 공여한 경우, 주식회사의 이사가 해운선박회사의 임원에게 컨테이너 조작계약 등의 갱신과 관련하여 편의를 봐 달라는 청탁을 하고 업무상 보관 중이던 회사의 비자금 2억 3천만원을 제공한 경우 ⇨ 업무상 횡령죄와 배임증재죄의 경합범(대판 2010.5.13, 2009도13463 ; 대판 2013.4.25, 2011도9238) 13. 9급 검찰 · 마약수사, 15. 법원행시

6. 금융기관 임직원이 대출상대방과 공모하여 임무에 위배하여 담보가치를 초과하는 금원을 대출하여 주고 대출금 중 일부를 되돌려 받기로 한 다음 그에 따라 약정된 금품을 수수하는 경우, 부실대출로

인한 업무상 배임죄 외에 별도로 특정경제범죄 가중처벌 등에 관한 법률위반(수재 등)죄가 성립하는 것은 아니다(대판 2013.10.24, 2013도7201 ∵ 금품 수수행위는 부실대출로 인한 업무상 배임죄의 공동정범들 사이의 내부적인 이익분배에 불과한 것). 16. 사시, 24. 해경간부

▶ **유사판례** : 공동의 사기 범행으로 인하여 얻은 돈을 공범자끼리 수수한 행위가 공동정범들 사이의 범행에 의하여 취득한 돈이나 재산상 이익의 내부적인 분배행위에 지나지 않는다면 돈의 수수행위가 따로 배임수증재죄를 구성한다고 볼 수는 없다(대판 2016.5.24, 2015도18795). 16 · 17. 법원행시, 23. 변호사시험

(4) 몰수 · 추징

배임수재죄 ⇨ 필요적 몰수(제357조 제3항), 배임증재죄 ⇨ 임의적 몰수(제48조)

┌ **관련판례**

제357조 제3항에서 몰수의 대상으로 규정한 '범인이 취득한 제1항의 재물'은 배임수재죄의 범인이 취득한 목적물이자 배임증재죄의 범인이 공여한 목적물을 가리키는 것이지 배임수재죄의 목적물만을 한정하여 가리키는 것이 아니다. 그러므로 수재자가 증재자로부터 받은 재물을 그대로 가지고 있다가 증재자에게 반환하였다면 증재자로부터 이를 몰수하거나 그 가액을 추징하여야 한다(대판 2017.4.7, 2016도18104 ∵ 필요적 몰수 · 추징 ○, 임의적 몰수 · 추징 ×). 18. 법원행시, 23. 변호사시험

기출지문 확인학습(다툼이 있는 경우 판례에 의함)

1 배임죄에 있어서 '타인의 사무를 처리하는 자'라 함은 양자간의 신임관계에 기초를 둔 타인의 재산보호 내지 관리의무가 있음을 그 본질적 내용으로 하는 것이므로, 배임죄의 성립에 있어서는 행위자가 대외관계에서 타인의 재산을 처분할 적법한 대리권이 있음을 요한다. ( )

18. 순경 1차, 21. 순경 2차

2 낙찰계의 계주가 계원들로부터 계불입금을 징수하지 아니하였다면 그러한 상태에서 부담하는 계금지급의무는 단순한 채권관계상의 의무에 불과하여 타인의 사무에 속하지 아니하나, 이는 계주가 계원들과의 약정을 위반하여 계불입금을 징수하지 않은 경우에는 달리 보아야 한다. ( )

16. 경찰승진, 18. 법원행시, 22. 수사경과, 23. 해경승진

3 채무자가 채권담보의 목적으로 점유개정 방식으로 채권자에게 동산을 양도하고 이를 보관하던 중 임의로 제3자에게 처분한 경우 배임죄가 아니라 횡령죄가 성립한다고 보아야 한다. ( )

21 · 22. 법원직, 22 · 23. 경찰간부

4 채무자가 금전채무를 담보하기 위한 저당권설정계약에 따라 채권자에게 본인 소유의 부동산에 관하여 저당권을 설정할 의무를 부담하게 된 경우, 이는 통상의 계약에서 이루어지는 이익대립관계를 넘어서 채권자와의 신임관계에 기초하여 채권자의 사무를 맡아 처리하는 것으로 보아야 하므로 배임죄에서의 '타인의 사무를 처리하는 자'라고 할 수 있다. ( )

21. 순경 1차, 22. 변호사시험 · 법원직, 23. 경찰간부 · 경찰승진

5 권리이전에 등기 · 등록을 요하는 자동차에 대한 매매계약에 있어 매도인은 매수인에 대하여 그의 사무를 처리하는 자의 지위에 있으므로, 매도인이 매수인에게 소유권이전등록을 하지 아니하고 제3자에게 처분하였다면 배임죄가 성립한다. ( )

22. 법원직, 22 · 23. 경찰승진

6 채권담보 목적으로 부동산에 관한 대물변제예약을 체결한 채무자가 대물로 변제하기로 한 부동산을 제3자에게 임의로 처분한 경우 배임죄가 성립한다. ( )

17. 경찰승진, 19. 변호사시험 · 법원직, 22. 경찰간부 · 수사경과 · 순경 1차, 23. 법원행시 · 9급 검찰 · 마약수사

7 채권자가 양도담보로 제공된 부동산을 변제기 후에 담보권의 실행차원에서 처분한 경우, 그 목적물을 부당하게 염가로 처분하거나 청산금의 잔액을 채무자에게 지급해주지 않으면 배임죄가 성립한다. ( )

18. 법원직 · 9급 검찰, 20. 경찰승진 · 해경 3차, 21. 해경승진

8 금융기관의 임직원이 보통예금계좌에 입금된 예금주의 예금을 무단으로 인출한 경우 그 임직원은 예금주와의 사이에서 그의 재산관리에 관한 사무를 처리하는 자의 지위에 있다고 할 것이므로, 그러한 예금인출행위는 예금주에 대한 관계에서 배임죄를 구성한다. ( )

16. 경찰승진, 18. 순경 1차 · 7급 검찰, 21. 해경승진 · 순경 2차, 23. 법원직 · 법원행시

Answer ― 1. ✕ 2. ✕ 3. ✕ 4. ✕ 5. ✕ 6. ✕ 7. ✕ 8. ✕

9 서면으로 부동산 증여의 의사를 표시한 증여자가 수증자에게 증여계약에 따라 부동산의 소유권을 이전하지 아니하고 부동산을 제3자에게 처분하여 등기를 하는 행위는 수증자와의 신임관계를 저버리는 행위로서 배임죄가 성립한다. (   )
20. 법원행시 · 경찰간부, 21 · 23. 순경 1차

10 주권발행 전 주식 양도인은 양수인으로 하여금 회사 이외의 제3자에게 대항할 수 있도록 확정일자 있는 증서에 의한 양도통지 또는 승낙을 갖추어 주어야 할 채무를 부담하므로 이는 타인의 사무라고 보아야 한다. 따라서 주권발행 전 주식에 대한 양도계약에서의 양도인이 위와 같은 제3자에 대한 대항요건을 갖추어 주지 아니하고 이를 타에 처분하였다면 형법상 배임죄가 성립한다. (   )
20 · 21. 법원행시, 21 · 22. 법원직 · 경력채용

11 피고인이 알 수 없는 경위로 甲의 특정 거래소 가상지갑에 들어 있던 비트코인을 자신의 계정으로 이체받은 후 이를 자신의 다른 계정으로 이체하였다면 배임죄가 성립한다. (   )
23. 경찰간부 · 법원직 · 해경 3차, 24. 변호사시험

12 회사직원이 영업비밀 등을 적법하게 반출하였으나 퇴사시에 회사에 반환하거나 폐기할 의무가 있음에도 경쟁업체에 유출하거나 스스로의 이익을 위하여 이용할 목적으로 이를 반환하거나 폐기하지 아니하였다면, 반출시에 업무상 배임죄의 기수가 된다. (   )
17. 순경 2차, 18. 변호사시험 · 법원직 · 7급 검찰, 19. 9급 검찰 · 마약수사, 21. 해경간부, 23. 경찰승진

13 회사의 승낙없이 임의로 지정 할인율보다 더 높은 할인율을 적용하여 회사가 지정한 가격보다 낮은 가격으로 거래처에 제품을 판매하였지만 시장거래 가격에 따라 제품을 판매한 경우 업무상 배임죄가 성립하지 않는다. (   )
14. 경찰간부, 20. 경찰승진, 21. 수사경과, 23. 해경승진

14 배임죄에서 재산상 실해 발생의 위험이란 본인에게 손해가 발생할 막연한 위험이 있는 것만으로는 부족하고 법률적인 관점에서 보아 본인에게 손해가 발생한 것과 같은 정도로 구체적인 위험이 있는 경우를 의미한다. (   )
18. 7급 검찰, 19. 변호사시험 · 경찰승진, 21. 해경 2차, 22. 순경 1차

15 대표이사가 개인명의로 작성 · 교부한 차용증에 추가로 회사의 법인 인감을 날인한 경우 업무상 배임죄가 성립한다. (   )
14. 순경 1차, 19. 경찰승진

16 배임죄에서 '재산상 손해를 가한 때'에는 '재산상 손해 발생의 위험을 초래한 경우'도 포함되는 것이므로, 법인의 대표이사 甲이 회사의 이익이 아닌 자기 또는 제3자의 이익을 도모할 목적으로 권한을 남용하여 회사 명의의 금전소비대차 공정증서를 작성하여 법인 명의의 채무를 부담한 경우에는 상대방이 대표이사의 진의를 알았거나 알 수 있었다고 할지라도 배임죄가 성립한다. (   )
17. 변호사시험 · 경찰승진, 21. 경력채용, 23. 해경승진

17 새마을금고 임 · 직원이 동일인 대출한도 제한규정을 위반하여 초과대출행위를 하였더라도 대출채권 회수에 문제가 없는 것으로 판단되는 경우라면 업무상 배임죄가 성립하지 않는다. (   )
15. 순경 3차, 17. 수사경과, 20. 경찰승진

Answer ◄ **9.** ○ **10.** × **11.** × **12.** × **13.** ○ **14.** × **15.** × **16.** × **17.** ○

18 회사의 대표이사가 대표권을 남용하여 회사 명의의 약속어음을 발행한 사실을 상대방이 알았거나 알 수 있었을 때에 해당하여 약속어음 발행이 무효가 되고 그 어음이 실제로 유통되지도 않았다면, 특별한 사정이 없는 한 배임죄의 기수범이 아니라 배임미수죄로 처벌되어야 한다. (   )
18. 법원직·순경 3차, 19. 변호사시험, 21. 법원행시·경찰간부·순경 2차·7급 검찰

19 저당권이 설정된 자동차를 저당권자의 동의 없이 매도하게 되면 배임죄가 성립한다. (   )
14. 경찰간부, 19. 법원행시, 21. 변호사시험

20 타인에 대한 채무의 담보로 제3채무자에 대한 채권에 대하여 권리질권을 설정하고, 질권설정자가 제3채무자에게 질권설정의 사실을 통지하거나 제3채무자가 이를 승낙한 상태에서, 질권설정자가 질권자의 동의 없이 제3채무자에게서 질권의 목적인 채권의 변제를 받은 경우 배임죄가 성립한다. (   )
19. 순경 2차, 21. 법원행시

21 업무상 배임죄의 실행으로 인하여 이익을 얻게 되는 수익자 또는 그와 밀접한 관련이 있는 제3자를 배임의 실행행위자와 공동정범으로 인정하기 위해서는, 위 수익자 또는 제3자가 실행행위자의 행위가 피해자 본인에 대한 배임행위에 해당한다는 것을 알면서도 소극적으로 그 배임행위에 편승하여 이익을 취득한 것만으로 충분하다. (   )
17. 법원행시·순경 1차, 19. 변호사시험·법원직, 21. 경력채용, 23. 해경승진

22 부동산 매매계약에 있어 매도인이 매수인으로부터 계약금과 중도금을 지급받아 매수인의 재산 보전에 협력할 의무를 부담하게 되었더라도, 매도인은 통상의 계약에서의 이익대립관계를 넘어 배임죄에서 말하는 신임관계에 기초한 '타인의 사무를 처리하는 자'의 지위에 있다고 할 수는 없다. (   )
20. 법원행시·법원직·9급 검찰, 21.7급 검찰, 22. 경찰승진·순경 2차, 23. 경찰간부

23 자기소유의 동산에 대해 매수인과 매매계약을 체결한 매도인이 중도금까지 지급받은 상태에서 그 목적물을 제3자에 대한 자기의 채무변제에 갈음하여 그 제3자에게 양도해 버린 경우에는 기존 매수인에 대한 배임죄가 성립한다. (   )
17. 법원행시·법원직, 18. 변호사시험·순경 1차,
20. 9급 검찰·마약수사, 21. 경찰간부, 21·23. 경찰승진

24 채무자가 그 소유의 동산에 대하여 점유개정의 방식으로 채권자들에게 이중의 양도담보 설정계약을 체결한 후 양도담보 설정자가 목적물을 임의로 제3자에게 처분하였다면 뒤의 채권자에 대한 관계에서 배임죄가 성립하지 않는다. (   )
15. 변호사시험, 19.9급 검찰, 20. 해경승진·순경 1차, 21. 경찰간부

25 배임수재죄의 주체인 타인의 사무를 처리하는 자라 함은 타인과의 대내관계에 있어서 신의성실의 원칙에 비추어 그 사무를 처리할 신임관계가 존재한다고 인정되는 자를 의미하고, 반드시 제3자에 대한 대외관계에서 그 사무에 관한 권한이 존재할 것을 요하지 않는다. (   )
17. 법원행시, 19. 경찰간부, 21. 해경 2차

26 배임수재죄에서 말하는 재산상 이익의 취득이라 함은 현실적인 취득만을 의미하는 것이 아니라 단순한 요구 또는 약속을 한 경우도 포함한다. (   )
20. 변호사시험, 21. 해경승진, 22. 해경 2차, 23. 법원행시, 24. 해경간부

Answer ── 18. ○   19. ×   20. ×   21. ×   22. ×   23. ×   24. ○   25. ○   26. ×

01 배임죄에 관한 다음 설명 중 가장 옳은 것은?(다툼이 있는 경우 판례에 의함)   23. 법원직

① 배임죄는 피해자에 대한 재산상 손해 발생 위험만으로 기수에 이르는 구체적 위험범이므로, 배임미수죄는 성립할 수 없다.

② 자동차 양도담보설정계약을 체결한 채무자가 채권자에게 소유권이전등록의무를 이행하지 않은 채 제3자에게 담보목적 자동차를 처분하였다고 하더라도 배임죄가 성립하지 않는다.

③ 피고인이 알 수 없는 경위로 甲의 특정 거래소 가상지갑에 들어 있던 비트코인을 자신의 계정으로 이체받은 후 이를 자신의 다른 계정으로 이체하였다면 배임죄가 성립한다.

④ 금융기관의 직원은 예금주의 예금반환채권을 관리하는 사무처리자 지위에 있으므로 금융기관 직원이 임의로 예금주의 예금계좌에서 예금을 무단으로 인출하면 업무상 배임죄가 성립한다.

> **해설** ① × : 배임죄는 위험범으로 피해자에 대한 손해가 발생하였다거나 실해발생의 위험(구체적·현실적인 위험)이 있는 경우에는 배임죄의 기수이나, 그렇게 볼 수 없는 경우에는 배임의 범의로 임무위배행위를 함으로써 실행에 착수한 것이므로 배임죄의 미수범이 된다(대판 2017.7.20, 2014도1104 전원합의체).
> ② ○ : 대판 2022.12.22, 2020도8682 전원합의체(∵ '타인의 사무를 처리하는 자' ×)
> ③ × : 배임죄 ×(대판 2021.12.16, 2020도9789 ∵ 가상자산 권리자의 착오나 가상자산 운영 시스템의 오류 등으로 법률상 원인관계 없이 다른 사람의 가상자산 전자지갑에 가상자산이 이체된 경우, 가상자산을 이체받은 자는 가상자산의 권리자 등에 대한 부당이득반환의무를 부담하게 될 수 있다. 그러나 이는 당사자 사이의 민사상 채무에 지나지 않고 이러한 사정만으로 가상자산을 이체받은 사람이 신임관계에 기초하여 가상자산을 보존하거나 관리하는 지위에 있다고 볼 수 없다.)
> ④ × : 배임죄 ×(대판 2008.4.24, 2008도1408 ∵ 보통예금은 은행 등 법률이 정하는 금융기관을 수치인으로 하는 금전의 소비임치 계약으로서 그 예금계좌에 입금된 금전의 소유권은 금융기관에 이전되고 예금주는 그 예금계좌를 통한 예금반환채권을 취득하는 것이므로, 금융기관의 임직원은 예금주로부터 예금계좌를 통한 적법한 예금반환 청구가 있으면 이에 응할 의무가 있을 뿐 예금주와의 사이에서 그의 재산관리에 관한 사무를 처리하는 자의 지위에 있다고 할 수 없다.)

02 배임죄의 주체인 타인의 사무를 처리하는 자에 관한 다음 설명 중 가장 옳지 않은 것은?(다툼이 있는 경우 판례에 의함)   22. 법원직

① 동산매매계약에서의 매도인은 매수인에 대하여 그의 사무를 처리하는 지위에 있지 아니하므로, 매도인이 목적물을 타에 처분하였다 하더라도 형법상 배임죄가 성립하지 아니하는데, 이러한 법리는 권리이전에 등기·등록을 요하는 동산에 대한 매매계약에서도 동일하게 적용되므로, 자동차 등의 매도인은 매수인에 대하여 그의 사무를 처리하는 지위에 있지 아니한다.

② 채무자가 채권자로부터 금원을 차용하는 등 채무를 부담하면서 채무담보를 위하여 부동산에 관한 저당권설정계약을 체결한 경우, 위 약정의 내용에 좇아 채권자에게 부동산에 관한 저당권

을 설정하여 줄 의무는 자기의 사무인 동시에 상대방의 재산보전에 협력할 의무에 해당하여 '타인의 사무'에 해당한다.

③ 채무자가 금전채무를 담보하기 위하여 그 소유의 동산을 채권자에게 양도담보로 제공함으로써 채권자인 양도담보권자에 대하여 담보물의 담보가치를 유지·보전할 의무 내지 담보물을 타에 처분하거나 멸실, 훼손하는 등으로 담보권 실행에 지장을 초래하는 행위를 하지 않을 의무를 부담하게 되었더라도, 이를 들어 채무자가 통상의 계약에서의 이익대립관계를 넘어서 채권자와의 신임관계에 기초하여 채권자의 사무를 맡아 처리하는 것으로 볼 수 없다. 따라서 채무자를 배임죄의 주체인 '타인의 사무를 처리하는 자'에 해당한다고 할 수 없다.

④ 주권발행 전 주식의 경우 양도인이 양수인으로 하여금 회사 이외의 제3자에게 대항할 수 있도록 확정일자 있는 증서에 의한 양도통지 또는 승낙을 갖추어 주어야 할 채무를 부담한다 하더라도 이는 자기의 사무라고 보아야 하고, 이를 양수인과의 신임관계에 기초하여 양수인의 사무를 맡아 처리하는 것으로 볼 수 없으므로, 주권발행 전 주식에 대한 양도계약에서의 양도인은 양수인에 대하여 그의 사무를 처리하는 지위에 있지 아니한다.

해설 ① 대판 2020.10.22, 2020도6258 전원합의체
② × : 채무자 '자신의 사무'에 해당 ○, '타인의 사무'에 해당 ×(대판 2020.6.18, 2019도14340 전원합의체)
③ 대판 2020.2.20, 2019도9756 전원합의체 ④ 대판 2020.6.4, 2015도6057

03 배임의 죄에 관한 설명 중 가장 적절하지 않은 것은?(다툼이 있는 경우 판례에 의함) 23. 순경 1차

① 채무자가 금전채무를 담보하기 위해 주식에 관하여 양도담보 설정계약을 체결한 후 변제일 전에 제3자에게 해당 주식을 처분하더라도 배임죄는 성립하지 않는다.

② 권리이전에 등록을 요하는 자동차에 대한 매매계약에서 매도인은 매수인의 사무를 처리하는 자의 지위에 있지 않으므로, 매도인이 매수인에게 소유권이전등록을 하지 아니하고 그 자동차를 제3자에게 처분하였다고 하더라도 배임죄는 성립하지 않는다.

③ 배임수재죄의 주체로서 '타인의 사무를 처리하는 자'라 함은 타인과의 대내관계에 있어서 신의성실의 원칙에 비추어 그 사무를 처리할 신임관계가 존재한다고 인정되는 자를 의미하고, 반드시 제3자에 대한 대외관계에서 그 사무에 관한 권한이 존재할 것을 요하지는 않는다.

④ 서면으로 부동산 증여의 의사를 표시한 증여자가 증여계약을 취소하거나 해제할 수 없음에도 불구하고 증여계약에 따라 수증자에게 부동산의 소유권을 이전하지 않고 부동산을 제3자에게 처분하여 등기를 한 경우, 증여자의 소유권이전등기의무는 증여자 자신의 사무일 뿐 타인의 사무에 해당하지 않으므로 배임죄가 성립하지 않는다.

해설 ① 대판 2020.2.20, 2019도9756 전원합의체
② 대판 2020.10.22, 2020도6258 전원합의체
③ 대판 2003.2.26, 2002도6834
④ × : ~ (3줄) 증여자의 소유권이전등기의무는 타인의 사무에 해당되어 증여자는 '타인의 사무를 처리하는 자'로 배임죄가 성립한다(대판 2018.12.13, 2016도19308).

Answer 03. ④

04 배임죄에 대한 설명으로 가장 적절하지 않은 것은?(다툼이 있는 경우 판례에 의함)   21. 순경 2차

① 회사의 이사 등이 타인에게 회사자금을 대여함에 있어 그 타인이 채무변제능력을 상실하여 그에게 자금을 대여할 경우 회사에 손해가 발생하리라는 점을 충분히 알면서 대여했거나, 충분한 담보를 제공받는 등 상당하고도 합리적인 채권회수조치를 취하지 아니한 채 대여해 주었다면 이는 회사에 대하여 배임행위가 된다.

② 업무상 배임죄가 성립하려면 주관적 요건으로서 임무위배의 인식과 그로 인하여 자기 또는 제3자가 이익을 취득하고 본인에게 손해를 가한다는 인식, 즉 배임의 고의가 있어야 하고, 이러한 인식은 미필적 인식으로도 충분하다.

③ 보통예금은 은행 등 법률이 정하는 금융기관을 수치인으로 하는 금전의 소비임치 계약으로서 그 예금계좌에 입금된 금전의 소유권은 금융기관에 이전되고 예금주는 그 예금계좌를 통한 예금반환채권을 취득하는 것이므로, 금융기관의 임직원은 예금주로부터 예금계좌를 통한 적법한 예금반환 청구가 있으면 이에 응할 의무가 있을 뿐 예금주와의 사이에서 그의 재산관리에 관한 사무를 처리하는 자의 지위에 있다고 할 수 없다.

④ 배임죄에 있어서 '타인의 사무를 처리하는 자'라 함은 양자간의 신임관계에 기초를 둔 타인의 재산보호 내지 관리의무가 있음을 그 본질적 내용으로 하는 것이므로, 배임죄의 성립에 있어서는 행위자가 대외관계에서 타인의 재산을 처분할 적법한 대리권이 있음을 요한다.

해설 ① 대판 2012.7.12, 2009도7435 ② 대판 2000.12.8, 99도3338 ③ 대판 2008.4.24, 2008도1408
④ × : ~ 대리권이 있음을 요하지 아니한다(대판 1999.9.17, 97도3219).

05 업무상 배임죄의 주체에 관한 설명 중 가장 옳지 않은 것은?(다툼이 있는 경우 판례에 의함)
19. 법원직

① 업무상 배임죄로 이익을 얻은 수익자 또는 그와 밀접한 관련이 있는 제3자라도 배임행위의 전 과정에 관여하는 등으로 배임행위에 적극 가담하는 경우는 배임의 실행행위자와 공동정범이 성립할 수 있다.

② 업무상 배임죄와 배임증재죄는 별개의 범죄로서 배임증재죄를 범한 자라 할지라도 그와 별도로 타인의 사무를 처리하는 지위에 있는 사람과 공범으로서는 업무상 배임죄를 범할 수도 있다.

③ 공무원은 업무상 배임죄의 주체가 될 수 없다.

④ 업무상 배임죄에 있어서 '타인의 사무를 처리하는 자'란 고유의 권한으로서 그 처리를 하는 자에 한하지 아니하고, 그 자의 보조기관으로서 직접 또는 간접으로 그 처리에 관한 사무를 담당하는 자도 포함된다.

해설 ① 대판 2007.4.12, 2007도1033 ② 대판 1999.4.27, 99도883
③ × : 공무원이 그 임무에 위배되는 행위로써 제3자로 하여금 재산상의 이익을 취득하게 하여 국가에 손해를 가한 경우에 업무상 배임죄가 성립한다(대판 2013.9.27, 2013도6835). '타인의 사무'에는 사적 사무뿐만 아니라 공적 사무도 포함된다(대판 1974.11.12, 74도1138). ④ 대판 1999.7.23, 99도1911

Answer 04. ④ 05. ③

06 배임죄에 대한 설명으로 가장 적절하지 않은 것은?(다툼이 있는 경우 판례에 의함)   21. 경찰승진

① 동산매매계약에서의 매도인은 매수인에 대하여 그의 사무를 처리하는 지위에 있지 아니하므로, 매도인이 목적물을 매수인에게 인도하지 아니하고 이를 타에 처분하였다 하더라도 매도인에게 형법상 배임죄가 성립하지 않는다.

② 채무담보를 위하여 채권자에게 부동산에 관하여 근저당권을 설정해 주기로 약정한 채무자가 담보목적물을 임의로 처분한 경우 채무자에게 배임죄가 성립하지 않는다.

③ 부동산 매도인인 피고인이 매수인 甲 등과 매매계약을 체결하고 甲 등으로부터 계약금과 중도금을 지급받은 후 매매목적물인 부동산을 제3자 乙 등에게 이중으로 매도하고 소유권이전등기를 마쳐 준 것만으로는 피고인에게 배임죄가 성립하지 않는다.

④ 채무자가 금전채무를 담보하기 위하여 그 소유의 동산을 채권자에게 동산·채권 등의 담보에 관한 법률에 따른 동산담보로 제공함으로써 채권자인 동산담보권자에 대하여 담보물의 담보가치를 유지·보전할 의무 또는 담보물을 타에 처분하거나 멸실, 훼손하는 등으로 담보권 실행에 지장을 초래하는 행위를 하지 않을 의무를 부담하게 된 경우라도 채무자는 배임죄의 주체인 '타인의 사무를 처리하는 자'에 해당하지 않는다.

해설 ① 대판 2011.1.20, 2008도10479 전원합의체
② 대판 2020.6.18, 2019도14340 전원합의체
③ ×: 배임죄 ○(부동산의 이중매매 : 대판 2018.5.17, 2017도4027 전원합의체)
④ 대판 2020.8.27, 2019도14770 전원합의체

07 배임의 죄에 관한 설명 중 가장 적절하지 않은 것은?(다툼이 있으면 판례에 의함)

16. 경찰승진, 21. 해경승진

① 금융기관의 임직원은 예금주와의 사이에서 그의 재산관리에 관한 사무를 처리하는 자의 지위에 있다고 할 수 없다.

② 담보권자가 변제기 경과 후 담보권을 실행하기 위하여 담보목적물을 처분함에 있어 부당하게 염가로 처분한 경우 배임죄가 성립한다.

③ 낙찰계의 계주가 계원들에게서 계불입금을 징수하지 않은 상태에서 부담하는 계금지급 의무는 배임죄에서 말하는 '타인의 사무'에 해당하지 않는다.

④ 회사의 대표이사가 회사가 속한 재벌그룹의 前 회장이 부담하여야 할 원천징수소득세의 납부를 위하여 채권확보에 필요한 조치를 취하지 아니한 채 다른 회사에 회사자금을 대여한 경우에는 업무상 배임죄가 성립한다.

해설 ① 대판 2008.4.24, 2008도1408
② ×: 배임죄 ×(대판 1997.12.23, 97도2430 ∵ 자기의 사무처리에 해당)
③ 대판 2009.8.20, 2009도3143
④ 대판 2010.10.28, 2009도1149

Answer   06. ③   07. ②

08 다음 중 배임죄가 성립하는 것은 모두 몇 개인가?(다툼이 있는 경우 판례에 의함) 17. 법원행시

> ㉠ 타인에 대한 채무의 담보로 제3채무자에 대한 채권에 대하여 권리질권을 설정하고, 질권설정자가 제3채무자에게 질권설정의 사실을 통지하거나 제3채무자가 이를 승낙한 상태에서, 질권설정자가 질권자의 동의 없이 제3채무자에게서 질권의 목적인 채권의 변제를 받은 경우
> ㉡ 상표권양도약정을 체결한 자가 그 상표권이전등록의무의 이행을 거부하고 그 상표를 계속 사용하는 경우
> ㉢ 보험계약모집인이 회사로부터 자기가 모집한 보험계약을 해약토록 하라는 지시를 받고 이를 이행하지 않는 사이 보험사고가 발생하여 보험금을 지급토록 한 경우
> ㉣ 기업의 영업비밀을 사외로 유출하지 않을 것을 서약한 회사의 직원이 경제적인 대가를 얻기 위하여 경쟁업체에 영업비밀을 유출하는 경우

① 없 음 ② 1개 ③ 2개
④ 3개 ⑤ 4개

해설 • 배임죄 ○ : ㉣ 대판 1999.3.12, 98도4704
　　　• 배임죄 × : ㉠ 대판 2016.4.2, 2015도5665(∵ 질권자에게 대항 ×, 질권자는 제3채무자에 대하여 채무변제 청구나 변제금액 공탁 청구 가능 ∴ 손해나 손해발생 위험 초래 ×) ㉡ 대판 1984.5.29, 83도2930(∵ 자기의 채무의 불이행에 불과 ○, 양수인의 사무를 처리하는 자의 임무위배행위 ×)
　　　ㄷ 대판 1986.8.19, 85도2144(∵ 보험모집인에게 해약시켜야 할 법적 의무 × ⇨ 업무위배 ×)

09 배임죄에 관한 설명 중 옳은 것을 모두 고른 것은?(다툼이 있는 경우 판례에 의함)
18. 변호사시험, 21. 해경간부

> ㉠ 타인 소유의 특허권을 명의신탁받아 관리하는 업무를 수행해 오다가 제3자로부터 특허권을 이전해 달라는 제의를 받고 대금을 지급받고는 그 타인의 승낙도 받지 않은 채 제3자 앞으로 특허권을 이전등록한 경우에는 업무상 배임죄가 성립한다.
> ㉡ 회사 직원이 영업비밀을 적법하게 반출하여 그 반출행위가 업무상 배임죄에 해당하지 않는 경우라도, 퇴사시에 회사에 반환해야 할 의무가 있는 영업비밀을 회사에 반환하지 아니하였다면 업무상 배임죄가 성립한다.
> ㉢ 거래상대방의 대향적 행위의 존재를 필요로 하는 유형의 배임죄에서 배임죄의 실행으로 이익을 얻게 되는 수익자는 배임죄의 공범이 되는 것이 원칙이다.
> ㉣ 배임행위가 본인 이외의 제3자에 대한 사기죄를 구성한다 하더라도 그로 인하여 본인에게 손해가 생긴 때에는 사기죄와 함께 배임죄가 성립하고, 두 죄는 상상적 경합의 관계에 있다.
> ㉤ 동산매매계약에서 매도인은 매수인에 대하여 그의 사무를 처리하는 지위에 있지 아니하므로, 매도인이 목적물을 매수인에게 인도하지 아니하고 이를 타에 처분하였다 하더라도 배임죄가 성립하지 않는다.

① ㉠, ㉡, ㉢ ② ㉠, ㉡, ㉤ ③ ㉠, ㉢, ㉣
④ ㉡, ㉣, ㉤ ⑤ ㉢, ㉣, ㉤

Answer　08. ②　09. ②

해설 ㉠ ○ : 대판 2016.10.13, 2014도17211

㉡ ○ : 대판 2017.6.29, 2017도3808

㉢ × : 거래상대방의 대향적 행위의 존재를 필요로 하는 유형의 배임죄에 있어서 거래상대방이 배임행위를 교사하거나 그 배임행위의 전 과정에 관여하는 등으로 배임행위에 적극 가담함으로써 그 실행행위자와의 계약이 반사회적 법률행위에 해당하여 무효로 되는 경우라면 그 상대방은 배임죄의 교사범 또는 공동정범이 될 수 있다(대판 2005.10.28, 2005도4915).

㉣ × : 실체적 경합범 ○, 상상적 경합관계 ×(대판 2010.11.11, 2010도10690)

㉤ ○ : 대판 2011.1.20, 2008도10479

10 배임죄에 대한 설명으로 옳지 않은 것은?(다툼이 있는 경우 판례에 의함) 21. 7급 검찰

① 회사 대표이사가 제3자의 채무를 담보하기 위하여 회사 명의의 백지약속어음을 제공하는 배임행위를 한 후 이를 회수하는 대신 보다 법적 효력이 더 확실한 채무보증을 위해 다른 회사가 발행한 새로운 약속어음을 배서·교부하는 등 동일 채무를 위해 기존의 담보방법을 새로운 담보방법으로 교체하는 경우, 새로 제공하는 담보물의 가치와 기존 담보물의 가치를 비교할 필요 없이 회사에 새로운 손해발생의 위험이 발생하였다고 볼 수 있으므로 배임죄가 성립한다.

② 주식회사의 대표이사가 대표권을 남용하는 등 그 임무에 위배하여 약속어음 발행을 하였으나 약속어음 발행이 무효일 뿐만 아니라 그 어음이 유통되지도 않았다면, 회사는 어음발행의 상대방에게 어음채무를 부담하지 않기 때문에 특별한 사정이 없는 한 회사에 현실적으로 손해가 발생하였다거나 실해발생의 위험이 발생하였다고도 볼 수 없으므로, 이때에는 배임죄의 기수범이 아니라 배임미수죄로 처벌하여야 한다.

③ 부동산 매매계약에서 중도금이 지급되는 등 계약이 본격적으로 이행되는 단계에 이른 때에는 계약이 취소되거나 해제되지 않는 한, 그때부터 매도인은 배임죄에서 말하는 '타인의 사무를 처리하는 자'에 해당한다고 보아야 한다.

④ 1인 회사의 주주가 자신의 개인채무를 담보하기 위하여 회사 소유의 부동산에 대하여 근저당권설정등기를 마쳐 주어 배임죄가 성립한 이후에 그 부동산에 대하여 새로운 담보권을 설정해 주는 행위는 선순위 근저당권의 담보가치를 공제한 나머지 담보가치 상당의 재산상 이익을 침해하는 행위로서 별도의 배임죄가 성립한다.

해설 ① × : 회사의 대표이사가 제3자를 위하여 회사의 재산을 담보로 제공한 후 이미 설정한 담보물을 교체하는 경우에 기존 담보물의 가치보다 새로 제공하는 담보물의 가치가 더 작거나 동일하다면 회사에 재산상 손해가 발생하였다고 볼 수 없으므로 배임죄가 성립하지 않는다(대판 2008.5.8, 2008도484).

② 대판 2017.7.20, 2014도1104 전원합의체

③ 대판 2018.5.17, 2017도4027 전원합의체

④ 대판 2005.10.28, 2005도4915

Answer 10. ①

11 다음 중 판례가 배임행위의 성립을 인정한 경우는 모두 몇 개인가?(다툼이 있는 경우 판례에 의함)

20. 경찰간부

> ㉠ 계가 정상적으로 운영되고 있음에도 계주가 그동안 성실하게 계불입금을 지급하여 온 계원에게 계가 깨졌다고 거짓말을 하여 그 계원이 계에 참석하여 계금을 탈 수 있는 기회를 박탈하여 손해를 가한 경우
> ㉡ 주식회사의 경영을 책임지는 이사가 임무에 위배하여 주주 또는 회사채권자에게 손해가 될 행위를 하였으나 주주총회 결의가 있었던 경우
> ㉢ 서면으로 부동산 증여의 의사를 표시한 증여자가 수증자에게 증여계약에 따라 부동산의 소유권을 이전하지 않고 부동산을 제3자에게 처분하여 등기를 마친 경우
> ㉣ 다방을 임차하면서 임차기간 동안 영업허가 명의를 임차인 명의로 변경하고 임대차 종료시 임대인에게 명의반환을 하기로 약정하고도 임대차 종료 후 임차인이 명의반환을 거부하는 경우

① 1개   ② 2개   ③ 3개   ④ 4개

해설 • 배임죄 ○ : ㉠ 대판 1995.9.29, 95도1176 ㉡ 대판 2005.10.28, 2005도4915 ㉢ 대판 2018.12.13, 2016도19308 ㉣ 대판 1981.8.20, 80도1176

12 다음 중 배임죄 또는 업무상 배임죄가 성립하지 않는 경우를 모두 고른 것은?(다툼이 있는 경우 판례에 의함)

20. 경찰승진

> ㉠ 새마을금고 임직원이 동일인 대출한도 제한규정을 위반하여 초과대출행위를 하였더라도 대출 채권회수에 문제가 없는 것으로 판단되는 경우
> ㉡ 자기소유의 동산에 대해 매수인과 매매계약을 체결한 매도인이 중도금까지 지급받은 상태에서 그 목적물을 제3자에 대한 자기의 채무변제에 갈음하여 그 제3자에게 양도한 경우
> ㉢ 회사의 승낙없이 임의로 지정 할인율보다 더 높은 할인율을 적용하여 회사가 지정한 가격보다 낮은 가격으로 거래처에 제품을 판매하였지만 시장거래 가격에 따라 제품을 판매한 경우
> ㉣ 피고인의 채권에 대한 담보목적으로 피해자가 자신의 대지와 건물을 피고인에게 소유권이전 등기를 해주었는데, 피해자가 약정기일까지 차용한 금전을 이행하지 못하자 피고인이 담보권의 실행으로 담보 부동산을 염가로 처분한 경우

① ㉠, ㉡   ② ㉠, ㉢

③ ㉡, ㉢, ㉣   ④ ㉠, ㉡, ㉢, ㉣

해설 • (업무상) 배임죄 × : ㉠ 대판 2008.6.19, 2006도4876 전원합의체 ㉡ 대판 2011.1.20, 2008도10479 (동산의 이중매매) ㉢ 대판 2009.12.24, 2007도2484(∵ 거래처가 재산상 이익 취득 ×) ㉣ 대판 1997.12.23, 97도2430(∵ 자기의 사무처리에 해당)

Answer   **11.** ④   **12.** ④

13 배임죄에 관한 다음 설명 중 가장 옳지 않은 것은?(다툼이 있는 경우 판례에 의함) 21. 법원직

① 타인의 사무를 처리하는 자가 배임의 범의로, 즉 임무에 위배하는 행위를 한다는 점과 이로 인하여 자기 또는 제3자가 이익을 취득하여 본인에게 손해를 가한다는 점에 대한 인식이나 의사를 가지고 임무에 위배한 행위를 개시한 때 배임죄의 실행에 착수한 것이고, 이러한 행위로 인하여 자기 또는 제3자가 이익을 취득하여 본인에게 손해를 가한 때 기수에 이른다.

② 채무자가 채권담보의 목적으로 점유개정 방식으로 채권자에게 동산을 양도하고 이를 보관하던 중 임의로 제3자에게 처분한 경우 배임죄가 아니라 횡령죄가 성립한다고 보아야 한다.

③ 회사직원이 퇴사시에 영업비밀 등을 회사에 반환하거나 폐기할 의무가 있음에도 경쟁업체에 유출하거나 스스로의 이익을 위하여 이용할 목적으로 이를 반환하거나 폐기하지 아니하였다면, 이러한 행위 역시 퇴사 시에 업무상 배임죄의 기수가 된다.

④ 주권발행 전 주식에 대한 양도계약에서 양도인이 양수인으로 하여금 회사 이외의 제3자에게 대항할 수 있도록 확정일자 있는 증서에 의한 양도통지 또는 승낙을 갖추어 주어야 할 채무를 부담한다 하더라도 이는 자기의 사무라고 보아야 하고, 이를 양수인과의 신임관계에 기초하여 양수인의 사무를 맡아 처리하는 것으로 볼 수 없다.

해설 ① 대판 2017.9.21, 2014도9960
② ×: ~ 처분한 경우 ⇨ 횡령죄 ×(대판 2009.2.12, 2008도10971 ∵ 동산의 소유권은 채무자에게 유보되어 있음), 배임죄 ×〔대판 2020.2.20, 2019도9756 전원합의체 ∵ 채무자를 타인(채권자)의 사무를 처리하는 자라고 할 수 없음〕 ③ 대판 2017.6.29, 2017도3808 ④ 대판 2020.6.4, 2015도6057

14 배임의 죄에 대한 설명으로 가장 적절하지 않은 것은?(다툼이 있는 경우 판례에 의함) 21. 순경 1차

① 채무자가 본인 소유의 동산을 채권자에게 동산 채권 등의 담보에 관한 법률에 따른 동산담보로 제공한 경우, 채무자가 담보물을 제3자에게 처분하는 등으로 담보가치를 감소 또는 상실시켜 채권자의 담보권 실행이나 이를 통한 채권실현에 위험을 초래하더라도 배임죄는 성립하지 않는다.

② 채무자가 금전채무를 담보하기 위한 저당권설정계약에 따라 채권자에게 본인 소유의 부동산에 관하여 저당권을 설정할 의무를 부담하게 된 경우, 이는 통상의 계약에서 이루어지는 이익대립관계를 넘어서 채권자와의 신임관계에 기초하여 채권자의 사무를 맡아 처리하는 것으로 보아야 하므로 배임죄에서의 '타인의 사무를 처리하는 자'라고 할 수 있다.

③ 서면으로 부동산 증여의 의사를 표시한 증여자가 수증자에게 증여계약에 따라 부동산의 소유권을 이전하지 아니하고 부동산을 제3자에게 처분하여 등기를 하는 행위는 수증자와의 신임관계를 저버리는 행위로서 배임죄가 성립한다.

④ 주식회사의 대표이사가 대표권을 남용하는 등 그 임무에 위배하여 약속어음을 발행하였는데 그 약속어음의 발행이 무효일 뿐만 아니라 유통되지도 않은 경우, 회사는 어음발행의 상대방에게 어음채무를 부담하지 않기 때문에 특별한 사정이 없는 한 배임죄의 기수범이 아니라 배임미수죄로 처벌하여야 한다.

Answer 13. ② 14. ②

해설 ① 대판 2020.8.27, 2019도14770 전원합의체〔∵ 채무자는 타인(채권자)의 사무를 처리하는 자 ×〕
② × : ~ (4줄) 처리하는 것으로 볼 수 없으므로 배임죄에서의 ~ 할 수 없다(대판 2020.6.18, 2019도14340
전원합의체). ③ 대판 2018.12.13, 2016도19308 ④ 대판 2017.7.20, 2014도1104 전원합의체

15 배임죄에 대한 설명 중 가장 적절하지 않은 것은?(다툼이 있는 경우 판례에 의함)   23. 경찰승진

① 채무담보를 위하여 채권자에게 부동산에 관하여 근저당권을 설정해 주기로 약정한 채무자가 담보목적물을 임의로 처분하여 담보가치를 상실시킨 경우 채무자에게 배임죄가 성립한다.

② 자기 소유의 동산에 대해 매수인과 매매계약을 체결한 매도인이 중도금까지 지급받은 상태에서 그 목적물을 제3자에 양도한 경우 매도인에게 배임죄가 성립하지 않는다.

③ 권리이전에 등기 등록을 요하는 자동차에 대한 매매계약에 있어 매도인이 매수인에게 소유권이전등록을 하지 않고 제3자에게 처분한 경우 매도인에게 배임죄가 성립하지 않는다.

④ 회사직원이 영업비밀이나 영업상 주요한 자산인 자료를 적법하게 반출했을지라도 퇴사 시에는 그 자료를 회사에 반환하거나 폐기할 의무가 있음에도 불구하고 경쟁업체에 유출하거나 자신의 이익을 위해 이용할 목적으로 반환 또는 폐기를 하지 않은 경우 업무상 배임죄를 구성한다.

해설 ① × : ~ 배임죄가 성립하지 않는다〔대판 2020.6.18, 2019도14340 전원합의체 ∵ 저당권설정계약에 따른 저당권을 설정할 의무이행 ⇨ 채무자 자신의 사무 ○ ⇨ 타인(채권자)의 사무를 처리하는 자 ×〕.
② 대판 2011.1.20, 2008도10479 전원합의체 ③ 대판 2020.10.22, 2020도6258 전원합의체
④ 대판 2017.6.29, 2017도3808

16 다음 중 배임죄에 관한 설명으로 가장 옳지 않은 것은?(다툼이 있는 경우 판례에 의함) 24. 해경승진

① 甲은 A중공업 직원 乙이 영업비밀인 선박부품 설계도면을 해외로 유출하기 위하여 무단 반출하였다는 사실을 알고 몇 개월 후 乙에게 접근하여 설계도면을 취득하려고 하였다면 업무상 배임죄의 공동정범이 될 수 없다.

② 퇴사한 회사직원이 반환하거나 폐기하지 아니한 영업비밀 등을 경쟁업체에 유출하거나 스스로의 이익을 위하여 이용하였을지라도 따로 업무상 배임죄를 구성하지는 않는다.

③ 업무상 배임죄는 부작위에 의해서도 성립할 수 있는데, 이때 행위자는 부작위 당시 자신에게 주어진 임무를 위반한다는 점만 인식하면 족하고, 그 부작위로 인해 손해가 발생할 위험이 있다는 점을 인식할 필요는 없다.

④ 비상장법인의 대표이사가 주식의 시가보다 현저히 낮은 금액을 전환가액으로 한 전환사채를 지분비율에 따라 인수할 기회를 주주들에게 주었음에도 불구하고 주주들이 인수를 포기하자 그 전환사채를 제3자에게 동일한 발행조건으로 배정하여 발행한 경우, 업무상 배임죄는 성립하지 않는다.

해설 ① 대판 2003.10.30, 2003도4382 ② 대판 2017.6.29, 2017도3808
③ × : ~ (2줄) 위반한다는 점과, 그 부작위로 인해 손해가 발생할 위험이 있다는 점을 인식하였어야 한다
(대판 2021.5.27, 2020도15529). ④ 대판 2009.5.29, 2007도4949 전원합의체

Answer 15. ① 16. ③

17 배임죄에 관한 설명 중 옳은 것은 모두 몇 개인가?(다툼이 있는 경우 판례에 의함)   23. 법원행시

> ⊙ 1인 회사의 주주가 자신의 개인채무를 담보하기 위하여 회사 소유의 부동산에 대하여 근저당
> 권설정등기를 마쳐 주어 배임죄가 성립한 이후에 그 부동산에 대하여 새로운 담보권을 설정
> 해 주는 행위는, 선순위 근저당권의 담보가치를 공제한 나머지 담보가치 상당의 재산상 이익
> 을 침해하는 행위로서 별도의 배임죄가 성립한다.
> ⓛ 법률적 판단에 의하여 당해 배임행위가 무효라면 경제적 관점에서 파악하여 배임행위로 인하
> 여 본인에게 현실적인 손해를 가하였거나 재산상 실해발생의 위험을 초래한 경우에도 재산상
> 의 손해를 가한 때에 해당되지 아니하여 배임죄를 구성하지 아니한다.
> ⓒ 채권 담보를 위한 대물변제예약을 한 경우, 채무자가 대물로 변제하기로 한 부동산을 제3자에
> 게 처분하였다고 하더라도 형법상 배임죄가 성립하는 것은 아니다.
> ⓔ 금융기관이 금원을 대출함에 있어 대출금 중 선이자를 공제한 나머지만 교부한 경우, 배임행
> 위로 인하여 금융기관이 입는 손해는 선이자를 공제한 금액으로 보아야 하고, 이와 달리 선이
> 자로 공제한 금원을 포함한 대출금 전액으로 볼 것은 아니다.
> ⓜ 타인을 위하여 도급계약을 체결할 임무가 있는 자가 부당하게 높은 가격으로 도급계약을 체결
> 하여 타인에게 부당하게 많은 채무를 부담하게 하였다면 그로써 곧바로 업무상 배임죄가 성
> 립하고, 그 경우 배임액은 도급계약의 도급금액 전액에서 정당한 도급금액을 공제한 금액으로
> 보아야 한다.

① 1개   ② 2개   ③ 3개
④ 4개   ⑤ 5개

해설 ⊙ ○ : 대판 2005.10.28, 2005도4915
ⓛ × : 재산상 손해의 유무판단은 본인의 모든 재산상태와의 관계에서 경제적 관점에 따라 판단되어야 하
므로 법률적 판단에 의하여 당해 배임행위가 무효라 하더라도 경제적 관점에서 파악하여 본인에게 현실적
인 손해를 가하였거나 재산상 실해 발생의 위험을 초래한 경우에는 재산상의 손해를 가한 때에 해당하여
배임죄를 구성한다(대판 2006.6.2, 2004도7112).
ⓒ ○ : 대판 2014.8.21, 2014도3363 전원합의체
ⓔ × : ~ (2줄) 공제한 금액이 아니라 선이자로 공제한 금원을 포함한 대출금 전액으로 보아야 한다(대판
2003.10.10, 2003도3516).
ⓜ ○ : 대판 1999.4.27, 99도883

Answer   17. ③

18 **횡령과 배임의 죄에 대한 설명 중 옳지 않은 것만을 모두 고른 것은?**(다툼이 있는 경우 판례에 의함)

> ㉠ A가 착오로 甲의 통장계좌로 송금한 돈을 甲이 인출하여 임의로 사용한 경우, 甲은 그 송금된 돈을 보관하는 지위에 있다고 볼 수 없으므로 이를 영득할 의사로 인출하는 경우에도 횡령죄에 해당하지 아니한다.
>
> ㉡ 甲이 A에게 1억원을 빌리면서 그 채무에 대한 담보로 자신의 부동산에 근저당권을 설정해 주기로 약정하였음에도, 이후 B에게 자신의 부동산을 매도해 버린 경우, 甲에게는 배임죄가 성립하지 아니한다.
>
> ㉢ 채무자 甲이 금전채무를 담보하기 위하여 그 소유의 동산을 채권자 A에게 양도담보로 제공하였음에도 甲이 채무변제 이전에 담보물을 임의로 처분한 경우, 甲에게는 A에 대한 횡령죄가 아니라 배임죄가 성립한다.
>
> ㉣ 매도인 甲이 자기 소유의 부동산을 매수인 A에게 매도하기로 약정하고 A로부터 계약금과 중도금을 지급받는 등 계약이 본격적으로 이행되는 단계에 이르렀음에도 그 부동산에 관한 소유권을 A에게 이전해 주기 전에 B에게 처분하면서 소유권이전등기를 경료해 준 경우, 甲에게는 A에 대한 배임죄가 성립한다.
>
> ㉤ 甲이 자신이 알 수 없는 경위로 A의 특정 거래소 가상지갑에 들어 있던 가상화폐를 甲 자신의 계좌로 이체받은 후 이를 자신의 다른 계정으로 이체한 경우, 甲에게는 A에 대한 배임죄가 성립하지 아니한다.

① ㉠, ㉢　　　　　　　　　　　　② ㉡, ㉢, ㉣

③ ㉡, ㉣, ㉤　　　　　　　　　　④ ㉠, ㉢, ㉤

해설 ㉠ × : ~ (2줄) 지위에 있다고 볼 수 있으므로 이를 ~ 인출하면 횡령죄가 성립한다(대판 2018.7.19, 2017도17494 전원합의체).

㉡ ○ : 대판 2020.6.18, 2019도14340 전원합의체

㉢ × : ~ 처분한 경우 ⇨ 횡령죄 ×(대판 2009.2.12, 2008도10971 ∵ 동산의 소유권은 채무자에게 유보되어 있음), 배임죄 ×〔대판 2020.2.20, 2019도9756 전원합의체 ∵ 채무자를 타인(채권자)의 사무를 처리하는 자라고 할 수 없음〕

㉣ ○ : 2018.5.17, 2017도4027 전원합의체

㉤ ○ : 대판 2021.12.16, 2020도9789(∵ 가상자산 권리자의 착오나 가상자산 운영 시스템의 오류 등으로 법률상 원인관계 없이 다른 사람의 가상자산 전자지갑에 가상자산이 이체된 경우, 가상자산을 이체받은 자는 가상자산의 권리자 등에 대한 부당이득반환의무를 부담하게 될 수 있다. 그러나 이는 당사자 사이의 민사상 채무에 지나지 않고 이러한 사정만으로 가상자산을 이체받은 사람이 신임관계에 기초하여 가상자산을 보존하거나 관리하는 지위에 있다고 볼 수 없다.)

Answer　18. ①

19 횡령과 배임의 죄에 관한 설명으로 옳은 것은 모두 몇 개인가?(다툼이 있는 경우 판례에 의함)

24. 경찰간부

㉠ 건물의 임차인 甲이 임대인 A에 대한 임대차 보증금반환채권을 B에게 양도하고, 이를 A에게 통지하지 않고, A로부터 남아있던 임대차보증금을 반환받아 甲이 소비한 경우 횡령죄가 성립하지 않는다.

㉡ 직무발명에 대한 권리를 사용자 등에게 승계한다는 취지를 정한 약정 또는 근무규정의 적용을 받는 종업원 등이 직무발명의 완성 사실을 사용자 등에게 통지하지 아니한 채 그에 대한 특허를 받을 수 있는 권리를 제3자에게 이중으로 양도하여 제3자가 특허권 등록까지 마치도록 하는 등으로 발명의 내용이 공개되도록 한 경우, 배임죄가 성립한다.

㉢ 채무자가 본인 소유의 동산을 채권자에게 동산·채권 등의 담보에 관한 법률에 따른 동산담보로 제공한 경우, 채무자가 담보물을 제3자에게 처분하는 등으로 담보가치를 감소 또는 상실시켜 채권자의 담보권 실행이나 이를 통한 채권실현에 위험을 초래하더라도 배임죄는 성립하지 않는다.

㉣ 甲이 범죄수익 등의 은닉을 위해 乙로부터 교부받은 무기명 양도성예금증서를 현금으로 교환하여 임의로 소비하였다면 횡령죄가 성립한다.

① 1개 　　　　② 2개 　　　　③ 3개 　　　　④ 4개

해설 ㉠ ○ : 대판 2022.6.23, 2017도3829 전원합의체

㉡ ○ : 대판 2012.11.15, 2012도6676

㉢ ○ : 대판 2020.8.27, 2019도14770 전원합의체

㉣ × : 횡령죄 ×(대판 2017.10.26, 2017도9254 ∵ 범죄수익 등의 은닉을 위해 교부받은 무기명 양도성예금증서는 불법원인급여 물건 ○ ∴ 소유권은 甲에게 귀속됨.)

20 형법상 배임수재죄 및 배임증재죄에 대한 다음 설명 중 옳고 그름의 표시(○, ×)가 가장 옳게 된 것은?(다툼이 있는 경우 판례에 의함)

21. 해경승진

㉠ 규정이 허용하는 범위 내에서 최대한 선처를 바란다는 청탁을 받고 그 사례로 금품을 수수한 경우 배임수재죄의 '부정한 청탁'에 해당된다.

㉡ 배임수재죄에서 말하는 '재산상 이익의 취득'이라 함은 현실적인 취득만을 의미하므로, 단순한 요구 또는 약속만을 한 경우에는 배임수재죄의 기수로 처벌하지 못한다.

㉢ 배임수증죄에 있어서 '부정한 청탁'이라 함은 청탁이 사회상규와 신의성실의 원칙에 반하는 것을 말하고, 이를 판단함에 있어서는 청탁의 내용과 이와 관련되어 교부받거나 공여한 재물의 액수, 형식, 보호법익인 사무처리자의 청렴성 등을 종합적으로 고찰하여야 하며 그 청탁이 반드시 명시적임을 요하는 것은 아니다.

㉣ 배임수재죄가 성립되기 위해서는 타인의 사무를 처리하는 자가 그 임무에 관하여 부정한 청탁을 받고 재물 또는 재산상 이익을 취득하는 것만으로는 부족하고, 그 부정한 청탁에 상응하는 부정행위 내지 배임행위에 나아갈 것이 요구된다.

Answer 　19. ③　20. ①

① ㉠(×), ㉡(○), ㉢(○), ㉣(×)　　　② ㉠(○), ㉡(×), ㉢(○), ㉣(○)

③ ㉠(×), ㉡(×), ㉢(○), ㉣(×)　　　④ ㉠(×), ㉡(×), ㉢(○), ㉣(○)

해설 ㉠ × : 부정한 청탁 × ⇨ 배임수재죄 ×(대판 2006.3.24, 2005도6433)

㉡ ○ : 대판 1999.1.29, 98도4182

㉢ ○ : 대판 2005.1.14, 2004도6646

㉣ × : ~ (2줄) 것으로 족하고, ~ 요구되지 아니한다(대판 2010.9.9, 2009도10681).

21 배임수증재죄에 관한 설명 중 옳지 않은 것은?(다툼이 있는 경우 판례에 의함)　23. 변호사시험

① 배임수재자가 배임증재자로부터 부정한 청탁으로 받은 재물을 그대로 가지고 있다가 증재자에게 반환하였더라도, 이미 기수에 이른 범죄 수익에 불과한 그 재물에 대한 몰수나 가액의 추징은 배임수재자를 대상으로 하여야 한다.

② 배임수재죄에서 타인의 업무를 처리하는 자에게 공여한 금품에 부정한 청탁의 대가로서의 성질과 그 외의 행위에 대한 사례로서의 성질이 불가분적으로 결합되어 있는 경우에는 그 전부가 불가분적으로 부정한 청탁의 대가로서의 성질을 갖는 것으로 보아야 한다.

③ 배임수재죄는 타인의 사무를 처리하는 자가 그 임무에 관하여 부정한 청탁을 받고 재물 또는 재산상의 이익을 취득한 경우는 물론, 제3자로 하여금 이를 취득하게 한 때에도 성립한다.

④ 타인의 사무를 처리하는 자가 증재자로부터 돈이 입금된 계좌의 예금을 인출할 수 있는 현금카드를 교부받아 이를 소지하면서 언제든지 위 현금카드를 이용하여 예금된 돈을 인출할 수 있다면, 예금된 돈을 재물로 취득한 것으로 보아야 한다.

⑤ 공동의 사기 범행으로 인하여 얻은 돈을 공범자끼리 수수한 행위가 공동정범들 사이의 그 범행에 의하여 취득한 돈이나 재산상 이익의 내부적인 분배행위에 지나지 않는 것이라면, 공범자끼리 내부적으로 그 돈을 수수하는 행위가 따로 배임수증재죄를 구성한다고 볼 수 없다.

해설 ① × : 제357조 제3항에서 몰수의 대상으로 규정한 '범인이 취득한 제1항의 재물'은 배임수재죄의 범인이 취득한 목적물이자 배임증재죄의 범인이 공여한 목적물을 가리키는 것이지 배임수재죄의 목적물만을 한정하여 가리키는 것이 아니다. 그러므로 수재자가 증재자로부터 받은 재물을 그대로 가지고 있다가 증재자에게 반환하였다면 증재자로부터 이를 몰수하거나 그 가액을 추징하여야 한다(대판 2017.4.7, 2016도18104).

② 대판 2012.5.24, 2012도535

③ 제357조 제1항

④ 대판 2017.12.5, 2017도11564

⑤ 대판 2016.5.24, 2015도18795

Answer　21. ①

22 다음 중 배임죄에 대한 설명으로 옳지 않은 것은?(다툼이 있는 경우 판례에 의함)　　　24. 해경순경

① 대표이사 甲이 대표권을 남용하여 자신의 개인채무에 대하여 회사 명의의 차용증을 작성하여 주었고, 그 상대방이 이와 같은 진의를 알았거나 알 수 있었던 경우일지라도 무효인 차용증을 작성하여 준 것만으로는 업무상 배임죄가 성립하지 않는다.

② 부동산 소유자 甲이 A에게 전세권설정계약을 맺고 전세금의 중도금을 지급받은 후 해당 부동산에 임의로 제3자에게 근저당권설정등기를 경료해 주어 담보능력상실의 위험이 발생한 경우, 배임죄가 성립한다.

③ 회사직원인 甲이 업무상 임무에 위배하여 부당한 외상 거래행위를 함으로써 업무상 배임죄가 성립하는 경우, 재산상 권리의 실행이 불가능하게 될 염려가 있거나 손해발생의 위험이 있는 외상 거래 대금 전액을 그 손해액으로 보아야 한다.

④ 甲이 알 수 없는 경위로 A의 특정 거래소 가상지갑에 들어 있던 비트코인을 자신의 계정으로 이체받은 후 이를 자신의 다른 계정으로 이체하여 재산상 이익을 취득하고 A에게 손해를 가한 경우, 배임죄가 성립한다.

> 해설　① 대판 2010.5.27, 2010도1490
> ② 대판 1993.9.28, 93도2206　③ 대판 2000.4.11, 99도334
> ④ × : 배임죄 ×(대판 2021.12.16, 2020도9789)

23 배임죄에 대한 설명 중 가장 옳지 않은 것은?(다툼이 있는 경우 판례에 의함)　　　24. 해경수사

① 회사대표 이사인 甲에게 개인적으로 돈을 빌려 준 채권자가 甲이 구속되어 돈을 받기 어려워지자 甲을 면회하여 회사로부터 위 대여금을 받을 수 있도록 甲이 종전에 개인 명의로 작성하여 교부한 차용증에 회사의 법인인감을 날인해 달라고 요구하였고, 이에 甲이 자신의 처를 통해 위 차용증에 법인인감을 날인해 준 경우, 甲에게는 업무상배임죄가 성립한다.

② 타인의 사무를 처리하는 자의 임무위배행위로 인하여 실제로 채무의 이행이 이루어지거나 본인이 민법상 불법행위책임을 부담하게 되는 등 본인에게 현실적인 손해가 발생하거나 실해발생의 위험이 생겼다고 볼 수 있는 사정이 있는 때에는 배임죄의 기수를 인정하여야 한다.

③ 매도인이 매수인에게 임야를 매도하고 일부 잔금까지 지급받았음에도 다시 위 임야를 제3자에게 매도한 후 계약금을 지급받고는 제3자 앞으로 소유권이전청구권보전을 위한 가등기를 마쳐준 경우, 매도인에게는 배임죄가 성립한다.

④ 부동산을 이중으로 매도하여 2차 매수인 앞으로 소유권이전등기를 마친 이상 배임죄를 구성하고, 1차 매수인이 한 가처분의 효력으로 위 등기가 궁극적으로 말소되었다 하더라도 배임죄의 성립에는 영향이 없다.

> 해설　① × : 업무상 배임죄 ×(대판 2004.4.9, 2004도771 ∵ 적법한 대표행위 ×, 회사가 차용증에 기한 차용금채무부담 ×, 회사가 대여자에 대해 사용자책임이나 불법행위책임 부담 ×)
> ② 대판 2017.9.21, 2014도9960　③ 대판 2008.7.10, 2008도3766　④ 대판 1973.1.16, 72도2494

Answer　22. ④　23. ①

24 배임죄에 관한 다음 설명 중 가장 옳지 않은 것은?(다툼이 있는 경우 판례에 의함)　　24. 법원직

① 아파트 수분양권 매도인이 매매계약에 따라 매수인에게 수분양권을 이전할 의무를 부담하는 경우 위와 같은 의무를 이행하지 아니하고 수분양권 또는 이에 근거하여 향후 소유권을 취득하게 될 목적물을 미리 제3자에게 처분하더라도, 매도인은 매수인에 대한 관계에서 '타인의 사무를 처리를 하는 자'라고 할 수 없으므로 형법상 배임죄가 성립하지 않는다.

② 청산회사의 대표청산인이 청산회사에 채권을 신고한 사람이 아닌 다른 자에게 부동산에 관하여 소유권이전등기를 마쳐준 경우 배임죄가 성립한다.

③ 회사의 경영자가 적대적 M&A로부터 경영권을 방어할 목적으로 종업원의 자사주 매입에 회사자금을 지원한 경우 배임죄가 성립한다.

④ 새마을금고 임·직원이 동일인 대출한도를 초과하여 대출함으로써 새마을금고법을 위반하였다고 하더라도, 대출한도 제한규정 위반으로 처벌함은 별론으로 하고, 그 사실만으로는 업무상 배임죄가 성립하지 않는다.

해설　① 대판 2021.7.8, 2014도12104
② × : 배임죄 ×(대판 1990.5.25, 90도6 ∵ 청산회사의 대표청산인이 처리하는 채무의 변제, 재산의 환가처분 등 회사의 청산의무는 청산인 자신의 사무 또는 청산회사의 업무에 속하는 것이므로, 청산인은 회사의 채권자들에 대한 관계에 있어 직접 그들의 사무를 처리하는 자가 아니다.)
③ 대판 1999.6.25, 99도1141
④ 대판 2008.6.19, 2006도4876 전원합의체

25 배임의 죄에 관한 설명으로 가장 적절한 것은?(다툼이 있는 경우 판례에 의함)　　24. 순경 1차

① 채무자 甲이 자신의 금전채무를 담보하기 위하여 채권자 A와 자신 소유의 자동차에 관한 양도담보설정계약을 체결한 후, A에게 양도담보설정계약에 따른 의무를 다하지 않고 이를 B에게 처분한 경우, 甲에게는 배임죄의 기수범이 성립한다.

② 수분양권 매도인 甲이 수분양권 매매계약에 따라 매수인 A에게 수분양권을 이전할 의무를 이행하지 않고, 수분양권 또는 이에 근거하여 향후 소유권을 취득하게 될 목적물을 미리 B에게 처분한 경우, 특별한 사정이 없는 한 甲에게는 배임죄의 기수범이 성립한다.

③ A주식회사의 대표이사인 甲이 대표권을 남용하는 등 그 임무에 위배하여 A주식회사 명의의 약속어음을 발행하고 그 사정을 모르는 B에게 이를 교부하였으나 아직 어음채무가 실제로 이행되기 전인 경우, 甲에게는 배임죄의 기수범이 성립한다.

④ 甲이 A로부터 18억원을 차용하면서 담보로 甲소유의 아파트에 A명의의 4순위 근저당권을 설정해 주기로 약정하였음에도 B에게 채권최고액을 12억원으로 하는 4순위 근저당권을 설정해 준 경우, 甲에게는 배임죄의 기수범이 성립한다.

해설　① × : 배임죄 ×(대판 2022.12.22, 2020도8682 전원합의체 ∵ 양도담보설정계약에 따른 의무는 채무자 자신의 급부의무 ⇨ 채무자를 채권자에 대한 관계에서 '타인의 사무를 처리하는 자'라고 할 수 없다.)

Answer　24. ② 25. ③

② ×: 배임죄 ×(대판 2021.7.8, 2014도12104 ∵ 수분양권을 이전할 의무는 매도인 자신의 사무 ⇨ 매수인에 대한 관계에서 '타인의 사무를 처리하는 자'라고 할 수 없다.)
③ ○: 대판 2017.7.20, 2014도1104 전원합의체
④ ×: 배임죄 ×[대판 2020.6.18, 2019도14340 전원합의체 ∵ 저당권설정계약에 따른 저당권을 설정할 의무이행 ⇨ 채무자 자신의 사무 ○ ⇨ 타인(채권자)의 사무를 처리하는 자 ×]

26 다음 중 배임죄에 관한 설명으로 가장 옳지 않은 것은?(다툼이 있는 경우 판례에 의함) 24. 해경승진

① 甲은 A중공업 직원 乙이 영업비밀인 선박부품 설계도면을 해외로 유출하기 위하여 무단 반출하였다는 사실을 알고 몇 개월 후 乙에게 접근하여 설계도면을 취득하려고 하였다면 업무상 배임죄의 공동정범이 될 수 없다.
② 퇴사한 회사직원이 반환하거나 폐기하지 아니한 영업비밀 등을 경쟁업체에 유출하거나 스스로의 이익을 위하여 이용하였을지라도 따로 업무상 배임죄를 구성하지는 않는다.
③ 업무상 배임죄는 부작위에 의해서도 성립할 수 있는데, 이때 행위자는 부작위 당시 자신에게 주어진 임무를 위반한다는 점만 인식하면 족하고, 그 부작위로 인해 손해가 발생할 위험이 있다는 점을 인식할 필요는 없다.
④ 비상장법인의 대표이사가 주식의 시가보다 현저히 낮은 금액을 전환가액으로 한 전환사채를 지분비율에 따라 인수할 기회를 주주들에게 주었음에도 불구하고 주주들이 인수를 포기하자 그 전환사채를 제3자에게 동일한 발행조건으로 배정하여 발행한 경우, 업무상 배임죄는 성립하지 않는다.

해설 ① 대판 2003.10.30, 2003도4382 ② 대판 2017.6.29, 2017도3808
③ ×: ~ (2줄) 위반한다는 점과, 그 부작위로 인해 손해가 발생할 위험이 있다는 점을 인식하였어야 한다(대판 2021.5.27, 2020도15529).
④ 대판 2009.5.29, 2007도4949 전원합의체

27 배임수재·증재죄에 대한 설명 중 가장 옳지 않은 것은?(다툼이 있는 경우 판례에 의함) 24. 해경경위

① 배임수재죄는 타인의 사무를 처리하는 자가 그 임무에 관하여 부정한 청탁을 받고 재물 또는 재산상 이익을 취득하는 경우에 성립하는 범죄이므로, 재물 또는 이익을 공여하는 사람과 취득하는 사람 사이에 부정한 청탁이 개재되지 않는 한 성립하지 않는다.
② 회사간부인 甲이 자기회사의 납품업체 사장인 A로부터 골프장 회원권 제공의 의사표시를 받고 이를 승낙한 후 골프장 회원권의 입회신청서를 제출한 경우, 그 골프장 회원권에 관하여 甲명의로 명의변경이 이루어지지 아니하였더라도 甲에게 배임수재죄가 성립한다.
③ 대학교수인 甲이 A회사 간부인 乙로부터 시에서 발주한 도시형폐기물종합처리시설 건설사업과 관련하여 경쟁업체보다 A건설 컨소시엄이 제출한 설계도면에 유리한 점수를 주어 A건설 컨소시엄이 낙찰을 받을 수 있도록 해달라는 취지의 청탁과 함께 금전을 받은 후에 비로소 건설사업의 평가위원으로 위촉된 경우, 배임수재죄로 처벌할 수 없다.

Answer 26. ③ 27. ②

④ 부정한 청탁을 받고 나서 사후에 재물 또는 재산상의 이익을 취득하였다고 하더라도 재물 또는 재산상의 이익이 청탁의 대가인 이상 배임수재죄가 성립되며, 부정한 청탁의 결과로 상대방이 얻은 재물 또는 재산상 이익의 일부를 상대방으로부터 청탁의 대가로 취득한 경우에도 마찬가지이다.

해설 ① 대판 2008.12.11, 2008도6987
② ✕ : 배임수재죄 ✕(대판 1999.1.29, 98도4182 ∵ 명의변경 ✕ ⇨ 현실적으로 재산상 이익 취득 ✕)
③ 대판 2010.7.22, 2009도12878
④ 대판 2013.11.14, 2011도11174

28 횡령과 배임의 죄에 대한 설명으로 옳지 않은 것은?(다툼이 있는 경우 판례에 의함)

24. 9급 검찰 · 마약수사

① 타인의 재물을 보관하는 사람이 단순히 반환을 거부한 사실만으로 횡령죄가 성립하는 것은 아니며, 반환거부의 이유 및 주관적인 의사 등을 종합하여 반환거부행위가 횡령행위와 같다고 볼 수 있을 정도이어야만 횡령죄가 성립할 수 있다.
② 저당권설정계약에 따라 채권자에게 저당권설정의무를 부담하는 채무자가 제3자에게 먼저 담보물에 관한 저당권을 설정하거나 담보물을 양도하는 등으로 채권자의 채권실현에 위험을 초래하더라도 배임죄가 성립한다고 할 수 없다.
③ 건물의 임차인이 임대인에 대한 임대차보증금반환채권을 제3자에게 양도하였는데도 임대인에게 채권양도 통지를 하지 않고 임대인으로부터 남아 있던 임대차보증금을 반환받아 보관하던 중 이를 개인적인 용도로 사용하면, 채권을 양수한 제3자를 피해자로 하는 횡령죄가 성립한다.
④ 주식회사의 대표이사가 대표권을 남용하는 등 그 임무에 위배하여 회사 명의로 의무를 부담하는 행위를 하더라도 상대방이 대표권남용 사실을 알았거나 알 수 있었던 경우, 그 의무부담 행위로 인하여 실제로 채무의 이행이 이루어졌다거나 회사가 민법상 불법행위책임을 부담하게 되었다는 등의 사정이 없는 이상 배임죄의 기수에 이른 것은 아니다.

해설 ① 대판 2008.12.11, 2008도8279
② 대판 2020.6.18, 2019도14340 전원합의체
③ ✕ : ~ (3줄) 개인적인 용도로 사용한 경우 횡령죄가 성립하지 않는다(대판 2022.6.23, 2017도3829 전원합의체).
④ 대판 2017.7.20, 2014도1104 전원합의체

Answer 28. ③

29 횡령과 배임의 죄에 관한 설명 중 옳은 것은?(다툼이 있는 경우 판례에 의함)   25. 변호사시험

① 甲이 친구 A와 함께 술집에서 술을 마시다가 서로 몸싸움을 하는 과정에서 A가 떨어뜨리고 간 휴대전화를 술집 주인으로부터 일행 A에게 전해 달라는 의사로 건네받아 보관하던 중 A의 휴대전화를 임의로 사용한 경우, 甲은 A로부터 직접 위탁받은 것이 아니고 조리상 휴대전화를 보관하는 지위에 있다고도 볼 수 없으므로 횡령죄가 성립하지 않는다.

② 횡령죄에서 불법영득의사는 타인의 재물을 보관하는 자가 위탁의 취지에 반하여 권한 없이 그 재물을 자기의 소유인 것처럼 사실상 또는 법률상 처분하는 의사를 의미하므로, 보관자가 자기 또는 제3자의 이익을 위한 것이 아니라 그 소유자의 이익을 위하여 이를 처분한 경우에도 특별한 사정이 없는 한 불법영득의사를 인정할 수 있다.

③ 건물의 임차인 甲이 임대인에 대한 임대차보증금반환채권을 乙에게 양도하였는데도 임대인에게 채권양도 통지를 하지 않고 임대인으로부터 남아 있던 임대차보증금을 반환받아 보관하던 중 임의로 소비한 경우, 甲은 乙을 위하여 임대차보증금을 수령한 것으로서 횡령죄의 '타인의 재물을 보관하는 자'에 해당한다.

④ 채무자 甲이 금전채무를 담보하기 위하여 자동차 등 특정동산 저당법 등에 따라 그 소유의 동산에 관하여 채권자에게 저당권을 설정하였음에도 불구하고 담보물을 제3자에게 처분하는 등으로 담보가치를 상실시켜 채권자의 담보권 실행이나 이를 통한 채권실현에 위험을 초래하였다면 배임죄가 성립한다.

⑤ 주식회사의 대표이사가 대표권을 남용하는 등 그 임무에 위배하여 약속어음을 발행한 경우, 어음발행이 무효라 하더라도 그 어음이 실제로 제3자에게 유통되었다면 회사로서는 어음채무를 부담할 위험이 구체적·현실적으로 발생하였다고 보아야 하므로 그 어음채무가 실제로 이행되기 전이라도 배임죄의 기수범이 된다.

해설 ① × : ～ (3줄) 甲은 A로부터 직접 위탁받은 것이 아니더라도 조리상 휴대전화를 보관하는 지위에 있으나 A의 휴대전화를 임의로 사용한 것만으로는 불법영득의사가 있었다고 단정하기 어렵다(대판 2014.3.13, 2012도5346 ∴ 횡령죄 ×).

② × : ～ (4줄) 처분한 경우에는 특별한 사정이 없는 한 불법영득의사를 인정할 수 없다(대판 2017.2.15, 2013도14777).

③ × : '타인의 재물을 보관하는 자'에 해당 × ⇨ 횡령죄 ×(대판 2022.6.23, 2017도3829 전원합의체 ∴ 특별한 사정이 없는 한 금전의 소유권은 채권양수인이 아니라 채권양도인에게 귀속하고 채권양도인이 채권양수인을 위하여 양도 채권의 보전에 관한 사무를 처리하는 신임관계가 존재한다고 볼 수 없다. 따라서 채권양도인이 위와 같이 양도한 채권을 추심하여 수령한 금전에 관하여 채권양수인을 위해 보관하는 자의 지위에 있다고 볼 수 없다).

④ × : ～ (4줄) 위험을 초래하더라도 배임죄가 성립하지 않는다(대판 2020.10.22, 2020도6258 전원합의체 ∴ 채무자를 채권자에 대한 관계에서 배임죄의 주체인 '타인의 재물을 처리하는 자'에 해당 ×).

⑤ ○ : 대판 2017.7.20, 2014도1104 전원합의체

Answer   29. ⑤

제8절 ▶ 장물에 관한 죄

1 성 격

장물죄는 사후종범성, 본범비호성을 갖고 있다. 즉, 장물죄는 독립된 재산죄이지만 재산범죄를 전제로 하여 불법영득한 재물에 사후적으로 관여함으로써 본범을 조장하는 일면을 갖고 있을 뿐만 아니라(사후종범성), 본범에 의해 저질러진 위법점유상태를 은폐시키는 보호창구역할을 한다(본범비호성). 따라서 형법은 장물죄를 절도죄보다 무겁게 처벌하고 있다. 16. 경찰승진, 23. 경찰승진

2 장물죄(장물취득 · 양도 · 운반 · 보관 · 알선)

> **제362조 제1항** 장물을 취득 · 양도 · 운반 또는 보관하는 자는 7년 이하의 징역 또는 1천 500만원 이하의 벌금에 처한다.
> **제362조 제2항** 전항의 행위를 알선한 자도 전항의 형과 같다.

☝ 미수범 처벌규정 ×, 상습범 가중처벌(제363조), 친족상도례 적용(제365조)

(1) 의 의

장물을 취득 · 양도 · 운반 · 보관 또는 이를 알선함으로써 성립하는 범죄이다.

(2) 주 체

본범(재산범죄)의 정범(합동범 · 공동정범 · 간접정범 포함)이 아닌 모든 자(교사범 · 방조범 ⇨ 주체 ○)

관련판례

1. 장물죄는 타인(본범)이 불법하게 영득한 재물의 처분에 관여하는 범죄이므로 자기의 범죄에 의하여 영득한 물건에 대하여는 성립하지 아니하고 이는 불가벌적 사후행위에 해당하나 여기에서 자기의 범죄라 함은 정범자(공동정범과 합동범을 포함한다.)에 한정된다(대판 1986.9.9, 86도1273). 14. 경찰간부, 17. 경찰승진, 22. 해경간부

2. 횡령 교사를 한 후 그 횡령한 물건을 취득한 때에는 횡령교사죄와 장물취득죄의 경합범이 성립된다(대판 1969.6.24, 69도692). 21. 변호사시험, 22. 경찰승진, 23. 법원행시, 24. 해경승진 · 9급 검찰 · 마약수사

3. 장물죄에 있어서 본범의 국적 · 주소, 물건 소재지, 행위지 등이 외국과 관련되어 있어 그 행위에 대하여 우리 형법이 적용되지 아니하는 경우에도, 본범의 행위에 관한 법적 평가는 우리 형법(국제사법에 따른 준거법 ×)을 기준으로 하여야 한다(대판 2011.4.28, 2010도15350 📘 자동차수입업자가 미국 캘리포니아주에서 미국 리스회사와 미국 캘리포니아주의 법에 따라 체결된 리스계약의 이용자들이 리스기간 중 임의로 처분한 리스계약의 목적물인 차량들을 수입한 경우 ⇨ 장물취득죄 ○). 16. 사시 · 법원행시, 20. 수사경과, 19 · 21. 경찰간부 · 경찰승진, 23. 해경승진, 24. 9급 검찰 · 마약수사

4. 피고인이 도난차량인 미등록 수입자동차를 취득하여 신규등록을 마친 후 위 자동차가 장물일지도 모른다고 생각하면서 이를 양도한 경우 ➩ 장물양도죄 ○(대판 2011.5.13, 2009도3552 ∵ 장물인 수입자동차를 신규등록하였다고 하여 그 최초 등록명의인이 해당 수입자동차를 원시취득하게 된다거나 그 장물양도행위가 범죄가 되지 않는다고 볼 수는 없다.) 17. 순경 1차, 19. 경찰승진, 21. 해경간부

(3) **객체** : 장물(재산죄에 의하여 영득한 재물)

① **재물** : 장물은 반드시 재물이어야 하며, 재산상의 이익이나 권리는 장물이 될 수 없다.

┌ **관련판례**

1. 장물죄에는 제346조의 준용규정이 없으나 재물개념에 관한 관리가능성설의 입장에서 '관리할 수 있는 동력'도 당연히 장물에 포함된다(다수설, 대판 1972.6.13, 72도971). 15. 사시
2. 가입권자가 전화관서로부터 전화역무를 제공받을 권리인 전화가입권이 강취된 것이라는 정을 알면서 이를 매수한 경우 장물취득죄가 성립하지 아니한다〔대판 1971.2.23, 70도2589 ∵ 전화가입권 ➩ 재산상 이익(채권적 권리) ○, 재물 ×〕. 16. 경찰간부, 21. 해경간부

② **본범의 성질** : 장물은 타인의 재산범죄에 의해 영득한 재물이므로 본범은 재산범죄여야 한다.

┌ **관련판례**

장물죄에 있어서의 장물이 되기 위하여는 본범이 절도, 강도, 사기, 공갈, 횡령 등 영득죄에 의하여 취득한 물건이면 족하고 그중 어느 범죄에 의하여 영득한 것인지를 구체적으로 명시할 것을 요하지 않는다(대판 2000.3.24, 99도5275). 15. 경찰승진, 21. 법원직·수사경과, 23. 법원행시

㉠ **재산범죄** : 장물죄의 본범으로 되는 재산범죄는 배임죄(순수이득죄이므로)와 손괴죄(영득죄가 아니므로)를 제외한 모든 재산죄〔절도·강도·사기·공갈·횡령죄 및 장물죄(연쇄장물)〕 및 이와 동일시 할 수 있는 특별법상의 재산죄(에 산림법에 의한 산림절도)를 포함한다.

㉡ **재산범죄에 의하여 영득한 재물** : 장물은 재산범죄에 의하여 영득한 재물이어야 한다. 따라서 재산범죄의 수단으로 사용된 재물(에 배임죄의 수단으로 제공된 이중매매의 목적물인 부동산)은 장물이 될 수 없다.

┌ **관련판례**

이중매도로 인한 배임죄에 제공된 부동산을 취득한 때에는 장물취득죄가 성립하지 않는다(대판 1975. 12.9, 74도2804). 14. 변호사시험, 15. 경찰간부

㉢ **재물(장물)의 동일성** : 장물이라 함은 재산범죄로 인하여 취득한 물건 그 자체를 말하고, 그 장물의 처분대가는 장물성을 상실하는 것이다(대판 2000.3.10, 98도2579). 23. 법원직

장물 ○	1. 장물인 현금이나 자기앞수표를 금융기관에 예금의 형태로 보관하였다가 이를 반환받기 위하여 동일한 액수의 현금을 인출한 경우에 예금계약의 성질상 인출된 현금은 당초의 현금과 물리적인 동일성은 상실되었지만 액수에 의하여 표시되는 금전적 가치에는 아무런 변동이 없으므로 장물로서의 성질은 그대로 유지된다(대판 2004.3.12, 2004도134). 19. 순경 1차 · 2차, 20. 7급 검찰, 21. 경찰승진, 22. 경찰간부 · 수사경과, 23. 법원행시 · 법원직 · 경력채용, 24. 해경승진 · 해경순경 2. 판매목적으로 리프트탑승권 발매기를 전산조작하여 위조한 탑승권을 발매기에서 뜯어간 자(유가증권위조죄 및 동행사죄와 절도죄)로부터 사정을 알면서 매수한 자의 죄책 ⇨ 장물취득죄(대판 1998.11.24, 98도2969 ∵ 위조리프트탑승권 ⇨ 장물 ○) 14. 수사경과
장물 ×	1. 장물을 매각한 대금(대판 1972.6.13, 72도971), 16. 경찰간부, 21. 해경간부 장물을 전당잡힌 전당표(대판 1971.3.13, 73도58 ∵ 장물 그 자체 ×, 동일성 ×) 2. 甲이 권한 없이 인터넷뱅킹으로 타인의 예금계좌에서 자신의 예금계좌로 돈을 이체한 후 자신의 현금카드로 그중 일부를 인출하여 그 정을 아는 乙에게 교부한 경우(대판 2004.4.16, 2004도353) ⇨ 甲 : 컴퓨터 등 사용사기죄 ○, 절도죄 ×(∵ 자신의 현금카드 사용 ⇨ 현금자동지급기 관리자의 의사에 반하지 ×), 사기죄 ×(∵ 기망행위나 처분행위 ×), 乙 : 무죄 ○, 장물취득죄 ×〔∵ 컴퓨터 등 사용사기죄로 취득한 예금채권 ⇨ 재물 ×, 재산상 이익 ○, 인출한 돈은 재산범죄(절도죄나 사기죄)에 의해 취득한 재물 ×〕 18. 법원직, 19. 순경 2차, 20. 7급 검찰, 21. 수사경과 · 경찰간부 · 경찰승진, 22. 해경간부 · 법원행시, 23. 해경승진 · 9급 검찰 · 마약수사, 24. 변호사시험

㉣ **장물성의 상실** : 본범 또는 제3자가 장물에 대하여 소유권을 취득한 때에는 장물성을 상실한다.

┌ 관련판례

명의신탁부동산의 신탁행위에 있어서는 수탁자가 외부관계에 대하여 소유자로 간주되므로 이를 취득한 제3자는 수탁자가 신탁자의 승낙 없이 매각되는 정을 알고 있는 여부에 불구하고 장물취득죄가 성립하지 아니한다(대판 1979.11.27, 79도2410). 16. 경찰간부, 21. 해경간부, 24. 해경경위

㉤ **본범의 실현정도** : 장물죄가 성립하려면 본범은 구성요건에 해당하고 위법하면 족하며 유책할 것을 요하지 않고 또한 본범에게 소추조건이나 처벌조건이 없는 때에도 장물죄는 성립한다. 04. 경찰간부

┌ 관련판례

1. 甲이 회사 자금으로 乙에게 주식매각 대금조로 금원을 지급한 경우에 있어 그 금원은 단순히 횡령행위에 제공된 물건이 아니라 횡령행위에 의하여 영득된 장물에 해당한다고 할 것이고, 나아가 설령 甲이 乙에게 금원을 교부한 행위 자체가 횡령행위라고 하더라도 이러한 경우 甲의 업무상 횡령죄가 기수에 달하는 것과 동시에 그 금원은 장물이 되므로, 乙이 그 금원을 교부받을 당시 그러한 정을 알고 있었던

때에는 甲에게 업무상 횡령죄가 성립하고 乙에게 장물취득죄가 성립한다(대판 2004.12.9, 2004도5904). 15. 법원행시·순경 3차, 18. 법원직·수사경과, 22. 경찰간부, 23. 해경승진, 24. 해경순경

2. 재산범죄를 저지른 이후에 별도의 재산범죄의 구성요건에 해당하는 사후행위가 있었다면 비록 그 행위가 불가벌적 사후행위로서 처벌의 대상이 되지 않는다 할지라도 그 사후행위로 인하여 취득한 물건은 재산범죄(절도죄나 사기죄)로 인하여 취득한 물건으로서 장물이 될 수 있다(대판 2004.4.16, 2004도353). 16. 사시, 17. 법원행시, 22·24. 경찰승진·해경승진·9급 검찰·마약수사

(4) **행위** : 장물을 취득 · 양도 · 운반 · 보관 또는 이를 알선하는 것

① **취득** : 취득이란 점유를 이전받음으로써 그 장물에 대하여 사실상의 처분권을 획득하는 것을 의미하고, 취득 당시 장물인 정을 알면서 이를 취득하여야 장물취득죄가 성립한다(대판 2003.5.13, 2003도1366). 23. 경찰간부

예 단순히 보수를 받고 본범을 위하여 장물을 일시 사용하거나 그와 같이 사용할 목적으로 장물을 건네받은 경우 ⇨ 본죄의 취득 ×(대판 2003.5.13, 2003도1366 : 甲은 乙이 습득한 M 명의의 신용카드 2장을, 그 정을 알면서 乙로부터 "보수를 줄터이니 물건을 대신 구입하여 달라."는 부탁과 함께 건네받은 경우 ⇨ 甲 : 장물취득죄 × 장물보관죄 ○, 乙 : 점유이탈물횡령죄 ○) 21. 경찰간부, 22. 수사경과, 23. 법원행시, 24. 경찰승진·해경승진·9급 검찰·마약수사·순경 2차

┌ **관련판례**

1. 자전거의 인도를 받은 후에 비로소 장물이 아닌가 하는 의구심을 가진 경우나 전당포영업자가 보석들을 전당잡으면서 인도받을 당시 장물인 정을 몰랐다가 그 후 장물일지도 모른다고 의심하면서 소유권 포기각서를 받은 경우에는 장물취득죄를 구성한다고는 할 수 없다(대판 1971.4.20, 71도468 ; 대판 2006.10.13, 2004도6084 ∵ 장물취득죄는 취득 당시에 장물인 줄을 알면서 취득하여야 성립됨). 19. 순경 1차·2차, 22. 경찰승진, 23. 경찰간부·법원행시, 24. 해경승진·해경경위

2. 본인 명의의 예금계좌를 본범에게 양도하는 방법으로 본범의 사기 범행을 방조한 자가 그 사기피해자로부터 그의 예금계좌로 송금된 돈을 인출하여 사용한 경우(**예** 사기 범행에 이용되리라는 사정을 알고서도 자신의 명의로 새마을금고 예금계좌를 개설하여 甲에게 이를 양도함으로써 甲이 乙을 속여 乙로 하여금 1,000만원을 위 계좌로 송금하게 한 사기 범행을 방조한 피고인이 위 계좌로 송금된 돈 중 140만원을 인출한 경우) ⇨ 장물취득죄 ×〔대판 2010.12.9, 2010도6256 ∵ 송금된 돈은 '장물'(재물 ○, 재산상 이익 ×)에 해당하나, 예금인출행위는 예금명의자로서 은행에 예금반환을 청구한 결과일 뿐 본범으로부터 위 돈에 대한 점유를 이전받아 사실상 처분권을 획득한 것이 아니므로 '취득'이 아님.) ∴ 사기죄의 종범〕 15. 법원직, 16. 사시, 17. 법원행시·9급 검찰·마약수사, 19. 변호사시험

3. 장물인 정을 모르고 매매계약을 체결하였다가 그 후 매매목적물을 인도받을 때에 장물인 정을 알게 되었다고 하여도 장물취득죄는 성립한다(대판 1960.2.17, 4292형상496). 15. 경찰간부

4. 甲이 지입회사와 지입계약을 체결하고 지입회사 명의로 등록된 차량에 대하여 운행관리권을 위임받아 보관하던 중 지입회사의 승낙 없이 보관 중인 차량을 그 정을 아는 乙에게 처분한 경우 ⇨ 甲 : 횡령죄 ○, 乙 : 장물취득죄 ○(대판 2015.6.25, 2015도1944 전원합의체) 22. 법원행시

② **양도** : 양도란 장물인 사실을 알지 못하고 취득하였다가 그 사실을 알면서 제3자에게 수여하는 것을 말한다.

> 장물임을 알고 취득한 자가 제3자에게 양도 ⇨ 장물취득죄만 성립(∵ 양도는 불가벌적 사후행위)

③ **운반** : 운반이란 장물을 장소적으로 이전하는 것을 말한다. 유상·무상을 불문한다.

> 1. 본범과 공동하여 장물을 운반한 경우, 본범은 장물죄에 해당하지 않으나 본범 이외의 자의 행위는 장물운반죄를 구성한다(대판 1999.3.26, 98도3030). 22. 경찰간부
> 2. 장물운반행위를 공모한 일이 없는 이상 타인이 절취, 운전하는 승용차의 뒷좌석에 편승한 것을 가리켜 장물운반행위의 실행을 분담하였다고 할 수 없다(대판 1983.9.13, 83도1146). 06. 사시, 14. 수사경과
> 3. 본범이 절취한 차량임을 알면서 이를 운전해 준 경우 ⇨ 장물운반죄 ○(대판 1999.3.26, 98도3030) 14. 법원행시, 15. 법원직·수사경과

④ **보관** : 보관이란 위탁을 받고 장물을 자기의 점유하에 두는 것을 말한다. 장물에 대한 사실상의 처분권이 없다는 점에서 취득과 구별된다.

> 1. 장물인 정을 모르고 보관하던 중 장물인 정을 알게 되었고, 위 장물을 반환하는 것이 불가능하지 않음에도 불구하고 계속 보관함으로써 피해자의 정당한 반환청구권행사를 어렵게 하여 위법한 재산상태를 유지시킨 경우에 장물보관죄에 해당한다(대판 1987.10.13, 87도1633). 16. 경찰승진·사시, 19. 순경 1차, 21. 수사경과, 22. 법원행시, 24. 순경 2차
> 2. 장물임을 모르고 보관하였다가 사후에 장물임을 알고도 계속 보관한 경우에는 장물보관죄가 성립하나, 이 경우에 점유할 권한이 있어 계속 보관한 경우(채권담보로서 장물인 수표를 교부받았다가 장물임을 알고도 계속 보관한 경우)에는 장물보관죄 ×(대판 1986.1.21, 85도2472) 18. 수사경과, 21. 해경승진, 22. 경찰간부, 23. 법원직·법원행시

⑤ **알선** : 장물인 정을 알면서, 장물을 취득·양도·운반·보관하려는 당사자 사이에 서서 서로를 연결하여 장물의 취득·양도·운반·보관행위를 중개하거나 편의를 도모하였다면, 그 알선에 의하여 당사자 사이에 실제로 장물의 취득·양도·운반·보관에 관한 계약이 성립하지 아니하였거나 장물의 점유가 현실적으로 이전되지 아니한 경우라도 장물알선죄가 성립한다(대판 2009.4.23, 2009도1203 ⑩ 장물인 귀금속의 매도를 부탁받은 피고인이 그 귀금속이 장물임을 알면서도 매매를 중개하고 매수인에게 이를 전달하려다가 매수인을 만나기도 전에 체포되었다 하더라도, 위 귀금속의 매매를 중개함으로써 장물알선죄가 성립한다). 16. 사시, 17. 법원행시, 22. 수사경과·해경간부·변호사시험·7급 검찰, 23. 법원직, 24. 경찰승진·해경승진·해경경위·순경 2차

(5) **주관적 구성요건**

> **관련판례**
>
> 장물취득죄에 있어서 장물의 인식은 확정적 인식임을 요하지 않으며 장물일지도 모른다는 의심을 가지는 정도의 미필적 인식으로도 충분하다(대판 1995.1.20, 94도1968). 15. 경찰승진·순경 3차, 16. 법원행시, 21. 법원직·해경승진, 22. 수사경과

(6) 죄수 및 타죄와의 관계

① 죄 수

㉠ 본범이 절취한 차량이라는 정을 알면서 본범의 그 차량을 이용한 강도 제의를 수락하고 강도행위를 위해 그 차량을 운전해 준 경우 ⇨ 강도예비죄와 장물운반죄의 상상적 경합 (대판 1999.3.26, 98도3030) 17. 경찰간부, 18. 수사경과, 20. 7급 검찰, 22. 경찰승진, 23. 9급 검찰·마약수사

㉡ 공무원이 장물임을 알면서 이를 뇌물로 받은 경우 ⇨ 장물취득죄와 수뢰죄의 상상적 경합 05. 법원행시

㉢ 장물인 자기앞수표를 취득한 후 이를 현금 대신 교부한 행위는 장물취득에 대한 가벌적 평가에 당연히 포함되는 불가벌적 사후행위로서 별도의 범죄를 구성하지 아니한다고 봄이 상당하다(대판 1993.11.23, 93도213). 12. 순경 2차, 13. 7급 검찰

② 장물에 대한 재산범죄와 장물죄와의 관계

㉠ 횡령죄와의 관계

┌ 관련판례

장물이라는 사실을 알면서 인도받아 보관하고 있다가 마음대로 이를 처분하였다 하여도 장물보관죄가 성립하는 때에는 그 외에 별도의 횡령죄는 성립하지 않는다(대판 2004.4.9, 2003도8219). 16. 사시, 18. 법원직, 19. 9급 검찰, 20. 7급 검찰·해경 1차, 22. 경찰간부·법원행시, 23. 법원직, 24. 해경승진

㉡ **장물에 대하여 절도·강도·사기·공갈죄를 범한 경우** : 장물에 관하여 횡령 이외의 재산죄를 범한 경우(예 장물을 절도)에 대해서는 견해의 대립이 심하다. 추구권설의 입장에서는 피해자가 추구권을 가지는 한 그 재산범죄와 별개로 장물죄의 성립을 인정함이 논리적이고(절도·강도·사기·공갈죄와 장물죄의 상상적 경합), 결합설·유지설의 입장에서는 장물죄는 본범과의 합의가 필요하므로 합의를 인정할 수 없는 이러한 경우에는 그 재산범죄만이 성립하고 장물죄는 성립할 수 없게 된다(다수설).

┌ 관련판례

타인이 갈취한 재물을 그 타인의 의사에 반하여 절취하였다면 절도죄를 구성하고 장물취득죄가 되지 않는다(대판 1966.12.20, 66도1437). 05. 법원행시

(7) 친족간의 범행

제365조 제1항 전 3조의 죄를 범한 자와 피해자 간에 제328조 제1항·제2항의 신분관계가 있는 때에는 동조의 규정을 준용한다.
제365조 제2항 전 3조의 죄를 범한 자와 본범 간에 제328조 제1항의 신분관계가 있는 때에는 그 형을 감경 또는 면제한다. 단, 신분관계가 없는 공범에 대하여는 예외로 한다.

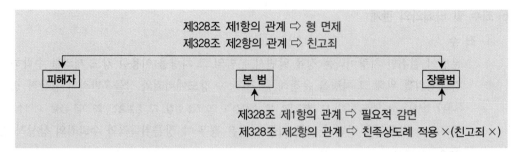

☝ 장물범과 본범 사이에 직계혈족 · 배우자 · 동거친족 · 동거가족 또는 그 배우자인 신분관계가 있는 때에는 그 형을 감경 또는 면제한다(▶ 형을 면제하여야 한다 ×, 형을 감경 또는 면제할 수 있다 ×). 17. 경찰간부, 20. 7급 검찰, 22. 수사경과 · 해경간부, 23. 변호사시험, 24. 경찰승진

③ 업무상 과실 · 중과실 · 장물죄

> **제364조** 업무상 과실 또는 중대한 과실로 인하여 제362조의 죄를 범한 자는 1년 이하의 징역 또는 500만원 이하의 벌금에 처한다.

☝ 1. 친족상도례 적용(제365조)
  2. 형법상 재산범죄 중에서 과실범을 처벌하는 유일한 규정이다(단, 일반과실범은 처벌 ×, 업무상 과실 또는 중과실만 처벌 ∴ 업무상 과실장물죄와 중과실장물죄는 가중적 구성요건이 아니다(부진정신분범 ×, 진정신분범 ○)). 15. 사시, 17. 순경 1차, 19. 변호사시험, 21. 경찰간부, 24. 순경 2차

┌ 관련판례

1. 전당포주가 업무상의 주의의무를 게을리 하여 장물인 정을 모르고 전당잡은 경우에는 비록 주민등록증을 확인하였다 하여도 그 사실만으로는 업무상 과실장물취득의 죄책을 면할 수 없다(대판 1985.2.26, 84도2732). 17. 법원행시

2. 금은방을 운영하는 자는 전당물을 취득함에 있어 좀 더 세심한 주의를 기울였다면 그 물건이 장물임을 알 수 있는 특별한 사정이 있다면, 신원확인절차를 거치는 이외에 매수물품의 성질과 종류 및 매도자의 신원 등에 더 세심한 주의를 기울여 전당물인 귀금속이 장물인지의 여부를 확인할 주의의무를 부담한다(대판 2003.4.25, 2003도348). 18. 변호사시험, 22. 법원행시

3. 시계점을 경영하면서 중고시계의 매매도 하고 있는 자는 후에 장물로 판정된 시계를 매입함에 있어 매도인에게 그 시계의 구입장소, 구입시기, 매각이유 등을 묻고, 비치된 장부에 매입 가격 및 주민등록증에 의해 확인된 위 매도인의 인적 사항 일체를 사실대로 기재하였다면 위 매도인의 신분이나 시계 출처 및 소지 경위에 대한 매도인의 설명의 진부에 대하여서까지 확인하여야 할 주의의무가 있다고는 보기 어렵다(대판 1984.2.14, 83도2982). 16. 사시, 24. 해경경위

1 장물죄는 재산범인 본범이 위법영득한 재물에 사후적으로 관여하는 사후종범적 성격을 가지고 있으므로, 형법은 실제로 장물죄를 절도죄보다 가볍게 처벌하고 있다. (　) 　16·23. 경찰승진

2 장물죄는 타인(본범)이 불법하게 영득한 재물의 처분에 관여하는 범죄이므로 자기의 범죄에 의하여 영득한 물건에 대하여는 성립되지 아니하고 이는 불가벌적 사후행위에 해당한다고 할 것이지만, 여기에서 자기의 범죄라 함은 정범자(공동정범과 합동범을 포함한다)에 한정된다. (　)
　14. 경찰간부, 17. 경찰승진, 22. 해경간부

3 횡령을 교사한 후 그 횡령한 물건을 취득한 때에는 횡령죄가 성립하는 외에 별도의 장물취득죄가 성립하지 않는다. (　) 　15. 경찰간부, 21. 변호사시험, 22. 경찰승진, 23. 법원행시, 24. 해경승진

4 장물죄에 있어서 본범의 행위에 관한 법적 평가는 그 행위에 대하여 우리 형법이 적용되지 아니하는 경우에도 우리 형법을 기준으로 하여야 하고, 본범의 행위가 우리 형법에 비추어 절도죄 등의 구성요건에 해당하는 위법한 행위라고 인정되는 이상 이에 의하여 영득된 재물은 장물에 해당한다. (　) 　16. 사시·법원행시, 19·21. 경찰간부·경찰승진, 23. 해경승진

5 가입권자가 전화관서로부터 전화역무를 제공받을 권리인 전화가입권이 강취된 것이라는 정을 알면서 이를 매수한 경우 장물취득죄가 성립하지 아니한다. (　) 　16. 경찰간부, 21. 해경간부

6 장물은 재산범죄에 의하여 영득하게 된 재물자체를 의미하므로 이중매매로 인하여 배임죄가 성립된 대상 부동산을 매수한 경우에는 장물취득죄가 성립하지 않는다. (　)
　14. 변호사시험, 15. 경찰간부

7 장물인 현금 또는 수표를 금융기관에 예금의 형태로 보관하였다가 이를 반환받기 위하여 동일한 액수의 현금 또는 수표를 인출한 경우에 예금계약의 성질상 그 인출된 현금 또는 수표는 당초의 현금 또는 수표와 물리적인 동일성이 상실되었으므로 장물에 해당하지 아니한다. (　)
　19. 순경 1차·2차, 20. 7급 검찰, 21. 경찰승진, 22. 경찰간부, 23. 법원행시·법원직·경력채용

8 권한 없이 인터넷뱅킹으로 타인의 예금계좌에서 자신의 예금계좌로 돈을 이체하여 컴퓨터 등 사용사기죄의 범행을 저지른 다음 자신의 현금카드를 사용하여 그중 일부를 인출한 경우 인출한 현금은 장물이다. (　) 　18. 법원직, 19. 순경 2차, 20. 7급 검찰,
　21. 경찰간부·경찰승진, 23. 해경승진·9급 검찰·마약수사, 24. 변호사시험

9 甲이 회사 자금으로 乙에게 주식매각 대금조로 금원을 지급한 경우, 그 금원은 단순히 횡령행위에 제공된 물건이 아니라 횡령행위에 의하여 영득된 장물에 해당한다. (　)
　15. 법원행시·순경 3차, 18. 법원직, 22. 경찰간부, 23. 해경승진

Answer ← 　1. ×　 2. ○　 3. ×　 4. ○　 5. ○　 6. ○　 7. ×　 8. ×　 9. ○

10 재산범죄를 저지른 이후에 별도의 재산범죄의 구성요건에 해당하는 사후행위가 있었으나, 그 행위가 불가벌적 사후행위로서 처벌의 대상이 되지 않는다면 그 사후행위로 인하여 취득한 물건은 장물이 될 수 없다. ( )　　　　　　16. 사시, 17. 법원행시, 22 · 24. 경찰승진 · 해경승진

11 신용카드를 절취한 본범으로부터 보수를 줄터이니 대신 물건을 구입하여 달라는 부탁을 받고 신용카드가 절취된 것이라는 정을 알면서 그 부탁을 들어줄 생각으로 이를 건네받았다면 장물취득죄가 성립한다. ( )　　　　　19. 순경 2차, 21. 경찰간부, 23. 법원행시, 24. 경찰승진 · 해경승진

12 장물을 인도받은 후 비로소 장물이 아닌가 하는 의구심을 가졌더라도 장물취득죄가 성립한다. ( )　　　　　　　　　　　19. 순경 1차 · 2차, 20 · 22. 경찰승진, 23. 경찰간부 · 법원행시

13 甲이 사기범행에 이용되리라는 사정을 알고서도 자신명의의 계좌를 乙에게 양도하고, 乙이 丙을 속여 丙으로 하여금 현금을 甲의 계좌로 송금하게 한 경우, 甲이 자신의 계좌로 송금된 돈 중 일부를 인출한 행위는 장물취득죄가 성립한다. ( )　　　　　15. 법원직, 16. 사시, 17. 9급 검찰 · 마약수사 · 법원행시, 19. 변호사시험, 21. 경찰간부

14 장물인 정을 모르고 보관하던 중 장물인 정을 알게 되었다면, 위 장물을 반환하는 것이 불가능하지 않음에도 불구하고 계속 보관한 경우, 장물보관죄에 해당하지 않는다. ( )　　　　　16. 사시 · 경찰승진, 19. 순경 1차, 21. 수사경과, 22. 법원행시

15 장물인 정을 모르고 채권담보로 수표를 교부받은 후에 장물인지 알고서도 이를 계속 보관하였다면 장물보관죄가 성립한다. ( )　　　　18. 수사경과, 21. 해경승진, 22. 경찰간부, 23. 법원행시 · 법원직

16 A로부터 장물인 귀금속의 매도를 부탁받은 甲이 그 귀금속이 장물임을 알면서도 매매를 중개한 후, 매수인 B에게 이를 전달하려다가 B를 만나기 전에 체포되었다면 甲에게는 장물알선죄가 성립한다. ( )　　　　　17. 법원행시, 22. 변호사시험 · 7급 검찰, 23. 법원직, 24. 경찰승진 · 해경승진

17 본범 이외의 자가 본범이 절취한 차량이라는 정을 알면서 본범의 강도행위를 위해 그 차량을 운전해 준 경우 장물운반죄가 성립한다. ( )　　　　17. 경찰간부, 18. 수사경과, 20. 7급 검찰, 22. 경찰승진, 23. 9급 검찰 · 마약수사

18 절도 범인으로부터 장물보관 의뢰를 받은 자가 그 정을 알면서 이를 인도받아 보관하고 있다가 임의 처분하였다 하여도 장물보관죄가 성립하는 때에는 별도로 횡령죄가 성립하지 않는다. ( )　　　　　16. 사시, 20. 7급 검찰, 22. 경찰간부, 23. 법원직, 24. 해경승진

19 장물범과 본범 사이에 직계혈족이나 배우자로서의 친족관계가 있을 경우 형을 면제하여야 한다. ( )　　　　　17. 경찰간부, 20. 7급 검찰, 22. 수사경과 · 해경간부, 23. 변호사시험, 24. 경찰승진

Answer ├─ 10. ✕　11. ✕　12. ✕　13. ✕　14. ✕　15. ✕　16. ○　17. ○　18. ○　19. ✕

01 장물죄에 관한 설명 중 가장 적절한 것은?(다툼이 있는 경우 판례에 의함)　17. 경찰승진, 22. 해경간부

① 장물인 귀금속의 매도를 부탁받은 피고인이 그 귀금속이 장물임을 알면서도 매매를 중개하고 매수인에게 이를 전달하려다가 매수인을 만나기 전에 체포되었다면 장물알선죄가 성립하지 아니한다.

② 장물범이 본범과 직계혈족일 경우, 장물범에 대하여 그 형을 감경 또는 면제할 수 있다.

③ 甲이 권한 없이 인터넷 뱅킹으로 타인의 예금계좌에서 자신의 예금계좌로 돈을 이체한 후 그중 일부를 인출하여 그 정을 아는 乙에게 교부한 경우, 乙은 장물취득죄가 성립한다.

④ 장물죄는 타인(본범)이 불법하게 영득한 재물의 처분에 관여하는 범죄이므로 자기의 범죄에 의하여 영득한 물건에 대하여는 성립되지 아니하고 이는 불가벌적 사후행위에 해당한다고 할 것이지만, 여기에서 자기의 범죄라 함은 정범자(공동정범과 합동범을 포함한다.)에 한정된다.

> 해설 ① × : 장물알선죄 ○(대판 2009.4.23, 2009도1203)
> ② × : 필요적 감면 ○(임의적 감면 × : 제365조 제2항)
> ③ × : 장물취득죄 ×(대판 2004.4.16, 2004도353)
> ④ ○ : 대판 1986.9.9, 86도1273

02 장물죄에 관한 설명 중 옳지 않은 것은?(다툼이 있는 경우 판례에 의함)　16. 경찰간부, 21. 해경간부

① 전화가입권의 실체는 가입권자가 전화관서로부터 전화역무를 제공받을 하나의 채권적 권리이며, 이는 하나의 재산상의 이익은 될지언정 위에 말한 장물의 범주에 속하지 아니한다.

② 장물을 팔아서 얻은 돈인 줄을 피고인이 알고 취득하였더라도 장물취득죄가 성립하는 것은 아니다.

③ 명의신탁부동산의 신탁행위에 있어서는 수탁자가 외부관계에 대하여 소유자로 간주되므로 이를 취득한 제3자는 수탁자가 신탁자의 승낙 없이 매각되는 정을 알고 있는 여부에 불구하고 장물취득죄가 성립하지 아니한다.

④ 피고인이 도난차량인 미등록 수입자동차를 취득하여 신규등록을 마친 후 위 자동차가 장물일지도 모른다고 생각하면서 이를 양도한 경우, 피고인에게 장물양도죄가 인정되지 않는다.

> 해설 ① 대판 1971.2.23, 70도2589 ② 대판 1972.6.13, 72도971 ③ 대판 1979.11.27, 79도2410
> ④ × : 장물양도죄 ○(대판 2011.5.13, 2009도3552 ∵ 장물인 수입자동차를 신규등록하였다고 하여 그 최초 등록명의인이 해당 수입자동차를 원시취득하게 된다거나 그 장물양도행위가 범죄가 되지 않는다고 볼 수는 없다.)

Answer　01. ④　02. ④

03 장물죄에 대한 설명으로 옳지 않은 것은?(다툼이 있는 경우 판례에 의함)   21. 경찰간부

① 단순히 보수를 받고 본범을 위하여 장물을 일시 사용하거나 그와 같이 사용할 목적으로 장물을 건네받은 것만으로는 장물을 취득한 것으로 볼 수 없다.

② 컴퓨터 등 사용사기죄의 범행으로 예금채권을 취득한 다음 자기의 현금카드를 사용하여 현금자동지급기에서 현금을 인출한 경우, 그 인출된 현금은 장물이 될 수 없다.

③ 권한 없이 인터넷뱅킹으로 타인의 계좌에서 자신의 계좌로 돈을 이체한 후 그중 일부를 인출하여 그 정을 아는 제3자에게 교부한 경우, 제3자에게는 장물취득죄가 성립하지 않는다.

④ 장물죄의 본범의 행위에 관한 법적 평가는 그 행위에 대하여 우리 형법이 적용되지 아니하는 경우에는 다른 특별한 사정이 없는 한 국제사법의 규정에 좇아 정하여지는 준거법을 기준으로 하여야 한다.

> 해설 ① 대판 2003.5.13, 2003도1366 ② 대판 2010.12.9, 2010도6256 ③ 대판 2004.4.16, 2004도353
> ④ × : ~ (2줄) 하는 경우에도 우리 형법을 기준으로 하여야 한다(대판 2011.4.28, 2010도15350).

04 장물죄에 관한 다음 설명 중 옳은 것의 개수는?(다툼이 있는 경우 판례에 의함)   21. 법원직

> ㉠ 장물이라 함은 재산죄인 범죄행위에 의하여 영득된 물건을 말하는 것으로서 절도, 강도, 사기, 공갈, 횡령 등 영득죄에 의하여 취득된 물건이어야 한다.
> ㉡ 장물취득죄에 있어서 장물의 인식은 확정적 인식임을 요하지 않으며 장물일지도 모른다는 의심을 가지는 정도의 미필적 인식으로서도 충분하다.
> ㉢ 장물인 귀금속의 매도를 부탁받은 피고인이 그 귀금속이 장물임을 알면서도 매매를 중개하고 매수인에게 이를 전달하려다가 매수인을 만나기도 전에 체포되었다면 장물알선죄가 성립한다고 보기 어렵다.
> ㉣ 장물취득죄에서 '취득'이라고 함은 점유를 이전받음으로써 그 장물에 대하여 사실상의 처분권을 획득하는 것을 의미하는 것이므로, 단순히 보수를 받고 본범을 위하여 장물을 일시 사용하거나 그와 같이 사용할 목적으로 장물을 건네받은 것만으로는 장물을 취득한 것으로 볼 수 없다.
> ㉤ 장물죄에 있어서 장물범과 피해자 간에 동거친족의 신분관계가 있는 때에는 형이 감경 또는 면제되지만, 장물범과 본범 간에 동거친족의 신분관계가 있는 때에는 형이 면제된다.

① 없 음   ② 1개   ③ 2개   ④ 3개

> 해설 ㉠ ○ : 대판 2000.3.24, 99도5275
> ㉡ ○ : 대판 1995.1.20, 94도1968
> ㉢ × : ~ 체포되었다 하더라도, 위 귀금속의 매매를 중개함으로써 장물알선죄가 성립한다(대판 2009.4.23, 2009도1203).
> ㉣ ○ : 대판 2003.5.13, 2003도1366
> ㉤ × : ~ (2줄) 면제되지만, 장물범과 본범 간에 동거친족의 신분관계가 있는 때에는 형이 감경 또는 면제된다 (제365조 제2항).

Answer   03. ④   04. ④

05 장물죄에 대한 설명 중 옳은 것은 모두 몇 개인가?(다툼이 있는 경우 판례에 의함) 22. 경찰간부

> ㉠ 장물인 현금을 금융기관에 예금의 형태로 보관하였다가 이를 반환받기 위하여 동일한 액수의 현금을 인출한 경우, 예금계약의 성질상 인출된 현금은 당초의 현금과 물리적인 동일성은 상실되므로 장물로서의 성질을 상실한다.
> ㉡ 절도 범인으로부터 장물보관 의뢰를 받은 자가 그 정을 알면서 이를 인도받아 보관하고 있다가 임의 처분한 경우, 장물보관죄만 성립하고 횡령죄는 성립하지 않는다.
> ㉢ 장물인 정을 모르고 장물을 보관하였다가 그 후에 장물인 정을 알게 된 경우, 그 정을 알고서도 계속하여 보관하였다면 그것을 점유할 권한이 있더라도 장물보관죄가 성립한다.
> ㉣ 본범과 공동하여 장물을 운반한 경우, 본범은 장물죄에 해당하고 본범 이외의 자의 행위는 장물운반죄를 구성한다.
> ㉤ 甲이 회사 자금으로 乙에게 주식매각 대금조로 금원을 지급하는 사실을 乙이 알면서 받은 경우, 그 금원은 횡령행위에 제공된 물건일 뿐 장물로 취급될 수는 없다.

① 없 음　　　　② 1개　　　　③ 2개　　　　④ 3개

해설 ㉠ × : ~ (2줄) 물리적인 동일성은 상실되었지만 액수에 의하여 표시되는 금전적 가치에는 아무런 변동이 없으므로 장물로서의 성질은 그대로 유지된다(대판 2004.3.12, 2004도134).
㉡ ○ : 대판 2004.4.9, 2003도8219
㉢ × : ~ 점유할 권한이 있는 때에는 장물보관죄가 성립하지 않는다(대판 1986.1.21, 85도2472).
㉣ × : ~ 경우, 본범은 장물죄에 해당하지 않으나 본범 이외의 자의 ~ 구성한다(대판 1999.3.26, 98도3030).
㉤ × : ~ 제공된 물건이 아니라 횡령행위에 의하여 영득된 장물에 해당한다(대판 2004.12.9, 2004도5904).

06 장물의 죄에 대한 설명으로 적절한 것을 모두 고른 것은?(다툼이 있는 경우 판례에 의함) 22. 경찰승진

> ㉠ 재산범죄를 저지른 이후에 별도의 재산범죄의 구성요건에 해당하는 사후행위가 있었다면 비록 그 행위가 불가벌적 사후행위로서 처벌의 대상이 되지 않는다 할지라도 그 사후행위로 인하여 취득한 물건은 재산범죄로 인하여 취득한 물건으로서 장물이 될 수 있다.
> ㉡ 횡령 교사를 한 후 그 횡령한 물건을 취득한 경우에는 횡령교사죄 이외에 장물취득죄는 별도로 성립하지 아니한다.
> ㉢ 본범 이외의 자가 본범이 절취한 차량이라는 정을 알면서 강도예비의 고의를 가지고 강도행위를 위해 그 차량을 운전해 준 경우에는 강도예비죄와 아울러 장물운반죄가 성립할 수 있다.
> ㉣ 재물을 인도받은 후에 비로소 장물이 아닌가 하는 의구심을 가졌다면 그 재물수수행위는 장물취득죄를 구성한다.

① ㉠, ㉢　　　　② ㉠, ㉣　　　　③ ㉡, ㉢　　　　④ ㉢, ㉣

해설 ㉠ ○ : 대판 2004.4.16, 2004도353
㉡ × : ~ 횡령교사죄와 장물취득죄의 경합범이 성립한다(대판 1969.6.24, 69도692).
㉢ ○ : 대판 1999.3.26, 98도3030
㉣ × : ~ 구성한다고는 할 수 없다(대판 1971.4.20, 71도468).

Answer　05. ②　06. ①

07 장물에 관한 죄에 관한 설명 중 옳은 것을 모두 고른 것은?(다툼이 있는 경우 판례에 의함)

22. 법원행시

㉠ 장물인 정을 모르고 보관하던 중 장물임을 알게 되었고, 이를 반환하는 것이 불가능하지 않음에도 장물을 반환하지 않고 계속 보관하였다면 장물보관죄에 해당한다.

㉡ 甲이 권한 없이 인터넷뱅킹으로 타인의 예금계좌에서 자신의 예금계좌로 돈을 이체한 후 그중 일부를 인출하여 그 정을 아는 乙에게 교부한 경우 乙에게 장물취득죄가 성립한다.

㉢ 절도범인으로부터 장물보관 의뢰를 받은 자가 그 정을 알면서 이를 인도받아 보관하고 있다가 임의 처분하였다면 장물보관죄와 횡령죄의 실체적 경합범에 해당한다.

㉣ 금은방을 운영하는 자가 귀금속류를 매수함에 있어 매도자의 신원확인절차를 거쳤다고 하여도 장물인지의 여부를 의심할 만한 특별한 사정이 있거나 매수물품의 성질과 종류 및 매도자의 신원 등에 좀 더 세심한 주의를 기울였다면 그 물건이 장물임을 알 수 있었음에도 불구하고 이를 게을리하여 장물인 정을 모르고 매수하여 취득한 경우에는 업무상 과실장물취득죄가 성립한다.

㉤ 甲이 지입회사와 지입계약을 체결하고 지입회사 명의로 등록된 차량에 대하여 운행관리권을 위임받아 보관하던 중 지입회사의 승낙 없이 보관 중인 차량을 그 정을 아는 乙에게 처분하였더라도 횡령죄가 성립하지 아니하고, 乙에게도 장물취득죄가 성립하지 아니한다.

① ㉠, ㉤
② ㉠, ㉡
③ ㉡, ㉢
④ ㉠, ㉣
⑤ ㉠, ㉡, ㉣

해설 ㉠ ○ : 대판 1987.10.13, 87도1633
㉡ × : 장물취득죄 ×(대판 2004.4.16, 2004도353)
㉢ × : 장물보관죄 ○, 횡령죄 ×(대판 2004.4.9, 2003도8219)
㉣ ○ : 대판 2003.4.25, 2003도348
㉤ × : 甲 ⇨ 횡령죄 ○, 乙 ⇨ 장물취득죄 ○(대판 2015.6.25, 2015도1944 전원합의체)

Answer 07. ④

제9절 ▶ 손괴의 죄

> **제366조【재물손괴 등】** 타인의 재물, 문서 또는 전자기록 등 특수매체기록을 손괴 또는 은닉 기타 방법으로 그 효용을 해한 자는 3년 이하의 징역 또는 700만원 이하의 벌금에 처한다.
>
> **제367조【공익건조물파괴】** 공익에 공하는 건조물을 파괴한 자는 10년 이하의 징역 또는 2천만원 이하의 벌금에 처한다.
>
> **제368조【중손괴】** ① 전 2조의 죄를 범하여 사람의 생명 또는 신체에 대하여 위험을 발생하게 한 때에는 1년 이상 10년 이하의 징역에 처한다.
> ② 제366조 또는 제367조의 죄를 범하여 사람을 상해에 이르게 한 때에는 1년 이상의 유기징역에 처한다. 사망에 이르게 한 때에는 3년 이상의 유기징역에 처한다.
>
> **제369조【특수손괴】** ① 단체 또는 다중의 위력을 보이거나 위험한 물건을 휴대하여 제366조의 죄를 범한 때에는 5년 이하의 징역 또는 1천만원 이하의 벌금에 처한다.
> ② 제1항의 방법으로 제367조의 죄를 범한 때에는 1년 이상의 유기징역 또는 2천만원 이하의 벌금에 처한다.
>
> **제370조【경계침범】** 경계표를 손괴, 이동 또는 제거하거나 기타 방법으로 토지의 경계를 인식불능하게 한 자는 3년 이하의 징역 또는 500만원 이하의 벌금에 처한다.

⏰ 친족상도례 규정 준용 ×, 중손괴죄·경계침범죄 ⇨ 미수범 처벌 ×(나머지 모두 미수 처벌 ○)

(1) 의 의

본죄는 타인의 재물, 문서 또는 전자기록 등 특수매체기록을 손괴 또는 은닉, 기타 방법으로 그 효용을 해함으로써 성립하는 범죄이다. 23. 경찰승진

(2) 객 체 : 타인(소유)의 재물, 문서 또는 전자기록 등 특수매체기록

① **타 인**

㉠ 문서손괴죄의 객체는 타인소유의 문서이며 피고인 자신이 점유하에 있는 문서라 할지라도 타인소유인 이상 이를 손괴하는 행위는 문서손괴죄에 해당한다(대판 1984.12.26, 84도2290). 16. 사시, 17. 법원행시, 21. 수사경과

● 관련판례

1. 자기소유 부동산에 타인이 권한 없이 경작한 농작물도 타인의 소유에 속하므로 부동산 소유자가 이를 뽑아 버린 경우 재물손괴죄를 구성한다(대판 1970.3.10, 70도82).
2. 쪽파의 매수인이 명인방법을 갖추지 않은 경우, 쪽파에 대한 소유권을 취득하였다고 볼 수 없어 그 소유권은 여전히 매도인에게 있고 매도인과 제3자 사이에 일정 기간 후 임의처분의 약정이 있었다면 그 기간 후에 제3자가 쪽파를 손괴하였더라도 재물손괴죄가 성립하지 않는다(대판 1996.2.23, 95도2754). 13. 법원행시, 21. 경찰승진, 22. 7급 검찰

㉡ 문서도 문서의 소유권이 타인에게 있으면 본죄의 대상이 되며 작성명의인이 누구인가는 문제되지 않으며, 점유 여부도 불문한다(▶ 문서위조·변조죄의 객체 : 타인명의의 문서).

┌ **관련판례**

1. 甲이 자기명의로 작성하여 乙에게 준 허위내용의 확인서를 잠시 반환받아 내용의 일부를 임의로 변경한 경우 ⇨ 문서손괴죄 ○(대판 1982.12.28, 82도1807) 17. 법원행시

   ▶ **유사판례**

   ① 자신이 써준 전세금수령영수증을 전세금을 반환하겠다고 속여 이를 교부받아 찢어버린 경우 ⇨ 문서손괴죄 ○(대판 1984.12.26, 84도2290) 24. 법원행시

   ② 이미 타기관(서울시 교육위원회)에 접수되어 있는 자기명의의 문서(학교장의 추천서)를 무효화시켜 용도에 사용하지 못하게 한 경우 ⇨ 문서손괴죄 ○(대판 1987.4.14, 87도177) 16. 경찰승진, 18. 경찰간부, 22. 해경간부·수사경과, 24. 9급 검찰·마약수사

2. 약속어음의 수취인이 은행에 보관시킨 약속어음을 은행지점장이 발행인의 부탁을 받고(∴ 유가증권변조죄 ×) 그 지급기일의 일자를 지움으로써 그 효용을 해한 경우에는 문서손괴죄가 성립한다(대판 1982.7.27, 82도223). 13. 법원행시, 14. 경찰승진

3. 약속어음의 발행인이 소지인에게 어음의 액면과 지급기일을 개서하여 주겠다고 하여 위 어음을 교부받은 후에 어음의 수취인란에 타인의 이름을 추가로 기입한 경우 문서손괴죄를 구성한다(대판 1985. 2.26, 84도2802).

② **재물** : '재물'은 반드시 경제적 교환가치를 가진 것임을 요하지 않으며 이용가치나 효용을 가진 것으로 족하다. 15. 경찰승진, 22. 해경간부

┌ **관련판례**

1. 재건축사업으로 철거예정이고 그 입주자들이 모두 이사하여 아무도 거주하지 않은 채 비어 있는 아파트라 하더라도, 그 객관적 성상이 본래 사용목적인 주거용으로 쓰일 수 없는 상태라거나 재물로서의 이용가치나 효용이 없는 물건이라고도 할 수 없어 재물손괴죄의 객체가 된다(대판 2007.9.20, 2007도5207 ; 대판 2010.2.25, 2009도8473). 18. 경찰간부, 21. 법원직, 22. 해경간부·변호사시험·수사경과·9급 검찰·마약수사, 23. 해경승진, 24. 경찰승진·법원행시

2. 포도주 원액이 부패하여 포도주 원료로 사용할 수 없어도 식초의 제조 등 다른 용도로 사용할 수 있으면 손괴죄의 객체로 될 수 있다(대판 1979.7.24, 78도2138). 22. 7급 검찰, 24. 경찰승진·법원직

③ **문서** : 문서란 공용서류(제141조 제1항)에 해당하지 않는 모든 서류를 말한다. 공문서이든 사문서이든 불문한다.

   ☛ 공무소에서 사용하거나 보관하는 서류(공용서류)는 공용서류 등 무효죄(제141조 제1항)의 객체

┌ **관련판례**

이미 작성되어 있던 장부의 기재를 새로운 장부로 이기하는 과정에서 누계 등을 잘못 기재하다가 그 부분을 찢어버리고 계속하여 종전 장부의 기재내용을 모두 이기하였다면 이기 과정에서 잘못 기재되어 찢어버린 부분 그 자체가 손괴죄의 객체가 되는 재산적 이용가치 내지 효용이 있는 재물이라고도 볼 수 없다(대판 1989.10.24, 88도1296). 16. 경찰간부, 17. 법원행시, 23. 9급 검찰·마약수사, 24. 법원직

④ "전자기록 등 특수매체기록"은 기록으로서의 성질상 어느 정도의 영속성이 있어야 하므로 전송중이거나 처리중인 자료는 여기에 해당하지 않는다. 17. 법원행시

(3) **행위** : 손괴 또는 은닉, 기타의 방법으로 그 효용을 해하는 것

① **손괴** : 손괴란 재물, 문서 또는 특수매체기록의 전부 또는 일부에 직접 유형력을 행사하거나 기계적 조작을 통하여 물리적으로 훼손하거나 그 본래의 효용을 감소시키는 일체의 행위를 말한다.

┌─ **관련판례**

1. 해고노동자 등이 복직을 요구하는 집회를 개최하던 중 래커 스프레이를 이용하여 회사건물 외벽과 1층 벽면 등에 낙서한 행위는 건물의 효용을 해한 것으로 볼 수 있어 재물손괴죄가 성립하나, 이와 별도로 계란 30여 개를 건물에 투척한 행위는 건물의 효용을 해하는 정도의 것에 해당하지 않아 재물손괴죄에 해당하지 않는다(대판 2007.6.28, 2007도2590). 16. 사시·경찰간부, 18. 법원행시, 20. 9급 검찰·마약수사, 22. 수사경과·해경간부, 22·23. 경찰승진

2. 자동문을 자동으로 작동하지 않고 수동으로만 개폐가 가능하게 하여 일시적으로 자동잠금장치로서 역할을 할 수 없도록 한 경우에도 재물손괴죄가 성립한다(대판 2016.11.25, 2016도9219). 18. 경찰간부, 20. 수사경과, 22. 해경간부, 23. 경찰승진·법원직, 24. 법원행시·9급 검찰·마약수사·해경경위

3. 타인소유의 광고용 간판을 백색페인트로 도색하여 광고문안을 지워버린 행위는 재물손괴죄에 해당한다(대판 1991.10.22, 91도2090). 18. 법원행시, 20. 수사경과, 21. 법원직

4. 소유자의 의사에 따라 어느 장소에 게시 중인 문서를 소유자의 의사에 반하여 떼어내는 것과 같이 종래의 상태에 따른 이용을 일시적으로 불가능하게 하는 경우에도 문서손괴죄가 성립할 수 있다. 17. 법원직, 22. 경찰승진, 23. 순경 1차 그러나 문서에 대한 종래의 사용상태가 문서 소유자의 의사에 반하여 또는 문서 소유자의 의사와 무관하게 이루어진 경우에 단순히 종래의 사용상태를 제거하거나 변경시키는 것에 불과하고 문서 소유자의 문서 사용에 지장을 초래하지 않은 경우에는 문서손괴죄가 성립하지 아니한다(대판 2015.11.27, 2014도13083). 18. 경찰간부, 22. 해경간부·7급 검찰, 24. 해경승진

   ▶ **유사판례** : 甲아파트 입주자대표회의 회장인 피고인이 자신의 승인 없이 동대표들이 관리소장과 함께 게시한 입주자대표회의 소집공고문을 뜯어내 제거한 경우 ⇨ 재물손괴죄 ×(대판 2021.12.30, 2021도9680 ∵ 그에 선행하는 위법한 공고문 작성 및 게시에 따른 위법상태의 구체적 실현이 임박한 상황하에서 그 위법성을 바로잡기 위한 것으로 사회통념상 허용되는 범위를 크게 넘어서지 않는 행위로 볼 수 있다. ∴ 정당행위 ○) 23. 순경 2차, 24. 해경경위

5. 회사의 경리사무처리상 필요불가결한 매출계산서, 매출명세서 등의 반환을 거부하여, 그 문서들을 일시적으로 사용할 수 없도록 한 경우도 문서의 효용을 해한 경우에 해당한다(대판 1971.11.23, 71도1576). 10. 법원행시

6. 판결에 의하여 명도받은 토지의 경계에 설치해 놓은 철조망과 경고판을 치워 버림으로써 울타리로서의 역할을 해한 때에는 재물손괴죄가 성립한다(대판 1982.7.13, 82도1057). 21. 법원직

7. 우물에 연결하고 땅속에 묻어서 수도관적 역할을 하고 있는 고무호스 중 약 1.5m를 발굴하여 우물가에 제쳐놓아 물이 통하지 못하게 한 경우 ⇨ 손괴죄 ○(대판 1971.1.26, 70도2378 ∵ 고무호스의 구체적인 효용을 해하였음) 16. 경찰승진, 21. 수사경과

▶ **비교판례** : 생활하수 등을 처리하기 위해 임차한 토지에 지름 3m, 깊이 80cm의 구덩이를 파고 콘크리트 조각을 집어넣은 경우 ⇨ 손괴죄 ×(대판 1989.1.31, 88도1592 ∵ 임차한 토지가 갖는 본래의 효용을 해한 것 ×, 그 효용을 해한다는 인식 ×) 09. 경찰승진

8. 경락받은 공장건물을 개조하기 위하여 그 안에 시설되어 있는 타인의 자재를 적법한 절차 없이 철거한 경우 ⇨ 재물손괴죄 ○(대판 1990.5.22, 90도700 ∵ 재물손괴죄의 범의 ○, 사회상규상 당연히 허용된 것 ×) 18. 법원행시, 22. 7급 검찰

9. 피고인이 피해자 甲의 상가건물에 대한 임대차계약 당시 甲의 모(母) 乙에게서 인테리어 공사 승낙을 받았는데, 이후 乙이 임대차보증금 잔금 미지급을 이유로 즉시 공사를 중단하고 퇴거할 것을 요구하자 도끼를 집어 던져 상가 유리창을 손괴한 경우 ⇨ 재물손괴죄 ○(대판 2011.5.13, 2010도9962 ∵ 乙이 위 의사표시로써 시설물 철거에 대한 동의를 철회한 것임) 19. 경력채용

10. 관리처분계획의 인가·고시 이후 분양처분의 고시 이전에 재개발구역 안의 무허가건물을 제3자가 임의로 손괴할 경우 특별한 사정이 없는 한 재물손괴죄가 성립한다(대판 2004.5.28, 2004도434 ∵ 분양처분의 고시가 있어야 무허가건물에 대한 소유권이 소멸하고 분양받은 아파트에 대한 소유권만이 남게 됨). 03. 법원행시

11. 甲주식회사의 직원인 피고인들이 유색 페인트와 래커 스프레이를 이용하여 甲회사 소유의 도로 바닥에 직접 문구를 기재하거나 도로 위에 놓인 현수막 천에 문구를 기재하여 페인트가 바닥으로 배어나와 도로에 배게 한 경우 ⇨ 특수재물손괴죄 ×(대판 2020.3.27, 2017도20455 ∵ 피고인들이 위와 같은 방법으로 도로 바닥에 여러 문구를 써놓은 행위가 위 도로의 효용을 해하는 정도에 이른 것이라고 보기 어렵다.) 22. 순경 2차, 24. 법원직

12. 다른 사람의 소유물을 본래의 용법에 따라 무단으로 사용·수익하는 행위는 소유자를 배제한 채 물건의 이용가치를 영득하는 것이고, 그 때문에 소유자가 물건의 효용을 누리지 못하게 되었더라도 효용 자체가 침해된 것이 아니므로 재물손괴죄에 해당하지 않는다(대판 2022.11.30, 2022도1410 **예** 부지의 점유 권원이 없는 건물의 소유자였던 피고인이 토지소유자와의 철거 등 청구소송에서 패소하고 강제집행을 당한 후 무단으로 그 부지에 건물을 신축하더라도 토지의 효용을 해한 것으로 볼 수 없으므로 재물손괴죄가 성립하지 않는다). 23. 순경 1차·2차, 24. 법원직·해경경위

13. 재물을 절취하기 위해 야간에 피해자들이 운영하는 식당의 창문과 방충망을 물리적 훼손 없이 창틀에서 분리하여 놓고 침입한 행위 ⇨ 특수절도죄의 손괴 ×(대판 2015.10.29, 2015도7559 ∵ 창문과 방충망을 창틀에서 분리하였을 뿐 물리적으로 훼손하여 효용을 상실하게 한 것은 아님.) 17. 변호사시험, 18. 순경 3차, 24. 9급 검찰·마약수사

② **은닉** : 은닉이란 재물 또는 문서의 소재를 불분명하게 하여 그 발견을 곤란 또는 불가능하게 함으로써 그 재물 또는 문서가 가진 효용을 해하는 것을 말한다.

┌ **관련판례**

타인의 등기권리증을 민사사건의 증거로 법원에 제출한 것은 문서손괴죄의 은닉에 해당하지 않는다 (대판 1979.8.28, 79도1266). 03. 법원행시

☛ 재물 또는 문서를 은닉한 때 본죄가 되느냐 아니면 절도죄 또는 횡령죄가 되느냐는 불법영득의사의 유무에 의해 구별한다(**예** 불법영득의사 ○ ⇨ 절도 또는 횡령죄, 불법영득의사 × ⇨ 손괴죄).

③ **기타 방법으로 재물의 효용을 해하는 것** : '재물의 효용을 해한다'고 함은 사실상으로나 감정상으로 그 재물을 본래의 사용목적에 제공할 수 없게 하는 상태로 만드는 것을 말하며, 일시적으로 그 재물을 이용할 수 없거나 구체적 역할을 할 수 없는 상태로 만드는 것도 포함한다 (대판 2021.5.7, 2019도13764). 23. 경찰승진

> **예** 1. 甲이 홍보를 위해 광고판(홍보용 배너와 거치대)을 1층 로비에 설치해 두었는데, 피고인이 乙에게 지시하여 乙이 위 광고판을 그 장소에서 제거하여 컨테이너로 된 창고로 옮겨 놓아 甲이 사용할 수 없도록 한 경우 ➡ 재물손괴죄 ○(대판 2018.7.24, 2017도18807). 14. 수사경과, 20. 9급 검찰·마약수사, 22. 법원직·수사경과, 24. 경찰승진
>
> 2. 甲이 A의 차량 앞에는 철근콘크리트 구조물을, 뒤에는 굴삭기 크러셔를 바짝 붙여 놓아 A의 차량을 17~18시간 동안 운행할 수 없게 한 행위 ➡ 재물손괴죄 ○(대판 2021.5.7, 2019도13764 ∵ 차량 앞뒤에 쉽게 제거하기 어려운 구조물 등을 붙여 놓은 행위는 차량에 대한 유형력 행사로 보기에 충분하고, 차량 자체에 물리적 훼손이나 기능적 효용의 멸실 내지 감소가 발생하지 않았더라도 甲이 위 구조물로 인해 차량을 운행할 수 없게 됨으로써 일시적으로 본래의 사용목적에 이용할 수 없게 된 이상 차량 본래의 효용을 해한 경우임.) 22. 법원직·순경 2차, 24. 경찰승진·9급 검찰·마약수사·해경경위

(4) **주관적 구성요건** : 고의 ○, 불법영득의사 ×

① 재물손괴죄는 다른 사람의 재물을 손괴 또는 은닉하거나 그 밖의 방법으로 그 효용을 해한 경우에 성립하는 범죄로, 행위자에게 다른 사람의 재물을 자기 소유물처럼 그 경제적 용법에 따라 이용·처분할 의사(불법영득의사)가 없다는 점에서 절도, 강도, 사기, 공갈, 횡령 등 영득죄와 구별된다(대판 2022.11.30, 2022도1410). 23. 법원직

② 재물손괴의 범의를 인정함에 있어서는 반드시 계획적인 손괴의 의도가 있거나 물건의 손괴를 적극적으로 희망하여야 하는 것은 아니고, 소유자의 의사에 반하여 재물의 효용을 상실케 하는 데 대한 인식이 있으면 된다(대판 1990.5.22, 90도700). 16. 경찰승진, 17. 수사경과

┌ **관련판례**

• **고의가 인정되는 경우**

1. 피고인이 경락받은 농수산물 저온저장 공장건물 중 공냉식 저온창고를 수냉식으로 개조함에 있어 그 공장에 시설된 피해자 소유의 자재에 관하여 피해자에게 철거를 최고하는 등 적법한 조치를 취함이 없이 이를 일방적으로 철거하게 하여 손괴한 경우 ➡ 손괴죄 ○(대판 1990.5.22, 90도700 ∵ 손괴의 범의 ○, 사회상규상 당연히 허용되는 것 ×) 10. 법원행시, 11. 사시

2. 피해자 소유의 전축 등을 망치와 드라이버로 부수거나 분해한 경우 ➡ 손괴죄 ○(대판 1993.12.7, 93도2701 ∵ 고의 ○)

• **고의가 부정되는 경우**

1. 乙이 甲의 영업을 방해하기 위하여 철조망을 설치하려 하자 甲이 위 철조망을 가까운 곳에 마땅한 장소가 없어 터미널로부터 약 200 내지 300미터 가량 떨어진 甲소유의 다른 토지 위에 옮겨 놓은 경우 ➡ 손괴죄 ×(대판 1990.9.25, 90도1591 ∵ 재물은닉의 범의 ×) 18. 법원행시

2. 공중전화기가 고장난 것으로 생각하고 파출소에 신고하기 위하여 전화선코드를 빼고 이를 떼어낸 경우 ⇨ 손괴죄 ×(대판 1986.9.23, 86도941 ∵ 손괴의 범의 ×) 13. 수사경과

3. 분식점의 전차인이 가재도구 일체를 두고 떠나자 이를 옥상에 옮겨 놓고 비닐장판과 비닐천 등을 덮어씌워 비가 스며들지 않게끔 하고 다른 사람이 열지 못하도록 조치를 취했으나 비로 인해 침수되어 녹슬거나 파손된 경우 ⇨ 손괴죄 ×(대판 1983.5.10, 83도595 ∵ 손괴의 범의 ×)

(5) 경계침범죄

① **의의** : 경계침범죄는 경계표를 손괴·이동 또는 제거하거나 기타 방법으로 토지의 경계를 인식불능하게 함으로써 성립하는 범죄이다(토지경계의 명확성 보호).

② **행위의 객체** : 경계표와 토지의 경계

┌ **관련판례**

1. 형법 제370조에서 말하는 경계는 반드시 법률상의 정당한 경계를 가리키는 것은 아니고, 비록 법률상의 정당한 경계에 부합되지 않는 경계라 하더라도 종래부터 일반적으로 승인되어 왔거나 이해관계인들의 명시적 또는 묵시적 합의에 의하여 정해진 것으로서 객관적으로 경계로 통용되어 왔다면 이는 위 법조에서 말하는 경계라 할 것이다(대판 2003.6.13, 2003도1691). 12. 법원직, 24. 법원행시·순경 2차 어느 정도 객관적으로 통용되는 사실상의 경계를 표시하는 것이라면 영속적인 것이 아니고 일시적인 것이라도 이 죄의 객체에 해당한다(대판 1999.4.9, 99도480). 12. 법원직, 24. 법원행시·순경 2차

2. 실체법상 권리관계와 부합하지 않더라도 사실상 현존하는 경계는 경계침범죄의 객체가 되나(대판 1976.5.25, 75도2564), 기존 경계가 진실한 권리상태와 맞지 않는다는 이유로 당사자의 어느 한쪽이 기존 경계를 무시하고 일방적으로 경계측량을 하여 이를 실체권리관계에 맞는 경계라고 주장하면서 그 위에 경계표를 설치하더라도 이와 같은 경계표는 경계침범죄에서 말하는 경계표에 해당되지 않는다(대판 1986.12.9, 86도1492). 12. 법원행시

3. 경계표는 반드시 담장 등과 같이 인위적으로 설치된 구조물만을 의미하는 것으로 볼 것은 아니고, 수목이나 유수 등과 같이 종래부터 자연적으로 존재하던 것이라도 경계표지로 승인된 것이면 여기의 경계표에 해당한다(대판 2007.12.28, 2007도9181). 12. 법원행시

③ **행위** : 법률상의 정당한 경계를 침범하는 행위가 있었다 하더라도 그로 말미암아 토지의 사실상의 경계에 대한 인식불능의 결과가 발생하지 않는 한 경계침범죄가 성립하지 아니한다 할 것이다(대판 2010.9.9, 2008도8973). 11. 경찰승진, 21. 법원행시 또한 본죄의 미수범처벌규정이 없다.

01 손괴죄에 관한 설명 중 가장 옳지 않은 것은?(다툼이 있는 경우 판례에 의함)   17. 법원행시

① 이미 작성되어 있던 장부의 기재를 새로운 장부로 이기하는 과정에서 누계 등을 잘못 기재하여 그 부분을 찢어버리고 계속하여 종전 장부의 기재내용을 모두 이기한 경우 특별한 사정이 없는 한 찢어버린 용지는 재물손괴죄의 객체가 되지 아니한다.

② 재물손괴죄의 객체인 "전자기록 등 특수매체기록"은 기록으로서의 성질상 어느 정도의 영속성이 있어야 하므로 전송중이거나 처리중인 자료는 여기에 해당하지 않는다.

③ 타인 소유의 재물이라면 비록 자신의 점유하에 있다고 하더라도 이를 손괴할 경우 재물손괴죄에 해당한다.

④ 자동문을 자동으로 작동하지 않고 수동으로만 개폐가 가능하게 하여 자동잠금장치로서 역할을 할 수 없도록 한 경우는 일시적으로 자동문의 역할을 할 수 없게 한 것에 불과하여 재물손괴죄가 성립하지 아니한다.

⑤ 허위의 내용이 기재된 확인서를 소유자의 의사에 반하여 작성명의인이 손괴한 경우 문서손괴죄가 성립한다.

> 해설 ① 대판 1989.10.24, 88도1296 ② 옳다. ③ 대판 1984.12.26, 84도2290
> ④ × : 재물손괴죄 ○(대판 2016.11.25, 2016도9219) ⑤ 대판 1982.12.28, 82도1807

02 손괴의 죄에 대한 설명으로 옳지 않은 것은?(다툼이 있는 경우 판례에 의함)   20. 9급 검찰·마약수사

① 재건축사업으로 철거 예정이고 그 입주자들이 모두 이사하여 아무도 거주하지 않은 채 비어 있는 아파트라도 재산적 이용가치 내지 효용이 있는 경우에는 재물손괴죄의 재물에 포함된다.

② 자동문을 자동으로 작동하지 않고 수동으로만 개폐가 가능하게 하여 자동잠금장치로서 역할을 할 수 없도록 한 경우에도 재물손괴죄가 성립한다.

③ 홍보를 위해 1층 로비에 설치해 둔 홍보용 배너와 거치대를 훼손 없이 그 장소에서 제거하여 컨테이너로 된 창고로 옮겨 놓아 사용할 수 없게 한 행위는 재물의 효용을 해하는 행위에 해당한다.

④ 해고노동자 등이 복직을 요구하는 집회를 개최하던 중 래커 스프레이를 이용하여 회사 건물 외벽과 1층 벽면 등에 낙서한 행위와 계란 30여 개를 건물에 투척한 행위는 모두 건물의 효용을 해한 것으로 볼 수 있다.

> 해설 ① 대판 2007.9.20, 2007도5207 ② 대판 2016.11.25, 2016도9219 ③ 대판 2018.7.24, 2017도18807
> ④ × : 해고노동자 등이 복직을 요구하는 집회를 개최하던 중 래커 스프레이를 이용하여 회사건물 외벽과 1층 벽면 등에 낙서한 행위는 건물의 효용을 해한 것으로 볼 수 있어 재물손괴죄가 성립하나, 이와 별도로 계란 30여 개를 건물에 투척한 행위는 건물의 효용을 해하는 정도의 것에 해당하지 않아 재물손괴죄에 해당하지 않는다(대판 2007.6.28, 2007도2590).

Answer   01. ④   02. ④

03 손괴의 죄에 대한 설명으로 가장 적절하지 않은 것은?(다툼이 있는 경우 판례에 의함)

21. 경찰승진·법원직

① 포도주 원액이 부패하여 포도주 원료로서의 효용가치는 상실되었으나, 그 산도가 1.8도 내지 6.2도에 이르고 있어서 식초의 제조 등 다른 용도에 사용할 수 있다면, 이 포도주 원액은 재물손괴죄의 객체가 될 수 있다.

② 재건축사업으로 철거예정이고 그 입주자들이 모두 이사하여 아무도 거주하지 않은 채 비어 있는 아파트라 하더라도, 그 객관적 성상이 본래 사용목적인 주거용으로 쓰일 수 없는 상태라거나 재물로서의 이용가치나 효용이 없는 물건이라고도 할 수 없다면 재물손괴죄의 객체가 된다.

③ 수확되지 아니한 쪽파의 매수인이 명인방법을 갖추지 않은 경우, 그 쪽파의 소유권은 여전히 매도인에게 있고 매도인과 제3자 사이에 일정 기간 후 임의처분의 약정이 있었다면 그 기간 후에 그 제3자가 쪽파를 손괴하였더라도 재물손괴죄가 성립하지 않는다.

④ 자동문을 자동으로 작동하지 않고 수동으로만 개폐가 가능하게 하여 자동잠금장치로서 역할을 할 수 없도록 한 것만으로는 재물손괴죄가 성립하지 않는다.

⑤ 판결에 의하여 명도받은 토지의 경계에 설치해 놓은 철조망과 경고판을 치워 버림으로써 울타리로서의 역할을 해한 때에는 재물손괴죄가 성립한다.

> 해설 ① 대판 1979.7.24, 78도2138 ② 대판 2007.9.20, 2007도5207 ③ 대판 1996.2.23, 95도2754
> ④ × : 재물손괴죄 ○(대판 2016.11.25, 2016도9219)
> ⑤ 대판 1982.7.13, 82도1057

04 다음 사례 중 재물손괴죄가 성립하지 않는 것은?(다툼이 있는 경우 판례에 의함) 22. 순경 2차

① 타인 소유의 광고용 간판을 백색페인트로 도색하여 광고문안을 지워버린 행위

② 자동문을 수동으로만 개폐가 가능하게 하여 자동잠금장치로서 역할을 할 수 없도록 한 행위

③ 甲이 A의 차량 앞에는 철근콘크리트 구조물을, 뒤에는 굴삭기 크러셔를 바짝 붙여 놓아 A의 차량을 17~18시간 동안 운행할 수 없게 한 행위

④ A주식회사 직원인 甲과 乙이 유색 페인트와 래커 스프레이를 이용하여 A회사 소유의 도로바닥에 직접 문구를 기재하거나 도로 위에 놓인 현수막 천에 문구를 기재하여 페인트가 바닥으로 배어나와 도로에 배게 한 행위

> 해설 • 재물손괴죄 ○ : ① 대판 1991.10.22, 91도2090 ② 대판 2016.11.25, 2016도9219 ③ 대판 2021.5.7, 2019도13764(∵ 차량 앞뒤에 쉽게 제거하기 어려운 구조물 등을 붙여 놓은 행위는 차량에 대한 유형력 행사로 보기에 충분하고, 차량 자체에 물리적 훼손이나 기능적 효용의 멸실 내지 감소가 발생하지 않았더라도 甲이 위 구조물로 인해 차량을 운행할 수 없게 됨으로써 일시적으로 본래의 사용목적에 이용할 수 없게 된 이상 차량 본래의 효용을 해한 경우임.)
> • 재물손괴죄 × : ④ 대판 2020.3.27, 2017도20455(∵ 피고인들이 위와 같은 방법으로 도로 바닥에 여러 문구를 써놓은 행위가 위 도로의 효용을 해하는 정도에 이른 것이라고 보기 어렵다.)

Answer 03. ④ 04. ④

05 손괴에 대한 설명으로 옳은 것만을 모두 고르면?(다툼이 있는 경우 판례에 의함) 24. 9급 검찰·마약수사

> ㉠ 재물을 절취하기 위해 야간에 피해자들이 운영하는 식당의 창문과 방충망을 물리적 훼손 없이 창틀에서 분리하여 놓고 침입한 행위는 특수절도죄의 손괴에 해당한다.
> ㉡ 다른 기관에 접수되어 있는 자기명의의 문서에 대하여 함부로 이를 무효화시켜 그 용도에 사용하지 못하게 하였다면 문서손괴죄의 손괴에 해당한다.
> ㉢ 자동문을 자동으로 작동하지 않고 수동으로만 개폐가 가능하게 하여 일시적으로 자동잠금장치로서 역할을 할 수 없게 한 경우에는 재물손괴죄의 손괴에 해당한다.
> ㉣ 주차되어 있는 차량의 앞에 철근콘크리트 구조물을, 뒤에 굴삭기 크러셔를 바짝 붙여 놓아 해당 차량의 차주가 17~18시간 동안 차량을 운행할 수 없게 한 행위는 재물손괴죄의 '재물의 효용을 해한 경우'에 해당한다.

① ㉠, ㉡   ② ㉡, ㉢   ③ ㉢, ㉣   ④ ㉡, ㉢, ㉣

해설 ㉠ × : ~ 손괴에 해당하지 않는다(대판 2015.10.29, 2015도7559 ∵ 창문과 방충망을 창틀에서 분리하였을 뿐 물리적으로 훼손하여 효용을 상실하게 한 것은 아님).
㉡ ○ : 대판 1987.4.14, 87도177
㉢ ○ : 대판 2016.11.25, 2016도9219
㉣ ○ : 대판 2021.5.7, 2019도13764

06 손괴죄에 대한 설명 중 가장 옳지 않은 것은?(다툼이 있는 경우 판례에 의함)   24. 해경경위

① 아파트 입주자대표회의 회장이 자신의 승인 없이 동대표들이 관리소장과 함께 게시한 입주자대표회의의 소집 공고문을 뜯어내 제거한 경우, 그 행위가 그에 선행하는 위법한 공고문 작성 및 게시에 따른 위법상태의 구체적 실현이 임박한 상황 하에서 그 위법성을 바로 잡기 위한 것이라면 사회통념상 허용되는 범위를 크게 넘어서지 않는 것으로 볼 수 있다.

② 주차되어 있는 차량의 앞에 철근콘크리트 구조물을, 뒤에 굴삭기 크러셔를 바짝 붙여 놓아 해당 차량의 차주가 17~18시간 동안 차량을 운행할 수 없게 한 행위는 재물손괴죄의 '재물의 효용을 해한 경우'에 해당한다.

③ 부지의 점유권원이 없는 건물의 소유자였던 자가 토지 소유자와의 철거 등 청구소송에서 패소하고 강제집행을 당한 후에 무단으로 그 부지에 건물을 신축한 경우, 토지의 효용을 해한 것으로 볼 수 없으므로 재물손괴죄가 성립하지 않는다.

④ 건물 1층 출입구 자동문의 설치공사를 맡았던 자가 소유자 몰래 설치자가 아니면 해제할 수 없는 자동문의 자동작동중지 예약기능을 이용하여 특정시점부터 자동문이 수동으로만 여닫히게 하였으나, 자동문이 자동잠금장치로서 일시적으로 역할을 할 수 없게 된 것에 그친 경우, 재물손괴죄가 성립하지 않는다.

해설 ① 대판 2021.12.30, 2021도9680 ② 대판 2021.5.7, 2019도13764 ③ 대판 2022.11.30, 2022도1410
④ × : 재물손괴죄 ○(대판 2016.11.25, 2016도9219)

Answer   05. ④   06. ④

07 손괴의 죄에 관한 설명 중 가장 옳지 않은 것은?(다툼이 있는 경우 판례에 의함)   24. 법원행시

① 재건축조합이 조합원들을 상대로 재건축사업 대상 아파트에 관한 소유권이전등기 및 인도 청구소송을 제기하여 제1심에서 가집행선고부 승소판결이 선고되었고, 위 조합의 조합장 등이 제1심판결에 기하여 위 아파트에 관한 부동산인도집행을 완료한 후 이를 철거한 경우 그 철거 전에 관할구청장에게 신고를 하지 않았다고 하더라도 이는 형법 제20조에서 정한 정당행위로서 재물손괴의 공소사실은 범죄로 되지 아니하는 경우에 해당한다.

② 甲이 乙로부터 전세금을 받고 영수증을 작성·교부한 다음 乙에게 위 전세금을 반환하겠다고 말하여 乙로부터 위 영수증을 교부받고 나서 전세금을 반환하기 전에 이를 찢어버렸다고 하더라도 위 영수증은 甲의 점유하에 있었으므로, 문서손괴죄가 성립하지 않는다.

③ 재건축사업으로 철거 예정이고 입주자들이 모두 이사하여 아무도 거주하지 않은 채 비어 있는 아파트라고 하더라도, 그 객관적 성상이 본래 사용 목적인 주거용으로 쓰일 수 없는 상태라거나 재물로서의 이용가치나 효용이 없는 물건이라고 할 수 없는 이상 재물손괴죄의 객체가 될 수 있다.

④ 형법 제370조에서 말하는 경계는 반드시 법률상의 정당한 경계를 말하는 것이 아니고 비록 법률상의 정당한 경계에 부합되지 아니하는 경계라고 하더라도 이해관계인들의 명시적 또는 묵시적 합의에 의하여 정하여진 것이면 이는 이 법조에서 말하는 경계라고 할 것이다.

⑤ 자동문을 자동으로 작동하지 않고 수동으로만 개폐가 가능하게 하여 자동잠금장치로서 역할을 할 수 없도록 한 경우에도 재물손괴죄가 성립한다.

해설 ① 대판 2010.2.25, 2009도8473
② × : ~ (2줄) 전에 이를 찢어버린 경우, 문서손괴죄의 객체는 타인(乙)소유의 문서이며 피고인(甲) 자신의 점유하에 있는 문서라 할지라도 타인소유인 이상 이를 손괴하는 행위는 문서손괴죄에 해당한다(대판 1984. 12.26, 84도2290).
③ 대판 2007.9.20, 2007도5207
④ 대판 2003.6.13, 2003도1691
⑤ 대판 2016.11.25, 2016도9219

Answer 07. ②

제10절 ▶ 권리행사를 방해하는 죄

① 권리행사방해죄

> **제323조** 타인의 점유 또는 권리의 목적이 된 자기의 물건 또는 전자기록 등 특수매체기록을 취거·은닉 또는 손괴하여 타인의 권리행사를 방해한 자는 5년 이하의 징역 또는 700만원 이하의 벌금에 처한다.

☝ 미수범 처벌규정 ×, 친족상도례 적용(제328조) 17. 경찰승진, 20. 수사경과, 21. 해경승진, 22. 법원직

(1) **주 체** : 자기의 물건을 타인의 제한물권 또는 채권의 목적물로 제공한 소유자

(2) **객 체** : 타인의 점유 또는 권리의 목적이 된 자기의 물건 또는 특수매체기록

① 타인점유의 목적이 된 물건이란 타인이 사실상 지배하고 있는 물건을 말한다(**예** 전당포에 전 당잡힌 시계). 본죄의 점유는 권원으로 인한 점유, 즉 정당한 원인에 기하여 그 물건을 점유 하는 권리 있는 자의 점유를 의미한다(대판 1994.11.11, 94도343). 13. 사시, 19. 경찰간부

━ **관련판례**

> 권리행사방해죄에서의 보호대상인 타인의 점유는 반드시 점유할 권원에 기한 점유만을 의미하는 것은 아니고, 일단 적법한 권원에 기하여 점유를 개시하였으나 사후에 점유 권원을 상실한 경우의 점유, 점유 권원의 존부가 외관상 명백하지 아니하여 법정절차를 통하여 권원의 존부가 밝혀질 때까지의 점유, 권원에 기하여 점유를 개시한 것은 아니나 동시이행항변권 등으로 대항할 수 있는 점유 등과 같이 법정절차를 통한 분쟁 해결시까지 잠정적으로 보호할 가치 있는 점유는 모두 포함 된다고 볼 것이나, 절도범인의 점유와 같이 점유할 권리없는 자의 점유임이 외관상 명백한 경우에 는 이에 포함되지 아니한다(대판 2006.3.23, 2005도4455). 23. 해경승진·법원직, 19·24. 경찰승진

1. 본죄의 타인의 점유는 본권에 의한 점유만에 한하지 아니하고 적법한 점유(**예** 동시이행항변권 등에 의한 점유)도 해당하므로, 무효인 경매절차에서 경매목적물을 경락받아 점유하고 있는 낙찰자의 점 유도 포함된다(대판 2003.11.28, 2003도4257). 19. 법원행시, 20. 경찰승진·법원직, 21. 순경 2차, 22. 변호사시 험·수사경과, 23. 해경승진

2. 렌트카회사의 공동대표이사 중 1인이 회사보유 차량을 자신의 개인적인 채무담보 명목으로 피해자 에게 넘겨주었는데 다른 공동대표이사가 위 차량을 몰래 회수하도록 한 경우, 위 피해자의 점유는 권리행사방해죄의 보호대상인 점유에 해당한다(대판 2006.3.23, 2005도4455). 16. 경찰간부, 17. 경찰승진, 19. 수사경과

3. 임대차계약이 만료된 이후에도 임차인이 퇴거하지 아니하고 건물에 거주하고 있자, 임대인이 임차 인으로부터 건물을 명도받기 전에 임차인이 거주하고 있는 방의 천정 및 마루바닥판자 4매를 뜯어내 었다면 권리행사방해죄가 성립한다(대판 1977.9.13, 77도1672). 24. 해경경위

② 권리행사방해죄의 구성요건 중 타인의 '권리'란 반드시 제한물권만을 의미하는 것이 아니라 물건에 대하여 점유를 수반하지 아니하는 채권도 이에 포함된다[대판 1991.4.26, 90도1958 CHI 피해자와 피고인 사이에 피해자가 피고인 소유의 입목을 벌채하는 등의 공사를 완료하면, 피고인은 피해자에게 대금지급에 갈음하여 그 벌채된 원목을 인도한다는 내용의 계약에 따라 피해자가 위 계약상의 의무를 이행하였지만, 피고인은 위 계약을 이행하지 아니한 채 피해자의 의사에 반하여 벌채된 원목을 타인에게 매도하고 반출하였다면 권리행사방해죄를 구성한다. ∵ 타인의 인도청구권(채권)의 목적이 된 자기소유물을 처분한 것임]. 17. 법원행시, 20. 법원직·해경승진, 24. 경찰승진

③ 형법 제323조의 권리행사방해죄는 타인의 점유 또는 권리의 목적이 된 자기의 물건을 취거, 은닉 또는 손괴하여 타인의 권리행사를 방해함으로써 성립하는 것이므로, 그 취거, 은닉 또는 손괴한 물건이 자기의 물건이 아니라면 권리행사방해죄가 성립할 여지가 없다(대판 2005.11.10, 2005도6604). 17. 법원행시, 19. 수사경과, 20. 해경승진, 23. 법원직

▶ 관련판례

1. 피고인이 이른바 중간생략등기형 명의신탁 또는 계약명의신탁의 방식으로 자신의 처에게 등기명의를 신탁해 놓은 점포에 자물쇠를 채워 점포의 임차인을 출입하지 못하게 한 경우, 그 점포가 권리행사방해죄의 객체인 '자기의 물건'에 해당하지 않는다(대판 2005.9.9, 2005도626 ∵ 권리행사방해죄 ×, 업무방해죄 ○). 16. 경찰간부, 20. 법원직, 23. 9급 검찰·마약수사, 24. 법원행시

2. 甲이 자동차등록원부상 A명의로 등록되어 있는 차량을 B에게 담보로 제공하였음에도 불구하고, B의 승낙 없이 미리 소지하고 있던 위 차량의 보조키를 이용하여 이를 운전하여 간 경우 권리행사방해죄가 성립하지 않는다(대판 2005.11.10, 2005도6604 ∵ 그 차량은 피고인의 소유가 아님). 16. 경찰간부, 17. 변호사시험, 22. 수사경과·법원직, 23. 경찰승진·해경승진

3. 렌트카회사의 공동대표이사 중 1인이 회사보유 차량(회사나 피고인 명의로 신규등록 ×)을 자신의 개인적인 채무담보 명목으로 피해자에게 넘겨주었는데, 다른 공동대표이사가 위 차량을 몰래 회수하도록 한 경우 ⇨ 피해자의 점유는 권리행사방해죄의 보호대상인 점유에 해당하나, 동 차량이 미등록 상태라면 렌트카 회사 소유라 할 수 없어 이를 전제로 하는 권리행사방해죄는 성립하지 않는다(대판 2006.3.23, 2005도4455). 17. 법원직, 21·23. 해경승진, 20·24. 법원행시

   ▶ **참고판례** : 乙이 甲의 명의를 빌려 식품접객업 영업허가를 받기로 서로 합의하고, 甲의 신청에 의하여 甲명의로 발급된 영업허가증과 사업자등록증을 乙이 인도받았는데, 甲이 乙의 손가방에서 위 영업허가증과 사업자등록증을 몰래 꺼내어 간 경우 ⇨ 절도죄 ○, 권리행사방해죄 ×(대판 2004. 3.12, 2002도5090 ∵ 甲의 소유 ×, 乙의 소유 ○) 10. 법원행시, 11. 경찰승진

4. ① 차량대여회사가 대여차량을 실력으로 회수해 간 경우(대판 1989.7.25, 88도410) ② 공장근저당권이 설정된 선반기계 등을 이중담보로 제공하기 위하여 다른 장소로 옮긴 경우(대판 1994.9.27, 94도1439) 17. 법원직, 24. 해경경위 ③ 주식회사 대표이사가 그 지위에 기하여 직무집행행위로서 타인이 점유하는 회사의 물건을 취거한 경우(대판 1992.1.21, 91도1170)에는 권리행사방해죄가 성립한다(∵ 타인의 점유 또는 권리의 목적이 된 자기물건). 19. 경찰간부, 21. 7급 검찰·순경 2차, 22. 수사경과, 23. 변호사시험

   ▶ **비교판례** : 회사의 전직 대표이사가 회사가 타인에게 담보로 제공한 회사소유의 물건을 다른 회사에게 매도한 경우 ⇨ 권리행사방해죄 ×(대판 1985.5.28, 85도494 ∵ 자기의 물건 ×) 17. 법원직

5. 물건의 소유자가 아닌 사람은 형법 제33조 본문에 따라 소유자의 권리행사방해 범행에 가담한 경우에 한하여 그의 공범이 될 수 있을 뿐이나, 권리행사방해죄의 공범으로 기소된 물건의 소유자에게 고의가 없는 등으로 범죄가 성립하지 않는다면 공동정범이 성립할 여지가 없다〔대판 2017.5.30, 2017도4578 **예** 甲은 사실혼 배우자 乙의 명의를 빌려 승용차를 매수하면서 丙회사로부터 대출을 받고 승용차에 저당권을 설정한 후 乙(고의 ×)과 丙(저당권자)의 동의 없이 승용차를 제3자에게 담보로 제공한 경우 ⇨ 甲 : 권리행사방해죄 ×〕. 19. 법원행시·7급 검찰, 20. 법원직, 21. 변호사시험, 22·23. 경찰승진·순경 1차, 24. 해경승진

6. 타인의 명의로 강제경매를 통해 부동산을 매수한 피고인이 당해 부동산에 대한 피해자(유치권자)의 점유를 침탈하였다고 하더라도 피고인의 물건에 대한 타인의 권리행사를 방해한 것으로 볼 수는 없다(대판 2019.12.27, 2019도14623 ∵ 자기의 물건이 아니라면 권리행사방해죄가 성립할 수 없다. **예** 피고인이, 甲주식회사가 유치권을 행사 중인 건물을 강제경매를 통하여 자신의 아들 乙명의로 매수한 후 그 잠금장치를 변경하여 점유를 침탈함으로써 甲회사의 유치권 행사를 방해한 경우 ⇨ 권리행사방해죄 ×). 20. 법원행시

7. 택시를 회사에 지입하여 운행하다가 회사의 요구로 위 택시를 회사 차고지에 입고한 후 회사의 승낙없이 이를 가져간 경우 ⇨ 본죄 ×〔대판 2003.5.30, 2000도5767 ∵ 회사에 지입한 자동차 ⇨ 등록명의자인 회사의 소유(자기소유 ×, 타인소유 ○)〕, 회사에 지입한 굴삭기를 취거한 경우 ⇨ 본죄 ×(대판 1985.9.10, 85도899 ∵ 회사 명의로 중기등록원부에 소유권이 등록되어 있음 ⇨ 회사소유 ○) 10. 법원행시

  ▶ **비교판례** : 주식회사의 대표이사 甲이 직무집행행위로서 지입차주인 乙이 점유하는 위 회사 소유 버스를 강제로 취거하였다면, 甲의 행위는 권리행사방해죄를 구성한다(대판 1992.1.21, 91도1170). 10. 법원행시, 13. 사시

8. 회사의 과점주주이자 부사장이 타인이 점유 중인 회사명의로 등기된 선박을 취거한 경우 ⇨ 권리행사방해죄 ×(대판 1984.6.26, 83도2413 ∵ 선박은 회사소유, 부사장 개인을 위한 행위임) 10. 법원행시

9. 甲은 건물의 소유자로, 해당 건물을 매입하기 위한 소요자금을 대납하는 조건으로 해당 건물에서 약 2개월 동안 거주하고 있던 A가 위 금액을 입금하지 않자, A를 내쫓을 목적으로 아들인 乙에게 A가 거주하는 곳의 현관문에 설치된 디지털 도어락의 비밀번호를 변경할 것을 지시하고, 이에 따라 乙이 그 도어락의 비밀번호를 변경한 경우 ⇨ 甲(정범) : 권리행사방해죄 ×(∵ 도어락은 乙소유의 물건 ○, 甲소유의 물건 ×), 乙 : 권리행사방해죄의 교사범 ×(∵ 교사범이 성립하려면 정범의 범죄행위가 인정되어야 한다.)(대판 2022.9.15, 2022도5827) 23·24. 순경 2차

(3) **행위** : 취거·은닉 또는 손괴하여 타인의 권리행사를 방해하는 것

① '취거'라 함은 타인의 점유 또는 권리의 목적이 된 자기의 물건을 그 점유자의 의사에 반하여 그 점유자의 점유로부터 자기 또는 제3자의 점유로 옮기는 것을 말하므로 점유자의 의사나 그의 하자 있는 의사에 기하여 점유가 이전된 경우에는 여기에서 말하는 취거로 볼 수는 없다 (대판 1988.2.23, 87도1952). 18·19. 경찰승진, 22. 수사경과

② '은닉'이란 타인의 점유 또는 권리의 목적이 된 자기 물건 등의 소재를 발견하기 불가능하게 하거나 또는 현저히 곤란한 상태에 두는 것을 말하고, 그로 인하여 권리행사가 방해될 우려가 있는 상태에 이르면 권리행사방해죄가 성립하고 현실로 권리행사가 방해되었을 것까지 필요로 하는 것은 아니다(대판 2016.11.10, 2016도13734). 19·20. 법원행시, 19·23. 경찰승진

┌─ **관련판례**

1. 피고인들이 공모하여 렌트카 회사인 甲주식회사를 설립한 다음 乙주식회사 등의 명의로 저당권등록이 되어 있는 다수의 차량들을 사들여 甲회사 소유의 영업용 차량으로 등록한 후 자동차대여사업자등록 취소처분을 받아 차량등록을 직권말소시켜 저당권 등이 소멸되게 한 경우 ⇨ 권리행사방해죄 ○〔대판 2017.5.17, 2017도2230 ∵ 자동차의 소재를 파악하는 것을 현저하게 곤란하게 하거나 불가능하게 하는 행위(은닉)에 해당함〕 18. 경찰간부·수사경과, 21. 7급 검찰, 20·24. 법원행시

2. 피고인이 차량을 구입하면서 피해자로부터 차량 매수대금을 차용하고 담보로 차량에 피해자 명의의 저당권을 설정해 주었는데, 그 후 대부업자로부터 돈을 차용하면서 차량을 대부업자에게 담보로 제공하여 이른바 '대포차'로 유통되게 한 경우 ⇨ 권리행사방해죄 ○〔대판 2016.11.10, 2016도13734 ∵ 자동차의 소재를 파악하는 것을 현저하게 곤란하게 하거나 불가능하게 하는 행위(은닉)에 해당함〕 20. 법원행시, 21. 7급 검찰

3. 甲이 A에 대한 채무를 담보하기 위하여 자기 소유의 건물과 기계·기구를 A의 근저당권의 목적물로 제공한 경우에 甲이 담보유지의무를 위반하여 A의 근저당권의 목적이 된 건물을 철거 및 멸실등기하고, 기계·기구를 양도한 행위만으로도 물건을 손괴 또는 은닉하여 A의 권리행사를 방해한 행위로서 권리행사방해죄가 성립한다고 볼 수 있다(대판 2021.1.14, 2020도14735). 24. 순경 2차

③ 손괴란 물건의 전부 또는 일부를 훼손하거나 기타 방법으로 그 효용을 해하는 것을 말한다.
   예 가압류된 건물의 소유자 甲이 채권자 乙의 승낙도 없이 그 물건을 파괴·철거한 경우 ⇨ 권리행사방해죄(대판 1960.9.14, 59도537)

④ 권리행사방해죄란 타인의 권리행사가 방해될 우려가 있는 상태에 이른 것을 말하며, 권리행사가 현실적으로 방해되었음을 요하지 않는다(추상적 위험범).

⑤ 여러 사람의 권리의 목적이 된 자기의 물건을 취거, 은닉 또는 손괴함으로써 그 여러 사람의 권리행사를 방해하였다면 권리자별로 각각 권리행사방해죄가 성립하고 각 죄는 서로 상상적 경합범의 관계에 있다〔대판 2022.5.12, 2021도16876 예 甲은 유류분권리자인 乙과 丙이 각자의 유류분반환청구권을 보전하기 위하여 甲소유 부동산에 대한 가압류결정을 받아 가압류등기가 마쳐지자 그 부동산을 취거, 은닉 또는 손괴한 경우(단, 甲은 乙과 직계혈족의 관계 ○) ⇨ 권리행사방해죄의 상상적 경합범 ○(단, 乙에 대해서는 형법 제328조 제1항을 적용하여 형을 면제)〕.

(4) 주관적 구성요건

본죄는 고의가 필요하며, 불법영득의사는 불필요하다.

② 점유강취죄 · 준점유강취죄

> **제325조 제1항** 폭행 또는 협박으로 타인의 점유에 속하는 자기의 물건을 강취한 자는 7년 이하의 징역 또는 10년 이하의 자격정지에 처한다.
> **제325조 제2항** 타인의 점유에 속하는 자기의 물건을 취거하는 과정에서 그 물건의 탈환에 항거하거나 체포를 면탈하거나 범죄의 흔적을 인멸할 목적으로 폭행 또는 협박한 때에도 제1항의 형에 처한다.
> **제325조 제3항** 제1항과 제2항의 미수범은 처벌한다.

☝ 침해범 ○, 친족상도례 적용 ×, 미수범 처벌 ○

③ 중권리행사방해죄

> **제326조** 제324조 또는 제325조의 죄를 범하여 사람의 생명(신체 ×)에 대한 위험을 발생하게 한 자는 10년 이하의 징역에 처한다.

☝ 미수범 처벌규정 ×, 친족상도례 적용 ×

④ 강제집행면탈죄

> **제327조** 강제집행을 면할 목적으로 재산을 은닉·손괴·허위양도 또는 허위의 채무부담을 하여 채권자를 해한 자는 3년 이하의 징역 또는 1천만원 이하의 벌금에 처한다.

☝ 목적범 ○, 미수범 처벌규정 ×, 친족상도례 적용 ×

(1) 의 의

강제집행면탈죄는 국가의 적정한 강제집행권의 행사가 아니라 채권자의 권리보호를 주된 보호법익으로 하므로, 채권의 존재가 인정되지 않을 때에는 강제집행면탈죄는 성립하지 않는다(대판 1988.4.12, 88도48). 13. 변호사시험, 20. 해경승진, 19·23. 법원직

(2) 강제집행을 받을 객관적 상태

① 본죄가 성립하기 위해서는 먼저 강제집행을 받을 우려가 있는 객관적 상태가 존재하여야 한다. 강제집행을 받을 우려가 있는 상태란 민사집행법에 의한 강제집행 또는 가압류·가처분 등의 집행을 당할 구체적 염려가 있는 상태를 말하며, 여기에는 채권자가 강제집행·가압류·가처분을 신청하거나 민사소송의 제기, 지급명령의 신청은 물론 채권자가 채권확보를 위하여 소송을 제기할 기세를 보이는 상태도 포함된다(대판 1986.10.28, 86도1191). 17·20. 변호사시험

┌ **관련판례**

● **강제집행을 할 우려가 있는 상태에 해당하는 경우**

1. 약 18억원 정도의 채무초과의 상태에 있는 피고인 발행의 약속어음이 부도가 난 때(대판 1999.2.9, 96도3141) 13. 변호사시험

2. 집행할 채권이 조건부 채권이라 하여도 보전처분을 면할 목적으로 면탈행위를 한 이상 강제집행면탈 죄는 성립되며, 그 후 그 조건의 불성취로 채권이 소멸되었다 하여도 일단 성립한 범죄에는 영향을 미칠 수 없다(대판 1984.6.12, 82도1544). 04. 법무사

● **강제집행을 받을 우려가 있는 상태에 해당하지 않는 경우**

채권자들이 피고인을 상대로 법적 절차를 취하기 위한 준비를 하고 있지 않았지만, 피고인이 어음의 부도가 있기 전에 강제집행을 면탈하기 위해 자기의 형에게 허위채무를 부담하고 가등기하여 준 경우 ⇨ 강제집행면탈죄 ×(대판 1987.8.18, 87도1260) 20 · 23. 경찰승진

② 본죄의 강제집행은 민사집행법의 적용대상인 강제집행 또는 가압류 · 가처분 등의 집행을 가리키는 것이므로, 국세징수법에 의한 체납처분을 면탈할 목적으로 재산을 은닉하는 등의 행위는 위 죄의 규율대상에 포함되지 않는다(대판 2012.4.26, 2010도5693). 17. 변호사시험, 18. 7급 검찰, 19. 경찰간부, 20. 수사경과, 24. 법원행시

또한 본죄의 강제집행은 민사집행법 제2편의 적용대상인 '강제집행' 또는 가압류 · 가처분 등의 집행을 가리키는 것이고, 민사집행법 제3편의 적용대상인 '담보권 실행 등을 위한 경매'를 면탈할 목적으로 재산을 은닉하는 등의 행위는 위 죄의 규율대상에 포함되지 않는다 (대판 2015.3.26, 2014도14909 **예** 근저당권의 목적물인 기계에 대하여 경매개시결정이 내려진 후 이를 원래 있던 곳에서 가지고 나가 숨겨 둔 경우 ⇨ 강제집행면탈죄 ×). 18. 경찰간부 · 법원직 · 7급 검찰, 19. 수사경과, 20. 경찰승진, 24. 법원행시

③ 강제집행면탈죄에서 말하는 강제집행에는 금전채권의 강제집행뿐만 아니라 소유권이전등기의 강제집행도 포함된다(대판 1983.10.25, 82도808). 19. 법원직, 20. 해경승진

④ 산업재해보상보험법 제52조의 '휴업급여를 받을 권리'는 압류금지채권이나 이를 채무자가 기존의 압류된 예금계좌로 수령하면 더는 압류금지의 효력이 미치지 않아 강제집행의 객체가 되나, 계좌에 입금되기 전까지는 강제집행의 객체가 될 수 없으므로 휴업급여를 기존의 압류된 예금계좌에서 압류되지 않은 다른 계좌로 바꾸어 수령하면 강제집행면탈죄가 성립하지 않는다(대판 2017.8.18, 2017도6229). 18. 법원직, 19. 7급 검찰, 22. 변호사시험, 24. 법원행시

(3) 객 체 : 재산

┌ **관련판례**

1. 강제집행면탈죄에 있어서 재산에는 동산 · 부동산뿐만 아니라 재산적 가치가 있어 민사소송법에 의한 강제집행 또는 보전처분이 가능한 특허 내지 실용신안 등을 받을 수 있는 권리도 포함된다(대판 2001.11.27, 2001도4759). 15. 사시, 17. 경찰승진, 18. 법원직, 21. 해경승진

2. '보전처분 단계에서의 가압류채권자의 지위' 자체는 원칙적으로 민사집행법상 강제집행 또는 보전처분의 대상이 될 수 없어 강제집행면탈죄의 객체에 해당한다고 볼 수 없고, 이는 가압류채무자가 가압류해방금을 공탁한 경우에도 마찬가지이다(대판 2008.9.11, 2006도8721). 16. 법원행시, 17. 순경 1차, 18. 법원직, 20. 변호사시험·경찰승진, 22. 해경간부

3. 계약명의신탁 방식으로 명의수탁자가 당사자가 되어 소유자와 부동산에 관한 매매계약을 체결하고 그 명의로 소유권이전등기를 마친 경우, 그 부동산은 명의신탁자에 대한 강제집행이나 보전처분의 대상이 될 수 없다(대판 2011.12.8, 2010도4129 ∵ 명의신탁자는 당해 부동산의 소유권을 취득 ×). 15. 수사경과, 16. 변호사시험, 21. 순경 2차, 23. 법원직

4. 의료법에 의하여 적법하게 개설되지 아니한 의료기관에서 요양급여가 행하여진 경우, 해당 의료기관은 요양급여비용 전부를 청구할 수 없고, 해당 의료기관의 채권자로서도 위 요양급여비용 채권을 대상으로 하여 강제집행 또는 보전처분의 방법으로 채권의 만족을 얻을 수 없는 것이므로, 결국 위와 같은 채권은 강제집행면탈죄의 객체가 되지 아니한다(대판 2017.4.26, 2016도19982). 19·20. 법원행시, 21. 순경 2차

5. 채무자와 제3채무자 사이에 채무자의 장래청구권이 충분하게 표시되었거나 결정된 법률관계가 존재한다면 동산·부동산뿐만 아니라 장래의 권리도 강제집행면탈죄의 객체에 해당한다(대판 2011.7.28, 2011도6115). 16. 법원행시, 17. 변호사시험, 24. 경찰승진

6. 강제집행면탈죄의 강제집행에는 광의의 강제집행인 의사의 진술에 갈음하는 판결의 강제집행도 포함되고, 강제집행면탈죄의 성립요건으로서의 채권자의 권리와 행위의 객체인 재산은 국가의 강제집행권이 발동될 수 있으면 충분하다(대판 2015.9.15, 2015도9883). 17. 변호사시험, 19·20. 법원행시

7. 甲주식회사 대표이사 등인 피고인들이 공모하여 회사 채권자들의 강제집행을 면탈할 목적으로 甲회사가 시공 중인 건물에 관한 건축주 명의를 甲회사에서 乙주식회사로 변경하였더라도 위 건물은 지하 4층, 지상 12층으로 건축허가를 받았으나 피고인들이 건축주 명의를 변경한 당시에는 지상 8층까지 골조공사가 완료된 채 공사가 중단되었던 사정에 비추어 민사집행법상 강제집행이나 보전처분의 대상이 될 수 없다(대판 2014.10.27, 2014도9442 ∵ 강제집행면탈죄 ×).

(4) **행위** : 재산을 은닉·손괴·허위양도 또는 허위의 채무를 부담하여 채권자를 해하는 것

① 은닉이란 강제집행을 실시하려는 자에 대하여 재산의 발견을 불가능하게 하거나 곤란하게 만드는 것을 말한다. 재산의 소재를 불명하게 하는 경우일 뿐만 아니라 재산의 소유관계를 불명하게 하는 경우도 포함한다(대판 2003.10.9, 2003도3387). 23. 법원직

┌ 관련판례 ┐

1. 강제집행을 면할 목적으로 우선순위의 가등기권자 앞으로 소유권 이전의 본등기를 한 경우(대판 1983.5.10, 82도1987), 사업장의 유체동산에 대한 강제집행을 면탈할 목적으로 사업자등록의 사업자 명의를 변경함이 없이 사업장에서 사용하는 금전등록기의 사업자 이름만을 변경한 경우(대판 2003. 10.9, 2003도3387) ⇨ 본죄의 은닉 ○(∵ 소유관계를 불명확하게 하는 방법에 의한 재산 은닉) 15. 사시, 17. 경찰승진, 18. 경찰간부, 19. 수사경과, 21. 7급 검찰, 24. 해경경위

2. 채무자가 제3자 명의로 되어 있던 사업자등록을 또 다른 제3자 명의로 변경하였다는 사정만으로는 그 변경이 채권자의 입장에서 볼 때 사업장 내 유체동산에 관한 소유관계를 종전보다 더 불명하게 하여 채권자에게 손해를 입게 할 위험성을 야기한다고 단정할 수 없다(대판 2014.6.12, 2012도2732 ∴ 채무자가 제3자 명의로 되어 있던 사업자등록을 또 다른 제3자 명의로 변경한 것 ⇨ 강제집행면 탈죄의 재산의 '은닉' ×). 16. 법원직, 19. 수사경과, 20. 법원행시

3. 담보목적의 가등기권자가 가압류한 다른 채권자들의 강제집행을 불가능하게 할 목적으로 채무자와 공모하여 정확한 청산절차도 거치지 않은 채 의제자백판결을 통하여 본등기를 경료함과 동시에 가 등기 이후에 경료된 가압류등기 등을 모두 직권말소한 경우도 본죄가 성립한다(대판 2000.7.28, 98도 4568 ∴ 재산의 은닉에 해당 ○). 15. 사시, 17. 순경 1차, 22. 해경간부

4. 채권자에 의하여 압류된 채무자 소유의 유체동산을 채무자의 모 소유인 것으로 사칭하면서 모의 명의로 제3자 이의의 소를 제기하고, 집행정지결정을 받아 그 집행을 저지하였다면 이는 재산을 은닉 한 경우에 해당하여 강제집행면탈죄가 성립한다(대판 1992.12.8, 92도1653). 09. 법원직

5. 피고인이 회사의 어음 채권자들의 가압류 등을 피하기 위하여 회사의 예금계좌에 입금된 회사 자금 을 인출하여 제3자 명의의 다른 계좌로 송금하였다면 강제집행면탈죄를 구성하는 것이고, 이른바 어음 되막기 용도의 자금 조성을 위하여 위와 같은 행위를 하였다는 사정만으로는 피고인의 강제집 행면탈 행위가 정당행위에 해당한다고 볼 수 없다(대판 2005.10.13, 2005도4522). 24. 해경경위

② 손괴란 재물의 본질적 훼손뿐 아니라 그 가치를 감소하게 하는 일체의 행위를 의미한다.
③ 허위양도란 실제로는 재산양도가 없음에도 불구하고 표면상 진실한 양도인 것처럼 가장하여 재산의 명의를 변경하는 것을 말한다.

┌ 관련판례

1. 진실한 양도(진의에 의한 양도)는 비록 그것이 강제집행을 면탈할 목적으로 이루어졌으며 채권자를 해할 우려가 있거나 채권자의 불이익을 초래하는 결과가 되었다고 하더라도 허위양도에 해당하지 아니한다(대판 1983.7.26, 82도1524). 15. 법원행시, 18. 7급 검찰, 20. 변호사시험

2. 채권자에 대한 채무변제로 자기소유의 건물을 대물변제하기로 하였으나 이를 이행하지 아니하여 채권자가 강제집행을 하려 하자 이를 면하기 위하여 또 다른 채권자와 위 건물에 대하여 대물변제계 약을 체결한 경우 ⇨ 강제집행면탈죄 ×(대판 1983.9.27, 83도1869 ∴ 또 다른 기존의 채권자와 대물 변제계약 체결 ⇨ 진실한 양도 ○, 허위양도 ×) 17. 법원직

3. 강제집행 면탈의 목적으로 채무자가 그의 제3채무자에 대한 채권을 허위로 양도한 경우에는 제3채무 자에게 채권 양도의 통지가 있는 때에 그 범죄행위가 종료하여 그때부터 공소시효가 진행된다(대판 2011.10.13, 2011도6855). 17. 변호사시험

4. 명의신탁된 부동산이 수탁자의 채권자들로부터 강제집행 당할 우려가 있자 신탁자가 명의신탁을 해지한 후 다른 제3자 앞으로 명의신탁한 경우 ⇨ 본죄 ×(대판 1983.7.26, 82도1524 ∴ 신탁자의 정 당한 권리행사임, 허위양도 ×)

④ 허위의 채무를 부담한다는 것은 채무가 없음에도 불구하고 제3자에게 채무를 부담한 것처럼 가장하는 것을 말한다(그러나 진실한 채무를 부담한 때에는 본죄는 성립하지 않음).

⑤ 강제집행면탈죄는 이른바 위태범으로서 강제집행을 당할 구체적인 위험이 있는 상태에서 재산을 은닉, 손괴, 허위양도 또는 허위의 채무를 부담하면 바로 성립하는 것이고, 반드시 채권자를 해하는 결과가 야기되거나 이로 인하여 행위자가 어떤 이득을 취하여야 범죄가 성립하는 것은 아니다. 따라서 허위양도한 부동산의 시가액보다 그 부동산에 의하여 담보된 채무액이 더 많다고 하여 그 허위양도로 인하여 채권자를 해할 위험이 없다고 할 수 없다(대판 1999.2.12, 98도2474 ∴ 강제집행면탈죄 ○). 17. 순경 1차, 22. 해경간부, 23. 경찰간부·법원직, 24. 경찰승진·해경승진

> 예 1. 허위채무 등을 공제한 후 채무자의 적극재산이 남는다고 예측된 경우 ⇨ 본죄 ○(대판 2008.4.24, 2007도4585) 12. 사시
>
> 2. 은닉한 부동산의 시가액보다 그 부동산에 의하여 담보된 채무액이 더 많은 경우 ⇨ 본죄 ○(대판 2008.5.8, 2008도198)

관련판례

1. 채권의 존재가 인정되지 않을 때에는 강제집행면탈죄는 성립하지 않는다(대판 1988.4.12, 88도343). 13. 변호사시험, 16. 법원직

   > 예 상계의 의사표시가 있는 경우에는 각 채무는 상계할 수 있는 때에 소급하여 대등액에 관하여 소멸한 것으로 보게 된다. 따라서 상계로 인하여 소멸한 것으로 보게 되는 채권에 관하여는 상계의 효력이 발생하는 시점 이후에는 채권의 존재가 인정되지 않으므로 강제집행면탈죄가 성립하지 않는다(대판 2012.8.30, 2011도2252). 15. 변호사시험·법원행시, 18. 7급 검찰

2. 가압류 후에 목적물의 소유권을 취득한 제3취득자가 다른 사람에 대한 허위의 채무에 기하여 근저당권을 설정해 준 행위는 가압류채권자에 대한 관계에서 강제집행면탈죄가 성립하지 않는다(대판 2008.5.29, 2008도2476 ∵ 가압류에는 처분금지 효력이 있으므로 가압류권자에게 대항 × ⇨ 가압류채권자의 법률상 지위에 영향을 미치지 않음). 15. 사시, 23. 순경 1차

   > ▶ 비교판례 : 채무자인 피고인이 채권자 甲의 가압류집행을 면탈할 목적으로 제3채무자 乙에 대한 채권을 가압류결정 정본이 乙에게 송달되기 전에 채권을 丙에게 허위로 양도한 경우 ⇨ 강제집행면탈죄 ○(대판 2012.6.28, 2012도3999) 16. 변호사시험, 17. 경찰승진, 19. 법원행시, 20. 해경승진

3. 채무자가 가압류채권자의 지위에 있으면서 가압류집행해제를 신청함으로써 그 지위를 상실하는 행위는 형법 제327조에서 정한 '은닉, 손괴, 허위양도 또는 허위채무부담' 등 강제집행면탈행위의 어느 유형에도 포함되지 않는 것이므로, 이러한 행위를 처벌대상으로 삼을 수 없다(대판 2008.9.11, 2006도8721). 15. 사시, 19. 수사경과, 21. 법원행시, 22. 법원직

4. 이혼을 요구하는 처로부터 재산분할청구권에 근거한 가압류 등 강제집행을 받을 우려가 있는 상태에서 남편이 이를 면탈할 목적으로 허위의 채무를 부담하고 소유권이전청구권보전가등기를 경료한 경우, 강제집행면탈죄가 성립한다(대판 2008.6.26, 2008도3184). 17. 순경 1차, 21. 법원행시, 22. 해경간부

5. 허위의 채무를 부담하는 내용의 채무변제계약 공정증서를 작성한 후 이에 기하여 채권압류 및 추심명령을 받은 때(추심금을 수령한 때 ×)에, 강제집행면탈죄가 성립함과 동시에 그 범죄행위가 종료되어 공소시효가 진행한다(대판 2009.5.28, 2009도875). 16. 변호사시험, 17. 경찰승진, 21. 해경승진

6. 채권이 존재하는 경우에도 채무자의 재산은닉 등 행위시를 기준으로 채무자에게 채권자의 집행을 확보하기에 충분한 다른 재산이 있었다면 채권자를 해하였거나 해할 우려가 있다고 쉽사리 단정할 것이 아니다(대판 2011.9.8, 2011도5165 **예** 甲이 자신을 상대로 사실혼관계해소 청구소송을 제기한 乙에 대한 채무를 면탈하려고 甲명의 아파트를 담보로 대출을 받아 그중 대부분을 타인 명의 계좌로 입금하여 은닉하였다고 하더라도, 乙의 채권액을 훨씬 상회하는 다른 재산이 甲에게 있었던 이상 강제집행면탈죄는 성립하지 않는다고 봄이 상당하다). 16·20. 변호사시험, 21. 법원행시

7. 토지 소유자가 그 지상 건물 소유자에 대하여 건물철거 및 토지인도청구권을 갖는 경우 채무자인 건물 소유자가 제3자에게 허위의 금전채무를 부담하면서 이를 피담보채무로 하여 건물에 관하여 근저당권설정등기를 경료하였다는 것만으로는 직접적으로 토지 소유자의 건물철거 및 토지인도청구권에 기한 강제집행을 불능케 하는 사유에 해당한다고 할 수 없으므로 건물 소유자에게 강제집행면탈죄가 성립한다고 할 수 없다(대판 2008.6.12, 2008도2279). 13. 경찰승진·순경 1차, 21. 법원행시

8. 강제집행을 면할 목적으로 재산을 허위양도하였더라도 채무자에게 집행을 확보할 수 있는 충분한 재산이 있으면 채권자를 해하였다고 할 수 없지만(대판 1968.3.26, 67도1577), 04. 행시, 09. 경찰승진 강제집행을 면할 목적으로 허위채무를 부담하고 근저당권설정등기를 경료해 준 경우에 근저당권이 설정된 부동산 외에 약간의 다른 재산이 있는 것만으로는 본죄의 성립을 면할 수 없다(대판 1990.3.23, 89도2506). 20. 변호사시험

9. 장래 발생할 특정조건부 채권을 담보하기 위하여 부동산에 근저당권을 설정한 행위는 본죄에 해당하지 않는다(대판 1996.10.25, 96도1531 ∵ 허위채무 부담 ×). 11. 법원직, 12. 경찰간부

10. 채무자가 강제집행을 면할 목적으로 채무를 부담하고 있는 양 가장하여 제3자에게 소유권이전등기청구권 보전을 위한 가등기를 경료해 준 경우에는 본죄가 성립하지 않는다(대판 1987.8.18, 87도1260 ∵ 허위채무 부담 ×). 11. 경찰승진, 24. 해경경위

11. 감사원 감사과정에서 등록세 횡령사실이 적발되어 횡령사실에 대한 확인서를 작성하여 제출하고 상급자로부터 빨리 변상조치를 하라는 권유 겸 독촉을 받은 구청직원 甲이 가압류조치에 대비하여 자기소유 부동산을 다른 사람 앞으로 가등기를 마친 경우 甲에게는 강제집행면탈죄가 성립한다(대판 1996.1.26, 95도2526). 07. 법원직

12. 강제집행면탈죄에 있어서 채권자를 해하였는가 여부는 행위 당시를 기준으로 판단하여야 하고 그 목적의 달성 여부는 본죄의 성립에 영향이 없다(대판 1961.5.13, 4294형상65).

(5) 주관적 구성요건

강제집행면탈죄가 성립하기 위해서는 주관적 구성요건으로 채권자를 해한다는 고의 이외에 강제집행을 면할 목적이 있어야 한다(대판 1970.5.12, 70도643). 19. 법원직·해경승진

(6) 죄수론

① 타인의 재물을 보관하는 자가 보관하고 있는 재물을 영득할 의사로 '은닉'하였다면 이는 횡령죄를 구성하는 것이고, 이로 인하여 채권자들의 강제집행을 면탈하는 결과를 가져온다 하여 이와 별도로 강제집행면탈죄를 구성하는 것은 아니다(대판 2000.9.8, 2000도1447). 15. 사시, 19. 경찰승진, 21. 법원행시

② 채권자들에 의한 복수의 강제집행이 예상되는 경우 재산을 은닉 또는 허위양도함으로써 채권
자들을 해하였다면 채권자별로 각각 강제집행면탈죄가 성립하고, 상호 상상적 경합범의 관계
에 있다(대판 2011.12.8, 2010도4129). 16. 법원직, 18. 경찰간부, 20. 수사경과, 21. 법원행시

③ 채무자가 자신의 부동산에 甲명의로 허위의 금전채권에 기한 담보가등기를 설정하고(강제집
행면탈죄 ○) 이를 乙에게 양도하여 乙명의의 본등기를 경료하게 한 경우 ⇨ 불가벌적 사후행
위 ×, 별도의 강제집행면탈죄 ○(대판 2008.5.8, 2008도198 ∵ 가등기를 양도하여 본등기를 경료하
게 함으로써 소유권을 상실케 하는 행위는 법익침해의 정도가 훨씬 중함). 17. 7급 검찰

1 권리행사방해죄에 있어서의 타인의 점유에는 본권을 갖지 아니하는 절도범의 점유도 여기에 포함된다. (　) 19. 경찰간부, 23. 법원직, 24. 경찰승진

2 무효인 경매절차에서 경매목적물을 경락받아 이를 점유하고 있는 낙찰자의 점유는 적법한 점유가 아니므로 권리행사방해죄에 있어서의 타인의 물건을 점유하고 있는 자라고 할 수 없다. (　) 16. 경찰간부, 20. 법원직 · 경찰승진, 21. 순경 2차, 22. 변호사시험, 23. 해경승진

3 권리행사방해죄의 구성요건 중 타인의 '권리'에 점유를 수반하지 아니하는 채권은 포함되지 않는다. (　) 17. 법원행시, 20. 법원직 · 해경승진, 24. 경찰승진

4 렌트카회사의 공동대표이사 중 1인이 회사 보유 차량을 자신의 개인적인 채무담보 명목으로 피해자에게 넘겨 주었는데 다른 공동대표이사인 피고인이 위 차량을 몰래 회수하도록 한 경우, 위 피해자의 점유는 권리행사방해죄의 보호대상인 점유에 해당한다. (　) 16. 경찰간부, 17. 경찰승진, 18. 수사경과

5 취거, 은닉 또는 손괴한 물건이 자기 소유의 물건이 아니라면 권리행사방해죄가 성립할 여지가 없다. (　) 17. 법원행시, 19. 수사경과, 20. 해경승진, 23. 법원직

6 이른바 중간생략등기형 명의신탁의 방식으로 자신의 처에게 등기명의를 신탁하여 놓은 점포에 남편이 자물쇠를 채워 점포의 임차인을 출입하지 못하게 한 경우 권리행사방해죄에 해당한다. (　) 16. 경찰간부, 20. 법원직, 23. 9급 검찰 · 마약수사

7 피고인이 피해자에게 담보로 제공한 차량이 그 자동차등록원부에 타인명의로 등록되어 있는 경우 피고인이 피해자의 승낙 없이 미리 소지하고 있던 위 차량의 보조키를 이용하여 이를 운전하여 간 행위는 권리행사방해죄를 구성하지 않는다. (　) 16. 경찰간부, 17. 변호사시험, 22. 법원직 · 수사경과, 23. 경찰승진 · 해경승진

8 렌트카회사의 공동대표이사 중 1인이 회사나 피고인 명의로 신규등록을 하지 않은 회사보유차량을 자신의 개인적인 채무담보 명목으로 피해자에게 넘겨주었는데 다른 공동대표이사가 위 차량을 몰래 회수하도록 한 경우, 권리행사방해죄를 구성하지 않는다. (　) 17. 법원직, 20. 법원행시, 21 · 23. 해경승진

9 주식회사의 대표이사가 대표이사의 지위에 기하여 그 직무집행행위로서 타인이 점유하는 위 회사의 물건을 취거하였다고 하더라도 권리행사방해죄가 성립하지 아니한다. (　) 19. 경찰간부, 21.7급 검찰 · 순경 2차, 22. 수사경과, 23. 변호사시험

10 강제집행면탈죄는 채권자의 권리보호를 주된 보호법익으로 하는 위험범이므로 채권자의 채권이 존재하지 않더라도 강제집행면탈죄가 성립할 수 있다. (　) 20. 해경승진, 19 · 23. 법원직

Answer ◄─ 1. ×　2. ×　3. ×　4. ○　5. ○　6. ×　7. ○　8. ○　9. ×　10. ×

11 피고인들이 공모하여 렌트카 회사인 甲주식회사를 설립한 다음 乙주식회사 등의 명의로 저당권 등록이 되어 있는 다수의 차량들을 사들여 甲회사 소유의 영업용 차량으로 등록한 후 자동차대 여사업자등록 취소처분을 받아 차량등록을 직권말소시켜 저당권 등이 소멸되게 한 경우 권리행 사방해죄가 성립하지 아니한다. ( )   18. 경찰간부·수사경과, 20. 법원행시, 21. 7급 검찰

12 물건의 소유자가 아닌 甲이 소유자 乙의 권리행사방해 범행에 가담한 경우, 乙에게 고의가 없어 범죄가 성립하지 않더라도 甲은 권리행사방해죄의 공범으로 처벌될 수 있다. ( )
19. 법원행시·7급 검찰, 20. 법원직, 21. 변호사시험, 23. 경찰승진·순경 1차, 24. 해경승진

13 민사집행법 제3편의 적용대상인 '담보권 실행 등을 위한 경매'를 면탈할 목적으로 재산을 은닉하는 등의 행위뿐만 아니라 국세징수법에 의한 체납처분을 면탈할 목적으로 재산을 은닉하는 등의 행위도 강제집행면탈죄의 규율대상에 포함되지 않는다. ( )
16. 법원행시, 17. 변호사시험, 18. 법원직·7급 검찰, 18·19. 경찰간부, 20. 경찰승진

14 휴업급여를 받을 권리는 압류금지채권이나 이를 계좌로 수령하면 더는 압류금지의 효력이 미치 지 않아 강제집행의 객체가 되므로, 휴업급여를 기존의 압류된 예금계좌에서 압류되지 않은 다 른 계좌로 바꾸어 수령하면 강제집행면탈죄가 성립한다. ( )
18. 법원직, 19. 7급 검찰, 21. 법원행시, 22. 변호사시험

15 강제집행면탈죄의 대상인 재산에는 동산, 부동산 외에 특허권과 실용신안권도 포함된다. ( )
15. 사시, 17. 경찰승진, 18. 법원직, 21. 해경승진

16 '보전처분 단계에서의 가압류채권자의 지위'는 강제집행면탈죄의 객체가 될 수 없다. ( )
15. 사시, 17. 순경 1차, 18. 법원직, 20. 변호사시험·경찰승진, 22. 해경간부

17 가압류채권자의 지위에 있는 채무자가 가압류집행해제를 신청함으로써 그 지위를 상실하였다 면 강제집행면탈죄가 성립한다. ( )   15. 사시, 19. 수사경과, 21. 법원직

18 계약명의신탁 방식으로 명의수탁자가 당사자가 되어 소유자와 부동산에 관한 매매계약을 체결 하고 그 명의로 소유권이전등기를 마친 경우, 그 부동산은 명의신탁자에 대한 강제집행이나 보 전처분의 대상이 될 수 있다. ( )   16. 변호사시험, 21. 순경 1차, 23. 법원직

19 개설자격이 없는 자가 의료기관을 개설하여 의료법을 위반한 병원의 요양급여비용채권은 해당 의료기관의 채권자가 이를 대상으로 하여 강제집행 또는 보전처분의 방법으로 채권의 만족을 얻을 수 있으므로, 강제집행면탈죄의 객체가 된다. ( )   19·20. 법원행시, 21. 순경 2차

20 甲이 사업장의 유체동산에 대한 강제집행을 면탈할 목적으로 사업자등록의 사업자 명의를 변경 하지 않고, 단순히 사업장에서 사용하는 금전등록기의 사업자 이름만을 변경한 경우, 강제집행 면탈죄에 있어서 재산의 '은닉'에 해당하지 않는다. ( )
15. 사시, 17. 경찰승진, 18. 경찰간부, 19. 수사경과, 21. 7급 검찰

Answer ► **11.** × **12.** × **13.** ○ **14.** × **15.** ○ **16.** ○ **17.** × **18.** × **19.** × **20.** ×

21 채무자가 제3자 명의로 되어 있던 사업자등록을 또 다른 제3자 명의로 변경하였다면 사업장 내 유체동산에 관한 소유관계를 종전보다 더 불명하게 하여 채권자에게 손해를 입게 할 위험성을 야기한 것이라 봄이 상당하다. ( )   16. 법원직, 19. 수사경과, 20. 법원행시

22 피고인이 자신의 채권담보의 목적으로 채무자 소유의 선박들에 관하여 가등기를 경료하여 두었다가 채무자와 공모하여 위 선박들을 가압류한 다른 채권자들의 강제집행을 불가능하게 할 목적으로 정확한 청산절차도 거치지 않은 채 의제자백판결을 통하여 선순위 가등기권자인 피고인 앞으로 본등기를 경료함과 동시에 가등기 이후에 경료된 가압류등기 등을 모두 직권말소하게 한 경우 '재산상 은닉'에 해당한다. ( )   15. 사시, 17. 순경 1차, 22. 해경간부

23 진의에 의하여 재산을 양도하였더라도 그것이 강제집행을 면탈할 목적으로 이루어진 것으로서 채권자의 불이익을 초래하는 결과가 되었다면 강제집행면탈죄가 성립한다. ( )   15. 법원행시, 18. 7급 검찰, 20. 변호사시험

24 강제집행면탈죄가 성립하기 위해서는 재산의 은닉, 손괴, 허위 양도 또는 허위의 채무를 부담하여 현실적으로 채권자를 해하는 결과가 야기되어야 하고, 채권자를 해할 위험만으로는 강제집행면탈죄가 성립하지 않는다. ( )   17. 순경 1차, 22. 해경간부, 23. 경찰간부 · 법원직, 24. 경찰승진

25 상계로 인하여 소멸한 것으로 보게 되는 채권에 관하여는 상계의 효력이 발생하는 시점 이후에는 채권의 존재가 인정되지 않으므로 강제집행면탈죄가 성립하지 않는다. ( )   15. 변호사시험 · 법원행시, 16. 법원직, 18. 7급 검찰

26 이혼을 요구하는 처로부터 재산분할청구권에 근거한 가압류 등 강제집행을 받을 우려가 있는 상태에서 남편이 이를 면탈할 목적으로 허위의 채무를 부담하고 소유권이전청구권보전가등기를 경료한 경우 강제집행면탈죄가 성립하지 않는다. ( )   17. 순경 1차, 21. 법원행시, 22. 해경간부

27 허위의 채무를 부담하는 내용의 채무변제계약 공정증서를 작성한 후 이에 기하여 채권압류 및 추심명령을 받은 다음 3개월 후에 실제로 위 강제집행에 따른 추심금을 수령한 경우, 강제집행면탈죄는 위 추심금을 수령한 때에 범죄행위가 종료한다고 보아야 하고 그때부터 공소시효가 진행한다. ( )   16. 변호사시험, 17. 경찰승진, 19. 법원행시, 20. 해경승진

28 타인의 재물을 보관하는 자가 보관하고 있는 재물을 영득할 의사로 은닉하였다면 이는 횡령죄를 구성하는 것이지만, 그것이 채권자들의 강제집행을 면탈하는 결과를 가져온다면 이와 별도로 강제집행면탈죄를 구성한다. ( )   15. 사시, 19. 경찰승진, 21. 법원행시

29 채권자들에 의한 복수의 강제집행이 예상되는 경우 재산을 은닉 또는 허위양도함으로써 채권자들을 해하였다면 채권별로 각각 강제집행면탈죄가 성립하고 상호 실체적 경합범의 관계에 있다. ( )   16. 법원직, 18. 경찰간부, 20. 수사경과, 21. 법원행시

Answer 21. ✕   22. ○   23. ✕   24. ✕   25. ○   26. ✕   27. ✕   28. ✕   29. ✕

01 권리행사방해죄에 관한 설명 중 가장 옳은 것은?(다툼이 있는 경우 판례에 의함)   20. 법원직

① 물건의 소유자가 아닌 사람은, 권리행사방해죄의 주체가 될 수 없을 뿐만 아니라, 물건 소유자의 권리행사방해 범행에 가담한 경우 그의 공범도 될 수 없다.

② 권리행사방해죄에 있어서의 타인의 점유는 정당한 원인에 기하여 그 물건을 점유하는 권리 있는 점유를 의미하는 것으로, 무효인 경매절차에서 경매목적물을 경락받아 이를 점유하고 있는 낙찰자는 권리행사방해죄에 있어서의 타인의 물건을 점유하고 있는 자에 해당하지 않는다.

③ 중간생략등기형 명의신탁 또는 계약명의신탁의 방식으로 자신의 처에게 등기명의를 신탁하여 놓은 점포에 자물쇠를 채워 점포의 임차인을 출입하지 못하게 한 경우, 그 점포는 권리행사방해죄의 객체인 자기의 물건에 해당하지 않는다.

④ 권리행사방해죄의 구성요건 중 타인의 '권리'에는 물건에 대하여 점유를 수반하지 아니하는 채권은 포함되지 않는다.

> 해설 ① × : ~ (1줄) 될 수 없으나, 형법 제33조 본문에 따라 물건의 소유자의 권리행사방해 범행에 가담한 경우에 한하여 그의 공범이 될 수 있다(대판 2017.5.30, 2017도4578).
> ② × : ~ 해당한다(대판 2003.11.28, 2003도4257).
> ③ ○ : 대판 2005.9.9, 2005도626
> ④ × : ~ 채권도 포함된다(대판 1991.4.26, 90도1958).

02 강제집행면탈죄에 관한 설명 중 가장 적절하지 않은 것은?(다툼이 있는 경우 판례에 의함)

17. 경찰승진

① 강제집행면탈죄에 있어서 재산에는 재산적 가치가 있어 민사소송법에 의한 강제집행 또는 보전처분이 가능한 특허 내지 실용신안 등을 받을 수 있는 권리도 포함된다.

② 채무자가 채권자의 가압류집행을 면탈할 목적으로 제3채무자에 대한 채권을 타인에게 허위 양도한 경우, 가압류결정 정본이 제3채무자에게 송달되기 전에 채권을 허위로 양도하였다면 강제집행면탈죄가 성립한다.

③ 허위의 채무를 부담하는 내용의 채무변제계약 공정증서를 작성한 후 이에 기하여 채권압류 및 추심명령을 받은 다음 3개월 후에 실제로 위 강제집행에 따른 추심금을 수령한 경우, 강제집행면탈죄는 위 추심금을 수령한 때에 범죄행위가 종료한다고 보아야 하고 그때부터 공소시효가 진행한다.

④ 사업장의 유체동산에 대한 강제집행을 면탈할 목적으로 사업자 등록의 사업자 명의를 변경함이 없이 사업장에서 사용하는 금전등록기의 사업자 이름만을 변경한 경우도 강제집행면탈죄에 있어서 재산의 '은닉'에 해당한다.

Answer   01. ③   02. ③

해설 ① 대판 2001.11.27, 2001도4759 ② 대판 2012.6.28, 2012도3999
③ × : 허위의 채무를 부담하는 내용의 채무변제계약 공정증서를 작성한 후 이에 기하여 채권압류 및 추심명령을 받은 때에, 강제집행면탈죄가 성립함과 동시에 그 범죄행위가 종료되어 공소시효가 진행한다(대판 2009.5.28, 2009도875). ④ 대판 2003.10.9, 2003도3387

03 강제집행면탈죄에 대한 설명 중 가장 적절한 것은?(다툼이 있는 경우 판례에 의함)

17. 순경 1차, 22. 해경간부

① 이혼을 요구하는 처로부터 재산분할청구권에 근거한 가압류 등 강제집행을 받을 우려가 있는 상태에서 남편이 이를 면탈할 목적으로 허위의 채무를 부담하고 소유권이전청구권보전가등기를 경료한 경우 강제집행면탈죄가 성립하지 않는다.
② 피고인이 자신의 채권담보의 목적으로 채무자 소유의 선박들에 관하여 가등기를 경료하여 두었다가 채무자와 공모하여 위 선박들을 가압류한 다른 채권자들의 강제집행을 불가능하게 할 목적으로 정확한 청산절차도 거치지 않은 채 의제자백판결을 통하여 선순위 가등기권자인 피고인 앞으로 본등기를 경료함과 동시에 가등기 이후에 경료된 가압류등기 등을 모두 직권말소하게 한 경우 '재산상 은닉'에 해당한다.
③ '보전처분 단계에서의 가압류채권자의 지위' 자체는 원칙적으로 민사집행법상 강제집행 또는 보전처분의 대상이 될 수 없어 강제집행면탈죄의 객체에 해당한다고 볼 수 없으나 가압류채무자가 가압류해방금을 공탁한 경우에는 그렇지 아니하다.
④ 강제집행면탈죄는 반드시 채권자를 해하는 결과가 야기되거나 이로 인하여 행위자가 어떤 이득을 취하여야 성립하므로 허위양도한 부동산의 시가액보다 그 부동산에 의하여 담보된 채무액이 더 많다면 그 허위양도로 인하여 채권자를 해할 위험이 없다.

해설 ① × : ~ 강제집행면탈죄가 성립한다(대판 2008.6.26, 2008도3184).
② ○ : 대판 2000.7.28, 98도4568
③ × : ~ 공탁한 경우에도 마찬가지이다(대판 2008.9.11, 2006도8721).
④ × : ~ (2줄) 이득을 취하여야 성립하는 것이 아니므로 ~ 위험이 있다(대판 1999.2.12, 98도2474 ∴ 강제집행면탈죄 ○).

04 강제집행면탈죄에 대한 설명으로 옳은 것(○)과 옳지 않은 것(×)을 바르게 연결한 것은?(다툼이 있는 경우 판례에 의함)

18. 7급 검찰

> ○ 사업장의 유체동산에 대한 강제집행을 면탈할 목적으로 사업자 등록의 사업자 명의를 변경함이 없이 사업장에서 사용하는 금전등록기의 사업자 이름만을 변경한 경우 강제집행면탈죄에 있어서 재산의 '은닉'에 해당한다.
> ○ 민사집행법 제3편의 적용대상인 '담보권 실행 등을 위한 경매'를 면탈할 목적으로 재산을 은닉하는 등의 행위뿐만 아니라 국세징수법에 의한 체납처분을 면탈할 목적으로 재산을 은닉하는 등의 행위도 강제집행면탈죄의 규율대상에 포함되지 않는다.

Answer   03. ② 04. ①

ⓒ 피고인이 회사의 어음 채권자들의 가압류 등을 피할 목적으로 회사의 예금계좌에 입금된 회사 자금을 인출하여 제3자 명의의 다른 계좌로 송금하였으나, 부도처분 방지 차원에서 회사의 어음 채권자들과의 합의하에 채권금액 중 일부만 변제하고 나머지에 대하여는 새로운 어음을 발행하는 등 이른바 어음 되막기 용도의 자금 조성을 위한 경우에 피고인의 강제집행면탈 행위는 정당행위에 해당한다고 볼 수 있다.

ⓔ 상계로 인하여 소멸한 것으로 보게 되는 채권에 관하여는 상계의 효력이 발생하는 시점 이후에는 채권의 존재가 인정되지 않으므로 강제집행면탈죄가 성립하지 않는다.

ⓜ 강제집행면탈죄에 있어서 진의에 의하여 재산을 양도하였다면 설령 그것이 강제집행을 면탈할 목적으로 이루어진 것으로 채권자의 불이익을 초래하는 결과가 되었다고 하더라도 강제집행면탈죄의 허위양도 또는 은닉에는 해당하지 아니한다.

① ㉠(○), ㉡(○), ㉢(×), ㉣(○), ㉤(○)

② ㉠(○), ㉡(○), ㉢(○), ㉣(×), ㉤(×)

③ ㉠(○), ㉡(×), ㉢(○), ㉣(○), ㉤(○)

④ ㉠(×), ㉡(×), ㉢(×), ㉣(○), ㉤(×)

해설 ㉠ ○ : 대판 2003.10.9, 2003도3387

㉡ ○ : 대판 2015.3.26, 2014도14909 ; 대판 2012.4.26, 2010도5693

㉢ × : 정당행위 ×(대판 2005.10.13, 2005도4522 ∴ 강제집행면탈죄 ○)

㉣ ○ : 대판 2012.8.30, 2011도2252

㉤ ○ : 대판 1983.7.26, 82도1524

05 다음 설명 중 가장 옳은 것은?

18. 법원직

① 휴업급여를 받을 권리는 압류금지채권이나 이를 계좌로 수령하면 더는 압류금지의 효력이 미치지 않아 강제집행의 객체가 되므로, 휴업급여를 기존의 압류된 예금계좌에서 압류되지 않은 다른 계좌로 바꾸어 수령하면 강제집행면탈죄가 성립한다.

② 근저당권의 목적물인 기계에 대하여 경매개시결정이 내려진 후 이를 원래 있던 곳에서 가지고 나가 숨겨 두면, 강제집행을 면할 목적으로 재산을 은닉한 것이므로 강제집행면탈죄가 성립한다.

③ '보전처분 단계에서의 가압류채권자의 지위'는 강제집행면탈죄의 객체가 될 수 없다.

④ 특허권이나 실용신안권은 민사집행법에 의한 강제집행이 불가능하므로 강제집행면탈죄의 객체가 될 수 없다.

해설 ① × : ~ (2줄) 객체가 되나, 압류금지채권의 목적물이 채무자의 예금계좌에 입금되기 전까지는 여전히 강제집행 또는 보전처분의 대상이 될 수 없으므로 휴업급여를 ~ 바꾸어 수령하면 강제집행면탈죄가 성립하지 않는다(대판 2017.8.18, 2017도6229).

② × : 형법 제327조의 강제집행면탈죄가 적용되는 강제집행은 민사집행법 제2편의 적용 대상인 '강제집행' 또는 가압류 · 가처분 등의 집행을 가리키는 것이고, 민사집행법 제3편의 적용 대상인 '담보권 실행 등을 위한 경매'를 면탈할 목적으로 재산을 은닉하는 등의 행위는 위 죄의 규율 대상에 포함되지 않는다(대판 2015.3.26, 2014도14909).

Answer 05. ③

③ ○ : 대판 2008.9.11, 2006도8721
④ × : 재산적 가치가 있어 민사집행법에 의한 강제집행 또는 보전처분이 가능한 특허 내지 실용신안 등을
받을 수 있는 권리도 강제집행면탈죄에 있어서의 재산에 포함된다(대판 2001.11.27, 2001도4759).

06 권리행사를 방해하는 죄에 대한 설명으로 가장 적절한 것은?(다툼이 있는 경우 판례에 의함)
19. 경찰승진

① 권리행사방해죄에서 '은닉'이란 타인의 점유 또는 권리의 목적이 된 자기 물건 등의 소재를
발견하기 불가능하게 하거나 또는 현저히 곤란한 상태에 두는 것을 말하고, 그로 인하여 권리행
사가 방해될 우려가 있는 상태만으로는 부족하고, 현실로 권리행사가 방해되었을 것을 요한다.
② 권리행사방해죄에 있어서의 '취거'란 타인의 점유 또는 권리의 목적이 된 자기의 물건을 그 점유자
의 의사에 반하여 그 점유자의 점유로부터 자기 또는 제3자의 점유로 옮기는 것을 말하므로,
점유자의 하자있는 의사에 기하여 점유가 이전된 경우에도 여기에서 말하는 취거로 볼 수 있다.
③ 타인의 재물을 보관하는 자가 보관하고 있는 재물을 영득할 의사로 은닉하였다면 횡령죄를
구성하고 채권자들의 강제집행을 면탈하는 결과를 가져온다면 별도로 강제집행면탈죄를 구
성하며 양 죄는 상상적 경합관계에 있다.
④ 권리행사방해죄에서의 보호대상인 '타인의 점유'에는 일단 적법한 권원에 기하여 점유를 개
시하였으나 사후에 점유권원을 상실한 경우의 점유, 점유권원의 존부가 외관상 명백하지 아
니하여 법정절차를 통하여 권원의 존부가 밝혀질 때까지의 점유, 권원에 기하여 점유를 개시
한 것은 아니나 동시이행항변권 등으로 대항할 수 있는 점유 등이 포함된다.

해설 ① × : ~ (3줄) 상태만으로 족하고, 현실로 ~ 것을 요하지 아니한다(대판 2016.11.10, 2016도13734).
② × : ~ (3줄) 이전된 경우에는 ~ 볼 수는 없다(대판 1988.2.23, 87도1952).
③ × : ~ 구성하는 것은 아니다(대판 1988.2.23, 87도1952).
④ ○ : 대판 2006.3.23, 2005도4455

07 권리행사를 방해하는 죄에 대한 설명 중 가장 적절하지 않은 것은?(다툼이 있는 경우 판례에 의함)
21. 순경 2차

① 무효인 경매절차에서 경매목적물을 경락받아 이를 점유하고 있는 낙찰자의 점유는 적법한
점유로서 그 점유자는 권리행사방해죄에 있어서 타인의 물건을 점유하고 있는 자라고 보아
야 한다.
② 주식회사의 대표이사가 그의 지위에 기하여 그 직무집행 행위로서 타인이 점유하는 회사의
물건을 취거한 경우에 그 행위는 회사의 대표기관으로서의 행위라고 평가되므로, 그 회사의
물건은 권리행사방해죄에 있어서의 '자기의 물건'이라고 보아야 한다.
③ 개설자격이 없는 자가 의료기관을 개설하여 의료법을 위반한 병원의 요양급여비용채권은 해
당 의료기관의 채권자가 이를 대상으로 하여 강제집행 또는 보전처분의 방법으로 채권의 만
족을 얻을 수 있으므로, 강제집행면탈죄의 객체가 된다.

Answer 06. ④ 07. ③

④ 명의신탁자와 명의수탁자가 계약명의신탁 약정을 맺고 명의수탁자가 당사자가 되어 소유자와 부동산에 관한 매매계약을 체결한 후 그 매매계약에 따라 당해 부동산의 소유권이전등기를 명의수탁자 명의로 마친 경우, 명의신탁자는 그 매매계약에 의해서 당해 부동산의 소유권을 취득하지 못하게 되어, 결국 그 부동산은 명의신탁자에 대한 강제집행이나 보전처분의 대상이 될 수 없다.

해설 ① 대판 2003.11.28, 2003도4257

② 대판 1992.1.21, 91도1170

③ × : 의료법에 의하여 적법하게 개설되지 아니한 의료기관에서 요양급여가 행하여진 경우, 해당 의료기관은 요양급여비용 전부를 청구할 수 없고, 해당 의료기관의 채권자로서도 위 요양급여비용 채권을 대상으로 하여 강제집행 또는 보전처분의 방법으로 채권의 만족을 얻을 수 없는 것이므로, 결국 위와 같은 채권은 강제집행면탈죄의 객체가 되지 아니한다(대판 2017.4.26, 2016도19982).

④ 대판 2011.12.8, 2010도4129

08 권리행사를 방해하는 죄에 대한 설명으로 옳지 않은 것은?(다툼이 있는 경우 판례에 의함)

21. 7급 검찰

① 甲이 차량을 구입하면서 피해자로부터 차량 매수대금을 차용하고 담보로 차량에 피해자 명의의 저당권을 설정해 주었는데, 그 후 대부업자로부터 돈을 차용하면서 차량을 대부업자에게 담보로 제공하여 이른바 '대포차'로 유통되게 한 경우, 甲이 피해자의 권리의 목적이 된 자기의 물건을 은닉하여 권리행사를 방해한 것이다.

② 甲 등이 공모하여 렌트카 회사인 A주식회사를 설립한 다음 B주식회사 등의 명의로 저당권등록이 되어 있는 다수의 차량들을 사들여 A회사 소유의 영업용 차량으로 등록한 후 자동차대여사업자등록취소처분을 받아 차량등록을 직권말소시켜 저당권 등이 소멸되게 한 경우, B회사 등의 저당권의 목적인 차량들을 은닉하는 방법으로 권리행사를 방해한 것이다.

③ 甲이 A회사의 대표이사의 지위에 기하여 그 직무집행 행위로서 타인이 점유하는 A회사의 물건을 취거한 경우에는, 甲의 행위는 A회사의 대표기관으로서의 행위라고 평가되므로, A회사의 물건도 권리행사방해죄에 있어서의 '자기의 물건'이라고 보아야 할 것이다.

④ 甲이 사업장의 유체동산에 대한 강제집행을 면탈할 목적으로 사업자등록의 사업자 명의를 변경하지 않고, 단순히 사업장에서 사용하는 금전등록기의 사업자 이름만을 변경한 경우, 강제집행면탈죄에 있어서 재산의 '은닉'에 해당하지 않는다.

해설 ① 대판 2016.11.10, 2016도13734

② 대판 2017.5.17, 2017도2230

③ 대판 1992.1.21, 91도1170

④ × : ~ '은닉'에 해당한다(대판 2003.10.9, 2003도3387 ∵ 소유관계를 불명확하게 하는 방법에 의한 재산 은닉임).

Answer 08. ④

09 권리행사를 방해하는 죄에 대한 설명 중 가장 적절한 것은?(다툼이 있는 경우 판례에 의함)

① 권리행사방해죄에서 '은닉'이란 타인의 점유 또는 권리의 목적이 된 자기 물건 등의 소재를 발견하기 불가능하게 하거나 또는 현저히 곤란한 상태에 두는 것을 말하고, 그로 인하여 현실적으로 권리행사가 방해되었을 것을 요한다.

② 피고인이 피해자에게 담보로 제공한 차량이 그 자동차등록원부에 타인 명의로 등록되어 있는 경우 피고인이 피해자의 승낙 없이 미리 소지하고 있던 위 차량의 보조키를 이용해서 운전하여 간 행위는 권리행사방해죄를 구성하지 않는다.

③ 물건의 소유자가 아닌 甲이 소유자 乙의 권리행사방해 범행에 가담한 경우, 乙에게 고의가 없어 범죄가 성립하지 않더라도 甲은 권리행사방해죄의 공범으로 처벌될 수 있다.

④ 채권자들이 피고인을 상대로 법적 절차를 취하기 위한 준비를 하고 있지 않았으나, 피고인이 어음의 지급기일 도래 전에 강제집행을 면탈하기 위해 자신의 형에게 허위채무를 부담하고 가등기를 해주었다면 강제집행면탈죄가 성립한다.

해설 ① × : ~ 방해되었을 것까지 요하지 않는다(대판 2016.11.10, 2016도13734).
② ○ : 대판 2005.11.10, 2005도6604
③ × : ~ (2줄) 성립하지 않는다면 공범으로 처벌될 수 없다(대판 2017.5.30, 2017도4578).
④ × : 강제집행면탈죄 ×(대판 1987.8.18, 87도1260 ∵ 강제집행을 받을 우려가 있는 상태 ×)

10 손괴의 죄 및 권리행사방해의 죄에 대한 설명으로 가장 적절한 것은?(다툼이 있는 경우 판례에 의함)

① 계란 30여 개를 건물에 투척한 행위는 건물의 효용을 해한 것으로 볼 수 있으므로 재물손괴죄를 구성한다.

② 소유자의 의사에 따라 어느 장소에 게시 중인 문서를 소유자의 의사에 반하여 떼어내는 것과 같이 소유자의 의사에 따라 형성된 종래의 이용상태를 변경시켜 종래의 상태에 따른 이용을 일시적으로 불가능하게 하는 경우에도 문서손괴죄가 성립할 수 있다.

③ 물건의 소유자가 아닌 甲이 소유자 乙의 권리행사방해 범행에 가담한 경우, 乙에게 고의가 없어 범죄가 성립하지 않더라도 甲은 권리행사방해죄의 공범으로 처벌될 수 있다.

④ 강제집행면탈죄가 성립하기 위해서는 재산의 은닉, 손괴, 허위 양도 또는 허위의 채무를 부담하여 현실적으로 채권자를 해하는 결과가 야기되어야 하고, 채권자를 해할 위험만으로는 강제집행면탈죄가 성립하지 않는다.

해설 ① × : 재물손괴죄 ×(대판 2007.6.28, 2007도2590)
② ○ : 대판 2015.11.27, 2014도13083
③ × : ~ (2줄) 범죄가 성립하지 않는다면 甲은 ~ 처벌될 수 없다(대판 2017.5.30, 2017도4578).

Answer 09. ② 10. ②

④ × : 형법 제327조의 강제집행면탈죄는 채권자가 본안 또는 보전소송을 제기하거나 제기할 태세를 보이고 있는 상태에서 주관적으로 강제집행을 면탈하려는 목적으로 재산을 은닉, 손괴, 허위양도하거나 허위의 채무를 부담하여 채권자를 해할 위험이 있으면 성립하는 것이고, 반드시 채권자를 해하는 결과가 야기되거나 행위자가 어떤 이득을 취하여야 범죄가 성립하는 것은 아니다(대판 2008.5.8, 2008도198).

11 손괴 및 권리행사방해의 죄에 관한 설명 중 가장 적절하지 않은 것은?(다툼이 있는 경우 판례에 의함)

23. 순경 1차

① 소유자의 의사에 따라 어느 장소에 게시 중인 문서를 소유자의 의사에 반하여 떼어내는 것과 같이 소유자의 의사에 따라 형성된 종래의 이용상태를 변경시켜 종래의 상태에 따른 이용을 일시적으로 불가능하게 하는 경우에도 문서손괴죄가 성립할 수 있다.

② 다른 사람의 소유물을 본래의 용법에 따라 무단으로 사용 수익하는 행위는 소유자를 배제한 채 물건의 이용가치를 영득하는 것이고, 그 때문에 소유자가 물건의 효용을 누리지 못하게 되었다면 그 효용 자체가 침해된 것으로 볼 수 있어 재물손괴죄를 구성한다.

③ 물건의 소유자가 아닌 甲은 형법 제33조 본문에 따라 권리행사방해 범행에 가담한 경우에 한하여 권리행사방해죄의 공범이 될 수 있을 뿐이며, 甲과 함께 권리행사방해죄의 공동정범으로 기소된 물건의 소유자 乙에게 고의가 없어 범죄가 성립하지 않는다면 甲에게 공동정범이 성립할 여지가 없다.

④ 가압류 후에 목적물의 소유권을 취득한 제3취득자가 다른 사람에 대한 허위의 채무에 기하여 근저당권설정등기를 경료하더라도 강제집행면탈죄를 구성하지 않는다.

해설 ① 대판 2015.11.27, 2014도13083
② × : 다른 사람의 소유물을 본래의 용법에 따라 무단으로 사용·수익하는 행위는 소유자를 배제한 채 물건의 이용가치를 영득하는 것이고, 그 때문에 소유자가 물건의 효용을 누리지 못하게 되었더라도 효용 자체가 침해된 것이 아니므로 재물손괴죄에 해당하지 않는다(대판 2022.11.30, 2022도1410).
③ 대판 2017.5.30, 2017도4578
④ 대판 2008.5.29, 2008도2476

Answer 11. ②

12 다음 설명 중 옳지 않은 것은 모두 몇 개인가?(다툼이 있는 경우 판례에 의함) 24. 해경경위

> ㉠ 임대차계약이 만료된 이후에도 임차인이 퇴거하지 아니하고 건물에 거주하고 있자, 임대인이 임차인으로부터 건물을 명도받기 전에 임차인이 거주하고 있는 방의 천정 및 마루바닥판자 4매를 뜯어내었다면 권리행사방해죄가 성립한다.
>
> ㉡ 회사사장이 회사의 어음채권자들의 가압류 등을 피할 목적으로 회사의 예금계좌에 입금된 회사자금을 인출하여 제3자 명의의 다른 계좌로 송금한 경우, 이것이 부도처분 방지차원에서 회사의 어음채권자들과의 합의하에 채권금액 중 일부만 변제하고 나머지에 대하여는 새로운 어음을 발행하는 등 이른바 어음되막기 용도의 자금조성을 위한 것이었다면 위 강제집행면탈행위는 정당행위에 해당한다.
>
> ㉢ 채무자 甲이 타인에게 채무를 부담하고 있는 양 가장하는 방편으로 甲소유의 부동산들에 관하여 소유권이전청구권보전을 위한 가등기를 경료하여 준 경우, 그와 같이 가등기를 경료한 사실만으로도 甲이 강제집행면탈할 목적으로 허위채무를 부담하여 채권자를 해한 것이라고 할 수 있다.
>
> ㉣ 공장사장이 공장근저당권이 설정된 선반기계 등을 이중담보로 제공하기 위하여 이를 다른 장소로 옮긴 경우, 이는 공장저당권의 행사가 방해될 우려가 있는 행위로서 권리행사방해죄에 해당한다.
>
> ㉤ 사업장의 유체동산에 대한 강제집행을 면탈할 목적으로 사업자등록의 사업자 명의를 변경함이 없이 사업장에서 사용하는 금전등록기의 사업자 이름만을 변경한 경우는 강제집행면탈죄에 있어서 재산의 '은닉'에 해당한다.

① 2개 ② 3개 ③ 4개 ④ 5개

해설 ㉠ ○ : 대판 1977.9.13, 77도1672

㉡ × : ~ (4줄) 자금조성을 위한 것이었다는 사정만으로는 위 강제집행면탈행위가 정당행위에 해당한다고 볼 수 없다(대판 2005.10.13, 2005도4522).

㉢ × : ~ (2줄) 경료한 사실만으로는 甲이 강제집행면탈할 목적으로 허위채무를 부담하여 채권자를 해한 것이라고 할 수 없다(대판 1987.8.18, 87도1260).

㉣ ○ : 대판 1994.9.27, 94도1439

㉤ ○ : 대판 2003.10.9, 2003도3387

Answer 12. ①

01 재산죄에 대한 설명 중 적절한 것만을 모두 고른 것은?(다툼이 있는 경우 판례에 의함) 21. 순경 1차

> ㉠ 절도죄의 성립에 필요한 '불법영득의 의사'는 그것이 물건 자체를 영득할 의사인지 물건의 가치만을 영득할 의사인지를 불문한다.
> ㉡ 형법 제332조에 규정된 상습절도죄를 범한 범인이 범행의 수단으로 주간에 주거침입을 한 경우, 주거침입행위는 다른 상습절도죄에 흡수되어 1죄만을 구성하고 상습절도죄와 별개로 주거침입죄를 구성하지 않는다.
> ㉢ 공갈죄의 수단인 협박에 있어서의 해악의 고지가 비록 정당한 권리의 실현 수단으로 사용된 경우라도 그 권리실현의 수단방법이 사회통념상 허용되는 정도나 범위를 넘는다면 공갈죄의 실행에 착수한 것으로 보아야 한다.
> ㉣ 당사자 사이에 혼인신고가 있었다면, 그 혼인신고가 단지 다른 목적을 달성하기 위한 방편에 불과한 것으로 그들 사이에 참다운 부부관계의 설정을 바라는 효과의사가 없다 하더라도 친족상도례를 적용할 수 있다.

① ㉠, ㉢　　　　② ㉠, ㉣　　　　③ ㉡, ㉢　　　　④ ㉡, ㉣

해설 ㉠ ○ : 대판 2006.3.24, 2005도8081
㉡ × : 형법 제332조에 규정된 상습절도죄를 범한 범인이 그 범행의 수단으로 주간에 주거침입을 한 경우 그 주간 주거침입행위는 상습절도죄와 별개로 주거침입죄를 구성한다(대판 2015.10.15, 2015도8169).
㉢ ○ : 대판 2019.2.14, 2018도19493
㉣ × : ~ 혼인신고가 있었더라도, ~ 효과의사가 없을 때에는 그 혼인은 무효이므로 친족상도례를 적용할 수 없다(대판 2015.12.10, 2014도11533).

02 재산죄의 객체에 관한 설명 중 옳은 것은?(다툼이 있는 경우 판례에 의함)　　20. 변호사시험
① 회사에서 회사컴퓨터에 저장된 정보를 몰래 자신의 저장장치로 복사한 경우, 컴퓨터에 저장된 정보는 절도죄의 객체인 재물이 될 수 있다.
② 협박으로 금전채무 지불각서 1매를 쓰게 하고 이를 강취한 경우, 사법상 유효하지 못한 위 지불각서는 강도죄의 객체인 재산상 이익이 될 수 없다.
③ 대가를 지급하기로 하고 성관계를 가진 뒤 대금을 지급하지 않은 경우, 성행위의 대가는 사기죄의 객체인 재산상 이익이 될 수 없다.
④ 권한 없이 인터넷뱅킹으로 타인의 예금계좌에서 자신의 예금계좌로 돈을 이체한 후 그중 일부를 인출한 돈은 장물죄의 객체가 된다.
⑤ 민사집행법상 보전처분 단계에서 가압류 채권자의 지위는 원칙적으로 강제집행면탈죄의 객체가 될 수 없다.

> **Answer**　01. ①　02. ⑤

해설 ① × : ~ 될 수 없다(대판 2002.7.12, 2002도745).
② × : ~ 될 수 있다(대판 1994.2.22, 93도428).
③ × : ~ 될 수 있다(대판 2001.10.23, 2001도2991).
④ × : ~ 객체가 될 수 없다(대판 2004.4.16, 2004도353).
⑤ ○ : 대판 2008.9.11, 2006도8721

03 재산죄에 관한 설명으로 옳지 않은 것은 모두 몇 개인가?(다툼이 있는 경우 판례에 의함) 22. 순경 1차

> ㉠ 채무자가 채권자에 대하여 소비대차 등으로 인한 채무를 부담하고 이를 담보하기 위하여 장래
> 에 부동산의 소유권을 이전하기로 하는 내용의 대물변제예약에서, 약정의 내용에 좇은 이행을
> 하여야 할 채무는 특별한 사정이 없는 한 '타인의 사무'에 해당하는 것이 원칙이다.
> ㉡ 횡령죄의 본질이 신임관계에 기초하여 위탁된 타인의 물건을 위법하게 영득하는 데 있음에 비추
> 어 볼 때 위탁신임관계는 횡령죄로 보호할 만한 가치 있는 신임에 의한 것으로 한정함이 타당하다.
> ㉢ 강제집행절차를 통한 소송사기는 집행절차의 개시신청을 한 때 또는 진행 중인 집행절차에
> 배당신청을 한 때에 실행에 착수하였다고 볼 것이다.
> ㉣ 횡령죄는 타인의 재물에 대한 재산범죄로서 재물의 소유권 등 본권을 보호법익으로 하는 범죄
> 이다. 따라서 횡령죄의 객체가 타인의 재물에 속하는 이상 구체적으로 누구의 소유인지는 횡
> 령죄의 성립 여부에 영향이 없다.
> ㉤ 침해행정 영역에서 일반 국민이 담당 공무원을 기망하여 권력작용에 의한 재산권 제한을 면하
> 는 경우에는 부과권자의 직접적인 권력작용을 사기죄의 보호법익인 재산권과 동일하게 평가
> 할 수 없는 것이므로 사기죄는 성립할 수 없다.

① 1개　　　　② 2개　　　　③ 3개　　　　④ 4개

해설 ㉠ × : ~ '타인의 사무'에 해당하지 않는다(대판 2014.8.21, 2014도3363 전원합의체 ∵ 대물변제예
약의 내용에 좇은 이행을 하여야 할 채무는 '자기의 사무'에 해당).
㉡ ○ : 대판 2021.2.18, 2016도18761 전원합의체
㉢ ○ : 대판 2015.2.12, 2014도10086
㉣ ○ : 대판 2019.12.24, 2019도9773
㉤ ○ : 대판 2019.12.24, 2019도2003

04 재물과 재산상의 이익에 관한 설명으로 가장 적절하지 않은 것은?(다툼이 있는 경우 판례에 의함)
22. 순경 1차

① 비트코인은 경제적인 가치를 디지털로 표상하여 전자적으로 이전, 저장과 거래가 가능하도록
한 가상자산의 일종으로 사기죄의 객체인 재산상 이익에 해당한다.
② 甲이 乙의 돈을 절취한 다음 다른 금전과 섞거나 교환하지 않고 쇼핑백 등에 넣어 자신의
집에 숨겨두었는데, 丙이 乙의 지시로 甲에게 겁을 주어 쇼핑백 등에 들어 있던 절취된 돈을
교부받아 갈취하였다면, 위 돈은 타인인 甲의 재물이라고 볼 수 없다.

Answer　03. ①　04. ③

③ 형법 제333조(강도)에서의 '재산상 이익'은 반드시 사법상 유효한 재산상의 이득만을 의미하는 것은 아니나, 단지 외견상 재산상의 이득을 얻을 것이라고 인정할 수 있는 사실관계만으로는 재산상의 이익을 인정할 수 없다.

④ 배임죄에 있어서 재산상의 손해를 가한 때라 함은 현실적인 손해를 가한 경우뿐만 아니라 재산상 실해발생의 위험을 초래한 경우도 포함된다.

해설 ① 대판 2021.11.11, 2021도9855 ② 대판 2012.8.30, 2012도6157
③ × : ~ (2줄) 의미하는 것이 아니고, 단지 ~ 사실관계만 있으면 재산상의 이익을 인정할 수 있다(대판 1997.2.25, 96도3411).
④ 대판 2006.6.2, 2004도7112

05 재산범죄에 대한 설명 중 옳은 것은 모두 몇 개인가?(다툼이 있는 경우 판례에 의함) 23. 경찰간부

> ㉠ 甲이 야외 결혼식장에서 신부 측 축의금 접수인인 것처럼 행세하면서 하객이 신부 측 접수대에 축의금을 교부하자 이를 가져간 경우, 사기죄가 성립하지 아니하고 절도죄가 성립한다.
> ㉡ 甲이 노상에 주차된 차 안의 현금을 절취하기로 마음먹고 물색하다가 A의 승합차 안에 있는 지갑을 발견하고 차 문이 잠겨 있는지 확인하기 위해 양손으로 운전석 문의 손잡이를 잡아당겼다면, 절도죄의 실행에 착수한 것이다.
> ㉢ 甲과 乙이 수회에 걸쳐서 "총을 훔쳐 전역 후 은행이나 현금수송차량을 털어 한탕하자"는 말만 나눈 경우, 강도음모죄가 성립하지 아니한다.
> ㉣ 장물취득죄에서 '취득'이라 함은 점유를 이전받음으로써 그 장물에 대하여 사실상의 처분권을 획득하는 것을 의미하고, 취득 당시 장물인 정을 알면서 이를 취득하여야 장물취득죄가 성립한다.
> ㉤ 강제집행면탈죄는 채권자를 해하는 결과가 야기되거나 이로 인하여 행위자가 일정한 이득을 취하여야 성립한다.

① 2개 ② 3개 ③ 4개 ④ 5개

해설 ㉠ ○ : 대판 1996.12.20, 96도2227
㉡ ○ : 대판 2009.9.24, 2009도5595
㉢ ○ : 대판 1999.11.12, 99도3801
㉣ ○ : 대판 2003.5.13, 2003도1366
㉤ × : ~ 이득을 취하여야 성립하는 것은 아니다(대판 1999.2.12, 98도2474 ∵ 강제집행면탈죄는 위험범임).

06 재산죄에 관한 설명 중 가장 적절한 것은?(다툼이 있는 경우 판례에 의함) 23. 순경 1차

① 甲과 乙이 공동으로 생강밭을 경작하여 그 이익을 분배하기로 약정하고 생강농사를 시작하였으나, 곧바로 동업관계에 불화가 생겨 乙이 묵시적으로 동업 탈퇴의 의사표시를 한 채 생강밭에 나오지 않자, 그때부터 甲이 혼자 생강밭을 경작하고 수확하여 생강을 반출한 경우, 甲의 행위는 절도죄를 구성한다.

Answer 05. ③ 06. ④

② 절도죄의 성립에 필요한 불법영득의 의사는 물건의 가치만을 영득할 의사만으로는 부족하고, 재물의 소유권 또는 이에 준하는 본권을 영구적으로 보유할 의사를 필요로 한다.

③ 횡령범인이 위탁자가 소유자를 위해 보관하고 있는 물건을 위탁자로부터 보관받아 이를 횡령한 경우, 범인과 피해물건의 소유자 사이에 친족관계가 있으면 범인과 위탁자 사이에 친족관계가 없더라도 친족상도례가 적용된다.

④ 재산범죄를 저지른 이후에 별도의 재산범죄의 구성요건에 해당하는 사후행위가 있었다면 비록 그 행위가 불가벌적 사후행위로서 처벌의 대상이 되지 않는다 할지라도 그 사후행위로 인하여 취득한 물건은 재산범죄로 인하여 취득한 물건으로서 장물이 될 수 있다.

해설 ① × : 절도죄 ×〔대판 2009.2.12, 2008도11804 ∵ 두 사람의 동업관계(조합관계)에 있어 그중 1인이 탈퇴하면 조합관계는 해산됨이 없이 종료되어 청산이 뒤따르지 아니하며 조합원의 합유에 속한 조합재산은 남은 조합원의 단독소유에 속하고, 탈퇴자와 남은 자 사이에 탈퇴로 인한 계산을 하여야 함.〕

② × : 반드시 영구적으로 보유할 의사가 아니더라도 재물의 소유권 또는 이에 준하는 본권을 침해하는 의사가 있으면 절도죄의 성립에 필요한 불법영득의 의사를 인정할 수 있고, 그것이 물건 자체를 영득할 의사인지 물건의 가치만을 영득할 의사인지는 불문한다(대판 2014.2.21, 2013도14139).

③ × : 친족상도례 적용 ×(대판 2008.7.24, 2008도3438 ∵ 피해물건의 소유자 및 위탁자 모두와의 친족관계가 있어야만 친족상도례가 적용됨.)

④ ○ : 대판 2004.4.16, 2004도353

07 재산죄에 관한 설명으로 옳지 않은 것은 모두 몇 개인가?(다툼이 있는 경우 판례에 의함) 23. 순경 2차

> ㉠ 회사직원이 퇴사한 후에는 특별한 사정이 없는 한 더 이상 업무상 배임죄에서 타인의 사무를 처리하는 자의 지위에 있다고 볼 수 없어, 퇴사한 회사직원이 반환하거나 폐기하지 아니한 영업비밀 등을 경쟁업체에 유출하거나 스스로의 이익을 위하여 이용하더라도 그 유출 내지 이용행위에 대하여는 따로 업무상 배임죄를 구성할 여지는 없다.
>
> ㉡ A는 드라이버를 구매하기 위해 특정 매장에 방문하였다가 자신의 지갑을 떨어뜨렸는데, 10분쯤 후 甲이 같은 매장에서 우산을 구매하고 계산을 마친 뒤, 그 지갑을 발견하여 습득한 매장주인 B로부터 "이 지갑이 선생님 지갑이 맞느냐?"라는 질문을 받자 "내 것이 맞다."라고 대답한 후 이를 교부받아 가지고 갔다면 甲에게는 절도죄가 아니라 사기죄가 성립한다.
>
> ㉢ 업무상 배임죄에 있어 '재산상 이익취득'과 '재산상 손해발생'은 대등한 범죄성립요건이고, 따라서 임무위배행위로 인하여 여러 재산상 이익과 손해가 발생하더라도 재산상 이익과 손해 사이에 서로 대응하는 관계에 있는 등 일정한 관련성이 인정되어야 업무상 배임죄가 성립한다.
>
> ㉣ 주류회사 이사인 甲은 A를 상대로 주류대금 청구소송을 제기한 민사분쟁 중에 A의 착오로 위 주류회사 명의계좌로 송금된 4,700,000원을 보관하게 되었고, 이후 A로부터 해당 금원이 착오송금된 것이라는 사정을 문자메시지를 통해 고지받았음에도 불구하고, 甲 본인이 주장하는 채권액인 1,108,310원을 임의로 상계 정산하여 반환을 거부하였다면, 설령 나머지 금액을 반환하고 상계권 행사의 의사를 충분히 밝혔다 하더라도 甲에게는 횡령죄가 성립한다.

① 0개   ② 1개   ③ 2개   ④ 3개

Answer 07. ②

해설 ⊙ ○ : 대판 2017.6.29, 2017도3808
ⓒ ○ : 대판 2022.12.29, 2022도12494(∵ B는 지갑을 습득하여 진정한 소유자에게 돌려주어야 하는 지위에 있으므로 甲을 위하여 이를 처분할 수 있는 권능을 갖거나 그 지위에 있었으며, 이러한 처분 권능과 지위에 기초하여 지갑의 소유자라고 주장하는 피고인에게 지갑을 교부하였고 이를 통해 피고인이 지갑을 취득하여 자유로운 처분이 가능한 상태가 되었으므로, 乙의 행위는 사기죄에서 말하는 처분행위에 해당하고 피고인의 행위를 절취행위로 평가할 수 없다.)
ⓒ ○ : 대판 2021.11.25, 2016도3452
ⓔ × : ~ (4줄) 반환을 거부한 행위는 정당한 상계권의 행사로 볼 여지가 있으므로, 피고인의 반환거부행위가 횡령행위와 같다고 볼 수 없어 불법영득의사를 인정할 수 없다(대판 2022.12.29, 2021도2088 ∴ 횡령죄 ×).

08 다음 중 가장 적절한 것은?(다툼이 있는 경우 판례에 의함)   23. 순경 2차
① 甲은 건물의 소유자로, 해당 건물을 매입하기 위한 소요자금을 대납하는 조건으로 해당 건물에서 약 2개월 동안 거주하고 있던 A가 위 금액을 입금하지 않자, A를 내쫓을 목적으로 아들인 乙에게 A가 거주하는 곳의 현관문에 설치된 디지털 도어락의 비밀번호를 변경할 것을 지시하고, 이에 따라 乙이 그 도어락의 비밀번호를 변경하였다면 甲에게는 권리행사방해교사죄가 성립한다.
② 甲이 타인소유토지의 이용을 방해할 목적으로 권한 없이 건물을 신축하였다면, 이는 다른 사람의 소유물을 본래의 용법에 따라 무단으로 사용·수익하는 행위로 소유자를 배제한 채 물건의 이용가치를 영득하는 것이고 그 결과 소유자가 물건의 효용을 누리지 못하게 된 것으로 볼 수 있어 이와 같은 甲의 행위는 재물손괴죄에 해당한다.
③ 건물의 임차인인 甲이 임대인 A에 대한 임대차보증금반환채권을 B에게 양도하였는데도 A에게 채권양도 통지를 하지 않고 A로부터 남아 있던 임대차보증금을 반환받아 보관하던 중 개인적인 용도로 사용하였다면 甲에게는 횡령죄가 성립한다.
④ 甲은 PC방에 게임을 하러 온 A로부터 20,000원을 인출해 오라는 부탁과 함께 현금카드를 건네받게 되자, 위법하게 이득할 의사로 권한 없이 그 위임받은 금액을 초과한 50,000원을 인출한 후 그중 20,000원만 A에게 건네주고 30,000원을 취득하였다면, 甲의 행위는 그 차액 상당액에 관하여 컴퓨터 등 사용사기죄에 해당한다.

해설 ① × : 대판 2022.9.15, 2022도5827〔甲(정범) : 권리행사방해죄 ×(∵ 도어락은 乙소유의 물건 ○, 甲소유의 물건 ×), 乙 : 권리행사방해죄의 교사범 ×(∵ 교사범이 성립하려면 정범의 범죄행위가 인정되어야 한다.)〕
② × : ~ (3줄) 영득하는 것이고, 그 때문에 소유자가 물건의 효용을 누리지 못하게 되었더라도 효용 자체가 침해된 것이 아니므로 재물손괴죄에 해당하지 않는다(대판 2022.11.30, 2022도1410).
③ × : 횡령죄 ×(대판 2022.6.23, 2017도3829 전원합의체 ∵ 특별한 사정이 없는 한 금전의 소유권은 채권양수인이 아니라 채권양도인에게 귀속하고 채권양도인이 채권양수인을 위하여 양도 채권의 보전에 관한 사무를 처리하는 신임관계가 존재한다고 볼 수 없다.)
④ ○ : 대판 2006.3.24, 2005도3516

Answer | 08.④

09 재산죄에 관한 설명 중 옳지 않은 것을 모두 고른 것은?(다툼이 있는 경우 판례에 의함)

> ㉠ 지입회사에 소유권이 있는 차량에 대하여 지입회사로부터 운행관리권을 위임받은 지입차주 甲이 지입회사의 승낙 없이 보관 중인 차량을 사실상 처분하더라도 법률상 처분권한이 없기 때문에 횡령죄가 성립하지 않는다.
>
> ㉡ 甲이 피해자 경영의 금은방에서 마치 귀금속을 구입할 것처럼 가장하여 피해자로부터 금목걸이를 건네받은 다음 화장실에 갔다 오겠다는 핑계를 대고 도주한 행위는 절도죄에 해당한다.
>
> ㉢ 甲이 토지의 소유자이자 매도인 A에게 토지거래허가 등에 필요한 서류라고 속여 근저당권설정계약서 등에 서명·날인하게 하고 인감증명서를 교부받은 다음, 이를 이용하여 A 소유 토지에 甲을 채무자로 한 근저당권을 B에게 설정하여 주고 돈을 차용한 경우에도 A의 처분의사가 인정되므로 사기죄에 해당한다.
>
> ㉣ 甲이 A에게 자신의 자동차를 양도담보로 제공하기로 약정한 후 B에게 임의로 매도하고 B 명의로 이전등록을 해 준 경우, 등록을 요하는 재산인 자동차 등에 관하여 양도담보설정계약을 체결한 채무자는 채권자에 대하여 그의 사무를 처리하는 지위가 인정되어 그 임무에 위배하여 이를 타에 처분하였다면 배임죄가 성립한다.
>
> ㉤ 甲이 권리자의 착오나 가상자산 운영 시스템의 오류 등으로 법률상 원인관계 없이 자신의 전자지갑에 이체된 가상자산을 반환하지 않고 자신의 또 다른 전자지갑에 이체하였다면 착오송금의 법리가 적용되어 배임죄가 성립한다.

① ㉠, ㉡, ㉢   ② ㉠, ㉡, ㉣   ③ ㉠, ㉣, ㉤
④ ㉡, ㉣, ㉤   ⑤ ㉢, ㉣, ㉤

해설 ㉠ ✕ : ~ (2줄) 차량을 사실상 처분한 경우, 법률상 처분권한이 없어도 횡령죄가 성립한다(대판 2015. 6.25, 2015도1944 전원합의체).
㉡ ○ : 대판 1994.8.12, 94도1487
㉢ ○ : 대판 2017.2.16, 2016도13362 전원합의체
㉣ ✕ : 권리이전에 등기·등록을 요하는 동산(자동차 등)에 관하여 양도담보설정계약을 체결한 채무자는 채권자에 대하여 그의 사무를 처리하는 지위에 있지 아니하므로, 채무자가 채권자에게 양도담보설정계약에 따른 의무를 다하지 아니하고 이를 타에 처분하였다고 하더라도 배임죄가 성립하지 아니한다(대판 2022.12.22, 2020도8682 전원합의체).
㉤ ✕ : ~ (2줄) 다른 지갑에 이체한 경우, 착오송금의 법리가 적용되지 않아 배임죄가 성립하지 않는다(대판 2021.12.16, 2020도9789).

Answer 09. ③

10 형법상 구성요건에 대한 설명으로 옳은 것은?(다툼이 있는 경우 판례에 의함) 21. 경찰간부

① 특수상해죄(형법 제258조의 2)는 흉기를 휴대하거나 2인 이상이 합동하여 상해 또는 존속상해의 죄를 범한 경우를 처벌하는 규정이다.

② 중체포·감금죄(형법 제277조)는 사람을 체포 또는 감금하여 생명에 대한 위험을 발생하게 한 경우를 처벌하는 규정으로, 결과적 가중범이자 구체적 위험범이다.

③ 준사기죄(형법 제348조)는 미성년자의 심신상실 또는 항거 불능 상태를 이용하여 재물의 교부를 받거나 재산상의 이익을 취득한 경우를 처벌하는 규정이다.

④ 업무상 과실장물취득죄(형법 제364조)는 '업무'가 신분요소로 작용하는 경우로서, 업무자의 신분이 있는 경우에만 범죄가 성립하는 진정신분범이다.

> [해설] ① × : ~ (   )는 단체 또는 다중의 위력을 보이거나 위험한 물건을 휴대하여 상해 ~ 규정이다.
> ② × : 중체포·감금죄 ⇨ 결과적 가중범 ×, 구체적 위험범 ×
> ③ × : ~ (   )는 미성년자의 지려천박 또는 사람의 심신장애를 이용하여 재물의 ~ 규정이다.
> ④ ○ : 옳다.

11 개인적 법익에 대한 죄에 관한 설명 중 옳지 않은 것은?(다툼이 있는 경우 판례에 의함) 23. 변호사시험

① 주식회사의 대표이사 甲이 대표이사의 지위에 기하여 그 직무집행행위로서 타인이 적법하게 점유하는 위 회사의 물건을 취거하였다 하더라도, 그 물건은 甲의 소유가 아니므로 甲에게 권리행사방해죄가 성립하지 않는다.

② 甲이 자신의 차를 가로막는 A를 부딪친 것은 아니라고 하더라도, A를 부딪칠 듯이 차를 조금씩 전진시키는 것을 반복하는 행위는 특수폭행죄를 구성한다.

③ 강간치상의 범행을 저지른 甲이 그 범행으로 인하여 실신상태에 있는 피해자를 구호하지 아니하고 방치하였다 하더라도, 유기죄는 성립하지 아니하고 포괄적으로 단일의 강간치상죄만 성립한다.

④ 형법은 유사강간죄의 예비·음모행위를 처벌하는 규정을 두고 있다.

⑤ 인신매매죄에 대해서는 세계주의가 적용된다.

> [해설] ① × : ~ (2줄) 그 회사의 물건을 취거한 경우 甲의 행위는 주식회사의 대표기관으로서의 행위라고 평가되므로, 그 물건은 甲의 물건이라고 보아 甲에게 권리행사방해죄가 성립한다(대판 1992.1.21, 91도1170).
> ② 대판 2016.10.27, 2016도9302
> ③ 대판 1980.6.24, 80도726
> ④ 제305조의 3
> ⑤ 제296조의 2

Answer   10. ④   11. ①

12 재산에 대한 죄에 관한 설명으로 옳지 않은 것을 모두 고른 것은?(다툼이 있는 경우 판례에 의함)

24. 순경 2차

> ㉠ 날치기와 같이 강력적으로 재물을 절취하는 행위는 때로는 피해자를 전도시키거나 부상케 하는 경우가 있고, 그와 같은 결과가 피해자의 반항 억압을 목적으로 함이 없이 점유탈취의 과정에서 우연히 가해진 경우라도 이는 강도치상죄로 의율함이 타당하다.
>
> ㉡ 甲이 술집 운영자 A로부터 술값의 지급을 요구받자 A를 유인 · 폭행하고 도주함으로써 술값의 지급을 면하여 재산상 이익을 취득한 경우에는 형법 제335조의 준강도죄가 성립한다.
>
> ㉢ 형법 제370조(경계침범)에서 말하는 경계는 반드시 법률상의 정당한 경계를 말하는 것이 아니고 비록 법률상의 정당한 경계에 부합되지 아니하는 경계라고 하더라도 이해관계인들의 명시적 또는 묵시적 합의에 의하여 정하여진 것이면 이는 이 법조에서 말하는 경계라고 할 것이다.
>
> ㉣ 甲이 A에 대한 채무를 담보하기 위하여 자기 소유의 건물과 기계 · 기구를 A의 근저당권의 목적물로 제공한 경우에 甲이 담보유지의무를 위반하여 A의 근저당권의 목적이 된 건물을 철거 및 멸실등기하고, 기계 · 기구를 양도한 행위만으로는 물건을 손괴 또는 은닉하여 A의 권리행사를 방해한 행위로서 권리행사방해죄가 성립한다고 볼 수 없다.
>
> ㉤ 사업비용을 대납하는 것을 조건으로 甲소유의 건물 5층에 임시로 거주하고 있는 A가 그 비용을 입금하지 않자 甲이 A의 가족을 내쫓을 목적으로 5층 현관문에 설치된, 甲소유의 디지털도어락의 비밀번호를 변경할 것을 乙(甲의 아들)에게 지시하여 도어락의 비밀번호를 乙이 변경한 경우에 乙에게는 권리행사방해죄가 성립할 수 없고, 甲의 권리행사방해교사죄도 성립할 수 없다.

① ㉠, ㉡, ㉣   ② ㉠, ㉡, ㉤

③ ㉠, ㉢, ㉣   ④ ㉢, ㉣, ㉤

해설 ㉠ × : ~ (3줄) 우연히 가해진 경우라면 이는 절도에 불과한 것으로 보아야 한다(대판 2003.7.25, 2003도2316 ∴ 강도치상죄 ×).

㉡ × : 준강도죄 ×(대판 2014.5.16, 2014도2521)

㉢ ○ : 대판 2003.6.13, 2003도1691

㉣ × : ~ (3줄) 양도한 행위만으로도 물건을 손괴 또는 은닉하여 A의 권리행사를 방해한 행위로서 권리행사방해죄가 성립한다고 볼 수 있다(대판 2021.1.14, 2020도14735).

㉤ ○ : 대판 2022.9.15, 2022도5827

Answer   12. ①

사회적 법익에 대한 죄

공공의 안전과 평온에 대한 죄 www.pmg.co.kr

단원 advice 본장에서의 출제빈도는 방화와 실화에 관한 죄가 가장 높고, 교통방해의 죄가 가끔 출제되기도 한다.

제1절 **공안을 해하는 죄**

① 범죄단체조직죄

> **제114조【범죄단체 등의 조직】** 사형, 무기 또는 장기(단기 ×) 4년 이상의 징역에 해당하는 범죄를 목적으로 하는 단체 또는 집단을 조직하거나, 이에 가입하거나 그 구성원으로 활동한 사람은 그 목적한 죄에 정한 형으로 처벌한다. 다만, 형을 감경할 수 있다. 21. 법원행시, 22. 수사경과, 21·23. 경찰승진

🎯 목적범 ○, 예비·음모·미수 처벌 ×

① **범죄**: 법정형이 사형, 무기 또는 장기 4년 이상의 징역에 해당하는 범죄 20. 순경 1차

② **단체 또는 집단**: 형법 제114조에서 정한 '범죄를 목적으로 하는 단체'란 특정 다수인이 일정한 범죄를 수행한다는 공동목적 아래 구성한 계속적인 결합체로서 그 단체를 주도하거나 내부의 질서를 유지하는 최소한의 통솔체계를 갖춘 것을 의미한다(대판 2020.8.20, 2019도16263). 17. 경찰간부, 20. 순경 1차, 22. 법원행시·수사경과·해경간부, 21·23. 경찰승진 형법 제114조에서 정한 '범죄를 목적으로 하는 집단'이란 특정 다수인이 사형, 무기 또는 장기 4년 이상의 범죄를 수행한다는 공동목적 아래 구성원들이 정해진 역할분담에 따라 행동함으로써 범죄를 반복적으로 실행할 수 있는 조직체계를 갖춘 계속적인 결합체를 의미한다. '범죄단체'에서 요구되는 '최소한의 통솔체계'를 갖출 필요는 없지만, 범죄의 계획과 실행을 용이하게 할 정도의 조직적 구조를 갖추어야 한다(대판 2020.8.20, 2019도16263). 21. 법원직, 22. 법원행시, 23. 경찰간부·경찰승진

📌 **관련판례**

1. 피고인들이 총책을 중심으로 간부급 조직원들과 상담원들, 현금 인출책 등으로 구성된 보이스피싱 사기 조직을 구성하고 이에 가담하여 조직원으로 활동한 경우는 형법상의 범죄단체에 해당한다(대판 2017.10.26, 2017도8600). 20. 순경 1차, 22. 법원행시·수사경과, 21·23. 경찰승진

2. 폭력행위 등 처벌에 관한 법률 제4조에 정하는 범죄를 목적으로 하는 단체는 그 구성 또는 가입에 있어 반드시 단체의 명칭이나 강령이 명확하게 존재하고 단체 결성식이나 가입식과 같은 특별한 절차가 있어야만 성립되는 것은 아니라고 할 것이다(대판 2007.11.29, 2007도7378).

3. 주주총회 때마다 회의의 집행을 방해하고 집행부로부터 금품을 요구하는 총회군들을 제거하기 위하여 투자인협회를 조직한 것은 범죄의 목적으로 한 단체가 아니다(대판 1969.8.19, 69도935).

4. 기존의 범죄단체를 이용하여 새로운 범죄단체를 구성하는 경우는 그 조직이 완전히 변경됨으로써 기존의 범죄단체와 동일성이 없는 별개의 단체로 인정될 수 있을 정도에 이른 경우를 말한다(대판 2013.10.17, 2013도6401).

5. 피고인 甲은 무등록 중고차 매매상사(이하 '외부사무실'이라 한다)를 운영하면서 피해자들을 기망하여 중고차량을 불법으로 판매해 금원을 편취할 목적으로 외부사무실 등에서 범죄집단을 조직·활동하고, 피고인 甲, 乙을 제외한 나머지 피고인들은 범죄집단에 가입·활동한 경우 ⇨ **범죄집단 조직·가입·활동죄** ○(대판 2020.8.20, 2019도16263 ∵ 외부사무실은 특정 다수인이 사기범행을 수행한다는 공동목적 아래 구성원들이 대표, 팀장, 출동조, 전화상담원 등 정해진 역할분담에 따라 행동함으로써 사기범행을 반복적으로 실행하는 체계를 갖춘 결합체, 즉 형법 제114조의 '범죄를 목적으로 하는 집단'에 해당한다). 22. 법원행시

---

③ 조직, 가입 또는 구성원으로 활동

관련판례

1. 피고인이 보이스피싱 사기 범죄단체에 가입한 후 범죄단체 구성원으로서 활동하는 행위와 사기행위는 각각 별개의 범죄구성요건을 충족하는 독립된 행위이고 서로 보호법익도 달라 법조경합 관계로 목적된 범죄인 사기죄만 성립하는 것은 아니다(대판 2017.10.26, 2017도8600). 20. 순경 1차, 21. 경찰승진, 22. 수사경과, 23. 변호사시험

   ▶ **유사판례**

   ① 폭력행위 등 처벌에 관한 법률 제4조 제1항은 그 법에 규정된 범죄를 목적으로 하는 단체 등을 구성하거나 이에 가입하는 행위 또는 구성원으로 활동하는 행위를 처벌하도록 정하고 있고, 여기서 말하는 범죄단체 구성원으로서의 '활동'이란 범죄단체의 내부 규율 및 통솔 체계에 따른 조직적·집단적 의사결정에 기초하여 행하는 범죄단체의 존속·유지를 지향하는 적극적인 행위를 의미한다(대판 2022.9.7, 2022도6993).

   ② 범죄단체 등에 소속된 조직원이 저지른 폭력행위 등 처벌에 관한 법률 위반(단체 등의 공동강요)죄 등의 개별적 범행과 폭력행위처벌법 위반(단체 등의 활동)죄는 구성요건을 달리하는 별개의 범죄로서 범행의 상대방, 범행 수단 내지 방법, 결과 등이 다를 뿐만 아니라 그 보호법익이 일치한다고 볼 수 없다. 또한 폭력행위처벌법 위반(단체 등의 구성·활동)죄와 위 개별적 범행은 특별한 사정이 없는 한 법률상 1개의 행위로 평가되는 경우로 보기 어려워 상상적 경합이 아닌 실체적 경합관계에 있다고 보아야 한다(대판 2022.9.7, 2022도6993).

2. 범죄단체를 구성하거나 이에 가입한 자가 더 나아가 구성원으로 활동하는 경우, 이는 포괄일죄의 관계에 있다(대판 2015.9.10, 2015도7081). 22. 법원행시

3. 피고인들이 총책을 중심으로 간부급 조직원들과 상담원들, 현금인출책 등으로 구성된 보이스피싱 사기 조직을 구성하고 이에 가담하여 조직원으로 활동한 경우, 위 보이스피싱 조직은 형법상의 범죄단체에 해당하고, 조직의 업무를 수행한 피고인들에게 범죄단체 가입 및 활동에 대한 고의가 인정되며, 피고인들의 사기범죄 행위가 **범죄단체 활동**에 해당한다(대판 2017.10.26, 2017도8600). 22. 법원행시·수사경과

4. 다수의 구성원이 관여되었다고 하더라도 범죄단체 등의 존속·유지를 목적으로 하는 조직적, 집단적 의사결정에 의한 것이 아니거나, 구성원 사이의 사적이고 의례적인 회식이나 경조사 모임 등을 개최하거나 참석하는 경우 등은 '활동'에 해당한다고 볼 수 없다(대판 2013.10.17, 2013도6401).

④ **기수시기** : 구 폭력행위 등 처벌에 관한 법률 제4조 소정의 단체 등의 조직죄는 같은 법에 규정된 범죄를 목적으로 한 단체 또는 집단을 구성함으로써 즉시 성립하고 그와 동시에 완성되는 즉시범이지 계속범이 아니다(대판 1997.10.10, 97도1829). 19. 7급 검찰, 21. 해경승진, 22. 해경간부

⑤ **처벌** : 그 목적한 죄에 정한 형으로 처벌한다. 다만, 형을 감경할 수 있다(임의적 감경).

2 소요죄, 다중불해산죄, 전시공수계약불이행죄

> **제115조【소요죄】** 다중이 집합하여 폭행·협박 또는 손괴의 행위를 한 자는 1년 이상 10년 이하의 징역이나 금고 또는 1천 500만원 이하의 벌금에 처한다. ▶ 목적범 ×, 미수 처벌 × 21. 법원직
> **제116조【다중불해산죄】** 폭행·협박 또는 손괴의 행위를 할 목적으로 다중이 집합하여 그를 단속할 권한이 있는 공무원으로부터 3회(2회 ×) 이상의 해산명령을 받고 해산하지 아니한 자는 2년 이하의 징역이나 금고 또는 300만원 이하의 벌금에 처한다. ▶ 목적범 ○, 미수 처벌 ×, 진정부작위범 ○ 21. 법원직
> **제117조【전시공수계약불이행죄】** 전시·천재, 기타 사변에 있어서 국가 또는 공공단체와 체결한 식량 기타 생활필수품의 공급계약을 정당한 이유 없이 이행하지 아니한 자는 3년 이하의 징역 또는 500만원 이하의 벌금에 처한다. ▶ 진정부작위범 ○, 미수범 처벌규정 ×

3 공무원자격사칭죄

> **제118조** 공무원의 자격을 사칭하여 그 직권을 행사한 자는 3년 이하의 징역 또는 700만원 이하의 벌금에 처한다. ▶ 미수 처벌 × 21. 법원직

관련판례

● **공무원자격사칭죄에 해당하지 않는 경우**
1. 피고인들이 그들이 위임받은 채권을 용이하게 추심하는 방편으로 합동수사반원임을 사칭하고 협박한 사실이 있다고 하여도 위 채권의 추심행위는 개인적인 업무이지 합동수사반의 수사업무의 범위에는 속하지 아니하므로 이를 공무원자격사칭죄로 처벌할 수 없다(대판 1981.9.8, 81도1955). 18. 경찰승진, 22. 해경간부, 23. 경찰간부
2. 청와대 민원비서관임을 사칭하고 시외전화선로 고장을 수리하라고 한 경우(대판 1972.12.26, 72도550). 07. 경찰승진
3. 중앙정보부원을 사칭하고 대통령사진이 든 액자가 파손되었다는 자인서를 쓰라고 한 경우(대판 1977.12.13, 77도2750) 07. 경찰승진

4 테러방지법

(1) 국민보호와 공공안전을 위한 테러방지법(이하 '테러방지법'이라 한다) 제17조 제3항에서 정한 '테러단체 가입 선동'이란 피선동자의 테러단체 가입이 실행되는 것을 목표로 하여 피선동자에게 테러단체 가입을 결의, 실행하도록 충동하고 격려하는 일체의 행위를 말한다. 따라서 테러 또는 테러단체와 관련한 특정한 정치적 사상이나 추상적인 원리를 옹호하거나 교시하는 것에 그치는 행위 또는 테러단체의 활동을 찬양·고무·선전·동조하는 행위만으로는 테러단체 가입 선동이 될 수 없다. 또한 테러단체와 아무런 연관 관계가 없는 테러를 선전·선동하는 행위만으로는 테러단체 가입 선동에 해당한다고 볼 수 없다(대판 2024.9.27, 2019도11015).

(2) '테러단체의 가입'이란 테러단체의 구성원이 되는 행위로서 특별한 정형이나 절차를 요구한다고 볼 수 없다. 테러단체 가입에 관한 내용이나 테러단체에 가입하라는 취지가 반드시 명시적·직접적으로 드러나는 경우 또는 가입을 위한 구체적인 의사연락의 표지나 가입수단과 방법, 절차 등이 제시되거나 제시된 표지 등이 실질적인 테러단체 가입수단에 해당하는지가 명확하게 밝혀져야만 테러단체 가입 선동에 해당한다고 단정하기는 어렵다(대판 2024.9.27, 2019도11015).

(3) 피선동자에게 테러단체 가입의 결의를 유발하거나 증대시킬 위험성이 인정되어야만 테러단체 가입 선동에 해당한다고 볼 수 있다. 그러나 선동으로 말미암아 피선동자에게 가입의 결의가 발생할 것을 요건으로 한다거나, 피선동자가 가입의 실행행위로 나아갈 개연성이 있다고 인정되어야만 가입 선동의 위험성이 있다고 볼 수는 없다(대판 2024.9.27, 2019도11015).

> 예 페이스북에 국제연합(UN)이 지정한 테러단체인 IS의 사상을 찬양하는 글과 동영상을 올리고, 불상의 IS 대원과 직접 대화할 수 있는 링크를 게시하는 방법으로 불특정 다수로 하여금 IS에 가입할 수 있도록 선동한 경우 ⇨ 테러단체가입선동죄 ○(대판 2024.9.27, 2019도11015)

제2절 폭발물사용죄

> **제119조** ① 폭발물을 사용하여 사람의 생명, 신체 또는 재산을 해하거나 그 밖에 공공의 안전을 문란하게 한 자는 사형, 무기 또는 7년 이상의 징역에 처한다.
> ② 전쟁, 천재지변 그 밖의 사변에 있어서 제1항의 죄를 지은 자는 사형이나 무기징역에 처한다.
> ③ 제1항과 제2항의 미수범은 처벌한다.
> **제120조** ① 전조 제1항, 제2항의 죄를 범할 목적으로 예비 또는 음모한 자는 2년 이상의 유기징역에 처한다. 단, 그 목적한 죄의 실행에 이르기 전에 자수한 때에는 그 형을 감경 또는 면제한다.
> ② 전조 제1항, 제2항의 죄를 범할 것을 선동한 자도 전항의 형과 같다.

🎯 본죄는 예비·음모·선동(선전 ✕)을 벌하는 범죄이다(자수의 경우 ⇨ 필요적 감면). 13. 법원행시 미수 처벌 ○

(1) **행 위** : 폭발물을 사용하여 공안을 문란하게 하는 것

(2) **폭발물의 사용**

폭발물이란 자체 내의 폭발장치를 통하여 폭약을 급격하게 파열시켜 사람의 생명·신체·재산을 해할 수 있는 물건을 말한다(📖 다이나마이트·시한폭탄·수류탄).

🛍 화염병(대판 1968.3.5, 66도1056) ⇨ 폭발물 × 13. 법원행시

어떠한 물건이 형법 제119조에 규정된 폭발물에 해당하는지는 폭발작용 자체의 위력이 공안을 문란하게 할 수 있는 정도로 고도의 폭발성능을 가지고 있는지에 따라 엄격하게 판단하여야 한다(대판 2012.4.26, 2011도17254 📖 피고인이 유리꽃병 내부에 휴대용 부탄가스통을 넣고 그 사이에 화약을 채운 물건을 배낭에 담아 고속버스터미널 등의 물품보관함 안에 넣어 두고 폭발하게 하였는데, 위 물건이 사람의 신체 또는 재산을 경미하게 손상시킬 수 있는 정도에 그쳤다면 형법 제172조 제1항에 규정된 '폭발성 있는 물건'에는 해당될 여지가 있으나 이를 형법 제119조 제1항에 규정된 '폭발물'에 해당한다고 볼 수는 없다. ∴ 폭발물사용죄 ×). 13. 법원행시, 17. 경찰간부, 22. 해경간부

(3) **주관적 구성요건**

폭발물사용에 대해서 뿐만 아니라 생명·신체·재산을 해하거나 공안을 문란하게 한다는 고의가 필요하다[통설·판례(대판 1969.7.8, 69도832)]. 12·19. 경찰간부

제3절 ▶ 방화와 실화의 죄

방화죄는 공중의 생명·신체·재산 등에 대한 위험을 예방하기 위해 공공의 안전을 제1차적 보호법익으로 하고 제2차적으로 개인의 재산권도 보호하는 이중의 성격을 가지는 범죄이다(대판 1983.1.18, 82도2341). 19. 경력채용, 20. 수사경과, 21. 해경승진, 23. 경찰간부, 24. 해경경위 즉, 방화죄는 공공위험죄와 재산죄로서의 이중의 성격을 가진 범죄라는 것이다. '공공의 위험'은 물리적·자연적 위험이 아니라 일반인들이 느끼는 심리적 위험을 말한다. 13. 경찰간부

(1) **현주건조물 등 방화죄**

> **제164조 제1항** 불을 놓아 사람이 주거로 사용하거나 사람이 현존하는 건조물, 기차, 전차, 자동차, 선박, 항공기 또는 지하채굴시설을 불태운 자는 무기 또는 3년 이상의 징역에 처한다.
> **제164조 제2항** 제1항의 죄를 지어 사람을 상해에 이르게 한 경우에는 무기 또는 5년 이상의 징역에 처한다. 사망에 이르게 한 경우에는 사형, 무기 또는 7년 이상의 징역에 처한다.
> **제174조** 본죄(제164조 제1항)의 미수범은 처벌한다.
> **제175조** 제164조 제1항의 예비·음모죄 처벌(단, 실행에 이르기 전에 자수한 때에는 필요적 감면) 19·22. 경찰승진·해경간부·해경 2차, 23. 순경 1차, 24. 해경승진

① **의의** : 현주건조물 등 방화죄는 불을 놓아 사람의 주거로 사용하거나 사람이 현존하는 건조물·기차 등을 불태움으로써 성립하는 범죄이다(공공의 위험의 발생을 요구하지 않는 추상적 위험범). 18. 경찰간부

② **객체** : 본죄의 행위 객체는 사람이 주거로 사용하거나, 사람이 현존하는 건조물·기차·전차·자동차·선박·항공기 또는 지하채굴시설이다. 20. 순경 2차, 24. 해경경위

　㉠ **사람의 주거에 사용**

　　ⓐ 여기서 사람이란 범인 이외의 모든 자연인을 말한다. 따라서 범인 혼자 살고 있는 집에 방화한 때에는 본죄의 대상이 되지 않지만, 자기의 처와 함께 살고 있는 집에 방화한 때에는 본죄의 대상이 된다(대판 1948.3.19, 4281형상5). 09. 사시, 15. 수사경과

　　ⓑ 주거란 범인 이외 사람의 일상생활의 장소로 사용되는 곳을 말한다. 사실상 주거로 사용되는 건조물이면 행위시에 주거자가 없어도 본죄의 대상이 되며, 주거사용의 적법성 여부나 소유관계도 문제되지 않는다〔또한 건조물의 일부분이 주거로 사용되면 건물 전체가 주거용으로 된다(圓 사람이 거주하는 가옥의 일부로 되어 있는 축사에 대한 방화는 현주건조물방화죄에 해당한다 : 대판 1967.8.29, 67도925)〕. 12. 경찰간부, 16. 수사경과, 24. 해경순경

　㉡ **사람이 현존하는 건조물·기차·전차·자동차·선박·항공기 또는 지하채굴시설** : '사람이 현존하는'이란 건조물 등의 내부에 범인 이외의 사람이 들어 있는 것을 말한다.

③ **행위** : 불을 놓아 목적물을 불태우는 것(방화)

　㉠ **불을 놓아** : 불을 놓는 수단·방법에는 제한이 없다.

　　■ **방화죄의 실행의 착수시기** : 목적물 또는 매개물(도화물체)에 발화 또는 점화한 때이다(다수설·판례).

┌ 관련판례 ┐

1. (현주건조물)방화의사로 뿌린 휘발유가 주택주변과 피해자의 몸에 살포되어 있는 사정을 알면서도 라이터를 켜 피해자의 몸에 불이 붙어 화상을 입은 경우 ⇨ 현주건조물방화치상죄(대판 2002.3.26, 2001도6641 ∵ 외부적 사정으로 불이 방화목적물인 주택 자체에는 옮겨 붙지 않았어도 실행의 착수가 인정됨) 17. 법원행시, 20. 수사경과·7급 검찰, 22. 경찰간부, 24. 경찰승진·법원직·해경경장

2. 장롱 안에 있는 옷가지에 불을 놓아 건물을 불태우려 하였으나 불길이 치솟는 것을 보고 겁이 나서 물을 부어 불을 끈 경우에는 중지미수로 볼 수 없다(대판 1997.6.13, 97도957). 15. 법원직, 16. 사시·법원행시, 17. 경찰승진, 20. 수사경과

3. 사람이 현존하는 선박에 침입하여 휘발유를 갑판에 뿌리고 라이터로 점화하려 하였으나 점화하지 못한 경우 ⇨ 현주건조물방화예비죄(대판 1960.7.22, 59도761)

　㉡ **방화죄의 기수시기**(독립연소설) : 여기서 공공에 대한 위험은 구체적으로 그 결과가 발생됨을 요하지 아니하는 것이고 이미 현주건조물에의 점화가 독립연소의 정도에 이르면 동죄는 기수에 이르러 완료된다. 따라서 방화죄는 화력이 매개물을 떠나 스스로 연소할 수 있는 상태에 이르렀을 때 기수가 되고, 반드시 목적물의 중요부분이 소실하여 그 본래의 효용을 상실한 때에 기수가 되는 것은 아니다(대판 1970.3.24, 70도330). 17. 경찰간부, 21. 수사경과, 22. 9급 검찰·마약수사, 24. 법원행시·법원직

> **관련판례**
>
> 피해자의 방 안에 옷가지 등을 모아놓고 불을 붙인 천조각을 던져서 그 불길이 방 안을 태우면서 천장까지 옮겨 붙었다면 도중에 진화되었다고 하더라도 현주건조물방화죄의 기수가 성립한다(대판 2007.3.16, 2006도9164). 19. 경찰간부, 20. 7급 검찰, 22. 해경간부, 23. 해경승진, 24. 경찰승진

④ **주관적 구성요건** : 본죄는 주관적 구성요건으로 불을 놓아 주거에 사용하거나, 사람이 현존하는 건조물 등을 불태운다는 고의가 필요하며 미필적 고의로도 충분하다(본죄는 추상적 위험범이므로 위험에 대한 인식은 필요치 않음).

> **관련판례**
>
> 동거인과 가정불화가 악화되자 홧김에 죽은 동생의 유품으로 보관 중이던 서적 등을 뒷마당에 내놓고 불을 질렀으나 불이 번져 가옥이 전소되고 만 경우 ⇨ 현주건조물방화죄 ×(대판 1984.7.24, 84도1245 ∵ 본죄의 고의 ×) 14. 순경 2차, 17. 수사경과 · 경찰간부

⑤ **피해자의 승낙** : 공공위험범죄는 피해자의 승낙이 범죄성립에 영향을 미치지 않으나 방화죄는 공공위험죄인 동시에 재산죄의 성격을 가지므로 방화죄에 있어서 피해자의 승낙은 개인의 법익에 대한 한도 내에서 위법성을 조각시킬 수 있다(다수설).

　🏠 주거자 또는 현존자의 승낙을 얻어 현주건조물 등 방화 ⇨ 타인소유일반건조물방화죄[제166조 제1항
　▶ 타인물건에 대한 방화(피해자 승낙 ○)] ⇨ 자기물건방화죄(제167조 제2항)

⑥ **죄수** : 본죄는 공공위험죄이므로 죄수는 공공의 안전이라는 보호법익을 기준으로 결정한다. 13. 경찰간부 따라서 1개의 방화행위로 수개의 건조물을 불태우거나, 같은 구역 내에 있는 수개의 건조물을 동일기회에 차례로 방화한 때에도 1개의 방화죄만 성립한다.

⑦ **현주건조물방화치상 · 치사죄** : 본죄는 중한 결과에 대하여 과실이 있는 경우뿐만 아니라 고의가 있는 때에도 성립하는 부진정결과적 가중범이라는 입장이 다수설 · 판례이다. 20. 변호사시험, 22. 경찰간부 · 해경간부 · 해경 2차, 24. 해경승진

> **관련판례**
>
> 1. 사람을 살해할 목적으로 현주건조물에 방화하여 사망에 이르게 한 경우 ⇨ 현주건조물방화치사죄(현주건조물방화죄와 살인죄의 상상적 경합 ×)(대판 1996.4.26, 96도485) 17. 경찰간부, 19. 7급 검찰 · 수사경과, 20. 변호사시험, 22. 9급 검찰 · 마약수사, 24. 해경승진 · 법원직
> 2. 존속을 살해할 목적으로 현주건조물에 방화하여 사망에 이르게 한 경우 ⇨ 존속살해죄와 현주건조물방화치사죄의 상상적 경합(대판 1996.4.26, 96도485) 17. 수사경과, 18. 경찰간부, 22. 9급 검찰 · 마약수사
> 3. 재물을 강취한 후 살해할 목적으로 현주건조물에 방화하여 사망하게 한 경우 ⇨ 강도살인죄와 현주건조물방화치사죄의 상상적 경합(실체적 경합 ×)(대판 1998.12.8, 98도3416) 16. 경찰승진 · 수사경과, 20. 변호사시험 · 7급 검찰, 23. 순경 1차, 24. 경찰간부 · 법원행시 · 해경경장
> 4. 현주건조물에 방화하여 기수에 이른 후 이 건조물에서 빠져나오려는 자를 가로막아 불에 타서 숨지게 한 경우 ⇨ 현주건조물방화죄와 살인죄의 실체적 경합범(상상적 경합범 ×)(대판 1983.1.18, 82도2341) 15. 경찰간부 · 법원행시, 17. 수사경과, 20. 변호사시험 · 7급 검찰, 24. 경찰승진

5. 공범 중의 일부가 사람을 상해 또는 살해할 의도로 현주건조물에 방화하여 사람을 상해 또는 사망하게 한 경우 상해 또는 사망의 결과에 대한 예견가능성이 인정된 경우 다른 공범도 현주건조물방화치사상의 죄책을 진다(대판 1996.4.12, 96도215). 15. 경찰간부, 17. 수사경과

▶ 비교판례

① 공무집행을 방해하는 집단행위의 과정에서 일부 집단원이 고의로 방화행위를 하여 공무원에게 사상의 결과를 초래한 경우, 그 방화행위 자체에 공모가담하지 않은 다른 집단원은 현주건조물방화치사상죄로 의율할 수 없다(대판 1990.6.26, 90도765). 17. 7급 검찰, 19. 경찰승진, 24. 경찰간부

② 모텔 방에 투숙한 자가 과실로 담뱃불이 휴지와 침대시트에 옮겨 붙게 함으로써 화재를 발생하게 한 후, 화재 발생사실을 안 상태에서 모텔을 빠져나오면서 모텔 주인이나 다른 투숙객들에게 이를 알리지 아니하여 사상에 이르게 하였더라도 그 사정만으로는 부작위에 의한 현주건조물방화치사상죄가 성립하지 아니한다(대판 2010.1.14, 2009도12109). 17. 7급 검찰, 23. 해경승진, 24. 경찰간부

(2) 공용건조물 등 방화죄

> **제165조** 불을 놓아 공용으로 사용하거나 공익을 위해 사용하는 건조물, 기차, 전차, 자동차, 선박, 항공기 또는 지하채굴시설을 불태운 자는 무기 또는 3년 이상의 징역에 처한다.

📌 공공의 위험의 발생을 요구하지 않는 추상적 위험범이며, 미수범, 예비·음모를 처벌한다.

(3) 일반건조물 등 방화죄

> **제166조 제1항** 불을 놓아 제164조와 제165조에 기재한 외의 건조물, 기차, 전차, 자동차, 선박, 항공기 또는 지하채굴시설을 불태운 자는 2년 이상의 유기징역에 처한다.
> **제166조 제2항** 자기 소유인 제1항의 물건을 불태워 공공의 위험을 발생하게 한 자는 7년 이하의 징역 또는 1천만원 이하의 벌금에 처한다.

📌 타인소유일반건조물 등 방화죄(제166조 제1항)는 공공의 위험의 발생을 요구하지 않는 추상적 위험범이며, 18. 경찰간부, 23. 순경 1차 미수범, 예비·음모를 처벌한다. 16. 경찰간부 자기소유일반건조물 등 방화죄(제166조 제2항)는 구체적 위험범이므로 소훼한 때에도 공공의 위험이 발생하지 않은 때에는 자기소유일반건조물 등 방화죄가 성립하지 않는다(미수범 ×, 예비·음모 처벌 ×). 21. 경찰간부 자기소유일반건조물 등 방화죄의 경우, 소훼에 대한 인식은 물론 공공의 위험에 대한 인식이 있어야 고의가 인정된다.

📌 자기소유일반건조물 등 방화죄의 대상일지라도 그 목적물이 압류 기타 강제처분을 받거나 타인의 권리(예 저당권, 전세권) 또는 보험의 목적물이 된 때에는 타인의 물건으로 간주한다(제176조). 24. 해경순경

📋 甲은 자신의 창고가 국세징수법에 의한 체납처분에 의해 압류되자 홧김에 불을 놓아 소훼하였지만 공공의 위험을 발생케 하지 못한 경우 ⇨ 타인소유(자기소유 ×)일반건조물방화죄 ○ 09. 사시, 15. 수사경과

(4) 일반물건방화죄

> **제167조** ① 불을 놓아 제164조부터 제166조까지에 기재한 외의 물건을 불태워 공공의 위험을 발생하게 한 자는 1년 이상 10년 이하의 징역에 처한다.
> ② 제1항의 물건이 자기 소유인 경우에는 3년 이하의 징역 또는 700만원 이하의 벌금에 처한다.

- 💣 미수범 처벌 ×, 예비·음모 처벌 ×
- 💣 본죄는 구체적 위험범이므로(타인소유·자기소유 불문) 공공의 위험이 발생하지 아니한 때에는 본죄가 성립하지 않는다(타인소유물건인 때에 한하여 손괴죄는 성립가능). 09. 경찰승진 물론 본죄는 구체적 위험범이므로 공공위험에 대한 인식이 고의의 내용이 된다.

> **관련판례**
>
> 1. 불을 놓아 노상에서 전봇대 주변에 놓인 재활용품과 쓰레기 등 무주물을 소훼하여 공공의 위험을 발생하게 한 경우에는 '무주물'을 '자기소유의 물건'에 준하는 것으로 보아 형법 제167조 제2항(자기소유일반물건방화죄)을 적용하여 처벌하여야 한다(대판 2009.10.15, 2009도7421). 17. 7급 검찰, 21. 수사경과, 22. 해경간부·해경 2차, 23. 경찰간부·경찰승진, 24. 해경승진
>
> 2. 형법상 방화죄의 객체인 건조물은 토지에 정착되고 벽 또는 기둥과 지붕 또는 천장으로 구성되어 사람이 내부에 기거하거나 출입할 수 있는 공작물을 말하고, 반드시 사람의 주거용이어야 하는 것은 아니라도 사람이 사실상 기거·취침에 사용할 수 있는 정도는 되어야 한다(대판 2013.12.12, 2013도3950). 16. 법원행시, 20. 수사경과, 23. 경찰승진, 24. 경찰간부 예 지붕과 문짝, 창문이 없고 담장과 일부 벽체가 붕괴된 철거 대상 건물로서 사실상 기거·취침에 사용할 수 없는 상태의 폐가의 내부와 외부에 쓰레기를 모아놓고 태워 그 불길이 이 사건 폐가 주변 수목 4~5그루를 태우고 폐가의 벽을 일부 그을리게 한 경우 ⇨ 일반건조물방화죄 ×(이 사건 폐가는 건조물 ×, 일반물건 ○), 일반물건방화죄의 기수 ×(∵ 폐가의 벽을 일부 그을리게 하는 정도), 일반물건방화죄의 미수범의 처벌규정 × ∴ 무죄(대판 2013.12.12, 2013도3950). 20. 순경 2차, 22. 경찰간부·9급 검찰·마약수사, 24. 경찰승진·법원직

(5) 연소죄

> **제168조** ① 제166조 제2항 또는 전조 제2항의 죄를 범하여 제164조, 제165조 또는 제166조 제1항에 기재한 물건에 연소한 때에는 1년 이상 10년 이하의 징역에 처한다.
> ② 전조 제2항의 죄를 범하여 전조 제1항에 기재한 물건에 연소한 때에는 5년 이하의 징역에 처한다.

- 💣 미수범 처벌 ×, 예비·음모 처벌 ×
- 💣 본죄는 자기소유의 건조물 또는 물건에 대한 방화가 예상을 넘어 현주건조물이나 공용건조물 또는 타인소유 일반건조물·물건에 불이 옮겨 붙은 경우에 성립한다(▶ 주의 : 타인소유의 현주건조물에 방화하자 불이 옆에 있는 자기소유의 일반건조물에 옮겨 붙은 경우 ⇨ 연소죄 ×). 14. 순경 2차, 16. 경찰승진, 19. 경찰간부 본죄는 진정결과적 가중범이므로 타인소유건조물 등이 연소된 데 대하여 과실이 인정되어야 한다. 21. 경찰간부, 23. 해경승진

(6) 진화방해죄

> **제169조** 화재에 있어서 진화용의 시설 또는 물건을 은닉 또는 손괴하거나 기타 방법으로 진화를 방해한 자는 10년 이하의 징역에 처한다.

- 💣 미수범 처벌 ×, 예비·음모 처벌 ×, 추상적 위험범 ○

(7) 단순실화죄, 업무상 실화죄 · 중실화죄

> **제170조 【실화죄】** ① 과실로 제164조 또는 제165조에 기재한 물건 또는 타인 소유인 제166조에 기재한 물건을 불태운 자는 1천500만원 이하의 벌금에 처한다.
> ② 과실로 자기 소유인 제166조의 물건 또는 제167조에 기재한 물건을 불태워 공공의 위험을 발생하게 한 자도 제1항의 형에 처한다.
>
> **제171조 【업무상 실화죄 · 중실화죄】** 업무상 과실 또는 중대한 과실로 인하여 제170조의 죄를 범한 자는 3년 이하의 금고 또는 2천만원 이하의 벌금에 처한다.

- 제170조 제1항의 죄 : 과실로 현주건조물, 공용건조물, 타인소유일반건조물을 소훼한 때에 성립하는 범죄이다(추상적 위험범). 18. 경찰간부
- 제170조 제2항의 죄 : 과실로 일반물건 또는 자기소유일반건조물을 소훼하여 공공의 위험을 발생한 때 성립하는 범죄이다(구체적 위험범). 23. 해경승진, 24. 해경순경

관련판례

1. 제167조에 기재한 일반물건에 대한 실화는 자기소유이건 타인소유이건 불문한다(대결 1994.12.20, 94모32 전원합의체). 16. 사시, 22. 경찰간부
2. 성냥불이 꺼진 것을 확인하지 아니한 채 플라스틱 휴지통에 던지거나(대판 1993.7.27, 93도135) 19. 경력채용, 21. 수사경과, 23. 경찰승진 · 해경승진 연탄아궁이로부터 80cm 떨어진 곳에 스폰지와 솜 등을 끈으로 묶지 않은 채 쌓아둔 경우라면 중대한 과실로 평가하기 어려우나 그것을 쓰러지기 쉽게 쌓아두어 방치한 것(대판 1989.1.17, 88도643), 간이온돌용 새마을보일러로부터 5 내지 10cm쯤의 거리에 가연물질을 그대로 두고 신문지를 구겨서 보일러의 공기조절구를 살짝 막아 놓은 채 그 자리를 떠난 경우(대판 1988.8.23, 88도855) ⇨ 중실화죄 ○
3. 호텔오락실 경영자가 오락실 천정에 형광등의 설치공사를 무자격전기기술자로 하여금 전기공사를 하게 하여 화재발생 ⇨ 중실화죄 ×(대판 1989.10.13, 89도204) 10. 경찰승진
4. 교사가 초등학교 학생에게 난로의 소화를 명하고 퇴근한 후에 학생이 불을 완전히 끄지 않아 화재가 발생한 경우에 교사에게 중대한 과실책임을 지울 수 없다(대판 1960.7.13, 4292형상586).
5. 전기 석유난로를 켜 놓은 채 귀가하여 전기 석유난로 과열로 화재가 발생하였다 하여 화재 원인을 살펴볼 필요 없이 피고인에게 중실화죄를 인정할 수 없다(대판 1994.3.11, 93도3001). 20. 순경 2차
6. 유조차운전사가 석유구판점의 위험물취급주임의 지시를 받아 유조차의 석유를 구판점 탱크로 급유하다가 탱크 주입구에서 급유 호스가 빠지는 바람에 화기에 인화되어 화재가 발생한 경우 유조차운전사의 업무상 과실이 인정되지 않는다(대판 1990.11.13, 90도2011). 20. 순경 2차
7. 실화죄에 있어서 공동의 과실이 경합되어 화재가 발생한 경우 적어도 각 과실이 화재의 발생에 대하여 하나의 조건이 된 이상은 그 공동적 원인을 제공한 사람들은 각자 실화죄의 책임을 면할 수 없다(대판 2023.3.9, 2022도16120 예 피고인들이 분리수거장 방향으로 담배꽁초를 던져 버리고 현장을 떠난 후 화재가 발생한 경우 ⇨ 피고인들 각자의 실화죄 ○). 24. 9급 검찰 · 마약수사 · 순경 1차

제4절 ▶ 일수와 수리에 관한 죄

① 일수죄

> **제181조** 과실로 인하여 제177조 또는 제178조에 기재한 물건을 침해한 자 또는 제179조에 기재한 물건을 침해하여 공공의 위험을 발생하게 한 자는 1천만원 이하의 벌금에 처한다.

☝ 업무상·중과실 일수죄 가중처벌 규정 × 12. 경찰간부, 18. 경찰승진, 22. 해경간부

② 수리방해죄

> **제184조** 둑을 무너뜨리거나 수문을 파괴하거나 그 밖의 방법으로 수리를 방해한 자는 5년 이하의 징역 또는 700만원 이하의 벌금에 처한다.

관련판례

원천 내지 자원으로서의 물의 이용이 아니라, 하수나 폐수 등 이용이 끝난 물을 배수로를 통하여 내려보내는 것은 형법 제184조 소정의 수리에 해당한다고 할 수 없고, 그러한 배수 또는 하수처리를 방해하는 행위는 수리방해죄의 대상이 될 수 없다〔대판 2001.6.26, 2001도404 예 집(농촌주택)에서 배출되는 생활하수의 배수관(소형PVC관)을 토사로 막아 하수가 내려가지 못하게 한 경우 ➪ 수리방해죄 ×〕. 18. 경찰승진, 22. 해경간부

제5절 ▶ 교통방해의 죄

① 일반교통방해죄(보호법익 : 일반 공중의 교통안전)

> **제185조** 육로, 수로 또는 교량을 손괴 또는 불통하게 하거나 기타 방법으로 교통을 방해한 자는 10년 이하의 징역 또는 1천 500만원 이하의 벌금에 처한다.

☝ 미수범 처벌 ○(제190조), 예비·음모 처벌 ×

(1) 객 체(육로)

육로라 함은 일반공중의 왕래에 공용된 장소로서 특정인에 한하지 않고 불특정 다수인 또는 차마가 자유롭게 통행할 수 있는 공공성을 지닌 장소를 말하고(대판 1988.5.10, 88도262), 그 부지

의 소유관계나 통행권리관계 또는 통행인의 많고 적음 등은 가리지 않는다(대판 2002.4.26, 2001도 6903). 16. 사시·법원직, 21. 수사경과, 24. 법원행시·해경경위

┌ **관련판례**

1. 토지의 소유자가 자신의 토지 한쪽 부분을 일시 공터로 두었을 때 인근 주민들이 위 토지의 동서쪽에 있는 도로에 이르는 지름길로 일시 이용한 경우 이는 육로에 해당하지 않는다(대판 1984.11.13, 84도 2192 ∴ 일반교통방해죄 ×). 16. 사시, 18. 경력채용, 21. 수사경과

2. 목장 소유자가 목장운영을 위해 목장용지 내에 임도를 개설하고 차량 출입을 통제하면서 인근 주민들의 일부 통행을 부수적으로 묵인한 경우, 위 임도는 공공성을 지닌 장소가 아니어서 일반교통방해죄의 '육로'에 해당하지 않는다(대판 2007.10.11, 2005도7573). 16. 사시, 18. 경찰승진, 20. 9급 검찰·마약수사, 22. 수사경과·해경간부·7급 검찰, 24. 해경수사

   ▶ **유사판례** : 공로에 출입할 수 있는 다른 도로가 있는 상태에서 토지소유자로부터 일시적인 사용 승낙을 받아 통행하거나 토지소유자가 개인적으로 사용하면서 부수적으로 타인의 통행을 묵인한 장소에 불과한 도로에 가드레일을 설치하는 행위는 일반교통방해죄로는 처벌되지 아니한다(대판 2017.4.7, 2016도12563 ∴ 육로 ×). 19. 수사경과, 19·22. 법원행시

3. ① 무단출입하여 불법통행하였고 또 소수자의 통행에만 제공되었지만 오랫동안 공중의 왕래에 공용된 학교법인의 토지(대판 1979.9.11, 79도1761) ② 주민들에 의해 오랫동안 통행로로 이용되어 온 폭 2m의 골목길(대판 1994.11.4, 94도2112) ③ 영농을 위한 경운기·리어카 등의 통행을 위한 농로로 개설된 도로가 일반공중의 왕래에 공용되는 도로로 된 경우(대판 1995.9.15, 95도1475) ⇨ 육로 ○ 16. 사시·법원행시, 17. 수사경과

4. 피고인 소유의 임야 내 타인의 음식점으로 통하는 진입도로 ⇨ 육로 ×(대판 2010.2.25, 2009도13376)

(2) **행위** : 손괴 또는 불통하게 하거나 기타 방법으로 교통을 방해하는 것

┌ **관련판례**

> 일반교통방해죄는 이른바 추상적 위험범으로서 교통이 불가능하거나 또는 현저히 곤란한 상태가 발생하면 바로 기수가 되고 교통방해의 결과가 현실적으로 발생하여야 하는 것은 아니다(대판 2018. 5.11, 2017도9146). 16. 사시, 18. 경력채용, 22. 수사경과, 23. 9급 검찰·마약수사, 24. 법원행시

• **일반교통방해죄에 해당하는 경우**

1. 불특정 다수인의 통행로로 이용되어 오던 도로의 토지 일부의 소유자라 하더라도 그 도로의 중간에 바위를 놓아두거나 이를 파헤침으로써 차량의 통행을 못하게 하여 타인의 버섯농장 내지 신축건물 공사에 지장을 준 경우는 일반교통방해죄 및 업무방해죄에 해당한다(대판 2002.4.26, 2001도6903). 18. 경력채용, 21. 해경승진, 22. 경찰간부

2. 법률에 따라 옥외집회신고를 마쳤어도, 신고의 범위와 법률상의 제한을 현저히 일탈하여 주요도로 전차선을 점거하여 행진 등을 함으로써 교통소통에 현저한 장해를 일으켰다면 일반교통방해죄가 성립한다(대판 2008.11.13, 2006도755). 15. 순경 2차, 16. 법원직, 21. 수사경과·해경승진 그러나 적법한 신고를 마치고 도로에서 집회나 시위를 하는 경우, 그 집회 또는 시위가 신고된 범위 내에서 행해졌거나 신고된

내용과 다소 다르게 행해졌어도 신고된 범위를 현저히 일탈하지 않은 경우에는, 특별한 사정이 없는 한 일반교통방해죄가 성립한다고 볼 수 없다(대판 2008.11.13, 2006도755). 18. 경찰간부, 19. 수사경과

3. ① 집회 및 시위에 관한 법률에 따른 신고 없이 이루어진 집회에 참석한 참가자들이 차로 위를 행진하는 등으로 도로교통을 방해함으로써 통행을 불가능하게 하거나 현저하게 곤란하게 하는 경우에 일반교통방해죄가 성립한다. 그러나 이 경우에도 참가자 모두에게 당연히 일반교통방해죄가 성립하는 것은 아니고, 실제로 참가자가 집회·시위에 가담하여 교통방해를 유발하는 직접적인 행위를 하였거나, 참가자의 참가 경위나 관여 정도 등에 비추어 참가자에게 공모공동정범의 죄책을 물을 수 있는 경우라야 일반교통방해죄가 성립한다(대판 2018.5.11, 2017도9146). 19. 법원행시, 22. 경찰간부

② 일반교통방해죄에서 교통방해행위는 계속범의 성질을 가지는 것이어서 교통방해의 상태가 계속되는 한 위법상태는 계속 존재한다. 따라서 교통방해를 유발한 집회에 참가한 경우 참가 당시 이미 다른 참가자들에 의해 교통의 흐름이 차단된 상태였더라도 교통방해를 유발한 다른 참가자들과 암묵적·순차적으로 공모하여 교통방해의 위법상태를 지속시켰다고 평가할 수 있다면 일반교통방해죄(공모공동정범)가 성립한다(대판 2018.5.11, 2017도9146). 18. 경력채용, 19. 변호사시험·수사경과·경찰승진, 22. 법원행시·7급 검찰, 23. 9급 검찰·마약수사, 24. 해경경위

4. 비록 교통량이 상대적으로 적은 야간이긴 하지만 왕복 4차로의 도로 중 편도 3개 차로쪽에 차량 2, 3대와 간이테이블 수십개를 이용하여 길가쪽 2개 차로를 차지하는 포장마차를 설치하고 영업행위를 한 경우 ⇨ 일반교통방해죄 ○ (대판 2007.12.14, 2006도4662) 16. 법원행시, 18. 경찰간부, 19. 경찰승진·수사경과

5. 주민들에 의하여 통행로로 오랫동안 이용되어 온 폭 2m의 골목길을 자신의 소유라는 이유로 폭 50cm 내지 75cm 가량만 남겨두고 담장을 설치하였다(대판 1994.11.4, 94도2112). 10·19. 경찰승진

6. 노조원들이 적법절차 없이 철제옷장으로 광업소 출입구를 봉쇄하고 바리케이트를 설치하여 통근버스의 운행을 방해하였다(대판 1990.7.10, 90도755). 09. 법원직

7. 자기소유의 토지를 포함한 구도로 옆으로 신도로가 개설되었다 하더라도 그 토지가 신도로에 의해 대체될 수 없는 상태여서 여전히 일반인과 차량이 통행하고 있는 경우 그 통행을 방해하였다(대판 1999.7.27, 99도1651). 09. 법원직

8. 집회와 시위의 자유는 헌법상 보장된 국민의 기본권이므로 형법상 일반교통방해죄를 집회와 시위의 참석자에게 적용할 경우에는 집회와 시위의 자유를 부당하게 제한하는 결과가 발생할 우려가 있다. 그러나 일반교통방해죄에서 교통을 방해하는 방법을 위와 같이 포괄적으로 정하고 있는 데다가 도로에서 집회와 시위를 하는 경우 일반 공중의 교통안전을 직접적으로 침해할 위험이 있는 점을 고려하면 집회나 시위의 경우에도 교통방해행위를 수반한다면 특별한 사정이 없는 한 일반교통방해죄가 성립할 수 있다(대판 2019.4.23, 2017도1056). 24. 법원행시

● **일반교통방해죄에 해당하지 않는 경우**

1. 공항 여객터미널 버스정류장 앞 도로 중 공항리무진 버스 외의 다른 차의 주차가 금지된 구역에서 밴 차량을 40분간 불법주차하고 호객행위를 한 것만으로는 일반교통방해죄가 성립하지 않는다(대판 2009.7.9, 2009도4266 ∵ 옆 차로를 통해 다른 차량들이 통행 가능하고 공항리무진버스의 통행이 불가능하거나 현전하게 곤란 ×). 19. 경찰간부·경찰승진, 20. 9급 검찰·마약수사, 22. 수사경과, 24. 해경경위

PART
02

2. 甲은 집회 및 시위에 관한 법률에 따른 신고범위를 현저히 벗어나 교통방해를 유발한 집회에 참가하였는데, 참가할 당시 이미 다른 참가자들에 의해 교통의 흐름이 차단된 상태였고 교통방해를 유발한 다른 참가자들과 암묵적·순차적 공모는 없었던 경우 ⇨ 일반교통방해죄(공모공동정범) ×(대판 2018.1.24, 2017도11408 **CHI** 적법한 신고를 마친 사전집회에는 참가하지 못하였고, 다른 집회참가자들이 도로점거를 한 이후 시위에 합류하여 도로에 걸어 나갔는데, 합류하기 이전에 이미 경찰이 도로에 차벽을 설치하여 그 부근의 교통이 완전히 차단된 경우 ⇨ 일반교통방해죄 ×) 19. 경찰간부·법원행시

3. 600여명의 노조원들이 보도가 따로 마련되어 있지 아니한 도로의 우측 편도 2차선의 대부분을 차지하면서 행진하는 방법으로 시위를 하여 상·하행 차량의 소통을 방해하였다(대판 1992.8.18, 91도2771). 10. 경찰승진, 18. 경력채용

4. 피고인의 가옥 앞 도로가 폐기물 운반 차량의 통행로로 이용되어 가옥 일부에 균열 등이 발생하자 피고인이 위 도로에 트랙터를 세워두거나 철책 펜스를 설치함으로써 위 차량의 통행을 불가능하게 한 경우 ⇨ 일반교통방해죄 ○, 위 차량들의 앞을 가로막고 앉아서 통행을 일시적으로 방해한 경우 ⇨ 일반교통방해죄 ×(대판 2009.1.30, 2008도10560) 12. 경찰승진

5. 농작물을 경작하던 농토를 통하여 부근 일대의 큰 도로로 통행하려는 주민들이 늘어나자, 소유자가 이를 막고 농작물을 재배하려고 철조망을 설치하였다(대판 1988.5.10, 88도262). 05. 순경, 06. 경찰승진

6. 소유자가 토지인도소송의 승소판결을 받아 그 집행을 하여 그 토지를 공터로 두었는데 인근주민들이 일시 지름길로 이용하자 그 통행을 방해하였다(대판 1984.11.13, 84도2192). 09. 법원직

7. 집회 또는 시위가 신고된 내용과 다소 다르게 행해졌으나 신고된 범위를 현저히 일탈하지 않는 경우, 그로 인하여 도로의 교통이 방해를 받았다고 하더라도 특별한 사정이 없는 한 일반교통방해죄가 성립하지 않는다(대판 2008.11.13, 2006도755). 23. 9급 검찰·마약수사

---

② 기차·선박 등 교통방해죄

> **제186조** 궤도, 등대 또는 표지를 손괴하거나 기타 방법으로 기차·전차·자동차·선박·항공기의 교통을 방해한 자는 1년 이상의 유기징역에 처한다.

📿 미수·예비·음모 처벌 ○(제190조, 제191조)

③ 기차·선박 등 전복죄

> **제187조** 사람이 현존하는 기차·전차·자동차·선박 또는 항공기를 전복·매몰·추락 또는 파괴한 자는 무기 또는 3년 이상의 징역에 처한다.

📿 미수·예비·음모 처벌 ○(제190조, 제191조)

> **관련판례**
>
> 1. 선박매몰죄의 고의가 성립하기 위하여는 행위시에 사람이 현존하는 것이라는 점에 대한 인식과 함께 이를 매몰한다는 결과발생에 대한 인식이 필요하며, 현존하는 사람을 사상에 이르게 한다는 등 공공의 위험에 대한 인식까지는 필요하지 않고, 사람이 현존하는 선박에 대해 매몰행위의 실행을 개시하고 그로 인하여 선박을 매몰시켰다면 매몰의 결과발생시 사람이 현존하지 않았거나 범인이 선박에 있는 사람을 안전하게 대피시켰다고 하더라도 선박매몰죄의 기수로 보아야 한다(대판 2000.6.23, 99도4688). 20. 해경 3차, 21. 해경 1차 · 해경간부 · 해경승진, 24. 해경수사
> 2. 형법 제187조에서 정한 '파괴'란 다른 구성요건 행위인 전복, 매몰, 추락 등과 같은 수준으로 인정할 수 있을 만큼 교통기관으로서의 기능 · 용법의 전부나 일부를 불가능하게 할 정도의 파손을 의미하고, 그 정도에 이르지 아니하는 단순한 손괴는 포함되지 않는다(대판 2009.4.23, 2008도11921 **에** 대형 유조선의 유류탱크 일부에 구멍이 생기고 선수마스트, 위성통신 안테나, 항해등 등이 파손된 정도에 불과한 것은 형법 제187조에 정한 선박의 '파괴'에 해당하지 않는다). 20. 해경 3차, 21. 해경간부 · 해경 1차, 22. 법원행시, 24. 해경수사

4 교통방해치사상죄

> **제188조** 제185조 내지 제187조의 죄를 범하여 사람을 상해에 이르게 한 때에는 무기 또는 3년 이상의 징역에 처한다. 사망에 이르게 한 때에는 무기 또는 5년 이상의 징역에 처한다.

> **관련판례**
>
> 피고인이 고속도로 2차로를 따라 자동차를 운전하다가 1차로를 진행하던 甲의 차량 앞에 급하게 끼어든 후 곧바로 정차하여, 甲의 차량 및 이를 뒤따르던 차량 두 대는 급정차하였으나 그 뒤를 따라오던 乙의 차량이 앞의 차량들을 연쇄적으로 추돌케 하여 乙을 사망에 이르게 하고 나머지 차량 운전자 등 피해자들에게 상해를 입힌 경우 일반교통방해치사상죄가 성립한다(대판 2014.7.24, 2014도6206 ∵ 상당인과관계 ○, 예견가능성 ○). 16. 법원직, 18. 경찰간부, 19 · 22. 법원행시, 24. 해경경위

5 과실에 의한 교통방해죄

> **제189조 제1항【과실교통방해죄】** 과실로 인하여 제185조 내지 제187조의 죄를 범한 자는 1천만원 이하의 벌금에 처한다.
> **제189조 제2항【업무상 과실 · 중과실 교통방해죄】** 업무상 과실 또는 중과실로 인하여 제185조 내지 제187조의 죄를 범한 자는 3년 이하의 금고 또는 2천만원 이하의 벌금에 처한다. 15. 순경 2차, 21. 해경승진, 22. 수사경과

관련판례

1. 도선사가 강제도선 구역 내에서 조기 하선함에 따라 적기에 충돌회피동작을 취하지 못하여 선박충돌사고가 일어난 경우 도선사에게 업무상 과실 선박파괴죄가 성립한다(대판 2007.9.21, 2006도6949 ∵ 인과관계 ○). 18. 경찰승진, 20. 해경 3차, 21. 해경 1차, 21 · 22. 해경간부

2. 업무상 과실로 교량을 손괴하여 자동차의 교통을 방해하고 그 결과 승객이 탑승한 자동차를 교량에서 추락시킨 경우에는 업무상 과실일반교통방해죄와 업무상 과실자동차추락죄가 성립하고, 양 죄는 상상적 경합관계에 있다(대판 1997.11.28, 97도1740). 20 · 23. 9급 검찰 · 마약수사

3. 교량건설 당시의 부실제작 및 부실시공행위 등에 의하여 십수 년 후 교량이 붕괴된 것을 일반교통방해에서의 손괴라고 볼 수 있으므로, 이로 인해 교량이 붕괴되어 교통이 방해되었다 하더라도, 교량건설회사의 트러스 제작 책임자나 교량공사 현장감독에게 업무상 과실일반교통방해죄가 성립한다(대판 1997.11.28, 97도1740). 16. 법원행시, 22. 7급 검찰

4. 선단의 책임선 선장 甲이 종선의 선장에게 조업상의 지시만 할 수 있을 뿐 선박의 안전관리는 각 종선의 선장이 책임지도록 되어 있었던 상황에서 종선이 풍랑으로 인해 매몰된 경우, 甲이 풍랑 중에 종선에 조업지시를 하였다는 것만으로는 甲에게 업무상 과실선박매몰죄가 성립하지 않는다(대판 1989.9.12, 89도1084 ∵ 인과관계 ×). 18. 경찰간부, 24. 해경승진 · 해경수사

5. 예인선 정기용선자의 현장소장 甲은 예인선 선장 乙의 출항연기 건의를 묵살한 채 사고 위험성이 높은 해상에 예인선의 출항을 강행할 것을 지시하였고, 乙은 甲의 지시에 따라 사고의 위험성이 높은 시점에 무리하게 예인선을 운항한 결과 예인되던 선박에 적재된 물건이 해상에 추락하여 선박 교통을 방해하였다면 甲과 乙은 업무상 과실 일반교통방해죄의 공동정범이 성립한다(대판 2009.6.11, 2008도11784). 22. 7급 검찰

6 수도불통죄

제195조 공중이 먹는 물을 공급하는 수도 그 밖의 시설을 손괴하거나 그 밖의 방법으로 불통하게 한 자는 1년 이상 10년 이하의 징역에 처한다.

☝ 미수 · 예비 · 음모 처벌 ○, 수도불통죄의 대상이 되는 '수도 기타 시설'이란 공중의 음용수 공급을 주된 목적으로 설치된 것에 한정되는 것은 아니고, 설령 다른 목적으로 설치된 것이더라도 불특정 또는 다수인에게 현실적으로 음용수를 공급하고 있는 것이면 충분하며 소유관계에 따라 달리 볼 것도 아니다(대판 2022.6.9, 2022도2817).

기출문제

01 형법상 범죄단체조직죄에 대한 설명으로 가장 적절하지 않은 것은?(다툼이 있는 경우 판례에 의함)

21. 경찰승진, 22. 수사경과

① 사형, 무기 또는 장기 4년 이상의 징역에 해당하는 범죄를 목적으로 하는 단체 또는 집단을 조직하거나 이에 가입 또는 그 구성원으로 활동한 사람은 그 목적한 죄에 정한 형으로 처벌한다. 다만, 그 형을 감경할 수 있다.

② 범죄를 목적으로 하는 단체라 함은 특정 다수인이 일정한 범죄를 수행한다는 공동목적 아래 구성한 계속적인 결합체로서 그 단체를 주도하거나 내부의 질서를 유지하는 최소한의 통솔체계를 갖추고 있음을 요한다.

③ 사기범죄를 목적으로 구성된 다수인의 계속적인 결합체로서 총책을 중심으로 간부급 조직원들과 상담원, 현금인출책 등으로 구성되어 내부의 위계질서가 유지되고 조직원의 역할 분담이 이루어지는 최소한의 통솔체계를 갖추고 있는 보이스피싱 사기조직은 형법상의 범죄단체에 해당한다.

④ 사기범죄를 목적으로 구성된 범죄단체에 가입하는 행위 또는 그 범죄단체 구성원으로서 활동하는 행위와 목적된 범죄인 사기행위는 법조경합 관계로 사기죄만 성립한다.

해설 ① 제114조 ② 대판 2020.8.20, 2019도16263 ③ 대판 2017.10.26, 2017도8600
④ × : 피고인이 보이스피싱 사기 범죄단체에 가입한 후 범죄단체 구성원으로서 활동하는 행위와 사기행위는 각각 별개의 범죄구성요건을 충족하는 독립된 행위이고 서로 보호법익도 달라 법조경합 관계로 목적된 범죄인 사기죄만 성립하는 것은 아니다(대판 2017.10.26, 2017도8600).

02 다음 설명 중 가장 옳지 않은 것은?(다툼이 있는 경우 판례에 의함)   21. 법원직

① 형법 제114조에서 정한 '범죄를 목적으로 하는 집단'이란 특정 다수인이 사형, 무기 또는 장기 4년 이상의 징역에 해당하는 범죄를 수행한다는 공동목적 아래 구성원들이 정해진 역할분담에 따라 행동함으로써 범죄를 반복적으로 실행할 수 있는 조직체계를 갖춘 계속적인 결합체를 의미하므로, 위 '범죄를 목적으로 하는 집단'의 경우 '범죄단체'에서 요구되는 '최소한의 통솔체계'를 갖출 필요가 있다.

② 다중이 집합하여 손괴의 행위를 한 자는 형법 제115조의 소요죄로 처벌된다.

③ 폭행, 협박의 행위를 할 목적으로 다중이 집합하여 그를 단속할 권한이 있는 공무원으로부터 2회의 해산명령만을 받은 경우에는 해산하지 아니하더라도 형법 제116조의 다중불해산죄로 처벌되지 않는다.

④ 공무원의 자격을 사칭하여 그 직권을 행사한 자는 형법 제118조의 공무원자격사칭죄로 처벌되지만, 형법상 그 미수범 처벌규정을 두고 있지는 않다.

Answer 01. ④ 02. ①

해설 ① × : ~ 갖출 필요가 없다(대판 2020.8.20, 2019도16263).
② ○ : 제115조 ③ ○ : ~ 공무원으로부터 3회 이상(2회 ×)의 해산명령을 받고 해산하지 아니한 경우에 다
중불해산죄는 처벌된다. ④ ○

03 다음 중 옳지 않은 것은 모두 몇 개인가?(다툼이 있는 경우 판례에 의함) 22. 해경간부

⑦ 구 폭력행위 등 처벌에 관한 법률 제4조 소정의 단체 등의 조직죄는 같은 법에 규정된 범죄를
목적으로 한 단체 또는 집단을 구성 함으로써 즉시 성립하고 그와 동시에 완성되는 즉시범이
지 계속범이 아니다.

⑥ 피고인이 유리꽃병 내부에 휴대용 부탄가스통을 넣고 그 사이에 화약을 채운 물건을 배낭에
담아 고속버스터미널 등의 물품보관함 안에 넣어 두고 폭발하게 하였다면 그 파괴력과 상관
없이 폭발물사용죄에 해당한다.

⑥ 형법 제114조 제1항 소정의 '범죄를 목적으로 하는 단체'라 함은 특정 다수인이 일정한 범죄를
수행한다는 공동목적 아래 이루어진 계속적인 결합체로서 단순한 다중의 집합과는 달리 단체
를 주도하는 최소한의 통솔체제를 갖추고 있어야 함을 요한다.

⑧ 피고인들이 그들이 위임받은 채권을 용이하게 추심하는 방편으로 합동수사반원임을 사칭하
고 협박한 경우, 채권의 추심행위는 개인적인 업무이지 합동수사반의 수사업무의 범위에는
속하지 아니한다.

① 없 음   ② 1개   ③ 2개   ④ 3개

해설 ⑦ ○ : 대판 1997.10.10, 97도1829
⑥ × : 위 물건이 사람의 신체 또는 재산을 경미하게 손상시킬 수 있는 정도 ⇨ 폭발물 ×(대판 2012.4.26,
2011도17254)
⑥ ○ : 대판 2020.8.20, 2019도16263
⑧ ○ : 1981.9.8, 81도1955(∴ 공무원자격사칭죄 ×)

04 방화의 죄에 대한 설명으로 옳지 않은 것은?(다툼이 있는 경우 판례에 의함) 17. 7급 검찰

① 노상에서 전봇대 주변에 놓인 재활용품과 쓰레기 등을 발견하고 자신의 라이터를 이용하여
불을 붙인 후, 가연물을 집어넣어 그 화염을 키움으로써 전선을 비롯한 주변의 가연물에 손상
을 입히거나 바람에 의하여 다른 곳으로 불이 옮아 붙을 수 있는 공공의 위험을 발생하게
하였다면 형법 제167조 제1항의 타인소유일반물건방화죄가 성립한다.

② 공무집행을 방해하는 집단행위의 과정에서 일부 집단원이 고의로 현주건조물에 방화행위를
하여 공무원에게 사상의 결과를 초래한 경우, 그 방화행위 자체에 공모가담하지 않은 다른
집단원은 현주건조물방화치사상죄로 의율할 수 없다.

③ 방화범이 불을 놓은 집에서 빠져나오려는 피해자를 막아 소사케 하였다면 현주건조물방화죄
와 살인죄의 실체적 경합범이 성립한다.

Answer   03. ②   04. ①

④ 모텔 방에 투숙한 자가 과실로 담뱃불이 휴지와 침대시트에 옮겨 붙게 함으로써 화재를 발생하게 한 후, 화재 발생 사실을 안 상태에서 모텔을 빠져나오면서 모텔 주인이나 다른 투숙객들에게 이를 알리지 아니하여 사상에 이르게 하였더라도 그 사정만으로는 부작위에 의한 현주건조물방화치사상죄가 성립하지 아니한다.

> 해설 ① × : 자기소유(타인소유 ×) 일반물건방화죄(대판 2009.10.15, 2009도7421)
> ② 대판 1990.6.26, 90도765 ③ 대판 1983.1.18, 82도2341 ④ 대판 2010.1.14, 2009도12109

05 다음 설명 중 가장 옳지 않은 것은?(다툼이 있는 경우 판례에 의함) 19. 경찰간부

① 피해자의 사체 위에 옷가지 등을 올려놓고 불을 붙인 천조각을 던져서 그 불길이 방 안을 태우면서 천정에까지 옮겨 붙었다면, 도중에 진화되었다 하더라도 일단 천정에 옮겨 붙은 때에 이미 현주건조물방화죄의 기수에 이른 것이다.

② 피고인들이 피해자들의 재물을 강취한 후 그들을 살해할 목적으로 현주건조물에 방화하여 사망에 이르게 한 경우, 피고인들의 행위는 강도살인죄와 현주건조물방화치사죄에 모두 해당하고 그 두 죄는 상상적 경합범관계에 있다.

③ 타인 소유 현주건조물에 방화하자 불이 옆에 있는 자기 소유의 일반건조물에 옮겨붙은 경우 연소죄가 성립한다.

④ 형법 제119조(폭발물사용죄)를 적용하려면 사람의 생명, 신체 또는 재산을 해하거나 기타 공안을 문란케 한다는 고의가 있어야 한다.

> 해설 ① 대판 2007.3.16, 2006도9164 ② 대판 1998.12.8, 98도3416
> ③ × : 연소죄는 자기소유물(일반건조물 등 또는 물건)에 대한 방화죄의 결과적 가중범이므로, ③의 경우 연소죄는 성립하지 않는다(제168조). ④ 대판 1969.7.8, 69도832

06 방화죄에 대한 설명으로 옳은 것은?(다툼이 있는 경우 판례에 의함) 20. 7급 검찰

① 방화의 의사로 뿌린 휘발유가 사람이 현존하는 주택 주변과 피해자의 몸에 적지 않게 살포되어 있는 사정을 알면서도 라이터를 켜 불꽃을 일으킴으로써 피해자의 몸에 불이 붙은 경우, 비록 불이 방화 목적물인 주택 자체에 옮겨 붙지는 아니하였다 하더라도 현존건조물방화죄의 실행의 착수가 인정된다.

② 피해자의 사체 위에 옷가지 등을 올려놓고 불을 붙인 천 조각을 던져 그 불길이 방안을 태우면서 천장에까지 옮겨 붙었으나, 그 불이 도중에 진화되었다면 현주건조물방화죄의 미수에 그친다.

③ 강도가 피해자로부터 재물을 강취한 후 그를 살해할 목적으로 주거에 방화하여 사망에 이르게 한 때에는 강도살인죄와 현주건조물방화치사죄가 성립하고 양 죄는 실체적 경합관계에 있다.

④ 주택에 불을 놓고 빠져 나오려는 피해자들을 막아 소사케 한 경우, 현주건조물방화죄와 살인죄가 성립하고 양 죄는 상상적 경합관계에 있다.

Answer 05. ③ 06. ①

해설 ① ○ : 대판 2002.3.26, 2001도6641
② × : ~ 기수(미수 ×)가 성립한다(대판 2007.3.16, 2006도9164).
③ × : ~ 상상적(실체적 ×) 경합관계에 있다(대판 1998.12.8, 98도3416).
④ × : ~ 실체적(상상적 ×) 경합관계에 있다(대판 1983.1.18, 82도2341).

07 방화와 실화의 죄에 대한 설명으로 가장 적절한 것은?(다툼이 있는 경우 판례에 의함) 20. 순경 2차

① 전기 석유난로를 켜 놓은 채 귀가하여 전기 석유난로 과열로 화재가 발생하였다면 화재 원인
을 살펴볼 필요 없이 피고인에게 중실화죄를 인정할 수 있다.

② 사람이 현존하는 자동차에 방화한 경우 일반건조물 등 방화죄가 성립한다.

③ 지붕과 문짝, 창문이 없고 담장과 일부 벽체가 붕괴된 철거대상 건물로서 사실상 기거·취침
에 사용할 수 없는 상태의 타인의 폐가에 대해 방화한 경우 타인소유일반건조물방화죄가 성
립한다.

④ 유조차운전사가 석유구판점의 위험물취급주임의 지시를 받아 유조차의 석유를 구판점 탱크
로 급유하다가 탱크주입구에서 급유호스가 빠지는 바람에 화기에 인화되어 화재가 발생한
경우 유조차운전사의 업무상 과실이 인정되지 않는다.

해설 ① × : ~ 과열로 화재가 발생하였다 하여 화재 원인을 ~ 인정할 수 없다(대판 1994.3.11, 93도3001).
② × : ~ 현주건조물(일반건조물 ×) 등 방화죄가 성립한다(제164조 제1항).
③ × : 타인소유일반건조물방화죄 ×(대판 2013.12.12, 2013도3950 ∵ 이 사건 폐가 ⇨ 건조물 ×, 일반물건 ○)
④ ○ : 대판 1990.11.13, 90도2011

08 방화와 실화의 죄에 대한 설명으로 가장 적절하지 않은 것은?(다툼이 있는 경우 판례에 의함)

22. 경찰승진·해경간부·해경 2차

① 현주건조물방화예비죄를 저지른 사람이 그 목적한 죄의 실행에 이르기 전에 자수한 때에는
형을 감경 또는 면제한다.

② 현주건조물방화치사죄는 사망의 결과발생에 대한 과실이 있는 경우뿐만 아니라 고의가 있는
경우를 포함한다.

③ 불을 놓아 무주물을 불태워 공공의 위험을 발생하게 한 경우에는 '무주물'을 '자기 소유의 물
건'에 준하는 것으로 보아 형법 제167조 제2항(자기소유일반물건방화죄)을 적용하여야 한다.

④ 지붕과 문짝, 창문이 없고 담장과 일부 벽체가 붕괴된 철거 대상건물로서 사실상 기거·취침
에 사용할 수 없는 상태의 폐가에 쓰레기를 모아놓고 태워 폐가의 벽을 일부 그을리게 한
경우에는 일반물건방화죄의 미수범으로 처벌된다.

해설 ① 제175조 ② 대판 1996.4.26, 96도485(∵ 부진정결과적 가중범임)
③ 대판 2009.10.15, 2009도7421
④ × : ~ 미수범으로 처벌되지 않는다(대판 2013.12.12, 2013도3950 ∵ 일반물건방화죄의 미수범의 처벌
규정 ×).

Answer   07. ④   08. ④

09 방화의 죄에 관한 설명 중 가장 적절한 것은?(다툼이 있는 경우 판례에 의함) 23. 순경 1차

① 공용건조물방화죄를 범할 목적으로 예비 음모한 후 목적한 죄의 실행에 이른 후에 수사기관에 자수한 경우 형을 감경하거나 면제할 수 있다.
② 주거로 사용하지 않고 사람이 현존하지도 않는 타인 소유의 자동차를 불태웠으나 공공의 위험이 발생하지 않았다면 방화죄를 구성하지 않는다.
③ 甲이 A의 재물을 강취한 후 A를 살해할 의사로 현주건조물에 방화하여 A가 사망한 경우, 甲의 행위는 강도살인죄와 현주건조물방화치사죄에 모두 해당하고 그 두 죄는 실체적 경합범관계에 있다.
④ 甲이 A를 살해할 의사로 A가 혼자 있는 건조물에 방화하였으나 A가 사망하지 않은 경우 현존건조물방화치사미수죄를 구성한다.

해설 ① ○ : ~ 실행에 이르기 전에 자수한 때에는 형을 감경 또는 면제한다(제175조). 그러나 ①의 경우(~ 실행에 이른 후에 수사기관에 자수한 경우)에는 형을 감경하거나 면제할 수 있다(제52조 제1항).
② × : ~ (2줄) 발생하지 않았더라도 방화죄를 구성한다(제166조 제1항 ∵ ②의 타인소유의 자동차방화죄는 공공의 위험의 발생을 요구하지 않는 추상적 위험범임).
③ × : ~ 두 죄는 상상적(실체적 ×) 경합범관계에 있다(대판 1998.12.8, 98도3416).
④ × : ~ 않은 경우에는 현존건조물방화죄의 기수와 살인미수죄의 상상적 경합이 된다(∵ 현존건조물방화치사상죄의 미수범처벌규정이 없음).

10 다음 설명 중 옳지 않은 것은?(다툼이 있는 경우 판례에 의함) 23. 경찰간부

① 형법 제114조(범죄단체 등의 조직)에서 정한 '범죄를 목적으로 하는 집단'이란 특정 다수인이 일정한 범죄를 수행한다는 공동목적 아래 구성한 계속적인 결합체로서 그것을 주도하거나 내부의 질서를 유지하는 최소한의 통솔체계를 갖춘 것을 의미한다.
② 노상에서 전봇대 주변에 놓인 재활용품과 쓰레기 등 무주물에 불을 놓아 태워버린 경우 그 무주물은 형법 제167조 제2항에 정한 '자기 소유의 물건'에 준하는 것으로 보아야 하므로 자기소유일반물건방화죄가 성립한다.
③ 현주건조물방화죄의 주된 보호법익은 공공의 안전이고, 부차적인 보호법익은 개인의 재산권이다.
④ 甲이 국가정보원 직원임을 사칭하면서 위임받은 채권추심을 한 경우 형법상 공무원자격사칭죄가 성립하지 아니한다.

해설 ① × : ~ (2줄) 통솔체계를 갖출 필요가 없다(대판 2020.8.20, 2019도16263).
② 대판 2009.10.15, 2009도7421
③ 대판 1983.1.18, 82도2341
④ 대판 1981.9.8, 81도1955

11 일반교통방해죄에 관한 설명 중 가장 적절하지 않은 것은?(다툼이 있으면 판례에 의함)

13. 경찰승진, 15. 순경 2차, 21. 해경승진

① 소유자가 토지인도소송의 승소판결을 받아 그 집행을 하여 그 토지를 공터로 두었는데 인근주민들이 일시 지름길로 이용하자 그 통행을 방해한 경우 일반교통방해죄가 성립한다.

② 법률에 따라 옥외집회신고를 마쳤어도, 신고의 범위와 법률상의 제한을 현저히 일탈하여 주요도로 전차선을 점거하여 행진 등을 함으로써 교통소통에 현저한 장해를 일으켰다면 일반교통방해죄가 성립한다.

③ 불특정 다수인의 통행로로 이용되어 오던 도로의 토지 일부의 소유자라 하더라도 그 도로의 중간에 바위를 놓아두거나 이를 파헤침으로써 차량의 통행을 못하게 한 행위는 일반교통방해죄가 성립한다.

④ 우리 형법에는 업무상 과실, 중과실에 의한 일반교통방해를 처벌하는 조항이 있다.

⑤ 사람이 현존하는 선박에 대해 매몰행위의 실행을 개시하고 그로 인하여 선박을 매몰시켰더라도 매몰의 결과 발생시 사람이 현존하지 않았거나 범인이 선박에 있는 사람을 안전하게 대피시켰다면 선박매몰죄의 미수가 성립한다.

해설 ① × : 일반교통방해죄 ×(대판 1984.11.13, 84도2192 ∵ 일반공중의 내왕에 공용되는 도로 × ⇨ 제185조의 육로 ×) ② 대판 2008.11.13, 2006도755 ③ 대판 2002.4.26, 2001도6903 ④ 제189조 제2항 ⑤ × : 선박매몰죄의 기수 ○, 선박매몰죄의 미수 ×(대판 2000.6.23, 99도4688)

12 교통방해의 죄에 대한 설명으로 가장 적절하지 않은 것은?(다툼이 있는 경우 판례에 의함)

19. 경찰간부·경찰승진

① 주민들에 의하여 공로로 통하는 유일한 통행로로 오랫동안 이용되어 온 폭 2m의 골목길을 자신의 소유라는 이유로 폭 50 내지 75cm 가량만 남겨두고 담장을 설치하여 주민들의 통행을 현저히 곤란하게 하였다면 일반교통방해죄를 구성한다.

② 서울 중구 소공동의 왕복4차로의 도로 중 편도 3개 차로 쪽에 차량 2, 3대와 간이테이블 수십 개를 이용하여 길가쪽 2개 차로를 차지하는 포장마차를 설치하고 영업행위를 한 경우 교통량이 상대적으로 적은 야간에 이루어졌다면 일반교통방해죄를 구성하지 않는다.

③ 교통방해를 유발한 집회에 참가한 경우 참가 당시 이미 다른 참가자들에 의해 교통흐름이 차단된 상태였더라도 교통방해를 유발한 다른 참가자들과 암묵적·순차적으로 공모하여 교통방해의 위법상태를 지속시켰다고 평가할 수 있다면 일반교통방해죄가 성립한다.

④ 공항 여객터미널 버스정류장 앞 도로 중 공항리무진 버스 외의 다른 차의 주차가 금지된 구역에서 밴 차량을 40분간 불법주차하고 호객행위를 한 것은 다른 차량들의 통행을 현저히 곤란하게 한 것으로 볼 수 없어 일반교통방해죄를 구성하지 않는다.

해설 ① 대판 1994.11.14, 94도2112 ② × : 일반교통방해죄 ○(대판 2007.12.14, 2006도4662) ③ 대판 2018.5.11, 2017도9146(∵ 일반교통방해죄에서 교통방해행위는 계속범의 성질을 가지는 것이어서 교통방해의 상태가 계속되는 한 위법상태는 계속 존재한다.) ④ 대판 2009.7.9, 2009도4266

Answer 11. ①⑤ 12. ②

13 교통방해의 죄에 대한 설명으로 옳지 않은 것은?(다툼이 있는 경우 판례에 의함) 23. 9급 검찰·마약수사

① 일반교통방해죄는 추상적 위험범으로서 교통이 불가능하거나 또는 현저히 곤란한 상태가 발생하면 바로 기수가 되고 교통방해의 결과가 현실적으로 발생하여야 하는 것은 아니다.

② 집회 또는 시위가 신고된 내용과 다소 다르게 행해졌으나 신고된 범위를 현저히 일탈하지 않는 경우, 그로 인하여 도로의 교통이 방해를 받았다고 하더라도 특별한 사정이 없는 한 일반교통방해죄가 성립하지 않는다.

③ 일반교통방해죄는 즉시범이므로 일단 동 죄의 기수에 이르렀다면 기수 이후 그러한 교통방해의 위법상태가 제거되기 전에 교통방해행위에 가담한 자는 일반교통방해죄의 공동정범이 될 수 없다.

④ 업무상 과실로 인하여 교량을 손괴하여 자동차의 교통을 방해하고 그 결과 자동차를 추락시킨 경우, 업무상 과실일반교통방해죄와 업무상 과실자동차추락죄가 각각 성립하고 양 죄는 상상적 경합관계에 있다.

해설 ① 대판 2018.5.11, 2017도9146 ② 대판 2008.11.13, 2006도755
③ × : 일반교통방해죄에서 교통방해행위는 계속범의 성질을 가지는 것이어서 교통방해의 상태가 계속되는 한 위법상태는 계속 존재한다. 따라서 교통방해를 유발한 집회에 참가한 경우 참가 당시 이미 다른 참가자들에 의해 교통의 흐름이 차단된 상태였더라도 교통방해를 유발한 다른 참가자들과 암묵적·순차적으로 공모하여 교통방해의 위법상태를 지속시켰다고 평가할 수 있다면 일반교통방해죄(공모공동정범)가 성립한다(대판 2018.5.11, 2017도9146). ④ 대판 1997.11.28, 97도1740

14 다음 설명 중 옳지 않은 것은 모두 몇 개인가?(다툼이 있는 경우 판례에 의함) 18. 경찰승진, 22. 해경간부

> ㉠ 목장 소유자가 목장운영을 위해 목장용지 내에 임도를 개설하고 차량 출입을 통제하면서 인근 주민들의 일부 통행을 부수적으로 묵인한 경우, 위 임도는 공공성을 지닌 장소로 일반교통방해죄의 '육로'에 해당한다.
> ㉡ 농촌주택에서 배출되는 생활하수의 배수관(소형 PVC관)을 토사로 막아 하수가 내려가지 못하게 한 경우, 수리방해죄에 해당하지 아니한다.
> ㉢ 피해자의 사체 위에 옷가지 등을 올려놓고 불을 붙인 천조각을 던져서 그 불길이 방안을 태우면서 천정에까지 옮겨 붙었다면 도중에 진화되었다고 하더라도 일단 천조각을 던진 때에 이미 현주건조물방화죄의 기수에 이른 것이다.
> ㉣ 도선사가 강제도선 구역 내에서 조기 하선함에 따라 적기에 충돌회피동작을 취하지 못하여 선박충돌사고가 일어난 경우 도선사에게 업무상 과실 선박파괴죄가 성립한다.
> ㉤ 피고인들이 위임받은 채권을 용이하게 추심하는 방편으로 합동수사반원임을 사칭하고 협박한 경우, 위 채권의 추심행위는 공무원자격사칭죄로 처벌할 수 있다.
> ㉥ 형법에는 업무상 과실 또는 중대한 과실로 인하여 과실일수죄를 범한 자를 가중하여 처벌하는 규정이 있다.

① 1개   ② 2개   ③ 3개   ④ 4개

Answer   13. ③   14. ④

해설 ㉠ × : ~ '육로'에 해당하지 않는다(대판 2007.10.11, 2005도7573).

㉡ ○ : 대판 2001.6.26, 2001도404

㉢ × : 천장에 옮겨 붙은 때(천조각을 던진 때 ×)에 현주건조물방화죄의 기수에 이른 것이다(대판 2007. 3.16, 2006도9164).

㉣ ○ : 대판 2007.9.21, 2006도6949

㉤ × : 공무원자격사칭죄 ×(대판 1981.9.8, 81도1955)

㉥ × : 형법에는 업무상 과실 또는 중대한 과실로 인하여 과실일수죄(형법 제181조)를 범한 자를 가중하여 처벌하는 규정이 없다.

15 다음 중 선박파괴·매몰죄에 관한 설명으로 옳은 것은 모두 몇 개인가?(다툼이 있는 경우 판례에 의함)

21. 해경간부·해경 1차

㉠ 선박매몰죄의 고의가 성립하기 위하여는 행위시에 사람이 현존하는 것이라는 점에 대한 인식과 함께 이를 매몰한다는 결과발생에 대한 인식이 필요하며, 현존하는 사람을 사상에 이르게 한다는 등 공공의 위험에 대한 인식까지는 필요하지 않다.

㉡ 사람이 현존하는 선박에 대해 매몰행위의 실행을 개시하고 그로 인하여 선박을 매몰시켰다면 매몰의 결과발생시 사람이 현존하지 않았거나 범인이 선박에 있는 사람을 안전하게 대피시켰다면 선박매몰죄의 미수가 성립한다.

㉢ 도선사가 강제도선구역 내에서 조기하선함으로 인하여 적기에 충돌회피동작을 취하지 못하여 결국 선박 충돌사고가 발생한 경우, 도선사가 하선 후 발생한 충돌사고이므로 도선사의 업무상 과실과 사고 발생 사이의 상당인과관계가 인정되지 않는다.

㉣ 총 길이 338M, 갑판 높이 28.9M, 총 톤수 146,848톤, 유류탱크 13개, 평형수탱크 4개인 대형 유조선의 유류탱크 일부에 구멍이 생기고 선수마스트, 위성통신 안테나, 항해등 등이 파손된 경우 형법 제187조에 정한 선박의 '파괴'에 해당하지 않는다.

① 0개 ② 1개 ③ 2개 ④ 3개

해설 ㉠ ○ : 대판 2000.6.23, 99도4688

㉡ × : 선박매몰죄의 기수(미수 × : 대판 2000.6.23, 99도4688 ∵ '사람이 현존'하느냐의 판단은 결과발생 시가 아니라 실행에 착수한 시기를 기준으로 함)

㉢ × : ~ 상당인과관계가 인정된다(대판 2007.9.21, 2006도6949 ∴ 업무상 과실 선박파괴죄 ○).

㉣ ○ : 대판 2009.4.23, 2008도11921(∵ 형법 제187조에서 정한 '파괴'란 교통기관으로서의 기능·용법의 전부나 일부를 불가능하게 할 정도의 파손을 의미하고, 그 정도에 이르지 아니하는 단순한 손괴는 포함되지 않는다.)

Answer 15. ③

공공의 신용에 대한 죄

단원 advice

본장은 형법 각칙 중 재산죄 다음으로 출제빈도가 높으며 조금은 어려운 분야이다. 무엇보다도 유가증권, 문서, 위조·변조 등의 정확한 개념정리가 필요하다. 특히 ㉠ 통화에 관한 죄 중에서는 통화위조·변조죄와 위조·변조통화행사죄, ㉡ 유가증권에 관한 죄에서는 유가증권에 해당하느냐의 여부, 구체적 사례에서 유가증권위조·변조, 허위유가증권작성죄, ㉢ 문서에 관한 죄에서는 문서에 해당하느냐의 여부, 공문서와 사문서의 구별, 문서위조·변조, 허위공문서작성죄, 자격모용에 의한 문서작성죄, 공정증서원본부실기재죄, 위조문서행사죄와 문서부정행사죄 등에 유념해야 한다.

제1절 ▶ 통화에 관한 죄

① 보호법익

통화에 대한 거래상의 신용과 안전, 추상적 위험범

② 내국통화위조·변조죄

> **제207조 제1항** 행사할 목적으로 통용하는 대한민국의 화폐, 지폐 또는 은행권을 위조 또는 변조한 자는 무기 또는 2년 이상의 징역에 처한다.

(1) 의 의
본죄는 행사의 목적으로 대한민국의 화폐·지폐 또는 은행권을 위조·변조함으로써 성립하는 범죄이다.

(2) 객 체 : 통용하는 대한민국 통화
① '통화'란 국가 또는 국가가 위임한 기관이 발행한 금액이 표시된 지불수단으로써 강제통용력이 인정된 것을 말한다.
② '통용'이란 법률에 의하여 강제통용력이 인정되는 것을 말한다(예 고화·폐화 ⇨ 통화 ×, 기념주화 ⇨ 통화 ○). 강제통용력이 없이 국내에서 사실상 통용(사용)되고 있다는 뜻의 '유통'과는 구별된다.

(3) 행위 : 위조 또는 변조하는 것

구분	위 조	변 조
의 의	위조란 통화발행권이 없는 자가 일반인이 진화로 오인할 수 있는 진정통화의 외관을 가진 물건을 만드는 것을 말한다. ▶ 위조통화행사죄의 객체인 위조통화는 객관적으로 보아 일반인으로 하여금 진정통화로 오신케 할 정도에 이른 것이면 족하고, 그 위조의 정도가 반드시 진정한 통화에 흡사하여야 한다거나 누구든지 쉽게 그 진부를 식별하기가 불가능한 정도의 것일 필요는 없다(대판 1985.4.23, 85도570). 17. 경찰간부, 18. 경찰승진, 20. 수사경과, 21. 해경 2차, 24. 해경경위	변조란 진정한 통화에 가공하여 그 가치를 변경시키는 것을 말하며, 항상 진정한 통화를 전제로 한다. 20. 해경승진, 18 · 23. 경찰승진 만약 진화를 사용하여 전혀 다른 외관을 가진 위화를 제작하였다면 동일성을 상실하였으므로 위조에 해당한다. ▶ 진정한 통화에 대한 가공행위로 인하여 기존 통화의 명목가치나 실질가치가 변경되었다거나 객관적으로 보아 일반인으로 하여금 기존 통화와 다른 진정한 화폐로 오신하게 할 정도의 새로운 물건을 만들어 낸 것으로 볼 수 없다면 통화변조죄가 성립하지 않는다(대판 2004.3.26, 2003도5640). 10. 사시, 12. 경찰승진
사 례	10원짜리 주화의 표면에 백색의 약칠을 하여 100원짜리의 주화와 같은 색채로 변경한 경우나 1만원권 지폐의 앞뒷면을 흑백전자복사하여 비슷한 크기로 자른 정도로는 진화로 오인할 우려가 없으므로 위조에 해당하지 않는다(대판 1979.8.28, 79도639 ; 대판 1985.4.23, 85도570). 13. 경찰간부, 18. 수사경과	일본국의 자동판매기에 사용하기 위해 한국은행 발행 500원짜리 주화의 표면 일부를 깎아 손상을 가한 것 ⇨ 통화변조죄 ×(대판 2002.1.11, 2000도3950 ∵ 명목가치나 실질가치의 변경 ×, 객관적으로 보아 일반인으로 하여금 일본국의 500엔짜리 주화로 오신하게 할 정도 ×) 16. 순경 1차, 17. 경찰간부, 21. 경찰승진 · 해경 2차

🏠 진정한 통화인 미화 1달러 및 2달러 지폐의 발행연도, 발행번호, 미국 재무부를 상징하는 문양, 재무부장관의 사인, 일부 색상을 고친 것만으로는 통화가 변조되었다고 볼 수 없다(대판 2004.3.26, 2003도5640). 05. 법원행시, 12. 경찰간부, 24. 해경승진 · 해경경위 · 순경 1차

(4) 주관적 구성요건

행위자는 대한민국의 통화를 위조 · 변조한다는 고의와 위조 · 변조한 위화를 진화처럼 사용하겠다는 목적이 있어야 한다.

┌ **관련판례**

형법 제207조 통화위조죄 등에서 정한 '행사할 목적'이란 유가증권위조의 경우와 달리 위조 · 변조한 통화를 진정한 통화로서 유통에 놓겠다는 목적을 말하므로, 자신의 신용력을 증명하기 위하여 타인에게 보일 목적으로 통화를 위조한 경우에는 행사할 목적이 있다고 할 수 없다(대판 2012.3.29, 2011도7704). 18. 순경 2차, 19. 경찰간부, 20. 해경승진, 21. 수사경과 · 해경 2차, 22. 순경 1차, 21 · 23. 경찰승진

③ 내국유통외국통화위조 · 변조죄

> **제207조 제2항** 행사할 목적으로 내국에서 유통하는 외국의 화폐 · 지폐 또는 은행권을 위조 또는 변조한 자는 1년 이상의 유기징역에 처한다.

📖 형법 제207조 제2항 소정의 내국에서 '유통하는'이란 같은 조 제1항 · 제3항 소정의 '통용하는'과 달리, 강제통용력이 없이 사실상 거래대가의 지급수단이 되는 상태를 가리킨다(대판 2003.1.10, 2002도3340). 06. 법원행시

┌ 관련판례

스위스 화폐로서 1998년까지 통용되었으나 현재는 통용되지 않고 스위스 은행에서 신권과의 교환이 가능하고(진폐), 국내은행에서도 환전이 되고, 일부지역(이태원 등)에서 지급수단으로 사용되는 스위스의 진폐 ⇨ 내국유통외국통화 ×(대판 2003.1.10, 2002도3340 ∵ 지급수단이 아니라 외국환거래의 대상임 ⇨ 내국유통 ×) 12. 경찰간부, 13. 수사경과

④ 외국통용외국통화위조 · 변조죄

> **제207조 제3항** 행사할 목적으로 외국에서 통용(유통 ×)하는 외국의 화폐 · 지폐 또는 은행권을 위조 또는 변조한 자는 10년 이하의 징역에 처한다. 21. 경찰간부, 24. 해경승진

📖 외국에서 통용한다 함은 외국에서 강제통용력이 있음을 의미한다. 따라서 외국통화라도 그 나라에서 강제통용력을 잃었을 때에는 본죄의 객체가 되지 아니한다[대판 2004.5.14, 2003도3487 ▶ 만일 '외국에서 통용하는 지폐'에 강제통용력을 가지지 아니하나 일반인의 관점에서 통용할 것이라고 오인할 가능성이 있는 지폐까지 포함시키면 죄형법정주의원칙(유추해석금지원칙)에 위배됨 : 미국에서 발행된 적이 없이 단지 관광용 기념상품으로 제조 · 판매되고 있는 100만달러짜리 지폐 ⇨ 외국에서 통용하는 지폐 ×]. 16. 순경 1차, 18. 경찰승진 · 수사경과, 20. 해경승진, 21. 해경 2차

⑤ 위조 · 변조통화행사 등 죄

> **제207조 제4항** 위조 또는 변조한 전 3항 기재의 통화를 행사하거나 행사할 목적으로 수입 또는 수출한 자는 그 위조 또는 변조의 각죄에 정한 형에 처한다.

① **의의** : 본죄는 위조 또는 변조한 내국통화 · 외국통화를 행사하거나, 행사할 목적으로 수입 또는 수출함으로써 성립하는 범죄이다.
② **객체** : 위조 또는 변조한 내국통화 · 내국유통외국통화 · 외국통용외국통화

┌ 관련판례

1. 한국은행발행 일만원권 지폐의 앞 · 뒷면을 흑백 전자복사기로 복사하여 비슷한 크기로 자른 정도의 것은 객관적으로 진정한 통화로 오인할 정도에 이르지 못하여 통화위조죄 및 위조통화행사죄의 객체가 될 수 없다(대판 1986.3.25, 86도255).

2. 위조된 외국의 화폐, 지폐 또는 은행권이 외국에서 강제통용력이 없고 국내에서 사실상 거래대가의 지급수단이 되지 않는 경우, 그 화폐 등을 행사한 행위는 위조통화행사죄를 구성하지 않는다(대판 2003.1.10, 2002도3340 ∵ 내국유통외국통화 ×). 24. 해경경위

③ **행위** : '행사'란 위조·변조된 통화의 점유나 처분권을 타인에게 이전하여 진정한 통화처럼 유통되게 하는 것을 말한다.

┌ **관련판례**

1. 위조통화임을 알고 있는 자에게 그 위조통화를 교부한 경우에 피교부자가 이를 유통시키리라는 것을 예상 내지 인식하면서 교부하였다면 위조통화행사죄가 성립한다〔대판 2003.1.10, 2002도3340 ▶ 위조 유가증권행사죄도 동일하나(대판 1983.6.14, 81도2492), 위조문서행사죄의 경우 그 정을 알고 있는 자에 게 교부·제시하는 것은 행사가 아님(대판 1986.2.25, 85도2798)〕. 12. 경찰승진, 16. 순경 1차, 16·17. 경찰간 부, 18·20. 수사경과

2. 진정한 통화라고 하여 위조통화를 다른 사람에게 증여하는 경우에도 위조통화행사죄가 성립한다 (대판 1979.7.10, 79도840). 12. 경찰간부

3. 피고인이 통화위조 및 그 행사를 공모한 경우에는 다른 공범이 행사한 부분까지 행사죄의 죄책을 면하지 못한다(대판 1949.4.29, 4282형상13).

④ **타죄와의 관계**

㉠ **통화위조와의 관계** : 통화를 위조·변조하고 그 위화를 행사한 경우 ⇨ 통화위조·변조 죄와 위조·변조통화행사죄의 실체적 경합

㉡ **사기죄와의 관계** : 위조·변조통화를 행사하여 재물을 불법영득한 경우 ⇨ 위조·변조통화 행사죄와 사기죄의 실체적 경합이 된다(대판 1979.7.10, 79도840). 19. 법원행시, 20. 수사경과, 21. 경찰 간부, 22. 경찰승진, 24. 해경경위

㉢ 형법상 통화에 관한 죄는 문서에 관한 죄에 대하여 특별관계에 있으므로 형법 제207조 제3항에서 정한 '외국에서 통용하는 외국의 화폐 등'에 해당하지 않고, 나아가 형법 제207조 제2항에서 정한 '내국에서 유통하는 외국의 화폐 등'에도 해당하지 않는 화폐 등을 행사한 경우 ⇨ 위조통화행사죄 ×, 위조사문서행사죄 또는 위조사도화행사죄 ○(대판 2013.12.12, 2012도2249) 16. 경찰간부, 22. 순경 1차

6 위조·변조통화취득죄

제208조 행사할 목적으로 위조 또는 변조한 제207조 기재의 통화를 취득한 자는 5년 이하의 징역 또는 1천 500만원 이하의 벌금에 처한다.

⑦ 위조통화취득 후 지정행사죄

> **제210조** 제207조에 기재한 통화를 취득한 후 그 사정을 알고 행사한 자는 2년 이하의 징역 또는 500만원 이하의 벌금에 처한다.

⑧ 통화유사물제조 등 죄

> **제211조** ① 판매할 목적으로 내국 또는 외국에서 통용하거나 유통하는 화폐·지폐 또는 은행권에 유사한 물건을 제조·수입 또는 수출한 자는 3년 이하의 징역 또는 700만원 이하의 벌금에 처한다.
> ② 전항의 물건을 판매한 자도 전항의 형과 같다.

⑨ 통화위조예비·음모죄

> **제213조** 제207조 제1항 내지 제3항의 죄를 범할 목적으로 예비 또는 음모하는 자는 5년 이하의 징역에 처한다. 단, 그 목적한 죄의 실행에 이르기 전에 자수한 때에는 그 형을 감경 또는 면제한다.

📌 목적범 ○, 실행에 이르기 전에 자수 ⇨ 필요적 감면 ○, 임의적 감면 × 20. 수사경과, 21. 경찰간부, 24. 해경승진

관련판례

위조할 통화의 사진을 찍어 필름 원판과 이를 확대하여 현상한 인화지를 만드는 것 ⇨ 통화위조예비 ○, 미수 ×(대판 1966.12.6, 66도1317 ∵ 실행의 착수 ×) 05. 법원행시, 12. 경찰간부

📋 법조문 총정리

- **미수범** ─ 처벌 ○ : 위조통화취득 후 지정행사죄만 빼고 모두 미수범 처벌(제212조)
  └ 처벌 × : 위조통화취득 후 지정행사죄
- **예비·음모** ─ 처벌 ○ : 내국통화위조·변조죄(제207조 제1항), 내국유통외국통화위조·변조죄(제207조 제2항), 외국통용외국통화위조·변조죄(제207조 제3항) ; 제213조
  └ 처벌 × : 위조·변조통화행사죄(제207조 제4항), 위조·변조통화취득죄(제208조), 위조통화취득 후 지정행사죄(제210조), 통화유사물제조죄(제211조)
- **목적범** ─ × : 위조·변조통화행사죄(제207조 제4항 전단), 위조통화취득 후 지정행사죄(제210조), 통화유사물판매죄(제211조 제2항)
  └ ○ : 나머지는 모두 목적범
- 대한민국 영역 외에서 통화에 관한 죄를 범한 외국인(외국인의 국외범)에 대해서도 대한민국 형법이 적용된다(제5조 제4호). 21. 경찰간부, 24. 해경승진

🔖 공공의 신용에 대한 죄 총정리

1. 위조(유형위조)

권한(통화 : 발행권, 유가증권 · 문서 : 작성권한) 없는 자가 일반인으로 하여금 진정한 것(진화, 진정하게 작성된 유가증권 · 문서)으로 오신하게 하는 정도의 형식과 외관을 갖춘 타인 명의의 유가증권 · 문서(부정한 것)를 작성하는 것

2. 변조

권한 없는 자가 진정한 것(진정한 통화, 진정하게 성립된 타인 명의의 유가증권 · 문서)에 동일성을 해하지 않는 범위 내에서 변경을 가하는 것

▶ 본질적 부분을 변경하거나 동일성을 해한 경우, 전혀 새로운 것을 만든 경우 ⇨ 변조(×) 위조(○)

3. 허위(유가증권 · 공문서)작성죄(무형위조)

작성권한 있는 자가 자기 명의로 허위내용을 기재하는 것

▶ 사문서 무형위조(허위사문서작성죄) ⇨ 불벌(원칙), 허위진단서작성죄 ⇨ 예외적 처벌

▶ 공정증서원본부실기재죄 ⇨ 간접적 무형위조(간접정범 형태에 의한 허위공문서작성죄)

4. 자격모용에 의한 유가증권 · 사문서 · 공문서작성죄

대리권, 대표권 없는 자가 그 자격을 사칭하여 자기 명의의 유가증권 · 문서를 작성한 경우	자격모용에 의한 유가증권 · 사문서 · 공문서작성죄
대리권, 대표권 없는 자가 그 명의까지 모용하여 타인(대리권자나 대표권자) 명의의 유가증권 · 문서를 작성한 경우	유가증권 · 사문서 · 공문서위조죄
대리권, 대표권 있는 자가(그 권한의 범위 내에서) 권한을 남용하여 자기 명의의 유가증권 · 사문서 · 공문서를 작성한 경우	사문서 : 문서에 관한 죄(×), 배임죄 가능
	유가증권 : 허위유가증권작성죄나 배임죄 가능
	공문서 : 허위공문서작성죄나 배임죄 가능
대리권, 대표권 있는 자가 그 권한의 범위 외의 사항(명백히 권한을 초월한 사항)에 관하여 자기 명의의 유가증권 · 사문서 · 공문서를 작성한 경우	자격모용에 의한 유가증권 · 사문서 · 공문서작성죄

5.

위조통화 · 유가증권 · 사문서 · 공문서행사죄	위조한 것을 진정한 것으로 사용하는 것
사문서 · 공문서부정행사죄	진정한 것(진정하게 성립한 문서)을 사용권한 없는 자가 그 문서의 용도에 따라 사용하거나 사용권한 있는 자가 용도 이외에 사용한 것

제2절 유가증권 · 우표와 인지에 관한 죄

1 유가증권의 의의

(1) 유가증권의 개념

① 유가증권이란 증권상에 표시된 재산상의 권리의 행사와 처분에 그 증권의 점유를 필요로 하는 것을 총칭하는 것으로서 재산권이 증권에 화체된다는 것과 그 권리의 행사와 처분에 증권의 점유를 필요로 한다는 두 가지 요소를 갖추면 족하지 반드시 유통성을 가질 필요는 없다(대판 2001.8.24, 2001도2832). 18. 순경 1차, 19. 수사경과, 23. 경찰승진 · 해경승진, 24. 경력채용

유가증권에 해당하는 경우	유가증권이 아닌 경우
할부구매전표(대판 1995.3.14, 95도28), 공중전화카드(대판 1998.2.27, 97도2483), 스키장 리프트탑승권(대판 1998.11.24, 98도2967), 직장소비조합이 소속 조합원에게 발행한 한국외환은행조합 신용카드(대판 1984.11.27, 84도1862), 양도성예금증서(CD) ▶ 후불식 공중전화카드(KT카드) ⇨ 유가증권 ×, 사문서 ○(대판 2002.6.25, 2002도461)	〈재산권이 표시되어 있지 않은 것(증거증권)〉 물품구입증(대판 1972.12.26, 72도1688) 〈증서의 점유가 권리행사의 요건이 아닌 것(면책증권)〉 • 정기예탁금증서(대판 1984.11.27, 84도2147) ▶ 신용카드업자가 발행한 신용카드(대판 1999.7.9, 99도857 ∵ 경제적 가치가 화체되어 있거나 특정의 재산권을 표창하는 유가증권 ×, 증표로서의 가치 ○) 13. 경찰간부, 22. 수사경과 ▶ 카드일련번호식 국제전화카드 ⇨ 유가증권 ×(대판 2011.11.10, 2011도9620)

② 수표의 외관이 일반인으로 하여금 진정한 수표라고 신용하게 할 정도의 것이라면 동 수표가 수표요건을 결하여 실체법상 무효의 것이라 해도 위조죄는 성립한다 할 것이다(대판 1973.6.12, 72도1796). 13. 경찰승진, 21. 수사경과

> 예 발행일자의 기재가 없는 수표(대판 1959.7.10), 대표이사의 날인이 없어 상법상 무효인 주권(대판 1974.12.24, 74도294), 위조된 유가증권 · 약속어음(∵ 이를 구입하여 완성한 경우 ⇨ 유가증권위조죄 : 대판 1982.6.22, 82도677), 증권이 비록 문방구 약속어음 용지를 이용하여 작성되었다고 하더라도 그 전체적인 형식 · 내용에 비추어 일반인이 진정한 것으로 오신할 정도의 약속어음 요건을 갖추고 있으면 형법상 유가증권에 해당한다(대판 2001.8.24, 2001도2832). 13. 경찰승진 · 법원행시 · 법원직, 18. 수사경과

(2) 유가증권의 발행자

약속어음의 위조는 적어도 행사할 목적으로 외형상 일반인으로 하여금 진정하게 작성된 유가증권이라고 오신케 할 수 있을 정도로 작성된 것이라면 그 발행명의인이 가령 실재하지 않은 사자 또는 허무인이라 하더라도 그 위조죄가 성립된다(대판 2011.7.14, 2010도1025). 17. 법원행시, 20. 해경 3차, 22. 경찰승진

② 유가증권위조 · 변조죄

제214조 제1항 행사할 목적으로 대한민국 또는 외국의 공채증서 기타 유가증권을 위조 또는 변조한 자는 10년 이하의 징역에 처한다.

🔖 목적범 ○, 미수·예비·음모 처벌(제223조, 제224조), 수표를 위조·변조한 때 ⇨ 부정수표단속법 제5조(수표의 위·변조행위에 관하여는 범죄성립요건을 완화하여 초과주관적 구성요건인 '행사할 목적'을 요구하지 아니함 : 대판 2008.2.14, 2007도10100)가 우선 적용된다. 13. 법원행시·법원직

구분	위 조	변 조
의의	유가증권위조란 작성권한 없는 자가 타인명의의 유가증권을 작성하는 것으로 일반인이 진정하게 작성된 유가증권으로 오신하게 할 정도임을 요한다. 유가증권이 사법상 유효하거나 명의인이 실재함을 요하지 아니하며, 명칭은 본명에 한하지 않고 거래상 본인을 가리키는 것으로 인식되는 칭호(상호나 별명 등)라면 다 가능하다(대판 1982.9.28, 82도296).	유가증권 변조란 이미 진정하게 성립된 타인명의의 유가증권의 내용에 동일성을 해하지 않는 범위 안에서 변경을 가한 경우를 말한다. ▶ 타인에 속한 자기명의의 유가증권에 변경을 가한 경우 ⇨ 유가증권변조죄 ×(허위유가증권작성죄·문서손괴죄 ○)
사례	① 타인이 위조한 백지의 약속어음을 완성한 경우(대판 1982.6.22, 82도677) 18. 순경 1차, 20. 법원직 ② 다쓴 공중전화카드의 자기기록 부분에 전자정보를 기록하여 사용가능한 공중전화카드를 만든 경우(대판 1998.2.27, 97도2483) 10. 경찰승진, 15. 순경 2차 ③ 허무인 명의로 외형상 일반인이 진정한 것으로 오인할 정도의 약속어음을 작성한 경우(대판 1979.9.25, 79도1980) 08. 사시, 11. 순경 ④ 백지어음에 대하여 취득자가 발행자와의 합의에 의해 정해진 보충권의 한도를 넘어 보충을 한 경우(대판 1989.12.12, 89도1264) 14. 경찰간부, 17. 법원행시 ⑤ 리프트탑승권 발매기를 전산조작하여 위조한 탑승권을 발매기에서 뜯어간 후 타인에게 매도한 경우 ⇨ 유가증권위조죄＋절도죄＋위조유가증권행사죄(대판 1998.11.24, 98도2967) 17.7급 검찰 ⑥ 찢어서 폐지로 된 타인의 약속어음을 짜맞추어 어음의 외형을 갖춘 경우(대판 1976.1.27, 74도3442)	① 직장소비조합이 그 소속조합원에게 직번·구입상품명 등을 기재하여 교부한 신용카드의 소지인이 자신이 카드의 금액란을 정정기재할 수 있는 권리가 있는 것처럼 상점점원을 기망하여 그 점원으로 하여금 그 금액란을 정정기재하게 한 경우(대판 1984.11.27, 84도1862) ⇨ 간접정범의 방법에 의한 변조 ② 이미 타인에 의하여 위조된 약속어음의 기재사항을 권한 없이 변경하였다고 하더라도 유가증권변조죄는 성립하지 아니한다. 그리고 위조된 약속어음의 액면금액을 권한 없이 변경하는 것이 당초의 위조와는 별개의 새로운 유가증권위조로 된다고 할 수도 없다(대판 2008.12.24, 2008도9494). 18. 순경 1차, 19. 경찰승진, 20. 법원직, 22. 수사경과, 23. 해경승진 ③ 설사 진실에 합치하도록 변경한 것이라 하더라도 권한 없이 변경한 경우 ⇨ 변조 ○(대판 1984.11.27, 84도1862) 19. 법원행시

PART 02

┌ **관련판례**

● **유가증권위조·변조죄가 성립하는 경우**

1. 약속어음의 위조는 적어도 행사할 목적으로 외형상 일반인으로 하여금 진정하게 작성된 유가증권이라고 오신케 할 수 있을 정도로 작성된 것이라면 그 발행명의인이 가령 실재하지 않은 사자 또는 허무인이라 하더라도 그 위조죄가 성립된다(대판 2011.7.14, 2010도1025). 17. 법원행시, 22. 수사경과

2. 사자 명의로 된 약속어음을 작성함에 있어 사망자의 처로부터 사망자의 인장을 교부받아 생존 당시 작성한 것처럼 약속어음의 발행일자를 그 명의자의 생존 중의 일자로 소급하여 작성한 때에는 발행명의인의 승낙이 있었다고 볼 수 없다(대판 2011.7.14, 2010도1025 ∴ 유가증권위조죄 ○) 18. 법원행시, 22. 해경간부

● **유가증권위조·변조죄가 성립하지 않는 경우**

1. 유가증권의 내용 중 권한 없는 자에 의하여 이미 변조된 부분을 다시 권한 없이 변경하였다고 하더라도 유가증권변조죄는 성립하지 않는다(대판 2012.9.27, 2010도15206). 21. 경찰승진·수사경과, 24. 법원행시

2. 어음금액이 백지인 약속어음의 할인을 위임받은 자가 위임 범위 내에서 어음금액을 기재한 후 어음할인을 받으려고 하다가 여의치 아니하자, 어음금액의 기재를 삭제한 것은 유가증권변조죄에 해당하지 아니한다(대판 2006.1.13, 2005도6267 ∴ 그 권한 범위 내에 속함). 08. 사시, 10. 경찰승진

3. 타인에게 속한 자기명의의 유가증권에 무단히 변경한 경우 ⇨ 문서손괴죄나 허위유가증권작성죄에 해당되는 경우가 있음을 별론으로 하고 유가증권변조죄를 구성하는 것은 아니다(대판 1978.11.14, 78도1904 ∴ 진정하게 성립한 타인명의의 유가증권에 변경을 가하는 경우 ⇨ 유가증권변조죄). 10. 순경, 14. 경찰간부, 24. 해경순경

4. 발행인의 날인 대신 발행인 아닌 타인의 무인만이 있는 약속어음(대판 1992.6.23, 92도976), 발행인의 날인 없는 가계수표 발행(대판 1985.9.10, 85도1501) ⇨ ∴ 진정한 것으로 오신하게 할 정도 × 08. 사시, 20. 해경 3차

5. 회사의 대표이사로서 주권작성권한을 가지고 있는 자가 대표권을 남용하여 자기나 제3자의 이익도모 목적으로 그들 명의의 주권의 기재사항에 변경을 가한 경우(대판 1980.4.22, 79도3034), 백지어음 보충권의 한도가 특정되어 있지 않고 행사방법에도 특별한 정함이 없는 경우 결과적으로 범위를 벗어난 보충권의 행사(대판 1989.12.12, 89도1264) ⇨ ∴ 작성권한 있는 경우임

☝ 본죄의 죄수는 유가증권의 매수를 기준으로 정한다. 따라서 약속어음 2매의 위조행위는 포괄일죄가 아니라 경합범이 된다(대판 1983.4.12, 82도2938).

③ 기재사항의 위조·변조죄

> **제214조 제2항** 행사할 목적으로 유가증권의 권리·의무에 관한 기재를 위조 또는 변조한 자도 전항의 형과 같다.

☝ 목적범 ○, 미수·예비·음모 처벌(제223조, 제224조)

┌ **관련판례** ┐

구 부정수표단속법 제5조는 위조·변조 대상을 '수표'라고만 표현하고 있다. 구 부정수표단속법 제5조는 유가증권에 관한 형법 제214조 제1항 위반행위를 가중처벌하려는 규정이므로, 그 처벌범위가 지나치게 넓어지지 않도록 제한적으로 해석할 필요가 있다. 따라서 구 부정수표단속법 제5조에서 처벌하는 행위는 수표의 발행에 관한 위조·변조를 말하고, 수표의 배서를 위조·변조한 경우에는 수표의 권리의무에 관한 기재를 위조·변조한 것으로서, 형법 제214조 제2항에 해당하는지 여부는 별론으로 하고 구 부정수표단속법 제5조에는 해당하지 않는다(대판 2019.11.28, 2019도12022). 24. 법원행시

4 자격모용에 의한 유가증권작성죄

> **제215조** 행사할 목적으로 타인의 자격을 모용하여 유가증권을 작성하거나 유가증권의 권리 또는 의무에 관한 사항을 기재한 자는 10년 이하의 징역에 처한다.

☙ 목적범 ○, 미수·예비·음모 처벌(제223조, 제224조)

① '타인의 자격을 모용하여'란 대리 또는 대표자격이 없는 자가 타인의 대리인 또는 대표자인 양 그 자격을 사칭하여 유가증권을 작성하는 것을 말한다.

② 대리 또는 대표권이 있는 자라 할지라도 그 권한범위 외의 사항 또는 명백히 권한을 초월한 사항에 관하여 본인 또는 회사 명의의 유가증권을 발행한 때에는 권한 없는 자의 경우와 마찬가지로 본죄가 성립한다(다수설).

③ 대리권 또는 대표권 있는 자가 권한을 남용하여 본인 또는 회사 명의로 유가증권을 발행한 때에는 본죄가 성립하지 않고 허위유가증권작성죄나 배임죄가 성립할 뿐이다.

┌ **관련판례** ┐

• **본죄에 해당하는 경우**

1. 대표이사가 타인(乙)으로 변경되었는데도 전임대표이사(甲)가 명판을 이용하여 후임대표이사의 승낙을 얻어 회사의 약속어음을 발행(대판 1991.2.26, 90도577 ∵ '甲' 명의로 발행한 경우 ▶ 만일 대표이사 '乙' 명의로 발행하면 ⇨ 유가증권위조죄 ○) 17. 경찰간부, 19. 경찰승진, 23. 해경승진, 24. 법원행시

2. 직무집행정지가처분을 받은 대표이사가 그 권한 밖의 일인 대표이사 명의의 유가증권을 작성(대판 1987.8.18, 87도145) 24. 해경순경

• **본죄에 해당하지 않는 경우**

1. 회사의 대표이사가 은행과 당좌거래약정이 되어 있는 전대표이사 명의로 수표를 발행(대판 1975.9.23, 74도1684) ⇨ 유가증권위조죄 ×, 본죄 × ⇨ 무죄(∵ 회사 명의의 수표를 발행할 권한이 있음)

2. 거래상 자기를 표시하는 명칭으로 사용해 온 망부 명의로 어음을 발행(대판 1982.9.28, 82도296) ⇨ 유가증권위조죄 ×, 본죄 × ⇨ 무죄(∵ 피고인 자신의 어음행위임) 11. 경찰승진, 13. 수사경과
   ▶ **유사판례** : 본명이 아닌 칭호가 거래상 자기를 표시하는 것으로 인식되어 온 경우에 본명이 아닌 통상의 명칭으로 수표에 배서한 경우 ⇨ 유가증권위조 및 동행사죄 ×(대판 1996.5.10, 96도527) 13. 사시

⑤ 허위유가증권작성죄

> **제216조** 행사할 목적으로 허위의 유가증권을 작성하거나 유가증권에 허위의 사항을 기재한 자는 7년 이하의 징역 또는 3천만원 이하의 벌금에 처한다.

🔖 목적범 ○, 미수범 처벌 ○(제223조), 예비·음모 처벌 ×

허위의 유가증권작성이란 작성권한 있는 자가 작성명의를 모용하지 않고 단순히 유가증권에 허위의 내용을 기재하는 것을 말한다(일종의 무형위조).

┌─ **관련판례**

- **허위유가증권작성죄에 해당하는 경우**
  1. 유가증권의 허위작성행위 자체에는 직접 관여한 바 없다 하더라도 타인에게 그 작성을 부탁하여 의사연락이 되고 그 타인으로 하여금 범행을 하게 하였다면 공모공동정범에 의한 허위작성죄가 성립한다(대판 1985.8.20, 83도2575). 13·18. 경찰간부
  2. 화물을 인수하거나 확인하지도 아니하고 수출면장만을 확인한 채 실제로 선적하지 않은 화물을 선적하였다는 내용의 선하증권을 발행한 경우(대판 1995.9.29, 95도803) 13. 경찰간부
  3. 발행인 명의 아래 약속어음의 작성을 위임받은 자가 진실에 반하는 자기의 인장을 날인하여 약속어음을 발행한 경우(대판 1975.6.10, 74도2594) 13. 경찰간부
  4. 지급은행과 당좌거래실적이 없거나 거래정지를 당하였음에도 불구하고 수표를 발행한 경우(대판 1956.6.26, 56도128)

- **허위유가증권작성죄에 해당하지 않는 경우**〔권리관계에 아무런 영향을 미치지 못하거나(아래의 1, 2, 3) 권리의 실질관계와 부합한 경우(아래의 4, 5)〕
  1. 약속어음의 발행인이 그 발행을 위하여 은행에 신고된 것이 아닌 발행인의 다른 인장을 날인한 경우(대판 2000.5.30, 2000도883) 13. 순경 3차, 16. 사시, 18·19. 수사경과
  2. 약속어음 배서인의 주소를 허위로 기재한 경우(대판 1986.6.24, 84도547) 11. 법원행시, 12. 순경
  3. 자기앞수표의 발행인이 수표의뢰인으로부터 수표자금을 입금받지 아니한 채 자기앞수표를 발행한 경우(대판 2005.10.27, 2005도4528) 13. 경찰간부, 17·18. 순경 1차, 24. 법원행시
  4. 해당 은행과의 거래가 계속되는 동안 당좌거래은행에 잔고가 없음을 알면서도 수표를 발행한 경우(대판 1960.11.30, 4293형상787)
  5. 주권발행 전에 주식을 양도받은 자에게 주식을 발행한 경우(대판 1982.6.22, 81도1935)

⑥ 위조 등 유가증권행사죄

> **제217조** 위조·변조·작성 또는 허위기재한 전 3조 기재의 유가증권을 행사하거나 행사할 목적으로 수입 또는 수출한 자는 10년 이하의 징역에 처한다.

- 위조 등 유가증권행사죄 ⇨ 목적범 ×, 미수범 처벌 ○(제223조), 예비·음모 처벌 ×
- 위조 등 유가증권수입·수출죄 ⇨ 목적범 ○

┌ 관련판례

본죄의 유가증권은 위조된 유가증권의 원본만을 의미하고 전자복사기로 복사한 사본은 제외된다(대판 1998.2.13, 97도2922 **예** 위조된 약속어음을 복사한 후 그 사본을 소송서류에 첨부하여 법원에 제출한 경우 ⇨ 위조유가증권행사죄 ×). 17. 경찰간부·순경 1차, 20. 법원직·해경 3차, 24. 해경순경

┌ 관련판례

● **위조유가증권행사죄가 성립하는 경우**

1. 위조유가증권임을 알고 있는 자에게 교부하였더라도 피교부자가 이를 유통시킬 것임을 인식하고 교부하였다면 위조유가증권행사죄가 성립(대판 1983.6.14, 81도2492) 13. 경찰승진, 15. 순경 2차, 17. 법원행시, 19. 경찰간부, 22. 수사경과
2. 위조유가증권인 정을 알고 행사할 의사가 분명한 자에게 교부하고 이를 교부받은 자가 행사한 경우 교부자도 본죄의 공동정범(대판 1995.9.29, 95도803)

● **위조유가증권행사죄가 성립하지 않는 경우**

위조유가증권의 교부자와 피교부자가 서로 유가증권위조를 공모하였거나 위조유가증권을 타에 행사하여 그 이익을 나누어 가질 것을 공모한 공범의 관계에 있다면, 그들 사이의 위조유가증권 교부행위는 그들 이외의 자에게 행사함으로써 범죄를 실현하기 위한 전단계의 행위에 불과한 것으로서 위조유가증권은 아직 범인들의 수중에 있다고 볼 것이지 행사되었다고 볼 수는 없다(대판 2010.12.9, 2010도12553). 17. 법원행시, 18. 순경 2차, 21. 수사경과, 23. 경찰승진·해경승진, 24. 순경 1차

⑦ 인지와 우표에 관한 죄

- 우표·인지의 위조·변조죄 ⇨ 목적범 ○, 미수범·예비·음모 처벌 ○(실행에 이르기 전 자수 ⇨ 필요적 감면규정 ×)
- 위조·변조우표 또는 인지행사죄 ⇨ 목적범 ×, 미수범 처벌 ○, 예비·음모 처벌 ×
- 위조·변조우표 또는 인지취득죄 ⇨ 목적범 ○, 미수범 처벌 ○, 예비·음모 처벌 ×
- 우표·인지 등의 소인말소죄 ⇨ 목적범 ○, 미수범 처벌 ×, 예비·음모 처벌 ×
- 우표·인지 등 유사물제조죄 ⇨ 목적범 ○, 미수범 처벌 ○, 예비·음모 처벌 ×

┌ 관련판례

위조우표취득죄 및 위조우표행사죄에 관한 형법 제219조 및 제218조 제2항 소정의 "행사"라 함은 위조된 대한민국 또는 외국의 우표를 진정한 우표로서 사용하는 것에 한정되지 않고 우표수집의 대상으로서 매매하는 경우도 이에 해당한다(대판 1989.4.11, 88도1105). 21. 경찰승진·수사경과, 24. 법원행시

01 통화위조죄에 대한 설명으로 옳은 것은?(다툼이 있는 경우 판례에 의함)   21. 경찰간부, 24. 해경승진

① 위조통화를 행사하여 재물을 불법영득한 때에는 위조통화행사죄와 사기죄가 성립하며, 양 죄는 상상적 경합관계에 있다.

② 통화위조죄를 범할 목적으로 예비·음모한 자가 목적한 죄의 실행에 이르기 전에 자수한 때에는 그 형을 감경 또는 면제할 수 있다.

③ 형법은 행사할 목적으로 외국에서 유통하는 외국의 화폐, 지폐 또는 은행권을 위조 또는 변조한 자에 대한 처벌규정을 두고 있다.

④ 행사할 목적으로 통용하는 대한민국의 화폐, 지폐 또는 은행권을 위조 또는 변조한 행위에 대해서는 외국인의 국외범에 대해서도 대한민국 형법이 적용된다.

> 해설 ① × : 실체적(상상적 ×) 경합관계 ○(대판 1979.7.10, 79도840)
> ② × : ~ 면제한다(필요적 감면 ○, 임의적 감면 × : 제213조 단서).
> ③ × : ~ 외국에서 통용(유통 ×)하는 ~ 있다(제207조 제3항).
> ④ ○ : 제5조 제4호

02 통화에 관한 죄에 대한 설명으로 가장 적절한 것은?(다툼이 있는 경우 판례에 의함)

18. 경찰승진, 21. 해경 2차

① 통화의 위조는 통화발행권이 없는 자가 외견상 진정한 통화와 유사한 것을 제조하는 행위로 누구든지 쉽게 그 진부를 식별하기 불가능할 정도의 것임을 요한다.

② 통화의 변조는 권한 없이 진정한 통화에 가공하여 그 진실한 가치를 변경시키는 행위를 말하며 항상 진정한 통화를 그 재료로 삼는다.

③ 외국에서 통용하지 아니하는 지폐, 즉 강제통용력을 가지지 아니하는 지폐라도 일반인의 관점에서 통용할 것이라고 오인할 가능성이 있으므로 '외국에서 통용하는 외국의 지폐'에 해당한다.

④ 자신의 신용력을 증명하기 위하여 타인에게 보일 목적으로 통화를 위조한 경우에는 행사할 목적이 있다고 할 수 있다.

> 해설 ① × : 위조통화행사죄의 객체인 위조통화는 객관적으로 보아 일반인으로 하여금 진정통화로 오신케할 정도에 이른 것이면 족하고, 그 위조의 정도가 반드시 진정한 통화에 흡사하여야 한다거나 누구든지 쉽게 그 진부를 식별하기가 불가능한 정도의 것일 필요는 없다(대판 1985.4.23, 85도570).
> ② ○ : 타당하다.
> ③ × : 강제통용력을 가지지 아니하나 일반인의 관점에서 통용할 것이라고 오인할 가능성이 있는 지폐까지 '외국에서 통용하는 외국의 지폐'에 포함시킨다면 죄형법정주의의 원칙(유추해석 내지 확장해석금지원칙)에 어긋난다(대판 2004.5.14, 2003도3487).

Answer 01. ④ 02. ②

④ × : 형법 제207조에서 정한 '행사할 목적'이란 유가증권위조의 경우와 달리 위조, 변조한 통화를 진정한 통화로서 유통에 놓겠다는 목적을 말하므로, 자신의 신용력을 증명하기 위하여 타인에게 보일 목적으로 통화를 위조한 경우에는 행사할 목적이 있다고 할 수 없다(대판 2012.3.29, 2011도7704).

03 다음 설명 중 가장 옳지 않은 것은?(다툼이 있는 경우 판례에 의함) 17. 법원행시

① 약속어음의 위조는 적어도 행사할 목적으로 외형상 일반인으로 하여금 진정하게 작성된 유가증권이라고 오신케 할 수 있을 정도로 작성된 것이라면 그 발행명의인이 가령 실재하지 않은 사자 또는 허무인이라 하더라도 그 위조죄가 성립된다.

② 백지어음에 대하여 취득자가 발행자와의 합의에 의하여 정하여진 보충권의 한도를 넘어 보충권을 남용하여 행사한 경우에는 유가증권위조죄가 성립한다.

③ 명의인을 기망하여 문서를 작성케 하는 경우는 서명·날인이 정당히 성립된 경우에도 기망자는 명의인을 이용하여 서명·날인자의 의사에 반하는 문서를 작성케 하는 것이므로 사문서위조죄가 성립한다.

④ 은행을 통하여 지급이 이루어지는 약속어음의 발행인이 그 발행을 위하여 은행에 신고된 것이 아닌 발행인의 다른 인장을 날인하였더라도 허위유가증권작성죄는 성립하지 아니한다.

⑤ 위조유가증권행사죄는 위조사문서행사죄와 달리 위조유가증권임을 알고 있는 자에게 교부하였더라도 위조유가증권 행사죄가 성립하므로, 위조유가증권의 교부자와 피교부자가 유가증권위조를 공모한 공범관계에 있다고 하여도 위조유가증권행사죄는 성립한다.

해설 ① 대판 2011.7.14, 2010도1025
② 대판 1989.12.12, 89도1264
③ 대판 2000.6.13, 2000도778
④ 대판 2000.5.30, 2000도883(∵ 어음의 효력에 아무런 영향 ×)
⑤ × : ~ 공범관계에 있다면 위조유가증권행사죄가 성립하지 않는다(대판 2010.12.9, 2010도12553).

04 유가증권에 관한 죄에 대한 설명 중 가장 적절하지 않은 것은?(다툼이 있는 경우 판례에 의함)
18. 순경 1차

① 자기앞수표의 발행인이 수표의뢰인으로부터 수표자금을 입금받지 아니한 채 자기앞수표를 발행한 경우에는 허위유가증권작성죄가 성립한다.

② 형법 제214조의 유가증권이 되기 위해서는 재산권이 증권에 화체된다는 것과 그 권리의 행사와 처분에 증권의 점유를 필요로 한다는 두 가지 요소를 갖추면 족하지 반드시 유통성을 가질 필요는 없다.

③ 이미 타인에 의하여 위조된 약속어음의 기재사항을 권한 없이 변경하였다고 하더라도 유가증권변조죄는 성립하지 않는다.

Answer 03. ⑤ 04. ①

④ 타인이 위조한 액면과 지급기일이 백지로 된 약속어음을 구입하여 행사의 목적으로 백지인 액면란에 금액을 기입하여 그 위조어음을 완성하는 행위는 백지어음 형태의 위조행위와 별개의 유가증권위조죄를 구성한다.

해설 ① ×: 허위유가증권작성죄 ×(대판 2005.10.27, 2005도4528 ∵ 수표의 효력에 아무런 영향 ×)
② 대판 2001.8.24, 2001도2832
③ 대판 2008.12.24, 2008도9494
④ 대판 1982.6.22, 82도677

05 유가증권에 관한 죄에 대한 설명이다. 아래 ㉠부터 ㉣까지의 설명 중 옳고 그름의 표시(○, ×)가 바르게 된 것은?(다툼이 있는 경우 판례에 의함)　　　　　　19. 경찰승진, 23. 해경승진

> ㉠ 유가증권이란 증권상에 표시된 재산상의 권리의 행사와 처분에 그 증권의 점유를 필요로 하는 것을 총칭하는 것으로서 재산권이 증권에 화체된다는 것, 그 권리의 행사와 처분에 증권의 점유를 필요로 한다는 것과 반드시 유통성을 가질 것을 필요로 한다.
> ㉡ 甲이 백지 약속어음의 액면란을 부당 보충하여 위조한 후 乙이 甲과 공모하여 금액란을 임의로 변경한 경우 乙의 행위는 유가증권위조나 변조에 해당하지 않는다.
> ㉢ A회사의 대표이사로 재직한 바 있는 甲이 A회사의 대표이사가 이미 乙로 변경된 이후임에도 불구하고, 이전부터 사용하여오던 자기 명의로 된 A회사 대표이사 명판을 이용하여 여전히 자신을 A회사 대표이사로 표시하여 약속어음을 발행하고 행사한 경우 유가증권위조죄 및 동행사죄가 성립한다.
> ㉣ 위조유가증권의 교부자와 피교부자가 서로 유가증권위조를 공모한 경우 그들 사이의 위조유가증권교부행위는 유가증권의 유통질서를 해할 우려가 있어 위조유가증권행사죄가 성립한다.

① ㉠(○), ㉡(×), ㉢(○), ㉣(×)
② ㉠(×), ㉡(○), ㉢(×), ㉣(○)
③ ㉠(×), ㉡(○), ㉢(×), ㉣(×)
④ ㉠(×), ㉡(×), ㉢(×), ㉣(○)

해설 ㉠ ×: ~ 유통성을 가질 필요는 없다(대판 2001.8.24, 2001도2832).
㉡ ○: 대판 2008.12.24, 2008도9494(∵ 이미 타인에 의하여 위조된 약속어음의 기재사항을 권한 없이 변경하였다고 하더라도 유가증권변조죄는 성립하지 아니한다. 그리고 위조된 약속어음의 액면금액을 권한 없이 변경하는 것이 당초의 위조와는 별개의 새로운 유가증권위조로 된다고 할 수도 없다.)
㉢ ×: 자격모용에 의한 유가증권작성죄 및 동행사죄 ○, 유가증권위조죄 및 동행사죄 ×(대판 1991.2.26, 90도577)
㉣ ×: 위조유가증권행사죄 ×(대판 2010.12.9, 2010도12553 ∵ 아직 범인들의 수중에 있는 것이지 그들 이외의 자에게 행사되었다고 볼 수 없음)

Answer　05. ③

06 다음의 설명 중 가장 적절한 것은?(다툼이 있는 경우 판례에 의함) 21. 경찰승진

① 일본국의 자동판매기 등에 투입하여 일본국의 500¥(엔)짜리 주화처럼 사용하기 위하여 한국 은행발행 500원짜리 주화의 표면 일부를 깎아내어 손상을 가한 경우, 그 크기와 모양 및 대부분의 문양이 그대로 남아 있더라도 형법 제207조 통화변조죄가 성립한다.

② 형법 제207조 통화위조죄에서 정한 '행사할 목적'은 자신의 신용력을 증명하기 위하여 타인에게 보일 목적으로 통화를 위조한 경우에도 인정할 수 있다.

③ 유가증권의 내용 중 권한 없는 자에 의하여 이미 변조된 부분을 다시 권한 없이 변경하였다고 하더라도 형법 제214조 유가증권변조죄는 성립하지 않는다.

④ 위조우표취득죄 및 위조우표행사죄에 관한 형법 제219조 및 제218조 제2항 소정의 "행사"라 함은 위조된 대한민국 또는 외국의 우표를 진정한 우표로서 사용하는 것으로 우편요금의 납부용으로 사용하는 것에 한정되고 우표수집의 대상으로서 매매하는 경우는 이에 해당하지 않는다.

해설 ① × : 통화변조죄 ×〔대판 2002.1.11, 2000도3950 ∵ 명목가치나 실질가치의 변경 ×, 객관적으로 보아 일반인으로 하여금 일본국의 500¥(엔)짜리 주화로 오신하게 할 정도 ×〕
② × : 형법 제207조 통화위조죄 등에서 정한 '행사할 목적'이란 유가증권위조의 경우와 달리 위조·변조한 통화를 진정한 통화로서 유통에 놓겠다는 목적을 말하므로, 자신의 신용력을 증명하기 위하여 타인에게 보일 목적으로 통화를 위조한 경우에는 행사할 목적이 있다고 할 수 없다(대판 2012.3.29, 2011도7704).
③ ○ : 대판 2012.9.27, 2010도15206
④ × : ~ (3줄) 사용하는 것에 한정되지 않고 우표수집의 대상으로서 매매하는 경우도 이에 해당한다(대판 1989.4.11, 88도1105).

07 통화 및 유가증권의 죄에 관한 설명 중 가장 적절한 것은?(다툼이 있는 경우 판례에 의함) 23. 순경 1차

① 위조통화를 행사하여 재물을 취득한 경우 위조통화행사죄와 사기죄가 성립하고 양죄는 상상적 경합관계에 있다.

② 위조유가증권행사죄에 있어서의 유가증권에는 원본뿐만 아니라 사본도 포함된다.

③ 통화위조죄에서의 '행사할 목적'이란 위조한 통화를 진정한 통화로서 유통에 놓겠다는 목적을 말하므로, 자신의 신용력을 증명하기 위하여 타인에게 보일 목적으로 통화를 위조한 경우에는 행사할 목적이 있다고 할 수 없다.

④ 유가증권의 내용 중 권한 없는 자에 의하여 이미 변조된 부분을 다시 권한 없이 변경한 경우 유가증권변조죄를 구성한다.

해설 ① × : 상상적 경합관계 ×, 실체적 경합관계 ○(대판 1979.7.10, 79도840)
② × : ~ 원본만을 의미하고 사본은 제외된다(대판 1998.2.13, 97도2922).
③ ○ : 대판 2012.3.29, 2011도7704
④ × : 유가증권변조죄 ×(대판 2012.9.27, 2010도15206)

Answer 06. ③ 07. ③

제3절 ▶ 문서에 관한 죄

1 서 설

(1) 문서에 관한 죄의 본질

① **형식주의** : 문서죄의 보호대상을 문서의 성립(즉, 작성명의)의 진정으로 보고, 문서의 내용의 진실 여부와 관계없이 문서의 작성명의에 허위가 있을 때 처벌하는 입법주의이다(유형위조 **예** 공문서·사문서위조죄).

② **실질주의** : 문서죄의 보호대상을 문서에 표시된 내용의 진실'로 보고 문서작성명의(문서의 성립)의 진정 여부에 관계없이 내용을 허위로 작성하는 행위를 처벌하는 입법주의이다〔무형위조 **예** 허위공문서·허위유가증권작성죄, 허위진단서작성죄(이외에 허위사문서작성죄 ×), 공정증서원본부실기재죄(간접적 무형위조)〕.

③ 형법은 사문서의 경우 유형위조만을 처벌하면서 예외적으로 무형위조(**예** 허위진단서작성죄)를 처벌하는 태도를 취하고 있다. 22. 순경 1차

┌ **관련판례**

乙은 丙에게 민사소송의 처리상 필요한 일체의 권한을 위임하였고 이에 따라 丙이 乙의 양해하에 乙의 도장을 甲에게 주자, 甲이 작성한 회의록에다 참석한 바 없는 乙이 참석하여 사회까지 한 것으로 기재한 부분은 사문서의 무형위조에 해당할 뿐이어서 사문서의 유형위조만을 처벌하는 현행 형법하에서는 죄가 되지 아니한다(대판 1984.4.24, 83도2645). 19. 7급 검찰

(2) 문서의 개념

① 형법상 문서에 관한 죄에 있어서 문서라 함은, 문자 또는 이에 대신할 수 있는 가독적 부호로 계속적으로 물체상에 기재된 의사 또는 관념의 표시인 원본 또는 이와 사회적 기능, 신용성 등을 동일시할 수 있는 기계적 방법에 의한 복사본으로서 그 내용이 법률상, 사회생활상 주요 사항에 관한 증거로 될 수 있는 것을 말한다(대판 2006.1.26, 2004도788). 21. 경찰간부, 22. 법원직

┌ **관련판례**

• **문서에 해당하는 경우**

1. **복사문서의 문서성** : 전자복사기, 모사전송기(소위 팩시밀리), 기타 이와 유사한 기기를 사용하여 복사한 문서 또는 도화의 사본도 문서 또는 도화로 본다(제237조의 2). **예** 원본을 복사한 복사문서(대판 1995.12.26, 95도2389), 복사한 문서의 재사본(대판 2000.9.5, 2000도2855) 16. 변호사시험·7급 검찰·철도경찰, 17. 순경 2차, 18. 경찰간부, 22. 해경간부·법원행시·경력채용

2. 작성명의자의 인장이 압날되지 아니하고 혹은 주민등록번호의 기재가 없더라도 일반인으로 하여금 작성명의자가 진정하게 작성한 사문서로 믿기에 충분할 정도의 형식과 외관을 갖추었으면 사문서위조죄의 객체가 된다고 보아야 한다(대판 1989.8.8, 88도2209). 16. 수사경과, 18. 경찰승진, 19. 변호사시험·순경 1차

3. 담뱃갑의 표면에 그 담배의 제조회사와 담배의 종류를 구별·확인할 수 있는 특유의 도안이 표시 되어 있는 경우 그 담뱃갑은 문서 등 위조의 대상인 도화에 해당한다(대판 2010.7.29, 2010도2705). 14. 법원행시, 15. 9급 검찰·마약수사, 18. 경찰간부, 22. 해경간부

4. **후불식 공중전화카드(KT카드)** : 사용자에 관한 각종 정보가 전자기록되어 있는 자기띠 부분은 카드의 나머지 부분과 불가분적으로 결합되어 전체가 하나의 문서를 구성한다(대판 2002.6.25, 2002도461 : 절취한 후불식 공중전화카드(KT카드)를 전화기에 넣어 사용한 것 ⇨ 사문서부정행사죄) 12. 법원행시, 13. 9급 검찰·마약수사 ▶ 일반공중전화카드 ⇨ 유가증권 ○(대판 1998.2.27, 97도2483)

5. **생략문서의 문서성** : 표시가 생략되어 있는 생략문서도 그 내용이 법률상·사회생활상 주요사항을 증명·표시하는 한 문서에 해당된다(대판 1995.9.5, 95도1269). **예** 신용장에 날인된 은행의 접수일부인 (대판 1979.10.30, 77도1879), 11. 법원행시, 13. 순경 1차 세금 영수필 통지서에 날인된 구청 세무계장 명의 의 소인(대판 1995.9.5, 95도1269)

6. 사문서의 작성명의자의 인장이 찍히지 아니하였더라도 그 사람의 상호와 성명이 기재되어 그 명의자 의 문서로 믿을 만한 형식과 외관을 갖춘 경우에는 사문서위조죄에 있어서의 사문서에 해당한다고 볼 수 있다(대판 2000.2.11, 99도4819). 14. 사시

● **문서에 해당하지 않는 경우**

> 컴퓨터 모니터 화면에 나타나는 이미지는 이미지 파일을 보기 위한 프로그램을 실행할 경우에 그때마다 전자적 반응을 일으켜 화면에 나타나는 것에 지나지 않아서 계속적으로 화면에 고정된 것으로는 볼 수 없으므로, 형법상 문서에 관한 죄에 있어서의 '문서'에는 해당되지 않는다고 할 것이다(대판 2008.4.10, 2008도1013). 19. 순경 1차, 21. 경찰간부·변호사시험, 22. 법원직, 24. 법원행시

1. 자신의 이름과 나이를 속이는 용도로 사용할 목적으로 주민등록증의 이름·주민등록번호란에 글자 를 오려붙인 후 이를 컴퓨터 스캔 장치를 이용하여 이미지 파일로 만들어 컴퓨터 모니터로 출력하는 한편 타인에게 이메일로 전송한 경우 ⇨ 공문서위조 및 위조공문서행사죄 ×(대판 2007.11.29, 2007도 7480) 20. 법원행시, 18·21. 경찰간부

2. 컴퓨터 스캔 및 이미지 편집 프로그램을 이용하여 공인중개사 자격증의 이미지 파일을 만들어 낸 후 이를 이메일에 첨부하여 전송함으로써 다른 사람으로 하여금 모니터 화면을 통해 그 이미지 파일을 열어보도록 한 경우 ⇨ 공문서위조 및 위조공문서행사죄 ×(대판 2008.4.10, 2008도1013 ∵ 공인중개사 자격증의 이미지 파일 ⇨ 문서 ×) 17. 순경 2차, 18. 변호사시험, 20. 해경 1차, 21. 해경간부, 23. 경찰간부

3. 국립대학교 교무처장 명의의 '졸업증명서파일'을 위조한 경우 ⇨ 공문서위조죄 ×(대판 2010.7.15, 2010도6068 ∵ '파일' ⇨ 형법상의 문서 ×) 18. 경찰승진, 21. 해경승진, 22. 수사경과·7급 검찰, 24. 해경경장

4. 甲이 HWP 프로그램을 이용하여 대한승마협회장 명의 공문 1부를 임의로 작성한 후 그 문서 파일을 이메일과 모바일 메신저를 이용하여 타인에게 송부한 경우 ⇨ 사문서위조죄와 동행사죄 ×(대판 2018.5.15, 2017도19499 ∵ 문서의 내용을 저장한 전자 파일 ⇨ 문서 ×)

▶ **비교판례**

① 휴대전화 신규 가입신청서를 위조한 후 이를 스캔한 이미지 파일을 제3자에게 이메일로 전송한 경우, 이미지 파일 자체는 문서에 관한 죄의 '문서'에 해당하지 않으나, 이를 전송하여 컴퓨터 화면 상으로 보게 한 행위는 이미 위조한 가입신청서를 행사한 것에 해당하므로 위조사문서행사죄가

성립한다(대판 2008.10.23, 2008도5200). 15. 9급 검찰 · 마약수사, 16 · 17. 순경 2차, 18. 경찰승진, 21. 해경간부, 21 · 23. 경찰간부

② 피고인이 사무실전세계약서 원본을 스캐너로 복사하여 컴퓨터 화면에 띄운 후 포토샵을 이용하여 보증금액 '일천만원'을 지워 보증금액란을 공란으로 만든 다음 이를 프린터로 출력하여 검정색 볼펜으로 보증금액을 '삼천만원'으로 변조하고, 변조된 사무실전세계약서를 팩스로 송부한 경우 ⇨ 사문서변조죄와 동행사죄 ○(대판 2011.11.10, 2011도10468 ∵ 적시된 범죄사실은 '컴퓨터 모니터 화면상의 이미지'를 변조하고 이를 행사한 행위가 아니라 '프린터로 출력된 문서'인 사무실전세계약서를 변조하고 이를 행사한 행위임) 18. 경찰간부, 22. 경찰승진, 23. 변호사시험

② **명의인의 실재성 여부**(사자와 허무인 명의의 문서)

관련판례

1. 작성명의인이 허무인이라고 하더라도 일반인으로 하여금 공무원 또는 공무소의 권한 내에서 작성된 문서라고 믿을 수 있는 형식과 외관을 구비한 문서라면 공문서위조죄의 공문서가 된다(대판 1976. 9.14, 76도1767). 18. 변호사시험, 23. 경력채용 · 7급 검찰, 24. 해경간부

2. 타인 명의의 문서를 위조하여 행사한 경우 요건(행사할 목적으로 작성된 문서가 일반인으로 하여금 당해 명의인의 권한 내에서 작성된 문서라고 믿게 할 수 있는 정도의 형식과 외관을 갖춘 경우)을 구비한 이상 그 명의인이 실재하지 않는 허무인이나 또는 문서의 작성일자 전에 이미 사망하였더라도 사문서위조죄 및 동행사죄가 성립한다(대판 2005.2.24, 2002도18 전원합의체). 동일한 법리로 해산등기를 마쳐 그 법인격이 소멸한 법인 명의의 사문서를 위조한 경우 사문서위조죄를 구성한다(대판 2005.3.25, 2003도4943). 18. 순경 1차, 20. 9급 검찰 · 마약수사 · 해경 1차, 22. 해경간부 · 법원행시, 23. 경찰승진 · 경력채용, 24. 법원직 · 순경 2차

3. 자연인 아닌 법인이나 단체 명의의 문서에 있어서 요건이 구비된 이상 그 문서작성자로 표시된 사람의 실존 여부는 위조죄의 성립에 아무런 지장이 없다(대판 2003.9.26, 2003도3729). 16. 경찰승진

(3) **공문서와 사문서의 구별** : 작성명의인으로 구분

① **공문서** : 우리나라의 공무소 또는 공무원이 직무와 관련하여 그 명의로서 작성한 문서

② **사문서** : 사인의 명의(내국인 · 외국인 불문, 법인이나 법인격 없는 단체 등 불문)로 작성된 문서

관련판례

1. 지방세의 수납업무를 관장하는 시중은행의 직원이나 은행이 작성 · 교부한 세금수납영수증 ⇨ 공문서 ×(대판 1996.3.25, 95도3073 ∵ 공무원 또는 공무소가 아님) 14. 법원행시, 16. 9급 검찰 · 마약수사
   ▶ **유사판례** : 공단이 해양수산부장관을 대행하여 이사장 명의로 발급하는 선박검사증서는 공무원 또는 공무소가 작성하는 문서라고 볼 수 없으므로 공문서위조죄나 허위공문서작성죄에서의 공문서에 해당하지 아니한다(대판 2016.1.14, 2015도9133). 20. 해경 1차

2. 십지지문 지문대조표는 수사기관이 피의자의 신원을 특정하고 지문대조조회를 하기 위하여 직무상 작성하는 서류로서 비록 자서란에 피의자로 하여금 스스로 성명 등의 인적사항을 기재하도록 하고 있다 하더라도 이를 사문서로 볼 수는 없다(대판 2000.8.22, 2000도2393). 14. 경찰승진 · 수사경과, 24. 법원행시

3. 외부 전문기관이 작성·보고하고 지방자치단체의 장 또는 계약담당자가 결재·승인한 검사조서는 허위공문서작성죄의 객체인 공문서에 해당한다(대판 2010.4.29, 2010도875). 17. 법원행시, 22. 해경간부

4. 금융위원회의 설치 등에 관한 법률(금융위원회법) 제29조, 제69조 제1항에서 정한 금융감독원 집행 간부인 금융감독원장 명의의 문서(공문서 ○, 사문서 ×)를 위조, 행사한 행위는 사문서위조죄, 위조 사문서행사죄에 해당하는 것이 아니라 공문서위조죄, 위조공문서행사죄에 해당한다(대판 2021.3.11, 2020도14666). 21·22. 법원행시, 22. 경찰간부, 23. 해경승진

5. 공증인합동사무소에서 온천수개발에 관한 합의서를 작성하여 인증을 받은 후 합의서의 내용을 일부 고친 경우(인증받은 사서증서의 기재내용을 일부 변조한 경우) ⇨ 공문서변조죄 ×, 사문서변조 죄 ○(대판 2005.3.24, 2003도2144 ∵ 사서증서 ⇨ 사문서 ○) 11. 7급 검찰

   ▶ **비교판례** : 간이절차에 의한 민사분쟁사건처리특례법에 의하여 합동법률사무소 명의로 작성된 공증에 관한 문서는 형법상의 공문서에 해당된다(대판 1977.8.23, 74도2715 전원합의체).

6. 공사를 발주한 관서의 장을 대리하여 현장에 주재하며 공사 전반에 관한 감독업무에 종사한 감독관의 공사감독일지 ⇨ 공문서 ○(대판 1989.12.12, 89도1253)

7. 공문서(전자공문서 포함)는 결재권자가 서명 등의 방법으로 결재함으로써 성립된다고 할 수 있다. 따라서 대통령기록물법상 대통령기록물은 대통령기록물생산기관이 '생산'한 것이어야 하는데, 해당 대통령기록물이 공문서(전자공문서 포함)의 성격을 띠는 경우에는 결재권자의 결재가 이루어짐으로써 공문서로 성립된 이후에 비로소 대통령기록물로도 생산되었다고 봄이 타당하다(대판 2020.12.10, 2015도19296).

---

② 사문서위조·변조죄

> **제231조** 행사할 목적으로 권리·의무 또는 사실증명에 관한 타인의 문서 또는 도화를 위조 또는 변조한 자는 5년 이하의 징역 또는 1천만원 이하의 벌금에 처한다.

📛 목적범 ○, 미수범 처벌(제235조)

(1) 의 의

본죄는 행사할 목적으로 권리·의무 또는 사실증명에 관한 타인의 문서 또는 도화를 위조 또는 변조함으로써 성립하는 범죄이다.

(2) 객 체

권리·의무에 관한 문서라 함은 권리의무의 발생·변경·소멸에 관한 사항이 기재된 것을 말하며, 사실증명에 관한 문서는 권리·의무에 관한 문서 이외의 문서로서 거래상 중요한 사실을 증명하는 문서를 의미한다(대판 2012.5.9, 2010도2690). '거래상 중요한 사실을 증명하는 문서'는 법률관계의 발생·존속·변경·소멸의 전후 과정을 증명하는 것이 주된 취지인 문서뿐만 아니라 법률관계에 간접적으로만 연관된 의사표시 또는 권리·의무의 변동에 사실상으로만 영향을 줄 수 있는 의사표시를 내용으로 하는 문서도 포함될 수 있지만, 문서의 주된 취지가 단순히 개인

적 · 집단적 의견의 표현에 불과한 것이어서는 아니 되고, 적어도 실체법 또는 절차법에서 정한 구체적인 권리 · 의무와의 관련성이 인정되는 경우이어야 한다(대판 2024.1.4, 2023도1178 예 甲이 대통령선거를 앞두고 특정 후보자에 대한 지지선언 형식의 기자회견을 위하여 서명부 양식을 작성하여 최소 목표치인 1만명으로부터 서명을 받기 위해 노력했으나 별다른 성과가 없자 총 315명의 허무인 명의로 서명부 21장을 임의로 작성한 경우 ⇨ 사문서위조죄 × ∵ 피고인이 허무인 명의로 작성한 이 사건 서명부 21장은 주된 취지가 특정 대통령후보자에 대한 정치적인 지지 의사를 집단적 형태로 표현하고자 한 것일 뿐, 실체법 또는 절차법에서 정한 구체적인 권리 · 의무에 관한 문서 내지 거래상 중요한 사실을 증명하는 문서에 해당한다고 보기 어렵다). 17. 변호사시험, 19. 경찰승진, 23. 해경 3차, 24. 해경승진

(3) **행 위** : 위조 또는 변조하는 것

구분	위 조	변 조
의 의	작성권한 없는 자가 타인 명의를 모용(함부로 사용)하여 타인 명의의 문서(부진정한 문서, 가짜문서)를 작성하는 것 : 유형위조	정당한 권한 없이 이미 진정하게 성립된 타인 명의의 문서내용에 대하여 동일성을 해하지 않을 정도로 변경을 가하여 새로운 증명력을 작출케 하는 것
사 례	1. 기존의 미완성문서에 가공하여 그 문서를 완성시킨 경우(대판 1983.4.26, 83도520 : 백지위조) 2. 행사할 목적으로 유효기간이 지난 국제운전면허증의 타인의 사진을 떼고 자신의 사진을 붙이는 경우(사문서위조죄 : 대판 1998.4.10, 98도164) 16. 9급 검찰 · 마약수사, 18. 경찰간부, 23. 변호사시험, 24. 순경 2차 3. 위조된 문서원본을 단순히 전자복사기로 복사하여 그 사본을 만드는 행위(대판 2000.9.5, 2000도2855)	1. 보관 중인 영수증에 작성명의인의 승낙 없이 새로운 증명력을 가져오게 하는 문구를 기재한 경우(대판 1995.2.24, 94도2092) 2. 변조된 문서의 내용이 객관적 진실에 합치하거나 명의인에게 유리하여 결과적으로 그 의사에 합치하더라도 본죄가 성립한다(대판 1985.1.22, 84도2422). 09. 사시, 11. 경찰승진 3. 단순한 자구수정이나 문서의 내용에 영향을 미치지 않는 사실을 기재한 것만으로는 변조가 되지 않는다(대판 1981.10.27, 81도2055).

기존의 진정문서를 이용하여 문서를 변개하는 경우에도 문서의 중요 부분에 변경을 가하여 새로운 증명력을 가지는 별개의 문서를 작성하는 것은 문서의 변조가 아닌 위조에 해당한다(대판 2003.9.26, 2003도3729). 22. 경찰간부, 24. 경력채용

관련판례

문서의 위조라고 하는 것은 작성권한 없는 자가 타인 명의를 모용하여 문서를 작성하는 것을 말하는 것이므로 사문서를 작성함에 있어 그 명의자의 명시적이거나 묵시적인 승낙 내지 위임이 있었다면 이는 사문서위조에 해당한다고 할 수 없을 것이지만, 문서 작성권한의 위임이 있는 경우라고 하더라도 그 위임을 받은 자가 그 위임받은 권한을 초월하여 문서를 작성한 경우는 사문서위조죄가 성립하고, 단지 위임받은 권한의 범위 내에서 이를 남용하여 문서를 작성한 것에 불과하다면 사문서위조죄가 성립하지 아니한다고 할 것이다(대판 2012.6.28, 2010도690). 15. 경찰간부, 16. 변호사시험, 20 · 24. 9급 검찰 · 마약수사

• 사문서위조죄가 성립되는 경우

1. 사후 동의·추인이 있거나, 위임의 취지에 반하거나 위임된 권한(범위)을 초월하여 사문서를 작성한 경우 ⇨ 사문서위조죄 ○

   ① 사문서위조죄나 공정증서원본부실기재죄가 성립한 후 사후에 피해자의 동의 또는 추인 등의 사정으로 문서에 기재된 대로 효과의 승인을 받거나, 등기가 실체적 권리관계에 부합하게 되었다 하더라도, 이미 성립한 범죄에는 아무런 영향이 없다(대판 1999.5.14, 99도202). 15. 9급 검찰·마약수사, 16. 경찰승진·수사경과, 22. 해경간부, 23. 변호사시험, 24. 해경경위

   ② 명의인을 기망하여 문서를 작성하게 하는 경우는 서명·날인이 정당히 성립된 경우에도 기망자는 명의인을 이용하여 서명날인자의 의사에 반하는 문서를 작성하게 하는 것이므로 사문서위조죄가 성립한다(대판 2000.6.13, 2000도778 **메** 피고인이 문서명의인인 문중원들을 기망하여 정기 문중총회 회의록을 작성하였다면, 비록 문중원들의 서명·날인이 정당하게 성립된 경우라도 사문서위조죄가 성립한다). 18. 순경 3차, 21. 수사경과, 23. 순경 2차, 24. 9급 검찰·마약수사·경력채용·해경수사

   메 甲이 권리의무에 관한 사문서인 乙명의의 신탁증서 1통을 작성한 후 마치 다른 내용의 문서인 것처럼 乙에게 제시하여 날인을 받고, 이를 법원에 증거로 제출한 경우 ⇨ 사문서위조죄 및 동행사죄(대판 1983.6.28, 83도1036) 17. 경찰간부

   ③ 내용을 기재할 정당한 권한이 없는 자나 내용을 기재하거나 권한을 위임받은 자(**메** 피고인이 명의인인 회사대표이사로부터 문서 작성권한의 위임을 받은 경우)가 권한을 초과하여 내용을 기재함으로써 명의자의 의사에 반하는 사문서를 작성한 경우 ⇨ 사문서위조죄(대판 1997.3.28, 96도3191 ; 대판 2005.10.28, 2005도6088) 18. 순경 3차, 21. 수사경과

   ④ 명의자의 명시적인 승낙이나 동의가 없다는 것을 알고 있었더라도 명의자가 문서작성 사실을 알았다면 승낙하였을 것이라고 기대하거나 예측한 것만으로는 그 승낙이 추정된다고 단정할 수 없다(대판 2008.4.10, 2007도9987 ∴ 문서위조죄가 성립 ○) 20. 해경승진, 22. 경찰간부, 24. 법원직·해경수사

   ⑤ 甲이 乙과의 동업계약에 따라 甲의 명의로 변경하기 위하여 乙의 인장이 날인된 백지의 건축주명의변경신청서를 받아 보관하고 있던 중 그 위임의 취지에 반하여 丙 앞으로 건축주명의를 변경하는 건축주명의변경신청서를 작성하여 구청에 제출하였다면 사문서위조 및 그 행사죄가 성립한다(대판 1984.6.12, 83도2408). 11. 경찰승진, 14. 경찰간부

   ⑥ 타인으로부터 약속어음 작성에 사용하라고 인장을 교부받았음에도 그 인장을 사용하여 그 타인명의의 지급명령이의신청취하서를 작성한 경우 사문서위조죄가 성립한다(대판 1970.9.22, 70도1623). 13. 법원직, 20. 해경 3차

   ⑦ 甲교회 목사가 자신을 지지하는 일부 교인들과 甲교회를 탈퇴함으로써 대표자의 지위를 상실하였으나, 甲교회 명의로 甲교회 소유 부동산을 자신에게 매도하는 내용의 매매계약서를 작성하고 이를 행사한 경우 ⇨ 사문서위조죄 및 위조사문서행사죄(대판 2011.1.13, 2010도9725) 13. 순경 1차, 20. 해경 3차

   ⑧ 주식회사의 적법한 대표이사로부터 포괄적으로 권한 행사를 위임받은 사람이 주식회사 명의로 문서를 작성하는 행위는 원칙적으로 권한 없는 사람의 문서 작성행위로서 자격모용사문서작성 또는 위조에 해당하고, 대표이사로부터 개별적·구체적으로 주식회사 명의 문서 작성에 관하여 위임 또는 승낙을 받은 경우에만 예외적으로 적법하게 주식회사 명의로 문서를 작성할 수 있을 뿐이다(대판 2008.11.27, 2006도2016). 19. 법원직·법원행시, 22·23. 순경 1차

⑨ 사망한 사람 명의의 사문서를 위조한 경우 문서명의인이 생존하고 있다는 점이 문서의 중요한 내용을 이루거나 그 점을 전제로 문서가 작성되었다면, 사망한 명의자의 승낙이 추정된다는 이유로 사문서위조죄의 성립을 부정할 수는 없다(대판 2011.9.29, 2011도6223). 23. 법원행시, 24. 9급 검찰·마약수사

⑩ 문서를 작성할 권한을 위임받지 아니한 문서기안자가 문서작성 권한을 가진 사람의 결재를 받은 바 없이 권한을 초과하여 문서를 작성한 경우(대판 1997.2.14, 96도2234) 14. 순경 2차

⑪ 공동대표이사로 법인등기를 하기로 하여 이사회의사록 작성 등 그 등기절차를 위임받았음에도 단독대표이사 선임의 이사회의사록을 작성하여 단독대표이사로 법인등기한 행위는 사문서위조, 동행사, 공정증서원본부실기재, 동행사의 죄에 해당한다(대판 1994.7.29, 93도1091).

2. 기 타

① 사문서위조죄는 그 명의자가 진정으로 작성한 문서로 볼 수 있을 정도의 형식과 외관을 갖추어 일반인이 명의자의 진정한 문서로 오신하기에 충분한 정도이면 성립하는 것이고, 반드시 그 작성명의자의 서명이나 날인이 있어야 하는 것은 아니다(대판 2008.3.27, 2008도443). 15. 경찰승진, 17. 법원직, 21. 해경 1차, 22. 법원행시·수사경과, 23. 해경승진

② '문서의 원본인지 여부'가 중요한 거래에서 문서의 사본을 진정한 원본인 것처럼 행사할 목적으로, 다른 조작을 가함이 없이 문서의 원본을 그대로 컬러복사기로 복사한 후 복사한 문서의 사본을 원본인 것처럼 행사한 행위는 사문서위조죄 및 동행사죄에 해당한다(대판 2016.7.14, 2016도2081 예 변호사인 피고인이 대량의 저작권법 위반 형사고소 사건을 수임하여 피고소인 30명을 각 형사고소하기 위하여 20건 또는 10건의 고소장을 개별적으로 수사관서에 제출하면서 각 하나의 고소위임장에만 소속 변호사회에서 발급받은 진정한 경유증표 원본을 첨부한 후 이를 일체로 하여 컬러복사기로 20장 또는 10장의 고소위임장을 각 복사한 다음 고소위임장과 일체로 복사한 경유증표를 고소장에 첨부하여 접수한 경우 ⇨ 사문서위조죄 및 동행사죄 ○). 18. 법원직, 21. 순경 2차·수사경과·해경 1차, 22. 법원행시·해경승진, 23. 경찰승진·경력채용, 24. 7급 검찰

③ 음주운전자가 주취운전자적발보고서 및 주취운전자정황진술보고서의 각 운전자란에 타인의 서명을 한 다음 이를 경찰관에게 제출한 경우 ⇨ 사문서위조 및 동행사죄에 해당한다(대판 2004.12.23, 2004도6483). 16. 법원직, 20. 수사경과

④ 피고인이 다른 서류에 찍혀 있던 甲의 직인을 칼로 오려내어 풀로 붙인 후 이를 복사하는 방법으로 甲명의의 추천서와 경력증명서를 위조하고 이를 행사한 경우 ⇨ 사문서위조죄 및 동행사죄(대판 2011.2.10, 2010도8361) 16. 변호사시험, 24. 해경경위

⑤ 실제의 본명 대신 가명이나 위명을 사용하여 사문서를 작성한 경우, 그 문서의 작성명의인과 실제 작성자의 인격이 상이할 때에는 위조죄가 성립할 수 있다(대판 2010.11.11, 2010도1835 단, 인격의 동일성이 그대로 유지되는 때에는 위조가 되지 않는다). 21. 순경 1차

⑥ 위탁자의 서명만 있고 날인이 누락된 위탁자의 출금청구서라 하여도 출금이 가능하였을 경우 권한 없이 위탁자 본인의 의사에 의한 것처럼 가장하여 위탁자의 서명만 있고 날인이 없는 위탁자 출금청구서를 작성한 경우 사문서위조죄가 성립한다(대판 1982.10.12, 81도3176). 06. 법원행시

⑦ 수탁자가 신탁받은 채권을 자신이 신탁자로부터 증여받았을 뿐 명의신탁받은 것이 아니라고 주장하는 상황에서, 신탁자의 상속인이 수탁자의 동의를 받지 아니하고 그 명의의 채권이전등록청구서를 작성·행사한 행위는 사문서위조 및 위조사문서행사죄에 해당한다(대판 2007.3.29, 2006도9425). 09. 법원행시, 11. 경찰승진

● **사문서위조죄가 성립되지 않는 경우**

1. 명의자가 사전승낙(명시적·묵시적·추정적 승낙)이 있거나 포괄적 위임을 받아 위임의 취지에 따르거나 위임받은 권한 내에서 이를 남용하여 사문서를 작성한 경우 ⇨ 사문서위조죄 ×

   ① 매수인으로부터 매도인과의 토지매매계약 체결에 관하여 포괄적 권한을 위임받은 사람이 실제 매수가격보다 높은 가격을 매매대금으로 기재하여 매수인 명의의 매매계약서를 작성한 경우(대판 1984.7.10, 84도1146) 14. 순경 2차, 18. 변호사시험

   ② 일정 한도액에 관하여 연대보증인이 될 것을 허락한 甲으로부터 그에 필요한 문서를 작성하는 데 쓰일 인감도장과 인감증명서를 교부받아 甲을 직접 차주로 하는 동액 상당의 차용금 증서를 작성한 경우 ⇨ 사문서위조죄 ×(대판 1984.10.10, 84도1566 ∵ 정당한 권한에 기하여 그 권한의 범위 안에서 적법하게 작성된 것) 18. 변호사시험·법원직, 20. 해경승진

   ③ 이사들이 이사회참석과 의결권행사에 관한 권한을 위임하면서 맡겨 둔 인장으로 불출석한 이사들이 출석하여 의결권을 행사한 것처럼 이사회의록을 작성하거나(대판 1984.3.27, 83도3260), 출석·의결권을 위임받은 피고인이 불출석한 이사들이 출석하여 의결권을 행사한 것처럼 이사회 회의록을 작성한 경우(대판 1985.10.22, 85도1732 ∵ 사문서의 무형위조 ⇨ 불벌) 18. 순경 3차, 21. 수사경과, 23. 법원행시

   ④ 대금수령에 관하여 포괄적 위임을 받은 자가 대금을 지급받는 방법으로 본인 명의의 차용증서를 작성해 준 경우(대판 1984.3.27, 84도115) 11. 7급 검찰, 24. 해경경위

2. 기 타

   ① 원래 주식회사의 적법한 대표이사나 지배인은 회사의 영업에 관하여 재판상 또는 재판 외의 모든 행위를 할 권한이 있으므로, 대표이사나 지배인이 직접 주식회사 명의 문서를 작성하는 행위는 자격모용사문서작성 또는 위조에 해당하지 않는 것이 원칙이다. 이는 그 문서의 내용이 진실에 반하는 허위이거나 대표권을 남용하여 자기 또는 제3자의 이익을 도모할 목적으로 작성된 경우에도 마찬가지이다(대판 2008.12.24, 2008도7836 ; 대판 2010.5.13, 2010도1040 **예** 주식회사의 지배인이 그 권한을 남용하여 자신을 그 회사의 대표이사로 표시하여 연대보증채무를 부담한다는 취지의 회사 명의의 차용증을 작성한 경우에 사문서위조죄가 성립하지 않는다). 17. 변호사시험, 18. 경찰승진·순경 1차, 20. 해경 1차, 22. 경찰간부, 23. 법원직·법원행시·해경 3차

      ▶ **비교판례** : 회사 내부규정 등에 의하여 각 지배인이 회사를 대리할 수 있는 행위의 종류, 내용, 상대방 등을 한정하여 권한을 제한한 경우에 제한된 권한 범위를 벗어나서 회사 명의의 문서를 작성하였다면, 이는 자기 권한 범위 내에서 권한 행사의 절차와 방식 등을 어긴 경우와 달리 문서위조죄에 해당한다(대판 2012.9.27, 2012도7467 **예** A은행의 지배인으로 등기되어 있는 甲은 지급보증의 성질이 있는 A은행 명의로 된 대출채권양수도약정서와 사용인감계를 작성하였는데, A은행의 내부규정은 지급보증 등의 의사결정권한을 상위 결재권자에게 부여하고 있었다면, 사문서위조죄에 해당한다). 21. 7급 검찰, 22. 경찰간부

   ② A주식회사의 대표이사 甲은 실질적 운영자인 1인 주주 B의 구체적인 위임이나 승낙 없이 이미 퇴임한 전 대표이사 C를 대표이사로 표시하여 A회사 명의의 문서를 작성한 경우 ⇨ 사문서위조죄 ×(대판 2008.11.27, 2006도9194 ∵ 단순히 1인 주주의 위임 또는 승낙을 받지 않았다고 하여 그 대표권 행사가 권한을 넘어서는 행위가 되는 것은 아님) 15. 사시, 16. 9급 검찰·마약수사, 20. 경찰승진, 22. 순경 1차, 24. 해경승진

③ 피고인이 甲 등과 공모한 후 법무사를 기망하여 등기의무자가 본인인지 여부를 확인하고 작성하는 확인서면의 등기의무자란에 등기의무자 乙 대신 甲이 우무인을 날인하는 방법으로 확인서면을 작성한 후 교부받은 경우 ➡ 사문서위조죄 ×, 사문서위조죄의 간접정범 ×(대판 2010.11.25, 2010도11509 ∵ 확인서면은 법무사 명의의 문서일 뿐이고, 법무사가 피고인들로부터 속아 확인서면을 작성하였다고 하더라도 작성명의인이 문서를 작성한 이상 이를 피고인이 위조한 것으로 볼 수 없다.) 12. 순경 2차

④ 세금계산서상의 공급받는 자는 그 문서 내용의 일부에 불과할 뿐 세금계산서의 작성명의인은 아니라 할 것이니, 공급받는 자란에 임의로 다른 사람을 기재하였다 하여 그 사람에 대한 관계에서 사문서위조죄가 성립된다고 할 수 없다(대판 2007.3.15, 2007도169 ∵ 세금계산서 작성권자는 공급자임). 20. 순경 1차, 22. 7급 검찰, 24. 해경경장

⑤ 작성명의자의 승낙이나 위임이 없이 그 명의를 모용하여 토지사용에 관한 책임각서 등을 작성하면서 작성명의자의 서명이나 날인은 하지 않고, 다만 피고인이 자신의 이름으로 보증인란에 서명·날인한 경우, 그와 같은 정도만으로는 명의자가 작성한 진정한 각서로 오신하기에 충분한 정도의 외관과 형식을 갖춘 완성된 문서라고 보기에 부족하므로 사문서위조죄가 성립되기 어렵다(대판 1997.12.26, 95도2221).

⑥ 신탁자에게 아무런 부담이 지워지지 않은 채 재산이 수탁자에게 명의신탁된 경우에는 특별한 사정이 없는 한 재산의 처분 기타 권한행사에 관해서 수탁자가 자신의 명의사용을 포괄적으로 신탁자에게 허용하였다고 보아야 하므로, 신탁자가 수탁자 명의로 신탁재산의 처분에 필요한 서류를 작성할 때에 수탁자로부터 개별적인 승낙을 받지 않았더라도 사문서위조·동행사죄가 성립하지 않는다23. 법원직(원칙 **예** 주식을 명의신탁한 피고인이 명의수탁자를 변경하기 위해 제3자에게 주식을 양도한 후 수탁자 명의의 증권거래세 과세표준신고서를 작성하여 관할세무서에 제출한 경우 ➡ 사문서위조죄 및 위조사문서행사죄 ×). 이에 비하여 수탁자가 명의신탁 받은 사실을 부인하여 신탁자와 수탁자 사이에 신탁재산의 소유권에 관하여 다툼이 있는 경우 또는 수탁자가 명의신탁 받은 사실 자체를 부인하지 않더라도 신탁자의 신탁재산 처분권한을 다투는 경우에는 신탁재산에 관한 처분 기타 권한행사에 관해서 신탁자에게 부여하였던 수탁자 명의사용에 대한 포괄적 허용을 철회한 것으로 볼 수 있어 명의사용이 허용되지 않는다(대판 2022.3.31, 2021도17197).

● **사문서변조죄**

1. 사문서변조에 있어서 그 변조 당시 명의인의 명시적·묵시적 승낙 없이 한 것이면 변조된 문서의 내용이 객관적 진실에 합치하거나 명의인에게 유리하여 결과적으로 그 의사에 합치한다 하더라도 사문서변조죄가 성립한다(대판 1985.1.22, 84도2422). 22. 해경간부, 23. 변호사시험·해경 3차

2. 사문서에 2인 이상의 작성명의인이 있는 때에는 그 명의자 가운데 1인이 나머지 명의자와 합의 없이 행사할 목적으로 그 문서의 내용을 변경하였을 때에는 사문서변조죄가 성립한다(대판 1977.7.12, 77도1736). 17. 변호사시험·법원직, 18. 경찰승진, 22. 7급 검찰·경력채용, 23. 해경 3차

3. 이사가 이사회 회의록에 서명 대신 서명거부사유를 기재하고 그에 대한 서명을 하였는데 이사회 회의록의 작성권한자인 이사장이 임의로 이를 삭제한 경우 ➡ 사문서변조죄 ○(대판 2018.9.13, 2016도20954 **예** 甲학교법인 이사장인 피고인이 甲법인의 이사회 회의록 중 '이사장의 이사회 내용 사전 유출로 인한 책임을 물어 회의록 서명을 거부합니다. 乙'이라고 기재된 부분 및 그 옆에 있던 이사 乙의

서명 부분을 삭제한 후 회의록을 甲법인 홈페이지에 게시한 경우 ⇨ 사문서변조죄 및 동행사죄 ○).
21. 순경 1차·경력채용, 24. 7급 검찰

4. 피고인이 행사할 목적으로 권한 없이 甲은행 발행의 피고인 명의 예금통장 기장내용 중 특정일자에 乙주식회사로부터 지급받은 월급여의 입금자 부분을 화이트테이프로 지우고 복사하여 통장 1매를 변조한 후 그 통장사본을 법원에 증거로 제출한 경우 ⇨ 사문서변조죄 및 동행사죄(대판 2011.9.29, 2010도14587 ∵ 통장 명의자인 甲은행장의 추정적 승낙 ×) 20. 경찰간부

5. 사문서변조죄는 권한 없는 자가 이미 진정하게 성립된 타인 명의의 문서 내용에 대하여 동일성을 해하지 않을 정도로 변경을 가하여 새로운 증명력을 작출케 함으로써 공공적 신용을 해할 위험성이 있을 때 성립한다. 따라서 이미 진정하게 성립된 타인 명의의 문서가 존재하지 않는다면 사문서변조죄가 성립할 수 없다[대판 2017.12.5, 2014도14924 **예** 甲주식회사의 직원 A가 업무용 컴퓨터에 저장된 진정하게 성립되지 않은 '경영정상화 이행계획서 파일'을 모니터에 띄워 권한 없이 그 내용을 수정한 경우 ⇨ 사문서변조죄 ×(∵ 이미 진정하게 성립된 타인 명의의 문서가 존재하지 않는다면 사문서변조죄가 성립할 수 없다)]. 20. 순경 1차

6. 사문서를 수정할 때 명의자가 명시적이거나 묵시적으로 승낙을 하였다면 사문서변조죄가 성립하지 않고, 행위 당시 명의자가 현실적으로 승낙하지는 않았지만 명의자가 그 사실을 알았다면 당연히 승낙했을 것이라고 추정되는 경우에도 사문서변조죄가 성립하지 않는다(대판 2015.11.26, 2014도781).

(4) 실행의 착수시기

관련판례

종량제 쓰레기봉투에 인쇄할 시장 명의의 문안이 새겨진 필름을 제조하는 행위에 그친 경우에는 아직 위 시장 명의의 공문서인 종량제 쓰레기봉투를 위조하는 범행의 실행의 착수에 이르지 아니한 것으로서 공문서위조죄가 성립하지 아니한다(대판 2007.2.23, 2005도7430 ∵ 준비단계에 불과한 것으로 무죄임).
16. 수사경과, 17. 7급 검찰·철도경찰, 20. 해경 3차

(5) 죄수 및 타죄와의 관계

① **죄수** : 문서에 관한 죄의 죄수를 결정하는 기준에 관해서 판례는 보호법익을 기준으로 하는 것이 아니라 문서명의인의 수를 표준으로 죄수를 결정해야 된다는 입장이다. 따라서 2인 이상의 연명으로 된 문서를 위조한 때에는 수죄의 상상적 경합이 된다(대판 1987.7.21, 87도564).
17. 법원행시, 19. 법원직, 22. 경력채용, 24. 9급 검찰·마약수사

② **타죄와의 관계**

㉠ **위조·변조사문서행사죄와의 관계** : 문서를 위조·변조하고 이를 행사한 경우에 양죄의 실체적 경합이 된다는 견해(다수설·판례)와 상상적 경합이 된다는 견해가 대립한다. 12. 경찰간부

ⓛ **문서를 위조하고 이를 행사하여 타인의 재물을 영득한 경우**

┌─ **관련판례**

문서위조죄와 동행사죄 및 사기죄의 실체적 경합(**예** 예금통장을 강취하고 예금자 명의의 예금청구서를 위조한 다음 은행원에게 제출하여 예금을 인출한 때 ⇨ 강도죄, 사문서위조죄·동행사죄, 사기죄의 실체적 경합: 대판 1991.9.10, 91도1722)

ⓒ **손괴죄와의 관계**: 자기 명의의 문서에 대해서는 본죄가 성립할 수 없으므로 타인 수중의 자기 명의의 문서내용을 임의로 변경한 경우는 문서손괴죄만 성립 12. 경찰간부

ⓔ **인장위조죄와의 관계**: 위조사문서에다 위조인장을 사용한 경우 ⇨ 사문서위조죄만 성립 (인장위조 부분은 흡수됨)

ⓜ ○○작가협회 회원이 타인의 명의를 도용하여 협회 교육원장을 비방하는 내용의 호소문을 작성한 후 이를 협회 회원들에게 우편으로 송달한 경우 ⇨ 사문서위조죄(∵ 호소문이 중요한 사실을 증명하는 사실증명에 관한 문서에 해당함)와 명예훼손죄의 실체적 경합관계 (대판 2009.4.23, 2008도8527) 15. 사시

③ 자격모용에 의한 사문서작성죄

> **제232조** 행사할 목적으로 타인의 자격을 모용하여 권리·의무 또는 사실증명에 관한 문서 또는 도화를 작성한 자는 5년 이하의 징역 또는 1천만원 이하의 벌금에 처한다.

💣 목적범 ○, 미수범 처벌(제235조)

① • 대리권 없는 甲이 乙의 대리인으로 자기 명의(乙의 대리인 甲)의 문서를 작성한 경우 ⇨ 자격모용에 의한 사문서작성죄(∵ 자격만 모용)
  • 대리권 없는 甲이 乙의 대리인으로 명의를 모용하여(乙의 대리인 丙) 문서를 작성한 경우 ⇨ 사문서위조죄(∵ 명의까지 모용한 경우)

② • 대리권이나 대표권 있는 자가 그 권한의 범위 내에서 권한을 남용하여(자기 또는 제3자의 이익을 도모할 목적으로 마음대로) 사문서를 작성한 경우 ⇨ 문서에 관한 죄 ×, 배임죄 ○ (통설·판례) 15. 경찰간부, 20. 9급 검찰·마약수사 **예** 토지매수권한을 위임받은 대리인이 매도인측 대표자와 공모하여 매매대금 일부를 착복하기로 하고 위임받은 특정 매매금액보다 낮은 금액을 허위로 기재한 매매계약서를 작성한 경우 ⇨ 자격모용에 의한 사문서작성죄 ×(대판 2007.10.11, 2007도5838)
  • 대리권이나 대표권이 있는 자가 그 권한 이외의 사항에 관하여 대리권자 또는 대표권자 명의로 문서를 작성한 경우 ⇨ 자격모용에 의한 사문서작성죄(다수설), 사문서위조죄(소수설)

┌ 관련판례

1. 종중의 신임 대표자 등이 선임되고 전임 대표자에 대한 직무집행정지가처분결정이 있은 후 전임 대표자가 위 가처분결정을 알면서 대표자 자격으로 작성한 이사회 의사록 등을 작성한 경우 ⇨ 자격모용에 의한 사문서작성죄 ○ (대판 2007.7.26, 2005도4072) 14. 사시

2. 재건축조합의 조합장이 아닌 사람이 재건축조합 조합장의 직함을 사용하여 재건축사업에 관한 계약서를 작성한 경우 ⇨ 자격모용에 의한 사문서작성죄 ○ (대판 2007.7.27, 2006도2330). 09. 법원행시·순경

3. 부동산중개사무소를 대표하거나 대리할 권한이 없는 甲이 부동산매매계약서를 작성함에 있어 공인 중개사란에 'A 부동산 대표 甲'이라고 기재하고 乙에게 교부한 경우, 자격모용에 의한 사문서작성 및 동행사죄가 성립한다(대판 2008.2.14, 2007도9606 ∵ 자격모용에 의한 사문서작성죄에서의 '타인' 에는 자연인뿐만 아니라 법인, 법인격 없는 단체를 비롯하여 거래관계에서 독립한 사회적 지위를 갖고 활동하고 있는 존재로 취급될 수 있으면 여기에 해당된다). 10. 법원행시, 11. 순경

4. 대표자 또는 대리인의 자격으로 임대차 등 계약을 하는 경우 그 자격을 표시하는 방법에는 특별한 규정이 없다. 피고인 자신을 위한 행위가 아니고 작성명의인을 위하여 법률행위를 한다는 것을 인식할 수 있을 정도의 표시가 있으면 대표 또는 대리관계의 표시로서 충분하다(대판 2017.12.22, 2017도14560).

5. 작성자가 '행사할 목적'으로 자격을 모용하여 문서를 작성한 이상 문서행사의 상대방이 자격모용 사실을 알았다거나, 작성자가 그 문서에 모용한 자격과 무관한 직인을 날인하였다는 등의 사정이 있었다고 하더라도 자격모용에 의한 사문서작성죄의 범의와 행사의 목적은 인정된다(대판 2022.6.30, 2021도17712). 23. 순경 2차

④ 사전자기록위작·변작죄

제232조의 2 사무처리를 그르치게 할 목적으로 권리·의무 또는 사실증명에 관한 타인의 전자기록 등 특수매체기록을 위작·변작한 자는 5년 이하의 징역 또는 1천만원 이하의 벌금에 처한다.

☝ 목적범 ○, 미수범 처벌(제235조)

┌ 관련판례

1. 법인이 컴퓨터 등 정보처리장치를 이용하여 전자적 방식에 의한 정보의 생성·처리·저장·출력을 목적으로 전산망 시스템을 구축하여 설치·운영하는 경우 위 시스템을 설치·운영하는 주체는 법인 이고, 법인의 임직원은 법인으로부터 정보의 생성·처리·저장·출력의 권한을 위임받아 그 업무를 실행하는 사람에 불과하다. 따라서 법인이 설치·운영하는 전산망 시스템에 제공되어 정보의 생성· 처리·저장·출력이 이루어지는 전자기록 등 특수매체기록은 그 법인의 임직원과의 관계에서 '타인' 의 전자기록 등 특수매체기록에 해당한다(대판 2020.8.27, 2019도11294 전원합의체). 21. 법원직, 22. 경찰 간부

2. ① 유형위조만을 처벌하는 사문서위조와 달리 제232조의 2(사전자기록위작·변작)에서 정한 '위작' 에 무형위조(권한 있는 사람이 그 권한을 남용하여 허위의 정보를 입력)도 포함하는 것으로 보더라

도 피고인에게 불리한 유추해석 또는 확장해석을 한 것이라고 볼 수 없다(대판 2020.8.27, 2019도 11294 전원합의체). 21. 7급 검찰, 22. 경찰간부·법원행시

② 사전자기록위작죄에서 정한 '위작'이란 전자기록의 생성에 관여할 권한이 없는 사람이 전자기록 을 작성하거나 전자기록의 생성에 필요한 단위정보를 입력하는 경우는 물론 시스템의 설치·운 영 주체로부터 각자의 직무 범위에서 개개의 단위정보의 입력 권한을 부여받은 사람이 그 권한을 남용하여 허위의 정보를 입력함으로써 시스템 설치·운영 주체의 의사에 반하는 전자기록을 생 성하는 경우에도 사전자기록 등 위작죄에서 말하는 전자기록의 '위작'에 포함된다〔대판 2020.8.27, 2019도11294 전원합의체 예 입력할 권한을 가진 주식회사의 대표이사가 당해 회사가 설치·운영 하는 시스템(가상화폐거래시스템)의 전자기록에 허위의 정보를 입력한 경우 ⇨ 사전자기록위작 죄 ○〕. 21. 법원직, 22. 법원행시·순경 2차, 23. 변호사시험, 24. 경력채용

3. 컴퓨터의 기억장치 중 하나인 램(RAM)에 올려진 전자기록 ⇨ 전자기록 등 특수매체기록 ○(대판 2003.10.9, 2000도4993) 10. 순경, 22. 순경 2차

4. 원본파일에 변경까지 초래하지 아니하였더라도 램에 전자기록에 허구의 내용을 권한 없이 수정·입력 한 경우 ⇨ 사전자기록변작죄의 기수 ○(대판 2003.10.9, 2000도4993) 18. 경찰승진, 21. 해경승진

5. 사전자기록위작·변작죄에서 사무처리를 그르치게 할 목적이란 위작 또는 변작된 전자기록이 사용 됨으로써 전자적 방식에 의한 정보의 생성·처리·저장·출력을 목적으로 구축한 시스템을 설치· 운영하는 주체(개인 또는 법인)의 사무처리를 잘못되게 하는 것을 말한다(대판 2008.6.12, 2008도938). 22. 법원행시

예 ① 새마을금고 직원이 금고의 전 이사장에 대한 채권확보를 위해 금고의 예금관련 컴퓨터 프로그 램에 전 이사장 명의의 예금계좌 비밀번호를 동의 없이 입력하여 위 예금계좌에 입금된 상조금 을 위 금고의 가수금계정으로 이체한 경우 ⇨ 사전자기록위작·변작죄 ×(대판 2008.6.12, 2008 도938 ∵ '사무처리를 그르치게 할 목적' ×) 16. 경찰간부

② 인터넷 포털사이트에 개설한 카페의 설치·운영 주체로부터 글쓰기 권한을 부여받은 사람이 위 카페에 접속하여 자신의 아이디로 허위내용의 글을 작성·게시한 경우 ⇨ 사전자기록위작 죄 ×(대판 2008.4.24, 2008도294 ∵ '사무처리를 그르치게 할 목적' ×) 16. 경찰간부

---

5 공문서위조·변조죄

> **제225조** 행사할 목적으로 공무원 또는 공무소의 문서 또는 도화를 위조 또는 변조한 자는 10년 이하의 징역에 처한다.

🎯 목적범 ○, 미수범 처벌(제235조)

관련판례

1. 이미 허위로 작성된 공문서 ⇨ 공문서변조죄의 객체 ×(대판 1986.11.11, 86도1984 예 공무원이 허위 로 작성한 폐품반납증을 행사목적으로 권한 없이 변경한 경우 ⇨ 공문서변조죄 ×, 무죄) 10. 법원행시, 13. 수사경과, 18. 경찰간부

2. 공문서변조죄에 있어서 행사할 목적이란 변조된 공문서를 진정한 문서인 것처럼 사용할 목적, 즉 행사의 상대방이 누구이든지간에 그 상대방에게 문서의 진정에 대한 착오를 일으킬 목적이면 충분한 것이지 반드시 변조 전의 그 문서의 본래의 용도에 사용할 목적에 한정되는 것은 아니다(대판 1995. 3.24, 94도1112). 09. 법원행시

┌─ **관련판례**

> 일반인으로 하여금 공무원 또는 공무소의 권한 내에서 작성된 문서라고 믿을 수 있는 형식과 외관을 구비한 문서를 작성하면 공문서위조죄가 성립하지만, 평균수준의 사리분별력을 갖는 사람이 조금만 주의를 기울여 살펴보면 공무원 또는 공무소의 권한 내에서 작성된 것이 아님을 쉽게 알아볼 수 있을 정도로 공문서로서의 형식과 외관을 갖추지 못한 경우에는 공문서위조죄가 성립하지 않는다(대판 1992.5.26, 92도699).

● **공문서위조죄에 해당하는 경우**

1. 타인의 주민등록증사본의 사진란에 피고인의 사진을 붙여 복사하여 행사한 경우 ⇨ 공문서위조죄 및 동행사죄(대판 2000.9.5, 2000도2855 ∵ 진정한 문서의 사본을 복사하면서 그 사본 내용과 전혀 다른 별개의 문서사본을 창출하는 행위 ⇨ 문서위조행위 ○) 15. 경찰간부·9급 검찰·마약수사, 16. 경찰승진·법원직, 20. 순경 1차·수사경과·해경승진, 22. 해경간부

  ▶ **유사판례** : 甲이 D의 주민등록증을 이용하여 주민등록증상 이름과 사진을 하얀 종이로 가린 후 복사기로 복사를 하고, 다시 컴퓨터를 이용하여 E의 인적사항과 주소, 발급일자를 기재한 후 덮어 쓰기를 하여 이를 다시 복사하는 방식으로 별개의 주민등록증사본을 창출시킨 경우 ⇨ 공문서위조죄 ○, 공문서변조죄 ×(대판 2004.10.28, 2004도5183) 22·23. 경찰간부

2. 행사의 목적으로 타인의 주민등록증의 사진을 떼고 자신의 사진을 붙이는 경우(대판 1991.9.10, 91도1610 ∵ 기존 공문서의 본질적 또는 중요부분에 변경을 가하여 새로운 증명력을 가진 별개의 공문서 작성) 20. 수사경과, 22. 경찰간부

3. 작성권한 있는 공무원을 보조하는 기안담당자나 보충기재권한만을 위임받은 공무원이 작성권한자의 결재 없이 임의로 허위내용의 공문서를 작성한 경우(대판 1981.7.28, 81도898 ; 대판 1995.3.24, 94도1112) 22. 순경 1차, 24. 경력채용

  ▶ **유사판례** : 공문서 작성권자로부터 '일정한 요건이 구비되었는지의 여부를 심사하여 그 요건이 구비되었음이 확인될 경우에 한하여 작성권자의 직인을 사용하여 작성권자 명의의 공문서를 작성하라.'는 포괄적인 권한을 수여받은 업무보조자인 공무원 甲이, 그 위임의 취지에 반하여 공문서 용지에 허위내용을 기재하고 그 위에 보관하고 있던 작성권자의 직인을 날인하여 작성한 경우(대판 1996.4.23, 96도424) 14. 사시

● **공문서위조죄에 해당하지 않는 경우**

1. 건설업자인 甲은 공무원인 乙에게 실적이 과장되어 내용이 허위인 수주실적증명원을 제출하였다. 그리고 이 사실을 모르는 乙로부터 이 문서를 기초로 증명원 내용과 같은 공사실적증명서를 발급받은 경우 ⇨ 공문서위조죄의 간접정범 ×(대판 2001.3.9, 2000도938 ∵ 작성권한 있는 공무원이 타인의 기망으로 기재사항이 허위임을 알지 못하고 기재사항을 인식하고 그 문서를 작성할 의사로써 이에

서명날인한 경우 ⇨ 그 문서의 성립은 진정하며 작성명의를 모용한 사실 ×) 15. 경찰간부, 18. 법원직, 20. 해경승진, 21. 순경 2차, 22. 해경간부

2. 공립학교 교사가 작성하는 교원의 인적사항과 전출희망사항 등을 기재하는 부분과 학교장이 작성하는 학교장의견란 등으로 구성되어 있는 교원실태조사카드의 교사 명의 부분을 명의자의 의사에 반하여 작성한 경우 ⇨ 공문서위조죄 ×(대판 1991.9.24, 91도1733 ∵ 학교장의 작성명의 부분 ⇨ 공문서 ○, 교사 명의의 작성부분 ⇨ 공문서 ×) 16. 순경 1차, 17. 경찰승진, 23. 해경승진

3. 식당의 주·부식 구입 업무를 담당하는 공무원이 계약 등에 의하여 공무소의 주·부식 구입·검수 업무 등을 담당하는 조리장·영양사 등의 명의를 위조하여 검수결과보고서를 작성한 경우 ⇨ 공문 서위조죄 ×(대판 2008.1.17, 2007도6987 ∵ 그 행위주체가 공무원과 공무소가 아닌 경우에는 형법 또는 기타 특별법에 의하여 공무원 등으로 의제되는 경우를 제외하고는 계약 등에 의하여 공무와 관련되는 업무를 일부 대행하는 경우가 있다 하더라도 공무원 또는 공무소가 될 수는 없음). 15. 경찰 간부, 16. 순경 2차, 20. 순경 1차, 22. 7급 검찰, 24. 해경경장

4. 기안문서(공문서)의 작성권한자가 직접 이에 서명하지 않고 甲에게 지시하여 자기서명을 흉내내어 결재란에 대신 서명하게 한 경우 ⇨ 甲의 행위는 작성권자의 지시·승낙에 의한 것(공문서위조죄의 구성요건해당성 ×) ⇨ 공문서위조죄 ×(대판 1983.5.24, 82도1426) 15. 경찰간부, 18. 경찰승진

5. 甲이 콘도미니엄 입주민들의 모임인 A시설운영위원회의 대표로 선출된 후 A위원회가 대표성을 갖춘 단체라는 외양을 작출할 목적으로, 행정용 봉투에 A위원회의 한자와 한글 직인을 날인한 다음 자신의 인감증명서 중앙에 있는 '용도'란 부분에 이를 오려 붙이는 방법으로 인감증명서 1매를 작성하고, 이를 휴대전화로 촬영한 사진 파일을 입주민들이 참여하는 메신저 단체대화방에 게재한 경우에는 공문서위조 및 동행사죄가 성립하지 아니한다(대판 2020.12.24, 2019도8443 ∵ 진정한 문서로 오신할 만한 외관과 형식을 갖추었다고 인정 ×). 21. 법원행시·순경 2차

> 공문서변조죄는 권한 없는 자가 공무소 또는 공무원이 이미 작성한 문서내용에 대하여 동일성을 해하지 않을 정도로 변경을 가하여 새로운 증명력을 작출케 함으로써 공공적 신용을 해할 위험성이 있을 때 성립한다. 이때 일반인으로 하여금 공무원 또는 공무소의 권한 내에서 작성된 문서라고 믿을 수 있는 형식과 외관을 구비한 문서를 작성하면 공문서변조죄가 성립한다(대판 2021.2.25, 2018도19043).

● 공문서변조죄가 성립하는 경우

1. 최종 결재권자를 보조하여 문서의 기안업무를 담당한 공무원이 이미 결재를 받아 완성된 공문서에 대하여 적법한 절차를 밟지 않고 그 내용을 변경한 경우에도 특별한 사정이 없는 한 공문서변조죄가 성립한다(대판 2017.6.8, 2016도5218). 12. 경찰간부, 21. 변호사시험

2. 피고인들이 자동차등록증 '비고'란을 임의로 변경하고 이를 행사한 행위를 공문서변조죄 및 변조공문 서행사죄에 해당한다(대판 2016.3.24, 2014도6287).

3. 피고인이 인터넷을 통하여 열람·출력한 등기사항전부증명서 하단의 열람 일시 부분을 수정 테이프 로 지우고 복사해 두었다가 이를 타인에게 교부한 경우 ⇨ 공문서변조죄 및 변조공문서행사죄 ○ (공문서위조죄 및 위조공문서행사죄 ×)(대판 2021.2.25, 2018도19043 ∵ 피고인이 등기사항전부증 명서의 열람 일시를 삭제하여 복사한 행위는 등기사항전부증명서가 나타내는 권리·사실관계와 다

른 새로운 증명력을 가진 문서를 만든 것에 해당하고 그로 인하여 공공적 신용을 해할 위험성도 발생하였다). 21. 법원행시, 22. 법원직, 23. 변호사시험·7급 검찰, 24. 순경 1차·2차·경력채용

● **공문서변조죄가 성립하지 않는 경우**

1. 당사자가 이혼의사확인서등본과 간인으로 연결된 이혼신고서를 떼어내고 원래 이혼신고서의 내용과 는 다른 이혼신고서를 작성하여 이혼의사확인서등본과 함께 호적관서에 제출하였다고 하더라도, 공문서인 이혼의사확인서등본을 변조하였다거나 변조된 이혼의사확인서등본을 행사하였다고 할 수 없다(대판 2009.1.30, 2006도7777 ∵ 이혼신고서를 확인서등본 뒤에 첨부하여 그 직인을 간인하였다고 하더라도, 이혼신고서가 공문서인 이혼의사확인서등본의 일부가 되었다고 볼 수 없다). 16. 7급 검찰· 철도경찰, 20. 수사경과, 18·21. 순경 1차, 22. 해경간부, 24. 법원행시

2. 권한 없는 자가 임의로 인감증명서의 사용용도란의 기재를 고쳐 써서 사용한 경우 ⇨ 공문서변조죄 ×, 변조공문서행사죄 ×(대판 2004.8.20, 2004도2767) 16. 순경 1차·2차, 22. 경찰간부

3. 공문서변조죄는 변조한 공문서 자체를 진정한 것으로 '행사할 목적' 아래 그 기재내용을 변개한 경우 에 성립하는 것이므로 사본을 행사할 목적으로 면허증사진 위에 다른 사진을 떨어지지 않을 정도로 풀을 약간 칠해 붙여 이를 전자복사기에 넣어 면허증 사본을 복사한 행위는 면허증 원본을 행사할 목적이 없는 것이어서 공문서변조죄에 해당하지 않는다(대판 1986.2.25, 85도2835). 09. 법원행시

⑥ 자격모용에 의한 공문서작성죄

> **제226조** 행사할 목적으로 공무원 또는 공무소의 자격을 모용하여 문서 또는 도화를 작성한 자는 10년 이하의 징역에 처한다.

📛 목적범 ○, 미수범 처벌(제235조)

┌ **관련판례**

1. 甲구청장이 乙구청장으로 전보된 후 甲구청장의 권한에 속하는 건축허가에 관한 기안용지의 결재란 에 서명을 한 경우(대판 1993.4.27, 92도2688) 16. 순경 2차, 17. 경찰간부, 24. 경위공채

2. 식당의 주·부식 구입 업무를 담당하는 공무원이 주·부식구입요구서의 과장결재란에 권한 없이 자신의 서명을 한 경우, 자격모용공문서작성죄가 성립하고 공문서위조죄는 문제되지 않는다(대판 2008.1.17, 2007도6987). 16. 7급 검찰·철도경찰, 22. 수사경과

⑦ 공전자기록위작·변작죄

> **제227조의 2** 사무처리를 그르치게 할 목적으로 공무원 또는 공무소의 전자기록 등 특수매체기록을 위 작·변작한 자는 10년 이하의 징역에 처한다.

📛 목적범 ○, 미수범 처벌(제235조)

> **관련판례**
>
> 1. 한국환경공단법 등이 한국환경공단 임직원을 형법 제129조 내지 제132조(수뢰죄)의 적용에 있어 공무원으로 본다고 규정한다고 하여 그들 또는 그들이 직무를 행하는 한국환경공단을 형법 제227조 의 2(공전자기록 위작·변작죄)에 정한 공무원 또는 공무소에 해당한다고 보는 것은 형벌법규를 피고인에게 불리하게 확장해석하거나 유추해석하는 것이어서 죄형법정주의 원칙에 반한다. 이는 한국환경공단 또는 그 임직원이 환경부장관으로부터 위탁받은 업무와 관련하여 직무상 작성한 문서 를 공문서로 볼 수 없는 것과 마찬가지이다(대판 2020.3.12, 2016도19170). 21. 법원행시·7급 검찰
>
> 2. ① 경찰범죄정보시스템에 접근하여 당해 사건의 처리정보를 입력할 수 있는 권한이 있는 담당 경찰관 이 그 권한을 일탈·남용하여 경찰범죄정보시스템에 허위의 정보를 입력한 행위는 공전자기록위작 죄에 해당한다(대판 2005.6.9, 2004도6132). 08. 법원행시 ② 甲이 시청 공무원으로 시청 청사신축공사 현장에 출장을 나간 적이 없는 동료 공무원이 마치 현장출장을 간 것처럼 시청 행정지식관리시스템에 허위의 정보를 입력하여 출장복명서를 생성한 후 그 사실을 모르는 결재권자에게 이를 전송한 경우 ⇨ 공전자기록위작 및 위작공전자기록 행사죄 ○ : 대판 2007.7.27, 2007도3798). 10. 사시, 11. 경찰승진, 20. 해경 1차 ③ 공군 복지근무지원단 예하 부대의 매점 및 창고관리 부사관으로 근무하던 甲이 이미 자신이 횡령한 바 있는 면세주류를 마치 정상적으로 판매한 것처럼 위 지원단 업무관리 전산시스템에 입력한 행위는 공전자기록 등 위작죄가 성립한다(대판 2010.7.8, 2010도3545). 16. 사시
>
> 3. 자동차등록 담당공무원인 피고인이 여객자동차 운수사업법상 차량충당연한 규정에 위배되어 영업용 으로 변경 및 이전등록을 할 수 없는 차량인 것을 알면서 자동차등록정보 처리시스템의 자동차등록원 부 용도란에 '영업용'이라고 입력하였으나, 변경 및 이전등록에 관한 구체적 등록내용인 최초등록일 등은 사실대로 입력한 경우 ⇨ 공전자기록 등 위작죄 ×(대판 2011.5.13, 2011도1415 ∵ 최초등록일 등 등록과 관련된 사실관계에 대한 내용에 거짓이 없음 ⇨ '위작' ×) 16. 경찰간부, 24. 해경경위

⑧ 허위진단서작성죄

> **제223조** 의사, 한의사, 치과의사 또는 조산사가 진단서, 검안서 또는 생사에 관한 증명서를 허위로 작성 한 때에는 3년 이하의 징역이나 금고, 7년 이하의 자격정지 또는 3천만원 이하의 벌금에 처한다.

🕐 1. 목적범 ×, 미수범 처벌(제235조)
　 2. 사문서의 무형위조를 예외적으로 처벌하는 경우이다.

> **관련판례**
>
> 1. 허위진단서작성죄의 대상은 공무원이 아닌 의사가 사문서로서 진단서를 작성한 경우에 한정되고, 공무원인 의사가 공무소의 명의로 허위진단서를 작성한 경우에는 허위공문서작성죄만 성립하고 허 위진단서작성죄는 별도로 성립하지 않는다(대판 2004.4.9, 2003도7762 🔵 국립병원의 의사로서 보건 복지부 소속 의무서기관이 타인의 부탁을 받고 허위의 진단서를 작성한 후 그 사례 명목으로 금품을 수수하였다면 허위공문서작성죄와 부정처사 후 수뢰죄의 실체적 경합의 죄책을 진다). 15. 법원행시, 18. 변호사시험, 19. 법원직, 20. 수사경과, 22. 순경 1차

2. 의사인 피고인이 환자의 인적사항, 병명, 입원기간 및 그러한 입원사실을 확인하는 내용이 기재된 '입퇴원 확인서'를 허위로 작성한 경우 ⇨ 허위진단서작성죄 ×(대판 2013.12.12, 2012도3173 ∵ '입퇴원 확인서'는 허위진단서작성죄에서 규율하는 진단서로 보기 어렵다.) 16. 경찰간부·법원행시

3. 진단서는 의사가 진찰의 결과에 관한 판단을 표시하여 사람의 건강상태를 증명하기 위하여 작성하는 문서를 말한다. 진단서의 내용이 실질상 진실에 반하는 기재여야 할 뿐 아니라 그 내용이 허위라는 의사의 주관적 인식이 필요하며, 그러한 인식은 미필적 인식으로도 충분하다. 그리고 허위진단서 작성에 해당하는 허위의 기재는 사실에 관한 것이건 판단에 관한 것이건 불문하므로, 현재의 진단명과 증상에 관한 기재뿐만 아니라 현재까지의 진찰 결과로서 발생 가능한 합병증과 향후 치료에 대한 소견을 기재한 경우에도 그로써 환자의 건강상태를 나타내고 있는 이상 허위진단서 작성의 대상이 될 수 있다(대판 2017.11.9, 2014도15129). 20. 법원행시, 22. 경찰승진

4. ① 형법 제233조의 허위진단서작성죄가 성립하기 위하여서는 진단서의 내용이 객관적으로 진실에 반할 뿐 아니라 작성자가 진단서 작성 당시 그 내용이 허위라는 점을 인식하고 있어야 하고, 주관적으로 진찰을 소홀히 한다든가 착오를 일으켜 오진한 결과로 진실에 반한 진단서를 작성하였다면 허위진단서 작성에 대한 인식이 있다고 할 수 없으므로 허위진단서작성죄가 성립하지 않는다(대판 2024.4.4, 2021도15080).

② 의사 등은 사망진단서 작성 당시까지 드러난 환자의 임상 경과를 고려하여 가장 부합하는 사망 원인과 사망의 종류를 자신의 의학적인 판단에 따라 사망진단서에 기재할 수 있으므로, 부검 이전에 작성된 사망진단서에 기재된 사망 원인이 부검으로 밝혀진 사망 원인과 다르다고 하여 피고인들에게 허위진단서 작성의 고의가 있다고 곧바로 추단할 수는 없다(대판 2024.4.4, 2021도15080).

⑨ 허위공문서작성죄

> **제227조** 공무원이 행사할 목적으로 그 직무에 관하여 문서 또는 도화를 허위로 작성하거나 변개한 때에는 7년 이하의 징역 또는 2천만원 이하의 벌금에 처한다.

🏛 목적범 ○, 미수범 처벌(제235조)

① **의의** : 본죄는 직무상 공문서를 작성할 권한이 있는 공무원이 자기 명의로 진정한 문서를 작성하면서, 내용이 진실과 부합하지 않는 허위공문서를 작성하는 것이다(공문서 무형위조를 벌하는 규정).

② **주체** : 직무에 관하여 공문서 또는 공도화를 작성할 권한이 있는 공무원(진정신분범)

③ **객체** : 허위공문서작성죄의 객체가 되는 문서는 문서상 작성명의인이 명시된 경우뿐 아니라 작성명의인이 명시되어 있지 않더라도 문서의 형식, 내용 등 문서 자체에 의하여 누가 작성하였는지를 추지할 수 있을 정도의 것이면 된다(대판 2019.3.14, 2018도18646). 20·22. 법원직, 21. 변호사시험·9급 검찰·마약수사·순경 1차, 22. 경찰간부·해경 2차, 24. 7급 검찰

'직무에 관한 문서'라 함은 공무원이 직무권한 내에서 작성하는 문서를 말하고, 그 문서는 대외적인 것이거나 내부적인 것을 구별하지 아니하며, 그 직무권한이 반드시 법률상 근거가

있음을 필요로 하는 것이 아니고 **명령, 내규 또는 관례에 의한 직무집행의 권한으로 작성하는 경우라도 포함된다**(대판 2015.10.29, 2015도9010). 21. 9급 검찰·마약수사·해경 2차, 24. 법원직

④ **행위** : 문서·도화를 허위로 작성하거나 변개하는 것

> **관련판례**

문서에 관한 죄의 보호법익은 문서의 증명력과 문서에 들어 있는 의사표시의 안정·신용으로, 일정한 법률관계 또는 거래상 중요한 사실에 관한 관계를 표시함으로써 증거가 될 만한 가치가 있는 문서를 그 대상으로 한다. 그중 공무소 또는 공무원이 그 직무에 관하여 진실에 반하는 허위 내용의 문서를 작성할 경우 허위공문서작성죄가 성립하고, 이는 공문서에 특별한 증명력과 신용력이 인정되기 때문에 성립의 진정뿐만 아니라 내용의 진실까지 보호하기 위함이다. 따라서 허위공문서작성죄의 허위는 표시된 내용과 진실이 부합하지 아니하여 그 문서에 대한 공공의 신용을 위태롭게 하는 경우여야 하고, 그 내용이 허위라는 사실에 관한 피고인의 인식이 있어야 한다(대판 2022.8.19, 2020도9714). 24. 법원직

● **허위공문서작성죄에 해당하는 경우**

1. ① 가옥대장에 무허가건물을 허가받은 건물로 기재(대판 1983.12.13, 83도1458) ② 준공검사 없이 준공검사를 하였다고 기재(대판 1990.10.16, 90도1798) ③ 세대주가 아닌 자를 세대주인 것으로 해서 주민등록표를 작성(대판 1990.10.16, 90도1199) ④ 피의자신문에 참여하지 않은 사법경찰리를 참여한 것 같이 기재한 경우(대판 1966.9.6, 66도874) ⑤ 가옥대장의 기재와 다른 내용을 기재한 가옥증명서 발행(대판 1973.10.23, 73도395) ⑥ 원본과 대조하지 않고 원본대조필을 날인(대판 1981.9.22, 80도3180) ⑦ 미완성공사에 준공검사조서를 작성(대판 1995.6.13, 95도491) ⑧ 폐기물처리사업계획이 관계 법령의 규정에 적합하지 않음을 알았음에도 불구하고 적합하다는 내용의 통보서를 작성한 경우(대판 2003.2.11, 2002도4293) 14. 경찰간부, 18. 9급 검찰, 18·22. 법원직

2. 인감증명서 발급업무를 담당하는 공무원이 발급을 신청한 본인이 직접 출두한 바 없음에도 불구하고 본인이 직접 신청하여 발급받은 것처럼 인감증명서에 기재한 경우(대판 1997.7.11, 97도1082), 17. 순경 1차, 22. 경찰간부·경력채용, 23. 법원행시, 24. 경위공채 **인감증명서 발행시 대리인에 의한 것을 본인의 신청에 의한 것으로 기재한 경우**(대판 1985.6.25, 85도758) 15. 법원행시, 18. 법원직

3. 신청인에게 농업경영능력이나 영농의사가 없음을 알거나 이를 제대로 알지 못하면서도 농지취득자격에 아무런 문제가 없다는 내용으로 농지취득자격증명통보서를 작성한 경우 허위공문서작성죄가 성립한다(대판 2007.1.25, 2006도3996). 17. 순경 1차

4. 공증담당 변호사가 법무사의 직원으로부터 인증촉탁서류를 제출받았을 뿐 법무사가 공증사무실에 출석하여 사서증서의 날인이 당사자 본인의 것임을 확인한 바 없음에도 마치 그러한 확인을 한 것처럼 인증서에 기재한 경우(대판 2007.1.25, 2006도3844) 21. 9급 검찰·마약수사, 24. 해경수사

5. 소유권이전등기와 근저당권설정등기가 동시에 신청되고 등본교부신청이 함께 있는 경우에 소유권이전등기만 기입한 등기부등본을 발급한 경우(대판 1996.10.15, 96도1669) 22. 법원직

6. 경찰관이 피의자들을 현행범으로 체포하거나 현행범인체포서를 작성할 때 체포사유 및 변호인선임권을 고지하였다는 내용의 허위의 현행범인체포서와 확인서를 작성한 경우(대판 2010.6.24, 2008도11226) 18. 경력채용

7. 불법건축물 단속 업무를 담당하고 있는 청원경찰 甲이 실제로 현장확인을 하지 않고 **동료 청원경찰인 乙에게** 원상복구 여부에 대한 현장확인을 부탁한 다음, 乙이 작성한 출장복명서가 진실한 것인지를 제대로 알지도 못하면서 자신이 직접 현장확인을 하여 보니 원상복구가 완료되었다는 내용의 출장복명서에 자신의 서명을 함으로써 출장복명서를 완성하여 그 정을 모르는 담당공무원에게 제출하였다면 이는 **허위공문서작성죄 및 허위작성공문서행사죄에 해당한다**(대판 2013.10.24, 2013도5752). 16. 법원행시

8. 사법경찰관인 피고인이 검사로부터 '교통사고 피해자들로부터 사고 경위에 대해 구체적인 진술을 청취하여 운전자 甲의 도주 여부에 대해 재수사할 것'을 요청받고, 재수사 결과서의 '재수사 결과'란에 피해자들로부터 진술을 청취하지 않았음에도 진술을 듣고 그 진술내용을 적은 것처럼 기재한 경우 ⇨ **허위공문서작성죄 ○**(대판 2023.3.30, 2022도6886) 23. 경력채용, 24. 순경 1차, 25. 변호사시험

• **허위공문서작성죄에 해당하지 않는 경우**(고의로 법령적용을 잘못하여 공문서를 작성한 경우라도 그 법령적용의 전제가 된 사실관계에 대한 내용에 거짓이 없는 때 ∵ 공문서 작성과정에서 법령 등의 적용에 잘못이 있다는 것과 기재된 공문서 내용이 허위인지 여부는 구별되어야 한다 : 대판 2021.9.16, 2019도18394) 19. 경찰승진, 21. 9급 검찰·마약수사, 22. 해경 2차·순경 2차, 23. 법원행시, 24. 해경승진

1. 건축담당공무원이 건축허가신청서를 수리·접수함에 있어 건축법상의 요건을 갖추지 못하고 설계된 사실을 알면서도 기안서(건축허가통보서)를 작성하여 작성명의인인 군수의 결재를 받아 건축허가서를 작성한 경우(대판 2000.6.27, 2000도1858 ∵ 건축허가서에 표현된 허가의 의사표시 내용 자체에 허위가 없음) 15. 사시, 18. 법원직·9급 검찰·마약수사·경찰승진

2. 공무원이 출장반복의 번거로움을 피하고 민원사무신속처리방침에 따라 사전에 출장조사한 다음 조사내용이 변동 없다는 확신하에 출장복명서를 작성하고 출장일자를 작성일자로 기재한 경우(대판 2001.1.5, 99도4101 ∵ 범의 ×) 16. 순경 1차, 17. 순경 2차

3. 당사자로부터 뇌물을 받고 고의로 적용해서는 안될 조항을 적용하여 과세표준을 결정하고 그에 기해 세액을 산출하였으나 그 세액계산서에 허위내용의 기재가 없는 경우(대판 1996.5.14, 96도554) 09. 사시·법원직, 10. 경찰승진, 24. 법원행시

4. 교통사고 가해자 및 피해자의 관련자진술서만 첨부하고 사고도주표시란에는 아무런 표시를 하지 않은 경우(대판 1997.3.11, 96도2329 ∵ 기재 누락된 문서는 허위내용 ×)

5. 甲이 세월호 침몰사고 진상규명을 위한 국정조사 절차에서 대통령비서실장으로서 증언한 후 국회의원으로부터 대통령 대면보고 시점 등에 관한 추가 서면질의를 받고, 실무 담당 행정관으로 하여금 '비서실에서는 20~30분 단위로 간단없이 유·무선으로 보고를 하였기 때문에, 대통령은 직접 대면보고 받는 것 이상으로 상황을 파악하고 있었다고 생각합니다.'라는 내용의 서면답변서를 작성하여 국회에 제출하도록 한 경우 ⇨ **허위공문서작성죄 및 허위작성공문서행사죄 ×**(대판 2022.8.19, 2020도9714 ∵ 허위공문서작성죄에서 말하는 '허위'가 있다거나 그에 관한 피고인 甲의 인식이 있었다고 보기 어렵다.)

⑤ **간접정범 성부**

　㉠ 작성권한이 있는 공무원이 권한 없는 자를 이용하여 허위공문서를 작성하게 하였을 때
　　 ⇨ 허위공문서작성죄의 간접정범 ○

　㉡ 공무원이 아닌 자는 형법 제228조(공정증서원본부실기재죄)의 경우를 제외하고는 허위공문
　　 서작성죄의 간접정범으로 처벌할 수 없다(대판 2006.5.11, 2006도1663). 13. 7급 검찰, 20. 경찰승진

관련판례

1. 일반인이 허위신고를 하여 이를 믿는 공무원이 허위내용의 공문서를 작성 ⇨ 일반인에게 허위공문서
　작성죄 간접정범 불인정(대판 1961.12.14, 4292형상645) 09. 경찰승진, 24. 해경승진

2. 보조 공무원이 허위공문서를 기안하여 그 정을 모르는 작성권자의 결재를 받아 공문서를 완성한
　때에는 허위공문서작성죄의 간접정범이 되고, 이러한 결재를 거치지 않고 임의로 허위내용의 공문서
　를 완성한 때에는 공문서위조죄가 성립한다(대판 1981.7.28, 81도898). 17. 법원행시, 18. 경찰간부 · 7급 검
　찰, 21. 경찰승진 · 법원직, 24. 해경승진

　예 ① 면의 호적계장이 정을 모른 면장의 결재를 받아 허위내용의 호적부를 작성한 경우 허위공문서작
　　　 성, 동행사죄의 간접정범이 성립된다(대판 1990.10.30, 90도1912). 17. 경찰간부, 19. 법원직

　　 ② 면사무소 호적계장이 면장의 결재 없이 호적의 출생년란, 주민등록번호란에 허위내용의 호적정
　　　 정 기재를 한 경우에는 공문서위조 및 동행사죄를 구성하는 것은 별론으로 하고 형법 제227조가
　　　 규정한 허위공문서작성죄에 해당할 수는 없다(대판 1990.10.12, 90도1790). 14. 경찰간부, 18. 경력채용

　　 ③ 공문서의 작성권한 없는 사람이 허위공문서를 기안하여 작성권자의 결재를 받지 않았는데도
　　　 결재를 받은 것처럼 직인을 보관하는 담당자를 기망하여 작성권자의 직인을 날인하도록 하여
　　　 공문서를 완성한 때에도 공문서위조죄가 성립한다(대판 2017.5.17, 2016도13912). 18. 순경 1차,
　　　 22. 경찰간부, 23. 법원직

3. 비공무원이 관공서에 허위내용의 증명원(공사실적증명원)을 제출하여 그 내용이 허위인 정을 모르는
　공무원으로부터 그 증명원과 같은 내용의 증명서를 발급받은 경우 ⇨ 공문서위조죄의 간접정범 ×
　(대판 2001.3.9, 2000도938) 18. 법원직 · 경찰간부, 21. 변호사시험 · 순경 2차, 22. 해경간부, 24. 해경승진

4. 경찰관 甲이 乙에 대한 음주운전자 적발보고서를 찢어버리고 그 사정을 모르는 작성권자 丙으로
　하여금 가짜 음주운전자 적발보고서를 기재하도록 하였다면 허위공문서작성죄(간접정범)가 성립
　한다(대판 1996.10.11, 95도1706). 18. 경력채용, 24. 경찰승진 · 해경승진

5. 출원에 대한 심사업무를 담당하는 공무원이 출원인의 출원사유가 허위라는 사실을 알면서도 결재
　권자로 하여금 오인, 착각, 부지를 일으키게 하고 그 오인, 착각, 부지를 이용하여 인 · 허가처분에
　대한 결재를 받아낸 경우에는 위계에 의한 공무집행방해죄가 성립한다(대판 1997.2.28, 96도2825
　▶ **주의** : 허위공문서작성죄의 간접정범 ×). 09. 사시, 20. 해경 3차

6. 자생식물원 조성공사의 책임감리원(甲)이 감독공무원(乙)과 공모하여 허위내용의 준공검사조서를
　작성한 다음 준공검사결과보고서에 첨부하여 乙에게 제출하여 공무원들의 결재를 받아 사무실에
　비치한 경우 ⇨ 乙 : 허위공문서작성죄의 간접정범, 甲 : 허위공문서작성죄의 간접정범의 공범(대판
　2010.4.29, 2010도875)

7. 군청 산림과 소속 공무원인 甲이 허위의 '산지 이용구분 내역 통보'를 군청 민원봉사과에 보내어, 그 정을 모르는 민원봉사과 소속 공무원 乙로 하여금 군수 명의의 위 각 임야에 대한 토지이용계획확인서를 작성·발급하게 한 경우 ⇨ 허위공문서작성죄의 간접정범 ×(대판 2010.1.14, 2009도9963 ∵ 甲이 乙의 업무를 보조하는 직무나 해당 문서의 작성을 기안하는 업무에 종사하는 지위 × ∴ 무죄) 24. 해경승진

⑥ 공 범

┌─ **관련판례**

1. 작성권한 있는 공무원의 직무를 보좌하는 자가 허위공문서작성죄의 간접정범이 될 경우 이와 공모한 자도 허위공문서작성죄의 간접정범의 공범이 된다(대판 1992.1.17, 91도2837). 15. 수사경과, 23. 순경 1차, 24. 경찰간부

2. 공무원이 아닌 자가 공무원과 공동하여 허위공문서작성죄를 범한 때에는 공무원이 아닌 자도 형법 제33조, 제30조에 의하여 허위공문서작성죄의 공동정범이 된다(대판 2006.5.11, 2006도1663). 15. 수사경과, 17·18. 7급 검찰

3. 피고인이 건축물조사 및 가옥대장 정리업무를 담당하는 지방행정서기를 교사하여 무허가 건물을 허가받은 건축물인 것처럼 가옥대장 등에 등재케 하여 허위공문서 등을 작성케 한 사실이 인정된다면, 허위공문서작성죄의 교사범으로 처단한 것은 정당하다(대판 1983.12.13, 83도1458). 22. 법원직

⑦ 타죄와의 관계

㉠ 공무원인 의사가 허위진단서를 작성한 때 ⇨ 허위진단서작성죄와 허위공문서작성죄의 상상적 경합(다수설), 허위공문서작성죄만 성립(대판 2004.4.9, 2003도7762) 14. 사시, 18. 경력채용, 21. 해경 1차, 24. 법원행시

㉡ 공무원이 위법사실을 발견하고 이를 적극적으로 은폐할 목적으로 허위공문서를 작성한 경우에는 원칙적으로 직무유기죄는 허위공문서작성죄에 흡수되어(법조경합) 허위공문서작성죄만 성립하나(대판 1982.12.28, 82도2210 ◙ 예비군 중대장이 소속 예비군대원의 훈련불참사실을 고의로 은폐할 목적으로 당해 예비군대원이 훈련에 참석한 양 허위내용의 학급편성명부를 작성, 행사한 경우), 15. 법원행시, 24. 경찰간부·변호사시험 위법사실을 적극적으로 은폐할 목적이 아니라 다른 권리를 노려 허위공문서를 작성한 경우에는 직무유기죄와 허위공문서작성죄의 실체적 경합이다(대판 1993.12.24, 92도3334 ◙ 군직원이 농지전용허가를 하여 주어서는 안 됨을 알면서도 허가하여 줌이 타당하다는 취지의 현장출장복명서 및 심사의견서를 작성한 경우).

🔟 공정증서원본 등 부실기재죄

> **제228조 제1항** 공무원에 대하여 허위신고를 하여 공정증서 원본 또는 이와 동일한 전자기록 등 특수매체 기록에 부실의 사실을 기재 또는 기록하게 한 자는 5년 이하의 징역 또는 1천만원 이하의 벌금에 처한다.
> **제228조 제2항** 공무원에 대하여 허위신고를 하여 면허증, 허가증, 등록증 또는 여권에 부실의 사실을 기재하게 한 자는 3년 이하의 징역 또는 700만원 이하의 벌금에 처한다.

🏛 목적범 ×, 09. 순경 미수범 처벌(제235조)

(1) 성 격

공정증서원본 등 부실기재죄는 허위공문서작성죄에 의한 처벌의 결함(공무원이 아닌 자는 허위공문서작성죄의 간접정범으로 처벌 ×)을 보충하기 위한 범죄로서, 간접정범형태에 의한 허위공문서작성행위를 처벌하기 위하여 규정된 범죄이다(간접적 무형위조를 처벌하기 위한 규정).

(2) 객 체 : 공정증서 원본 · 전자기록 등 특수매체기록, 면허증, 허가증, 등록증 또는 여권

① **공정증서원본** : 공정증서원본이란 공무원이 직무상 작성한 공문서로서 권리 · 의무에 관한 사실을 증명하는 공문서에 한정되고 사실증명에 관한 것은 포함되지 아니하며, 공정증서원본은 그 성질상 허위신고에 의해 부실한 사실이 그대로 기재될 수 있는 공문서이어야 한다(통설 · 판례).

　㉠ 권리 · 의무에 관한 사실을 증명하는 공문서 ⇨ 공정증서원본 ○

　　📖 가족관계등록부, 부동산 · 상업 · 선박등기부, 자동차등록부, 화해조서, 공증사무 취급이 인가된 합동법률사무소 명의로 작성된 공증에 관한 문서(대판 1977.8.23, 74도2715 전원합의체) 15. 법원직, 19. 경찰간부, 21 · 23. 해경승진

　㉡ 권리 · 의무관계를 증명하는 공문서 ×, 사실증명에 관한 것 ○ ⇨ 공정증서원본 ×

　　📖 주민등록부(대판 1969.3.25, 69도163), 인감대장(대판 1968.11.19, 68도1231), 토지대장(대판 1988.5.24, 87도2696), 15. 법원직 · 순경 3차, 17. 경찰승진, 18. 수사경과, 21. 해경승진 가옥대장(대판 1971.4.20, 71도359), 임야대장, 자동차운전면허대장(대판 2010.6.10, 2010도1125), 11. 법원행시 · 경찰승진, 12. 법원직 시민증(대판 1962.1.11, 4294형상193), 공증인이 인정한 사서증서(대판 1984.10.23, 84도1217) 15. 법원직, 23. 해경승진

　㉢ 허위신고에 의해 부실한 사실이 그대로 기재될 수 없는 공문서 ⇨ 공정증서원본 ×

　　📖 감정인의 감정서, 수사기관이 작성하는 진술조서, 민사조정법상 조정절차에서 작성되는 조정조서(대판 2010.6.10, 2010도3232) 12. 경찰간부 · 법원직, 22. 순경 1차

　㉣ 증명을 직접적인 목적으로 하지 않고 주로 처분문서의 성격을 갖는 경우 ⇨ 공정증서원본 × 📖 법원의 판결원본 · 지급명령원본

┌ **관련판례**

'공정증서원본'에는 공정증서의 '정본'이 포함될 수 없으므로 부실의 사실이 기재된 공정증서의 정본을 그 정을 모르는 법원직원에게 교부한 경우 ⇨ 부실기재공정증서원본행사죄 ×(대판 2002.3.26, 2001도6503) 18. 수사경과, 20. 변호사시험 · 9급 검찰 · 마약수사, 21. 해경승진, 23. 법원행시

② **등록증**(예 변호사·공인회계사·법무사·감정평가사 등의 등록증)

　🏢 사업자등록증 ⇨ 본죄의 등록증 ×(대판 2005.7.15, 2003도6934 ∵ 단순한 사업사실의 등록을 증명하는 증서
　○, 사업할 수 있는 자격이나 요건을 갖추었음을 인정 ×) 15. 경찰간부·법원직·순경 3차, 22. 순경 1차, 23. 법원행시

③ **여권**[예 허위사실을 기재한 여권신청서에 의하여 여권을 발급받은 경우 ⇨ 공정증서원본 등 부실기재죄
와 여권법 위반죄의 상상적 경합(대판 1974.4.9, 73도2334)]

(3) **행위** : 공무원에 허위신고를 하여 부실의 사실을 기재 또는 기록하게 하는 것

여기의 공무원은 기재사실이 부실인 정을 모르는 자라야 한다. 만일 공무원이 그 정을 알면서도
기재한 때에는 그 공무원은 허위공문서작성죄가 성립하며, 허위신고자는 그 공범이 될 것이다.

> ┌ **관련판례**
>
> 형법 제228조 제1항이 규정하는 공정증서원본 부실기재죄나 공전자기록 등 부실기재죄는 공무원
> 에 대하여 진실에 반하는 허위신고(진실에 반하는 사실을 신고하는 것)를 하여 공정증서원본 또는
> 이와 동일한 전자기록 등 특수매체기록에 그 증명하는 사항에 관하여 실체관계에 부합하지 아니하
> 는 '부실의 사실'을 기재 또는 기록하게 함으로써 성립하고, 여기서 '부실의 사실'이라 함은 권리의
> 무관계에 중요한 의미를 갖는 사항이 객관적인 진실에 반하는 것을 말한다(대판 2020.11.5, 2019도
> 12042). 22. 순경 2차, 23. 경찰간부

• **본죄가 성립하는 경우**

> 공정증서원본 등에 기재된 사항이 존재하지 아니하거나(부존재) 외관상 존재한다고 하더라도 무
> 효에 해당하는 하자(흠)가 있다면 그 기재는 부실기재에 해당하여 공정증서원본부실기재죄가 성
> 립한다(대판 2007.5.31, 2006도8488). 12. 법원직

1. 실제로는 채권·채무관계가 존재하지 아니함에도 공증인에게 허위신고를 하여 가장된 금전채권에
대하여 집행력이 있는 공정증서원본을 작성하고 이를 비치하게 한 것이라면 공정증서원본부실기재
죄 및 부실기재공정증서원본행사죄가 성립한다(대판 2008.12.24, 2008도7836). 15. 사시, 19. 경찰승진·법
원행시, 21. 해경간부

　▶ **유사판례** : 실제로는 채권·채무관계가 존재하지 않는데도 허위의 채무를 가장하고 이를 담보한다
　는 명목으로 허위의 근저당권설정등기를 마친 것이라면 공정증서원본 등의 부실기재죄 및 동행사
　죄가 성립한다(대판 2017.2.15, 2014도2415).

2. 발행인과 수취인이 통모하여 진정한 어음채무 부담이나 어음채권 취득 의사 없이 단지 발행인의
채권자에게서 채권추심이나 강제집행을 받는 것을 회피하기 위하여 형식적으로만 약속어음의 발행을
가장한 후 공증인에게 마치 진정한 어음발행행위가 있는 것처럼 허위로 신고하여 어음공정증서원본
을 작성·비치하게 한 경우에 공정증서원본부실기재 및 동행사죄가 성립한다(대판 2012.4.26, 2009도
5786). 17. 법원행시·경찰승진, 23. 해경승진·법원직

3. 토지거래 허가구역 안의 토지에 관하여 실제로는 매매계약을 체결하고서도 처음부터 토지거래허가를
잠탈하려는 목적으로 등기원인을 '증여'로 하여 소유권이전등기를 경료한 경우 공정증서원본부실기
재죄가 성립한다(대판 2007.11.30, 2005도9922). 15. 경찰간부, 17. 법원행시·경찰승진, 22. 수사경과, 23. 해경승진

4. 참다운 부부관계의 설정을 바라는 효과의사가 없는 경우에는 그 혼인은 무효라고 할 것이어서 해외 이주의 목적으로 위장결혼을 하고 혼인신고를 하여 그 사실이 호적부에 기재되었다면 공정증서원 본부실기재죄를 구성한다(대판 1985.9.10, 85도1481). 12. 순경 1차, 15. 경찰간부

▶ **유사판례**

① 甲이 중국인 乙과 참다운 부부관계를 설정할 의사가 아니라 단지 乙의 국내 취업을 위한 입국을 가능하게 할 목적으로 형식상 혼인하기로 하고 甲의 본적지 면사무소에 혼인신고를 한 경우(대판 1996.11.22, 96도2049) 17. 경찰간부, 19. 변호사시험, 24. 경위공채

② 외국인 여자가 대한민국에 입국하여 취업 등을 하기 위한 방편으로 대한민국 국민인 남자와 혼인 신고를 하였더라도 위와 같은 혼인의 합의가 없다면 구 국적법 제3조 제1호에서 정한 '대한민국 국민의 처가 된 자'에 해당하지 않으므로 대한민국 국적을 취득할 수 없어, 대한민국 국적을 취득 하지 않았는데도 대한민국 국적을 취득한 것처럼 인적 사항을 기재하여 대한민국 여권을 발급받 은 다음 이를 출입국심사 담당공무원에게 제출하였다면 위계로써 출입국심사업무에 관한 정당한 직무를 방해함과 동시에 부실의 사실이 기재된 여권을 행사한 것으로 볼 수 있다(대판 2022.4.28, 2020도12239 ∴ 위계에 의한 공무집행방해죄 및 부실기재 여권행사죄 ○).

5. 종중의 적법한 대표 권한이 없는 자가 종중 소유의 토지에 보존등기를 신청하면서 자신이 대표자인 것처럼 허위신고를 함으로써 부동산등기부에 종중의 대표자로 기재된 경우 ➡ 공정증서원본부실기 재죄 ○(대판 2006.1.13, 2005도4790 ∵ 종중 대표자의 기재는 당해 부동산의 처분권한과 관련된 중 요한 부분의 기재로서 이에 대한 공공의 신용을 보호할 필요가 있음) 15. 사시 · 순경 3차, 17. 법원행시, 24. 순경 1차

▶ **유사판례** : 종중 규약에 따르면 종중재산의 취득 및 처분은 종중총회의 결의사항으로 되어 있는 종중의 대표자가 종중총회의 결의 없이 종중재산인 부동산에 근저당권설정등기를 마친 경우(대판 2005.8.25, 2005도4910)

6. 등기경료 당시를 기준으로 그 등기가 실체권리관계에 부합하여 유효한 경우에 한하여 동죄가 성립되 지 않는 것이고, 등기경료 당시에는 실체권리관계에 부합하지 아니한 등기인 경우에는 사후에 이해관 계인들의 동의 또는 추인 등의 사정으로 실체권리관계에 부합하게 된다 하더라도 공정증서원본부실 기재 및 동행사죄의 성립에는 아무런 영향이 없다(대판 2001.11.9, 2001도3959). 13. 변호사시험, 14. 9급 검찰 · 마약수사

7. 주금을 가장납입하고 마치 주식인수인이 납입완료한 것처럼 등기공무원에게 증자등기를 신청한 경 우(대판 1987.11.10, 87도2072) 11. 사시

▶ **유사판례**

① 유상증자 등기의 신청시 발행주식 총수 및 자본의 총액이 증가한 사실이 허위임을 알면서 증자 등기를 신청하여 상업등기부 원본에 그 기재를 하게 한 경우, 등기신청서류로 제출된 주금납입금 보관증명서가 위조된 것임을 몰랐다고 하더라도 공정증서원본부실기재죄가 성립한다(대판 2006. 10.26, 2006도5147). 15. 사시, 17. 법원행시, 21. 해경간부, 22. 경력채용, 24. 해경경위

② 타인으로부터 금원을 차용하여 주금을 납입하고 설립등기나 증자등기 후 바로 인출하여 차용금 변제에 사용하는 경우에는 상법상 납입가장죄가 성립하는 외에 공정증서원본부실기재 · 동행사죄 가 성립하지만, 업무상 횡령죄는 성립하지 않는다(대판 2004.6.17, 2003도7645 전원합의체). 09. 순경, 17. 경찰간부, 24. 해경경위

8. 강제집행을 면탈할 목적으로 허위채권을 만들어 합동법률사무소 명의의 공정증서를 작성한 행위 (대판 1977.8.23, 74도2715 ∵ 합동법률사무소 명의의 공정증서도 공정증서원본임) 10. 경찰승진, 19. 경찰간부

9. 법원을 기망하여 확정판결을 받아 그 내용이 허위임을 알면서 이를 제출하여 등기신청을 한 경우(대판 1996.5.31, 96도2049) 07. 법원직

10. 공동대표이사로 법인등기를 하기로 하여 위임받은 자가 독립대표이사로 법인등기를 한 경우(대판 1994.7.29, 93도1091) 09. 법원행시

11. 총 주식을 한 사람이 소유한 이른바 1인 회사와 달리, 주식의 소유가 실질적으로 분산되어 있는 주식회사의 경우, 실제의 소집절차와 결의절차를 거치지 아니한 채 주주총회의 결의가 있었던 것처럼 주주총회 의사록을 허위로 작성한 후 변경등기를 한 경우 그 주주총회의 결의는 부존재하다고 보아야 하므로 공정증서원본부실기재죄가 성립한다(대판 2018.6.19, 2017도21783).

● **본죄가 성립하지 않는 경우**

1.

공정증서원본에 기재된 사항이나 그 원인된 법률행위가 객관적으로 존재하고, 다만 거기에 취소사유에 해당되는 하자(흠)가 있을 뿐인 경우에는 그 취소 전에 공정증서원본에 기재된 이상, 그 기재가 공정증서원본부실기재죄를 구성하지 않는다(대판 2009.2.12, 2008도10248). 12. 법원직, 13. 순경 1차, 18. 7급 검찰

① 협의상 이혼의 의사표시가 기망에 의하여 이루어진 것일지라도 그것이 취소되기까지는 유효하게 존재하는 것이므로, 협의상 이혼의사의 합치에 따라 이혼신고를 하여 호적에 그 협의상 이혼사실이 기재되었다면, 이는 공정증서원본부실기재죄에 해당하지 않는다(대판 1997.1.24, 95도448). 10. 법원행시·경찰승진, 14. 법원직, 21. 해경승진

② 주주총회의 소집절차 등에 관한 하자가 주주총회결의의 취소사유에 불과하여 그 취소 전에 주주총회의 결의에 따른 감사변경등기를 한 것은 공정증서원본부실기재죄를 구성하지 않는다(대판 2009.2.12, 2008도10248). 10. 경찰승진, 12. 법원직, 17. 법원행시

③ 부동산의 소유자로 하여금 근저당권자를 자금주라고 믿도록 속여서 근저당권설정등기를 경료케 한 경우 ⇨ 당사자 사이에 근저당설정의 합의성립 ⇨ 적법한 취소 × ⇨ 근저당설정등기는 유효한 등기 ⇨ 공정증서원본부실기재죄 ×(대판 1982.7.13, 82도39) 05. 법원행시, 20. 경찰승진

2.

당사자의 의사와 합치되는 경우

① 부동산에 관하여 가장매매를 원인으로 소유권이전등기를 경료한 사실이 인정된다고 하더라도, 그 당사자 사이에는 소유권이전등기를 경료시킬 의사는 있었다고 할 것이므로 공정증서원본부실기재죄는 성립하지 않는다(대판 1972.3.28, 71도2417 전원합의체). 12. 순경 1차, 16. 법원행시

▶ **유사판례** : 부동산을 관리보존하는 방법으로 이를 타에 신탁하는 의사로서 그 소유권이전등기를 한 경우에는 그 원인을 매매로 가장한 경우 ⇨ 공정증서원본부실기재죄 ×(대판 2011.7.14, 2010도1025 <mark>예</mark> 사망한 乙의 단독상속인인 피고인이 사망자 명의로 된 아파트에 대한 채권자의 강제집행을 면하기 위하여 乙이 증여한 사실이 없음에도 불구하고 증여를 원인으로 丙 명의의 소유권이전등기를 경료한 경우 ⇨ 공정증서원본부실기재죄 및 동행사죄 ×). 15. 법원행시, 19. 경찰간부

② 당사자의 합의에 의하여 진정한 채무자 아닌 제3자를 채무자로 기재한 근저당설정등기를 한 경우 (대판 1985.10.8, 84도2461) 06. 경찰승진, 16. 경찰간부

> ▶ **비교판례** : 근저당권은 근저당물의 소유자가 아니면 설정할 수 없으므로 타인의 부동산을 자기 또는 제3자의 소유라고 허위의 사실을 신고하여 소유권이전등기를 경료한 후 자기 또는 당해 제3자 명의로 채권자와의 사이에 근저당권설정등기를 경료한 경우에는 공정증서원본부실기재 및 동행사죄가 성립한다(대판 1997.7.25, 97도605). 16. 경찰간부, 24. 경찰승진 · 경위공채

③ 1인 주주회사에 있어서 1인 주주가 특정인과의 합의 없이 주주총회의 소집 등 상법 소정의 형식적인 절차도 거치지 않고 그를 이사의 지위에서 해임하였다는 내용을 법인등기부에 기재한 경우(대판 1996.6.11, 95도2817 ∵ 1인 주주의 의사가 바로 주주총회 및 이사회의 결의임) 11. 사시, 12. 순경 1차

> ▶ **비교판례** : 1인 회사라 하더라도 임원의 의사에 기하지 아니하고 사임서를 작성하여 이에 기한 등기부의 기재를 한 경우, 사문서위조죄 외에 공정증서원본부실기재죄가 성립한다(대판 1992.9.14, 92도1564). 07. 법원직

④ 피고인과 매도인 사이에 매매계약이 성립한 후 계약금과 대부분의 중도금이 지급되었고, 매도인이 법무사에게 소유권이전등기에 필요한 서류 일체를 맡기고 나중에 잔금지급이 되면 그 등기신청을 하도록 위임하였는데, 피고인이 법무사를 기망하여 법무사가 잔금이 모두 지급된 것으로 잘못 알고 등기신청을 하여 그 소유권이전등기를 경료한 경우(대판 1996.6.11, 96도233 ∵ 소유권이전등기의 원인이 되는 매매 내지는 물권적 합의가 있음) 06. 사시, 07. 법원행시

> ▶ **비교판례** : 부동산 매수인이 매도인과 사이에 부동산의 소유권이전에 관한 물권적 합의가 없는 상태에서, 단지 소유권이전등기에 필요한 서류를 보관하고 있는 법무사를 기망하여 매수인 명의로 소유권이전등기를 신청하게 하여 소유권이전등기를 마치게 한 경우 ⇨ 본죄 ○(대판 2006.3.10, 2005도9402) 15. 사시, 17. 경찰간부, 23. 해경승진, 24. 법원행시

3. 실체권리관계에 부합하는 경우

① 소유권보존등기나 소유권이전등기에 절차상 하자가 있거나 등기원인이 실제와 다르다 하더라도 등기 경료 당시를 기준으로 실체적 권리관계에 부합하는 유효한 등기인 경우 공정증서원본부실기재 및 동행사죄가 성립되지 않는다(대판 1998.4.14, 98도16). 15. 경찰간부, 17. 법원행시, 20. 해경승진

> ▶ **유사판례** : 피고인 소유의 자동차를 타인에게 명의신탁하기 위한 것이거나 이른바 권리이전 과정이 생략된 중간생략의 소유권 이전등록이라도 그러한 소유권 이전등록이 실체적 권리관계에 부합하는 유효한 등록이라면 이를 부실의 사실을 기록하게 하였다고 할 수 없다(대판 2020.11.5, 2019도12042).

② 재건축조합 임시총회의 소집절차 · 결의방법이 법령 · 정관에 위반되어 임원개임결의가 사법상 무효일지라도 실제로 조합총회에서 임원개임결의가 이루어졌고 그 결의에 따라 임원변경등기를 마친 경우(대판 2004.10.15, 2004도3584) 15. 사시, 17. 순경 1차, 18. 경찰간부, 21. 해경간부, 24. 법원행시

> ▶ **유사판례**
> 1. 총 발행주식의 과반수를 소유한 대주주가 적법한 소집절차나 임시주주총회의 개최 없이 나머지 주주들의 의결권을 위임받아 자신이 임시의장이 되어 임시주주총회 의사록을 작성하여 법인등기를 마친 경우(대판 2008.6.26, 2008도1044) 10. 경찰승진, 16. 경찰간부

② 주식회사의 임시주주총회가 법령 및 정관상 요구되는 이사회의 결의나 소집절차 없이 이루어졌다고 하더라도, 주주 전원이 참석하여 총회를 개최하는 데 동의하고 아무런 이의 없이 만장일치로 결의가 되었고 그 결의에 따라 등기가 이루어진 경우(대판 2014.5.16, 2013도15895). 16. 경찰간부

③ 양도인이 허위의 채권에 관하여 그 정을 모르는 양수인과 실제로 채권양도의 법률행위를 한 이상, 공증인에게 그러한 채권양도의 법률행위에 관한 공정증서를 작성하게 하였다고 하더라도 그 공정증서가 증명하는 사항에 관하여는 부실의 사실을 기재하게 하였다고 볼 것은 아니고, 따라서 공정증서원본부실기재죄가 성립한다고 볼 수 없다(대판 2004.1.27, 2001도5414). 11. 사시·경찰승진, 12. 순경 3차, 23. 법원직

④ 피고인이 사망한 부동산등기 명의인을 상대로 매매를 원인으로 하는 소유권이전등기절차이행청구의 소를 제기하여 의제자백에 의한 승소판결을 받고 이에 기하여 그 명의로 소유권이전등기를 경료하였더라도 위 등기가 실체적 권리관계에 부합하는 유효한 등기인 경우(대판 1987.3.10, 86도864) 11. 사시, 17. 경찰간부, 22. 법원직

⑤ 공동상속인 중의 1인의 다른 공동상속인들과 합의 없이 법정상속분에 따른 공동상속등기를 마친 경우(대판 1995.11.7, 95도898) 11. 경찰승진

⑥ 원래 자신의 소유인 부동산에 대하여 허위의 보증서를 작성, 등기소에 제출하여 자기 명의로 소유권 이전등기를 받은 경우(대판 1984.12.11, 84도2285 ∵ 권리의 실체관계에 부합하는 등기) 12. 경찰간부, 15. 순경 3차

⑦ 어떤 부동산에 관하여 피상속인에게 실체상의 권리가 없었음에도 피상속인 명의의 소유권이전등기가 경료되어 있었고, 이에 따라 재산상속인이 상속을 원인으로 한 소유권이전등기를 경료한 경우(대판 1987.7.14, 85도2661) 20. 해경승진, 23. 법원행시, 24. 경찰승진

4. 기 타

① 법원에 허위 내용의 조정신청서를 제출하여 판사로 하여금 조정조서에 부실의 사실을 기재하게 한 경우(대판 2010.6.10, 2010도3232 ∵ 조정절차에서 작성되는 조정조서는 그 성질상 허위신고에 의해 부실한 사실이 그대로 기재될 수 없는 공문서 ⇨ 공정증서원본 ×) 15. 경찰간부·순경 3차, 17. 법원행시, 20. 해경승진, 22. 순경 1차, 23. 법원직, 24. 경찰승진

② 자동차운전면허증 재교부신청서의 사진란에 본인의 사진이 아닌 다른 사람의 사진을 붙여 제출함으로써 담당공무원으로 하여금 자동차운전면허대장에 부실의 사실을 기재하여 이를 비치하게 한 경우(대판 2010.6.10, 2010도1125 ∵ 자동차운전면허대장은 사실증명에 관한 것에 불과 ⇨ 공정증서원본 ×) 15. 순경 3차, 17. 순경 1차·법원행시, 21. 변호사시험·해경승진, 22. 해경간부·해경 2차

③ 종중 소유의 토지를 자신의 개인 소유로 신고하여 토지대장에 올린 경우(대판 1988.5.24, 87도2696 ∵ 토지대장 ⇨ 공정증서원본 ×) 15. 법원직·순경 3차, 18. 수사경과, 20·23. 해경승진, 24. 경찰승진

④ 부동산 거래당사자가 거래가액을 시장 등에게 거짓으로 신고하여 받은 신고필증을 기초로 사실과 다른 내용의 거래가액이 부동산등기부에 등재되도록 한 경우 공전자기록등부실기재죄 및 부실기재공전자기록 등 행사죄가 성립하지 않는다(대판 2013.1.24, 2012도12363 ∵ 부동산등기부에 기재되는 거래가액은 당해 부동산의 권리의무관계에 중요한 의미를 갖는 사항에 해당 ×). 16. 사시·경찰간부·순경 2차, 18. 7급 검찰, 20. 경찰승진·수사경과, 20·24. 법원행시

⑤ 신주발행이 판결로써 무효로 확정되기 이전에 그 신주발행사실을 담당공무원에게 신고하여 법인등기부에 기재하게 한 경우, 공정증서원본부실기재죄에 해당하지 않는다(대판 2007.5.31, 2006도

8488 ∵ 상법상 신주발행의 무효는 신주발행무효의 소에 의해서만 주장할 수 있고, 신주발행무효 확정판결은 장래에 대해서만 효력 ○). 16. 경찰간부, 18. 경찰승진, 23. 법원직

⑥ 공전자기록 등 부실기재죄(형법 제228조 제1항)의 구성요건인 '부실의 사실기재'는 당사자의 허위신고에 의하여 이루어져야 하므로, 법원의 촉탁에 의하여 등기를 마친 경우에는 그 전제절차에 허위적 요소가 있더라도 위 죄가 성립하지 않는다(대판 2022.1.13, 2021도11257). 23. 순경 2차, 23·24. 법원행시, 24. 경력채용

예 1. 실제로는 채권 채무관계가 존재하지 아니함에도 허위의 주장입증으로 확정판결을 받아 법원의 촉탁에 의한 부실의 등기가 이루어진 경우(대판 1983.12.27, 83도2442) 19. 경찰간부

2. 甲이 허위의 공정증서에 기해 乙의 부동산에 대한 강제경매신청을 하였고, 이에 의해 동 부동산에 대해 법원의 강제경매 개시결정을 원인으로 하는 경매신청등기가 경료된 경우(대판 1976.5.25, 74도568) 17. 경찰간부, 18. 수사경과, 19. 변호사시험

3. 甲은 乙로부터 돈을 빌린 적이 없고 丙이 그 채무를 연대보증한 사실도 없는데, 乙과 공모하여 허위 내용이 적힌 차용증을 작성하고 甲소유 토지에 관하여 가압류신청을 하여 등기소 직원으로 하여금 乙을 채권자, 丙을 채무자로 한 가압류등기를 마치게 한 경우(대판 2022.1.13, 2021도11257)

⑦ 발기인 등이 회사를 설립할 당시 회사를 실제로 운영할 의사 없이 회사를 이용한 범죄 의도나 목적이 있었다거나, 회사로서의 인적·물적 조직 등 영업의 실질을 갖추지 않았다는 이유만으로는 부실의 사실을 법인등기부에 기록하게 한 것으로 볼 수 없다(대판 2020.2.27, 2019도9293 ; 대판 2020.3.26, 2019도7729 **예** 피고인 등이 공모하여, 주식회사(유한회사)를 설립한 후 회사 명의로 통장을 개설하여 이른바 대포통장을 유통시킬 목적으로 회사로서의 인적·물적 조직 등 영업의 실질도 갖추지 않고, 회사설립등기 신청서를 법원 등기관에게 제출하여 등기관으로 하여금 상업등기 전산정보처리시스템의 법인등기부에 위 신청서의 기재 내용을 입력하고 이를 비치하게 하여 행사한 경우 ⇨ 공전자기록 등 부실기재죄 및 동행사죄 × ∵ 甲회사에 대한 회사설립등기는 공전자기록 등 부실기재죄에서 말하는 '부실의 사실'에 해당하지 않는다). 21. 해경간부, 23. 순경 1차, 20·24. 법원행시, 24. 경찰간부

⑧ 자신의 부친이 적법하게 취득한 토지인 것으로 알고 실체관계에 부합하게 하기 위해 소유권보존등기를 경료한 경우(대판 1996.4.26, 95도2468 ∵ 고의 ×), 사망한 남편과 동명이인인 자의 소유 부동산에 관해 자기앞으로 상속을 원인으로 한 소유권이전등기를 경료한 경우(대판 1995.4.28, 94도2679 ∵ 고의 ×) 12. 순경 1차·3차

⑨ 권리·의무와 관계없는 예고등기를 말소신청한 경우(대판 1972.10.31, 72도1966) 08. 순경, 10. 경찰승진

⑩ 후임 이사가 유효히 선임되었는데 그 효력에 다툼이 있는 중에 후임이사가 이사자격으로 계약서를 작성하고 등기 등을 한 경우 ⇨ 사문서위조죄 및 공정증서부실기재죄 등은 성립 ×(대판 2006.4.27, 2005도8875)

(4) 기 타

▸ 관련판례

1. 피고인이 위장결혼의 당사자 및 중국 측 브로커와 공모하여 허위로 결혼사진을 찍고, 혼인신고에 필요한 서류를 준비하여 위장결혼의 당사자에게 건네주었을 경우, 위 행위만으로는 공전자기록 등 부실기재죄의 실행에 착수한 것으로 보기 어렵다(대판 2009.9.24, 2009도4998). 14. 사시, 24. 해경경위

2. 법원을 기망하여 승소판결을 받고 그 확정판결에 의한 허위신고로 소유권이전등기를 경료하여 비치된 경우 ⇨ 사기죄와 본죄 및 동행사죄의 실체적 경합(대판 1983.4.26, 83도188) 12. 순경 1차, 24. 해경경위

11 위조사문서 등의 행사죄

제234조 제231조 내지 제233조의 죄에 의하여 만들어진 문서, 도화 또는 전자기록 등 특수매체기록을 행사한 자는 그 각죄에 정한 형에 처한다.
제235조 본죄의 미수범은 처벌한다.

▸ 관련판례

위조문서행사죄에 있어서 행사라 함은 위조된 문서를 진정한 문서인 것처럼 그 문서의 효용방법에 따라 이를 사용하는 것을 말하고, 위조된 문서를 제시 또는 교부하거나 비치하여 열람할 수 있게 두거나 우편물로 발송하여 도달하게 하는 등 위조된 문서를 진정한 문서인 것처럼 사용하는 한 그 행사의 방법에 제한이 없다. 또한, 위조된 문서 그 자체를 직접 상대방에게 제시하거나 이를 기계적인 방법으로 복사하여 그 복사본을 제시하는 경우는 물론, 이를 모사전송의 방법으로 제시하거나 컴퓨터에 연결된 스캐너(scanner)로 읽어 들여 이미지화한 다음 이를 전송하여 컴퓨터 화면상에서 보게 하는 경우도 행사에 해당하여 위조문서행사죄가 성립한다(대판 2008.10.23, 2008도5200). 이는 문서의 형태로 위조가 완성된 것을 전제로 하는 것이므로, 문서로서의 형식과 외관을 갖춘 문서에 해당하지 않아 문서위조죄가 성립하지 않는 경우에는 위조문서행사죄도 성립할 수 없다(대판 2020.12.24, 2019도8443). 22. 법원직

1. 휴대전화 신규 가입신청서를 위조한 후 이를 스캔한 이미지 파일을 제3자에게 이메일로 전송한 경우, 이미지 파일 자체는 문서에 관한 죄의 '문서'에 해당하지 않으나, 이를 전송하여 컴퓨터 화면상으로 보게 한 행위는 이미 위조한 가입신청서를 행사한 것에 해당하므로 위조사문서행사죄가 성립한다(대판 2008.10.23, 2008도5200).15. 9급 검찰·마약수사, 16. 순경 2차, 18. 경찰승진, 21. 경찰간부·7급 검찰, 23. 법원직

2. 행사의 상대방은 문서나 기록이 위조·변조·허위작성된 사실을 알지 못한 자임을 요한다. 따라서 문서가 위조된 것임을 이미 알고 있는 공범자 등에게 행사하는 경우에는 위조문서행사죄가 성립할 수 없으나(대판 2005.1.28, 2004도4663 참조),14. 9급 검찰·마약수사, 18. 순경 2차 간접정범을 통한 위조문서행사 범행에 있어 도구로 이용된 자라고 하더라도 문서가 위조된 것임을 알지 못하는 자에게 행사

한 경우에는 위조문서행사죄가 성립한다(대판 2012.2.23, 2011도14441 **예** 피고인이 위조·변조한 공문서의 이미지 파일을 甲 등에게 이메일로 송부하여 프린터로 출력하게 하였는데, 甲 등은 출력 당시 위 파일이 위조된 것임을 알지 못한 경우 ⇨ 위조·변조공문서행사죄 ○). 19. 법원행시, 20. 변호사시험·경찰간부, 21. 경찰승진·7급 검찰, 22. 순경 1차

3. 위조문서행사죄에 있어서 위조된 문서의 작성 명의인이라고 하여 행사의 상대방이 될 수 없는 것은 아니고, 16. 경찰간부, 19. 수사경과, 20. 법원직, 21. 해경승진 위조된 문서를 우송한 경우에는 그 문서가 상대방에게 도달한 때에 기수가 되고 상대방이 실제로 그 문서를 보아야 하는 것은 아니다(대판 2005. 1.28, 2004도4663). 15. 법원행시, 23. 순경 1차, 24. 경력채용 그러나 가짜 군인으로 행세할 목적으로 육군 특무상사의 복장을 하고 또한 위조한 신분증을 휴대하고 각처를 배회하였다면 위조공문서행사죄가 성립하지 않는다(대판 1956.11.2, 56도240).

12 위조공문서 등 행사죄

> **제229조** 제225조 내지 제228조의 죄에 의하여 만들어진 문서, 도화, 전자기록 등 특수매체기록, 공정증서 원본, 면허증, 허가증, 등록증 또는 여권을 행사한 자는 그 각죄에 정한 형에 처한다.

⚲ 목적범 ×, 미수범 처벌(제235조)

관련판례

위조된 공문서를 스캐너 등을 통해 이미지화한 다음 이를 전송하여 컴퓨터 화면상에서 보게 하는 경우에는 위조공문서행사죄가 성립한다(대판 2020.12.24, 2019도8443). 23. 7급 검찰

13 사문서부정행사죄

> **제236조** 권리·의무 또는 사실증명에 관한 타인의 문서 또는 도화를 부정행사한 자는 1년 이하의 징역이나 금고 또는 300만원 이하의 벌금에 처한다.

⚲ 문서에 관한 죄 중에서 미수범 처벌규정이 없는 유일한 범죄이다.

관련판례

1. 절취한 KT카드(한국전기통신공사가 발행한 후불식 통신카드)를 공중전화기에 넣어 사용한 것 ⇨ 본죄 ○(대판 2002.6.25, 2002도461) 11. 경찰승진, 13. 9급 검찰·마약수사

2. 사문서부정행사죄에 있어서의 부정사용이란 사문서를 사용할 권원없는 자가 그 문서명의자로 가장 행세하여 이를 사용하거나 또는 사용할 권원이 있다 하더라도 문서를 본래의 작성 목적 이외의 다른 사실을 직접 증명하는 용도에 이를 사용하는 것을 말하는 것이므로 현금보관증이 자기 수중에 있다는 사실 자체를 증명키 위하여 증거로서 법원에 제출하는 행위는 사문서의 부정행사에 해당되지 아니한다(대판 1985.5.28, 84도2999).

3. 실질적인 채권·채무관계 없이 당사자 간의 합의로 작성한 '차용증 및 이행각서'는 그 작성명의인들이 자유의사로 작성한 문서로 그 사용권한자가 특정되어 있다고 할 수 없고 또 그 용도도 다양하므로, 위 '차용증 및 이행각서'를 이용하여 대여금청구소송을 제기하면서 이를 법원에 제출한 경우, 사문서 부정행사죄에 해당하지 않는다(대판 2007.3.30, 2007도629). 20. 변호사시험

⑭ 공문서부정행사죄

> **제230조** 공무원 또는 공무소의 문서 또는 도화를 부정행사한 자는 2년 이하의 징역이나 금고 또는 500만원 이하의 벌금에 처한다.
> **제235조** 본죄의 미수범은 처벌한다.

1. 형법 제230조의 공문서부정행사죄는 공문서의 사용에 대한 공공의 신용을 보호법익으로 하는 범죄로서 추상적 위험범이다(대판 2022.9.29, 2021도14514).
2. 본죄는 사용권한자와 용도가 특정되어 작성된 공문서 또는 공도화를 ① 그 사용권한이 없는 자가 사용권한이 있는 것처럼 가장하여 그 문서의 용도에 따라 사용하거나, ② 권한 있는 자라도 정당한 용법에 반하여 부정하게 행사하는 경우에 성립한다(대판 2019.12.12, 2018도2560). 따라서 ①의 경우에 그 공문서의 본래의 용도 이외 사용일 때에는 본죄에 해당하지 않는다(대판 2022.9.29, 2021도14514). ②의 경우 사용권한 있는 자의 용도 이외의 사용이 부정행사에 해당하는가에 관해 긍정설(판례)과 부정설이 대립한다. 15. 경찰간부, 22. 순경 1차, 23. 순경 2차, 24. 해경경위

관련판례

1. 운전면허증의 자격증명기능 외에 동일인증명기능을 인정하여, 신분확인을 위해 신분증제출을 요구받은 사람이 타인의 운전면허증을 제시한 경우에는 그 사용목적에 따른 행위로서 공문서부정행사죄가 성립한다고 본다(대판 2001.4.19, 2000도1985 전원합의체). 15. 경찰간부·순경 1차·수사경과, 16. 법원직, 23. 9급 검찰·마약수사·법원행시, 24. 변호사시험·해경승진·경위공채·경력채용
2. 피고인이 기왕에 습득한 타인의 주민등록증을 피고인 가족의 것이라고 제시하면서 그 주민등록증상의 명의·가명으로 이동전화 가입신청을 한 경우 ⇨ 본죄 ×(대판 2003.2.26, 2002도4935 ∵ 주민등록증 본래의 사용용도인 신분확인용으로 사용 ×) 22. 순경 2차, 23. 9급 검찰·마약수사·법원행시, 24. 해경간부·경찰간부·해경승진
3. 어떤 선박이 사고를 낸 것처럼 허위로 사고신고를 하면서 그 선박의 선박국적증서와 선박검사증서를 함께 제출하였다고 하더라도, 선박국적증서와 선박검사증서는 위 선박의 국적과 항행할 수 있는 자격을 증명하기 위한 용도로 사용된 것일 뿐 그 본래의 용도를 벗어나 행사된 것으로 보기는 어려우므로, 이와 같은 행위는 공문서부정행사죄에 해당하지 않는다(대판 2009.2.26, 2008도10851). 15. 순경 1차, 19. 경찰간부, 20. 변호사시험·수사경과·해경승진, 24. 해경간부
4. 자동차 등의 운전자가 경찰공무원에게 다른 사람의 운전면허증 자체가 아니라 이를 촬영한 이미지 파일을 휴대전화 화면 등을 통하여 보여주는 행위는 운전면허증의 특정된 용법에 따른 행사(운전면허증 자체를 제시하는 것)라고 볼 수 없는 것이어서 그로 인하여 경찰공무원이 그릇된 신용을 형성할 위험이 있다고 할 수 없으므로, 이러한 행위는 결국 공문서부정행사죄를 구성하지 아니한다(대판

2019.12.12, 2018도2560). 20. 법원행시, 22. 변호사시험·법원직·경력채용, 23. 경찰간부·9급 검찰·마약수사·경력채용·7급 검찰·해경승진, 24. 해경간부

5. 타인인 양 허위신고하여 자신의 사진과 지문이 찍힌 타인명의의 주민등록증을 발급받아 소지하다가 이를 검문경찰관에게 제시한 경우 ⇨ 본죄 ○(대판 1982.9.28, 82도1297) 21. 변호사시험, 23. 법원행시

6. 자동차를 렌트하면서 자동차대여업체의 직원으로부터 운전면허증의 제시요구를 받고 타인의 운전면허증을 제시한 경우 ⇨ 본죄 ○(대판 1998.8.21, 98도1701) 11. 경찰승진, 20. 해경승진, 24.7급 검찰

7. 인감증명서(대판 1983.6.28, 82도1985), 신원증명서(대판 1993.5.11, 93도127), 주민등록표등본(대판 1999.5.14, 99도206), 등기필증(대판 1981.12.8, 81도1130) 등과 같이 사용권한자가 특정되어 있지 않고 용도도 다양한 공문서를 본래의 취지에 따라 행사한 경우 ⇨ 본죄 × 14. 변호사시험, 15. 순경 1차, 20. 해경승진, 23. 9급 검찰·마약수사·법원행시, 24. 해경승진

8. 화해조서경정결정신청 기각결정문을 화해조서정본인 것처럼 등기서류로 제출·행사한 경우 ⇨ 본죄 ×(대판 1984.2.28, 82도2851 ∵ 정당한 용법에 반하여 부정행사 ×) 08. 순경

9. 장애인사용자동차표지를 사용할 권한이 없는 사람이 장애인 전용주차구역에 주차하는 등 장애인사용자동차에 대한 지원을 받을 것으로 합리적으로 기대되는 상황이 아니라면 단순히 이를 자동차에 비치하였더라도 장애인사용자동차표지를 본래의 용도에 따라 사용했다고 볼 수 없어 공문서부정행사죄가 성립하지 않는다(대판 2022.9.29, 2021도14514). 23. 경찰승진·법원행시

10. 사용권한자와 용도가 특정되어 있는 공문서를 사용권한 없는 자가 사용한 경우에도 그 공문서의 본래 용도에 따른 사용이 아닌 경우에는 공문서부정행사죄가 성립되지 아니한다(대판 2022.10.14, 2020도13344 예 甲이 조세범 처벌법 위반 사건으로 조사를 받던 중 자신이 乙인 것처럼 행세하기 위하여 乙의 국가유공자증을 조사 담당 공무원에게 제시한 경우 ⇨ 공문서부정행사죄 × ∵ 국가유공자증의 본래 용도는 제시인이 국가유공자법에 따라 등록된 국가유공자로서 관련 혜택을 받을 수 있는 자격이 있음을 증명하는 것이고 신분의 동일성을 증명하는 것이 아님).

1 전자복사기를 사용하여 원본을 기계적 방법으로 복사한 사본도 문서에 해당한다. ( )

16. 변호사시험 · 7급 · 9급 검찰 · 마약수사, 17. 순경 2차, 18. 경찰간부 · 순경 3차, 22. 해경간부 · 경력채용

2 사문서의 작성명의자의 인장이 압날되지 않고 주민등록번호가 기재되지 않았다면 일반인이 그 작성명의자에 의해 작성된 사문서라고 믿을만한 정도의 형식과 외관을 갖추었더라도 사문서위조죄의 객체가 되지 않는다. ( )

17. 변호사시험, 18. 경찰승진, 19. 순경 1차

3 담뱃갑의 표면에 그 담배의 제조회사와 담배의 종류를 구별 · 확인할 수 있는 특유의 도안이 표시되어 있는 경우에 그러한 담뱃갑은 사문서 등의 위조죄 대상인 '도화'에 해당한다. ( )

14. 법원행시 · 변호사시험, 15. 9급 검찰 · 마약수사, 18. 경찰간부, 22. 해경간부

4 컴퓨터 스캔작업을 통하여 만들어낸 공인중개사 자격증의 이미지파일은 형법상 문서에 관한 죄의 '문서'에 해당한다. ( )

17. 순경 2차, 18. 변호사시험, 20. 해경 1차, 21. 해경간부, 23. 경찰간부

5 이미지 파일은 '문서'에 해당하지 않으므로, 휴대전화 가입신청서를 위조한 후 이를 스캔한 이미지 파일을 제3자에게 이메일로 전송하여 컴퓨터 화면상으로 보게 한 행위는 위조 사문서행사죄를 구성하지 않는다. ( )   15. 9급 검찰 · 마약수사, 16 · 17. 순경 2차, 18. 경찰승진, 20. 법원직, 21 · 23. 경찰간부

6 실재하지 않는 허무인이나 사자(死者) 명의의 문서에 대하여는 사문서위조는 성립하지 않는 것이 원칙이나, 다만 사자 명의의 문서라 할지라도 그 문서의 작성일자가 생존 중의 일자인 때에는 사문서위조죄가 성립한다. ( )

17. 순경 2차, 18. 순경 1차, 20. 9급 검찰 · 경찰승진, 22. 해경간부, 23. 경찰승진 · 경력채용

7 금융위원회의 설치 등에 관한 법률 제29조, 제69조 제1항에서 정한 금융감독원 집행간부인 금융감독원장 명의의 문서를 위조, 행사한 행위는 사문서위조죄, 위조사문서행사죄에 해당한다. ( )

21. 법원행시, 22. 경찰간부, 23. 해경승진

8 사문서위조죄나 공정증서원본부실기재죄가 성립한 후, 사후피해자의 동의 또는 추인 등의 사정으로 문서에 기재된 대로 효과의 승인을 받거나, 등기가 실체적 권리관계에 부합하게 되었다 하더라도, 이미 성립한 범죄에는 아무런 영향이 없다. ( )

15. 9급 검찰, 16. 수사경과 · 경찰승진, 22. 해경간부, 23. 변호사시험

9 사문서위조죄는 그 명의자가 진정으로 작성한 문서로 볼 수 있을 정도의 형식과 외관을 갖추어 일반인이 명의자의 진정한 문서로 오신하기에 충분한 정도이면 성립하는 것이고, 반드시 그 작성명의자의 서명이나 날인이 있어야 하는 것은 아니다. ( )

15. 경찰승진, 17. 법원직, 21. 해경 1차, 22. 법원행시 · 수사경과, 23. 해경승진

Answer ← 1. ○ 2. × 3. ○ 4. × 5. × 6. × 7. × 8. ○ 9. ○

10 명의인을 기망하여 문서를 작성케 하는 경우에 서명과 날인이 정당하게 성립하였다면 사문서위조죄가 성립하지 않는다. ( )　　　　　17. 경찰승진·법원직, 18. 순경 3차, 21. 수사경과, 23. 순경 2차

11 사문서위조죄는 명의자가 진정으로 작성한 문서가 아님을 전제로 하므로 '문서가 원본인지 여부'가 중요한 거래에서 문서의 사본을 진정한 원본인 것처럼 행사할 목적으로 다른 조작을 가함이 없이 문서의 원본을 그대로 컬러복사기로 복사하여 사본을 행사한 경우, 사문서위조죄 및 동행사죄는 성립하지 아니한다. ( )
　　　　　18. 법원직·순경 1차·3차, 20. 법원행시, 21. 해경 1차·순경 2차, 23. 경찰승진·경력채용

12 매수인으로부터 토지매매계약체결에 관하여 포괄적 권한을 위임받은 자가 실제 매수가격보다 높은 가격을 매매대금으로 기재하여 매수인 명의의 매매계약서를 작성하였다 하더라도 그것은 작성권한 있는 자가 허위내용의 문서를 작성한 것에 불과하여 사문서위조죄가 성립할 수 없다. ( )　　　　　14. 순경 2차, 18. 변호사시험

13 주식회사의 지배인이 자신을 그 회사의 대표이사로 표시하여 연대보증채무를 부담하는 취지의 회사 명의의 차용증을 작성·교부한 경우, 그 문서에 일부 허위 내용이 포함되거나 위 연대보증행위가 회사의 이익에 반하는 것이더라도 사문서위조 및 위조사문서행사에 해당하지 않는다. ( )　　　　　17. 변호사시험, 18. 경찰승진·순경 1차, 20. 해경 1차, 22. 경찰간부, 23. 법원직·법원행시·해경 3차

14 A주식회사의 대표이사 甲이 실질적 운영자인 1인 주주 B의 구체적인 위임이나 승낙 없이 이미 퇴임한 전(前) 대표이사 C를 대표이사로 표시하여 A회사 명의의 문서를 작성한 경우 사문서위조죄가 성립한다. ( )　　　　　16. 9급 검찰·마약수사, 20. 경찰승진, 22. 순경 1차, 24. 해경승진

15 A은행의 지배인으로 등기되어 있는 甲은 지급보증의 성질이 있는 A은행 명의로 된 대출채권양수도약정서와 사용인감계를 작성하였는데, A은행의 내부규정은 지급보증 등의 의사결정권한을 상위 결재권자에게 부여하고 있었다면, 사문서위조죄에 해당한다. ( )
　　　　　21. 7급 검찰, 22. 경찰간부

16 사문서변조에 있어서 그 변조당시 명의인의 명시적, 묵시적 승낙 없이 한 것이면 변조된 문서가 명의인에게 유리하여 결과적으로 그 의사에 합치한다 하더라도 사문서변조죄의 구성요건을 충족한다 할 것이다. ( )　　　　　20. 해경 3차, 21. 해경간부, 23. 해경 3차·변호사시험

17 사문서에 2인 이상의 작성명의인이 있는 때에는 그 명의자 가운데 1인이 나머지 명의자와 합의 없이 행사할 목적으로 그 문서의 내용을 변경하더라도 사문서변조죄를 구성하지 않는다. ( )
　　　　　17. 변호사시험·법원직, 18. 경찰승진, 22. 7급 검찰·경력채용, 23. 해경 3차

18 시스템의 설치·운영 주체로부터 각자의 직무 범위에서 개개의 단위정보의 입력 권한을 부여받은 사람이 그 권한을 남용하여 허위의 정보를 입력함으로써 시스템 설치·운영 주체의 의사에 반하는 전자기록을 생성하는 경우에는 사전자기록 등 위작죄에서 말하는 전자기록의 '위작'에 포함되지 않는다. ( )　　　　　21. 법원행시·법원직·7급 검찰, 22. 경찰간부·순경 2차, 23. 변호사시험

Answer ◄─ **10.** × **11.** × **12.** ○ **13.** ○ **14.** × **15.** ○ **16.** ○ **17.** × **18.** ×

19 타인의 주민등록증사본의 사진란에 피고인의 사진을 붙여 복사하여 행사한 경우 공문서위조죄 및 동행사죄가 성립한다. (   )

15. 경찰간부, 16. 경찰승진·법원직, 20. 순경 1차·수사경과, 22. 해경간부

20 공립학교 교사가 작성하는 교원의 인적사항과 전출희망사항 등을 기재하는 부분과 학교장이 작성하는 학교장의견란 등으로 구성되어 있는 교원실태조사카드의 교사 명의 부분을 명의자의 의사에 반하여 작성한 행위는 공문서위조죄를 구성한다. (   )   16. 순경 1차, 17. 경찰승진, 23. 해경승진

21 식당의 주 부식 구입 업무를 담당하는 공무원 甲이 계약 등에 의하여 공무소의 주 부식의 구입 검수 업무 등을 담당하는 조리장 영양사 등의 명의를 위조하여 검수결과보고서를 작성한 경우 공문서위조죄에 해당한다. (   )   15. 경찰간부, 16. 순경 2차, 20. 순경 1차, 22.7급 검찰

22 이혼의사확인서등본과 간인으로 연결된 이혼신고서를 떼어내고 원래 이혼신고서의 내용과는 다른 이혼신고서를 작성하여 이혼의사확인서등본과 함께 호적관서에 제출한 경우 공문서인 이혼의사확인서등본을 변조하였다거나 변조된 이혼의사확인서등본을 행사하였다고 할 수 있다. (   )   16.7급 검찰·철도경찰, 20. 수사경과, 21. 순경 1차, 22. 해경간부

23 권한 없는 자가 임의로 인감증명서의 사용용도란의 기재를 고쳐 쓴 경우 공무원 또는 공무소의 문서 내용에 대하여 변경을 가한 것으로 공문서변조죄가 성립한다. (   )   16. 순경 1차·2차, 22. 경찰간부

24 경찰범죄정보시스템에 접근하여 당해 사건의 처리정보를 입력할 수 있는 권한이 있는 담당 경찰관이 그 권한을 일탈·남용하여 경찰범죄정보시스템에 허위의 정보를 입력한 행위는 공전자기록위작죄에서 말하는 위작에 해당하지 않는다. (   )   10. 사시, 18. 경찰승진, 20. 해경 1차

25 허위공문서작성죄의 객체가 되는 문서는 문서상 작성명의인이 명시된 경우뿐 아니라 작성명의인이 명시되어 있지 않더라도 문서의 형식, 내용 등 문서 자체에 의하여 누가 작성하였는지를 추지할 수 있을 정도의 것이면 된다. (   )   21. 변호사시험·9급 검찰·마약수사·순경 1차, 22. 법원직·경찰간부·해경 2차

26 甲구청장이 乙구청장으로 전보된 후 甲구청장의 권한에 속하는 건축허가에 관한 기안용지의 결재란에 서명을 한 것은 허위공문서작성죄를 구성한다. (   )   14. 사시, 16. 순경 2차, 17. 경찰간부

27 공무원인 의사가 공무소의 명의로 허위진단서를 작성한 경우에는 허위공문서작성죄만이 성립하고 허위진단서작성죄는 별도로 성립하지 않는다. (   )   15. 법원행시, 18. 변호사시험, 19. 법원직, 20. 수사경과, 22. 순경 1차

28 공문서를 작성하는 과정에서 법령 등을 잘못 적용하거나 적용하여야 할 법령 등을 적용하지 아니한 잘못이 있더라도 그 적용의 전제가 된 사실관계에 관하여 거짓된 기재가 없다면 허위공문서작성죄가 성립할 수 없고, 이는 그와 같은 잘못이 공무원의 고의에 기한 것이라도 달리 볼 수 없다. (   )   19. 경찰승진, 21. 9급 검찰·마약수사, 22. 해경 2차·순경 2차, 23. 법원행시, 24. 해경승진

Answer ◀— 19. ○   20. ×   21. ×   22. ×   23. ×   24. ×   25. ○   26. ×   27. ○   28. ○

29 문서를 작성할 권한이 있는 공무원의 직무를 보좌하는 자가 그 직위를 이용하여 행사할 목적으로 초안한 문서에 허위내용을 기입하고, 그 정을 모르는 상사에게 제출·결재하게 한 경우에는 허위공문서작성죄의 간접정범이 된다. (   )   17. 법원행시, 18. 경찰간부·7급 검찰, 21. 경찰승진·법원직

30 공무원 아닌 자가 관공서에 허위 내용의 증명원을 제출하여 그 내용이 허위인 정을 모르는 담당 공무원으로부터 그 증명원 내용과 같은 증명서를 발급받은 경우 공문서위조죄의 간접정범으로 의율할 수 있다. (   )   18. 경찰간부·법원직, 21. 변호사시험·순경 2차, 22. 해경간부, 24. 해경승진

31 자동차운전면허대장은 공정증서원본부실기재죄의 객체인 공정증서원본에 해당한다. (   )   17. 법원행시·경찰승진·순경 1차, 21. 변호사시험·해경승진, 22. 해경간부·해경 2차

32 민사조정법상의 조정절차에서 작성되는 조정조서는 공정증서원본부실기재죄의 객체인 공정증서원본에 해당한다. (   )   15. 순경 3차, 17. 법원행시, 20. 해경승진, 22. 순경 1차, 23. 법원직, 24. 경찰승진

33 사업자등록증은 공정증서원본 등 부실기재죄의 대상인 등록증에 해당하지 않는다. (   )   15. 경찰간부·법원직·순경 3차, 21. 해경승진, 22. 순경 1차, 23. 법원행시

34 토지거래허가구역 안의 토지에 대하여 매매계약을 체결하였음에도 등기원인을 증여로 하여 소유권이전등기를 한 경우 처음부터 토지거래허가를 잠탈하려는 목적이 있었다고 하더라도 당사자 사이에 소유권이전등기를 할 의사가 있었다면 공정증서원본 등 부실기재죄가 성립하지 않는다. (   )   15. 경찰간부, 17. 법원행시·경찰승진, 22. 수사경과, 23. 해경승진

35 甲이 중국인 乙과 참다운 부부관계를 설정할 의사가 아니라 단지 乙의 국내 취업을 위한 입국을 가능하게 할 목적으로 형식상 혼인하기로 하고 甲의 본적지 면사무소에 혼인신고를 한 경우 공정증서원본부실기재죄가 성립한다. (   )   15·17. 경찰간부, 19. 변호사시험

36 발행인과 수취인이 통모하여 진정한 어음채무 부담이나 어음채권 취득 의사 없이 단지 발행인의 채권자에게서 채권추심이나 강제집행을 받는 것을 회피하기 위하여 형식적으로만 약속어음의 발행을 가장한 후 공증인에게 마치 진정한 어음발행행위가 있는 것처럼 허위로 신고하여 어음공정증서원본을 작성·비치하게 한 경우에 공정증서원본부실기재 및 동행사죄가 성립한다. (   )   14. 법원직, 17. 법원행시·경찰승진, 23. 해경승진·법원직

37 재건축조합 임시총회의 소집절차나 결의방법이 법령이나 정관에 위반되어 임원개임결의가 사법상 무효일지라도 실제로 조합총회에서 임원개임결의가 이루어졌고 그 결의에 따라 임원변경등기를 마쳤다면 공정증서원본부실기재죄가 성립하지 않는다. (   )   15. 사시, 17. 순경 1차, 18. 경찰간부, 21. 해경간부

38 소유권보존등기나 소유권이전등기에 절차상 하자가 있거나 등기원인이 실제와 다르다 하더라도 등기 경료 당시를 기준으로 실체적 권리관계에 부합하는 유효한 등기인 경우 공정증서원본부실기재 및 동행사죄가 성립되지 않는다. (   )   15. 경찰간부, 17. 법원행시, 20. 해경승진

Answer ▶ 29. ○ 30. ✕ 31. ✕ 32. ✕ 33. ○ 34. ✕ 35. ○ 36. ○ 37. ○ 38. ○

39 종중 소유의 토지를 자신의 개인 소유로 신고하여 토지대장에 올린 경우 공정증서원본 등 부실기재죄가 성립하지 않는다. ( )
15. 법원직·순경 3차, 18. 수사경과, 23. 해경승진, 24. 경찰승진

40 부동산 거래당사자가 '거래가액'을 시장 등에게 거짓으로 신고하여 받은 신고필증을 기초로 사실과 다른 내용의 거래가액이 부동산등기부에 등재되도록 한 경우 공전자기록 등 부실기재죄가 성립하지 않는다. ( )
16. 사시·경찰간부·순경 2차, 18. 7급 검찰, 20. 법원행시·경찰승진·수사경과

41 유한회사의 사원이 상법 등 법령에 정한 회사설립의 요건과 절차에 따라 회사설립등기를 함으로써 회사가 성립되었다고 하더라도 회사를 성립할 당시 회사를 실제로 운영할 의사가 없이 회사를 이용한 범죄의도나 목적이 있었다거나 회사로서의 물적·인적조직 등 영업실질을 갖추지 않고 있는 경우에는 공전자기록 등 부실기재죄가 성립한다. ( )
20. 법원행시, 21. 해경간부, 23. 순경 1차, 24. 경찰간부

42 간접정범을 통한 위조문서행사범행에 있어 도구로 이용된 자라고 하더라도 문서가 위조된 것임을 알지 못하는 자에게 행사한 경우에는 위조문서행사죄가 성립한다. ( )
15. 사시, 16. 법원행시, 20. 변호사시험, 21. 경찰승진

43 甲이 위조한 공문서의 이미지 파일을 이메일로 A에게 송부하여 프린터로 출력하게 하였는데, A가 출력 당시 위 파일이 위조된 것임을 알지 못했다면 甲에게 위조공문서행사죄가 성립한다. ( )
16. 변호사시험, 19. 법원행시, 20. 경찰간부, 21. 7급 검찰, 22. 순경 1차

44 위조된 문서의 작성명의인은 위조문서행사죄의 상대방이 될 수 없다. ( )
16. 경찰간부, 18. 순경 2차, 20. 법원직, 21. 해경승진

45 경찰공무원으로부터 신분증의 제시를 요구받고 자신의 인적사항을 속이기 위하여 다른 사람의 운전면허증을 제시하는 경우에는 공문서부정행사죄가 성립하지 않는다. ( )
16. 법원직, 20. 해경승진, 23. 법원행시·9급 검찰·마약수사, 24. 변호사시험·해경승진

46 피고인이 기왕에 습득한 타인의 주민등록증을 피고인 가족의 것이라고 제시하면서 그 주민등록상의 명의로 이동전화 가입신청을 한 경우에 공문서부정행사죄가 성립한다. ( )
16. 법원직, 20. 수사경과, 22. 순경 2차, 23. 9급 검찰·마약수사, 24. 경찰간부

47 甲선박에 의해 발생한 사고를 마치 乙선박에 의해 발생한 것처럼 허위신고를 하면서 그에 대한 검정용 자료로서 乙선박의 선박국적증서와 선박검사증서를 제출한 경우 공문서부정행사죄가 성립한다. ( )
15. 순경 1차, 19. 경찰간부, 20. 변호사시험·해경승진, 24. 해경간부

48 자동차 등의 운전자가 경찰공무원에게 다른 사람의 운전면허증 자체가 아니라 이를 촬영한 이미지파일을 휴대전화 화면 등을 통하여 보여주는 행위는 공문서부정행사죄를 구성하지 아니한다. ( )
20. 법원행시, 22. 변호사시험·법원직·경력채용, 23. 경찰간부·9급 검찰·마약수사·경력채용·7급 검찰, 24. 해경간부

Answer ← 39. ○ 40. ○ 41. × 42. ○ 43. ○ 44. × 45. × 46. × 47. × 48. ○

제4절 ▶ 인장에 관한 죄

> **제239조【사인 등의 위조, 부정사용】** ① 행사할 목적으로 타인의 인장, 서명, 기명 또는 기호를 위조 또는 부정사용한 자는 3년 이하의 징역에 처한다. 20. 법원직
> ② 위조 또는 부정사용한 타인의 인장, 서명, 기명 또는 기호를 행사한 때에도 전항의 형과 같다.
> **제238조【공인 등의 위조, 부정사용】** ① 행사할 목적으로 공무원 또는 공무소의 인장, 서명, 기명 또는 기호를 위조 또는 부정사용한 자는 5년 이하의 징역에 처한다.
> ② 위조 또는 부정사용한 공무원 또는 공무소의 인장, 서명, 기명 또는 기호를 행사한 자도 전항의 형과 같다.

☝ 미수범 처벌(제240조)

┌ 관련판례

1. 사인위조죄는 그 명의인의 의사에 반하여 위법하게 행사할 목적으로 권한 없이 타인의 인장을 위조한 경우에 성립하므로, 타인의 인장을 조각할 당시에 그 명의자로부터 명시적이거나 묵시적인 승낙 내지 위임을 받았다면 인장위조죄는 성립하지 않는다(대판 2014.9.26, 2014도9213). 17. 7급 검찰, 16 · 18 · 20. 경찰간부

2. 일단 서명이 완성된 이상 (무인 또는 간인이 필요한 경우와 같이) 문서가 완성되지 아니한 경우에도 일반인으로서는 그 문서에 기재된 타인의 서명을 그 명의인의 진정한 서명으로 오신할 수 있으므로 서명의 위조가 성립한다(대판 2005.12.23, 2005도4478 **예** 경찰서에서 조사를 받던 사람이 제3자로 행세하면서 피의자신문조서에 제3자의 서명을 기재하였으나, 조사 경찰관의 서명 · 날인 등이 완료되기 전에 그 서명위조 사실이 발각된 경우 ⇨ 사서명위조 및 위조사서명행사죄 ○). 16. 변호사시험, 19. 법원행시, 20. 경찰간부 · 해경 1차

3. 피고인이 타인 행세를 하며 피의자로서 조사를 받은 다음 경찰관에 의하여 작성된 피의자신문조서의 말미에 타인의 서명 및 무인을 하고, 타인의 이름이 기재된 수사과정확인서에 무인을 한 경우 ⇨ 사서명 등 위조죄 및 위조사서명 등 행사죄(대판 2011.3.10, 2011도503) 10. 사시, 20. 경찰간부

4. 아파트 동대표로 당선된 甲이 사실은 대학을 졸업하지 않았음이 사립대학 교무처장 명의로 된 학력조회 회보서를 통해 확인되자 아파트 주민대표회 간부들이 甲의 허위학력 사실을 아파트 주민들에게 공고문 형식으로 알리면서 그 공고문의 신뢰성 제고를 위해 공고문 안에 대학 교무처장 명의의 직인을 함께 나타낸 경우에는 사인위조죄가 성립한다(대판 2010.1.14, 2009도5929). 20. 경찰간부

5. 피고인이 음주운전으로 단속되자 동생 甲의 이름을 대며 조사를 받다가 휴대용정보단말기(PDA)에 표시된 음주운전단속결과통보 중 운전자 甲의 서명란에 甲의 이름 대신 의미를 알 수 없는 부호를 기재한 행위는 甲의 서명을 위조한 것에 해당한다(대판 2020.12.30, 2020도14045). 21. 법원행시

6. 위조인장행사죄는 위조 또는 부정사용한 타인의 인장, 서명, 기명 또는 기호를 진정한 것처럼 그 용법에 따라 사용하는 것을 말한다. 위조된 인영이나 인과의 경우에는 날인하여 일반인이 인식 · 열람할 수 있는 상태에 두면 족하고, 위조된 인과 그 자체를 타인에게 교부하는 것만으로는 위조인장행사죄에 해당하지 않는다(대판 1984.2.28, 84도90). 20. 경찰간부

7. 형법 제238조에 있어 부정사용한 공기호인 자동차등록번호판의 용법에 따른 사용행위인 행사라 함은 그것이 부착된 자동차를 운행함을 의미한다고 할 것이고, 그 운행과는 별도로 부정사용한 자동차등

록번호판을 타인에게 제시하는 등 행위가 있어야 그 행사죄가 성립한다고 볼 수 없다(대판 1997.7.8, 96도3319 : 절취한 타인의 차량등록번호판을 렌터카에 부착하고 운행한 경우 ⇨ 절도죄·공기호부정 사용죄·부정사용공기호행사죄의 실체적 경합) 07. 경찰승진, 24. 7급 검찰

8. 형법상 인장에 관한 죄에서 인장은 사람의 동일성을 표시하기 위하여 사용하는 일정한 상형을 의미하고, 기호는 물건에 압날하여 사람의 인격상 동일성 이외의 일정한 사항을 증명하는 부호를 의미한다(대판 2024.1.4, 2023도11313).

9. 형법 제238조의 공기호는 해당 부호를 공무원 또는 공무소가 사용하는 것만으로는 부족하고, 그 부호를 통하여 증명을 하는 사항이 구체적으로 특정되어 있고 해당 사항은 그 부호에 의하여 증명이 이루어질 것이 요구된다(대판 2024.1.4, 2023도11313 예 피고인이 온라인 구매사이트에서 검찰 업무 표장의 이미지가 들어간 주차표지판, 피고인의 차량번호를 표시한 표지판, '공무수행'이라고 표시한 표지판 등을 주문하여 자신의 승용차에 부착하고 다닌 경우 ⇨ 공기호위조죄 및 위조공기호 행사죄 × ∵ 위 각 검찰 업무표장이 부착된 차량이 '검찰 공무수행 차량'이라는 것을 증명하는 증명적 기능을 갖추지 못한 이상 이를 공기호라고 볼 수 없음). 24. 순경 2차

PART
02

01 문서에 대한 설명으로 옳지 않은 것은?(다툼이 있는 경우 판례에 의함)　　　　21. 경찰간부

① 문서라 함은 문자 또는 이에 대신할 수 있는 가독적 부호로 계속적으로 물체상에 기재된 의사 또는 관념의 표시인 원본 또는 이와 사회적 기능, 신용성 등을 동일시할 수 있는 기계적 방법에 의한 복사본으로서 그 내용이 법률상, 사회생활상 주요 사항에 관한 증거로 될 수 있는 것을 말한다.

② 컴퓨터 화면에 나타나는 이미지 파일은 프로그램을 실행할 때마다 전자적 반응을 일으켜 화면에 나타나는 것에 지나지 않아서 계속적으로 화면에 고정된 것으로는 볼 수 없으므로, 형법상 문서에 관한 죄에 있어서 '문서'에 해당되지 않는다.

③ 주민등록증의 이름·주민등록번호란에 글자를 오려붙인 후 이를 컴퓨터 스캔 장치를 이용하여 이미지 파일로 만들어 컴퓨터 모니터로 출력하는 한편 타인에게 이메일로 전송한 경우, 공문서위조 및 위조공문서행사죄를 구성하지 않는다.

④ 이미지 파일은 '문서'에 해당하지 않으므로, 휴대전화 가입신청서를 위조한 후 이를 스캔한 이미지 파일을 제3자에게 이메일로 전송하여 컴퓨터 화면상으로 보게 한 행위는 위조 사문서 행사죄를 구성하지 않는다.

해설　① 대판 2006.1.26, 2004도788 ② 대판 2008.4.10, 2008도1013 ③ 대판 2007.11.29, 2007도7480 ④ × : 위조사문서행사죄 ○(대판 2008.10.23, 2008도5200)

02 사문서위·변조죄에 관한 설명 중 옳은 것은?　　　　17. 변호사시험, 23. 해경 3차

① 사문서를 변조할 당시 그 명의인의 명시적·묵시적 승낙이 없었더라도 변조된 문서가 그 명의인에게 유리하여 결과적으로 그 의사에 합치되는 때에는 사문서변조죄를 구성하지 않는다.

② 사문서에 2인 이상의 작성명의인이 있는 때에는 그 명의자 가운데 1인이 나머지 명의자와 합의 없이 행사할 목적으로 그 문서의 내용을 변경하더라도 사문서변조죄를 구성하지 않는다.

③ 주식회사의 지배인이 자신을 그 회사의 대표이사로 표시하여 연대보증채무를 부담하는 취지의 회사 명의의 차용증을 작성한 경우에 그 문서에 허위의 내용이 포함되어 있더라도 사문서위조죄를 구성하지 않는다.

④ 사문서의 작성명의자의 인장이 압날되지 않고 주민등록번호가 기재되지 않았다면 일반인이 그 작성명의자에 의해 작성된 사문서라고 믿을만한 정도의 형식과 외관을 갖추었더라도 사문서위조죄의 객체가 되지 않는다.

⑤ 직접적인 법률관계에 단지 간접적으로 연관된 의사표시 내지 권리·의무의 변동에 사실상으로 영향을 줄 수 있는 의사표시를 내용으로 하는 문서는 사문서위조죄의 객체가 되지 않는다.

Answer　01. ④　02. ③

해설 ① ×: 사문서변조죄 ○(대판 1985.1.22, 84도2422)

② ×: 사문서변조죄 ○(대판 1977.7.12, 77도1736)

③ ○: 대판 2010.5.13, 2010도1040

④ ×: 사문서변조죄 객체 ○(대판 1989.8.8, 88도2209)

⑤ ×: 사문서변조죄 객체 ○(대판 2012.5.9, 2010도2690)

03 형법상 문서에 관한 죄에 관한 설명 중 옳은 것은?(다툼이 있는 경우 판례에 의함)   18. 변호사시험

① 공무원인 의사가 공무소의 명의로 허위진단서를 작성한 경우에는 허위공문서작성죄와 허위
진단서작성죄가 성립하고 두 죄는 상상적 경합관계에 있다.

② 컴퓨터 스캔 작업을 통하여 만들어낸 공인중개사 자격증의 이미지 파일은 전자기록장치에
전자적 형태로서 고정되어 있어 계속성을 인정할 수 있으므로 형법상 문서에 관한 죄에 있어
서의 문서로 보아야 한다.

③ 매수인으로부터 토지매매계약체결에 관하여 포괄적 권한을 위임받은 자가 실제 매수가격보다
높은 가격을 매매대금으로 기재하여 매수인 명의의 매매계약서를 작성하였다 하더라도 그것은
작성권한 있는 자가 허위내용의 문서를 작성한 것에 불과하여 사문서위조죄가 성립할 수 없다.

④ 일정 한도액에 관하여 연대보증인이 될 것을 허락한 甲으로부터 그에 필요한 문서를 작성하는
데 쓰일 인감도장과 인감증명서를 교부받아 甲을 직접 차주로 하는 동액 상당의 차용금 증서를
작성한 경우에는 본래의 정당한 권한 범위를 벗어난 것이므로 사문서위조죄가 성립한다.

⑤ 사문서의 경우에는 그 명의인이 실재하지 않는 허무인이거나 문서의 작성일자 전에 이미 사
망하였다 하더라도 문서위조죄가 성립하나, 공문서의 경우에는 문서위조죄가 성립하기 위하
여 명의인이 실재함을 필요로 한다.

해설 ① ×: 허위공문서작성죄만 성립(대판 2004.4.9, 2003도7762)

② ×: 이미지 파일 ➡ 문서 ×(대판 2008.4.10, 2008도1013)

③ ○: 대판 1984.7.10, 84도1146

④ ×: 사문서위조죄 ×(대판 1984.10.10, 84도1566 ∵ 정당한 권한에 기하여 그 권한의 범위 안에서 적법
하게 작성된 것)

⑤ ×: 공문서의 경우도 명의인이 실재함을 요하지 않는다(대판 1976.9.14, 76도1767).

04 사문서위조죄에 대한 설명으로 가장 적절한 것은?(다툼이 있는 경우 판례에 의함)   18. 순경 3차

① 피고인이 이사들의 참석 및 의결권 행사에 관한 권한을 위임받았다 하더라도 그 이사들이
이사회에 불참했음에도 마치 참석하여 의결권을 행사한 것처럼 이사회 회의록을 작성하였다
면 사문서위조죄가 성립한다.

② 피고인이 대량의 사건을 수임하기 위하여 소속변호사회에서 발급받은 진정한 경유증표 원본을
컬러복사하여 법원에 제출하였더라도, 복사기 등을 사용하여 기계적인 방법에 의하여 원본을
복사한 문서인 복사문서는 문서죄의 객체에 해당하지 않으므로 사문서위조죄가 성립하지 않는다.

Answer   03. ③   04. ④

③ 피고인이 명의인인 회사대표이사로부터 문서작성권한의 위임을 받았다면, 그 위임받은 권한을 초월하여 사문서를 작성하였다 하더라도 사문서위조죄는 성립하지 않는다.

④ 피고인이 문서명의인인 문중원들을 기망하여 정기문중총회 회의록을 작성하였다면, 비록 문중원들의 서명, 날인이 정당하게 성립된 경우라 하더라도 사문서위조죄가 성립한다.

해설 ① × : 사문서위조죄 ×(대판 1984.3.27, 83도3260)
② × : 사문서위조죄 ○(대판 2016.7.14, 2016도2081 ∵ 문서의 원본을 컬러복사기로 복사한 문서인 복사문서 ⇨ 문서죄의 객체 ○)
③ × : 사문서위조죄 ○(대판 2005.10.28, 2005도6088)
④ ○ : 대판 2000.6.13, 2000도778

05 문서에 관한 죄의 설명으로 가장 적절하지 않은 것은?(다툼이 있는 경우 판례에 의함)　20. 순경 1차

① 타인의 주민등록증사본의 사진란에 자신의 사진을 붙여 복사한 행위와 타인의 주민등록증을 복사기와 컴퓨터를 이용하여 전혀 별개의 주민등록증사본을 창출시킨 행위는 공문서위조에 해당한다.

② 식당의 주 부식 구입 업무를 담당하는 공무원 甲이 계약 등에 의하여 공무소의 주 부식의 구입 검수 업무 등을 담당하는 조리장 영양사 등의 명의를 위조하여 검수결과보고서를 작성한 경우 공문서위조죄에 해당한다.

③ 세금계산서상의 공급받는 자는 그 문서 내용의 일부에 불과할 뿐 세금계산서의 작성명의인은 아니라 할 것이니, 공급받는 자란에 임의로 다른 사람을 기재하였다 하여 그 사람에 대한 관계에서 사문서위조죄가 성립된다고 할 수 없다.

④ 사문서변조죄는 권한 없는 자가 이미 진정하게 성립된 타인 명의의 문서 내용에 대하여 동일성을 해하지 않을 정도로 변경을 가하여 새로운 증명력을 작출케 함으로써 공공적 신용을 해할 위험성이 있을 때 성립한다. 따라서 이미 진정하게 성립된 타인 명의의 문서가 존재하지 않는다면 사문서변조죄가 성립할 수 없다.

해설 ① 대판 2000.9.5, 2000도2855
② × : 공문서위조죄 ×(대판 2008.1.17, 2007도6987 ∵ 그 행위주체가 공무원과 공무소가 아닌 경우에는 형법 또는 기타 특별법에 의하여 공무원 등으로 의제되는 경우를 제외하고는 계약 등에 의하여 공무와 관련되는 업무를 일부 대행하는 경우가 있다 하더라도 공무원 또는 공무소가 될 수는 없음)
③ 대판 2007.3.15, 2007도169(∵ 세금계산서 작성권자는 재화나 용역을 공급하는 공급자이므로)
④ 대판 2017.12.5, 2014도1492

Answer　05. ②

06 문서에 관한 죄에 대한 설명으로 가장 적절하지 않은 것은?(다툼이 있는 경우 판례에 의함)

21. 순경 1차

① 허위공문서작성죄의 객체가 되는 문서는 문서상 작성명의인이 명시된 경우뿐 아니라 작성명의인이 명시되어 있지 않더라도 문서의 형식, 내용 등 문서 자체에 의하여 누가 작성하였는지를 추지할 수 있을 정도의 것이면 된다.

② 실제의 본명 대신 가명이나 위명을 사용하여 사문서를 작성한 경우, 그 문서의 작성명의인과 실제 작성자의 인격이 상이할 때에는 위조죄가 성립할 수 있다.

③ 가정법원의 서기관이 이혼의사확인서등본을 작성한 후 그 뒤에 이혼신고서를 첨부하고 직인을 간인하여 교부한 경우, 당사자가 이를 떼어내고 다른 내용의 이혼신고서를 붙여 관련 행정관서에 제출하였다면 공문서변조 및 변조공문서행사죄가 성립한다.

④ 사립학교 법인 이사가 이사회 회의록에 서명 대신 서명거부사유를 기재하고 그에 대한 서명을 한 경우, 이사회 회의록의 작성권한자인 이사장이라 하더라도 임의로 이를 삭제하면 특별한 사정이 없는 한 사문서변조에 해당한다.

해설 ① 대판 2019.3.14, 2018도18646
② 대판 2010.11.11, 2010도1835(단, 인격의 동일성이 그대로 유지되는 때에는 위조가 되지 않는다.)
③ × : ~ 성립하지 않는다(대판 2009.1.30, 2006도7777 ∵ 이혼신고서가 공문서인 이혼의사확인서등본의 일부가 되지 않음).
④ 대판 2018.9.13, 2016도20954

07 문서에 관한 죄에 대한 설명으로 가장 적절하지 않은 것은?(다툼이 있는 경우 판례에 의함)

21. 순경 2차

① 甲이 콘도미니엄 입주민들의 모임인 A시설운영위원회의 대표로 선출된 후 A위원회가 대표성을 갖춘 단체라는 외양을 작출할 목적으로, 행정용 봉투에 A위원회의 한자와 한글 직인을 날인한 다음 자신의 인감증명서 중앙에 있는 '용도'란 부분에 이를 오려 붙이는 방법으로 인감증명서 1매를 작성하고, 이를 휴대전화로 촬영한 사진 파일을 입주민들이 참여하는 메신저 단체대화방에 게재한 경우에는 공문서위조 및 동행사죄가 성립하지 아니한다.

② 변호사 甲이 대량의 저작권법 위반 형사고소 사건을 수임하여 피고소인 30명을 각각 형사고소하기 위하여 20건 또는 10건의 고소장을 개별적으로 수사관서에 제출하면서 하나의 고소위임장에만 소속 변호사회에서 발급받은 진정한 경유증표 원본을 첨부한 후 이를 일체로 하여 컬러복사기로 20장 또는 10장의 고소위임장을 각 복사한 다음 고소위임장과 일체로 복사한 경유증표를 고소장에 첨부하여 접수한 경우에는 사문서위조 및 동행사죄가 성립한다.

③ 법무사 甲이 위임인 A가 문서명의자로부터 문서작성 권한을 위임받지 않았음을 알면서도 법무사법 제25조에 따른 확인절차를 거치지 아니하고 권리의무에 중대한 영향을 미칠 수 있는 문서를 작성한 경우에는 사문서위조죄가 성립한다.

Answer 06. ③   07. ④

④ 공무원 아닌 甲이 관공서에 허위 내용의 증명원을 제출하여 그 내용이 허위인 정을 모르는 담당공무원 A로부터 그 증명원 내용과 같은 증명서를 발급받은 경우에는 공문서위조죄의 간접정범으로 처벌된다.

해설 ① 대판 2020.12.24, 2019도8443
② 대판 2016.7.14, 2016도2081
③ 대판 2008.4.10, 2007도9987(∵ 사문서의 위조 및 동행사죄의 고의를 인정함)
④ × : 공문서위조죄의 간접정범 ×(대판 2001.3.9, 2000도938)

08 다음 중 ( ) 안에 甲의 죄책이 가장 적절한 것은?(다툼이 있는 경우 판례에 의함) 22. 경찰간부

① 甲과 乙은 공모하여 행사할 목적으로 금융감독원장 명의의 '금융감독원 대출정보내역'이라는 사실증명에 관한 문서 1장을 위조하고, 공범 乙에게 기망당하여 위조 사실을 모르는 A에게 위 문서를 교부함으로써 위조된 문서를 행사하였다. (사문서위조죄, 위조사문서행사죄)

② B주식회사의 지배인 甲이 그 권한을 남용하여 자신을 B회사의 대표이사로 표시하여 연대보증채무를 부담한다는 취지로 회사명의의 차용증을 작성하여 채권자에게 교부하였다. (사문서위조죄, 위조사문서행사죄)

③ C은행의 지배인으로 등기되어 있는 甲이, 회사의 내부규정 등에 의하여 각 지배인이 회사를 대리할 수 있는 행위의 종류, 내용, 상대방 등을 한정하여 그 권한을 제한한 경우에 그 제한된 권한 범위를 벗어나서, 신용이나 담보가 부족한 차주 회사가 저축은행 등 대출기관에서 대출을 받는 데 사용하도록 지급보증의 성질이 있는 C은행 명의의 대출채권양수도약정서와 사용인감계를 작성하였다. (사문서위조죄)

④ 甲이 D의 주민등록증을 이용하여 주민등록증상 이름과 사진을 하얀 종이로 가린 후 복사기로 복사를 하고, 다시 컴퓨터를 이용하여 E의 인적사항과 주소, 발급일자를 기재한 후 덮어쓰기를 하여 이를 다시 복사하는 방식으로 별개의 주민등록증사본을 창출시켰다. (공문서변조죄)

해설 ① × : 금융위원회의 설치 등에 관한 법률(금융위원회법) 제29조, 제69조 제1항에서 정한 금융감독원 집행간부인 금융감독원장 명의의 문서(공문서 ○, 사문서 ×)를 위조, 행사한 행위는 사문서위조죄, 위조사문서행사죄에 해당하는 것이 아니라 공문서위조죄, 위조공문서행사죄에 해당한다(대판 2021.3.11, 2020도14666).
② × : 사문서위조죄 ×, 위조사문서행사죄 ×(대판 2010.5.13, 2010도1040)
③ ○ : 사문서위조죄 ○(대판 2012.9.27, 2012도7467)
④ × : 공문서위조죄 ○, 공문서변조죄 ×(대판 2004.10.28, 2004도5183 ∵ 진정한 문서의 사본을 전자복사기를 이용하여 복사하면서 일부 조작을 가하여 그 사본 내용과 전혀 다르게 만들어 별개의 주민등록사본을 창출시킨 것은 문서위조 행위에 해당함.)

Answer 08. ③

09 다음 중 사전자기록 위작 · 변작죄 또는 공전자기록 위작 · 변작죄가 성립하는 것은 모두 몇 개인가?
(다툼이 있는 경우 판례에 의함)   16. 경찰간부

> ㉠ 인터넷 포털사이트에 개설한 카페의 설치 · 운영 주체로부터 글쓰기 권한을 부여받은 사람이
> 위 카페에 접속하여 자신의 아이디로 허위내용의 글을 작성 · 게시한 경우
> ㉡ 새마을금고 직원이 금고의 전 이사장에 대한 채권확보를 위해 금고의 예금관련 컴퓨터 프로
> 그램에 전 이사장 명의의 예금계좌 비밀번호를 동의 없이 입력하여 위 예금계좌에 입금된 상
> 조금을 위 금고의 가수금계정으로 이체한 경우
> ㉢ 자동차등록 담당공무원이 여객자동차운수사업법상 차량 충당연한 규정에 위배되어 영업용으
> 로 변경 및 이전등록을 할 수 없는 차량인 것을 알면서 자동차등록정보 처리시스템의 자동차
> 등록원부 용도란에 영업용이라고 입력하고 최초등록일 등은 사실대로 기재한 경우
> ㉣ 경찰관이 고소사건을 처리하지 아니하였음에도 경찰범죄정보시스템에 그 사건을 검찰에 송
> 치한 것으로 입력한 경우
> ㉤ 시청 공무원이 시청 청사신축공사 현장에 출장을 나간 적이 없는 동료 공무원이 마치 현장출
> 장을 간 것처럼 시청 행정지식관리시스템에 허위의 정보를 입력하여 출장복명서를 생성한 후
> 그 사실을 모르는 결재권자에게 이를 전송한 경우

① 1개   ② 2개   ③ 3개   ④ 4개

해설 ㉠ 사전자기록위작죄 ×(대판 2008.4.24, 2008도294 ∵ '사무처리를 그르치게 할 목적' ×)
㉡ 사전자기록위작 · 변작죄 ×(대판 2008.6.12, 2008도938 ∵ '사무처리를 그르치게 할 목적' ×)
㉢ 공전자기록위작죄 ×(대판 2011.5.13, 2011도1415 ∵ 최초등록일 등 등록과 관련된 사실관계에 대한 내용
에 거짓이 없음 ⇨ '위작' ×)
㉣ 공전자기록위작죄 ○(대판 2005.6.9, 2004도6132)
㉤ 공전자기록 등 위작 및 위작공전자기록 등 행사죄 ○(대판 2007.7.27, 2007도3798)

10 문서에 관한 죄에 대한 설명으로 옳은 것은?(다툼이 있는 경우 판례에 의함)   21. 7급 검찰
① 甲이 위조 · 변조한 공문서의 컴퓨터 이미지 파일을 A에게 이메일로 송부하여 프린터로 출력
하게 한 경우, A가 그 위조된 사실을 알지 못하였다면 甲에게는 위조 · 변조공문서행사죄가
성립하지 않는다.
② A은행의 지배인으로 등기되어 있는 甲은 지급보증의 성질이 있는 A은행 명의로 된 대출채권
양수도약정서와 사용인감계를 작성하였는데, A은행의 내부규정은 지급보증 등의 의사결정
권한을 상위 결재권자에게 부여하고 있었다면, 사문서위조죄에 해당한다.
③ 휴대전화 신규 가입신청서를 위조한 후 이를 스캔한 이미지파일을 제3자에게 이메일로 전송
하여 컴퓨터 화면으로 보게 한 경우, 이미지 파일 자체는 문서에 해당하지 않으므로 위조사문
서행사죄가 성립하지 않는다.

Answer   09. ②   10. ②

④ 형법 제231조(사문서 위조·변조)의 경우 유형위조만을 처벌하므로 형법 제232조의 2(사전자기록위작·변작)에서의 '위작'은 유형위조만을 의미하는 것으로 해석하여야 하며, 이에 무형위조도 포함한다고 해석하는 것은 문언의 의미를 확장하여 처벌범위를 지나치게 넓히는 것으로 죄형법정주의에 반한다.

해설 ① × : ~ 알지 못한 경우에도 ~ 행사죄가 성립한다(대판 2012.2.23, 2011도14441).
② ○ : 대판 2012.9.27, 2012도7467
③ × : 위조사문서행사죄 ○(대판 2008.10.23, 2008도5200)
④ × : 유형위조만을 처벌하는 사문서위조와 달리 제232조의 2(사전자기록위작·변작)에서 정한 '위작'에 무형위조(권한 있는 사람이 그 권한을 남용하여 허위의 정보를 입력)도 포함하는 것으로 보더라도 피고인에게 불리한 유추해석 또는 확장해석을 한 것이라고 볼 수 없다(대판 2020.8.27, 2019도11294 전원합의체 ▶ 참고 ④의 지문은 반대의견임).

11 문서에 관한 죄에 대한 설명으로 가장 적절한 것은?(다툼이 있는 경우 판례에 의함) 22. 순경 1차
① 형법은 사문서의 경우 무형위조만을 처벌하면서 예외적으로 유형위조를 처벌하는 태도를 취하고 있다.
② 공무원인 의사가 공무소의 명의로 허위의 진단서를 작성한 경우 허위공문서작성죄와 허위진단서작성죄가 성립하고 두 죄는 상상적 경합관계에 있다.
③ 공문서와 달리 사문서에 있어서는 권한 있는 사람의 허위작성을 예외적으로만 처벌하는 형법의 태도를 고려할 때, 형법 제232조의 2에서 정하는 사전자기록 등 위작죄에서의 '위작'에 시스템의 설치·운영주체로부터 각자의 직무범위에서 개개의 단위정보의 입력권한을 부여받은 사람이 그 권한을 남용하여 허위의 정보를 입력함으로써 시스템 설치·운영주체의 의사에 반하는 전자기록을 생성하는 경우는 포함되지 않는다고 보아야 한다.
④ A회사의 대표이사 甲이 B회사의 대표이사 乙로부터 포괄적 위임을 받아 두 회사의 대표이사 업무를 처리하면서 두 회사 명의로 허위내용의 영수증과 세금계산서를 작성한 사안에서, B회사 명의부분은 乙의 개별적 구체적 위임 또는 승낙 없는 행위로서 사문서위조 및 위조사문서행사죄가 성립하지만, A회사 명의부분은 이미 퇴직한 종전의 대표이사를 승낙 없이 대표이사로 표시하였더라도 이에 해당하지 않는다.

해설 ① × : ~ 유형위조만을 처벌하면서 예외적으로 무형위조(예 허위진단서작성죄)를 처벌하는 ~ 있다.
② × : 허위공문서작성죄 ○, 허위진단서작성죄 ×(대판 2004.4.9, 2003도7762)
③ × : 시스템의 설치·운영주체로부터 각자의 직무 범위에서 개개의 단위정보의 입력권한을 부여받은 사람이 그 권한을 남용하여 허위의 정보를 입력함으로써 시스템 설치·운영주체의 의사에 반하는 전자기록을 생성하는 경우에는 사전자기록 등 위작죄에서 말하는 전자기록의 '위작'에 포함된다(대판 2020.8.27, 2019도11294 전원합의체 ▶ 참고 : ③의 지문은 반대의견임).
④ ○ : 대판 2008.11.27, 2006도2016 ; 대판 2008.11.27, 2006도9194

Answer 11. ④

12 문서의 죄에 관한 설명 중 옳지 않은 것은?(다툼이 있는 경우 판례에 의함) 23. 변호사시험

① 사진을 바꾸어 붙이는 방법으로 위조한, 외국 공무원이 발행한 국제운전면허증이 유효기간을 경과하여 본래의 용법에 따라 사용할 수 없더라도, 면허증 행사 시 상대방이 유효기간을 쉽게 알 수 없는 등의 사정으로 발급 권한 있는 자로부터 국제운전면허를 받은 것으로 오신하기에 충분한 정도의 형식과 외관을 갖추고 있다면, 문서위조죄의 위조문서에 해당한다.

② 변조 당시 명의인의 명시적, 묵시적 승낙이 없었다면 변조된 문서가 명의인에게 유리하여 결과적으로 그 의사에 합치한다 하더라도 사문서변조죄의 구성요건을 충족한다.

③ 사법인(私法人)이 구축한 전산망 시스템의 설치·운영 주체로부터 각자의 직무 범위에서 개개의 단위정보의 입력 권한을 부여받은 사람이 그 권한을 남용하여 허위의 정보를 입력함으로써 시스템 설치·운영 주체의 의사에 반하는 전자기록을 생성한 경우, 이는 사전자기록 등 위작죄에서 말하는 전자기록의 '위작'에 포함되지 않는다.

④ 권한 없이 행사할 목적으로 전세계약서 원본을 스캐너로 복사하여 컴퓨터 화면에 띄운 후 그 보증금액란을 포토숍 프로그램을 이용하여 공란으로 만든 다음 이를 프린터로 출력하여 그 공란에 볼펜으로 보증금액을 사실과 달리 기재하여 그 정을 모르는 자에게 교부하였다면, 사문서변조죄 및 변조사문서행사죄가 성립한다.

⑤ 사문서위조죄나 공정증서원본부실기재죄가 성립한 후, 사후에 피해자의 동의 또는 추인 등의 사정으로 문서에 기재된 대로 효과의 승인을 받거나 등기가 실체적 권리관계에 부합하게 되었다 하더라도 이미 성립한 위 범죄에는 아무런 영향이 없다.

해설 ① 대판 1998.4.10, 98도164 ② 대판 1985.1.22, 84도2422
③ × : ~ '위작'에 포함된다(대판 2020.8.27, 2019도11294 전원합의체).
④ 대판 2011.11.10, 2011도10468 ⑤ 대판 1999.5.14, 99도202

13 허위공문서작성죄에 대한 설명으로 옳지 않은 것은?(다툼이 있는 경우 판례에 의함)
21. 9급 검찰·마약수사, 22. 해경 2차

① 객체가 되는 문서는 문서상 작성명의인이 명시되어 있지 않더라도 문서의 형식, 내용 등 문서 자체에 의하여 누가 작성하였는지를 추지할 수 있을 정도의 것이면 된다.

② '직무에 관한 문서'라 함은 공무원이 직무권한 내에서 작성하는 문서를 말하며, 법률뿐 아니라 명령, 내규 또는 관례에 의한 직무집행의 권한으로 작성하는 경우도 포함된다.

③ 공증담당 변호사가 법무사의 직원으로부터 인증촉탁서류를 제출받은 후, 법무사가 공증사무실에 출석하여 사서증서의 날인이 당사자 본인의 것임을 확인한 바 없지만, 업계의 관행에 따라 그러한 확인을 한 것처럼 인증서에 기재한 경우에는 허위공문서작성죄가 성립하지 아니한다.

④ 공무원이 고의로 법령을 잘못 적용하여 공문서를 작성한 경우에도 그 법령적용의 전제가 된 사실관계에 대한 내용에 거짓이 없다면 허위공문서작성죄가 성립하지 않는다.

Answer 12. ③ 13. ③

해설 ① 대판 2019.3.14, 2018도18646
② 대판 2015.10.29, 2015도9010(허위공문서작성죄에 있어서 직무에 관한 문서라 함은 공무원이 직무권한 내에서 작성하는 문서를 말하고, 그 문서는 대외적인 것이거나 내부적인 것을 구별하지 아니하며, 그 직무권한이 반드시 법률상 근거가 있을 필요로 하는 것이 아니고 명령, 내규 또는 관례에 의한 직무집행의 권한으로 작성하는 경우라도 포함되는 것이다.)
③ × : ~ 기재한 경우에도 허위공문서작성죄가 성립한다(대판 2007.1.25, 2006도3844 ∵ 업계의 관행이 정당하다고 볼 수 없음).
④ 대판 1996.5.14, 96도554

14 허위공문서작성죄에 관한 설명 중 가장 옳지 않은 것은?(다툼이 있는 경우 판례에 의함) 22. 법원직
① 피의자신문조서 말미에 작성자의 서명·날인이 없으나, 첫머리에 작성 사법경찰리와 참여 사법경찰리의 직위와 성명을 적어 넣은 것이 있다면 그 문서 자체에 의하여 작성자를 추지할 수 있으므로, 그러한 피의자신문조서는 허위공문서작성죄의 객체가 되는 공문서로 볼 수 있다.
② 공무원이 아닌 피고인이 건축물조사 및 가옥대장 정리업무를 담당하는 공무원을 교사하여 무허가건물을 허가받은 건축물인 것처럼 가옥대장 등에 등재케 하여 허위공문서 등을 작성케 한 사실이 인정된다면, 허위공문서작성죄의 교사범으로 처벌할 수 있다.
③ 등기공무원이 소유권이전등기와 근저당권설정등기의 신청이 동시에 이루어지고 그와 함께 등본의 교부신청이 있었음에도 고의로 일부를 누락하여 소유권이전등기만 기입하고 근저당권설정등기는 기입하지 않은채 등기부등본을 발급한 경우 본죄가 성립한다.
④ 공무원인 甲이 문서작성자에게 전화로 문의하여 원본과 상이 없다는 사실을 확인하였고, 실제 그 사본이 원본과 다른 점이 없다면, 실제 원본과 대조함이 없이 공무원 甲이 그 직무에 관하여 사문서 사본에 "원본 대조필 토목 기사 甲"이라 기재하고 甲의 도장을 날인한 행위만으로는 허위공문서작성죄가 성립한다고 단정할 수 없다.

해설 ① 대판 2019.3.14, 2018도18646(∵ 허위공문서작성죄의 객체가 되는 문서는 문서상 작성명의인이 명시된 경우뿐 아니라 작성명의인이 명시되어 있지 않더라도 문서의 형식, 내용 등 문서 자체에 의하여 누가 작성하였는지를 추지할 수 있을 정도의 것이면 된다.)
② 대판 1983.12.13, 83도1458 ③ 대판 1996.10.15, 96도1669
④ × : ~ (2줄) 원본과 다른 점이 없다고 하더라도, 실제 원본과 ~ (4줄) 도장을 날인한 행위만으로도 허위공문서작성죄가 성립한다(대판 1981.9.22, 80도3180).

15 문서에 관한 죄에 대한 설명이다. 아래 설명 중 옳은 것은 모두 몇 개인가?(다툼이 있는 경우 판례에 의함) 22. 경찰간부

⊙ 허위공문서작성죄의 객체가 되는 문서에는 문서에 작성명의인이 명시된 것뿐 아니라 작성명의인이 명시되어 있지 않더라도 그 문서 자체에 의하여 작성명의인을 알 수 있는 경우도 포함한다.

Answer 14. ④ 15. ②

ⓒ 명의자의 명시적인 승낙이나 동의가 없다는 것을 알고 있었더라도 명의자가 문서작성 사실을 알았다면 승낙하였을 것이라고 기대하거나 예측한 경우에는 문서위조죄가 성립하지 않는다.

ⓒ 권한 없는 자가 임의로 인감증명서의 사용용도란의 기재를 고쳐 쓴 경우 공무원 또는 공무소의 문서 내용에 대하여 변경을 가한 것으로 공문서변조죄가 성립한다.

ⓔ 기존의 진정문서를 이용하여 문서를 변개하는 경우에도 문서의 중요 부분에 변경을 가하여 새로운 증명력을 가지는 별개의 문서를 작성하는 것은 문서의 변조가 아닌 위조에 해당한다.

ⓜ 인감증명서 발급업무를 담당하는 공무원이 발급을 신청한 본인이 직접 출두한 바 없음에도 불구하고 본인이 직접 신청하여 발급받은 것처럼 인감증명서에 기재하였다면, 이는 공문서위조죄를 구성한다.

① 1개 　　　② 2개 　　　③ 3개 　　　④ 4개

해설 ⓒ ○ : 대판 2019.3.14, 2018도18646

ⓒ × : ~ 성립한다(대판 2008.4.10, 2007도9987 ∵ 추정적 승낙 ×).

ⓒ × : 공문서변조죄 ×(대판 2004.8.20, 2004도2767 ∵ 인감증명서의 사용용도란의 기재를 고쳐 쓴 것은 공문서 내용에 대하여 변경을 가하여 새로운 증명력을 작출한 경우 ×)

ⓔ ○ : 대판 1991.9.10, 91도1610

ⓜ × : 공문서위조죄 ×, 허위공문서작성죄 ○(대판 1997.7.11, 97도1082)

16 공정증서원본 등 부실기재죄가 성립하는 경우는 모두 몇 개인가?(다툼이 있는 경우 판례에 의함)

17. 경찰간부

ⓒ 부동산에 대해 점유로 인한 소유권취득시효를 완성한 甲이 이미 사망한 그 부동산의 등기명의자를 상대로 매매를 원인으로 하는 소유권이전등기절차이행청구의 소를 제기하여, 의제 자백에 의한 승소판결을 받고 이와 같은 확정판결에 기해 甲자신의 명의로 그 부동산에 대한 소유권이전등기를 경료한 경우

ⓒ 처음부터 진실한 주금납입으로 회사의 자금을 확보할 의사 없이, 형식상 또는 일시적으로 주금을 납입하고 이 돈을 은행에 예치하여 납입의 외형을 갖추고 주금납입증명서를 교부받아 설립등기나 증자등기의 절차를 마친 다음 바로 그 납입한 돈을 인출하고는, 그 인출한 돈을 특별히 회사를 위해 사용하지도 않은 경우

ⓒ 甲이 중국인 乙과 참다운 부부관계를 설정할 의사가 아니라 단지 乙의 국내 취업을 위한 입국을 가능하게 할 목적으로 형식상 혼인하기로 하고 甲의 본적지 면사무소에 혼인신고를 한 경우

ⓔ 甲이 허위의 공정증서에 기해 乙의 부동산에 대한 강제경매신청을 하였고, 이에 의해 동 부동산에 대해 법원의 강제경매 개시결정을 원인으로 하는 경매신청등기가 경료된 경우

① 1개 　　　② 2개 　　　③ 3개 　　　④ 4개

해설 · **공정증서원본 등 부실기재죄** ○ : ⓒ 대판 2004.6.17, 2003도7645 전원합의체 ⓒ 대판 1996.11.22, 96도2049

· **공정증서원본 등 부실기재죄** × : ⓒ 대판 1987.3.10, 86도864(∵ 등기가 실체적 권리관계에 부합하는 유효한 등기) ⓔ 대판 1976.5.25, 74도568(∵ 법원의 촉탁에 의한 경우 ○, 당사자의 허위신고 ×)

Answer 　16. ②

17 공정증서원본부실기재죄에 관한 설명 중 적절한 것을 모두 고른 것은?(다툼이 있는 경우 판례에 의함)

17. 경찰승진, 23. 해경승진

㉠ 부동산 매수인이 매도인과 사이에 부동산의 소유권이전에 관한 물권적 합의가 없는 상태에서, 소유권이전등기신청에 관한 대리권이 없이 단지 소유권이전등기에 필요한 서류를 보관하고 있을 뿐인 법무사를 기망하여 매수인 명의의 소유권이전등기를 신청하게 하여 그 등기가 완료된 경우, 이는 단지 소유권이전등기신청절차에 하자가 있는 것에 불과하여 공정증서원본부실기재죄가 성립하지 않는다.
㉡ 토지거래 허가구역 안의 토지에 관하여 실제로는 매매계약을 체결하고서도 처음부터 토지거래허가를 잠탈하려는 목적으로 등기원인을 '증여'로 하여 소유권이전등기를 경료한 경우 공정증서원본부실기재죄가 성립한다.
㉢ 종중 소유의 토지를 자신의 개인 소유로 신고하여 토지대장에 올린 경우 공정증서원본부실기재죄가 성립한다.
㉣ 발행인과 수취인이 통모하여 진정한 어음채무 부담이나 어음채권 취득 의사 없이 단지 발행인의 채권자에게서 채권추심이나 강제집행을 받는 것을 회피하기 위하여 형식적으로만 약속어음의 발행을 가장한 후 공증인에게 마치 진정한 어음발행행위가 있는 것처럼 허위로 신고하여 어음공정증서원본을 작성·비치하게 한 경우에 공정증서원본부실기재 및 동행사죄가 성립한다.

① ㉠, ㉡   ② ㉠, ㉣   ③ ㉡, ㉢   ④ ㉡, ㉣

해설 ㉠ × : 공정증서원본부실기재죄 ○(대판 2006.3.10, 2005도9402 ∵ 소유권이전등기의 원인이 되는 매매 내지는 물권적 합의가 없음)
㉡ ○ : 대판 2007.11.30, 2005도9922
㉢ × : 토지대장 ⇨ 공정증서원본 ×(대판 1988.5.24, 87도2696 ∵ 권리·의무관계를 증명하는 공문서 ×, 사실증명에 관한 것 ○) ㉣ ○ : 대판 2012.4.26, 2009도5786

18 공정증서원본부실기재죄에 관한 설명 중 옳은 것은 모두 몇 개인가?(다툼이 있는 경우 판례에 의함)

23. 법원행시

㉠ 공정증서의 원본이 아닌 등본·사본·초본은 공정증서원본부실기재죄의 대상이 되지 아니하나, 원본과 동일한 효력을 갖는 정본은 공정증서원본부실기재죄의 대상이 된다.
㉡ 공정증서원본부실기재죄의 대상이 되는 등록증은 일정한 권리관계나 신분관계를 공부에 기록한 것을 말하며, 자동차등록증, 선박등록증이나 사업자등록증이 이에 해당한다.
㉢ '부실의 사실기재'는 당사자의 허위신고에 의하여 이루어져야 하므로, 법원의 촉탁에 의하여 등기를 마친 경우에는 그 전제절차에 허위적 요소가 있더라도 공정증서원본부실기재죄가 성립하지 않는다.
㉣ 어떤 부동산에 관하여 피상속인에게 실체상의 권리가 없었음에도 불구하고, 재산상속인이 상속을 원인으로 한 소유권이전등기를 마친 경우, 실체관계에 부합하지 않는 등기절차를 밟은 것에 해당하여 공정증서원본부실기재죄가 성립한다.

Answer 17. ④ 18. ②

① 없 음 ② 1개 ③ 2개
④ 3개 ⑤ 4개

해설 ㉠ × : '공정증서원본'에는 공정증서의 '정본'이 포함될 수 없으므로 정본은 공정증서원본부실기재죄의 대상이 되지 아니한다(대판 2002.3.26, 2001도6503).
㉡ × : 사업자등록증 ⇨ 공정증서원본 ×, 자동차등록증이나 선박등록증 ⇨ 공정증서원본 ○(대판 2005.7.15, 2003도6934) ㉢ ○ : 대판 2022.1.13, 2021도11257
㉣ × : 공정증서원본부실기재 및 동행사죄 ×(대판 1987.7.14, 85도2661 ∵ 실체권리관계에 부합한 유효한 등기)

19 공정증서원본부실기재죄에 관한 설명으로 가장 적절한 것은?(다툼이 있는 경우 판례에 의함)
24. 경찰승진

① 허위의 소유권이전등기를 경료한 자가 그 부동산에 관하여 자신의 채권자와의 합의로 근저당권설정등기를 경료한 경우 공정증서원본부실기재죄 및 동행사죄가 성립한다.
② 종중 소유의 토지를 자신의 개인 소유로 신고하여 토지대장에 올린 경우 공정증서원본부실기재죄가 성립한다.
③ 법원에 허위 내용의 조정신청서를 제출하여 판사로 하여금 조정조서에 부실의 사실을 기재하게 한 경우 공정증서원본부실기재죄가 성립한다.
④ 어떤 부동산에 관하여 피상속인에게 실체상의 권리가 없었음에도 불구하고 재산상속인이 상속을 원인으로 한 소유권이전등기를 경료한 경우 공정증서원본부실기재죄가 성립한다.

해설 ① ○ : 대판 1997.7.25, 97도605
② × : 토지대장 ⇨ 공정증서원본 ×(대판 1988.5.24, 87도2696)
③ × : 조정조서 ⇨ 공정증서원본 ×(대판 2010.6.10, 2010도3232)
④ × : 공정증서원본부실기재죄 ×(대판 1987.7.14, 85도2661 ∵ 실체권리관계에 부합한 유효한 등기)

20 문서에 관한 죄에 대한 설명으로 가장 적절한 것은?(다툼이 있는 경우 판례에 의함) 18. 경찰승진
① 국립대학교 교무처장 명의의 '졸업증명서 파일'을 위조한 경우, 위 파일은 형법상의 문서에 해당한다.
② 공문서인 기안문서의 작성권한자가 직접 이에 서명하지 않고 피고인에게 지시하여 자기의 서명을 흉내내어 기안문서의 결재란에 대신 서명케 한 경우라면 작성권자의 지시 또는 승낙에 의한 것으로서 공문서위조죄의 위법성이 조각된다.
③ 원본파일의 변경까지 초래하지는 아니하였더라도 램에 올려진 전자기록에 허구의 내용을 권한 없이 수정입력한 경우, 사전자기록변작죄의 기수에 이르렀다.
④ 신주발행이 판결로써 무효로 확정되기 이전에 그 신주발행사실을 담당 공무원에게 신고하여 공정증서인 법인등기부에 기재하게 한 경우에는 그 행위가 공무원에 대하여 허위신고를 한 것이고, 그 기재 또한 부실기재에 해당한다.

Answer 19. ① 20. ③

해설 ① × : ~ 해당하지 않는다(대판 2010.7.15, 2010도6068).
② × : ~ 공문서위조죄의 구성요건해당성(위법성 ×)이 조각된다(대판 1983.5.24, 82도1426).
③ ○ : 수정입력의 시점에서 사전자기록변작죄의 기수에 이르렀다[대판 2003.10.9, 2000도4993 예 주식회사에서 사용하는 컴퓨터 임시 기억장치 중 하나인 램(RAM)에 올려진 전자기록에 허구의 내용을 권한 없이 수정 입력하였으나 원본파일의 변경까지는 초래하지 아니한 경우].
④ × : ~ 해당하지 않는다(대판 2007.5.31, 2006도8488).

21 문서에 관한 죄에 대한 설명으로 가장 적절한 것은?(다툼이 있는 경우 판례에 의함)   19. 경찰승진
① 직접적인 법률관계에 단지 간접적으로 연관된 의사표시 내지 권리·의무의 변동에 사실상으로 영향을 줄 수 있는 의사표시를 내용으로 하는 문서는 사문서위조죄의 객체가 되지 않는다.
② 사문서위조죄는 명의자가 진정으로 작성한 문서가 아님을 전제로 하므로 '문서가 원본인지 여부'가 중요한 거래에서 문서의 사본을 진정한 원본인 것처럼 행사할 목적으로 다른 조작을 가함이 없이 문서의 원본을 그대로 컬러복사기로 복사하여 사본을 행사한 경우, 사문서위조죄 및 동행사죄는 성립하지 아니한다.
③ 실제로는 채권·채무관계가 존재하지 아니함에도 공증인에게 허위신고를 하여 가장된 금전 채권에 대하여 집행력이 있는 공정증서원본을 작성하고 이를 비치하게 한 것이라면 공정증서원본부실기재죄 및 부실기재공정증서원본행사죄가 성립한다.
④ 공무원이 고의로 법령을 잘못 적용하여 공문서를 작성하였다면 그 법령적용의 전제가 된 사실관계에 대한 내용에 거짓이 없다고 하더라도 허위공문서작성죄가 성립한다.

해설 ① × : ~ 하는 문서도 ~ 객체가 될 수 있다(대판 2009.4.23, 2008도8527).
② × : 사문서위조죄 및 동행사죄 ○(대판 2016.7.14, 2016도2081)
③ ○ : 대판 2008.12.24, 2008도7836 ④ × : 허위공문서작성죄 ×(2000.6.27, 2000도1858)

22 문서에 관한 죄에 대한 설명 중 가장 적절한 것은?(다툼이 있는 경우 판례에 의함)   20. 경찰승진
① A주식회사의 대표이사 甲이 실질적 운영자인 1인 주주 B의 구체적인 위임이나 승낙 없이 이미 퇴임한 전(前) 대표이사 C를 대표이사로 표시하여 A회사 명의의 문서를 작성한 경우 사문서위조죄가 성립한다.
② 공무원이 아닌 자가 공무원에게 허위사실을 기재한 증명원을 제출하여 그것을 알지 못하는 공무원으로부터 증명서를 받아 낸 경우 허위공문서작성죄의 간접정범이 성립한다.
③ 부동산의 소유자로 하여금 근저당권자를 자금주라고 믿도록 속여서 근저당권설정등기를 경료케 한 경우라도 정당한 권한 있는 자에 의하여 작성된 문서를 제출하여 그 등기가 이루어진 것이라면 공정증서원본부실기재죄가 성립하지 않는다.
④ 부동산 거래 당사자가 '거래가액'을 시장 등에게 거짓으로 신고하여 받은 신고필증을 기초로 사실과 다른 내용의 거래가액이 부동산 등기부에 등재되도록 한 경우 공전자기록 등 부실기재죄 및 부실기재공전자기록 등 행사죄가 성립한다.

Answer   21. ③   22. ③

PART
02

해설 ① ×: 사문서위조죄 ×(대판 2008.11.27, 2006도9194 ∵ 대표권행사가 권한을 넘어서는 행위가 아님)
② ×: 허위공문서작성죄의 간접정범 ×(대판 2006.5.11, 2006도1663)
③ ○: 대판 1982.7.13, 82도39(∵ 당사자 사이에 근저당설정의 합의 ○ ⇨ 적법한 취소 × ⇨ 근저당설정등기는 유효한 등기임)
④ ×: ~ 성립하지 않는다(대판 2013.1.24, 2012도12363 ∵ 부동산등기부에 기재되는 거래가액은 부동산의 권리의무관계에 중요한 의미를 갖는 사항에 해당 ×)

23 공문서부정행사죄에 대한 설명으로 옳지 않은 것은?(다툼이 있는 경우 판례에 의함)

23. 9급 검찰·마약수사

① 타인의 주민등록표등본을 그와 아무런 관련 없는 사람이 마치 자신의 것인 것처럼 행사하는 행위는 공문서부정행사죄를 구성하지 아니한다.
② 자동차 등의 운전자가 경찰공무원에게 다른 사람의 운전면허증 자체가 아니라 이를 촬영한 이미지파일을 휴대전화 화면 등을 통하여 보여주는 행위는 공문서부정행사죄를 구성하지 아니한다.
③ 경찰공무원으로부터 신분증의 제시를 요구받고 자신의 인적사항을 속이기 위하여 다른 사람의 운전면허증을 제시한 경우, 운전면허증의 사용목적에 따른 행사로서 공문서부정행사죄가 성립한다.
④ 습득한 타인의 주민등록증을 자기 가족의 것이라고 제시하면서 그 주민등록증상의 명의로 이동전화 가입신청을 한 경우, 타인의 주민등록증을 본래의 사용용도인 신분확인용으로 사용한 것으로서 공문서부정행사죄가 성립한다.

해설 ① 대판 1999.5.14, 99도206 ② 대판 2019.12.12, 2018도2560
③ 대판 2001.4.19, 2000도1985 전원합의체
④ ×: 공문서부정행사죄 ×(대판 2003.2.26, 2002도4935 ∵ 신분확인용으로 확인 ×)

24 문서부정행사죄에 관한 다음 설명 중 옳지 않은 것은 모두 몇 개인가?(다툼이 있는 경우 판례에 의함)

23. 법원행시

> ㉠ 장애인사용자동차표지를 사용할 권한이 없는 사람이 장애인사용자동차에 대한 지원을 받을 것으로 합리적으로 기대되는 상황이 아니라 하더라도, 이를 자동차에 비치하여 마치 장애인이 사용하는 자동차인 것처럼 외부적으로 표시한 경우에는 공문서인 장애인사용자동차표지를 부정행사한 것으로 보아야 할 것이다.
> ㉡ 인감증명서를 그 명의자 아닌 자가 그 명의자의 의사에 반하여 함부로 행사하더라도 문서 본래의 취지에 따른 용도에 합치된다면 공문서 등 부정행사죄는 성립되지 않는다.
> ㉢ 甲이 기왕에 습득한 타인의 주민등록증을 甲가족의 것이라고 제시하면서 그 주민등록증상의 명의로 이동전화 가입신청을 한 경우에는 공문서부정행사죄가 성립하지 않는다.

Answer 23. ④ 24. ①

　ⓔ 경찰관으로부터 신분확인을 위하여 신분증명서의 제시를 요구받고 다른 사람의 운전면허증을 제시한 경우에는 공문서부정행사죄가 성립한다.
　ⓜ 甲이 주민등록 담당공무원에게 행방불명된 A인 것처럼 허위신고하여 甲의 사진과 지문이 찍힌 A명의의 주민등록증을 발급받은 후, 이를 검문경찰관에게 제시한 경우에는 공문서부정행사죄를 구성한다.

① 1개　　　② 2개　　　③ 3개　　　④ 4개　　　⑤ 5개

해설　ⓐ × : 장애인사용자동차표지를 사용할 권한이 없는 사람이 장애인 전용주차구역에 주차하는 등 장애인사용자동차에 대한 지원을 받을 것으로 합리적으로 기대되는 상황이 아니라면 단순히 이를 자동차에 비치하였더라도 장애인사용자동차표지를 본래의 용도에 따라 사용했다고 볼 수 없어 공문서부정행사죄가 성립하지 않는다(대판 2022.9.29, 2021도14514).
ⓑ ○ : 대판 1983.6.28, 82도1985　ⓒ ○ : 대판 2003.2.26, 2002도4935
ⓓ ○ : 대판 2001.4.19, 2000도1985 전원합의체　ⓜ ○ : 대판 1982.9.28, 82도1297

25 문서의 죄에 관한 설명 중 옳은 것을 모두 고른 것은?(다툼이 있는 경우 판례에 의함)　23. 순경 1차

　ⓐ 주식회사의 대표이사로부터 포괄적인 권한 행사를 위임받은 사람은 주식회사 명의의 문서 작성에 관하여 개별적 구체적으로 위임 또는 승낙을 받지 않더라도 주식회사 명의로 문서를 작성할 수 있으므로, 이를 두고 자격모용사문서작성 또는 위조에 해당하는 것으로 볼 수는 없다.
　ⓑ 위조사문서의 행사는 상대방으로 하여금 위조된 문서를 인식할 수 있는 상태에 둠으로써 기수가 되고 상대방이 실제로 그 내용을 인식하여야 하는 것은 아니므로, 위조된 문서를 우송한 경우에는 그 문서가 상대방에게 도달한 때에 기수가 되고 상대방이 실제로 그 문서를 보아야 하는 것은 아니다.
　ⓒ 공문서의 작성권한이 있는 A의 직무를 보좌하는 공무원 甲이 비공무원 乙과 공모하여 행사할 목적으로 허위의 내용이 기재된 문서 초안을 그 정을 모르는 A에게 제출하여 결재하도록 하는 방법으로 허위의 공문서를 작성하게 한 경우 甲은 허위공문서작성죄의 간접정범이 될 수 있지만 공무원의 신분이 없는 乙은 간접정범의 공범이 될 수 없다.
　ⓓ 주식회사의 발기인 등이 법령에 정한 회사설립의 요건과 절차에 따라 회사설립등기를 함으로써 회사가 성립하였다고 볼 수 있는 경우, 회사를 설립할 당시 회사를 실제로 운영할 의사 없이 회사를 이용한 범죄 의도나 목적이 있었다는 이유만으로는 공정증서원본불실기재죄에서 말하는 부실의 사실을 법인등기부에 기록하게 한 것으로 볼 수 없다.

① ⓐ, ⓑ　　　② ⓐ, ⓒ　　　③ ⓑ, ⓓ　　　④ ⓒ, ⓓ

해설　ⓐ × : 주식회사의 적법한 대표이사로부터 포괄적으로 권한 행사를 위임받은 사람이 주식회사 명의로 문서를 작성하는 행위는 원칙적으로 권한 없는 사람의 문서 작성행위로서 자격모용사문서작성 또는 위조에 해당하고, 대표이사로부터 개별적·구체적으로 주식회사 명의 문서 작성에 관하여 위임 또는 승낙을 받은 경우에만 예외적으로 적법하게 주식회사 명의로 문서를 작성할 수 있을 뿐이다(대판 2008.11.27, 2006도2016).
ⓑ ○ : 대판 2005.1.28, 2004도4663　ⓒ × : ～ 간접정범의 공범이 될 수 있다(대판 1992.1.17, 91도2837).
ⓓ ○ : 대판 2020.3.26, 2019도7729

Answer　25. ③

26 문서에 관한 죄에 대한 설명으로 가장 적절하지 않은 것은?(다툼이 있는 경우 판례에 의함)

23. 순경 2차

① 형법 제228조 제1항 공전자기록 등 부실기재죄의 구성요건인 '부실의 사실기재'는 당사자의 허위신고에 의하여 이루어져야 하므로, 법원의 촉탁에 의하여 등기를 마친 경우에는 그 전제 절차에 허위적 요소가 있더라도 위 죄가 성립하지 않는다.

② 작성자가 '행사할 목적'으로 타인의 자격을 모용하여 문서를 작성하였다 하더라도, 문서행사의 상대방이 자격모용 사실을 알았다거나, 작성자가 그 문서에 모용한 자격과 무관한 직인을 날인하였다는 등의 사정이 있었다면 자격모용에 의한 사문서작성죄의 범의와 행사의 목적은 인정되지 않는다.

③ 명의인을 기망하여 문서를 작성케 하는 경우에는, 서명·날인이 정당히 성립된 경우라도 기망자는 명의인을 이용하여 서명 날인자의 의사에 반하는 문서를 작성케 하는 것이므로 사문서위조죄가 성립한다.

④ 사용권한자와 용도가 특정되어 있는 공문서를 사용권한 없는 자가 사용한 경우에도 그 공문서 본래의 용도에 따른 사용이 아닌 경우에는 공문서부정행사죄가 성립하지 않는다.

해설 ① 대판 2022.1.13, 2021도11257
② × : ~ (1줄) 문서를 작성한 이상 문서행사의 상대방이 자격모용 사실을 알았다거나, 작성자가 그 문서에 모용한 자격과 무관한 직인을 날인하였다는 등의 사정이 있었다고 하더라도 자격모용에 의한 사문서작성죄의 범의와 행사의 목적은 인정된다(대판 2022.6.30, 2021도17712).
③ 대판 2000.6.13, 2000도778
④ 대판 2022.9.29, 2021도14514

27 문서에 관한 죄에 대한 설명으로 옳지 않은 것은?(다툼이 있는 경우 판례에 의함)   23. 7급 검찰

① 작성명의인이 허무인이라고 하더라도 일반인으로 하여금 공무원 또는 공무소의 권한 내에서 작성된 문서라고 믿을 수 있는 형식과 외관을 구비한 문서라면 공문서위조죄의 공문서가 된다.

② 자동차운전자가 운전 중에 경찰관으로부터 도로교통법 제92조 제2항에 따라 운전면허증의 제시를 요구받아 다른 사람의 운전면허증을 촬영한 이미지 파일을 휴대전화 화면을 통하여 보여 주는 경우, 자동차운전자에게 공문서부정행사죄가 성립하지 않는다.

③ 인터넷을 통하여 열람·출력한 등기사항전부증명서 하단의 열람 일시 부분을 수정 테이프로 지우고 복사한 행위는 등기사항전부증명서가 나타내는 권리·사실관계와 다른 새로운 증명력을 가진 문서를 만든 것에 해당하므로 공문서위조죄가 성립한다.

④ 위조된 공문서를 스캐너 등을 통해 이미지화한 다음 이를 전송하여 컴퓨터 화면상에서 보게 하는 경우에는 위조공문서행사죄가 성립한다.

해설 ① 대판 1976.9.14, 76도1767 ② 대판 2019.12.12, 2018도2560
③ × : ~ (3줄) 해당하므로 공문서변조죄(공문서위조죄 ×)가 성립한다(대판 2021.2.25, 2018도19043).
④ 대판 2020.12.24, 2019도8443

Answer 26. ② 27. ③

28 다음 설명 중 옳은 것과 옳지 않은 것이 바르게 표시된 것은?(다툼이 있는 경우 판례에 의함)

20. 경찰간부

> ㉠ 甲이 타인 행세를 하며 피의자로서 조사를 받은 다음 경찰관에 의하여 작성된 피의자신문조서의 말미에 타인의 서명 및 무인을 하고 타인의 이름이 기재된 수사과정확인서에 무인을 한 경우 甲에게는 사서명 등 위조죄 및 동행사죄가 인정된다.
> ㉡ 위조인장행사죄에 있어서 행사라 함은 위조된 인장을 진정한 것처럼 용법에 따라 사용하는 행위를 말한다 할 것이므로 위조된 인영을 타인에게 열람할 수 있는 상태에 두거나 위조된 인과 그 자체를 타인에게 교부하는 경우에 성립한다.
> ㉢ 사인위조죄는 그 명의인의 의사에 반하여 위법하게 행사할 목적으로 권한 없이 타인의 인장을 위조한 경우에 성립하므로, 타인의 인장을 조각할 당시에 그 명의자로부터 명시적이거나 묵시적인 승낙 내지 위임을 받았다면 인장위조죄는 성립하지 않는다.
> ㉣ 어떤 문서에 권한 없는 자가 타인의 서명 등을 기재하는 경우에는 그 문서가 완성되기 전이라도 일반인으로서는 그 문서에 기재된 타인의 서명 등을 그 명의인의 진정한 서명으로 오신할 수 있으므로, 일단 서명 등이 완성된 이상 문서가 완성되지 아니한 경우에도 서명 등의 위조죄는 성립한다.
> ㉤ 아파트 동대표로 당선된 甲이 사실은 대학을 졸업하지 않았음이 사립대학 교무처장 명의로 된 학력조회 회보서를 통해 확인되자 아파트 주민대표회 간부들이 甲의 허위학력 사실을 아파트 주민들에게 공고문 형식으로 알리면서 그 공고문의 신뢰성 제고를 위해 공고문 안에 대학 교무처장 명의의 직인을 함께 나타낸 경우에는 사인위조죄가 성립한다.

① ㉠(○) ㉡(○) ㉢(×) ㉣(×) ㉤(○)
② ㉠(×) ㉡(○) ㉢(×) ㉣(○) ㉤(×)
③ ㉠(×) ㉡(○) ㉢(○) ㉣(×) ㉤(○)
④ ㉠(○) ㉡(×) ㉢(○) ㉣(○) ㉤(○)

해설 ㉠ ○ : 대판 2011.3.10, 2011도503
㉡ × : 위조인장행사죄는 위조 또는 부정사용한 타인의 인장, 서명, 기명 또는 기호를 진정한 것처럼 그 용법에 따라 사용하는 것을 말한다. 위조된 인영이나 인과의 경우에는 날인하여 일반인이 인식·열람할 수 있는 상태에 두면 족하고, 위조된 인과 그 자체를 타인에게 교부하는 것만으로는 위조인장행사죄에 해당하지 않는다(대판 1984.2.28, 84도90). ㉢ ○ : 대판 2014.9.26, 2014도9213
㉣ ○ : 대판 2005.12.23, 2005도4478 ㉤ ○ : 대판 2010.1.14, 2009도5929

29 공공의 신용에 관한 죄에 대한 설명으로 가장 적절한 것은?(다툼이 있는 경우 판례에 의함)

22. 경찰승진

① 컴퓨터 모니터에 나타나는 이미지는 문서에 해당하지 않으므로, 전세계약서 원본을 스캔하여 컴퓨터 화면에 띄운 후 그 보증금액란을 공란으로 만든 다음 이를 프린터로 출력하여 보증금액을 변조하고 변조된 전세계약서를 팩스로 송부하였더라도 사문서변조 및 동행사죄는 성립하지 않는다.

Answer 28. ④ 29. ③

② 위조통화를 행사하여 재물을 불법영득한 때에는 위조통화행사죄와 사기죄가 성립하고 양죄는 상상적 경합관계에 있다.

③ 허위진단서작성죄에 있어서 허위의 기재는 사실에 관한 것이건 판단에 관한 것이건 불문하나, 본죄는 원래 허위의 증명을 금지하려는 것이므로 그 내용이 허위라는 주관적 인식이 필요함은 물론 실질상 진실에 반하는 기재일 것이 필요하다.

④ 행사할 목적으로 허무인 명의의 유가증권을 작성한 경우, 외형상 일반인으로 하여금 진정하게 작성된 유가증권이라고 오신하게 할 수 있을 정도라고 하더라도, 유가증권위조죄는 성립하지 않는다.

해설 ① × : 사문서변조죄와 동행사죄 ○(대판 2011.11.10, 2011도10468 ∵ 적시된 범죄사실은 '컴퓨터 모니터 화면상의 이미지'를 변조하고 이를 행사한 행위가 아니라 '프린터로 출력된 문서'인 사무실전세계약서를 변조하고 이를 행사한 행위임)
② × : ~ 실체적(상상적 ×) 경합관계에 있다(대판 1979.7.10, 79도840).
③ ○ : 대판 2017.11.9, 2014도15129 ④ × : 유가증권위조죄 ○(대판 1979.9.25, 79도1980)

30 甲은 야산에서 한 달 전 사망한 A의 지갑을 주웠는데, 그 지갑 속에는 B은행이 발행한 10만원권 자기앞수표 10장과 A의 운전면허증이 들어 있었다. 甲은 위 자기앞수표 10장을 유흥비로 사용하였다. 甲은 A의 운전면허증을 재발급받아 자신이 사용하기로 마음먹고, 운전면허시험장에 가서 운전면허증 재발급신청서에 자신의 사진을 붙이되 A의 이름과 인적사항을 기재하여 운전면허증 재발급 신청을 하였고, 이에 속은 담당공무원으로부터 甲의 사진이 부착된 A의 이름으로 된 운전면허증을 발급받았다. 그 후 甲은 운전 중 검문경찰관으로부터 신분증제시 요구를 받고 A의 이름으로 된 운전면허증을 제시하였다. 甲의 죄책에 관한 설명 중 옳지 않은 것을 모두 고른 것은?(다툼이 있는 경우 판례에 의함)
21. 변호사시험, 22. 해경간부·해경 2차

㉠ 甲이 자기앞수표를 사용한 행위는 불가벌적 사후행위에 해당한다.
㉡ 甲이 권한 없이 A명의의 운전면허증 재발급신청서를 작성하였으므로 사문서위조죄가 성립한다.
㉢ 甲이 그 정을 모르는 담당공무원을 이용하여 운전면허증을 재발급받았으므로 공문서위조죄의 간접정범이 성립한다.
㉣ 甲이 검문경찰관에게 제시한 A 명의의 운전면허증은 진정하게 성립된 문서가 아니기 때문에 공문서부정행사죄는 성립하지 않는다.
㉤ 甲이 공무원에 대하여 허위신고를 하여 자동차운전면허대장에 부실의 사실을 기재하게 하였다면, 공정증서원본부실기재죄(형법 제228조 제1항)가 성립한다.

① ㉠, ㉡　　　② ㉠, ㉤　　　③ ㉢, ㉣
④ ㉡, ㉢, ㉤　　　⑤ ㉢, ㉣, ㉤

해설 ㉠ ○ : 대판 1993.11.23, 93도213 ㉡ ○ : 대판 2008.10.23, 2008도5200 참조
㉢ × : 공문서위조죄의 간접정범 ×(대판 2001.3.9, 2000도938)
㉣ × : 공문서부정행사죄 ○(대판 1982.9.28, 82도1297)
㉤ × : 공정증서원본부실기재죄 ×(대판 2010.6.10, 2010도1125)

Answer　**30.** ⑤

31 문서에 관한 죄에 대한 설명으로 가장 적절하지 않은 것은?(다툼이 있는 경우 판례에 의함)

① 공전자기록 등 부실기재죄의 구성요건인 '부실의 사실기재'는 당사자의 허위신고에 의하여 이루어져야 하므로, 법원의 촉탁에 의하여 등기를 마친 경우에는 그 전제절차에 허위적 요소가 있더라도 위 죄가 성립하지 않는다.

② 경찰공무원으로부터 신분증의 제시를 요구받고 자신의 인적 사항을 속이기 위하여 다른 사람의 운전면허증을 제시한 경우 운전면허증의 사용목적에 따른 행사로서 공문서부정행사죄가 성립한다.

③ 기존의 진정문서를 이용하여 문서를 변개하는 경우에도 문서의 중요 부분에 변경을 가하여 새로운 증명력을 가지는 별개의 문서를 작성하는 것은 문서의 변조가 아닌 위조에 해당한다.

④ 공문서와 달리 사문서에 있어서는 권한 있는 사람의 허위작성을 예외적으로만 처벌하는 형법의 태도를 고려할 때, 사전자기록 등 위작죄에서의 '위작'에 시스템의 설치 운영 주체로부터 각자의 직무 범위에서 개개의 단위정보의 입력 권한을 부여받은 사람이 그 권한을 남용하여 허위의 정보를 입력함으로써 시스템 설치 운영주체의 의사에 반하는 전자기록을 생성하는 경우는 포함되지 않는다고 보아야 한다.

해설 ① 대판 2022.1.13, 2021도11257
② 대판 2001.4.19, 2000도1985 전원합의체
③ 대판 2003.9.26, 2003도3729
④ × : 시스템의 설치·운영주체로부터 각자의 직무 범위에서 개개의 단위정보의 입력권한을 부여받은 사람이 그 권한을 남용하여 허위의 정보를 입력함으로써 시스템 설치·운영주체의 의사에 반하는 전자기록을 생성하는 경우에는 사전자기록 등 위작죄에서 말하는 전자기록의 '위작'에 포함된다(대판 2020.8.27, 2019도11294 전원합의체 ▶ 참고 : ④의 지문은 반대의견임).

32 문서에 관한 죄에 관한 설명으로 옳은 것은 모두 몇 개인가?(다툼이 있는 경우 판례에 의함)

㉠ 제3자로부터 신분확인을 위하여 신분증명서의 제시를 요구받고 타인의 운전면허증을 제시한 행위는 그 사용목적에 따른 행사로서 공문서부정행사죄에 해당한다.
㉡ 인감증명서 발급업무를 담당하는 공무원이 발급을 신청한 본인이 직접 출두한바 없는데도 본인이 직접 신청하여 발급받은 것처럼 인감증명서에 기재하였다면 이는 공문서위조죄를 구성한다.
㉢ A구청장이 B구청장으로 전보된 후 A구청장의 권한에 속하는 건축허가에 관한 기안용지의 결재란에 서명을 한 것은 허위공문서작성죄를 구성한다.
㉣ 타인의 부동산을 자기의 소유라고 허위의 사실을 신고하여 소유권이전등기를 경료한 후 그 부동산이 자기의 소유인 것처럼 가장하여 그 부동산에 관하여 자기명의로 채권자와의 사이에 근저당권설정등기를 경료한 경우, 공정증서원본부실기재 및 동행사죄가 성립한다.

Answer 31. ④ 32. ②

ⓜ 甲이 중국국적의 조선족 여성 乙과 참다운 부부관계를 설정할 의사 없이 단지 乙의 국내 취업을 위한 입국을 가능하게 할 목적으로 형식상 혼인신고를 하여 그 사실이 가족관계등록부에 기재된 경우, 이는 공정증서원본의 부실기재에 해당한다.

① 2개   ② 3개   ③ 4개   ④ 5개

해설 ㉠ ○ : 대판 2001.4.19, 2000도1985 전원합의체
ⓛ × : ~ (2줄) 이는 허위공문서작성죄(공문서위조죄 ×)를 구성한다(대판 1997.7.11, 97도1082).
ⓒ × : ~ (2줄) 서명을 한 것은 자격모용공문서작성죄(허위공문서작성죄 ×)를 구성한다(대판 1993.4.27, 92도2688).
㉣ ○ : 대판 1997.7.25, 97도605
ⓜ ○ : 대판 1996.11.22, 96도2049

33 문서에 관한 죄에 대한 설명으로 옳지 않은 것은?(다툼이 있는 경우 판례에 의함)   24. 7급 검찰

① 변호사 甲이 대량의 저작권법위반 형사고소 사건을 수임하여 피고소인 30명을 각각 형사고소하기 위하여 20건 또는 10건의 고소장을 개별적으로 수사관서에 제출하면서 하나의 고소위임장에만 소속 변호사회에서 발급받은 진정한 경유증표 원본을 첨부한 후 이를 일체로 하여 컬러복사기로 20장 또는 10장의 고소위임장을 각 복사한 다음 고소위임장과 일체로 복사한 경유증표를 고소장에 첨부하여 접수한 경우에는 사문서위조 및 동행사죄가 성립한다.

② 자동차를 임차하면서 타인의 운전면허증을 자신의 것인 양 자동차 대여업체 직원에게 제시한 경우 공문서부정행사죄가 성립한다.

③ 문서의 형식, 내용 등 문서 자체에 의하여 누가 작성하였는지를 추지할 수 있다 하여도 문서의 작성명의인이 명시되어 있지 않다면 이는 허위공문서작성죄의 객체가 되는 문서로 볼 수 없다.

④ 사립학교 법인 이사가 이사회 회의록에 서명 대신 서명거부사유를 기재하고 그에 대한 서명을 한 경우, 이사회 회의록의 작성권한자인 이사장이라 하더라도 임의로 이를 삭제하면 특별한 사정이 없는 한 사문서변조에 해당한다.

해설 ① 대판 2016.7.14, 2016도2081
② 대판 1998.8.21, 98도1701
③ × : ~ (1줄) 추지할 수 있다 하여도 문서의 작성명의인이 명시되어 있지 않더라도 이는 허위공문서작성죄의 객체가 되는 문서로 볼 수 있다(대판 2019.3.14, 2018도18646).
④ 대판 2018.9.13, 2016도20954

Answer   **33. ③**

34 다음 중 甲에게 괄호 안의 범죄가 성립되지 않는 경우는 모두 몇 개인가?(다툼이 있는 경우 판례에 의함)

24. 순경 1차

> ㉠ 甲이 인터넷을 통해 등기사항전부증명서를 열람 출력한 후 행사할 목적으로 그 증명서 하단의 열람 일시 부분을 수정 테이프로 지우고 복사해 둔 경우 (공문서변조죄)
>
> ㉡ 甲과 乙은 乙이 甲으로부터 1,000만원을 차용하는 것처럼 가장하여 乙의 연인 A로 하여금 이를 변제하도록 협박하기로 공모한 후, A를 보증인으로 하는 차용증을 작성하는 자리에서 甲이 위조된 100만원권 자기앞수표 10장이 들어 있는 봉투를 乙에게 교부하면서 그 자기앞수표 자체를 봉투에서 꺼내거나 그 자기앞수표의 위조 사실을 모르는 A에게 보여주지 않은 경우 (위조유가증권행사죄)
>
> ㉢ 甲이 1995년에 미국에서 진정하게 발행된 미화 1달러권 지폐와 2달러권 지폐를 화폐수집가들이 수집하는 희귀화폐인 것처럼 만들어 행사할 목적으로 발행연도 '1995'를 빨간색으로 '1928'로 고치고, 발행번호와 미국 재무부를 상징하는 문양 및 재무부장관의 사인 부분을 지운 후 빨간색으로 다시 가공한 경우 (외국통용외국통화변조죄)
>
> ㉣ 甲은 A종중의 적법한 대표자가 아님에도 A종중 소유의 토지가 소유권보존등기가 되어 있지 않은 점을 이용하여 자신이 A종중의 대표자인 것처럼 종중규약과 회의록을 허위로 작성한 후 이를 근거로 그 토지에 대하여 A종중을 소유자로 甲을 A종중의 대표자로 소유권보존등기를 경료하여, 부동산 등기부상 자신을 A종중의 대표자로 등재되도록 한 경우 (공정증서원본부실기재죄)
>
> ㉤ 사법경찰관 甲은 검사로부터 '교통사고 피해자들로부터 사고 경위에 대해 구체적 진술을 청취하여 운전자의 도주 여부에 대해 재수사할 것'을 요청받고는, 행사할 목적으로 재수사결과서를 작성하면서 피해자들로부터 실제 진술을 청취하지 않고도 그 재수사 결과서의 '재수사 결과'란에 자신의 독자적인 의견이나 추측에 불과한 것을 마치 피해자들로부터 직접 들은 진술인 것처럼 기재한 경우 (허위공문서작성죄)

① 1개   ② 2개   ③ 3개   ④ 4개

해설 • **괄호 안의 범죄가 성립되는 경우** : ㉠ 대판 2021.2.25, 2018도19043 ㉣ 대판 2006.1.13, 2005도4790 ㉤ 대판 2023.3.30, 2022도6886
• **괄호 안의 범죄가 성립되지 않는 경우** : ㉡ 대판 2010.12.9, 2010도12553(∵ 공범의 관계에 있는 甲이 乙에게 위 봉투를 A의 면전에서 교부한 행위는 위조된 자기앞수표가 아직 범인들의 수중에 있다고 볼 것이지 위조된 자기앞수표가 행사되었다고 볼 수 없음.) ㉢ 대판 2004.3.26, 2003도5640(∵ 진정한 통화인 미화 1달러 및 2달러 지폐의 발행연도, 발행번호, 미국 재무부를 상징하는 문양, 재무부장관의 사인, 일부 색상을 고친 것만으로는 통화가 변조되었다고 볼 수 없다.)

Answer   34. ②

35 문서죄에 관한 설명으로 가장 적절한 것은?(다툼이 있는 경우 판례에 의함) 24. 순경 2차

① 인터넷을 통하여 열람·출력한 등기사항 전부증명서 하단의 열람 일시부분을 단순히 수정테이프로 지우고 복사해 두었다가 이를 타인에게 교부한 행위는 등기사항 전부증명서가 나타내는 권리·사실관계와 다른 새로운 증명력을 가진 문서를 만든 것으로 볼 수 없으므로 공문서변조 및 변조공문서행사죄를 구성하지 않는다.

② 유효기간이 경과한 홍콩교통국장 명의의 국제운전면허증에 첨부된 사진을 바꾸어 붙여 이를 행사하는 경우 그 상대방이 유효기간을 쉽게 알 수 없도록 되어 있거나 진정하게 작성된 것으로서 명의자로부터 국제운전면허를 받은 것으로 오신하기에 충분한 정도의 형식과 외관을 갖추고 있다면 사문서위조죄에 해당한다.

③ 사문서의 작성명의인이 이미 사망한 자인 경우에는 그 문서의 작성일자가 명의인의 생존 중의 일자로 된 경우가 아니면 사문서위조죄나 그 행사죄를 구성하지 않는 것이며, 이는 자격모용 사문서작성죄나 그 행사죄에 있어서도 마찬가지이다.

④ 형법 제238조의 공기호는 해당 부호를 공무원 또는 공무소가 사용하는 것만으로 족하므로 온라인 구매사이트에서 검찰 업무 표장의 이미지가 들어간 주차표지판 등을 주문하여 자신의 승용차에 부착하고 다닌 경우에는 해당 부호를 공무원 또는 공무소가 사용하는 것이 분명한 이상 그 부호를 통하여 증명을 하는 사항이 구체적으로 특정되어 있지 않더라도 공기호위조 및 위조공기호행사죄에 해당한다.

해설 ① × : ~ (3줄) 문서를 만든 것으로 볼 수 있으므로 공문서변조 및 변조공문서행사죄를 구성한다(대판 2021.2.25, 2018도19043).
② ○ : 대판 1998.4.10, 98도164
③ × : 타인 명의의 문서를 위조하여 행사한 경우 요건(행사할 목적으로 작성된 문서가 일반인으로 하여금 당해 명의인의 권한 내에서 작성된 문서라고 믿게 할 수 있는 정도의 형식과 외관을 갖춘 경우)을 구비한 이상 그 명의인이 실재하지 않는 허무인이나 또는 문서의 작성일자 전에 이미 사망하였더라도 사문서위조죄 및 동행사죄가 성립한다(대판 2005.2.24, 2002도18 전원합의체 ※ 참고 ③은 종전 판례임).
④ × : 형법 제238조의 공기호는 해당 부호를 공무원 또는 공무소가 사용하는 것만으로는 부족하고, 그 부호를 통하여 증명을 하는 사항이 구체적으로 특정되어 있고 해당 사항은 그 부호에 의하여 증명이 이루어질 것이 요구된다(대판 2024.1.4, 2023도11313 예 피고인이 온라인 구매사이트에서 검찰 업무 표장의 이미지가 들어간 주차표지판, 피고인의 차량번호를 표시한 표지판, '공무수행'이라고 표시한 표지판 등을 주문하여 자신의 승용차에 부착하고 다닌 경우 ⇨ 공기호위조죄 및 위조공기호행사죄 × ∵ 위 각 검찰 업무표장이 부착된 차량이 '검찰 공무수행 차량'이라는 것을 증명하는 증명적 기능을 갖추지 못한 이상 이를 공기호라고 볼 수 없음).

Answer 35. ②

03 사회의 도덕에 대한 죄

www.pmg.co.kr

단원 advice 본장에 있어서는 음란개념, 공연음란죄, 도박죄의 기수시기, 도박장소 등 개설죄(도박개장죄), 상습도박죄의 처벌 등이 가끔 출제되고 있다.

제1절 ▶ 성풍속에 관한 죄

① 음행매개죄

> **제242조** 영리의 목적으로 사람을 매개하여 간음하게 한 자는 3년 이하의 징역 또는 1천 500만원 이하의 벌금에 처한다. 18. 법원행시

☀ 1. 목적범 ○
2. 미성년자에 대한 음행매개죄의 성립에 그 미성년자의 음행의 상습이나 동의의 유무는 하등 영향을 미치지 아니한다(대판 1955.7.8, 4288형상37). 17. 수사경과

② 음란물 반포 · 판매 · 임대 · 전시 · 상영죄, 음란물 제조 · 소지 · 수입 · 수출죄

> **제243조 【음화반포 등】** 음란한 문서 · 도화 · 필름, 기타 물건을 반포 · 판매 또는 임대하거나 공연히 전시 또는 상영한 자는 1년 이하의 징역 또는 500만원 이하의 벌금에 처한다.
> **제244조 【음화제조 등】** 제243조의 행위에 공할 목적으로 음란한 물건을 제조, 소지, 수입 또는 수출한 자는 1년 이하의 징역 또는 500만원 이하의 벌금에 처한다.

☀ 음란물 제조죄 ⇨ 목적범 ○

관련판례

1. 음란한 영상화면을 수록한 컴퓨터 프로그램 파일을 컴퓨터 통신망을 통하여 전송하는 방법으로 판매한 행위에 대하여는 형법 제243조의 규정을 적용할 수 없다(대판 1999.2.24, 98도3140 ∵ 컴퓨터 프로그램 파일 ⇨ 본죄의 객체 ×). 19. 법원행시, 18. 경력채용, 19. 경찰간부, 20 · 21. 수사경과
2. 음란한 부호 등이 전시된 웹페이지에 대한 링크행위로 인해 불특정 다수인이 별다른 제한 없이 음란한 부호 등에 바로 접할 수 있는 상태가 실제로 조성되었다고 한다면 이러한 링크행위는 음란한 부호 등을 공연히 전시한 경우에 해당한다(대판 2003.7.8, 2001도1335). 13. 경찰승진 · 순경 2차, 18. 경력채용 · 법원행시, 21. 수사경과, 24. 해경경장
3. 인터넷사이트에 집단 성행위 목적의 카페를 개설, 운영한 자가 남녀 회원을 모집한 후 특별모임을 빙자하여 집단으로 성행위를 하고 그 촬영물이나 사진 등을 카페에 게시한 경우, 위 게시행위가 음란물을 공연히 전시한 것에 해당한다(대판 2009.5.14, 2008도10914). 18. 경찰승진 · 경력채용, 20. 수사경과

4. 방송통신심의위원회 심의위원인 피고인이 자신의 인터넷 블로그에 위원회에서 음란정보로 의결한 '남성의 발기된 성기 사진'을 게시한 경우, 피고인의 게시물은 사진과 학술적, 사상적 표현 등이 결합된 결합 표현물로서, 사진은 음란물에 해당하나 결합 표현물인 게시물을 통한 사진의 게시는 형법 제20조에 정하여진 '사회상규에 위배되지 아니하는 행위'에 해당한다〔대판 2017.10.26, 2012도13352 ∴ 정보통신망 이용촉진 및 정보보호 등에 관한 법률 위반죄(음란물유포죄) ×〕. 19. 법원행시

5. 음화제조 내지 판매죄의 고의는 음화에 해당하는 그림이 존재한다는 것과 이를 제조나 판매하고 있다는 것을 인식하고 있으면 되고, 그 이상 더 나아가 그 그림이 음란한 것인가 아닌가를 인식할 필요는 없다(대판 1970.10.30, 70도1879). 18. 법원행시

6. 친구 두 사람이 보는 앞에서 도색영화필름을 상영한 경우 ⇨ 공연히 상영 ×(대판 1973.8.21, 73도409)

7. 사설 인터넷 도박사이트를 운영하는 사람이, 먼저 소셜 네트워크 서비스 앱에 오픈채팅방을 개설하여 아동·청소년이용음란 동영상을 게시하고 1 : 1 대화를 통해 불특정 다수를 위 오픈채팅방 회원으로 가입시킨 다음, 그 오픈채팅방에서 자신이 운영하는 도박사이트를 홍보하면서 회원들이 가입시 입력한 이름, 전화번호 등을 이용하여 전화를 걸어 위 도박사이트 가입을 승인해주는 등의 방법으로 가입을 유도하고 그 도박사이트를 이용하여 도박을 하게 하였다면, 영리를 목적으로 도박공간을 개설한 행위가 인정됨은 물론, 나아가 영리를 목적으로 아동·청소년이용음란물을 공연히 전시한 행위도 인정된다〔대판 2020.9.24, 2020도8978 ∴ 도박공간개설죄(형법 제247조)와 아동·청소년이용음란물 공연전시죄(아동·청소년의 성보호에 관한 법률위반) ○ ∵ '영리의 목적'이란 반드시 아동·청소년이용음란물 배포 등 위반행위의 직접적인 대가가 아니라 위반행위를 통하여 간접적으로 얻게 될 이익을 위한 경우에도 영리의 목적이 인정된다〕.

KEY point 음란성

1. ① '음란'이란 사회통념상 일반 보통인의 성욕을 자극하여 성적 흥분을 유발하고 정상적인 성적 수치심을 해하여 성적 도의관념에 반하는 것을 말한다. ② 이는 표현물을 전체적으로 관찰·평가해 볼 때 단순히 저속하다거나 문란한 느낌을 준다는 정도를 넘어서 존중·보호되어야 할 인격을 갖춘 존재인 사람의 존엄성과 가치를 심각하게 훼손·왜곡하였다고 평가할 수 있을 정도로 노골적인 방법에 의하여 성적 부위나 행위를 적나라하게 표현 또는 묘사한 것으로서, 사회통념에 비추어 전적으로 또는 지배적으로 성적 흥미에만 호소하고 하등의 문학적·예술적·사상적·과학적·의학적·교육적 가치를 지니지 아니하는 것을 뜻한다. ③ 표현물의 음란 여부를 판단함에 있어서는 표현물 제작자의 주관적 의도가 아니라 그 사회의 평균인의 입장에서 그 시대의 건전한 사회통념에 따라 객관적이고 규범적으로 평가하여야 한다〔ex 회사 사무실에서 대량문자메시지 발송사이트를 이용하여 불특정 다수의 휴대전화에 여성의 성기, 자위행위, 불특정 다수와의 성매매를 포함한 성행위 등을 저속하고 노골적으로 표현 또는 묘사하거나 이를 암시하는 문언이 기재된 문자메시지를 대량으로 전송한 경우 ⇨ 정보통신망 이용촉진 및 정보보호 등에 관한 법률 위반(음란물 유포)죄 ○(대판 2019.1.10, 2016도8783 ∵ 위 문자메시지가 '음란한 문언'에 해당함)〕. 14. 경찰간부, 20. 법원행시, 24. 해경경장

2. 음란성을 판단함에 있어 법관이 자신의 정서가 아닌 일반 보통인의 정서를 규준으로 하여 이를 판단하면 족한 것이지 법관이 일일이 일반 보통인을 상대로 과연 당해 문서나 도화 등이 그들의 성욕을 자극하여 성적 흥분을 유발하거나 정상적인 성적 수치심을 해하여 성적 도의관념에 반하는 것인지의 여부를 묻는 절차를 거쳐야만 되는 것은 아니라고 할 것이다(대판 1995.2.10, 94도2266). 09. 순경, 14. 경찰간부

3. '음란'이란 개념은 일정한 가치판단에 기초하여 정립할 수 있는 규범적인 개념이므로, '음란'이라는 개념을 정립하는 것은 물론 구체적인 표현물의 음란성 여부도 종국적으로는 법원이 이를 판단하여야 한다(대판 2008.3.13, 2006도3558). 19. 법원행시

4. 문학성 내지 예술성과 음란성은 차원을 달리하는 관념이므로 어느 문학작품이나 예술작품에 문학성 내지 예술성이 있다고 하여 그 작품의 음란성이 당연히 부정될 수 없고, 다만 그 음란성이 완화되어 결국은 형법이 처벌대상으로 삼을 수 없게 되는 경우가 있을 수 있다(대판 2005.7.22, 2003도2911). 14. 경찰간부, 18. 법원행시

5. '음란'이라는 개념 자체는 사회와 시대적 변화에 따라 변동하는 상대적이고도 유동적인 것이고, 그 시대에 있어서 사회의 풍속, 윤리, 종교 등과도 밀접한 관계를 가지는 추상적인 것이므로, 결국 음란성을 구체적으로 판단함에 있어서는 행위자의 주관적 의도가 아니라 사회 평균인의 입장에서 그 전체적인 내용을 관찰하여 건전한 사회통념에 따라 객관적이고 규범적으로 평가하여야 한다(대판 2020.1.16, 2019도14056). 22. 순경 2차

③ 공연음란죄

> **제245조** 공연히 음란한 행위를 한 자는 1년 이하의 징역, 500만원 이하의 벌금, 구류 또는 과료에 처한다.

① **공연성** : 공연음란죄에서 공연성은 불특정 또는 다수인이 음란행위를 인식할 수 있는 가능성만 있으면 충분하고, 현실적으로 불특정 또는 다수인이 음란행위를 인식할 필요는 없다. 18. 법원행시

② **음란행위** : '음란한 행위'란 일반 보통인의 성욕을 자극하여 성적 흥분을 유발하고 정상적인 성적 수치심을 해하여 성적 도의관념에 반하는 행위를 가리키는 것이고, 그 행위가 반드시 성행위를 묘사하거나 성적인 의도를 표출할 것을 요하는 것은 아니다(대판 2020.1.16, 2019도14056). 위 죄는 주관적으로 성욕의 흥분, 만족 등의 성적인 목적이 있어야 성립하는 것은 아니고 그 행위의 음란성에 대한 의미의 인식이 있으면 족하다(대판 2004.3.12, 2003도6514). 13. 경찰승진, 19. 경찰간부, 22. 순경 2차

관련판례

> 성기·엉덩이 등 신체의 주요한 부위를 노출한 행위가 있었을 경우 그 일시와 장소, 노출 부위, 노출 방법·정도, 노출 동기·경위 등 구체적 사정에 비추어, 그것이 단순히 다른 사람에게 부끄러운 느낌이나 불쾌감을 주는 정도에 불과하다면 경범죄 처벌법 제3조 제1항 제33호에 해당할 뿐이지만, 그와 같은 정도가 아니라 일반 보통인의 성욕을 자극하여 성적 흥분을 유발하고 정상적인 성적 수치심을 해하는 것이라면 형법 제245조의 '음란한 행위'에 해당한다고 할 수 있다(대판 2020.1.16, 2019도14056).

1. 고속도로에서 승용차를 손괴하거나 타인에게 상해를 가하는 등의 행패를 부리던 자가 이를 제지하려는 경찰관에 대항하여 공중 앞에서 알몸이 되어 성기를 노출한 경우 ⇨ 공연음란죄 ○(대판 2000.12.22, 2000도4372 ∴ 음란한 행위 ○) 18. 경찰승진, 21. 경찰간부·수사경과, 24. 해경경장

2. 말다툼을 한 후 항의의 표시로 엉덩이가 드러날 만큼 바지와 팬티를 내린 다음 엉덩이를 들이밀며 "똥구멍에 술을 부어 보아라"라고 말한 경우 ⇨ 음란행위 ×, 공연음란죄 ×(대판 2004.3.12, 2003도 6514) 19. 법원행시, 19·21. 경찰간부·수사경과, 22. 순경 2차, 24. 해경경장

3. 요구르트 제품의 홍보를 위하여 전라의 여성 누드모델들이 관람객 수십 명이 있는 자리에서 알몸을 완전히 드러낸 채 관람객들을 향하여 요구르트를 던진 경우 ⇨ 공연음란죄 ○(대판 2006.1.13, 2005도 1264). 16. 법원행시, 21. 경찰간부

4. 다수인이 통행하는 참전비 앞길에서 바지와 팬티를 내리고 성기와 엉덩이를 노출한 채 한 쪽 방향으로 걸어가다가 돌아서서 걷기도 하는 등 주위를 서성인 경우 ⇨ 공연음란죄 ○(대판 2020.1.16, 2019도 14056) 21. 경찰간부

5. 영상물등급위원회(구 공연윤리위원회)의 심의를 마친 영화의 특정장면을 그 영화의 예술적 측면이 아닌 선정적 측면을 특히 강조하여 포스터나 스틸사진으로 제작한 경우 그 포스터 등 광고물은 음화에 해당한다(대판 1990.10.16, 90도1485). 16. 법원행시

6. 유흥주점 여종업원들이 웃옷을 벗고 브래지어만 착용하거나 치마를 허벅지가 다 드러나도록 걸어 올리고 가슴이 보일 정도로 어깨끈을 밑으로 내린 채 손님을 접대한 경우 구 풍속영업의 규제에 관한 법률 제3조 제1호에 정한 '음란행위'에 해당하지 않는다(대판 2009.2.26, 2006도3119). 13. 경찰승진

7. 풍속영업의 규제에 관한 법률(이하 '풍속영업규제법'이라고 한다) 제3조 제2호는 풍속영업을 하는 자에 대하여 '음란행위를 알선하는 행위'를 금지하고 있다. 여기에서 음란행위를 '알선'하였다고 함은 풍속영업을 하는 자가 음란행위를 하려는 당사자 사이에 서서 이를 중개하거나 편의를 도모하는 것을 의미한다. 따라서 음란행위의 '알선'이 되기 위하여 반드시 그 알선에 의하여 음란행위를 하려는 당사자가 실제로 음란행위를 하여야만 하는 것은 아니고, 음란행위를 하려는 당사자들의 의사를 연결하여 더 이상 알선자의 개입이 없더라도 당사자 사이에 음란행위에 이를 수 있을 정도의 주선행위만 있으면 족하다(대판 2020.4.29, 2017도16995).

8. 성매매알선 등 행위의 처벌에 관한 법률(성매매처벌법) 제2조 제1항 제2호가 규정하는 '성매매알선'은 성매매를 하려는 당사자 사이에 서서 이를 중개하거나 편의를 도모하는 것을 의미하므로, 성매매의 알선이 되기 위하여는 반드시 그 알선에 의하여 성매매를 하려는 당사자가 실제로 성매매를 하거나 서로 대면하는 정도에 이르러야만 하는 것은 아니고, 성매매를 하려는 당사자들의 의사를 연결하여 더 이상 알선자의 개입이 없더라도 당사자 사이에 성매매에 이를 수 있을 정도의 주선행위만 있으면 족하다. 그리고 성매매처벌법 제19조에서 정한 성매매알선죄는 성매매죄 정범에 종속되는 종범이 아니라 성매매죄 정범의 존재와 관계없이 그 자체로 독자적인 정범을 구성하므로, 알선자가 위와 같은 주선행위를 하였다면 성매수자에게 실제로는 성매매에 나아가려는 의사가 없었다고 하더라도 위 법에서 정한 성매매알선죄가 성립한다(대판 2023.6.29, 2020도3626).

제2절 ▶ 도박과 복표에 관한 죄

1 단순도박죄

> **제246조 제1항** 도박을 한 사람은 1천만원 이하의 벌금에 처한다. 다만, 일시오락 정도에 불과한 경우에는 예외로 한다.

① 도박죄의 객체에 "재물"뿐만 아니라 "재산상의 이익"도 포함됨을 명확하게 하기 위하여 도박죄의 구성요건 중 "재물로써" 부분을 삭제하였다. 17. 법원행시, 18. 경찰간부

② 도박은 당사자가 서로 재물이나 재산상 이익을 걸고 우연한 승부에 의하여 그 재물의 득실을 결정하는 것을 말한다.

┌ 관련판례

1. 도박은 2인 이상의 자가 상호간에 '재물을 걸고 우연에 의하여 재물의 득실을 결정하는 것'을 의미하는바, 여기서 '우연'이란 주관적으로 '당사자에 있어서 확실히 예견 또는 자유로이 지배할 수 없는 사실에 관하여 승패를 결정하는 것'을 말하고, 객관적으로 불확실할 것을 요구하지 아니하므로 당사자의 능력이 승패의 결과에 영향을 미친다고 하더라도 다소라도 우연성의 사정에 의하여 영향을 받게 되는 때에는 도박죄가 성립할 수 있다(대판 2008.10.23, 2006도736). 21. 수사경과, 24. 경찰승진·법원직·해경경위

2. 사기도박에 있어서와 같이 도박당사자의 일방이 사기의 수단으로써 승패의 수를 지배하는 경우에는 도박에 있어서의 우연성이 결여되어 사기죄만 성립하고 도박죄는 성립하지 아니한다(상대방은 도박죄 ×)(통설·판례). 16. 경찰승진, 24. 법원직

   ① 사기도박의 의도로 피해자들에게 도박에 참가하도록 권유한 후에 사기도박을 숨기기 위하여 처음 얼마간 정상적인 도박을 한 경우에는 사기죄만이 성립하고 도박죄는 따로 성립하지 아니한다(대판 2011.1.13, 2010도9330). 14. 9급 검찰, 18. 경찰간부, 21. 수사경과

   ② 도박에 참여한 수인의 피해자로부터 사기도박으로 도금을 편취한 경우 피해자들에 대한 각 사기죄는 상상적 경합(실체적 경합 ×)의 관계에 있다(대판 2011.1.13, 2010도9330 ∵ 사회관념상 1개의 행위임). 12. 사시·순경 1차, 18. 수사경과, 24. 경찰승진

   ③ 사기도박의 경우 도박에서의 우연성이 결여되어 사기죄만 성립하고, 사기도박에 필요한 준비를 갖추고 그러한 의도로 피해자들에게 도박에 참가하도록 권유한 때 또는 늦어도 그 정을 알지 못하는 피해자들이 도박에 참가한 때 실행의 착수가 인정된다(대판 2011.1.13, 2010도9330). 21. 법원행시·7급 검찰, 22. 순경 2차

3. 동네 친구들과 함께 저녁을 시켜 먹은 후 그 저녁값을 마련하기 위하여 도박을 하다가 적발된 경우, 일시 오락에 불과하여 도박죄로 처벌할 수 없다(대판 2004.4.9, 2003도6351 ∵ 일시오락 ⇨ 사회상규에 위배 × ⇨ 위법성조각). 12. 9급 검찰·마약·철도경찰, 18. 경찰승진

4. 내국인의 출입을 허용하는 폐광지역 카지노에 출입하는 것은 법령에 의한 행위로 위법성이 조각되지만, 도박죄를 처벌하지 않는 외국 카지노에서의 도박은 위법성이 조각되지 아니한다(대판 2004.4.23, 2002도2518). 16. 경찰승진, 18·21. 수사경과, 24. 경찰승진·법원직

5. 도박행위가 공갈죄의 수단이 된 경우, 공갈죄와 도박죄는 그 구성요건과 보호법익을 달리하고 있고, 공갈죄의 성립에 일반적·전형적으로 도박행위를 수반하는 것은 아니기에 공갈죄와 별도로 도박죄가 성립한다(대판 2014.3.13, 2014도212). 15. 법원행시, 22. 순경 2차, 24. 법원직

② 상습도박죄

> **제246조 제2항** 상습으로 제1항의 죄를 범한 자는 3년 이하의 징역 또는 2천만원 이하의 벌금에 처한다.

■ 부진정신분범 ○

┌─ **관련판례**

1. 도박의 습벽이 있는 자가 타인의 도박을 방조하면 상습도박방조의 죄가 성립한다(대판 1984.4.24, 84도195). 16. 경찰승진, 18. 수사경과, 25. 변호사시험

2. 상습도박죄는 집합범이므로 수회에 걸쳐 도박행위를 하더라도 포괄일죄가 된다. 상습성 있는 자가 도박과 도박방조를 동시에 한 때에도 상습도박죄만 성립한다(대판 1984.4.24, 84도195). 14. 경찰간부·9급 검찰

3. 상습도박죄에 있어서의 상습성이란 반복하여 도박행위를 하는 습벽으로서 행위자의 속성을 말하는데, 이러한 습벽의 유무를 판단함에 있어서는 도박의 전과나 도박횟수 등이 중요한 판단자료가 되나, 도박전과가 없다 하더라도 도박의 성질과 방법, 도금의 규모, 도박에 가담하게 된 태양 등의 제반 사정을 참작하여 도박의 습벽이 인정되는 경우에는 상습성을 인정할 수 있다(대판 2017.4.13, 2017도953). 22. 순경 2차, 24. 해경경위

③ 도박장소 등 개설죄

> **제247조** 영리의 목적으로 도박을 하는 장소나 공간을 개설한 사람은 5년 이하의 징역 또는 3천만원 이하의 벌금에 처한다.

(1) 의의 및 성격

인터넷상에 도박사이트를 개설하여 전자화폐나 온라인으로 결제하도록 하는 경우 판례상 도박장소 등 개설죄로 처벌하고 있으나, 도박장소 등 개설죄의 구성요건에 장소뿐만 아니라 공간을 개설한 경우도 처벌할 수 있도록 규정을 명확히 하여 최근 기승하고 있는 온라인 도박사이트 등 새로운 범죄의 영역인 사이버범죄에 대응 가능하도록 개정하였다. 17. 법원행시

형법은 이를 독립범죄로 하여 도박죄보다 가중처벌하고 있다.

(2) **행위** : 도박을 하는 장소나 공간을 개설하는 것

도박장소 등 개설죄는 영리의 목적으로 스스로 주재자가 되어 그 지배하에 도박장소를 개설함으로써 성립하는 것이며, 영리를 목적으로 도박을 개장하면 기수에 이르고, 현실로 도박이 행하여졌음을 묻지 않는다(대판 2009.12.10, 2008도5282). 13. 수사경과, 16. 경찰승진

관련판례

1. 피고인이 가맹점을 모집하여 인터넷 도박게임이 가능하도록 시설 등을 설치하고 도박게임 프로그램을 가동하던 중 문제가 발생하여 더 이상의 영업으로 나아가지 못한 것으로 볼 여지가 있다면 이로써 도박개장죄는 이미 '기수'에 이르렀다고 볼 수 있고, 나아가 피고인이 모집한 피씨방의 업주들이 그곳을 찾은 이용자들에게 피고인이 개설한 도박게임 사이트에 접속하여 도박을 하게 한 사실이 없다고 하여 도박개장죄의 성립이 부정된다고 할 수 없다(대판 2009.12.10, 2008도5282 ∵ 인터넷 도박게임 사이트를 개설하여 운영하는 경우, 현실적으로 게임이용자들과 게임회사 사이에 있어서 재물이 오고 갈 수 있는 상태에 있으면, 게임이용자가 위 도박게임 사이트에 접속하여 실제 게임을 하였는지 여부와 관계없이 도박개장죄는 '기수'에 이른다). 13. 변호사시험 · 순경 1차, 14 · 15. 경찰간부, 18. 수사경과, 18 · 19. 법원행시, 22. 순경 2차

2. 유료낚시터를 운영하는 사람이 입장료 명목으로 요금을 받은 후 물고기에 부착된 시상번호에 따라 경품을 지급한 경우 도박개장죄에 해당한다(대판 2009.2.26, 2008도10582). 13. 수사경과, 14. 경찰간부 · 9급 검찰, 24. 경찰승진 · 해경경위

3. 인터넷 고스톱게임 사이트상에 고스톱대회를 개최하면서 참가자들로부터 참가비를 받고 입상자들에게 상금을 지급하는 행위 ⇨ 도박장소 등 개설죄 ○(대판 2002.4.12, 2001도5802) 18. 경찰간부 · 경찰승진 · 법원행시, 21. 수사경과, 24. 해경경위

4. 인터넷 게임사이트의 온라인게임에서 통용되는 사이버머니를 구입하고자 하는 사람을 유인하여 돈을 받고 위 게임사이트에 접속하여 일부러 패하는 방법으로 사이버머니를 판매한 사람에 대하여, 정범인 위 게임사이트 개설자의 도박개장행위를 인정할 수 없는 이상 종범인 도박개장방조죄도 성립하지 않는다(대판 2007.11.29, 2007도8050). 13. 순경 1차, 15. 경찰간부

5. 인터넷 사이트 운영자가 회원들로 하여금 온라인에서 현금화할 수 있는 게임코인을 걸고 속칭 고스톱, 포커 등을 하도록 하고, 수수료 명목으로 일정액을 이익으로 취한 행위는 도박개장죄에 해당한다(대판 2008.9.11, 2008도1667). 성인피시방 운영자가 손님들로 하여금 컴퓨터에 접속하여 인터넷 도박게임을 하고 게임머니의 충전과 환전을 하도록 하면서 게임머니의 일정 금액을 수수료 명목으로 받은 행위는 도박개장죄에 해당한다(대판 2008.10.23, 2008도3970). 14. 경찰간부

6. 서울올림픽기념국민체육진흥공단의 수탁사업자가 아닌 甲은 도박사이트를 개설한 후 체육진흥투표권과 유사한 것을 발행하여 결과를 적중시킨 자에게 재물이나 재산상의 이익을 제공하였고, 乙은 주범인 甲의 범행에 공동으로 가공한다는 의사를 가지고 직접 또는 하위 총판을 통하여 도박자의 도박사이트 회원가입을 유도한 경우 ⇨ 국민체육진흥법 제26조 제1항 위반죄와 도박공간개설죄의 상상적 경합(대판 2017.1.12, 2016도18119)

7. 사설 인터넷 도박사이트 운영자가 먼저 소셜 네트워크 서비스 앱에 오픈채팅방을 개설하여 아동 · 청소년이용음란 동영상을 게시하고 1 : 1 대화를 통해 불특정 다수를 위 오픈채팅방 회원으로 가입시킨 다음, 그 오픈채팅방에서 자신이 운영하는 도박사이트를 홍보하면서 전화를 걸어 위 도박사이트 가입

을 승인해주는 등의 방법으로 가입을 유도하고 그 도박사이트를 이용하여 도박을 하게 한 경우 ⇨ 아동·청소년이용음란물 공연전시죄와 도박공간개설죄 ○(대판 2020.9.24, 2020도8978 ∴ 영리 목적으로 도박공간을 개설하고, 영리 목적으로 동영상을 공연히 전시 ○)

8. 대한민국 영역 내에서 해외 스포츠 도박 사이트에 접속하여 베팅을 하는 방법으로 체육진흥투표권과 비슷한 것을 정보통신망을 이용하여 발행받은 다음 결과를 적중시킨 자가 재산상 이익을 얻는 내용의 도박을 한 경우, 스포츠 도박 사이트의 운영이 외국인에 의하여 대한민국 영역 외에서 이루어진 것이더라도 처벌할 수 있다(대판 2022.11.30, 2022도6462).

(3) **주관적 구성요건** : 고의＋영리목적(목적범)

형법 제247조의 도박개장죄의 영리의 목적이란 도박개장의 대가로 불법한 재산상의 이익을 얻으려는 의사를 의미하고, 반드시 도박개장의 직접적 대가가 아니라 도박개장을 통하여 간접적으로 얻게 될 이익을 위한 경우에도 영리의 목적이 인정되고, 또한 현실적으로 그 이익을 얻었을 것을 요하지는 않는다(대판 2002.4.12, 2001도5802). 15. 경찰간부, 21. 법원행시

제3절 ▶ 신앙에 관한 죄

🔔 ┌ 장례식·제사·예배·설교방해죄(제58조), 사체·유골·유발오욕죄(제159조), 변사체검시방해죄(제163조)
 │   ⇨ 미수범 처벌 ×
 └ 분묘발굴죄(제160조), 사체 등 손괴·유기·은닉·영득죄(제161조) ⇨ 미수범 처벌 ○(제162조)

1 장례식·제사·예배·설교방해죄

제158조 장례식·제사·예배 또는 설교를 방해한 자는 3년 이하의 징역 또는 500만원 이하의 벌금에 처한다.

┌ **관련판례**

1. 교회의 교인이었던 사람이 예배당 건물을 점유·관리하고 있는 자의 의사에 반하여 교인들의 총유인 교회 현판, 나무십자가 등을 떼어 내고 예배당 건물에 들어가 출입문 자물쇠를 교체하여 7개월 동안 교인들의 출입을 막은 경우 ⇨ 재물손괴죄와 건조물침입죄의 실체적 경합 ○, 예배방해죄 × (대판 2008.2.1, 2007도5296 ∴ 장기간 예배당 건물의 출입을 통제한 위 행위는 교인들의 예배 내지 그와 밀접불가분의 관계에 있는 준비단계를 계속하여 방해한 것으로 볼 수 없음) 16·18. 경찰간부, 22. 법원행시

2. 장례식방해죄는 장례식의 평온과 공중의 추모감정을 보호법익으로 하는 이른바 추상적 위험범으로서 범인의 행위로 인하여 장례식이 현실적으로 저지 내지 방해되었다고 하는 결과의 발생까지 요하지

않고 방해행위의 수단과 방법에도 아무런 제한이 없으며 일시적인 행위라 하더라도 무방하나, 적어도 객관적으로 보아 장례식의 평온한 수행에 지장을 줄 만한 행위를 함으로써 장례식의 절차와 평온을 저해할 위험이 초래될 수 있는 정도는 되어야 한다(대판 2013.2.14, 2010도13450).

3. 형법 제158조에 규정된 제사방해죄는 제사의 평온을 그 보호법익으로 하는 것이므로 제사가 집행 중이거나 제사의 집행과 시간적으로 밀접 불가분의 관계에 있는 준비단계에서 이를 방해하는 경우에만 성립한다(대판 1982.2.23, 81도2691). 18. 경찰간부

② 사체 등 손괴 · 유기 · 은닉 · 영득죄

> **제161조 제1항** 사체, 유골, 유발 또는 관 속에 넣어 둔 물건을 손괴, 유기, 은닉 또는 영득한 자는 7년 이하의 징역에 처한다.

┌ 관련판례

1. 살해 후 범행은폐나 증거인멸의 목적으로 사체를 다른 장소에 옮기거나, 매장한 경우 ⇨ 살인죄+사체 유기죄의 실체적 경합범(대판 1997.7.25, 97도1142 ∵ 불가벌적 사후행위 ×)

2. 살인 등의 목적으로 사람을 살해한 자가 살해의 목적을 수행할 때 사후 사체의 발견을 심히 곤란하게 하려는 의도로 인적이 드문 장소로 피해자를 유인하여 그곳에서 살해하고 사체를 그대로 두고 도주한 경우 ⇨ 살인죄 ○, 사체은닉죄 ×(대판 1986.6.24, 86도891) 18. 순경 2차

3. 일반화장절차에 따라 피해자의 시신을 화장하여 일반의 장제의례를 갖추었다면, 설령 그것이 범행은 폐의 목적이었다 하더라도, 사체를 유기한 것이라 할 수 없다(대판 1998.3.10, 98도51). 18. 순경 2차

4. 사체유기죄는 법률, 계약 또는 조리상 사체에 대한 장제 또는 감호의 의무가 있는 자가 이를 방치하거나(부작위의 경우) 그 의무 없는 자가 그 장소적 이전을 하면서 종교적 · 사회적 풍습에 따른 의례에 의하지 아니하고 이를 방치하는 경우에 성립(작위의 경우)한다(대판 1998.3.10, 98도51). 18. 순경 2차

③ 변사체검시방해죄

> **제163조** 변사자의 시체 또는 변사로 의심되는 시체를 은닉하거나 변경하거나 그 밖의 방법으로 검시를 방해한 자는 700만원 이하의 벌금에 처한다.

┌ 관련판례

제163조의 변사자란 그 사인이 분명하지 않은 자를 의미하고 그 사인이 명백한 경우는 변사자라 할 수 없으므로, 범죄로 인하여 사망한 것이 명백한 자의 사체는 **변사자검시방해죄의 객체가 될 수 없다** (대판 2003.6.27, 2003도1331). 18. 경찰간부 · 순경 2차, 22. 법원행시

01 성풍속에 관한 죄에 대한 설명 중 옳은 것은 모두 몇 개인가?(다툼이 있는 경우 판례에 의함)

19. 경찰간부

> ⊙ 음란한 영상화면을 수록한 컴퓨터 프로그램파일을 컴퓨터 통신망을 통하여 전송하는 방법으로 판매한 경우 형법 제243조의 음화 등 판매죄에 해당한다.
> ⓒ 말다툼을 한 후 항의의 표시로 바지와 팬티를 무릎까지 내린 후 엉덩이를 노출시킨 행위는 음란한 행위에 해당하여 공연음란죄가 성립한다.
> ⓒ 형법 제245조 소정의 '음란한 행위'라 함은 일반 보통인의 성욕을 자극하여 성적 흥분을 유발하고 정상적인 성적 수치심을 해하여 성적 도의관념에 반하는 것을 가리킨다고 할 것이므로, 주관적으로 성욕의 흥분 또는 만족 등의 성적인 목적이 있어야 성립한다.

① 없 음　　　　② 1개　　　　③ 2개　　　　④ 3개

해설　⊙ × : 음화 등 판매죄 ×(대판 1999.2.24, 98도3140 ∵ 컴퓨터 프로그램 파일 ⇨ 본죄의 객체 ×)
ⓒ × : 공연음란죄 ×(대판 2004.3.12, 2003도6514 ∵ 음란행위 ×)
ⓒ × : 대판 2004.3.12, 2003도6514(∵ 주관적으로 성적인 목적이 있어야 하는 것은 아님)

02 다음 사례 중 공연음란죄의 성립이 인정된 것만을 모두 고른 것은?(다툼이 있는 경우 판례에 의함)

21. 경찰간부

> ⊙ 말다툼을 한 후 항의의 표시로 엉덩이가 드러날 만큼 바지와 팬티를 내린 다음 엉덩이를 들이밀며 "똥구멍에 술을 부어 보아라."라고 말한 경우
> ⓒ 다수인이 통행하는 참전비 앞길에서 바지와 팬티를 내리고 성기와 엉덩이를 노출한 채 한 쪽 방향으로 걸어가다가 돌아서서 걷기도 하는 등 주위를 서성인 경우
> ⓒ 요구르트 제품의 홍보를 위하여 전라의 여성 누드모델들이 관람객 수십 명이 있는 자리에서 알몸을 완전히 드러낸 채 관람객들을 향하여 요구르트를 던진 경우
> ⓔ 아파트 엘리베이터 내에 피해자(여, 11세)와 단둘이 탄 다음 신체접촉 없이 피해자를 향하여 성기를 노출하고 이를 보고 놀란 피해자에게 다가간 경우
> ⓜ 고속도로에서 승용차를 손괴하는 등의 행패를 부리던 자가 이를 제지하려는 경찰관에 대항하여 공중 앞에서 알몸이 되어 성기를 노출한 경우

① ⊙, ⓒ, ⓜ　　② ⊙, ⓒ, ⓔ　　③ ⓒ, ⓒ, ⓜ　　④ ⓒ, ⓒ, ⓔ

해설　• **공연음란죄** ○ : ⓒ 대판 2020.1.16, 2019도14056 ⓒ 대판 2006.1.13, 2005도1264 ⓜ 대판 2000.12.22, 2000도4372
　• **공연음란죄** × : ⊙ 대판 2004.3.12, 2003도6514 ⓔ 성폭력특례법상 위력에 의한 추행죄 ○(대판 2013.1.16, 2011도7164)

Answer　**01.** ①　**02.** ③

03 공연음란죄에 관한 설명 중 옳은 것은 모두 몇 개인가?(다툼이 있는 경우 판례에 의함) 22. 순경 2차

> ㉠ 말다툼 후 항의하는 과정에서 바지와 팬티를 내리고 엉덩이를 노출시킨 행위는 사람에게 부끄러운 느낌이나 불쾌감을 주는 정도에 불과하고, 정상적인 성적 수치심을 해할 정도에 해당하지 않아 공연음란죄가 성립하지 않는다.
> ㉡ 음란성을 구체적으로 판단함에 있어서는 행위자의 주관적 의도가 아니라 사회 평균인의 입장에서 그 전체적인 내용을 관찰하여 건전한 사회통념에 따라 객관적이고 규범적으로 평가하여야 한다.
> ㉢ 공연음란죄에서 정하는 '음란한 행위'는 일반인의 성욕을 자극하여 성적 흥분을 유발하고 정상적인 성적 수치심을 해하여 성적 도의관념에 반하는 것을 의미하고, 그 행위의 음란성에 대한 의미의 인식뿐만 아니라 성욕의 흥분, 만족 등의 성적인 목적이 있어야 공연음란죄가 성립한다.
> ㉣ 공연음란죄에서 정하는 '음란한 행위'를 특정한 사람을 상대로 한다고 해서 반드시 강제추행죄가 성립하는 것은 아니다.

① 1개   ② 2개   ③ 3개   ④ 4개

해설 ㉠ ○ : 대판 2004.3.12, 2003도6514
㉡ ○ : 대판 2020.1.16, 2019도14056
㉢ × : ~ (3줄) 대한 의미의 인식이 있으면 족하지 성욕의 흥분, 만족 등의 목적이 있어야 공연음란죄가 성립하는 것은 아니다(대판 2004.3.12, 2003도6514).
㉣ ○ : 대판 2012.7.26, 2011도8805〔∵ 강제추행죄(제298조)에서의 '추행'이란 일반인에게 성적 수치심이나 혐오감을 일으키고 선량한 성적 도덕관념에 반하는 행위인 것만으로는 부족하고 그 행위의 상대방인 피해자의 성적 자기결정의 자유를 침해하는 것이어야 한다.〕

04 도박개장죄에 대한 설명 중 옳은 것은?(다툼이 있는 경우 판례에 의함)   15. 경찰간부
① 영리의 목적을 필요로 하는 목적범이다.
② 도박개장죄는 현실적으로 그 이익을 얻었을 것을 요한다.
③ 피씨방 업주들이 가맹점을 모집하여 인터넷 도박게임이 가능하도록 시설 등을 설치하고 도박게임 프로그램을 가동하던 중 문제가 발생하여 더 이상의 영업으로 나아가지 못한 경우 도박개장죄는 미수에 그친 것이다.
④ 인터넷 게임사이트의 온라인 게임에서 통용되는 사이버머니를 구입하고자 하는 사람을 유인하여 돈을 받고 위 게임사이트에 접속하여 일부러 패하는 방법으로 사이버머니를 판매한 사람에 대하여, 정범인 위 게임사이트 개설자의 도박개장행위를 인정할 수 없다고 하더라도 종범인 도박개장방조죄는 성립한다.

해설 ① ○ : 제247조
② × : 반드시 도박개장의 직접적 대가가 아니라 도박개장을 통하여 간접적으로 얻게 될 이익을 위한 경우에도 영리의 목적이 인정되고, 또한 현실적으로 그 이익을 얻었을 것을 요하지는 않는다(대판 2002.4.12, 2001도5802).

Answer   03. ③   04. ①

③ × : 도박개장죄는 이미 '기수'에 이르렀다고 볼 수 있고, 이용자들에게 피고인이 개설한 도박게임 사이트에 접속하여 도박을 하게 한 사실이 없다고 하여 도박개장죄의 성립이 부정된다고 할 수 없다(대판 2009.12.10, 2008도5282).

④ × : ~ 인정할 수 없는 이상 종범인 도박개장방조죄도 성립하지 않는다(대판 2007.11.29, 2007도8050).

05 다음 설명 중 옳은 것은 모두 몇 개인가?(다툼이 있는 경우 판례에 의함) 18. 법원행시

> ㉠ 가맹점을 모집하여 인터넷 도박게임이 가능하도록 시설 등을 설치하고 도박게임 프로그램을 가동하던 중 문제가 발생하여 더 이상의 영업으로 나아가지 못하였다면 도박개장죄가 기수에 이르렀다고 볼 수 없다.
> ㉡ 도박자금을 빌려주고 변제받지 못하자 '자동차구입대금을 빌려주었으나 변제하지 않고 자동차도 구입하지 않았다.'라고 고소하였다면 금전의 용도에 대하여 허위 신고한 것에 불과하여 무고죄가 성립하지 않는다.
> ㉢ 광고복권을 광고주들에게 발행하여 광고주들로 하여금 제품판매시 판촉 등의 목적으로 무료로 배부하게 하였다면, 광고주들에게 영업 판촉, 광고효과를 가져오고 소비자들은 낙첨에 따른 아무런 손실을 입지 않으므로, 이를 복표에 해당한다고 볼 수 없다.
> ㉣ 인터넷 고스톱게임 사이트를 유료화하는 과정에서 사이트를 홍보하기 위해 고스톱대회를 개최하면서 참가비를 받고 입상자들에게 상금을 지급하였는데, 개최결과 이득을 보지 못하고 오히려 손해를 보았다면 도박개장죄에 해당하지 않는다.
> ㉤ 무허가 카지노영업을 하여 관광진흥법위반죄를 저지를 경우 관광진흥법위반죄의 법정형이 도박개장죄보다 높은 점, 규제대상과 취지 등을 고려하면, 관광진흥법위반죄만 성립하고 도박개장죄는 별도로 성립하지 않는다.

① 0개 ② 1개 ③ 2개 ④ 3개 ⑤ 4개

해설 ㉠ × : 도박개장죄의 기수 ○(대판 2009.12.10, 2008도5282)
㉡ × : 무고죄 ○(대판 2004.1.16, 2003도7178 ∵ 금전의 용도에 대하여 허위신고 ⇨ 허위사실 신고 ○)
㉢ × : 복표발매죄 ○(대판 2003.12.26, 2003도5433 ∵ 복표로서의 성질을 상실하지 아니함)
㉣ × : 도박개장죄 ○(대판 2002.4.12, 2001도5802)
㉤ × : 관광진흥법위반죄와 도박개장죄의 상상적 경합범(대판 2009.12.10, 2009도11151)

06 도박의 죄에 관한 설명 중 옳은 것은 모두 몇 개인가?(다툼이 있는 경우 판례에 의함) 22. 순경 2차

> ㉠ 영리의 목적으로 속칭 포커나 고스톱 등의 인터넷 도박게임사이트를 개설하여 운영하는 경우, 게임이용자들이 그 도박게임사이트에 접속하여 실제로 도박이 행하여진 때에 도박개장죄는 기수에 이른다.
> ㉡ 사기도박의 경우 도박에서의 우연성이 결여되어 사기죄만 성립하고, 사기도박에 필요한 준비를 갖추고 그러한 의도로 피해자들에게 도박에 참가하도록 권유한 때 또는 늦어도 그 정을 알지 못하는 피해자들이 도박에 참가한 때 실행의 착수가 인정된다.

Answer 05. ① 06. ③

ⓒ 상습도박죄에 있어서의 상습성이란 반복하여 도박행위를 하는 습벽으로서 행위자의 속성을 말하는데, 이러한 습벽의 유무를 판단함에 있어서는 도박의 전과나 도박횟수 등이 중요한 판단 자료가 되나, 도박전과가 없다 하더라도 도박의 성질과 방법, 도금의 규모, 도박에 가담하게 된 태양 등의 제반 사정을 참작하여 도박의 습벽이 인정되는 경우에는 상습성을 인정할 수 있다.
ⓔ 도박행위가 공갈죄의 수단이 된 경우, 공갈죄와 도박죄는 그 구성요건과 보호법익을 달리하고 있고, 공갈죄의 성립에 일반적·전형적으로 도박행위를 수반하는 것은 아니기에 공갈죄와 별도로 도박죄가 성립한다.

① 1개 　　　② 2개 　　　③ 3개 　　　④ 4개

해설 ㉠ × : 인터넷 도박게임 사이트를 개설하여 운영하는 경우, 현실적으로 게임이용자들과 게임회사 사이에 있어서 재물이 오고갈 수 있는 상태에 있으면, 게임이용자가 위 도박게임 사이트에 접속하여 실제 게임을 하였는지 여부와 관계없이 도박개장죄는 '기수'에 이른다(대판 2009.12.10, 2008도5282).
ⓛ ○ : 대판 2011.1.13, 2010도9330
ⓒ ○ : 대판 2017.4.13, 2017도953
ⓔ ○ : 대판 2014.3.13, 2014도212

07 도박과 복표에 관한 죄에 대한 설명으로 옳고 그름의 표시(○, ×)가 바르게 된 것은?(다툼이 있는 경우 판례에 의함)　　24. 경찰승진

㉠ 도박은 '재물을 걸고 우연에 의하여 재물의 득실을 결정하는 것'을 의미하는바, 당사자의 능력이 승패의 결과에 영향을 미친다면 다소간 우연성의 영향을 받는다고 하여도 도박죄는 성립하지 않는다.
ⓛ 유료낚시터에서 입장료 명목으로 요금을 받은 후 낚인 물고기에 부착된 시상번호에 따라 경품을 지급한 경우 도박개장죄가 성립한다.
ⓒ 국가 정책적 견지에서 도박죄의 보호법익보다 좀 더 높은 국가이익을 위하여 예외적으로 내국인의 출입을 허용하는 폐광지역 개발 지원에 관한 특별법 등에 따라 카지노에 출입하는 것은 법령에 의한 행위로 위법성이 조각되는 것처럼 도박죄를 처벌하지 않는 외국 카지노에서 도박을 하였다면 그 위법성이 조각된다.
ⓔ 피고인 등이 피해자들을 유인하여 사기도박을 하여 도금을 편취한 행위는 사회관념상 1개의 행위로 평가함이 상당하므로 피해자들에 대한 각 사기죄는 상상적 경합의 관계에 있다.

① ㉠(×), ⓛ(○), ⓒ(×), ⓔ(○)　　② ㉠(×), ⓛ(×), ⓒ(○), ⓔ(×)
③ ㉠(○), ⓛ(×), ⓒ(×), ⓔ(○)　　④ ㉠(×), ⓛ(○), ⓒ(×), ⓔ(×)

해설 ㉠ × : 당사자의 능력이 승패의 결과에 영향을 미친다고 하더라도 다소라도 우연성의 사정에 의하여 영향을 받게 되는 때에는 도박죄가 성립할 수 있다(대판 2008.10.23, 2006도736).
ⓛ ○ : 대판 2009.2.26, 2008도10582
ⓒ × : ~ (3줄) 위법성이 조각되지만, 도박죄를 처벌하지 않는 외국 카지노에서 도박을 하였다면 그 위법성이 조각되지 아니한다(대판 2004.4.23, 2002도2518).
ⓔ ○ : 대판 2011.1.13, 2010도9330

Answer　07. ①

08 성풍속 및 도박에 관한 죄에 대한 설명으로 가장 적절하지 않은 것은?(다툼이 있는 경우 판례에 의함)

① 고속도로에서 앞서가던 차량이 진로를 비켜주지 않는다는 이유로 그 차를 추월하여 정차하게 한 다음, 주위에 사람이 많은 가운데 옷을 모두 벗고 성기를 노출시킨 상태로 바닥에 드러눕거나 돌아다녔다면 공연음란죄가 성립한다.

② 인터넷사이트에 집단 성행위 목적의 비공개카페를 개설, 운영한 자가 남녀 회원을 모집한 후 특별모임을 빙자하여 집단으로 성행위를 하고 그 촬영물이나 사진 등을 카페에 게시한 경우, 음란물을 공연히 전시한 것에 해당하지 않는다.

③ 피고인들은 서로 친숙하게 지내온 사이로서 이 사건 당일 우연히 다방에서 만나게 되어 약 3,000원 상당의 음식내기 화투놀이를 약 30분 동안 한 사실은 도박죄를 구성하지 않는다.

④ 인터넷 고스톱게임 사이트를 유료화하는 과정에서 사이트를 홍보하기 위하여 고스톱대회를 개최하면서 참가자들로부터 참가비를 받고 입상자들에게 상금을 지급한 행위는 도박장소 등 개설죄를 구성한다.

해설 ① 대판 2000.12.22, 2000도4372
② × : ~ 공연히 전시한 것에 해당한다(대판 2009.5.14, 2008도10914).
③ 대판 2004.4.9, 2003도6351
④ 대판 2002.4.12, 2001도5802

09 다음 설명 중 옳지 않은 것은 몇 개인가?(다툼이 있는 경우 판례에 의함)

ㄱ 도박죄의 객체에는 재물뿐만 아니라 재산상의 이익도 포함된다.
ㄴ 편면적 도박, 즉 사기도박의 경우에 사기행위자에게는 사기죄가, 그 상대방에게는 도박죄가 성립한다.
ㄷ 인터넷 고스톱게임 사이트를 유료화하는 과정에서 사이트를 홍보하기 위하여 고스톱대회를 개최하면서 참가자들로부터 참가비를 받고 입상자들에게 상금을 지급한 행위만으로는 도박개장죄가 성립하지 않는다.
ㄹ 예배방해죄는 예배 중이거나 예배와 시간적으로 밀접불가분의 관계에 있는 준비단계에서 이를 방해하는 경우에만 성립한다.
ㅁ 범죄로 인하여 사망한 것이 명백한 자의 사체는 변사체검시방해죄의 객체가 된다.

① 1개   ② 2개   ③ 3개   ④ 4개

해설 ㄱ ○ : 옳다.
ㄴ × : 사기죄 ○, 상대방은 도박죄 ×(대판 2011.1.13, 2010도9330)
ㄷ × : 도박개장죄 ○(대판 2002.4.12, 2001도5802)
ㄹ ○ : 대판 2008.2.1, 2007도5296
ㅁ × : 변사체검시방해죄의 객체 ×(대판 2003.6.27, 2003도1331)

Answer 08. ② 09. ③

10 다음 설명 중 옳고 그름의 표시(○, ×)가 바르게 된 것은?(다툼이 있는 경우 판례에 의함) 18. 순경 2차

> ○ 범행을 은폐할 목적으로 피해자의 시신을 화장하였더라도 일반 화장절차에 따라 장제의 의례를 갖추었다면 사체유기죄가 성립하지 아니한다.
> ○ 법률, 계약 또는 조리상 사체에 대한 장제 또는 감호의 의무가 없는 자도 장소적 이전을 함이 없이 소극적으로 단순히 사체를 방치함으로써 사체유기죄를 범할 수 있다.
> ○ 살인 등의 목적으로 사람을 살해한 자가 살해의 목적을 수행할 때 사후 사체의 발견을 심히 곤란하게 하려는 의도로 인적이 드문 장소로 피해자를 유인하여 그곳에서 살해하고 사체를 그대로 두고 도주한 경우에는 살인죄 외에 별도로 사체은닉죄가 성립한다.
> ② 질병으로 의사의 치료를 받아 오다가 약효가 없어 사망하여 그 사인이 명백한 자라도 그 사체에 대한 검시를 방해하는 것은 변사체검시방해죄를 구성한다.

① ㉠(○), ㉡(○), ㉢(×), ㉣(×)　　　② ㉠(○), ㉡(×), ㉢(×), ㉣(×)
③ ㉠(×), ㉡(×), ㉢(○), ㉣(○)　　　④ ㉠(○), ㉡(×), ㉢(×), ㉣(○)

해설 ㉠ ○ : 대판 1998.3.10, 98도51
㉡ × : 사체유기죄는 법률, 계약 또는 조리상 사체에 대한 장제 또는 감호의 의무가 있는 자가 이를 방치하거나(부작위의 경우) 그 의무 없는 자가 그 장소적 이전을 하면서 종교적·사회적 풍습에 따른 의례에 의하지 아니하고 이를 방치하는 경우에 성립(작위의 경우)한다(대판 1998.3.10, 98도51).
㉢ × : 살인죄 ○, 사체은닉죄 ×(대판 1986.6.24, 86도891)
㉣ × : 변사체검시방해죄 ×(대판 2003.6.27, 2003도1331 ∵ 변사자란 그 사인이 분명하지 않은 자를 의미함)

11 다음 설명 중 옳지 않은 것은 모두 몇 개인가?(다툼이 있는 경우 판례에 의함)　　　22. 법원행시

> ㉠ 법률상 그 분묘를 수호, 봉사하며 관리하고 처분할 권한이 있는 자 또는 그로부터 정당하게 승낙을 얻은 자가 사체에 대한 종교적·관습적 양속에 따른 존숭의 예를 갖추어 이를 발굴하는 경우에는 그 행위의 위법성은 조각된다.
> ㉡ 형법 제163조(변사체 검시 방해)의 변사자에는 부자연한 사망으로서 그 사인이 분명하지 않은 자뿐만 아니라 범죄로 인하여 사망한 것이 명백한 자의 사체도 포함된다.
> ㉢ 형법 제158조에 규정된 예배방해죄는 예배 중이거나 예배와 시간적으로 밀접불가분의 관계에 있는 준비단계에서 이를 방해하는 경우에만 성립한다.
> ㉣ 분묘발굴죄의 객체인 분묘는 사람의 사체, 유골, 유발 등을 매장하여 제사나 예배 또는 기념의 대상으로 하는 장소를 말하는 것이고, 사체나 유골이 토괴화하였을 때에도 분묘인 것이며 그 사자가 누구인지 불명하다고 할지라도 현재 제사 숭경하고 종교적 예의의 대상으로 되어 있고 이를 수호봉사하는 자가 있으면 여기에 해당한다.
> ㉤ 예배방해죄(형법 제158조)의 미수범은 처벌된다.

① 1개　　　　② 2개　　　　③ 3개
④ 4개　　　　⑤ 5개

해설 ㉠ ○ : 대판 1995.2.10, 94도1190

㉡ × : 제163조의 변사자란 부자연한 사망으로서 그 사인이 분명하지 않은 자를 의미하고 그 사인이 명백한 경우는 변사자라 할 수 없으므로, 범죄로 인하여 사망한 것이 명백한 자의 사체는 변사자검시방해죄의 객체가 될 수 없다(대판 2003.6.27, 2003도1331).

㉢ ○ : 대판 2008.2.1, 2007도5296

㉣ ○ : 대판 1990.2.13, 89도2061

㉤ × ┌ 장례식·제사·예배·설교방해죄(제58조), 사체·유골·유발오욕죄(제159조), 변사체검시방해죄
        │ (제163조) ⇨ 미수범 처벌 ×
        └ 분묘발굴죄(제160조), 사체 등 손괴·유기·은닉·영득죄(제161조) ⇨ 미수범 처벌 ○(제162조)

12 도박죄에 관한 다음 설명 중 가장 옳지 않은 것은?(다툼이 있는 경우 판례에 의함)　24. 법원직

① 형법 제3조는 "본법은 대한민국 영역 외에서 죄를 범한 내국인에게 적용한다."라고 하여 형법의 적용 범위에 관한 속인주의를 규정하고 있고, 또한 국가 정책적 견지에서 도박죄의 보호법익보다 좀 더 높은 국가이익을 위하여 예외적으로 내국인의 출입을 허용하는 폐광지역 개발지원에 관한 특별법 등에 따라 카지노에 출입하는 것은 법령에 의한 행위로 위법성이 조각된다고 할 것이나, 도박죄를 처벌하지 않는 외국 카지노에서의 도박이라는 사정만으로 그 위법성이 조각된다고 할 수 없다.

② 도박은 '재물을 걸고 우연에 의하여 재물의 득실을 결정하는 것'을 의미하는바, 여기서 '우연'이란 주관적으로 '당사자에 있어서 확실히 예견 또는 자유로이 지배할 수 없는 사실에 관하여 승패를 결정하는 것'을 말하고, 객관적으로도 불확실할 것을 요구한다. 따라서 당사자의 능력이 승패의 결과에 영향을 미친다면 우연성이 결여되어 도박죄가 성립하지 아니한다.

③ 공갈죄와 도박죄는 그 구성요건과 보호법익을 달리하고 있고, 공갈죄의 성립에 일반적·전형적으로 도박행위를 수반하는 것은 아니며, 도박행위가 공갈죄에 비하여 별도로 고려되지 않을 만큼 경미한 것이라고 할 수도 없으므로, 도박행위가 공갈죄의 수단이 되었다 하여 그 도박행위가 공갈죄에 흡수되어 별도의 범죄를 구성하지 않는다고 할 수 없다.

④ 도박이라 함은 2인 이상의 자가 상호간에 재물을 도(賭)하여 우연한 승패에 의하여 그 재물의 득실을 결정하는 것이 므로, 이른바 사기도박에 있어서와 같이 도박당사자의 일방이 사기의 수단으로써 승패의 수를 지배하는 경우에는 도박에 있어서의 우연성이 결여되어 사기죄만 성립하고 도박죄는 성립하지 아니한다.

해설 ① 대판 2004.4.23, 2002도2518

② × : ~ (3줄) 말하고, 객관적으로 불확실할 것을 요구하지 아니하므로 당사자의 능력이 승패의 결과에 영향을 미친다고 하더라도 다소라도 우연성의 사정에 의하여 영향을 받게 되는 때에는 도박죄가 성립할 수 있다(대판 2008.10.23, 2006도736).

③ 대판 2014.3.13, 2014도212

④ 대판 2011.1.13, 2010도9330

Answer　12. ②

조충환·양건
형법각론

PART 03

국가적 법익에 대한 죄

제1절 내란의 죄

1 내란죄

> **제87조** 대한민국 영토의 전부 또는 일부에서 국가권력을 배제하거나 국헌을 문란하게 할 목적으로 폭동을 일으킨 자는 다음 각 호의 구분에 따라 처벌한다.
> 1. 우두머리는 사형, 무기징역 또는 무기금고에 처한다.
> 2. 모의에 참여하거나 지휘하거나 그 밖의 중요한 임무에 종사한 자는 사형, 무기 또는 5년 이상의 징역이나 금고에 처한다. 살상, 파괴 또는 약탈 행위를 실행한 자도 같다.
> 3. 부화수행하거나 단순히 폭동에만 관여한 자는 5년 이하의 징역이나 금고에 처한다.

📛 미수범 처벌, 예비·음모·선동·선전 처벌 ⇨ 그 목적한 죄의 실행(폭동)에 이르기 전에 자수한 때 ⇨ 필요적 감면(형을 감경 또는 면제한다.) 18. 법원행시

(1) 폭 동

내란죄의 구성요건인 폭동의 내용으로서의 폭행 또는 협박은 일체의 유형력의 행사나 외포심을 생기게 하는 해악의 고지를 의미하는 최광의의 폭행·협박을 말하는 것으로서, 이를 준비하거나 보조하는 행위를 전체적으로 파악한 개념이며, 그 정도가 한 지방의 평온을 해할 정도의 위력이 있음을 요한다(대판 2015.1.22, 2014도10978 전원합의체). 13. 경찰간부, 20. 법원행시

📛 폭동에 수반하여 살인·상해·방화 등의 행위가 있는 때 ⇨ 내란죄만 성립(흡수관계 : 통설, 대판 1997.4.17, 96도3376) 12. 경찰간부

(2) 선 동

① 내란선동죄는 내란이 실행되는 것을 목표로 선동함으로써 성립하는 독립한 범죄이고, 선동으로 말미암아 피선동자들에게 반드시 범죄의 결의가 발생할 것을 요건으로 하지 않는다(대판 2015.1.22, 2014도10978 전원합의체). 16·20. 법원행시, 18. 경찰간부

② 내란을 실행시킬 목표가 있더라도 특정한 정치적 사상을 옹호·교시하는 것만으로는 내란선동이 될 수 없고 피선동자에게 내란 결의를 유발하거나 증대시킬 위험성이 인정되어야만 내란선동으로 볼 수 있다(대판 2015.1.22, 2014도10978 전원합의체). 17. 법원직

③ 내란선동에 있어서는 시기와 장소, 대상과 방식 등 내란 실행행위의 주요 내용이 선동 단계에서 구체적으로 제시되어야 할 것은 아니고, 또 선동에 따라 피선동자가 내란의 실행행위로 나아갈 개연성이 있다고 인정되어야만 내란선동의 위험성이 있는 것으로 볼 수도 없다(대판 2015.1.22, 2014도10978 전원합의체). 17. 법원직, 16·20. 법원행시

(3) 음 모

① 내란음모죄에 해당하는 합의가 있다고 하기 위해서는 단순히 내란에 관한 범죄결심을 외부에 표시 · 전달하는 것만으로는 부족하고 객관적으로 내란범죄의 실행을 위한 합의라는 것이 명백히 인정되고, 그러한 합의에 실질적인 위험성이 인정되어야 한다(대판 2015.1.22, 2014도10978 전원합의체). 17. 법원직

② 내란음모를 인정하기 위하여 개별 범죄행위에 관한 세부적 합의가 있을 필요는 없으나, 공격의 대상과 목표가 설정되어 있고 그 밖의 실행계획에 있어서 주요 사항의 윤곽을 공통적으로 인식할 정도의 합의가 있어야 한다(대판 2015.1.22, 2014도10978 전원합의체). 17. 법원직, 16 · 20. 법원행시

(4) **주관적 구성요건** : 고의＋국토참절이나 국헌문란의 목적(목적범)

① 내란선동죄에서 국헌문란의 목적은 범죄 성립을 위하여 고의 외에 요구되는 초과주관적 위법요소로서 엄격한 증명사항에 속하나, 확정적 인식임을 요하지 아니하며, 다만 미필적 인식이 있으면 족하다(대판 2015.1.22, 2014도10978 전원합의체).

② 국헌문란의 목적을 가지고 있었는지 여부는 외부적으로 드러난 행위와 그 행위에 이르게 된 경위 및 그 행위의 결과 등을 종합하여 판단하여야 한다(대판 1997.4.17, 96도3376 전원합의체). 13. 경찰간부

③ 범죄는 '어느 행위로 인하여 처벌되지 아니하는 자'를 이용하여서도 이를 실행할 수 있으므로, 내란죄의 경우에도 '국헌문란의 목적'을 가진 자가 그러한 목적이 없는 자를 이용하여 이를 실행할 수 있다(대판 1997.4.17, 96도3376 전원합의체). 13. 경찰간부, 16. 법원행시

(5) **총칙상의 공범규정** : 필요적 공범(집합범) ⇨ 내부참가자 사이에는 공범규정 적용 × 12. 경찰간부

(6) 처 벌

폭동의 역할(수괴, 모의참여자 · 지휘자 · 중요임무종사자 · 살상 · 파괴 · 약탈행위자, 부화수행자 · 단순폭동관여자)에 따라 법정형에 차이가 있다. 12. 경찰간부

② 내란목적 살인죄

> **제88조** 대한민국 영토의 전부 또는 일부에서 국가권력을 배제하거나 국헌을 문란하게 할 목적으로 사람을 살해한 자는 사형, 무기징역 또는 무기금고에 처한다.

🔨 미수범 처벌, 예비 · 음모 · 선동 · 선전 처벌 ⇨ 그 목적한 죄의 실행에 이르기 전에 자수한 때 ⇨ 필요적 감면

┌─ **관련판례**

• **12·12 군사반란사건**(대판 1997.4.17, 96도3376 전원합의체)

1. 국헌문란의 목적을 달성함에 있어 내란죄가 폭동을 수단으로 함에 비하여 내란목적살인죄는 살인을 그 수단으로 하는 점에서 두 죄는 엄격히 구별된다. 따라서 폭동에 수반하여 개별적으로 발생한 살인행위는 내란행위에 흡수되어 내란목적살인의 별죄를 구성하지 아니하나, 살인행위가 내란의 와중에 폭동에 수반하여 일어난 것이 아니라 의도적으로 실행된 경우에는 내란에 흡수될 수 없고 내란목적살인죄의 별죄를 구성한다. 14. 법원직, 16. 법원행시

2. 내란죄는 국토를 참절하거나 국헌을 문란할 목적으로 폭동한 행위로서, 다수인이 결합하여 위와 같은 목적으로 한 지방의 평온을 해할 정도의 폭행·협박행위를 하면 기수가 되고, 그 목적의 달성 여부는 이와 무관한 것으로 해석되므로, 다수인이 한 지방의 평온을 해할 정도의 폭동을 하였을 때 이미 내란의 구성요건은 완전히 충족된다고 할 것이어서 상태범으로 봄이 상당하다. 12·13. 경찰간부, 14·16. 법원행시, 19. 변호사시험

제2절 ▶ 외환의 죄

① 여적죄

> **제93조** 적국과 합세하여 대한민국에 항적한 자는 사형에 처한다.
> **제102조** 대한민국에 적대하는 외국 또는 외국인의 단체는 적국으로 간주한다.

🔔 1. 미수범 처벌, 예비·음모·선동·선전 처벌 ⇨ 실행에 이르기 전에 자수한 때 ⇨ 필요적 감면
2. 본죄는 형법상 법정형으로 사형만을 규정한 유일한 규정이다. 물론 작량감경은 가능하므로 항상 사형으로 처단된다는 것은 아니다.

② 간첩죄

> **제98조** ① 적국을 위하여 간첩하거나 적국의 간첩을 방조한 자는 사형, 무기 또는 7년 이상의 징역에 처한다.
> ② 군사상의 기밀을 적국에 누설한 자도 전항의 형과 같다.

🔔 미수범 처벌, 예비·음모·선동·선전 처벌 ⇨ 실행에 이르기 전에 자수한 때 ⇨ 필요적 감면

(1) 적국을 위한 간첩

간첩이라 함은 적국에 제보하기 위하여 은밀한 방법으로 우리나라의 군사상은 물론 정치, 경제, 사회, 문화, 사상 등 기밀에 속한 사항 또는 도서, 물건을 탐지·수집하는 것을 말한다(대판 2011. 1.20, 2008도11 전원합의체). 13. 경찰간부

간첩행위는 적국을 위한 것이어야 하므로 적국과의 의사연락이 있어야 한다. 따라서 편면적 간첩은 있을 수 없다(예 북괴의 지령사주 기타의 의사의 연락 없이 단편적으로 지득하였던 군사상의 기밀사항을 북괴에 납북된 상태하에서 제보한 행위는 위 법조 소정의 간첩죄에 해당하지 아니하고, 다만 반공법 제4조 제1항 소정의 반국가단체를 이롭게 하는 행위에 해당한다 ; 대판 1975.9.23, 75도1773). 13. 순경 2차, 19. 경찰간부

① **적국** : 북한도 본죄의 적국에 해당한다(대판 1983.3.22, 82도3036). 대한민국에 적대하는 외국 또는 외국인의 단체는 적국으로 간주한다(제102조).

② **국가기밀** : 군사기밀뿐만 아니라 정치·경제·문화·사회 등 각 방면에 걸쳐 우리나라의 국방정책상 북한에 알려지지 아니함이 우리나라의 이익이 되는 모든 기밀을 포함한다(대판 1986.7.8, 86도861). 따라서 수배자명단(대판 1978.1.10, 77도3571)이나 민심동향(대판 1985.11.12, 85도1939), 우리 국민의 해외교포사회에 대한 정보(대판 1988.11.8, 88도1630)를 파악하는 것도 국가기밀에 포함된다. 12. 경찰간부, 14. 법원직

   📷 신문에 보도된 사항이나 공지의 사실은 국가기밀에 포함되지 아니한다(대판 1997.7.16, 97도985). 12 · 19. 경찰간부

③ **간 첩**

   ㉠ **실행의 착수시기** : 간첩목적으로 국내에 잠입·침투·상륙한 때이다(판례 : 주관설). 14. 법원행시, 19. 경찰간부

   ㉡ **기수시기** : 간첩행위는 기밀에 속한 사항 또는 도서, 물건을 탐지·수집한 때에 기수가 되므로 간첩이 이미 탐지·수집하여 지득하고 있는 사항을 타인에게 보고·누설하는 행위는 간첩의 사후행위로서 위 조항에 의하여 처단의 대상이 되는 간첩행위 자체라고 할 수 없다(대판 2011.1.20, 2008도11 전원합의체). 13. 경찰간부 · 순경 2차, 14 · 18. 법원행시

(2) 간첩방조

① 간첩방조는 국가기밀을 탐지·수집하는 간첩행위 그 자체를 원조하여 그 실행을 용이하게 하는 것이므로 간첩행위가 아닌 간첩에게 숙식의 편의나 은닉처를 제공하거나 안부편지나 사진을 전달하는 것은 물론 무전기를 매몰하는 데 망보아 준 행위만으로는 간첩방조로 되지 않는다(대판 1986.2.25, 85도2533 ; 대판 1979.10.10, 75도1003 ; 대판 1966.7.12, 66도470 ; 대판 1983.4.26, 83도416). 13. 경찰간부, 14. 법원직

② 형법 제98조 제1항 후단의 간첩방조죄는 동조 전단 간첩죄와 대등한 독립범죄로서 형법 제32조 소정의 감경대상이 되는 종범이 아니다(대판 1959.6.12, 4292형상131). 18 · 19. 경찰간부

(3) 군사상의 기밀누설(제98조 제2항)

본죄는 직무에 관하여 군사상의 기밀을 지득한 자가 그 기밀을 누설함으로써 성립하는 신분범이다(대판 1971.6.30, 71도774). 따라서 본죄는 직무상 지득한 기밀을 누설한 경우에만 성립하고, 직무와 관계없이 알게 된 기밀을 누설한 때에는 일반이적죄(제99조)가 성립할 뿐이다(대판 1982. 11.23, 82도2201). 13. 순경 2차

(4) 처 벌

① 간첩방조는 정범과 법정형이 동일하다(제98조 제1항).

② 탐지·수집한 국가기밀을 적국에 제보하여 누설한 경우 ⇨ 포괄일죄(대판 1982.11.23, 82도2201)

　　13. 순경 2차, 14. 법원직

③ 전시군수계약불이행죄

> **제103조** ① 전시 또는 사변에 있어서 정당한 이유 없이 정부에 대한 군수품 또는 군용공작물에 관한 계약을 이행하지 아니한 자는 10년 이하의 징역에 처한다.
> ② 전항의 계약이행을 방해한 자도 전항의 형과 같다

☝ 1. 본죄는 외환의 죄 중에서 미수범 처벌규정과 예비·음모·선동·선전 처벌규정이 없는 유일한 예이다.
　 2. 본죄는 진정부작위범이다(제103조 제1항).

제3절 │ 국기에 관한 죄

> **제105조【국기·국장의 모독】** 대한민국을 모욕할 목적으로 국기 또는 국장을 손상·제거 또는 오욕한 자는 5년 이하의 징역이나 금고, 10년 이하의 자격정지 또는 700만원 이하의 벌금에 처한다.
> **제106조【국기·국장의 비방】** 전조의 목적으로 국기 또는 국장을 비방한 자는 1년 이하의 징역이나 금고, 5년 이하의 자격정지 또는 200만원 이하의 벌금에 처한다.

☝ 1. 목적범이다. 비방이라고 하기 위하여는 공연성이 인정되어야 한다. 반의사불벌죄 × 13·18. 경찰간부
　 2. ┌ • 국기·국장은 공용뿐만 아니라 사용에 쓰는 것도 포함한다.
　　　└ • 외국국기·국장모독죄(제109조) : 공용에 공하는 국기·국장에 제한된다.

┌ **관련판례**

성경의 교리상 국기에 대하여 절을 해서는 안 되나 국기를 존중하는 의미에서 가슴에 손을 얹고 주목하는 방법으로 경의를 표할 수 있다고 말한 것 ⇨ 국기비방 ×(대판 1975.7.22, 74도213)

제4절 국교에 관한 죄

1 외국원수(사절)에 대한 폭행 등 죄

> **제107조, 제108조** ① 대한민국에 체재하는(파견된) 외국의 원수(사절)에 대하여 폭행 또는 협박을 가한 자는 7년(5년) 이하의 징역이나 금고에 처한다.
> ② 전항의 외국원수(사절)에 대하여 모욕을 가하거나 명예를 훼손한 자는 5년(3년) 이하의 징역이나 금고에 처한다.

🏆 1. 모욕죄 ⇨ 친고죄 ○, 외국원수(사절)에 대한 모욕죄 ⇨ 반의사불벌죄 ○
  2. 제107조 제2항의 모욕·명예훼손은 공연성을 요건으로 하지 않는다.
  3. 제310조(위법성조각사유)는 본죄에 적용되지 않는다.
  4. 외국사절의 숙소 앞에서 시위를 벌이다가 숙소에서 나오던 외국사절을 태운 승용차를 발견하고 5m가 되지 않는 거리에서 승용차를 향하여 계란을 던져 운전석 유리부분과 본네트부분에 맞혔다면 외국사절폭행죄에 해당한다(대판 2003도1800). 18. 법원행시

2 외교상의 기밀누설죄

> **제113조 제1항** 외교상의 기밀을 누설한 자는 5년 이하의 징역 또는 1천만원 이하의 벌금에 처한다.
> **제113조 제2항** 누설할 목적으로 외교상의 기밀을 탐지 또는 수집한 자도 전항의 형과 같다.

🏆 1. ┌ • 외교상 기밀을 누설한 때 ⇨ 외교상 기밀누설죄(제113조 제1항)
    └ • 외교상 기밀을 적국에 누설한 때 ⇨ 간첩죄(제98조 제2항)
  2. 외국언론에 보도되어 외국에 이미 알려져 있는 사항 ⇨ 외교상의 기밀 ×(대판 1995.12.5, 94도2379)
    11. 법원행시, 17. 9급 검찰·마약수사, 18. 경찰간부

01 내란음모죄, 내란선동죄에 관한 다음 설명 중 가장 옳지 않은 것은?(다툼이 있는 경우 판례에 따르고 전원합의체 판결의 경우 다수의견에 의함)   17. 법원직

① 내란음모죄에 해당하는 합의를 인정하기 위하여는 객관적으로 내란범죄의 실행을 위한 합의라는 것이 명백히 인정될 뿐만 아니라 그 합의에 실질적인 위험성이 인정되어야 한다.

② 내란을 실행시킬 목표가 있더라도 특정한 정치적 사상을 옹호·교시하는 것만으로는 내란선동이 될 수 없고 피선동자에게 내란 결의를 유발하거나 증대시킬 위험성이 인정되어야만 내란선동으로 볼 수 있다.

③ 내란선동에 있어서는 시기와 장소, 대상과 방식 등 내란 실행행위의 주요 내용이 선동 단계에서 구체적으로 제시되어야 할 것은 아니나 선동에 따라 피선동자가 내란의 실행행위로 나아갈 개연성은 인정되어야 한다.

④ 내란음모를 인정하기 위하여 개별 범죄행위에 관한 세부적 합의가 있을 필요는 없으나, 공격의 대상과 목표가 설정되어 있고 그 밖의 실행계획에 있어서 주요 사항의 윤곽을 공통적으로 인식할 정도의 합의가 있어야 한다.

> 해설 ①②④ 대판 2015.1.22, 2014도10978 전원합의체
> ③ × : ~ 할 것은 아니고, 또 선동에 따라 ~ 개연성이 있다고 인정되어야만 내란선동의 위험성이 있는 것으로 볼 수도 없다(대판 2015.1.22, 2014도10978 전원합의체).

02 간첩죄에 대한 설명 중 가장 적절하지 않은 것은?(다툼이 있는 경우 판례에 의함)   13. 순경 2차

① 형법 제98조 제1항의 간첩이라 함은 적국을 위하여 적국의 지령, 사주, 기타 의사의 연락하에 군사상 기밀사항 또는 도서 물건을 탐지·수집하는 것을 의미하는 것이므로 북괴의 지령, 사주, 기타의 의사의 연락 없이 편면적으로 지득하였던 군사상의 기밀사항을 북괴에 납북된 상태하에서 제보한 행위는 위 법조 소정의 간첩죄에 해당하지 아니한다.

② 간첩으로서 군사기밀을 탐지·수집하면 그로써 간첩행위는 기수가 되고 그 수집한 자료가 지령자에게 도달됨으로써 범죄의 기수가 되는 것은 아니다.

③ 직무에 관하여 군사상 기밀을 지득한 자가 이를 적국에 누설한 경우에는 형법 제98조 제2항(군사상의 기밀누설죄)에, 직무와 관계없이 지득한 군사상 기밀을 적국에 누설한 경우에는 형법 제99조(일반이적죄)에 각 해당한다.

④ 간첩죄를 범한 자가 그 탐지·수집한 기밀을 누설한 경우는 간첩죄와 군사기밀누설죄 등 두 가지 죄를 범한 것으로 인정할 수 있다.

Answer   01. ③   02. ④

해설 ① ○ : 대판 1975.9.23, 75도1773

② ○ : 대판 2011.1.20, 2008도11 전원합의체

③ ○ : 대판 1982.11.23, 82도2201

④ × : 양죄를 포괄하여 일죄를 범한 것으로 보아야 하고, 간첩죄와 군사상 기밀누설죄 등 두가지 죄를 범한 것으로 인정할 수 없다(대판 1982.4.27, 82도285).

03 다음 설명 중 가장 옳지 않은 것은?(다툼이 있는 경우 판례에 의함)   18. 경찰간부

① 내란선동죄는 내란이 실행되는 것을 목표로 선동함으로써 성립하는 독립한 범죄이고, 선동으로 말미암아 피선동자들에게 반드시 범죄의 결의가 발생할 것을 요건으로 하지 않는다.

② 간첩방조죄는 정범인 간첩죄와 대등한 독립적 범죄로서 간첩죄와 동일한 법정형으로 처단한다.

③ 외국언론에 이미 보도된 바 있는 우리 나라의 외교정책이나 활동에 관련된 사항들에 관하여 정부가 이른바 보도지침의 형식으로 국내언론기관의 보도 여부 등을 통제하고 있다는 사실을 알리는 것은 외교상의 기밀을 누설한 경우에 해당한다.

④ 국기모독죄는 '대한민국을 모욕할 목적'을 필요로 하는 목적범이다.

해설 ① 대판 2015.1.22, 2014도10978 전원합의체

② 대판 1959.6.12, 4292형상131

③ × : 외교상의 기밀누설 ×(대판 1995.12.5, 94도2379)

④ 제105조

04 간첩죄 등에 대한 설명 중 가장 옳은 것은?(다툼이 있는 경우 판례에 의함)   19. 경찰간부

① 간첩방조죄는 간첩죄에 비하여 형을 감경한다.

② 간첩행위를 할 목적으로 외국 또는 북한에서 국내에 침투·상륙한 때에 간첩죄의 실행의 착수가 있다.

③ 편면적으로 지득하였던 군사상의 기밀사항을 제보한 행위도 간첩죄에 해당한다.

④ 국가기밀과 관련해 국내에서 공지에 속하거나 국민에게 널리 알려진 사실도 국가기밀이 될 수 있다.

해설 ① × : 간첩죄와 동일한 법정형으로 처단(대판 1959.6.12, 4292형상131)

② ○ : 대판 1984.9.11, 84도1381

③ × : 편면적 간첩 ×(대판 1975.9.23, 75도1773 ∵ 적국과의 의사연락이 있어야 함)

④ × : 국가기밀 ×(대판 1997.7.16, 97도985)

Answer   03. ③   04. ②

국가의 기능에 대한 죄

단원 advice 본장은 사회적 법익과 국가적 법익에 관한 죄 중에서는 출제빈도가 가장 높은 분야이므로 철저한 학습이 요망된다. 특히 뇌물죄, 공무집행방해죄, 도주죄, 범인은닉죄, 위증죄, 증거인멸죄, 무고죄 중에서 거의 매년 출제되므로 개념의 정확한 이해와 반복학습이 필수적이다.

제1절 ▶ 공무원의 직무에 관한 죄

📷 불법체포·감금죄(직권남용체포·감금죄)만 유일하게 미수범처벌 ○(직무유기죄, 직권남용죄, 폭행·가혹행위죄, 피의사실공표죄, 공무상 비밀누설죄, 선거방해죄 ⇨ 미수범처벌 ×) 15. 경찰간부·승진, 17. 순경 1차, 21. 해경 2차, 22. 법원직
📷 선거방해죄 ⇨ 목적범 ×

① 직무유기죄

(I) 직무유기죄

> **제122조** 공무원이 정당한 이유 없이 그 직무수행을 거부하거나 그 직무를 유기한 때에는 1년 이하의 징역이나 금고 또는 3년 이하의 자격정지에 처한다.

① **의 의**

㉠ 본죄는 공무원이 정당한 이유 없이 그 직무수행을 거부하거나 그 직무를 유기함으로써 성립하는 범죄로 국가기능을 보호법익으로 하는 구체적 위험범이다(대판 1997.4.22, 95도748).

㉡ 본죄는 유기행위의 계속으로 위법상태도 계속 존재하고 있으므로 즉시범이 아니라 계속범이다(대판 1997.8.29, 97도675). 20. 해경 3차, 21. 경찰간부, 22. 변호사시험, 23. 법원행시

㉢ 직무유기죄는 이른바 부진정부작위범으로서 직무유기는 구체적으로 그 직무를 수행하여야 할 작위의무가 있는데도 불구하고 이러한 직무를 버린다는 인식하에 그 작위의무를 수행하지 아니하면 성립하는 것이다(대판 1983.3.22, 82도3065). 14. 경찰승진·9급 검찰, 16. 수사경과

㉣ 직무유기죄의 '직무'는 공무원이 직무를 제때에 수행하지 않으면 실효를 거둘 수 없는 구체적 직무이어야 하므로, 법령에 근거가 있거나 특별한 지시·명령에 의한 것이어야 한다(대판 1976.10.12, 75도1895). 24. 해경경위

② **주체**: 공무원(진정신분범, 진정직무범죄)

┌ **관련판례**

병가 중인 공무원의 경우 구체적인 작위의무 내지 국가기능의 저해에 대한 구체적인 위험성이 있다고 할 수 없어 직무유기죄의 주체로 될 수는 없다(대판 1997.4.22, 95도748). 16. 법원직, 22. 경력채용·수사경과, 23. 법원행시, 24. 경찰승진

③ **행위** : 정당한 이유 없이 직무수행을 거부하거나 직무를 유기하는 것

　⑦ 직무유기죄는 공무원이 법령, 내규 등에 의한 추상적 성실의무(충근의무)를 태만히 하는 일체의 경우에 성립하는 것이 아니라, 직장의 무단이탈, 직무의 의식적인 포기 등과 같이 국가의 기능을 저해하고 국민에게 피해를 야기시킬 구체적 위험성이 있고 불법과 책임비난의 정도가 높은 법익침해의 경우에 한하여 성립한다(대판 2014.4.10, 2013도229). 16. 법원직, 17. 9급 검찰 · 마약수사, 20. 순경 1차, 21. 경찰간부 · 해경 2차, 22. 수사경과, 23. 해경승진 · 법원행시, 24. 경찰승진 따라서 공무원이 태만이나 착각 등으로 인하여 직무를 성실히 수행하지 않은 경우 또는 직무를 소홀하게 수행하였기 때문에 성실한 직무수행을 못한 데 지나지 않는 경우에는 직무유기죄가 성립하지 않는다(대판 2022.6.30, 2021도8361). 23. 순경 2차, 24. 법원직

　⑥ 교육기관 등의 장이 징계의결을 집행하지 못할 법률상 · 사실상의 장애가 없는데도 징계의결서를 통보받은 날로부터 법정 시한이 지나도록 집행을 유보하는 모든 경우에 직무유기죄가 성립하는 것은 아니고, 그러한 유보가 직무에 관한 의식적인 방임이나 포기에 해당한다고 볼 수 있는 경우에 한하여 직무유기죄가 성립한다(대판 2014.4.10, 2013도229). 15. 9급 검찰 · 마약수사 · 순경 3차, 19. 법원행시, 23. 해경승진 · 경찰승진, 24. 법원직

　⑥ 무단이탈로 인한 직무유기죄 성립 여부는 결근 사유와 기간, 담당하는 직무의 내용과 적시 수행 필요성, 결근으로 직무수행이 불가능한지, 결근 기간에 국가기능의 저해에 대한 구체적인 위험이 발생하였는지 등을 종합적으로 고려하여 신중하게 판단해야 한다. 23. 법원행시 특히 근무기간을 정하여 임용된 공무원의 경우에는 근무기간 안에 특정 직무를 마쳐야 하는 특별한 사정이 있는지 등을 고려할 필요가 있다(대판 2022.6.30, 2021도8361).

관련판례

● **직무유기죄가 성립하지 않는 경우**

> 직무유기죄가 성립하려면 주관적으로 직무를 버린다는 인식과 객관적으로는 직무 또는 직장을 벗어나는 행위가 있어야 하므로 어떠한 형태로든 직무집행의 의사로 직무를 수행한 이상 태만, 분망, 착각 등으로 직무를 성실히 수행하지 아니하거나 형식적으로 또는 소홀히 한 경우(대판 1997.8.29, 97도675)나 일신상 또는 객관적 사유로 인하여 어떤 부당한 결과를 초래한 경우(대판 1982.9.28, 82도1633) 및 그 직무집행의 내용이 위법한 것으로 평가된다는 점만으로(대판 2007.7.12, 2006도1390) 직무유기죄는 성립하지 않는다. 15. 9급 검찰 · 마약수사, 19. 경찰간부, 20. 법원행시, 21. 수사경과, 20 · 22. 순경 2차, 24. 순경 1차 · 해경경위

1. 경찰관이 경미한 범죄혐의사실을 조사하여 혐의자를 훈방조치하고 검사의 수사지휘를 받지 않은 경우(대판 1982.6.8, 82도117) 13. 수사경과

　▶ **비교판례** : 경찰관이 불법체류자의 신병을 출입국관리사무소에 인계하지 않고 훈방하면서 이들의 인적사항조차 기재해 두지 아니한 경우 직무유기죄가 성립한다(대판 2008.2.14, 2005도4202). 15. 9급 검찰 · 마약수사 · 법원행시 · 순경 2차, 19. 경찰간부, 21. 해경승진 · 해경 2차, 21 · 23. 경찰승진

2. 통고처분이나 고발할 권한이 없는 세무공무원이 그 권한자에게 범칙사건 조사결과에 따른 통고처분이나 고발조치를 건의하지 않은 경우(대판 1997.4.11, 96도2753 ∵ 의식적인 방임·포기 ✕) 12. 법원직, 23. 법원행시·순경 2차

   ▶ **유사판례** : 약사감시원이 무허가약국개설자를 적발하고 상사에게 보고하여 약국을 폐쇄토록 하였으나 수사기관에 고발하지 아니한 경우(대판 1969.2.4, 67도184)

3. 교도소의 보안과 출정계장과 감독교사가 호송교도관의 감독을 소홀히 하여 재소자의 집단도주 사고가 발생한 경우(대판 1991.6.11, 91도96) 18. 경찰승진, 18·21. 수사경과

4. 전매공무원이 외제담배를 긴급압수한 후 도주한 범죄자를 찾는 데 급급하여 미처 압수물에 대한 압수·수색영장을 신청하지 못한 경우(대판 1982.9.28, 82도1633) 09·10. 경찰승진

5. 지방자치단체장이 전국공무원노동조합이 주도한 파업에 참가한 소속 공무원들에 대하여 관할 인사위원회에 징계의결요구를 하지 아니하고, 가담 정도의 경중을 가려 자체 인사위원회에 징계의결요구를 하거나 훈계처분을 하도록 지시한 경우(대판 2007.7.12, 2006도1390) 14·22. 변호사시험

6. 지방자치단체의 교육기관의 장이 수사기관 등으로부터 징계사유를 통보받고도 징계요구를 하지 아니하여 주무부장관으로부터 징계요구를 하라는 직무이행명령을 받았다 하더라도 그에 대한 이의의 소를 제기한 경우에는, 수사기관 등으로부터 통보받은 자료 등으로 보아 징계사유에 해당함이 객관적으로 명백한 경우 등 특별한 사정이 없는 한 징계사유를 통보받은 날로부터 1개월 내에 징계요구를 하지 않았다는 것만으로 곧바로 직무를 유기한 것에 해당한다고 볼 수는 없다(대판 2013.6.27, 2011도797). 24. 순경 1차

● **직무유기죄가 성립하는 경우**

1. 경찰관이 방치된 오토바이가 있다는 신고를 받거나 순찰 중 이를 발견하고 오토바이상회 운영자에게 연락하여 오토바이를 수거해 가도록 하고 그 대가를 받은 경우(대판 2002.5.17, 2001도6170 ∵ 직무유기죄와 수뢰죄의 경합범) 15. 순경 3차, 16. 경찰승진·7급 검찰, 18. 경력채용, 20. 해경 1차, 21. 수사경과·해경승진

2. 당직사관이 술을 마시고 내무반에서 화투놀이를 한 후 애인과 함께 자고나서 당직근무의 인수·인계 없이 퇴근한 경우(대판 1990.12.21, 90도2425) 18. 수사경과, 21. 해경승진·경찰승진

3. 피고인들을 비롯한 경찰관들이 현행범으로 체포한 도박혐의자들에게 현행범인체포서 대신에 임의동행동의서를 작성하게 하거나 압수한 일부 도박자금에 관하여 검사의 지휘도 받지 않고 반환하는 등 제대로 조사하지 않은 채 이들을 석방한 경우(대판 2010.6.24, 2008도11226) 12. 경찰간부·사시, 15. 법원행시, 22. 순경 2차

4. 경찰관인 피고인이 벌금미납자에 대한 노역장유치 집행을 위하여 검사의 지휘를 받아 형집행장을 집행하는 경우(벌금미납자 검거는 사법경찰관리의 직무범위에 속함)에 벌금미납자로 지명수배되어 있던 甲을 세 차례에 걸쳐 만나고도 그를 검거하여 검찰청에 신병을 인계하는 등 필요한 조치를 취하지 않는 경우(대판 2011.9.8, 2009도13371) 15. 순경 3차, 16. 수사경과, 20. 해경승진·해경 1차·3차

5. 병가 중인 자(직무유기죄의 주체 ✕)가 불법파업에 참여한 경우에도 본죄의 주체가 되는 다른 조합원들과 공범관계(제33조)가 되어 본죄의 공동정범이 된다(대판 1997.4.22, 95도748). 17. 7급 검찰, 19·23. 법원행시, 23. 해경승진

6. 수송관 겸 출납관이 신병치료를 이유로 계원에게 일체의 업무를 맡겨두고 확인감독마저 하지 않은 경우(대판 1986.2.11, 85도2471) 09. 경찰승진, 13. 수사경과

④ **주관적 구성요건** : 본죄의 고의는 공무원으로서 직무의 수행을 거부하거나 직무를 유기한다는 점에 대한 인식과 의사를 필요로 한다.

⑤ **죄수론** : 직무위배의 위법상태가 범인도피나 허위공문서작성 또는 위계에 의한 공무집행방해행위 속에 포함되어 있는 경우 ⇨ 작위범인 범인도피죄나 허위공문서작성죄 또는 위계에 의한 공무집행방해죄만이 성립하고 부작위범인 직무유기죄는 따로 성립하지 아니한다(법조경합 중 흡수관계).

┌ **관련판례**

1. 사법경찰관이 검사의 검거지시를 받고도 오히려 범인에게 전화로 도피하라고 권유하여 도피하게 한 경우 ⇨ 범인도피죄 ○, 직무유기죄 ×(대판 1997.4.22, 95도748) 18. 수사경과

   ▶ **유사판례** : 경찰공무원이 지명수배 중인 범인을 발견하고도 직무상 의무에 따른 적절한 조치를 취하지 아니하고 오히려 범인을 도피하게 하는 행위를 하였다면, 그 직무위배의 위법상태는 범인도피행위 속에 포함되어 있다고 보아야 할 것이므로, 이와 같은 경우에는 작위범인 범인도피죄만이 성립하고 부작위범인 직무유기죄는 따로 성립하지 아니한다(대판 2017.3.15, 2015도1456). 22. 변호사시험, 21 · 23. 순경 2차, 24. 법원직

2. 경찰관 甲이 압수물을 범죄 혐의의 입증에 사용하도록 하는 등의 적절한 조치를 취하지 아니하고 피압수자 乙에게 돌려준 경우 甲에게는 작위범인 증거인멸죄만이 성립하고 부작위범인 직무유기죄는 성립하지 않는다(대판 2006.10.19, 2005도3909 전원합의체). 19. 7급 검찰 · 경찰간부, 21. 해경 2차, 22. 변호사시험 · 경력채용, 24. 경찰승진 · 법원직

3. 공무원이 위법사실을 발견하고도 위법사실을 적극적으로 은폐할 목적으로 허위공문서를 작성 · 행사한 경우 ⇨ 허위공문서작성 및 동행사죄 ○, 직무유기죄 ×[① 예비군중대장이 대원의 훈련불참사실을 은폐하기 위해 훈련에 참석하는 양 허위내용의 학급구성명부를 작성 · 행사(대판 1982.12.28, 82도2210) 16. 법원직, 18. 수사경과, 21. 해경승진, 22. 경찰승진 ② 경찰관이 도박범행사실을 적발하고도 발견하지 못한 것처럼 근무일지를 허위로 작성하고 소장에게 허위보고한 경우(대판 1999.12.24, 99도2240) 07. 사시, 20. 해경 1차 ③ 공무원이 신축건물에 대한 착공 및 준공검사를 마치고 관계서류를 작성함에 있어 그 허가조건 위배사실을 숨기기 위하여 허위의 복명서를 작성 · 행사하였을 경우(대판 1972.5.9, 72도722) 11. 경찰승진 ④ 세무서 주세계장이 양조장 주인의 비밀스런 주정사용과 탈세사실을 은폐하기 위해 허위의 공문서를 작성한 경우(대판 1971.8.31, 71도1176) 11. 경찰승진 ⑤ 공무원이 어느 회사의 폐수배출시설 폐쇄명령 불이행 사실을 은폐하는 데 행사할 목적으로 자신의 출장복명서의 폐쇄명령 이행사항 확인란을 허위로 작성한 경우(대판 2004.3.26, 2002도5004) 12. 사시]

   ▶ **비교판례** : 그러나 공무원이 직무를 유기한 후 다른 목적을 위하여 허위공문서를 작성 · 행사한 경우 ⇨ 직무유기죄와 허위공문서작성 및 동행사죄의 실체적 경합(대판 1993.12.24, 92도3334 : 농지일시전용허가를 내주기 위해 현장출장복명서와 심사의견서를 허위로 작성하여 제출한 경우) 19. 경찰간부, 24. 경찰승진

   ▶ **참고판례** : 하나의 행위가 부작위범인 직무유기죄와 작위범인 범인도피죄나 허위공문서작성 · 행사죄의 구성요건을 동시에 충족하는 경우, 공소제기권자는 재량에 의하여 작위범인 범인도피죄나 허위공문서작성 · 행사죄로 공소를 제기하지 않고 부작위범인 직무유기죄로만 공소를 제기할 수 있다(대판 1999.11.26, 99도1904 ; 대판 2008.2.14, 2005도4202). 19. 법원행시, 22. 변호사시험, 23. 해경승진

4. 공무원(중간결재자)이 어업허가를 받을 수 없는 사실을 알면서도 오히려 부하직원으로 하여금 어업허가 처리기안문서를 작성하게 한 다음 중간 결재를 한 후 정을 모르는 농수산국장의 최종결재를 받은 경우 ⇨ 위계에 의한 공무집행방해죄 ○, 직무유기죄 ×(대판 1997.2.28, 96도2825) 07. 법원행시, 20. 해경승진, 24. 순경 1차

5. 직무유기교사죄는 피교사자인 공무원별로 1개의 죄가 성립되는 것이다(대판 1997.8.22, 95도984). 18. 경찰간부, 23. 해경승진

6. 직무상 불법건축물 단속의무가 있는 공무원이 타인을 교사하여 불법건축을 하게 한 경우 ⇨ 건축법위반교사죄 ○, 직무유기죄 ×(대판 1980.3.25, 79도2831)

7. 형법 제139조에 규정된 인권옹호직무명령불준수죄와 형법 제122조에 규정된 직무유기죄의 각 구성요건과 보호법익 등을 비교하여 볼 때, 인권옹호직무명령불준수죄가 직무유기죄에 대하여 법조경합 중 특별관계에 있다고 보기는 어렵고 양 죄를 상상적(실체적 ×) 경합관계로 보아야 한다(대판 2010.10.28, 2008도11999).

(2) 피의사실공표죄

> **제126조** 검찰, 경찰 그 밖에 범죄수사에 관한 직무를 수행하는 자 또는 이를 감독하거나 보조하는 자가 그 직무를 수행하면서 알게 된 피의사실을 공소제기 전에 공표한 경우에는 3년 이하의 징역 또는 5년 이하의 자격정지에 처한다. 24. 순경 1차

① **보호법익** : 국가의 범죄수사권과 피의자의 인권(명예), 추상적 위험범
② **주체**(진정신분범, 진정직무죄) : 검찰, 경찰 기타 범죄수사에 관한 직무를 행하는 자 또는 이를 감독하거나 보조하는 자이다. 구속영장을 발부한 법관(일반법관 ×)도 본죄의 주체가 된다. 20. 해경간부
③ **객체** : '직무를 행함에 당하여 지득한 피의사실'이다. 진실성 여부는 불문하며, 직무와 관계 없이 알게 된 사실은 해당하지 않는다. 20. 해경간부
④ **행위** : '공판청구 전에 피의사실을 공표'하는 것이다. 따라서 공판청구(공소제기) 후에 공표하는 것은 본죄에 해당하지 않는다. 20. 해경간부
⑤ **위법성조각사유** : 피의자의 승낙 ⇨ 위법성조각 ×(∵ 국가적 법익도 보호법익임), 수사활동상 상관·동료에게 보고·고지하거나 공개수사를 위해서 일반인에게 고지하는 것 ⇨ 위법성조각 ○(∵ 정당행위) 20. 해경간부

(3) 공무상 비밀누설죄

> **제127조** 공무원 또는 공무원이었던 자가 법령에 의한 직무상 비밀을 누설한 때에는 2년 이하의 징역이나 금고 또는 5년 이하의 자격정지에 처한다.

① **보호법익** : 기밀 그 자체가 아니라 비밀누설로 위협받는 국가기능(통설 ; 대판 1996.5.10, 95도780), 17. 9급 검찰·마약수사, 18. 순경 3차, 19. 순경 1차, 24. 법원직 **추상적 위험범**

② **주체** : 공무원 또는 공무원이었던 자

③ **객체** : 법령에 의한 직무상 비밀(직무와 관련하여 알게 된 비밀)

형법 제127조의 '법령에 의한 직무상 비밀'은 반드시 법령에 의해 비밀로 규정되었거나 비밀로 명시된 사안에 국한되지 않고, 13. 경찰간부, 18. 법원행시, 23. 변호사시험·순경 2차 정치·군사·외교·경제·사회적 필요에 따라 비밀로 된 사항은 물론 정부나 공무소 또는 국민이 객관적·일반적 입장에서 외부에 알려지지 않는 것이 상당한 이익이 되는 사항도 포함하는 것이나, 동조에서 말하는 비밀이란 실질적으로 그것을 비밀로서 보호할 가치가 있다고 인정할 수 있는 것이어야 한다(대판 1996.5.10, 95도780). 11. 법원행시, 22. 경찰승진, 24. 법원직·해경경위

┌─ **관련판례**

1. 검찰의 고위간부가 특정사건에 대한 수사가 계속 진행 중인 상태에서 해당 사안에 관한 수사 책임자의 잠정적인 판단 등 수사팀의 내부상황을 확인한 뒤 그 내용을 수사 대상자 측에 전달한 행위는 형법 제127조에 정한 공무상 비밀누설에 해당한다(대판 2007.6.14, 2004도5561). 13. 경찰간부, 20. 순경 2차, 21·22. 수사경과, 19·23. 경찰승진

2. 변호사 사무실 직원인 피고인 甲이 법원공무원인 피고인 乙에게 부탁하여, 수사 중인 사건의 체포영장 발부자 53명의 명단을 누설받은 경우(대판 2011.4.28, 2009도3642) ⇨ 甲 : 무죄(∵ 피고인 乙이 직무상 비밀을 누설한 행위와 피고인 甲이 이를 누설받은 행위는 대향범 관계에 있으므로 공범에 관한 형법총칙 규정이 적용 ×) ⇨ 공무상 비밀누설죄의 교사범 ×), 乙 : 공무상 비밀누설죄의 정범 13. 경찰간부, 19. 7급 검찰, 21. 법원행시, 24. 법원직

3. 수사지휘서의 기재내용과 이에 관계된 수사상황은 수사기관 내부의 비밀에 해당한다(대판 2018.2.13, 2014도11441 ∴ 공무상 비밀누설죄의 '법령에 의한 직무상 비밀'에 해당함 예 사법경찰관이 내사단계에서 수사의 대상, 방법 등에 관하여 검사가 자신에게 지휘한 내용이 기재된 수사지휘서를 잠재적 피의자에게 교부하고 이에 관계된 수사상황을 알려준 경우 ⇨ 공무상 비밀누설죄 ○). 19. 9급 검찰, 20. 법원행시

4. 공무원선발시험 정리원이 수험생의 부탁으로 금품을 받은 후 구술시험문제를 알려준 경우 ⇨ 공무상 비밀누설죄와 수뢰 후 부정처사죄의 상상적 경합(대판 1970.6.30, 70도562) 18. 경찰간부, 24. 해경경위

5. 구청 공무원이 타인의 부탁을 받고 차적 조회 시스템을 이용하여 범죄 현장 부근에서 경찰의 잠복근무에 이용되고 있던 경찰청 소속 차량의 소유관계에 관한 정보를 알아내 타인에게 알려준 경우 ⇨ 공무상 비밀누설죄 ×(대판 2012.3.15, 2010도14734 ∵ '법령에 의한 직무상 비밀'에 해당 ×) 13. 경찰간부, 19. 법원행시, 23. 해경승진

6. 형사사건에 있어서 제출된 증거에 관한 정보는 실질적으로 비밀성을 지녔다 할 것이므로, 경찰관 甲이 간통고소사건을 수사하면서 간통을 부인하는 피의자 乙의 이익을 위하여 고소인 丙이 제출한 간통장면을 촬영한 CD를 乙에게 보여 준 경우 공무상 비밀누설죄에 해당한다(대판 2005.9.15, 2005도4843). 12. 경찰간부

7. 감사원의 감사관이 공개한 기업의 비업무용 부동산 보유실태에 관한 감사원보고서의 내용(대판 1996.5.10, 95도780), 이른바 검찰총장 처의 옷값 대납 사건의 내사결과보고서의 내용(대판 2003.12.26, 2002도7339), 국가정보원 내부감찰과 관련하여 감찰조사개시시점, 감찰대상자의 소속 및 인적사항의 일부(대판 2003.11.28, 2003도5547) 11. 법원행시 ⇨ 공무상 비밀 ×(∵ 비밀로서 보호할 가치 ×)

8. 제18대 대통령 당선인 甲의 비서실 소속 공무원인 피고인이 당시 甲을 위하여 중국에 파견할 특사단 추천 의원을 정리한 문건을 乙에게 이메일 또는 인편 등으로 전달한 경우 ⇨ 공무상 비밀누설죄 ○ (대판 2018.4.26, 2018도2624)

9. 공무원이 직무상 알게 된 비밀을 그 직무와의 관련성 혹은 필요성에 기하여 해당 직무의 집행과 관련 있는 다른 공무원에게 직무집행의 일환으로 전달한 경우에는, 관련 각 공무원의 지위 및 관계, 직무집행의 목적과 경위, 비밀의 내용과 전달 경위 등 제반 사정에 비추어 비밀을 전달받은 공무원이 이를 그 직무집행과 무관하게 제3자에게 누설할 것으로 예상되는 등 국가기능에 위험이 발생하리라고 볼 만한 특별한 사정이 인정되지 않는 한, 위와 같은 행위가 비밀의 누설에 해당한다고 볼 수 없다(대판 2021.11.25, 2021도2486 @ 일선 법원 사법행정업무 담당자가 그 직무수행의 일환으로 영장기록에 있는 수사정보에 나타난 법관의 비위 정보를 법원행정처장에 보고하였더라도 본죄가 성립하지 않는다). 22. 순경 2차, 24. 법원직·해경경위

② 직권남용죄

(1) 직권남용죄(직권남용권리행사방해죄)

> 제123조 공무원이 직권을 남용하여 사람으로 하여금 의무 없는 일을 하게 하거나 사람의 권리행사를 방해한 때에는 5년 이하의 징역, 10년 이하의 자격정지 또는 1천만원 이하의 벌금에 처한다.

① 주체 : 공무원

┌ 관련판례

1. 직권남용죄는 공무원이 그 일반적 직무권한에 속하는 사항에 관하여 직권의 행사에 가탁하여 실질적, 구체적으로 위법·부당한 행위를 한 경우(직권 행사의 목적과 방법에 있어 그 위법·부당의 정도가 실질적·구체적으로 보아 직무 본래의 수행이라고 평가할 수 없을 정도에 이른 경우; 대판 2022.10.27, 2020도15105)에 성립하고, 그 일반적 직무권한은 반드시 법률상의 강제력을 수반하는 것임을 요하지 아니하며, 그것이 남용될 경우 직권행사의 상대방으로 하여금 법률상 의무 없는 일을 하게 하거나 정당한 권리행사를 방해하기에 충분한 것이면 된다(대판 2004.5.27, 2002도6251). 19. 순경 1차·수사경과, 20. 해경 3차, 21. 해경승진, 22. 법원직, 25. 변호사시험

2. 직권남용으로 인한 국가정보원법 위반죄의 객체인 '사람'은 행위자와 공범자 이외의 모든 타인을 말하므로, 행위자의 부하 공무원은 물론 기타 공무원도 거기에 포함될 수 있다(대판 2021.3.11, 2020도12583).

② 행위 : 직권을 남용하여 사람으로 하여금 의무 없는 일을 하게 하거나 권리행사를 방해하는 것

관련판례

① 직권남용죄의 '직권남용'이란 공무원이 그의 일반적 권한에 속하는 사항에 관하여 그것을 불법하게 행사하는 것, 즉 형식적·외형적으로는 직무집행으로 보이나 그 실질은 정당한 권한 이외의 행위를 하는 경우를 의미하고, 23. 7급 검찰, 24. 해경경위 따라서 직권남용은 공무원이 그의 일반적 권한에 속하지 않는 행위를 하는 경우인 지위를 이용한 불법행위와는 구별되며, 또 직권남용죄에서 말하는 '의무'란 법률상 의무를 가리키고, 단순한 심리적 의무감 또는 도덕적 의무는 이에 해당하지 아니한다(대판 1991.12.27, 90도2800). 12. 법원행시·경찰승진, 20. 변호사시험·순경 2차, 21. 수사경과

② 직권남용죄에서 '직권남용'은 '사람으로 하여금 의무 없는 일을 하게 한 것'과 '사람의 권리행사를 방해한 것'과 구별되는 별개의 범죄성립요건으로, 공무원이 한 행위가 직권남용에 해당한다고 하여 바로 상대방이 한 일이 '의무 없는 일'에 해당한다고 인정할 수는 없다(대판 2020.1.30, 2018도2236 전원합의체). 21. 경찰간부·법원직 따라서 직권남용죄에 있어 의무 없는 일에 해당하는지는 직권을 남용하였는지와 별도로 상대방이 그러한 일을 할 법령상 의무가 있는지를 살펴 개별적으로 판단하여야 한다(대판 2020.2.13, 2019도5186). 23. 7급 검찰

③ 어떠한 직무가 공무원의 일반적 권한에 속하는 사항이라고 하기 위해서는 그에 관한 법령상의 근거가 필요하다. 다만 법령상의 근거는 반드시 명문의 근거만을 의미하는 것은 아니고, 명문이 없는 경우라도 법·제도를 종합적, 실질적으로 관찰해서 그것이 해당 공무원의 직무권한에 속한다고 해석되고 그것이 남용된 경우 상대방으로 하여금 의무 없는 일을 행하게 하거나 상대방의 권리를 방해하기에 충분한 것이라고 인정되는 경우에는 직권남용죄에서 말하는 일반적 권한에 포함된다(대판 2019.3.14, 2018도18646). 20. 변호사시험·법원행시, 21. 법원직, 22. 경찰승진, 24. 7급 검찰

④ 직권남용권리행사방해죄에서의 '의무 없는 일을 하게 한 때'란 '사람'으로 하여금 법령상 의무 없는 일을 하게 하는 때를 의미하므로, 직무집행의 기준과 절차가 법령에 구체적으로 명시되어 있고 실무 담당자에게도 직무집행의 기준을 적용하고 절차에 관여할 고유한 권한과 역할이 부여되어 있다면 실무 담당자로 하여금 그러한 기준과 절차를 위반하여 직무집행을 보조하게 한 경우에는 '의무 없는 일을 하게 한 때'에 해당하나, 공무원이 자신의 직무권한에 속하는 사항에 관하여 실무 담당자로 하여금 그 직무집행을 보조하는 사실행위를 하도록 하더라도 이는 공무원 자신의 직무집행으로 귀결될 뿐이므로 원칙적으로 '의무 없는 일을 하게 한 때'에 해당한다고 할 수 없다(대판 2019.3.14, 2018도18646). 21. 순경 1차, 22. 변호사시험, 23. 법원행시, 23·24. 7급 검찰, 24. 경찰승진

▶ **유사판례** : ① 직권남용 행위의 상대방이 일반 사인인 경우 특별한 사정이 없는 한 직권에 대응하여 따라야 할 의무가 없으므로 그에게 어떠한 행위를 하게 하였다면 '의무 없는 일을 하게 한 때'에 해당할 수 있다. 22. 경찰승진, 25. 변호사시험 ② 그러나 상대방이 공무원이거나 법령에 따라 일정한 공적 임무를 부여받고 있는 공공기관 등의 임직원인 경우에는 법령에 따라 임무를 수행하는 지위에 있으므로 그가 직권에 대응하여 어떠한 일을 한 것이 의무 없는 일인지 여부는 관계 법령 등의 내용에 따라 개별적으로 판단하여야 한다. 21. 법원직, 21·24. 순경 1차, 25. 변호사시험 ③ 따라서 상대방이 공무원 또는 유관기관의 임직원인 경우에는 그가 한 일이

형식과 내용 등에 있어 직무범위 내에 속하는 사항으로서 법령 그 밖의 관련 규정에 따라 직무수행 과정에서 준수하여야 할 원칙이나 기준, 절차 등을 위반하지 않는다면 특별한 사정이 없는 한 법령상 의무 없는 일을 하게 한 때에 해당한다고 보기 어렵다(대판 2020.1.30, 2018도2236 전원합의체 **예** 법무부 검찰국장인 피고인이, 검찰국이 마련하는 인사안 결정과 관련한 업무권한을 남용하여 검사인사담당 검사 甲으로 하여금 부치지청에 근무하고 있던 경력검사 乙을 다른 부치지청으로 다시 전보시키는 내용의 인사안을 작성하게 한 경우 ⇨ 직권남용권리행사방해죄 × ; 대판 2020.1.9, 2019도11698). 20. 법원행시

⑤ '직권의 남용'에 해당하는지 여부는, 구체적인 공무원의 직무행위가 본래 법령에서 그 직권을 부여한 목적에 따라 이루어졌는지, 직무행위가 행해진 상황에서 볼 때 필요성·상당성이 있는 행위인지, 직권행사가 허용되는 법령상의 요건을 충족했는지 등을 종합하여 판단하여야 한다(대결 2024.9.19, 2024모179). 24. 7급 검찰

- **직권남용권리행사방해죄가 성립하지 않는 경우**(∵ 일반적 직무권한에 속하지 않는 경우 **예** 세무공무원이 세금미납자를 감금한 것)

1. 대통령비서실 정책실장이 기업관계자들에게 기업 메세나(Mecenat) 활동의 일환인 미술관 전시회 후원을 요청하여 기업관계자들이 특정 미술관에 후원금을 지급한 경우 ⇨ 직권남용권리행사방해죄 × (대판 2009.1.30, 2008도6950 ∵ 공무원이 직무와는 상관없이 단순히 개인적인 친분에 근거하여 문화예술 활동에 대한 지원을 권유하거나 협조를 의뢰한 것에 불과한 경우까지 직권남용에 해당한다고 할 수는 없다) 18. 경찰간부, 22. 경력채용, 23. 해경승진, 24. 경찰승진

   ▶ **비교판례** : 대통령비서실 정책실장이 공무원으로 하여금 특별교부세 교부대상이 아닌 특정 사찰의 증·개축사업을 지원하는 특별교부세 교부신청 및 교부결정을 하도록 하게 한 행위가 직권남용권리행사방해죄를 구성한다(대판 2009.1.30, 2008도6950). 12. 경찰간부

2. 대검찰청 공안부장인 피고인이 고등학교 후배인 한국조폐공사 사장에게 위 공사의 쟁의행위 및 구조조정에 관하여 전화통화를 한 것이 직권남용죄와 업무방해죄에 해당하지 않고, 노동조합 및 노동관계조정법 제40조 제2항에서 정한 '간여'에는 해당한다(대판 2005.4.15, 2002도3453). 12. 경찰간부, 18. 경력채용, 21. 해경승진

3. 국가정보원 국장이 A그룹과 B그룹으로 하여금 특정 보수단체에 자금을 지원하게 한 경우 ⇨ 직권남용죄 ×(대판 2019.3.14, 2018도18646 ∵ 국가정보원 국장에게는 사기업에 보수단체에 대한 자금지원을 요청할 수 있는 일반적 직무권한이 없음)

   ▶ **비교판례** : 대통령비서실장 및 정무수석비서관실 소속 공무원들인 피고인들이, 특정 정치성향 시민단체들에 대한 자금지원을 요구하고 그로 인하여 전국경제인연합회 부회장 甲으로 하여금 해당 단체들에 자금지원을 하도록 한 경우 ⇨ 직권남용권리행사방해죄 ○(대판 2020.2.13, 2019도5186 ∵ 피고인들이 자금지원을 요구한 행위는 대통령비서실장과 정무수석비서관실의 일반적 직무권한에 속하는 사항임.)

- **직권남용권리행사방해죄가 성립한 경우**(∵ 일반적 직무권한에 속하는 사항)

1. 검찰의 고위간부가 내사담당 검사로 하여금 내사를 중도에서 그만두고 종결처리토록 한 경우(대판 2007.6.14, 2004도5561). 12. 경찰간부, 18. 경력채용

2. 서울특별시 교육감인 피고인이 인사담당장학관 등에게 지시하여 승진후보자명부상 승진 또는 자격 연수 대상이 될 수 없는 특정 교원들을 적격 후보자인 것처럼 추천하거나 임의로 평정점을 조정하는 방법으로 승진임용하거나 그 대상자가 되도록 한 경우(대판 2011.2.10, 2010도13766) 12. 사시

3. 시장(市長)인 피고인 甲이 자신의 인사관리업무를 보좌하는 행정과장 피고인 乙과 공동하여, 평정권자나 실무 담당자 등에게 특정 공무원들에 대한 평정순위 변경을 구체적으로 지시하여 평정단위별 서열명부를 새로 작성하도록 한 경우 ⇨ 직권남용권리행사방해죄의 공동정범 ○(대판 2012.1.27, 2010도11884) 14. 경찰간부

4. 검사가 피고인에 대한 3회 피의자신문 과정에서 자신의 의도대로 진술을 이끌어내기 위하여 피고인에게 검사의 생각을 주입하며 유도신문을 하는 등 진술의 임의성을 보장하지 못하고 사회통념상 현저히 합리성을 잃은 신문방법을 사용한 경우 ⇨ 직권남용권리행사방해죄 ○(대결 2024.9.19, 2024모179 ∵ 위법하게 수사권을 남용하였음.)

🖥 **권리행사 방해** : 본죄에서 말하는 '권리'는 법률에 명기된 권리에 한하지 않고 법령상 보호되어야 할 이익이면 족한 것으로서, 공법상의 권리인지 사법상의 권리인지를 묻지 않는다(대판 2010.1.28, 2008도7312 ∵ 범죄수사권도 '권리'에 해당). 18. 경찰간부, 20. 변호사시험, 23. 해경승진·법원행시, 24. 경찰승진

📌 **관련판례**

상급 경찰관이 직권을 남용하여 부하 경찰관들의 수사를 중단시키거나 사건을 다른 경찰관서로 이첩하게 한 경우, '권리행사를 방해함으로 인한 직권남용권리행사방해죄'만 성립하고 '의무 없는 일을 하게 함으로 인한 직권남용권리행사방해죄'는 따로 성립하지 아니한다(대판 2010.1.28, 2008도7312). 19. 경찰승진·수사경과, 21. 경찰간부·해경승진, 25. 변호사시험

---

③ **기수시기** : 권리행사를 방해하는 결과가 발생하거나 의무 없는 행위가 실행된 때 기수가 되며(결과범 : 다수설·판례) 국가의 기능이 현실적으로 침해될 것은 요하지 않는다(∵ 추상적 위험범 : 다수설·판례).

🔖 직권남용죄 ⇨ 미수범 처벌규정 × 25. 변호사시험

📌 **관련판례**

1. 공무원의 직권남용행위가 있었다 할지라도 현실적으로 권리행사의 방해라는 결과가 발생하지 아니하였다면 직권남용권리행사방해죄의 기수를 인정할 수 없다(대판 2008.12.24, 2007도9287 📖 ① 정보통신부장관이 개인휴대통신사업자 선정과 관련하여 서류심사가 완결된 상태에서 청문심사의 배점방식을 변경하여 직권을 남용했다 해도 최종 사업권자로 선정되지 못한 경쟁업체가 가진 구체적인 권리의 현실적 행사가 방해되는 결과가 발생하지 아니하였으므로 직권남용권리행사방해죄에 해당하지 아니한다 ; 대판 2006.2.9, 2003도4599 ② 경찰관이 증거수집을 위해 도청장치를 설치하였으나 회의 전에 발각되어 도청기가 제거되어 도청을 못하였다면, 회의진행을 도청당하지 아니할 권리가 침해된 현실적인 사실이 없어 직권남용죄의 기수가 될 수 없다 ; 대판 1978.10.10, 75도2665). 16. 경찰간부, 18. 경찰승진, 22. 법원직·경력채용, 23. 법원행시, 24. 해경경위, 25. 변호사시험

2. 직권남용권리행사방해죄는 단순히 공무원이 직권을 남용하는 행위를 하였다는 것만으로 곧바로 성립하는 것이 아니라, 직권을 남용하여 현실적으로 다른 사람으로 하여금 법령상 의무 없는 일을 하게 하였거나 다른 사람의 구체적인 권리행사를 방해하는 결과가 발생하여야 하고, 그 결과의 발생은 직권남용 행위로 인한 것이어야 한다. 여기서 권리행사를 방해한다 함은 법령상 행사할 수 있는 권리의 정당한 행사를 방해하는 것을 말하므로, 이에 해당하려면 구체화된 권리의 현실적인 행사가 방해된 경우라야 한다(대판 2022.10.27, 2020도15105 **예** 국방부장관 甲이 乙로 하여금 수사본부의 丙에 대한 수사상황과 구속영장 신청 필요 여부에 관하여 청와대 민정비서관에게 보고하고 그 의견에 따라 丙에 대한 피의사건을 불구속 상태에서 송치하도록 한 경우 ⇨ 직권남용권리행사방해죄 × ∵ 甲이 법령에 위반하여 乙에게 의무 없는 일을 하게 한 것으로 볼 수 없어 직권을 남용하여 乙의 수사권 행사를 방해한 것이 아님). 20. 법원직·법원행시, 23. 7급 검찰, 24. 경찰승진·순경 1차

3. 직권남용권리행사방해죄는 공무원에게 직권이 존재하는 것을 전제로 하는 범죄이고, 공무원인 피고인이 퇴임한 이후에는 위와 같은 직권이 존재하지 않으므로, 퇴임 후에도 실질적 영향력을 행사하는 등으로 퇴임 전 공모한 범행에 관한 기능적 행위지배가 계속되었다고 인정할 만한 특별한 사정이 없는 한, 퇴임 후의 범행에 관하여는 공범으로서 책임을 지지 않는다고 보아야 한다(대판 2020.2.13, 2019도5186). 24. 7급 검찰

4. 지방공무원 승진임용과 관련하여 임용권자인 지방자치단체장 또는 인사담당 실무자가 단지 인사위원회에 특정 후보자를 승진대상자로 제시·추천하는 의사를 표시하여 특정한 내용의 의결을 유도한 경우 ⇨ 직권남용권리행사방해죄 ×〔대판 2020.12.10, 2019도17879 ∵ 지방공무원법령상 임용권자(기장군수)는 인사위원회의 사전심의 결과에 구속되지 않으며 최종적으로 승진임용대상자를 결정할 권한은 임용권자에게 있으므로, 임용권자의 직권을 남용하거나 인사위원회 위원들에게 의무 없는 일을 하게 한 경우로는 볼 수 없다.〕 22. 순경 2차

5. 치안본부장인 甲이 국립과학수사연구소 A과장에게 고문치사자의 사인에 관하여 기자간담회에 참고할 메모를 작성하도록 요구하고 A과장으로 하여금 내심의 의사에 반하여 두 번이나 고쳐 작성하도록 한 경우에도 직권남용죄는 성립하지 않는다(대판 1991.12.27, 90도2800 ∵ 직권남용죄에서 말하는 '의무'란 법률상 의무를 가리키고, 단순한 심리적 의무감 또는 도덕적 의무는 이에 해당하지 아니한다). 23. 법원행시

6. 공무원이 직무관련자에게 제3자와 계약을 체결하도록 요구하여 계약 체결을 하게 한 행위가 제3자뇌물수수죄의 구성요건과 직권남용권리행사방해죄의 구성요건에 모두 해당하는 경우에는 제3자뇌물수수죄와 직권남용권리행사방해죄가 각각 성립하고, 위 두 죄는 형법 제40조의 상상적 경합관계에 있다(대판 2017.3.15, 2016도19659). 17. 7급 검찰, 20. 경찰간부, 23. 법원행시

7. 대통령비서실 소속 비서관들인 피고인 甲과 피고인 乙이 4·16세월호참사 특별조사위원회 설립준비 관련 업무를 담당하거나 설립팀장으로 지원근무 중이던 해양수산부 소속 공무원들에게 '세월호 특별조사위 설립준비 추진경위 및 대응방안 문건'을 작성하게 하고, 피고인 甲이 소속 비서관실 행정관 또는 해양수산부 공무원들에게 세월호 특별조사위원회의 동향을 파악하여 보고하도록 지시한 경우, 피고인 甲과 피고인 乙이 해당 공무원들에게 문건을 작성하거나 동향을 보고하게 함으로써 직무수행의 원칙과 기준 등을 위반하여 업무를 수행하게 하여 법령상 의무 없는 일을 하게 한 때에 해당한다고 볼 여지가 있다(대판 2023.4.27, 2020도18296).

(2) 불법체포 · 감금죄(직권남용체포 · 감금죄)

> **제124조** ① 재판 · 검찰 · 경찰, 기타 인신구속에 관한 직무를 행하는 자 또는 이를 보조하는 자가 그 직권을 남용하여 사람을 체포 또는 감금한 때에는 7년 이하의 징역과 10년 이하의 자격정지에 처한다.
> ② 전항의 미수범은 처벌한다. 20. 해경 3차

> **관련판례**
>
> 1. 인신구속에 관한 직무를 행하는 자 또는 이를 보조하는 자가 피해자를 구속하기 위하여 진술조서 등을 허위로 작성한 후 이를 기록에 첨부하여 구속영장을 신청하고, 진술조서 등이 허위로 작성된 정을 모르는 검사와 영장전담판사를 기망하여 구속영장을 발부받은 후 그 영장에 의하여 피해자를 구금하였다면 형법 제124조 제1항의 직권남용감금죄가 성립한다(대판 2006.5.25, 2003도3945). 16. 7급 검찰, 22. 경찰간부, 24. 순경 1차
>
> 2. 인신구속에 관한 직무를 집행하는 사법경찰관이 체포 당시 상황을 고려하여 경험칙에 비추어 현저하게 합리성을 잃지 않은 채 판단하면 체포 요건이 충족되지 아니함을 충분히 알 수 있었는데도, 자신의 재량 범위를 벗어난다는 사실을 인식하고 그 결과를 용인한 채 사람을 체포하여 권리행사를 방해하였다면, 직권남용체포죄와 직권남용권리행사방해죄가 성립한다(대판 2017.3.9, 2013도16162). 25. 변호사시험

③ 뇌물죄

(1) 서 설

① **보호법익** : 직무행위의 불가매수성과 직무집행의 공정성 및 이에 대한 사회일반의 신뢰(통설 · 판례)

> **관련판례**
>
> 1. 뇌물죄는 직무집행의 공정과 이에 대한 사회의 신뢰에 기하여 직무행위의 불가매수성을 그 직접의 보호법익으로 하고 있고, 직무에 관한 청탁이나 부정한 행위를 필요로 하지 아니하여 수수된 금품의 뇌물성을 인정하는 데 특별히 의무위반행위나 청탁의 유무 등을 고려할 필요가 없으므로, 뇌물은 직무에 관하여 수수된 것으로 족하고 개개의 직무행위와 대가적 관계에 있을 필요는 없으며, 그 직무행위가 특정된 것일 필요도 없고(대판 2009.5.14, 2008도8852), 금품수수 시기와 직무집행 행위의 전후를 가릴 필요도 없다(대판 2003.6.13, 2003도1060). 17. 경찰간부 · 9급 검찰 · 마약수사 · 순경 2차, 22. 수사경과 · 경력채용, 24. 해경승진 · 법원직
>
> 2. 공무원이 그 이익을 수수하는 것으로 인하여 사회일반으로부터 직무집행의 공정성을 의심받게 되는지 여부도 뇌물죄 성부의 판단기준이 된다(대판 2001.9.18, 2000도5438). 12. 순경 1차, 17. 순경 2차

② **수뢰죄와 증뢰죄의 관계**

> **관련판례**
>
> 1. 뇌물공여죄와 뇌물수수죄는 필요적 공범(대향범)으로서 형법총칙의 공범이 아니므로, 뇌물공여자와 수수자 사이에서는 상대방의 범행에 대하여 형법총칙의 공범규정이 적용되지 않는다(대판 2015.2.12, 2012도4842). 15. 경찰간부, 16. 법원행시, 18. 법원직, 23. 해경승진
>
> 2. 뇌물공여죄가 성립하기 위하여는 뇌물을 공여하는 행위와 상대방측에서 금전적으로 가치가 있는 그 물품 등을 받아들이는 행위가 필요할 뿐 반드시 상대방측에서 뇌물수수죄가 성립하여야 함을 뜻하는 것은 아니다(대판 2006.2.24, 2005도4737). 17. 9급 검찰, 19. 경력채용, 20. 수사경과, 21. 변호사시험 · 경찰간부 · 경찰승진, 22. 9급 검찰 · 마약수사 · 해경간부 · 해경 2차, 24. 해경승진
>
> 3. 오로지 공무원을 함정에 빠뜨릴 의사로 직무와 관련되었다는 형식을 빌려 그 공무원에게 금품을 공여한 경우에도 공무원이 그 금품을 직무와 관련하여 수수한다는 의사를 가지고 받아들이면 뇌물수수죄가 성립한다(대판 2008.3.13, 2007도10804). 18. 9급 검찰, 19. 법원행시 · 수사경과, 22. 7급 검찰

③ **뇌물의 개념** : 뇌물이란 공무원 또는 중재인의 직무에 관한 위법한 보수(부당한 이익)로서의 모든 이익을 말한다.

　㉠ **직무에 관하여**(뇌물과 직무의 관련성)

　　ⓐ 뇌물죄에서 말하는 '직무'에는 법령에 정하여진 직무뿐만 아니라 그와 관련 있는 직무, 과거에 담당하였거나 장래에 담당할 직무 외에 사무분장에 따라 현실적으로 담당하지 않는 직무라도 법령상 일반적인 직무권한에 속하는 직무 등 공무원이 그 직위에 따라 공무로 담당할 일체의 직무를 포함한다(예 교통계 근무 경찰관이 도박장개설 및 도박범행을 묵인하는 등 편의를 봐주는 데 대한 사례비를 받은 경우 ⇨ 본죄 ○ : 대판 2003.6.13, 2003도1060). 17. 9급 검찰 · 마약수사, 19. 법원직 · 7급 검찰, 20. 해경 3차, 22 · 23. 경찰간부, 24. 해경순경

　　ⓑ 직무행위의 정당성 여부나 위법 여부는 불문한다.

　　ⓒ 뇌물죄에 있어서의 직무라 함은 공무원이 법령상 관장하는 직무 그 자체뿐만 아니라 그 직무와 밀접한 관계가 있는 행위 또는 관례상이나 사실상 소관하는 직무행위 및 결정권자를 보좌하거나 영향을 줄 수 있는 직무행위도 포함된다(대판 1999.1.29, 98도3584). 21. 순경 1차, 22. 9급 검찰 · 마약수사, 23. 7급 검찰

　　ⓓ 구체적인 행위가 공무원의 직무에 속하는지는 그것이 공무의 일환으로 행하여졌는가 하는 형식적인 측면과 함께 공무원이 수행하여야 할 직무와의 관계에서 합리적으로 필요하다고 인정되는 것인가 하는 실질적인 측면을 아울러 고려하여 결정하여야 한다(대판 2011.5.26, 2009도2453). 13. 사시, 14. 수사경과

　　ⓔ 공무원이 장래에 담당할 직무에 대한 대가로 이익을 수수한 경우에도 뇌물수수죄가 성립할 수 있지만, 그 이익을 수수할 당시 장래에 담당할 직무에 속하는 사항이 그 수수한 이익과 관련된 것임을 확인할 수 없을 정도로 막연하고 추상적이거나, 장차 그 수수한 이익과 관련지을 만한 직무권한을 행사할지 자체를 알 수 없다면, 그 이익

이 장래에 담당할 직무에 관하여 수수되었다거나 그 대가로 수수되었다고 단정하기 어렵다(대판 2017.12.22, 2017도12346). 19. 법원행시, 20. 법원직, 21. 순경 1차

관련판례

• **직무에 관한 것에 해당하는 경우 ⇨ 뇌물죄 ○**

1. 음주운전을 적발·단속하여 운전면허취소업무담당자에게 인계하는 업무를 담당하는 경찰관이 피단속자로부터 운전면허가 취소되지 않도록 하여 달라는 청탁을 받고 금원을 받은 경우(대판 1999.11.9, 99도2530) 15. 경찰승진, 16. 순경 2차, 18. 순경 1차, 17·21. 수사경과, 20·21. 해경간부

2. 경찰관이 재건축조합 직무대행자에 대한 진정사건을 수사하면서 진정인 측에 의하여 재건축 설계업체로 선정되기를 희망하던 건축사사무소 대표로부터 금원을 수수한 경우(대판 2007.4.27, 2005도4204). 15. 경찰승진, 17. 수사경과, 21. 해경간부

   ▶ **유사판례** : 경찰관이 자신이 조사하는 피의자들이 특정변호사를 변호인으로 선임하도록 알선하고 수임료의 일부를 받은 경우(대판 2000.6.15, 98도3697)

3. 지방의회의 의장선거에서 투표권을 가지고 있는 군의원들이 이와 관련하여 금품 등을 수수할 경우(대판 2002.5.10, 2000도2251) 15. 경찰승진, 17. 수사경과, 21. 해경간부

4. 국회의원이 자신의 직무권한인 의안의 심의·표결권 행사의 연장선상에서 일정한 의안에 관하여 다른 동료의원에게 작용하여 일정한 의정활동을 하도록 권유·설득한 경우 위 직무권한의 행사와 밀접한 관계가 있는 행위가 되므로 그와 관련하여 금품을 수수한 경우(대판 1997.12.26, 97도2609)

   ▶ **유사판례**

   ① 국회의원이 특정 협회(치과의사협회)로부터 요청받은 자료를 제공하고 그 대가로서 후원금 명목으로 1,000만원을 교부받은 경우, 직무관련성이 있어 뇌물죄가 성립한다(대판 2009.5.14, 2008도8852). 15. 경찰승진, 21. 순경 2차·해경간부

   ② 정치자금의 명목으로 금품을 주고받았고 정치자금법에 정한 절차를 밟았다고 할지라도, 정치인의 정치활동 전반에 대한 지원의 성격을 갖는 것이 아니라 공무원인 정치인의 특정한 구체적 직무행위와 관련하여 금품 제공자에게 유리한 행위를 기대하거나 또는 그에 대한 사례로서 금품을 제공함으로써 정치인인 공무원의 직무행위에 대한 대가로서의 실체를 가진다면 뇌물성이 인정된다(대판 2017.3.22, 2016도21536). 19·22. 법원행시

5. ① 구청위생계장이 유흥업소업주로부터 건물용도변경허가와 관련하여 금품수수(대판 1989.9.12, 89도597) 08. 경찰승진, 21. 해경간부 ② 매각허부결정문의 문안작성 등 사무를 처리하여 온 법원주사보가 매각허부결정 등을 좌우하여 달라는 취지의 청탁을 받으면서 돈을 받은 경우(대판 1985.2.8, 84도2625) 07. 법원직

• **직무관련성이 없는 경우 ⇨ 뇌물죄 ×**

1. 공판참여주사가 양형을 감경하여 달라는 청탁을 받은 경우(대판 1980.10.14, 80도1373) 15. 경찰승진, 18. 순경 3차, 21. 해경간부

2. 경찰청 정보과 근무 경찰관이 중소기업협동조합중앙회장의 외국인산업연수생에 대한 국내 관리업체 선정과 관련하여 돈을 받은 경우(대판 1999.6.11, 99도275) 15. 수사경과, 21. 해경간부

3. 구 해양수산부 해운정책과 소속 공무원인 피고인이 甲해운회사의 대표이사 등에게서 중국의 선박운항허가 담당부서가 관장하는 중국 국적선사의 선박에 대한 운항허가를 받을 수 있도록 노력해 달라는

부탁을 받고 돈을 받은 경우(대판 2011.5.26, 2009도2453 ∵ 해운정책과 업무에는 대한민국 국적선사의 선박에 관한 것만 포함되어 있을 뿐 외국 국적선사의 선박에 대한 행정처분에 관한 것은 포함되어 있지 않으므로 직무관련성 ×) 18. 순경 1차, 21. 순경 2차, 22. 해경간부 · 수사경과

4. 문교부 편수국 공무원인 피고인들이 교과서의 내용검토 및 개편 수정작업을 의뢰받고 그에 소요되는 비용을 받은 경우(대판 1979.5.22, 78도296) ∵ 교과의 내용검토 및 개편 수정작업 ⇨ 발행자나 저작자의 책임 ○, 문교부 편수국 공무원의 직무 ×) 15. 경찰승진, 17. 수사경과, 21. 해경간부

5. 국립대학교 의과대학 교수 겸 국립대학교병원 의사가 구치소로 왕진을 나가 진료하고 진단서를 작성해 주거나 구속집행정지신청에 관한 법원의 사실조회에 대하여 회신을 해주면서 사례금 명목으로 금품을 수수한 경우 뇌물죄의 직무관련성이 인정되지 않는다(대판 2006.6.15, 2005도1420 ∵ 의사로서의 진료업무이지 교육공무원의 직무와 밀접한 관련 있는 행위 ×). 21. 7급 검찰, 22. 경력채용

6. 국립대학교 교수가 부설연구소의 책임연구원의 지위에서 연구소 자체가 수주한 어업피해조사용역업무를 수행하는 것(대판 2002.5.31, 2001도670 ∵ 교육공무원의 직무에 관한 것 ×) 11. 순경

7. 뇌물을 약속받고 공무원 甲이 시의 도시과 구획정리계 측량기술원으로 근무하면서 다년간 환지측량업무에 종사하게 된 결과 얻은 지식과 경험을 기초로 체비지에 관한 공개경쟁 입찰에서 입찰예정가격이 대략 어느 정도 될 것이라고 추측한 내용을 乙에게 알려준 경우(대판 1983.3.22, 82도1922) 23. 법원행시

ⓛ **위법한 보수**(부당한 이익)

ⓐ **직무행위에 대한 대가관계** : 뇌물은 직무에 관한 부당한 이익 내지 불법한 보수이다. 즉, 뇌물과 직무행위 사이에는 급부와 반대급부라는 대가관계가 있어야 한다. 그러나 뇌물은 개개의 특정한 직무행위와 대가적 관계에 있을 필요는 없고(금원의 수수가 어느 직무행위와 대가관계가 있는 것인지 특정할 수 없다고 하더라도 뇌물죄는 성립한다 : 대판 2007.4.27, 2005도4204), 전체적 · 포괄적으로 대가관계가 있으면 족하다(대판 1997.12.26, 97도2609 예 국회의원이 그 직무권한의 행사로서의 의정활동과 전체적 · 포괄적으로 대가관계가 있는 금원을 교부받은 경우 ⇨ 뇌물수수죄 ○). 16. 경찰간부, 18. 변호사시험, 23. 법원행시 · 해경간부

┌ 관련판례

● **사교적 의례로서의 선물과 뇌물의 구별**

1. 공무원이 그 직무의 대상이 되는 사람으로부터 금품 기타 이익을 받은 때에는 그것이 그 사람이 종전에 공무원으로부터 접대 또는 수수받은 것을 갚는 것으로서 사회상규에 비추어 볼 때에 의례상의 대가에 불과한 것이라고 여겨지거나, 개인적인 친분관계가 있어서 교분상의 필요에 의한 것이라고 명백하게 인정할 수 있는 경우 등 특별한 사정이 없는 한 직무와의 관련성이 없는 것으로 볼 수 없고, 공무원의 직무와 관련하여 금품을 수수하였다면 비록 사교적 의례의 형식을 빌어 금품을 주고받았다 하더라도 그 수수한 금품은 뇌물이 된다(대판 2000.1.21, 99도4940). 14. 법원직, 18. 변호사시험, 19. 순경 1차, 21. 순경 2차, 24. 해경승진 규모가 작은 경우에도 직무행위와 대가관계가 있거나(대판 1984. 4.10, 83도1499), 08. 7급 검찰, 15. 수사경과 관습상 승인되는 정도를 초과하는 다액의 금품이나 향응은 뇌물성이 인정된다(대판 1979.5.22, 79도303).

2. 공무원이 수수 · 요구 또는 약속한 금품에 그 직무행위에 대한 대가로서의 성질과 직무 외의 행위에 대한 사례로서의 성질이 불가분적으로 결합되어 있는 경우에는, 그 수수 · 요구 또는 약속한 금

품 전부가 불가분적으로 직무행위에 대한 대가로서의 성질을 가진다(대판 2012.1.12, 2011도12642).
18. 경찰승진, 20. 법원직, 22. 법원행시·수사경과, 23. 7급 검찰, 24. 순경 1차

3. 뇌물죄에서의 수뢰액은 그 많고 적음에 따라 범죄구성요건이 되므로 엄격한 증명의 대상이 된다. 이때 공무원이 수수한 금품에 직무행위에 대한 대가로서의 성질과 직무 외의 행위에 대한 대가로서의 성질이 불가분적으로 결합되어 있는 경우에는 그 수수한 금품 전부가 불가분적으로 직무행위에 대한 대가로서의 성질을 가진다. 다만, 그 금품의 수수가 수회에 걸쳐 이루어졌고 각 수수 행위별로 직무 관련성 유무를 달리 볼 여지가 있는 경우에는 그 행위마다 직무와의 관련성 여부를 가릴 필요가 있다. 그리고 공무원이 아닌 사람과 공무원이 공모하여 금품을 수수한 경우에도 각 수수자가 수수한 금품별로 직무 관련성 유무를 달리 볼 수 있다면, 각 금품마다 직무와의 관련성을 따져 뇌물성을 인정하는 것이 책임주의 원칙에 부합한다(대판 2024.3.12, 2023도17394). 24. 법원직·순경 2차

ⓑ 이익의 불법·부당성 : 불법한 보수나 부당한 이익이면 충분하고, 반드시 부도덕한 이익이거나 사리사욕적이어야 하는 것은 아니다.

관련판례

뇌물죄에 있어서 금품을 수수한 장소가 공개된 장소이고, 금품을 수수한 공무원이 이를 부하직원들을 위하여 소비하였을 뿐 자신의 사리를 취한 바 없다 하더라도 그 뇌물성이 부인되지 않는다(대판 1996. 6.14, 96도865). 15. 순경 2차, 19. 경력채용, 24. 해경승진

▶ **유사판례** : 뇌물죄에 있어서 금품을 수수한 장소가 공개된 공사현장이었고 금품을 수수한 공무원이 이를 공사현장 인부들의 식대 또는 동 공사의 홍보비 등으로 소비하였을 뿐 자신의 사리를 취한바 없다 하더라도 그 뇌물성이 부인되지 않는다(대판 1985.5.14, 83도2050). 08. 7급 검찰, 15. 수사경과

ⓒ 모든 이익 : 뇌물죄에 있어서 내용인 이익은 금전·물품 기타의 재산적 이익뿐만 아니라 사람의 수요·욕망을 충족시키기에 족한 일체의 유형·무형의 이익을 포함한다(대판 1995.6.30, 94도993). 17. 9급 검찰·마약수사 따라서 제공된 것이 성적욕구의 충족이라고 해서 달리 볼 이유는 없으며(대판 2014.1.29, 2013도13937 ∴ 향응과 같은 무형적 이익도 뇌물에 해당함이 분명한 이상, 뇌물의 개념에 성행위도 포함된다), 18. 순경 1차, 19. 경찰간부, 22. 법원행시, 24. 경찰승진·변호사시험·9급 검찰·마약수사 투기적 사업에 참여할 기회를 얻는 것도 이에 해당하고(대판 2002.11.26, 2002도3539), 17. 9급 검찰·마약수사, 21. 수사경과·해경승진·해경 1차, 22. 법원직·해경간부, 24. 7급 검찰·경력공채 장기간 처분하지 못하던 재산을 처분함으로써 생기는 무형의 이익 역시 뇌물의 내용인 이익에 해당된다(대판 2023.6.15, 2023도1985). 24. 법원직

관련판례

• **뇌물성이 인정되는 경우**

1. 공무원이 뇌물로 투기적 사업에 참여할 기회를 제공받은 경우, 뇌물수수죄의 기수 시기는 투기적 사업에 참여하는 행위가 종료된 때(투기적 사업에 참여한 때 ×)로 보아야 하며, 그 행위가 종료된 후 경제사정의 변동 등으로 인하여 당초의 예상과는 달리 그 사업 참여로 아무런 이득을 얻지 못한

The Criminal Law

경우라도 뇌물수수죄의 성립에는 영향이 없다(대판 2002.11.26, 2002도3539). 16. 7급 검찰·철도경찰, 18. 수사경과, 22. 9급 검찰·마약수사·법원직·경력채용·순경 2차

2. 자동차를 뇌물로 제공한 경우 자동차등록원부에 뇌물수수자가 그 소유자로 등록되지 않았다고 하더라도 자동차의 사실상 소유자로서 자동차에 대한 실질적인 사용 및 처분권한이 있다면 자동차 자체를 뇌물로 취득한 것으로 보아야 한다(대판 2006.4.27, 2006도735). 17. 법원행시·경찰승진, 19. 9급 검찰, 21. 변호사시험·해경승진, 22. 수사경과·7급 검찰·경력채용

3. 뇌물로 받은 당좌수표가 후일 부도된 경우(대판 1983.2.22, 82도2964) 16. 경찰승진, 20. 수사경과, 22. 해경간부·해경 2차

4. 공무원으로 의제되는 정비사업전문관리업자가 반드시 정비조합이나 조합설립추진위원회와 특정 재건축·재개발 정비사업에 관하여 구체적인 업무위탁계약을 체결하여 그 직무에 관하여 이익을 취득하여야 하는 것은 아니다(대판 2008.9.25, 2008도2590). 09. 법원행시

● **뇌물성이 인정되지 않는 경우**

수의계약을 체결하는 공무원이 해당 공사업자와 적정한 금액 이상으로 계약금액을 부풀려서 계약하고 부풀린 금액을 자신이 되돌려 받기로 사전에 약정한 다음 그에 따라 수수한 돈은 성격상 뇌물이 아니고 횡령금에 해당한다(대판 2007.10.12, 2005도7112). 16. 순경 2차, 18. 수사경과, 21. 경찰간부·해경승진, 23. 변호사시험·경찰승진·법원행시, 24. 9급 검찰·마약수사

(2) (단순)수뢰죄

제129조 제1항 공무원 또는 중재인이 그 직무에 관하여 뇌물을 수수, 요구 또는 약속한 때에는 5년 이하의 징역 또는 10년 이하의 자격정지에 처한다.

1. 몰수·추징(제134조)
2. 특정범죄 가중처벌 등에 관한 법률(약칭 : 특가법)
   ● 수뢰액이 1억원 이상인 때 ⇨ 무기 또는 10년 이상의 징역, 5천만원 이상 1억원 미만인 때 ⇨ 7년 이상의 징역, 3천만원 이상 5천만원 미만인 때 ⇨ 5년 이상의 징역(동법 제2조) 13. 경찰간부, 17. 경찰승진
   ● 뇌물죄 적용대상의 확대(동법 제4조)
3. 특정경제범죄 가중처벌 등에 관한 법률 : 금융기관의 임직원의 직무에 관한 수뢰·증재·알선수재 가중처벌

① **주체** : 공무원이라 함은 법령의 근거에 기하여 국가 또는 지방자치단체 및 이에 준하는 공법인의 사무에 종사하는 자로서 그 노무의 내용이 단순한 기계적·육체적인 것에 한정되어 있지 않은 자를 말한다(대판 2002.11.22, 2000도4593). 01. 행시, 05. 법원직

장래 공무원이 될 자 ⇨ 사전수뢰죄의 주체, 공무원이었던 자 ⇨ 사후수뢰죄의 주체

관련판례

1. 임용될 당시 공무원법상 임용결격자에 해당하여 임용행위는 무효였지만 그 후 공무원으로 계속 근무하면서 직무에 관하여 뇌물을 수수한 경우, 수뢰죄가 성립한다(대판 2014.3.27, 2013도11357). 20. 법원행시, 21. 수사경과·경찰간부·경찰승진, 22. 법원직, 23. 순경 2차, 24. 경위공채·9급 검찰·마약수사·순경 1차
2. 뇌물수수죄의 주체는 현재 공무원 또는 중재인의 직에 있는 자에 한정되므로, 공무원이 직무와 관련하여 뇌물수수를 약속하고 퇴직 후 이를 수수하는 경우에는, 뇌물약속과 뇌물수수가 시간적으로 근접하

여 연속되어 있다고 하더라도, 뇌물약속죄 및 사후수뢰죄가 성립할 수 있으나 뇌물수수죄는 성립하지 않는다(대판 2008.2.1, 2007도5190). 20. 순경 2차, 21. 경찰간부·수사경과, 22. 7급 검찰, 23. 경찰승진·법원직

▶ **유사판례** : 뇌물의 수수 등을 할 당시 이미 공무원의 지위를 떠난 경우(**예** 국가공무원이 지방자치단체의 업무에 관하여 별도의 위촉절차 등을 거쳐 그 고유의 직무와 관련이 없는 다른 직무를 수행하게 된 경우에는 그 위촉이 종료된 경우)에는 제129조 제1항의 수뢰죄로는 처벌할 수 없고 사후수뢰죄의 요건(재직 중에 청탁을 받고 직무상 부정한 행위를 한 후 뇌물의 수수 등)에 해당할 경우에 한하여 그 죄로 처벌할 수 있을 뿐이다(대판 2013.11.28, 2013도10011). 18. 경찰승진, 19. 경찰간부·수사경과, 21. 해경 1차, 23. 법원행시

3. 도시 및 주거환경정비법상 정비사업조합의 임원이 조합 임원의 지위를 상실하거나 직무수행권을 상실한 후에도 조합 임원으로 등기되어 있는 상태에서 계속하여 실질적으로 조합 임원으로서 직무를 수행하여 온 경우, 그 조합 임원을 같은 법 제84조에 따라 형법상 뇌물죄의 적용에서 '공무원'으로 보아야 한다(대판 2016.1.14, 2015도15798). 16. 순경 2차, 17. 법원직

4. 집행관사무소의 사무원이 집행관을 보조하여 담당하는 사무의 성질이 국가의 사무에 준하는 측면이 있다는 사정만으로는 형법 제129조 내지 제132조에서 정한 '공무원'에 해당한다고 보기 어렵다(대판 2011.3.10, 2010도14394). 13·17. 경찰간부

5. 공무원으로 의제되는 재건축조합 조합장인 甲이 재건축상가 일반분양분의 매수를 위한 청탁 명목으로 제공된다는 사정을 알면서 乙을 통하여 丁으로부터 5,000만원이 입금되어 있는 통장과 현금카드를 교부받은 경우 ⇨ 뇌물수수죄(대판 2010.12.23, 2010도13584)

6. 서울특별시 후생복지심의위원회 위원장에 의해 서울시청 구내식당 소속 시간제 종사원으로 고용된 자는 뇌물수수죄의 주체인 '공무원'에 해당하지 않는다(대판 2012.8.23, 2011도12639).

---

② **객체** : 직무에 관한 부당한 이익으로서의 뇌물[(1) 서설 참조]

③ **행위** : 뇌물을 수수·요구·약속하는 것

　㉠ **수수**(收受) : 영득의 의사로 뇌물을 현실적으로 취득하는 것을 말한다.

　　ⓐ 반환할 의사로 일시 받아 둔 것 ⇨ 수수 ✕

　　ⓑ 수수가 직무집행 전·후임을 불문하며 상관의 승낙이 있더라도 본죄는 성립한다(대판 1955.10.18, 4288형상235).

　　ⓒ 뇌물수수죄는 직무에 관하여 뇌물을 수수하면 성립되고, 별도로 뇌물의 요구 또는 약속이 있어야 하는 것은 아니다(대판 1986.11.25, 86도1433). 13. 9급 검찰·마약수사

┌ **관련판례**

뇌물죄는 공여자의 출연에 의한 수뢰자의 영득의사의 실현으로서, 공여자의 특정은 직무행위와 관련이 있는 이익의 부담 주체라는 관점에서 파악하여야 할 것이므로, 금품이나 재산상 이익 등이 반드시 공여자와 수뢰자 사이에 직접 수수될 필요는 없다(대판 2020.9.24, 2017도12389 **예** 공무원이 어촌계장에게 선물을 받을 명단을 보내 자신의 이름으로 새우젓을 택배로 발송하게 하고, 그 대금을 지급하지 않는 방법으로 직무에 관하여 뇌물을 받은 경우에는 공여자와 수뢰자 사이에 직접 금품이 수수되지 않았더라도 뇌물공여죄 및 뇌물수수죄가 성립한다). 21. 순경 2차, 23. 경력채용

ⓛ **요구** : 뇌물취득의사로 상대방에게 뇌물의 공여(제공)를 청구하는 것을 말하며 상대방이 이에 응했는지의 여부나 현실적인 재물의 교부는 문제되지 않는다.

ⓒ **약속** : '약속'은 양 당사자의 뇌물수수의 합의를 말하고, 여기에서 '합의'란 그 방법에 아무런 제한이 없고 명시적일 필요도 없지만, 장래 공무원의 직무와 관련하여 뇌물을 주고 받겠다는 양 당사자의 의사표시가 확정적으로 합치하여야 한다(대판 2012.11.15, 2012도9417). 17. 법원직, 20. 경찰승진, 21·22. 수사경과 뇌물의 수수를 장래에 기약하는 것이므로 목적물인 이익이 약속당시에 현존할 필요는 없고 예기할 수 있으면 족하며 또 가액이 확정되었거나 이행기가 확정되었을 필요도 없다(대판 2001.9.18, 2000도5438 **예** 공무원이 오랫동안 처분을 하지 못하고 있던 부동산을 개발이 예상되는 다른 토지와 교환계약을 체결한 것만으로도 뇌물약속죄가 성립한다). 17. 7급 검찰, 18. 법원행시, 20. 법원직, 21. 경찰승진, 23. 해경승진

④ **주관적 구성요건** : 목적물이 뇌물이라는 것과 그것이 직무의 대가라는 인식은 있어야 하나, 뇌물을 받은 대가로 직무집행을 할 의사가 있을 필요는 없다.

> 뇌물을 받는다는 것은 영득의 의사로 금품을 받는 것을 말하므로 뇌물인지 모르고 받았다가 뇌물임을 알고 즉시 반환하거나 또는 증뢰자가 일방적으로 뇌물을 두고 가므로 나중에 기회를 보아 반환할 의사로 일시 보관하다가 반환하는 등 영득의 의사가 없었다고 인정되는 경우라면 뇌물을 받았다고 할 수 없다. 그러나 피고인이 먼저 뇌물을 요구하여 증뢰자로부터 돈을 받았다면 피고인에게는 받은 돈 전부에 대한 영득의 의사가 인정된다(대판 2017.3.22, 2016도21536). 17. 법원행시, 19. 7급 검찰

◆ 관련판례

1. 피고인이 먼저 뇌물을 요구하여 증뢰자가 제공하는 돈을 받았다면 영득의사가 인정되고, 영득의 의사로 뇌물을 수령한 이상 그 액수가 피고인이 예상한 것보다 너무 많은 액수여서 후에 예상을 초과한 액수를 반환하였다고 하더라도 반환한 부분에 대해서도 뇌물죄가 성립한다(대판 2007.3.29, 2006도9182). 19. 법원행시, 20. 해경 3차, 22. 경찰간부, 24. 순경 2차

2. 공무원이 증뢰자로부터 뇌물인지 모르고 수수하였다가 뇌물임을 알고 즉시 반환한 경우 단순수뢰죄가 성립하지 아니한다(대판 1978.1.31, 77도3755). 15. 경찰간부

3. 불우이웃돕기 성금이나 연극제에 전달할 의사로 금원을 받은 것에 불과하고 자신이 영득할 의사로 수수하였다고 보기는 어려운 경우 뇌물수수죄는 성립하지 아니한다(대판 2010.4.15, 2009도11146). 12. 경찰승진

4. 공무원 甲이 부동산업자인 乙로부터 이 사건 을왕동 토지에 관하여 건축허가를 내줄 것을 부탁받고 그로부터 1~2일 후 만나 3,000만원권 자기앞수표가 든 봉투를 건네받았는데, 그 후 乙과 수시로 통화하면서도 이를 즉시 乙에게 돌려주지 않고 위 자기앞수표를 10일 가량 가지고 있다가 돌려준 경우 ⇨ 뇌물수수죄 ○(대판 2012.8.23, 2010도6504 ∵ 영득의 의사로 수수 ○) 14. 사시

⑤ **공동정범** : 대판 2019.8.29, 2018도2738 전원합의체

㉠ 공무원이 아닌 사람(이하 '비공무원'이라 한다.)이 공무원과 공동가공의 의사와 이를 기초로 한 기능적 행위지배를 통하여 공무원의 직무에 관하여 뇌물을 수수하는 범죄를 실행하였다

면 공무원이 직접 뇌물을 받은 것과 동일하게 평가할 수 있으므로 공무원과 비공무원에게 형법 제129조 제1항에서 정한 뇌물수수죄의 공동정범이 성립한다. 22. 변호사시험 · 법원행시, 23. 해경승진, 24. 순경 2차

ⓛ 뇌물수수죄의 공범들 사이에 직무와 관련하여 금품이나 이익을 수수하기로 하는 명시적 또는 암묵적 공모관계가 성립하고 공모 내용에 따라 공범 중 1인이 금품이나 이익을 주고받았다면, 특별한 사정이 없는 한 이를 주고받은 때 금품이나 이익 전부에 관하여 뇌물수수죄의 공동정범이 성립하고,17. 7급 검찰, 20. 경찰간부 금품이나 이익의 규모나 정도 등에 대하여 사전에 서로 의사의 연락이 있거나 금품 등의 구체적 금액을 공범이 알아야 공동정범이 성립하는 것은 아니다.

ⓒ 금품이나 이익 전부에 관하여 뇌물수수죄의 공동정범이 성립한 이후에 뇌물이 실제로 공동정범인 공무원 또는 비공무원 중 누구에게 귀속되었는지는 이미 성립한 뇌물수수죄에 영향을 미치지 않는다. 공무원과 비공무원이 사전에 뇌물을 비공무원에게 귀속시키기로 모의하였거나 뇌물의 성질상 비공무원이 사용하거나 소비할 것이라고 하더라도 이러한 사정은 뇌물수수죄의 공동정범이 성립한 이후 뇌물의 처리에 관한 것에 불과하므로 뇌물수수죄가 성립하는 데 영향이 없다. 20. 법원행시, 22. 7급 검찰, 24. 순경 2차

⑥ **죄수 및 타죄와의 관계**

㉠ 뇌물을 요구 또는 약속한 후 이를 수수한 때 ⇨ 포괄하여 1개의 뇌물수수죄(포괄일죄)

㉡ • 공무원이 직무수행의 의사로 직무에 관하여 상대방을 공갈하여 뇌물을 수수한 때 ⇨ 본죄와 공갈죄의 상상적 경합
• 직무집행의 의사 없이 또는 직무처리와 대가관계 없이 타인을 공갈하여 재물의 교부를 받은 때 ⇨ 공갈죄만 성립(대판 1994.12.22, 94도2528), 피공갈자에게 뇌물공여죄 ×(대판 1994.12.22, 94도2528) 18. 순경 3차, 21. 해경승진, 22. 해경간부 · 해경 2차, 23. 순경 2차, 24. 해경순경

▶ 비교판례 : 뇌물을 수수함에 있어서 공여자를 기망한 점이 있다 하여도 뇌물수수죄, 뇌물공여죄의 성립에는 영향이 없다(대판 1985.2.8, 84도2625). 20. 법원직, 22. 경찰승진

ⓒ 공무원이 직무에 관하여 타인을 기망하여 재물을 교부받은 때 ⇨ 본죄와 사기죄의 상상적 경합(대판 1977.6.7, 77도1069) 19. 7급 검찰, 22. 경찰간부, 23. 해경승진 · 경력채용 · 순경 2차, 24. 경찰승진

ⓔ 횡령 범행으로 취득한 돈을 공범자끼리 수수한 행위가 공동정범들 사이의 범행에 의하여 취득한 돈을 공모에 따라 내부적으로 분배한 것에 지나지 않는다면 별도로 그 돈의 수수행위에 관하여 뇌물죄가 성립하는 것은 아니다(대판 2019.11.28, 2019도11766 ⓒ 대통령의 지위에서 국정원장들에게 국정원 자금을 횡령하여 교부할 것을 지시하고 국정원장으로부터 그들이 횡령한 특별사업비를 교부받은 경우 ⇨ 뇌물죄 ×). 20 · 21. 법원행시, 21. 법원직, 22. 경찰승진

ⓜ 뇌물을 받은 일자가 상당한 기간에 걸쳐 있고 돈을 받은 일자 사이에 상당한 기간이 끼어 있더라도 단일하고 계속된 범의 아래 일정 기간 반복하여 행하고 그 피해법익도 동일한 것이라면 수뢰죄의 포괄일죄가 된다(대판 1985.9.24, 85도1502). 16. 법원직 · 7급 검찰

(3) 사전수뢰죄

> **제129조 제2항** 공무원 또는 중재인이 될 자가 그 담당할 직무에 관하여 청탁을 받고 뇌물을 수수·요구 또는 약속한 후 공무원 또는 중재인이 된 때에는 3년 이하의 징역 또는 7년 이하의 자격정지에 처한다.

🏛 몰수·추징(제134조), 수뢰액수에 따른 가중처벌(특가법 제2조), 적용대상 확대(특가법 제4조)

① **주체** : 공무원 또는 중재인이 될 자(공무원 또는 중재인이 될 것이 예정되어 있는 자뿐만 아니라 공직취임의 가능성이 확실하지는 않더라도 어느 정도의 개연성을 갖춘 자를 포함한다 : 대판 2010.5.13, 2009도7040) 11. 경찰승진, 13. 사시

② **행위** : 담당할 직무에 관하여 청탁을 받고 뇌물을 수수·요구·약속하는 것

> **▤ KEY point**
>
> 청탁이 명시적일 필요도 없고, 반드시 직무행위나 청탁 자체가 부정할 것을 요하지 않는다(대판 1999. 7.23, 99도1911). 10. 순경

③ **공무원 또는 중재인이 된 때** : 객관적 처벌조건
  ㉠ 공무원 또는 중재인이 되었다는 인식은 불필요하다. 즉, 고의의 대상이 아니다.
  ㉡ 공무원 또는 중재인으로 예정된 자가 그 직에 임명 안 된 경우 ⇨ 본죄는 성립하나 처벌되지 않는다.

(4) 제3자뇌물공여죄(제3자뇌물수수죄)

> **제130조** 공무원 또는 중재인이 그 직무에 관하여 부정한 청탁을 받고 제3자에게 뇌물을 공여하게 하거나 공여를 요구 또는 약속한 때에는 5년 이하의 징역 또는 10년 이하의 자격정지에 처한다.

🏛 몰수·추징(제134조), 특가법 제2조, 제4조 (단순)수뢰죄(제129조 제1항)와 법정형이 동일함. 22. 법원행시

① **부정한 청탁** : '부정한 청탁'이란 청탁이 위법·부당한 직무집행을 내용으로 하는 경우는 물론, 청탁의 대상이 된 직무집행 그 자체는 위법·부당하지 않더라도 직무집행을 어떤 대가관계와 연결시켜 직무집행에 관한 대가의 교부를 내용으로 하는 경우도 포함한다. 23. 경찰간부 부정한 청탁의 내용은 공무원의 직무와 제3자에게 제공되는 이익 사이의 대가관계를 인정할 수 있을 정도로 특정하면 충분하고, 이미 발생한 현안뿐만 아니라 장래 발생될 것으로 예상되는 현안도 위와 같은 정도로 특정되면 부정한 청탁의 내용이 될 수 있다. 부정한 청탁은 명시적인 의사표시뿐만 아니라 묵시적인 의사표시로도 가능하며 청탁의 대상인 직무행위의 내용도 구체적일 필요가 없다(대판 2019.8.29, 2018도2738 전원합의체). 23. 법원직

┌─ **관련판례**

묵시적인 의사표시에 의한 부정한 청탁이 있다고 하기 위하여는, 당사자 사이에 청탁의 대상이 되는 직무집행의 내용과 제3자에게 제공되는 금품이 그 직무집행에 대한 대가라는 점에 대하여 공통의 인식이나 양해가 존재하여야 하고, 그러한 인식이나 양해 없이 막연히 선처하여 줄 것이라는 기대에 의하거

나 직무집행과는 무관한 다른 동기에 의하여 제3자에게 금품을 공여한 경우에는 묵시적인 의사표시에 의한 부정한 청탁이 있다고 보기 어렵다. 공무원이 먼저 제3자에게 금품을 공여할 것을 요구한 경우에도 마찬가지이다〔대판 2009.1.30, 2008도6950 **예** 대통령비서실 정책실장이 기업관계자들에게 기업 메세나(Mecenat) 활동의 일환인 미술관 전시회 후원을 요청하여 기업관계자들이 특정 미술관에 후원금을 지급한 경우 ⇨ 제3자뇌물공여죄 ×〕. 17. 7급 검찰, 18. 순경 2차, 20. 경찰승진, 24. 9급 검찰·마약수사

② **제3자** : 제3자뇌물수수죄에서 제3자란 행위자와 공동정범 이외의 사람을 말하고, 교사자나 방조자도 포함될 수 있다. 22. 변호사시험, 23. 해경승진·경찰승진 그러므로 공무원 또는 중재인이 부정한 청탁을 받고 제3자에게 뇌물을 제공하게 하고 제3자가 그러한 공무원 또는 중재인의 범죄행위를 알면서 방조한 경우에는 그에 대한 별도의 처벌규정이 없더라도 방조범에 관한 형법총칙의 규정이 적용되어 제3자뇌물수수방조죄가 인정될 수 있다(대판 2017.3.15, 2016도19659). 20. 법원행시·경찰간부, 21. 경력채용, 23. 해경승진·법원직, 25. 변호사시험

㉠ 제3자뇌물수수죄에서 뇌물을 받는 제3자가 뇌물임을 인식할 것을 요건으로 하지 않는다. 23. 경력채용 그러나 공무원이 뇌물공여자로 하여금 공무원과 뇌물수수죄의 공동정범 관계에 있는 비공무원에게 뇌물을 공여하게 한 경우에는 공동정범의 성질상 공무원 자신에게 뇌물을 공여하게 한 것으로 볼 수 있다. 공무원과 공동정범 관계에 있는 비공무원은 제3자뇌물수수죄에서 말하는 제3자가 될 수 없고, 공무원과 공동정범 관계에 있는 비공무원이 뇌물을 받은 경우에는 공무원과 함께 뇌물수수죄의 공동정범이 성립하고 제3자뇌물수수죄는 성립하지 않는다(대판 2019.8.29, 2018도2738 전원합의체). 21. 법원행시, 22. 경찰승진, 23. 경찰간부

㉡ 사회통념상 공무원 본인이 직접 수수한 것과 동일시할 수 있는 경우(공무원의 사자·대리인으로서 뇌물을 받은 경우나 공무원이 평소 생활비 등을 부담하거나 채무를 부담하고 있는 사람이 뇌물을 받음으로써 그 만큼의 지출을 면하게 되는 경우 : 대판 2002.4.9, 2001도7056, 공무원이 실질적인 경영자로 있는 회사가 청탁명목의 금원을 회사 명의의 예금계좌로 송금받은 경우 : 대판 2004.3.26, 2003도8077) ⇨ 단순수뢰죄 ○, 제3자뇌물공여죄 × 17. 경찰승진, 18. 변호사시험·순경 3차, 23. 해경승진·법원직·해경간부, 24. 경위공채

　🏠 처자나 생활관계를 같이 하는 동거가족에게 제공하게 한 경우 ⇨ 본죄 ×, 단순수뢰죄 ○

관련판례

1. 공무원이 직무관련자에게 제3자와 계약을 체결하도록 요구하여 계약 체결을 하게 한 행위가 제3자뇌물수수죄의 구성요건과 직권남용권리행사방해죄의 구성요건에 모두 해당하는 경우 ⇨ 제3자뇌물수수죄와 직권남용권리행사방해죄의 상상적 경합관계 ○(실체적 경합관계 ×)(대판 2017.3.15, 2016도19659) 20. 경찰간부·7급 검찰, 23. 법원행시

2. 공무원으로 의제되는 정비사업전문관리업체의 대표이사인 피고인이 여러 회사들에게서 재개발정비사업 시공사로 선정되도록 도와달라는 취지의 부탁을 받고 자신이 실질적으로 장악하고 있는 컨설팅회사 명의 계좌로 돈을 교부받은 경우 ⇨ 제3자뇌물공여죄 ×, 단순수뢰죄 ○(대판 2011.11.24, 2011도9585) 13. 법원행시, 15. 경찰간부, 24. 경찰승진·변호사시험

3. 구청장인 피고인이 구청 관내의 공사 인·허가와 관련하여 甲회사로부터 묵시적인 부정한 청탁을 받고 5억원 상당의 경로당 누각을 제3자인 구(區)에 기부채납하게 한 경우 ⇨ 제3자뇌물제공죄 × 〔대판 2011.4.14, 2010도12313 ∵ 구(區)는 '제3자뇌물제공죄의 제3자'가 될 수 있으나, 甲회사의 관계자들이 피고인의 요구를 받고 위 누각을 구(區)에 기부채납한 것이 피고인의 직무와 관련한 부정한 청탁의 대가로 제공된 것이라고 단정할 수 없다.〕 12. 사시

(5) 수뢰 후 부정처사죄

제131조 제1항 공무원 또는 중재인이 전 2조의 죄(수뢰죄, 사전수뢰죄, 제3자뇌물공여죄)를 범하여 부정한 행위를 한 때에는 1년 이상의 유기징역에 처한다. 15. 경찰간부
제131조 제4항 10년 이하의 자격정지를 병과할 수 있다.

🏛 몰수·추징(제134조), 특가법 제2조, 제4조

┌ **관련판례**

1. 예비군 중대장이 그 소속예비군으로부터 금원을 교부받고 그 예비군이 예비군훈련에 불참하였음에도 불구하고 참석한 것처럼 허위내용의 중대학급편성명부를 작성, 행사한 경우 ⇨ 수뢰 후 부정처사죄와 허위공문서작성 및 동행사죄의 상상적 경합관계(대판 1983.7.26, 83도1378 ; 연결효과에 의한 상상적 경합) 12. 법원직, 17. 9급 검찰·마약수사

   ▶ **유사판례** : 수뢰 후 부정처사죄에 있어서 공무원이 수뢰 후 행한 부정행위가 공도화변조 및 동행사죄인 경우에는 수뢰 후 부정처사죄 외에 별도로 공도화변조죄 및 동행사죄가 성립하고 이들 죄와 수뢰 후 부정처사죄는 상상적 경합관계에 있다(대판 2001.2.9, 2000도1216). 13. 9급 검찰·마약수사

2. 공무원선발시험의 정리원인 공무원이 수험생으로부터 시험문제를 미리 알려달라는 부탁을 받고 돈을 받은 후 직무상 지득한 구술시험문제를 알려준 경우 ⇨ 공무상 비밀누설죄와 수뢰 후 부정처사죄의 상상적 경합관계(대판 1970.6.30, 70도562) 17. 경찰간부

3. 현재 도박범행의 수사 등에 관한 구체적인 사무를 담당하고 있지 아니한 교통계 근무 경찰관이 도박장개설 및 도박범행을 묵인하고 편의를 봐주는 데 대한 사례비 명목으로 금품을 수수하고, 나아가 도박장개설 및 도박범행 사실을 잘 알면서도 이를 단속하지 아니한 경우 ⇨ 단순수뢰죄 ×, 수뢰 후 부정처사죄 ○(대판 2003.6.13, 2003도1060) 14. 변호사시험

4. 공무원 甲이 A주식회사로부터 뇌물을 받은 후 A회사에 유리하게 관계 법령을 해석하여 감액처분을 하였는데, 과세 대상에 관한 규정이 명확하지 않고 그에 관한 확립된 선례도 없어 甲의 처분이 위법하지 않은 경우 甲에게 수뢰 후 부정처사죄가 성립하지 않는다(대판 1995.12.12, 95도2320). 18. 9급 검찰·마약수사

5. 수뢰 후 부정처사죄에서 '형법 제129조 및 제130조의 죄를 범하여'란 반드시 뇌물수수 등의 행위가 완료된 이후에 부정한 행위가 이루어져야 함을 의미하는 것은 아니고, **결합범 또는 결과적 가중범** 등에서의 기본행위와 마찬가지로 뇌물수수 등의 행위를 하는 중에 부정한 행위를 한 경우도 포함하는 것으로 보아야 한다. 따라서 단일하고도 계속된 범의 아래 일정 기간 반복하여 일련의 뇌물수수 행위와 부정한 행위가 행하여졌고 그 뇌물수수 행위와 부정한 행위 사이에 인과관계가 인정되며 피해법익도 동일하다면, 최후의 부정한 행위 이후에 저질러진 뇌물수수 행위도 최후의 부정한 행위 이전의

뇌물수수 행위 및 부정한 행위와 함께 수뢰 후 부정처사죄의 포괄일죄로 처벌함이 타당하다(대판 2021.2.4, 2020도12103). 21. 순경 2차, 22. 변호사시험 · 법원행시 · 법원직

(6) 사후수뢰죄

> **제131조 제2항** 공무원 또는 중재인이 그 직무상 부정한 행위를 한 후 뇌물을 수수 · 요구 또는 약속하거나 제3자에게 이를 공여하게 하거나 공여를 요구 또는 약속한 때에도 전항의 형과 같다.
> **제131조 제3항** 공무원 또는 중재인이었던 자가 그 재직 중에 청탁을 받고 직무상 부정한 행위를 한 후 뇌물을 수수 · 요구 또는 약속한 때에는 5년 이하의 징역 또는 10년 이하의 자격정지에 처한다.
> **제131조 제4항** 전 3항의 경우에는 10년 이하의 자격정지를 병과할 수 있다.

🔔 몰수 · 추징(제134조), 특가법 제4조

① **제131조 제2항의 죄**(부정처사 후 수뢰죄) : 현재 공무원 또는 중재인의 지위에 있는 자가 먼저 부정한 행위를 한 후에 뇌물을 수수하는 등의 수뢰행위를 함으로써 성립하는 범죄로 수뢰 후 부정처사죄(제131조 제1항)와 대칭되는 부정처사 후 수뢰죄이다(부정행위+수뢰행위).

② **제131조 제3항의 죄**(사후수뢰죄) : 과거에 공무원 또는 중재인이었던 자가 재직 중에 청탁을 받고 부정한 행위를 한 후 퇴직한 다음에 수뢰하는 경우에 성립하는 범죄로 사전수뢰죄 (제129조 제2항)와 대칭된다(재직시 부정행위+퇴직 후 수뢰행위). 15. 경찰간부, 21. 해경승진

(7) 알선수뢰죄

> **제132조** 공무원이 그 지위를 이용하여 다른 공무원의 직무에 속한 사항의 알선에 관하여 뇌물을 수수 · 요구 또는 약속한 때에는 3년 이하의 징역 또는 7년 이하의 자격정지에 처한다.

🔔 몰수 · 추징(제134조), 특가법 제2조, 제4조

① **주체** : 공무원에 한하며 중재인은 제외됨. 11. 법원직

② **지위이용** : 영향력을 미칠 수 있는 공무원이 그 지위나 신분을 이용하는 것을 말한다. 직무상 직접 · 간접으로 연관관계를 가지고 법률상 또는 사실상 영향을 미칠 수 있으면 족하므로 임면권이나 압력을 가할 수 있는 법적 근거가 필요 없고 상하관계 · 협동관계 · 감독관계가 존재할 것도 요하지 않는다(대판 1994.10.21, 94도852). 16. 변호사시험, 17. 법원행시, 19. 9급 검찰, 23. 경찰간부

┌ **관련판례**

1. 사적 관계(단순한 친족관계, 친구관계) 또는 지위를 이용하지 않은 개인자격의 부탁, 직무와 관계없는 사항을 교섭하고 금품을 수수한 경우 ⇨ 알선수뢰죄 ×(대판 1994.10.21, 94도852) 18. 법원직, 19. 경찰승진, 23. 순경 2차

2. 형법 제132조에서 말하는 알선행위는 장래의 것이라도 무방하므로, 알선뇌물요구죄(알선뇌물수수죄)가 성립하기 위하여는 뇌물을 요구(수수)할 당시 반드시 상대방에게 알선에 의하여 해결을 도모하여야 할 현안이 존재하여야 할 필요는 없다(대판 2009.7.23, 2009도3924 ; 대판 2013.4.11, 2012도16277). 15. 경찰간부 · 법원직, 17. 법원행시, 19. 9급 검찰, 21. 순경 1차

3. 알선뇌물요구(수수)죄는 반드시 알선의 상대방인 다른 공무원이나 그 직무의 내용이 구체적으로 특정될 필요까지는 없지만, 알선뇌물요구(수수)죄가 성립하려면 알선할 사항이 다른 공무원의 직무에 속하는 사항으로서 뇌물요구(수수)의 명목이 그 사항의 알선에 관련된 것임이 어느 정도 구체적으로 나타나야 한다. 단지 상대방으로 하여금 뇌물을 요구(수수)하는 자에게 잘 보이면 그로부터 어떤 도움을 받을 수 있다거나 손해를 입을 염려가 없다는 정도의 막연한 기대감을 갖게 하며 뇌물을 요구(수수)하였다면 알선뇌물요구(수수)죄가 성립한다고 볼 수 없다(대판 2009.7.23, 2009도3924 ; 대판 2017.12.22, 2017도12346). 19. 9급 검찰, 21. 경찰승진, 22. 변호사시험 · 법원행시

4. 공무원이 그 지위를 이용하여 다른 공무원의 정당한 직무에 속한 사항의 알선에 관하여 뇌물을 약속한 경우에도 알선뇌물약속죄가 성립한다(대판 2006.4.27, 2006도735). 17. 법원행시

③ **알선** : 일정한 사항을 중개하여 교섭이 성립하도록 편의를 제공하는 것을 말한다.

　㉠ '알선'이란 공무원의 직무에 속하는 일정한 사항에 관하여 당사자의 의사를 공무원 측에 전달하거나 편의를 도모하는 행위 또는 공무원의 직무에 관하여 부탁을 하거나 영향력을 행사하여 당사자가 원하는 방향으로 결정이 이루어지도록 돕는 등의 행위를 의미한다. 이 경우 공무원의 직무는 정당한 직무행위인 경우도 포함되고 알선의 상대방인 공무원이나 직무내용이 구체적으로 특정되어 있을 필요도 없다. 또한 알선의 명목으로 금품을 받았다면 실제로 어떤 구체적인 알선행위를 하였는지와 상관없이 범죄는 성립한다. 18. 순경 2차, 22. 법원행시 그리고 알선과 주고받은 금품 사이에 전체적 · 포괄적으로 대가관계가 있으면 충분하다. 한편 알선자가 받은 금품에 알선행위에 대한 대가로서의 성질과 그 밖의 행위에 대한 대가로서의 성질이 불가분적으로 결합되어 있는 경우에는 그 전부가 불가분적으로 알선행위에 대한 대가로서의 성질을 가진다(대판 2017.1.12, 2016도15470).

관련판례

1. 군수 분야의 고위직 간부로 재직한 경력이 있는 피고인이 방위사업체인 甲주식회사와 경영자문위원 위촉계약을 체결한 후, 甲회사의 현안과 관련된 군 관계자 상대 로비를 요청받고 그 대가로 자문료 및 활동비 명목으로 금원을 지급받은 경우 ⇨ 특정범죄 가중처벌 등에 관한 법률 위반(알선수재)죄 ×(대판 2023.12.28, 2017도21248 ∵ 위 계약은 일반적 자문 · 고문계약이라고 볼 여지가 충분하고, 검사가 제출한 증거만으로는 위 계약이 형식적인 것에 불과하여 피고인이 공무원의 직무에 속한 사항의 알선에 관하여 금품을 수수한 것이라는 점이 합리적 의심의 여지가 없을 정도로 증명되었다고 보기 어렵다).

2. 특정경제범죄 가중처벌 등에 관한 법률 제7조의 규정은 변호사가 그 위임의 취지에 따라 수행하는 적법한 청탁이나 알선행위까지 처벌대상으로 한 규정이라고 볼 수 없다〔대판 2023.12.14, 2022도163 **例** A주식회사와 주식회사 B은행 사이에 펀드 재판매 여부 등과 관련한 분쟁이 있는 상황에서 변호사 甲이 A의 위임 취지에 따라 B은행장을 만나 펀드 관련 상황을 설명하고 B은행의 실무진이 당초 약속했던 대로 펀드 재판매를 이행해 달라는 A의 입장을 전달하여 상대방을 설득하고 A로부터 금품을 취득한 경우 ⇨ 특정경제범죄법 위반(알선수재)죄 ×〕.

ⓛ '다른 공무원의 직무에 속한 사항의 알선행위'는 그 공무원의 직무에 속하는 사항에 관한 것이면 되는 것이지 그것이 반드시 부정행위라거나 그 직무에 관하여 결재권한이나 최종 결정권한을 갖고 있어야 하는 것이 아니다(대판 2006.4.27, 2006도735). 17. 법원행시, 23. 7급 검찰

(8) 뇌물공여 등 죄(증뢰죄, 증뢰물전달죄)

> **제133조** ① 제129조부터 제132조까지에 기재한 뇌물을 약속, 공여 또는 공여의 의사를 표시한 자는 5년 이하의 징역 또는 2천만원 이하의 벌금에 처한다.
> ② 제1항의 행위에 제공할 목적으로 제3자에게 금품을 교부한 자 또는 그 사정을 알면서 금품을 교부받은 제3자도 제1항의 형에 처한다.

🗃 몰수(필요적 몰수) · 추징(제134조)

① **의의** : 본죄는 뇌물을 약속 · 공여 또는 공여의 의사를 표시하거나, 이에 공할 목적으로 제3자에게 금품을 교부하거나 그 정을 알면서 교부를 받음으로써 성립하는 범죄이다.

② **주체** : 제한이 없다(비신분범).

③ **행 위**

ⓞ **뇌물의 약속 · 공여 또는 공여의 의사표시** : 명문규정은 없으나 직무관련성이 있어야 한다.

┌ 관련판례

1. 배임수재자가 배임증재자에게서 그가 무상으로 빌려준 물건을 인도받아 사용하고 있던 중에 공무원이 된 경우, 그 사실을 알게 된 배임증재자가 배임수재자에게 앞으로 물건은 공무원의 직무에 관하여 빌려주는 것이라고 하면서 뇌물공여의 뜻을 밝히고 물건을 계속하여 배임수재자가 사용할 수 있게 한 경우, 특별한 사정(사용기간을 추가로 연장해 주는 등 새로운 이익을 제공)이 없는 한 뇌물공여죄가 성립하지 않는다(대판 2015.10.15, 2015도6232). 16. 사시 · 법원행시, 17. 법원직, 20. 경찰승진

2. 뇌물수수자가 뇌물공여자에 대한 내부관계에서 물건에 대한 실질적인 사용 · 처분권한을 취득하였으나 뇌물수수 사실을 은닉하거나 뇌물공여자가 계속 그 물건에 대한 비용 등을 부담하기 위하여 소유권 이전의 형식적 요건을 유보하는 경우에는 뇌물수수자와 뇌물공여자 사이에서는 소유권을 이전받은 경우와 다르지 않으므로 그 물건을 뇌물로 수수하고 공여하였다고 보아야 한다. 뇌물수수자가 교부받은 물건을 뇌물공여자에게 반환할 것이 아니므로 뇌물수수자에게 영득의 의사도 인정되고, 뇌물공여자가 교부한 물건을 뇌물수수자로부터 반환받을 것이 아니므로 뇌물공여자에게 고의도 인정된다(대판 2019.8.29, 2018도2738 전원합의체). 20. 법원행시

3. 뇌물공여죄의 고의는 '공무원에게 그 직무에 관하여 뇌물을 공여한다'는 사실에 대한 인식과 의사를 말하고, 미필적 고의로도 충분하다. 공여자가 공무원의 요구에 따라 비공무원에게 뇌물을 공여한 경우 공무원과 비공무원 사이의 관계가 형법 제129조 제1항 뇌물수수죄의 공동정범에 해당하고 공여자가 이러한 사실을 인식하였다면 공여자에게 형법 제133조 제1항, 제129조 제1항에서 정한 뇌물공여죄의 고의가 인정된다(대판 2019.8.29, 2018도2738 전원합의체). 22. 법원행시

ⓛ **증뢰물 전달** : 뇌물에 공할 목적으로 제3자에게 금품을 교부하거나 제3자가 그 정을 알면
서 교부받는 것이다. 여기에서의 제3자란 행위자와 공동정범 이외의 자를 말한다고 할
것이다(대판 2012.12.27, 2012도11200). 제3자의 증뢰물 전달죄는 증뢰자나 수뢰자가 아닌 제
3자가 증뢰자로부터 수뢰할 사람에게 전달될 금품이라는 정을 알면서 그 금품을 받은 때
에 성립한다(대판 2008.3.14, 2007도10601). 이 경우 제3자가 금품을 수뢰할 사람에게 전달하
였느냐는 본죄의 성립에 영향이 없다(대판 1985.1.22, 84도1033). 16. 경찰간부, 18. 순경 2차, 20. 해경
3차 제3자로부터 전달받은 금품을 곧바로 증뢰자에게 반환한 경우에도 증뢰물전달죄는
성립한다(대판 1983.6.28, 82도3129).

④ **죄수 및 타죄와의 관계**

ⓐ 제3자가 교부받은 금품을 수뢰자에게 전달하였다고 해서 증뢰물전달죄 외에 별도로 뇌물
공여죄가 성립하는 것은 아니다(대판 1997.9.5, 97도1572). 16. 변호사시험 · 사시 · 법원직, 19. 경찰간부

ⓑ 공무원이 취급하는 사건 또는 사무에 관한 청탁을 받고 청탁 상대방인 공무원에게 제공
할 금품을 받아 그 공무원에게 단순히 전달한 경우(증뢰물전달죄 ○)와는 달리, 자기 자신
의 이득을 취하기 위하여 공무원이 취급하는 사건 또는 사무에 관하여 청탁한다는 등의
명목으로 금품 등을 교부받으면 그로써 곧 구 변호사법 위반죄가 성립되고 증뢰물전달죄
는 성립할 여지가 없다(대판 2006.11.24, 2005도5567). 10. 법원직

ⓒ 회사의 이사가 회사 자금으로 뇌물을 공여한 경우, 뇌물공여죄와는 별도로 회사에 대하여
업무상 횡령죄가 성립한다(대판 2013.4.25, 2011도9238). 13. 법원행시, 19. 9급 검찰

뇌물죄의 중요한 구성요건 비교 09. 법원행시 · 경찰승진, 11. 순경

종 류	주 체	청 탁	부정한 행위
단순수뢰죄	공무원 또는 중재인	×	×
사전수뢰죄	공무원 또는 중재인이 될 자	청탁	×
제3자뇌물공여죄	공무원 또는 중재인	부정한 청탁	×
수뢰 후 부정처사죄	공무원 또는 중재인	×, 청탁, 부정한 청탁	부정한 행위
부정처사 후 수뢰죄	공무원 또는 중재인	×	부정한 행위
사후수뢰죄	공무원 또는 중재인이었던 자	청탁	부정한 행위
알선수뢰죄	공무원 ○, 중재인 ×	×	×

(9) 뇌물의 몰수·추징

> **제134조** 범인 또는 사정을 아는 제3자가 받은 뇌물 또는 뇌물로 제공하려고 한 금품은 몰수한다. 이를 몰수할 수 없을 경우에는 그 가액을 추징한다.

① 범인 또는 정을 아는 제3자가 받은 뇌물 또는 뇌물에 공할 금품은 몰수한다. 몰수하기 불능한 때에는 그 가액을 추징한다. ⇨ **필요적 몰수·추징**
  - 🛍 형법 총칙의 몰수는 임의적이다('몰수할 수 있다': 제48조).

② **몰수·추징의 대상** : 수수한 뇌물, 제공(공여)하였지만 수수하지 않은 뇌물, 공여(제공)를 약속한 뇌물이 포함된다. 13. 경찰간부 그러나 몰수는 특정된 물건에 대한 것이고 추징은 본래 몰수할 수 있었음을 전제로 하는 것임에 비추어 뇌물에 공할 금품이 특정되지 않았던 것은 몰수할 수 없고 그 가액을 추징할 수도 없다(대판 1996.5.8, 96도221). 18. 변호사시험, 20. 수사경과, 24. 경찰승진
  - 🛍 공무원 甲이 A에게 뇌물을 요구하였으나 A가 이를 즉각 거부한 경우에는 요구한 금품이 특정되지 않아 이를 몰수할 수 없으므로 그 가액을 추징할 수도 없다(대판 2015.10.29, 2015도12838). 22. 경찰승진

③ **몰수·추징의 상대방** : 현재 뇌물을 보유하고 있는 자
  - ㉠ 뇌물 그 자체를 증뢰자에게 반환한 때 ⇨ 증뢰자로부터 몰수·추징(대판 1984.2.28, 83도2783) 15. 사시, 16. 9급 검찰·마약수사, 24. 법원직

> **KEY** point **수뢰자로부터 추징**(대판 1999.1.29, 98도3584)
>
> 수뢰자가 뇌물을 소비하고 같은 금액을 증뢰자에게 반환한 경우, 뇌물로 수수한 자기앞수표를 소비하고 그 금액을 반환한 경우, 뇌물을 은행에 예치한 후에 같은 액수의 돈을 반환한 경우 20. 경찰승진·해경 3차, 21. 해경승진, 23. 7급 검찰

  - ㉡ 수뢰자가 뇌물을 제3자에게 다시 뇌물로 공여한 경우 ⇨ 제1수뢰자로부터 전액 추징(대판 1986.11.25, 86도1951 ∵ 수뢰한 돈을 소비하는 방법에 지나지 아니함) 08. 경찰승진, 19. 법원직

④ **몰수·추징의 방법**
  - ㉠ 여러 사람이 공동으로 뇌물을 수수한 경우 그 가액을 추징하려면 실제로 분배받은 금품만을 개별적으로 추징하여야 하고 수수금품을 개별적으로 알 수 없을 때에는 평등하게 추징하여야 하며, 공동정범뿐만 아니라 교사범 또는 종범도 뇌물의 공동수수자에 해당할 수 있다(대판 2011.11.24, 2011도9585). 14. 법원직, 16. 법원행시, 22. 경력채용
  - ㉡ **추징가액산정의 기준시기** : 재판선고시의 가격(몰수불능시의 가격 ×, 취득가액 ×)을 기준으로 정한다(대판 1991.5.28, 91도352). 15. 법원직·순경 3차, 17. 9급 검찰

⑤ **몰수·추징의 범위**

┌─ **관련판례**

1. 직무에 속한 사항의 알선에 관하여 받은 금품 중의 일부를 받은 취지에 따라 관계공무원에게 뇌물로 공여하거나 다른 알선행위자에게 청탁명목으로 교부한 경우 ⇨ 이를 제외한 나머지 금품만을 몰수·추징한다(대판 2002.6.14, 2002도1283 ∵ 그 부분의 이익은 실질적으로 범인에게 귀속 ×, 그

러나 금품 중의 일부를 받은 취지에 따르지 않고 독자적인 판단에 따라 경비로 사용한 경우 ⇨ 수뢰자로부터 전액 추징). 16. 경찰간부, 20. 해경 3차

2. 공무원이 직무에 관하여 금전을 무이자로 차용한 경우에는 차용 당시에 금융이익 상당의 뇌물을 수수한 것으로 보아야 하므로, 공소시효는 금전을 무이자로 차용한 때로부터 기산한다(대판 2012.2.23, 2011도7282). 19. 경찰간부·수사경과·7급 검찰, 21. 변호사시험, 22. 해경간부·해경 2차, 24. 경위공채

3. 뇌물을 수수한 자가 공동수수자가 아닌 교사범 또는 종범에게 뇌물 중 일부를 사례금 등의 명목으로 교부하였다면 이는 뇌물을 수수하는 데 따르는 부수적 비용의 지출 또는 뇌물의 소비행위에 지나지 아니하므로, 뇌물수수자에게서 수뢰액 전부를 추징하여야 한다(대판 2011.11.24, 2011도9585). 18. 변호사시험·순경 3차, 21. 7급 검찰, 22. 법원행시, 23. 해경간부

4. 공무원이 증뢰자와 함께 향응을 하고 증뢰자가 소요금원을 지출한 경우(대판 2001.10.12, 99도5294) 08. 경찰승진, 12. 법원직

> • 각자에 요한 비용액이 불명인 때 ⇨ 평등하게 분할한 액이 수뢰액이다.
> • 전체 소요금원 − 증뢰자의 소비비용액 = 수뢰자의 수뢰액(피고인의 접대에 요한 비용임)
> • 향응을 제공받는 자리에 피고인(수뢰자) 스스로 제3자를 초대해서 함께 접대를 받은 경우 ⇨ 제3자의 접대에 요한 비용도 피고인의 접대에 요한 비용에 포함시킨다(단, 제3자가 피고인과는 별도의 지위에서 접대를 받는 공무원이라는 특별한 사정이 있는 경우는 제외). 16. 변호사시험·경찰간부

▶ **유사판례** : 청탁금지법 위반죄에서 피고인인 공직자 등이 향응을 제공받아 향응제공자와 함께 소비하고 향응제공자가 이에 소요되는 금원을 지출한 경우, 다수의 공직자 등이 각자 제공받은 향응 가액에 차이가 있다고 평가할 만한 특별한 사정이 있는 때에는 다른 참석자가 제공받은 향응 가액을 구분하여 총비용에서 이를 공제하고 남은 가액을 향응제공자를 포함한 나머지 참석자들 사이에서 평등하게 분할한 액으로 피고인에 대한 향응 가액을 정하여야 한다(대판 2024.10.8, 2023도12580).

5. 금품의 무상차용을 통하여 위법한 재산상 이익을 취득한 경우 범인이 받은 부정한 이익은 그로 인한 금융이익 상당액이므로 추징의 대상이 되는 것은 무상으로 대여받은 금품 그 자체가 아니라 위 금융이익 상당액이다(대판 2008.9.25, 2008도2590). 10. 사시, 23. 경찰승진, 24. 해경순경

추징의 대상이 되는 금융이익 상당액은 범인이 금융기관으로부터 대출받는 등 통상적인 방법으로 자금을 차용하였을 경우 부담하게 될 대출이율을 기준으로 하거나 그 대출이율을 알 수 없는 경우에는 법정이율을 기준으로 하여, 금품수수일로부터 약정된 변제기까지 금품을 무이자로 차용하여 얻은 금융이익의 수액을 산정한 뒤 이를 추징하여야 한다(대판 2014.5.16, 2014도1547). 15. 법원직, 16. 법원행시

6. 공무원이 뇌물취득을 위하여 상대방에게 뇌물액에 상당하는 금원의 일부를 비용명목으로 출연하거나 경제적 이익을 제공한 경우 ⇨ 그 받은 뇌물 자체를 몰수·추징한다(대판 1999.10.8, 99도1638 ∵ 뇌물을 받는 데 지출한 부수적 비용에 불과). 12. 법원직, 19. 법원행시

▶ **유사판례** : 공무원이 뇌물을 받는 데에 필요한 경비를 지출한 경우 그 경비는 뇌물수수의 부수적 비용에 불과하여 뇌물의 가액과 추징액에서 공제할 항목에 해당하지 않는다. 뇌물을 받는 주체가 아닌 자가 수고비로 받은 부분이나 뇌물을 받기 위하여 형식적으로 체결된 용역계약에 따른 비용으로 사용된 부분은 뇌물수수의 부수적 비용에 지나지 않는다(대판 2017.3.22, 2016도21536). 17. 7급 검찰·법원행시, 18. 경찰간부, 22. 변호사시험, 23. 해경승진·경력채용

7. 알선의뢰인이 알선수재자에게 공무원이나 금융기관 임직원의 직무에 속한 사항에 관한 알선의 대가를 형식적으로 체결한 고용계약에 터잡아 급여의 형식으로 지급한 경우에, 알선수재자가 수수한 알선수재액은 명목상 급여액이 아니라 원천징수된 근로소득세 등을 제외하고 알선수재자가 실제 지급받은 금액으로 보아야 하고, 또한 위 금액만을 몰수·추징하여야 한다(대판 2012.6.14, 2012도534). 13. 법원행시, 16. 사시

8. 특정범죄 가중처벌 등에 관한 법률 제2조 제1항의 적용 여부를 가리는 수뢰액을 정함에 있어서는 그 공범자 전원의 수뢰액을 합한 금액을 기준으로 하여야 할 것이고, 각 공범자들이 실제로 취득한 금액이나 분배받기로 한 금액을 기준으로 할 것이 아니다(대판 1999.8.20, 99도1557). 09. 사시, 11. 경찰승진, 12. 순경 1차

9. 피고인이 뇌물로 받은 주식이 압수되어 있지 않고 주주명부상 피고인의 배우자 명의로 등재되어 있으며, 위 배우자는 몰수의 선고를 받은 자가 아니어서 그에 대해서는 몰수물의 제출을 명할 수도 없고, 몰수를 선고한 판결의 효력도 미치지 않으므로 위 주식을 몰수함이 상당하지 아니하다고 보아 몰수하는 대신 그 가액을 추징할 수 있다(대판 2005.10.28, 2005도5822). 06. 순경, 08. 경찰승진

10. 경찰공무원이 슬롯머신 영업에 5천만원을 투자하여 매월 3백만원을 배당받기로 약속한 후 35회에 걸쳐 1억 5백만원을 교부받은 경우, 1억 5백만원은 그 자체가 뇌물이 되는데, 다만 실제의 뇌물의 액수는 5천만원을 투자함으로써 얻을 수 있는 통상적인 이익을 초과한 금액이라고 보아야 한다(대판 1995.6.30, 94도993). 23. 법원행시

1 직무유기죄는 그 직무를 수행하여야 하는 작위의무의 존재와 그에 대한 위반을 전제로 하고 있는
바, 공무원이 정당한 이유 없이 그 직무수행을 거부하거나 그 직무를 유기한 때 즉시 성립하는
즉시범이다. ( )   16. 법원직, 20. 해경 3차, 21. 경찰간부, 22. 변호사시험, 23. 법원행시

2 교육기관 등의 장이 징계의결을 집행하지 못할 법률상·사실상의 장애가 없는데도 징계의결서를
통보받은 날로부터 법정 시한이 지나도록 그 집행을 유보하는 모든 경우에 직무유기죄가 성립하
는 것은 아니고, 그 유보가 의식적인 직무의 방임이나 포기에 해당한다고 볼 수 있는 경우에만
성립한다. ( )   15. 9급 검찰·순경 3차, 16. 법원직, 18. 경찰간부, 19. 법원행시·순경 1차, 21·23. 경찰승진

3 직무유기죄는 공무원이 정당한 이유 없이 그 직무수행을 거부하거나 그 '직무를 유기한 때'에
성립하며, 직무집행의 의사로 자신의 직무를 수행한 경우라도 그 직무집행의 내용이 위법한 것으
로 평가된다면 직무유기죄가 성립한다. ( )
                                15. 9급 검찰·마약수사, 19. 경찰간부, 20. 법원행시, 21. 수사경과, 22. 순경 2차

4 경찰관이 불법체류자의 신병을 출입국관리사무소에 인계하지 않고 훈방하면서 이들의 인적사
항조차 기재해 두지 아니한 경우 직무유기죄가 성립한다. ( )
                    15. 9급 검찰·마약수사·법원행시·순경 3차, 19. 경찰간부, 21. 해경승진·해경 2차, 21·23. 경찰승진

5 경찰관이 방치된 오토바이가 있다는 신고를 받거나 순찰 중 이를 발견하고 오토바이상회 운영
자에게 연락하여 오토바이를 수거해 가도록 하고 그 대가를 받은 경우 직무유기죄가 성립한다.
( )   15. 순경 3차, 16. 경찰승진, 18. 경력채용, 20. 해경 1차, 21. 해경승진·수사경과

6 경찰관이 직무와 관련하여 증거물로 압수한 오락기의 변조 기판을 범죄 혐의의 입증에 사용하
기 위한 적절한 조치를 취하지 않고 피압수자에게 돌려준 경우, 증거인멸죄 및 직무유기죄가
모두 성립하고 위 각 죄는 상상적 경합관계에 있다. ( )
                        19. 경찰간부·7급 검찰, 20. 법원직, 21. 해경 1차, 22. 변호사시험·경력채용, 24. 경찰승진

7 공무상 비밀누설죄의 보호법익은 비밀 그 자체가 아니라 비밀의 누설에 의하여 위협받는 국가
의 기능이다. ( )   17. 9급 검찰·마약수사, 18. 순경 3차, 19. 순경 1차

8 검찰의 고위 간부가 특정 사건에 대한 수사가 계속 중인 상태에서 해당 사안에 관한 수사책임자의
잠정적인 판단 등 수사팀의 내부 상황을 확인한 뒤 그 내용을 수사 대상자 측에 전달한 행위는
공무상 비밀누설에 해당한다. ( )   13. 경찰간부, 20. 순경 2차, 21. 수사경과, 19·23. 경찰승진

9 직권남용권리행사방해죄에서 말하는 '권리'는 법률에 명기된 권리에 한하지 않고 법령상 보호되어
야 할 이익이면 족하고, 그것이 공법상의 권리인지 사법상의 권리인지를 묻지 않는다. ( )
                        18. 경찰간부, 20. 변호사시험, 21. 법원직, 23. 법원행시·해경승진, 24. 경찰승진

Answer ▶ **1.** × **2.** ○ **3.** × **4.** ○ **5.** ○ **6.** × **7.** ○ **8.** ○ **9.** ○

10 '권리행사를 방해한다.' 함은 법령상 행사할 수 있는 권리의 정당한 행사를 방해하는 것을 말한다고 할 것이며, 현실적으로 권리행사의 방해라는 결과가 발생하지 아니하였더라도 직권남용죄의 기수를 인정할 수 있다. ( )   16. 경찰간부, 18. 경찰승진, 20. 변호사시험, 22. 법원직·경력채용

11 '권리행사를 방해함으로 인한 직권남용권리행사방해죄'와 '의무 없는 일을 하게 함으로 인한 직권남용권리행사방해죄'의 두 가지 행위태양에 모두 해당하는 경우, 전자만 성립하고 후자는 따로 성립하지 아니하는 것으로 봄이 상당하다. ( )   19. 경찰승진, 20. 변호사시험, 21. 경찰간부

12 수수된 금품의 뇌물성을 인정하는 데 특별한 청탁이 있어야만 하는 것은 아니고 또한 금품이 직무에 관하여 수수된 것으로 족하고 개개의 직무행위와 대가적 관계에 있을 필요는 없으나, 그 직무행위는 특정된 것이어야 한다. ( )
    17. 경찰간부·9급 검찰·순경 2차, 18. 변호사시험, 19. 법원직, 22. 수사경과·경력채용, 24. 해경승진

13 뇌물공여죄가 성립하기 위해서는 뇌물을 공여하는 행위와 동시에 상대방 측에서도 뇌물수수죄가 성립하여야 한다. ( )   21. 변호사시험·경찰간부·경찰승진, 22. 9급 검찰·마약수사·해경간부·해경 2차

14 음주운전을 적발하여 단속에 관련된 제반 서류를 작성한 후 운전면허 취소업무를 담당하는 직원에게 이를 인계하는 업무를 담당하는 경찰관이 피단속자로부터 운전면허가 취소되지 않도록 하여 달라는 청탁을 받고 금원을 교부받은 경우 뇌물수수죄가 성립한다. ( )
    15. 경찰승진, 16. 순경 2차, 18. 순경 1차, 21. 해경간부·수사경과

15 구 해양수산부 소속 공무원인 피고인이 甲해운회사의 대표이사 등에게서 중국의 선박운항허가 담당부서가 관장하는 중국 국적선사의 선박에 대한 운항허가를 받을 수 있도록 노력해 달라는 부탁을 받고 돈을 받은 경우 뇌물수수죄가 성립한다. ( )   18. 순경 1차, 21. 순경 2차, 22. 해경간부·수사경과

16 공무원이 직무와 관련하여 금품을 수수하였다 하여도 그것이 사교적 의례에 속하는 경우에는 뇌물이 되지 않는다. ( )   14. 법원직, 18. 변호사시험, 19. 순경 1차, 18·21. 순경 2차

17 공무원이 수수·요구 또는 약속한 금품에 그 직무행위에 대한 대가로서의 성질과 직무 외의 행위에 대한 사례로서의 성질이 불가분적으로 결합되어 있는 경우에는, 그 수수·요구 또는 약속한 금품 전부가 불가분적으로 직무행위에 대한 대가로서의 성질을 가진다. ( )   18. 경찰승진, 20. 법원직, 22. 법원행시·수사경과, 23. 7급 검찰

18 뇌물죄에서 뇌물의 내용인 이익이라 함은 금전, 물품 기타의 재산적 이익뿐만 아니라 사람의 수요·욕망을 충족시키기에 족한 일체의 유형·무형의 이익을 포함하지만, 여기에 성적 욕구의 충족은 포함되지 않는다고 보아야 한다. ( )   17. 순경 2차, 18. 순경 1차, 19. 경찰간부·법원직, 22. 법원행시, 24. 경찰승진

19 투기적 사업에 참여하는 행위가 종료된 후 경제사정의 변동 등으로 인하여 당초의 예상과는 달리 그 사업참여로 아무런 이득을 얻지 못한 경우라면 뇌물수수죄는 성립하지 아니한다. ( )   16. 7급 검찰, 17. 9급 검찰·마약수사, 19. 법원직, 22. 해경간부·순경 2차·경력채용

Answer ┤ **10.** × **11.** ○ **12.** × **13.** × **14.** ○ **15.** × **16.** × **17.** ○ **18.** × **19.** ×

20 자동차를 뇌물로 공여한 경우 자동차등록원부에 뇌물수수자가 그 소유자로 등록되지 않았다고 하더라도 자동차의 사실상 소유자로서 자동차에 대한 실질적인 사용 및 처분권한이 있다면 자동차 자체를 뇌물로 취득한 것으로 보아야 한다. (　　)

17. 법원행시 · 경찰승진, 19. 9급 검찰, 21. 변호사시험 · 해경승진, 22. 수사경과 · 7급 검찰 · 경력채용

21 수의계약을 체결하는 공무원이 해당 공사업자와 적정한 금액 이상으로 계약금액을 부풀려서 계약하고 부풀린 금액을 자신이 되돌려 받기로 사전에 약정한 다음 그에 따라 돈을 수수하였다면 수뢰죄가 성립한다. (　　)　　16. 순경 2차, 18. 수사경과, 21. 경찰간부, 23. 변호사시험 · 법원행시 · 경찰승진

22 뇌물수수의 주체는 현재 공무원 또는 중재인의 직에 있는 자에 한정되지만 공무원이 직무와 관련하여 뇌물수수를 약속하고 퇴직 후 이를 수수하는 경우, 양자가 시간적으로 근접하여 연속되어 있다면 뇌물수수죄가 성립할 수 있다. (　　)

19. 7급 검찰, 20. 순경 2차, 21. 경찰간부 · 수사경과, 23. 경찰승진 · 법원직

23 임명권자에 의하여 임용되어 공무에 종사하여 온 사람이 나중에 임용결격자이었음이 밝혀져 당초의 임용행위가 무효인 경우로 밝혀졌다면, 직무에 관하여 뇌물을 수수할 당시 공무원이었다고 할 수 없으므로 수뢰죄로 처벌할 수 없다. (　　)

18. 변호사시험 · 순경 1차 · 9급 검찰 · 7급 검찰 · 철도경찰, 21. 경찰간부 · 경찰승진, 23. 해경간부 · 순경 2차

24 피고인이 먼저 뇌물을 요구하여 증뢰자가 제공하는 돈을 받았다면 그 액수가 피고인이 예상한 것보다 너무 많은 액수여서 후에 이를 모두 반환하였다고 하더라도 뇌물죄의 성립에는 영향이 없다. (　　)　　17 · 19. 법원행시, 20. 해경 2차, 22. 경찰간부

25 뇌물약속죄에 있어서 뇌물의 목적물인 이익은 약속 당시에 현존할 필요는 없고 약속 당시에 예견할 수 있는 것이라도 무방하며, 뇌물의 목적물이 이익인 경우에는 그 가액이 확정되어 있지 않아도 뇌물약속죄가 성립하는 데는 영향이 없다. (　　)

17. 7급 검찰, 18. 법원행시, 18 · 20. 법원직, 21. 경찰승진, 23. 해경승진

26 공무원이 직무집행의 의사 없이 타인을 공갈하여 재물을 교부하게 한 경우에도 재물의 교부자는 뇌물공여죄로 처벌된다. (　　)

16. 경찰승진, 18. 순경 3차, 21. 해경승진, 22. 해경간부 · 해경 2차, 23. 순경 2차

27 횡령 범행으로 취득한 돈을 공범자끼리 수수한 행위가 공동정범들 사이의 범행에 의하여 취득한 돈을 공모에 따라 내부적으로 분배한 것이라면 그 돈의 수수행위에 관하여는 뇌물죄가 성립한다. (　　)　　20 · 21. 법원행시, 21. 법원직, 22. 경찰승진

28 제3자뇌물수수죄에서 제3자란 행위자, 공동정범 그리고 교사자 이외의 사람을 의미하나 방조자는 제3자에 포함될 수 있다. (　　)　　20. 법원행시 · 경찰간부, 21. 경력채용, 22. 변호사시험, 23. 해경승진 · 법원직

29 공무원이 직접 뇌물을 받지 아니하고 증뢰자로 하여금 공무원 자신의 채권자에게 뇌물을 공여하도록 하여 공무원이 그만큼 지출을 면하게 되는 경우에는 뇌물수수죄가 아니라 제3자뇌물제공죄가 성립한다. (　　)　　17. 경찰승진, 18. 변호사시험 · 법원직 · 순경 2차 · 3차, 23. 해경승진 · 해경간부 · 법원직

Answer ◆ **20.** ○　**21.** ×　**22.** ×　**23.** ×　**24.** ○　**25.** ○　**26.** ×　**27.** ×　**28.** ×　**29.** ×

30 알선수뢰죄에서 '공무원이 그 지위를 이용'한다 함은 다른 공무원이 취급하는 사무처리에 영향을 줄 수 있는 관계로는 부족하고, 상하관계·협동관계·감독관계 등의 특수한 지위에 있어야 한다. (   )
16. 변호사시험, 17. 법원행시, 19. 9급 검찰, 23. 경찰간부

31 알선뇌물요구(수수)죄가 성립하려면 알선할 사항이 다른 공무원의 직무에 속하는 사항으로서 뇌물요구(수수)의 명목이 그 사항의 알선에 관련된 것임이 어느 정도 구체적으로 나타나야 하므로, 뇌물을 요구할 당시 상대방에게 알선에 의하여 해결을 도모하여야 할 현안이 존재할 것을 요한다. (   )
15. 경찰간부·법원직, 17·18. 법원행시, 19. 9급 검찰, 21. 순경 1차

32 알선뇌물수수죄와 관련하여 상대방으로 하여금 뇌물을 수수하는 자에게 잘 보이면 어떤 도움을 받을 수 있다거나 손해를 입을 염려가 없다는 정도의 막연한 기대감을 갖게 하고, 뇌물을 수수하는 자 역시 상대방이 그러한 기대감을 가질 것이라고 짐작하면서 수수하였다면 알선뇌물수수죄가 성립한다. (   )
18. 법원행시, 19. 9급 검찰, 21. 경찰승진, 22. 변호사시험

33 증뢰물전달죄는 제3자가 증뢰자로부터 교부받은 금품을 수뢰할 사람에게 전달하였는지 여부에 관계없이 제3자가 그 정을 알면서 금품을 교부받음으로써 성립한다. (   )
16. 경찰간부, 18. 순경 2차, 20. 해경 3차

34 수뢰자가 자기앞수표를 뇌물로 받아 이를 소비한 후 자기앞수표 상당액을 증뢰자에게 반환하였다면 증뢰자로부터 그 가액을 추징하여야 한다. (   ) 20. 경찰승진·해경 3차, 21. 해경승진, 23. 7급 검찰

35 배임수재자가 배임증재자에게서 무상으로 빌린 물건을 인도받아 사용하던 중 공무원이 되었고, 배임증재자가 뇌물공여 의사를 밝히면서 배임수재자가 물건을 계속 사용하도록 한 경우 처음에 정한 사용기간을 연장해 주는 등 새로운 이익을 제공한 것으로 평가할 만한 사정이 없다면 뇌물공여죄가 성립하지 않는다. (   )
16. 사시·법원행시, 17. 법원직, 20. 경찰승진

36 뇌물을 수수한 자가 공동수수자가 아닌 교사범 또는 종범에게 뇌물 중 일부를 사례금 등의 명목으로 교부하였다면 이는 뇌물을 수수하는 데 따르는 부수적 비용의 지출 또는 뇌물의 소비행위에 지나지 아니하므로, 뇌물수수자에게서 수뢰액 전부를 추징하여야 한다. (   )
18. 변호사시험·순경 2차, 21. 7급 검찰, 19·22. 법원행시, 23. 해경간부

37 공무원이 직무에 관하여 금전을 무이자로 차용한 경우에는 차용 당시에 금융이익 상당의 뇌물을 수수한 것으로 보아야 하므로, 공소시효는 금전을 무이자로 차용한 때로부터 기산한다.
(   )
16. 경찰승진, 19. 경찰간부·7급 검찰, 21. 변호사시험, 22. 해경간부·해경 2차

38 뇌물에 공할 금품이 특정되지 않았던 것은 몰수할 수는 없지만 그 가액을 추징할 수는 있다.
(   )
18. 변호사시험, 20. 수사경과, 22·24. 경찰승진

39 뇌물을 수수한 공무원이 뇌물을 받는 데에 필요한 경비를 지출한 경우 그 경비는 뇌물수수의 부수적 비용이므로 뇌물의 가액과 추징액에서 공제할 항목에 해당된다. (   )
17. 7급 검찰·법원행시, 18. 경찰간부, 22. 변호사시험, 23. 해경승진·경력채용

Answer ▸   **30.** ×   **31.** ×   **32.** ×   **33.** ○   **34.** ×   **35.** ○   **36.** ○   **37.** ○   **38.** ×   **39.** ×

02 기출문제

01 직무유기죄에 대한 설명으로 가장 적절하지 않은 것은?(다툼이 있으면 판례에 의함)   21. 경찰승진

① 교육기관·교육행정기관·지방자치단체 또는 교육연구기관의 장이 징계의결을 집행하지 못할 법률상·사실상의 장애가 없는데도 징계의결서를 통보받은 날로부터 법정 시한이 지나도록 집행을 유보하는 모든 경우에 직무유기죄가 성립한다.

② 당직사관으로 주번근무를 하던 육군 중위가 당직근무를 함에 있어서 훈육관실에서 학군사관후보생 2명과 함께 술을 마시고 내무반에서 학군사관후보생 2명 및 애인 등과 함께 화투놀이를 한 다음 애인과 함께 자고 난 뒤 교대할 당직근무자에게 당직근무의 인계, 인수도 하지 아니한 채 퇴근하였다면 직무유기죄가 성립한다.

③ 직무유기라 함은 공무원이 법령, 내규 등에 의한 추상적인 충근의무를 태만히 하는 일체의 경우를 이르는 것이 아니고, 직장의 무단이탈, 직무의 의식적인 포기 등과 같이 그것이 국가의 기능을 저해하며 국민에게 피해를 야기시킬 가능성이 있는 경우를 말한다.

④ 경찰관이 불법체류자의 신병을 출입국관리사무소에 인계하지 않고 훈방하면서 이들의 인적사항조차 기재해 두지 아니하였다면 직무유기죄가 성립한다.

> **해설** ① ×: 교육기관 등의 장이 징계의결을 집행하지 못할 법률상·사실상의 장애가 없는데도 징계의결서를 통보받은 날로부터 법정 시한이 지나도록 집행을 유보하는 모든 경우에 직무유기죄가 성립하는 것은 아니고, 그 유보가 의식적인 직무의 방임이나 포기에 해당한다고 볼 수 있는 경우에만 직무유기죄가 성립한다(대판 2014.4.10, 2013도229).
> ② 대판 1990.12.21, 90도2425 ③ 대판 2009.3.26, 2007도7725 ④ 대판 2008.2.14, 2005도4202

02 직무유기죄에 관한 설명 중 옳지 않은 것은?(다툼이 있는 경우 판례에 의함)   22. 변호사시험·해경 2차

① 경찰공무원이 지명수배 중인 범인을 발견하고도 직무상 의무에 따른 적절한 조치를 취하지 아니하고 오히려 범인을 도피하게 하는 행위를 하였다면, 범인도피죄만 성립하고 직무유기죄는 따로 성립하지 않는다.

② 직무유기죄는 작위의무를 수행하지 아니함으로써 구성요건에 해당하는 사실이 있었고 그 후에도 계속하여 그 작위의무를 수행하지 아니하는 위법한 부작위상태가 계속되는 한 가벌적 위법상태는 계속 존재하고 있다고 할 것이므로, 즉시범이라 할 수 없다.

③ 하나의 행위가 부작위범인 직무유기죄와 작위범인 허위공문서작성·행사죄의 구성요건을 동시에 충족하는 경우, 공소제기권자가 작위범인 허위공문서작성·행사죄로 공소를 제기하지 아니하고 부작위범인 직무유기죄로만 공소를 제기할 수는 없다.

Answer 01. ① 02. ③

④ 지방자치단체장이 전국공무원노동조합이 주도한 파업에 참가한 소속 공무원들에 대하여 관할 인사위원회에 징계의결요구를 하지 아니하고 가담 정도의 경중을 가려 자체 인사위원회에 징계의결요구를 하거나 훈계처분을 하도록 지시한 행위는 직무유기죄를 구성하지 않는다.
⑤ 경찰서 방범과장 甲이 부하직원 乙로부터 게임산업진흥에 관한 법률위반 혐의로 오락실을 단속하여 증거물로 오락기의 변조 기판을 압수하여 사무실에 보관 중임을 보고받아 알고 있었음에도, 증거를 인멸할 의도로 乙에게 압수한 변조 기판을 돌려주라고 지시하여 乙이 오락실 업주에게 이를 돌려준 경우, 甲에게 증거인멸죄만 성립하고 직무유기죄는 따로 성립하지 아니한다.

해설 ① 대판 2017.3.15, 2015도1456 ② 대판 1997.8.29, 97도675(∴ 계속범)
③ ✕ : ~ 공소를 제기할 수 있다(대판 2008.2.14, 2005도4202).
④ 대판 2007.7.12, 2006도1390 ⑤ 대판 2006.10.19, 2005도3909 전원합의체

03 직무유기죄에 관한 설명 중 가장 옳지 않은 것은?(다툼이 있는 경우 판례에 의함)　23. 법원행시
① 직무유기죄는 공무원이 법령·내규 등에 의한 추상적 충근의무를 태만히 하는 일체의 경우에 성립하는 것이 아니라, 직무의 의식적인 포기 등과 같이 국가의 기능을 저해하고 국민에게 피해를 야기시킬 구체적 위험성이 있고 불법과 책임비난의 정도가 높은 법익침해의 경우에 한하여 성립한다.
② 병가중인 자의 경우 구체적인 작위의무 내지 국가기능의 저해에 대한 구체적인 위험성이 있다고 할 수 없어 직무유기죄의 주체로 될 수는 없으나, 다른 직무유기죄의 정범과 공범관계가 성립하는 데에는 지장이 없다.
③ 형법 제122조 후단 소정의 직무유기죄는 소위 부진정 부작위범으로서 그 작위의무를 수행하지 아니하여 구성요건에 해당하는 사실이 있었고 그 후에도 계속하여 그 작위의무를 수행하지 아니하는 위법한 부작위 상태가 계속하는 한 가벌적 위법상태는 계속 존재하고 있다.
④ 무단이탈로 인한 직무유기죄 성립 여부는 결근 사유와 기간, 담당하는 직무의 내용과 적시 수행 필요성, 결근으로 직무수행이 불가능한지, 결근 기간에 국가기능의 저해에 대한 구체적인 위험이 발생하였는지 등을 종합적으로 고려하여 신중하게 판단해야 한다.
⑤ 통고처분이나 고발을 할 권한이 없는 세무공무원이 그 권한자에게 범칙사건조사 결과에 따른 통고처분이나 고발조치를 건의하는 등의 조치를 취하지 않았다면, 이는 자신의 직무를 저버린 행위로서 국가의 기능을 저해하며 국민에게 피해를 야기시킬 가능성이 있어 직무유기죄에 해당한다.

해설 ① 대판 2014.4.10, 2013도229 ② 대판 1997.4.22, 95도748
③ 대판 1997.8.29, 97도675 ④ 대판 2022.6.30, 2021도8361
⑤ ✕ : ~ (2줄) 취하지 않았다고 하더라도, 구체적 사정에 비추어 그것이 직무를 성실히 수행하지 못한 것이라고 할 수 있을지언정 그 직무를 의식적으로 방임 내지 포기하였다고 볼 수 없다(대판 1997.4.11, 96도2753 ∴ 직무유기죄 ✕).

Answer　03. ⑤

04 공무원의 직무에 관한 죄에 대한 설명으로 가장 적절하지 않은 것은?(다툼이 있는 경우 판례에 의함)

23. 순경 2차

① 공무원이 태만이나 착각 등으로 인하여 직무를 성실히 수행하지 않은 경우 또는 직무를 소홀하게 수행하였기 때문에 성실한 직무수행을 못한 데 지나지 않는 경우에는 직무유기죄가 성립하지 않는다.

② 경찰공무원이 지명수배 중인 범인을 발견하고도 직무상 의무에 따른 적절한 조치를 취하지 아니하고 오히려 범인을 도피하게 하는 행위를 하였다면, 범인도피죄만 성립하고 직무유기죄는 따로 성립하지 않는다.

③ 공무상 비밀누설죄는 공무원 또는 공무원이었던 자가 법령에 의한 직무상 비밀을 누설하는 것을 구성요건으로 하고 있는바, 여기서 '법령에 의한 직무상 비밀'이란 법령에 의하여 비밀로 규정되었거나 비밀로 분류 명시된 사항에 한정된다.

④ 통고처분이나 고발을 할 권한이 없는 세무공무원이 그 권한자에게 범칙사건 조사 결과에 따른 통고처분이나 고발조치를 건의하는 등의 조치를 취하지 않았다고 하더라도, 구체적 사정에 비추어 그것이 직무를 성실히 수행하지 못한 것이라고 할 수 있을지 언정 그 직무를 의식적으로 방임 내지 포기하였다고 볼 수 없다.

해설 ① 대판 2022.6.30, 2021도8361 ② 대판 2017.3.15, 2015도1456
③ × : ~ (3줄) 명시된 사안에 국한되지 않는다(대판 1996.5.10, 95도780). ④ 대판 1997.4.11, 96도2753

05 직권남용권리행사방해죄에 관한 설명 중 가장 적절한 것은?(다툼이 있는 경우 판례에 의함)

19. 수사경과

① 직권남용은 공무원이 그의 일반적 권한에 속하지 않는 행위를 하는 경우인 지위를 이용한 불법행위와는 구별되며, 직권남용죄에서 말하는 '의무'란 법률상 의무를 가리킨다.

② 직권남용죄는 공무원이 그 일반적 직무권한에 속하는 사항에 관하여 직권의 행사에 가탁하여 실질적, 구체적으로 위법·부당한 행위를 한 경우에 성립하고, 그 일반적 직무권한은 반드시 법률상의 강제력을 수반하는 것임을 요한다.

③ '권리행사를 방해한다.'함은 법령상 행사할 수 있는 권리의 정당한 행사를 방해하는 것을 말한다고 할 것이며, 현실적으로 권리행사의 방해라는 결과가 발생하지 아니하였더라도 직권남용죄의 기수를 인정할 수 있다.

④ 상급 경찰관이 직권을 남용하여 부하 경찰관들의 수사를 중단시키거나 사건을 다른 경찰관서로 이첩하게 한 경우 '의무 없는 일을 하게 함으로 인한 직권남용권리행사방해죄'가 성립한다.

해설 ① ○ : 대판 1991.12.27, 90도2800
② × : ~ 수반하는 것임을 요하지 아니한다(대판 2004.5.27, 2002도6251).
③ × : ~ (2줄) 발생하지 아니하였다면 ~ 없다(대판 2008.12.24, 2007도9287).
④ × : ~ 경우, '권리행사를 방해함으로 인한 직권남용권리행사방해죄'만 성립하고 '의무 없는 일을 하게 함으로 인한 직권남용권리행사방해죄'는 따로 성립하지 아니한다(대판 2010.1.28, 2008도7312).

Answer **04.** ③ **05.** ①

06 직권남용죄에 관한 설명 중 가장 옳지 않은 것은?(다툼이 있는 경우 판례에 의함)   21. 법원직

① 어떠한 직무가 공무원의 일반적 직무권한에 속하는 사항이라고 하기 위해서는 그에 관한 법령상 근거가 필요하다. 법령상 근거는 반드시 명문의 규정만을 요구하는 것이 아니라 명문의 규정이 없더라도 법령과 제도를 종합적, 실질적으로 살펴보아 그것이 해당 공무원의 직무권한에 속한다고 해석되고, 이것이 남용된 경우 상대방으로 하여금 사실상 의무 없는 일을 하게 하거나 권리를 방해하기에 충분한 것이라고 인정되는 경우에는 직권남용죄에서 말하는 일반적 직무권한에 포함된다.

② 공무원이 한 행위가 직권남용에 해당한다고 하여 그러한 이유만으로 상대방이 한 일이 '의무 없는 일'에 해당한다고 인정할 수는 없다.

③ 직권남용 행위의 상대방이 일반 사인인 경우 특별한 사정이 없는 한 '의무 없는 일'에 해당하는지는 직권을 남용하였는지와 별도로 그에게 그러한 일을 할 법령상 의무가 있는지를 살펴 개별적으로 판단하여야 한다.

④ 남용에 해당하는가를 판단하는 기준은 구체적인 공무원의 직무행위가 본래 법령에서 그 직권을 부여한 목적에 따라 이루어졌는지, 직무행위가 행해진 상황에서 볼 때 필요성·상당성이 있는 행위인지, 직권행사가 허용되는 법령상의 요건을 충족했는지 등을 종합하여 판단하여야 한다.

해설 ① 대판 2019.3.14, 2018도18646
② 대판 2020.1.30, 2018도2236 전원합의체
③ × : 직권남용 행위의 상대방이 일반 사인인 경우 특별한 사정이 없는 한 직권에 대응하여 따라야 할 의무가 없으므로 그에게 어떠한 행위를 하게 하였다면 '의무 없는 일을 하게 한 때'에 해당할 수 있다. 그러나 상대방이 공무원이거나 법령에 따라 일정한 공적 임무를 부여받고 있는 공공기관 등의 임직원인 경우에는 법령에 따라 임무를 수행하는 지위에 있으므로 그가 직권에 대응하여 어떠한 일을 한 것이 의무 없는 일인지 여부는 관계 법령 등의 내용에 따라 개별적으로 판단하여야 한다(대판 2020.1.30, 2018도2236 전원합의체).
④ 대판 2020.1.30, 2018도2236 전원합의체

07 형법 제123조 직권남용죄에 대한 설명으로 옳지 않은 것은?(다툼이 있는 경우 판례에 의함)
23. 7급 검찰

① 직권남용죄가 성립하기 위해서는 현실적으로 다른 사람이 의무 없는 일을 하였거나 다른 사람의 구체적인 권리행사가 방해되는 결과가 발생하여야 하며, 또한 그 결과의 발생은 직권남용 행위로 인한 것이어야 한다.

② 직권남용은 공무원이 그의 일반적 권한에 속하는 사항에 관하여 그것을 불법하게 행사하는 것, 즉 형식적·외형적으로는 직무집행으로 보이나 실질적으로는 정당한 권한 외의 행위를 하는 경우를 의미한다.

③ 직권남용죄에 있어 의무 없는 일에 해당하는지는 직권을 남용하였는지와 별도로 상대방이 그러한 일을 할 법령상 의무가 있는지를 살펴 개별적으로 판단하여야 한다.

Answer   06. ③   07. ④

④ 직무집행의 기준과 절차가 법령에 구체적으로 명시되어 있고 실무 담당자에게도 직무집행의 기준을 적용하고 절차에 관여할 고유한 권한과 역할이 부여되어 있다면 공무원이 실무 담당자로 하여금 그러한 기준과 절차를 위반하여 직무집행을 보조하게 한 경우에는 '의무 없는 일을 하게 한 때'에 해당한다고 할 수 없으나, 공무원이 자신의 직무권한에 속하는 사항에 관하여 실무 담당자로 하여금 그 직무집행을 보조하는 사실행위를 하도록 하였다면 원칙적으로 '의무 없는 일을 하게 한 때'에 해당한다.

해설 ① 대판 2020.1.30, 2018도2236 전원합의체
② 대판 1991.12.27, 90도2800
③ 대판 2020.2.13, 2019도5186
④ × : ~ (4줄) '의무 없는 일을 하게 한 때'에 해당하나, 공무원이 자신의 직무권한에 속하는 사항에 관하여 실무 담당자로 하여금 그 직무집행을 보조하는 사실행위를 하도록 하였다면 원칙적으로 '의무 없는 일을 하게 한 때'에 해당한다고 할 수 없다(대판 2019.3.14, 2018도18646).

08 직권남용권리행사방해죄에 관한 설명으로 가장 적절하지 않은 것은?(다툼이 있는 경우 판례에 의함)
24. 경찰승진

① 직권남용권리행사방해죄에서 말하는 '권리'는 공법상의 권리인지 사법상의 권리인지를 묻지 않는다.
② 공무원이 자신의 직무권한에 속하는 사항에 관하여 실무담당자로 하여금 그 직무집행을 보조하는 사실행위를 하도록 하더라도 이는 공무원 자신의 직무집행으로 귀결될 뿐이므로 원칙적으로 직권남용죄에서 말하는 '의무 없는 일을 하게 한 때'에 해당한다고 할 수 없다.
③ 직권남용권리행사방해죄는 추상적 위험범으로 공무원이 직권을 남용하는 행위를 하면 곧바로 성립하고, 직권을 남용하여 현실적으로 다른 사람이 법령상 의무 없는 일을 하게 하였거나 다른 사람의 구체적인 권리행사를 방해하는 결과가 발생하여야 하는 것은 아니다.
④ 직권남용권리행사방해죄에서 공무원이 직무와는 상관없이 단순히 개인적인 친분에 근거하여 문화예술 활동에 대한 지원을 권유하거나 협조를 의뢰한 것에 불과한 경우에는 직권남용에 해당하지 않는다.

해설 ① 대판 2010.1.28, 2008도7312
② 대판 2019.3.14, 2018도18646
③ × : 직권남용권리행사방해죄는 단순히 공무원이 직권을 남용하는 행위를 하였다는 것만으로 곧바로 성립하는 것이 아니다. 직권을 남용하여 현실적으로 다른 사람이 법령상 의무 없는 일을 하게 하였거나 다른 사람의 구체적인 권리행사를 방해하는 결과가 발생하여야 하고, 그 결과의 발생은 직권남용 행위로 인한 것이어야 한다(대판 2020.1.30, 2018도2236 전원합의체).
④ 대판 2009.1.30, 2008도6950

Answer 08. ③

09 공무원의 직무에 관한 죄에 대한 설명으로 가장 적절하지 않은 것은?(다툼이 있는 경우 판례에 의함)

22. 경찰승진

① 공무원이 어떠한 위법사실을 발견하고도 직무상 의무에 따른 적절한 조치를 취하지 아니하고 위법사실을 적극적으로 은폐할 목적으로 허위공문서를 작성·행사한 경우에는 허위공문서작성죄 및 동행사죄 이외에도 직무유기죄가 성립한다.

② 명문의 규정이 없더라도 법령과 제도를 종합적, 실질적으로 살펴보아 그것이 해당 공무원의 직무권한에 속한다고 해석되고, 이것이 남용된 경우 상대방으로 하여금 사실상 의무 없는 일을 하게 하거나 권리를 방해하기에 충분한 것이라고 인정되는 경우는 직권남용죄에서 말하는 일반적 직무권한에 포함된다.

③ 직권남용 행위의 상대방이 일반 사인인 경우 특별한 사정이 없는 한 직권에 대응하여 따라야 할 의무가 없으므로 그에게 어떠한 행위를 하게 하였다면 직권남용권리행사방해죄의 '의무 없는 일을 하게 한 때'에 해당할 수 있다.

④ 공무상 비밀누설죄에서 말하는 '비밀'이란 실질적으로 그것을 비밀로서 보호할 가치가 있다고 인정할 수 있는 것이어야 한다.

해설 ① × : 허위공문서작성죄 및 동행사죄 ○, 직무유기죄 ×(대판 1982.12.28, 82도2210)
② 대판 2019.3.14, 2018도18646
③ 대판 2020.1.30, 2018도2236 전원합의체
④ 대판 1996.5.10, 95도780

10 공무원의 직무에 관한 죄의 설명 중 가장 적절하지 않은 것은?(다툼이 있는 경우 판례에 의함)

22. 순경 2차

① 지방자치단체의 장이 미리 승진후보자명부상 후보자들 중에서 승진대상자를 실질적으로 결정한 다음, 그 내용을 인사위원회 간사, 서기 등을 통해 인사위원회 위원들에게 '승진대상자 추천'이라는 명목으로 제시하여 인사위원회로 하여금 자신이 특정한 후보자들을 승진대상자로 의결하도록 유도하는 행위는 직권남용권리행사방해죄의 구성요건인 '직권의 남용' 및 '의무 없는 일을 하게 한 경우'로 볼 수 있다.

② 공무원이 직무상 알게 된 비밀을 그 직무와의 관련성 혹은 필요성에 기하여 해당 직무의 집행과 관련 있는 다른 공무원에게 직무집행의 일환으로 전달한 경우, 국가기능에 위험이 발생하리라고 볼 만한 특별한 사정이 인정되지 않는 한, 그 행위는 비밀의 누설에 해당하지 아니한다.

③ 직무집행의 의사로 자신의 직무를 수행한 경우에는 그 직무집행의 내용이 위법한 것으로 평가된다는 점만으로 직무유기죄의 성립을 인정할 것은 아니고, 공무원이 태만·분망 또는 착각 등으로 인하여 직무를 성실히 수행하지 아니한 경우나 형식적으로 또는 소홀히 직무를 수행한 탓으로 적절한 직무수행에 이르지 못한 것에 불과한 경우에도 직무유기죄는 성립하지 아니한다.

Answer 09. ① 10. ①

④ 경찰관들이 현행범으로 체포한 도박혐의자들에게 현행범인체포서 대신에 임의동행동의서를 작성하게 하고, 그나마 제대로 조사도 하지 않은 채 석방하였으며, 압수한 일부 도박자금에 관하여 압수조서 및 목록도 작성하지 않은 채 반환하고, 일부 도박혐의자의 명의도용 사실과 도박 관련 범죄로 수회 처벌받은 전력을 확인하고서도 아무런 추가조사도 없이 석방한 경우, 그 경찰관들에게는 직무유기죄가 성립한다.

해설 ① × : ~ 볼 수 없다〔대판 2020.12.10, 2019도17879 ∵ 지방공무원법령상 임용권자(기장군수)는 인사위원회의 사전심의 결과에 구속되지 않으며 최종적으로 승진임용대상자를 결정할 권한은 임용권자에게 있으므로, 임용권자의 직권을 남용하거나 인사위원회 위원들에게 의무 없는 일을 하게 한 경우로는 볼 수 없다〕. ② 대판 2021.11.25, 2021도2486 ③ 대판 2014.4.10, 2013도229 ④ 대판 2010.6.24, 2008도11226

11 공무원의 직무에 관한 죄에 대한 설명 중 가장 적절하지 않은 것은?(다툼이 있는 경우 판례에 의함)
23. 경찰승진

① 교육기관의 장이 징계의결을 집행하지 못할 법률상·사실상 장애가 없는데도 징계의결서를 통보받은 날로부터 법정 시한이 지나도록 집행을 유보하는 것이 직무에 관한 의식적인 방임이나 포기에 해당한다고 볼 수 있는 경우 직무유기죄가 성립하지 않는다.
② 직권남용권리행사방해죄는 직권을 남용하여 현실적으로 다른 사람이 법령상 의무 없는 일을 하게 하였거나 다른 사람의 구체적인 권리행사를 방해하는 결과가 발생하여야 하고, 그 결과의 발생은 직권남용 행위로 인한 것이어야 한다.
③ 경찰관이 파출소로 연행되어 온 불법체류자의 신병을 출입국관리사무소에 인계하지 않고 훈방하면서 이들의 인적 사항조차 기재해 두지 않은 경우 직무유기죄가 성립한다.
④ 검찰의 고위간부가 특정사건에 대한 수사가 진행 중인 상태에서 해당 사안에 관한 수사책임자의 잠정적인 판단과 같은 수사팀의 내부 상황을 확인한 뒤 그 내용을 수사 대상자 측에 전달한 경우 공무상 비밀누설죄가 성립한다.

해설 ① × : ~ 직무유기죄가 성립한다(대판 2014.4.10, 2013도229).
② 대판 2020.1.30, 2018도2236 전원합의체
③ 대판 2008.2.14, 2005도4202 ④ 대판 2007.6.14, 2004도5561

12 공무원의 직무에 관한 죄에 대한 설명으로 가장 적절하지 않은 것은?(다툼이 있는 경우 판례에 의함)
21. 순경 2차

① (구)해양수산부 해운정책과 소속 공무원이 해운회사의 대표이사에게 중국의 선박운항 허가 담당부서가 관장하는 중국 국적선사의 선박에 대한 운항허가를 받을 수 있도록 노력해 달라는 부탁을 받고 돈을 받은 경우에는 직무관련성이 없어 뇌물수수죄가 성립하지 아니한다.
② 국회의원이 대한치과의사협회로부터 요청받은 자료를 제공하고 그 대가로서 후원금 명목으로 금원 1,000만원을 교부받은 경우에는 직무관련성이 있어 뇌물수수죄가 성립한다.

Answer 11. ① 12. ④

③ 공무원이 어촌계장에게 선물을 받을 명단을 보내 자신의 이름으로 새우젓을 택배로 발송하게 하고, 그 대금을 지급하지 않는 방법으로 직무에 관하여 뇌물을 받은 경우에는 공여자와 수뢰자 사이에 직접 금품이 수수되지 않았더라도 뇌물공여죄 및 뇌물수수죄가 성립한다.
④ 공무원이 직무의 대상이 되는 사람으로부터 사교적 의례의 형식을 빌어 금품을 주고 받은 것이 개인적인 친분관계가 있어서 교분상의 필요에 의한 것이라고 명백하게 인정할 수 있는 경우라도 직무관련성이 있어 뇌물공여죄 및 뇌물수수죄가 성립한다.

해설 ① 대판 2011.5.26, 2009도2453 ② 대판 2009.5.14, 2008도8852 ③ 대판 2020.9.24, 2017도12389
④ × : 공무원이 그 직무의 대상이 되는 사람으로부터 금품 기타 이익을 받은 때에는 그것이 그 사람이 종전에 공무원으로부터 접대 또는 수수받은 것을 갚는 것으로서 사회상규에 비추어 볼 때에 의례상의 대가에 불과한 것이라고 여겨지거나, 개인적인 친분관계가 있어서 교분상의 필요에 의한 것이라고 명백하게 인정할 수 있는 경우 등 특별한 사정이 없는 한 직무와의 관련성이 없는 것으로 볼 수 없고, 공무원의 직무와 관련하여 금품을 수수하였다면 비록 사교적 의례의 형식을 빌어 금품을 주고 받았다 하더라도 그 수수한 금품은 뇌물이 된다(대판 2000.1.21, 99도4940).

13 뇌물죄에 대한 설명으로 가장 적절하지 않은 것은?(다툼이 있는 경우 판례에 의함) 22. 경찰승진
① 뇌물을 요구하여 증뢰자가 제공하는 뇌물을 영득의 의사로 수령하였으나 그 액수가 예상한 것보다 너무 많은 액수여서 후에 예상을 초과한 액수를 반환하였다면 반환한 부분에 대해서는 뇌물죄가 성립하지 않는다.
② 뇌물죄에서 뇌물의 내용인 이익이라 함은 금전, 물품 기타의 재산적 이익뿐만 아니라 사람의 수요·욕망을 충족시키기에 족한 일체의 유형·무형의 이익을 포함하며 성적 욕구의 충족도 포함될 수 있다.
③ 타인을 기망하여 뇌물을 수수한 경우, 뇌물을 수수한 공무원에 대하여는 뇌물죄와 사기죄의 상상적 경합범이 성립한다.
④ 뇌물죄에서 말하는 '직무'에는 과거에 담당하였거나 장래에 담당할 직무 외에 사무분장에 따라 현실적으로 담당하지 않는 직무라도 법령상 일반적인 직무권한에 속하는 직무 등 공무원이 그 직위에 따라 공무로 담당할 일체의 직무를 포함한다.

해설 ① × : 반환한 부분에 대해서도 뇌물죄가 성립한다(대판 2007.3.29, 2006도9182).
② 대판 2014.1.29, 2013도13937 ③ 대판 1977.6.7, 77도1069 ④ 대판 2003.6.13, 2003도1060

14 수뢰죄에 대한 설명으로 옳지 않은 것은?(다툼이 있는 경우 판례에 의함) 22. 7급 검찰
① 공무원이 직무와 관련하여 뇌물수수를 약속하고 퇴직 후 이를 수수한 경우, 뇌물약속과 뇌물수수가 시간상으로 근접하여 연속되어 있다고 하더라도 뇌물수수죄는 성립하지 않는다.
② 공무원이 비공무원과 모의하여 그 직무와 관련하여 금품이나 이익을 수수함으로써 그 전부에 관하여 뇌물수수죄의 공동정범이 성립하였다면 뇌물의 성질상 비공무원이 사용하거나 소비할 것이라고 하더라도 이러한 사정은 뇌물수수죄가 성립하는 데 영향이 없다.

Answer 13. ① 14. ③

③ 뇌물공여자가 오로지 공무원을 함정에 빠뜨릴 의사로 직무와 관련되었다는 형식을 빌려 그 공무원에게 금품을 공여하였다면 공무원이 그 금품을 직무와 관련하여 수수한다는 의사를 가지고 받았더라도 뇌물수수죄가 성립하지 않는다.

④ 뇌물수수자가 법률상 소유권 취득의 요건을 갖추지 않았더라도 뇌물로 제공된 물건에 대한 점유를 취득하고 뇌물공여자 또는 법률상 소유자로부터 반환을 요구받지 않는 관계에 이른 경우에는 그 물건에 대한 실질적인 사용·처분권한을 갖게 되어 그 물건 자체를 뇌물로 받은 것으로 보아야 한다.

> 해설 ① 대판 2008.2.1, 2007도5190
> ② 대판 2019.8.29, 2018도2738 전원합의체
> ③ × : ~ (3줄) 가지고 받았더라면 뇌물수수죄가 성립한다(대판 2008.3.13, 2007도10804).
> ④ 대판 2006.4.27, 2006도735

15 뇌물죄에 관한 설명 중 가장 적절하지 않은 것은?(다툼이 있는 경우 판례에 의함) 　　17. 경찰승진

① 공무원이 직접 뇌물을 받지 아니하고 증뢰자로 하여금 공무원 자신의 채권자에게 뇌물을 공여하도록 하여 공무원이 그만큼 지출을 면하게 된 경우에는 뇌물수수죄가 아니라 제3자뇌물제공죄가 성립한다.

② 수의계약을 체결하는 공무원이 해당 공사업자와 적정한 금액 이상으로 계약금액을 부풀려서 계약하고 부풀린 금액을 자신이 되돌려 받기로 사전에 약정한 다음 그에 따라 수수한 돈은 성격상 뇌물이 아니고 횡령금에 해당한다.

③ 자동차를 뇌물로 공여한 경우 자동차등록원부에 뇌물수수자가 그 소유자로 등록되지 않았다고 하더라도 자동차의 사실상 소유자로서 자동차에 대한 실질적인 사용 및 처분권한이 있다면 자동차 자체를 뇌물로 취득한 것으로 보아야 한다.

④ 공무원이 수수한 뇌물가액이 3천만원 이상이면 특정범죄 가중처벌 등에 관한 법률이 적용된다.

> 해설 ① × : 단순수뢰죄 ○, 제3자뇌물제공죄 ×(대판 2002.4.9, 2001도7056)
> ② 대판 2007.10.12, 2005도7112 ③ 대판 2006.4.27, 2006도735
> ④ 특정범죄 가중처벌 등에 관한 법률 제2조

16 뇌물죄와 관련된 설명 중 가장 옳지 않은 것은?(다툼이 있는 경우 판례에 의함) 　　20. 경찰간부

① 뇌물수수의 공범자들 사이에 직무와 관련하여 금품이나 이익을 수수하기로 하는 명시적 또는 암묵적 공모관계가 성립하고 공모 내용에 따라 공범자 중 1인이 금품이나 이익을 수수하였다면 수수한 금품이나 이익 전부에 관하여 뇌물수수죄의 공모공동정범이 성립할 수 있다.

② 공무원이 직무관련자에게 제3자와 계약을 체결하도록 요구하여 계약 체결을 하게 한 행위가 제3자뇌물수수죄의 구성요건과 직권남용권리행사방해죄의 구성요건에 모두 해당하는 경우 두 범죄는 상상적 경합관계에 있다.

Answer　15. ①　16. ③

③ 제3자뇌물수수죄에서 제3자란 행위자, 공동정범 그리고 교사자 이외의 사람을 의미하나 방조자는 제3자에 포함될 수 있다.

④ 공무원 또는 중재인이 부정한 청탁을 받고 제3자에게 뇌물을 제공하게 하고 제3자가 그러한 공무원 또는 중재인의 범죄행위를 알면서 방조한 경우에는 그에 대한 별도의 처벌규정이 없더라도 방조범에 관한 형법총칙의 규정이 적용되어 제3자뇌물수수방조죄가 인정될 수 있다.

해설 ① 대판 2014.12.24, 2014도10199

② 대판 2017.3.15, 2016도19659

③ × ④ ○ : 제3자뇌물수수죄에서 제3자란 행위자와 공동정범 이외의 사람을 말하고, 교사자나 방조자도 포함될 수 있다. 그러므로 공무원 또는 중재인이 부정한 청탁을 받고 제3자에게 뇌물을 제공하게 하고 제3자가 그러한 공무원 또는 중재인의 범죄행위를 알면서 방조한 경우에는 그에 대한 별도의 처벌규정이 없더라도 방조범에 관한 형법총칙의 규정이 적용되어 제3자뇌물수수방조죄가 인정될 수 있다(대판 2017.3.15, 2016도19659).

17 다음 설명 중 가장 옳은 것은?(다툼이 있는 경우 판례에 의함)   21. 법원행시

① 횡령 범행으로 취득한 돈을 공범자끼리 수수한 행위가 공동정범들 사이의 범행에 의하여 취득한 돈을 공모에 따라 내부적으로 분배한 것이라면 그 돈의 수수행위에 관하여는 뇌물죄가 성립한다.

② 뇌물의 수수 등을 할 당시 이미 공무원의 지위를 떠난 경우라도 형법 제129조 제1항의 수뢰죄로 처벌할 수 있다.

③ 공무원과 공동정범 관계에 있는 비공무원은 제3자뇌물수수죄에서 말하는 제3자가 될 수 없고, 공무원과 공동정범 관계에 있는 비공무원이 뇌물을 받은 경우에는 공무원과 함께 뇌물수수죄의 공동정범이 성립하고 제3자뇌물수수죄는 성립하지 않는다.

④ 한국환경공단은 환경부장관의 위탁을 받아 건설폐기물 인계·인수에 관한 내용 등의 전산처리를 위한 전자정보처리프로그램인 올바로시스템을 구축·운영하고 있으므로, 그 업무를 수행하는 한국환경공단 임직원은 공전자기록의 작성권한자인 공무원에 해당하고, 한국환경공단은 공무소에 해당한다.

⑤ 공무원이 부정한 청탁을 받고 제3자에게 뇌물을 제공하게 하고 제3자가 그러한 공무원의 범죄행위를 알면서 방조하였더라도 제3자에게 제3자뇌물수수방조죄가 성립할 수 없다.

해설 ① × : ~ 수수행위에 관하여 별도로 뇌물죄가 성립하는 것은 아니다(대판 2019.11.28, 2019도11766).

② × : ~ 처벌할 수 없다(대판 2013.11.28, 2013도10011).

③ ○ : 대판 2019.8.29, 2018도2378 전원합의체

④ × : 한국환경공단, 한국환경공단 임직원 ⇨ 제227조의 2(공전자기록 위작·변작죄)에 정한 공무소 또는 공무원에 해당 ×(대판 2020.3.12, 2016도19170)

⑤ × : ~ 성립될 수 있다(대판 2017.3.15, 2016도19659).

Answer   17. ③

18 다음 설명 중 가장 옳지 않은 것은?(다툼이 있는 경우 판례에 의함)   23. 법원직

① 공무원이 직무와 관련하여 뇌물수수를 약속하고 퇴직 후 이를 수수하는 경우에는, 뇌물약속과 뇌물수수가 시간적으로 근접하여 연속되어 있다고 하더라도, 뇌물약속죄 및 사후수뢰죄가 성립할 수 있음은 별론으로 하고, 뇌물수수죄는 성립하지 않는다.

② 제3자뇌물수수죄는 공무원 또는 중재인이 직무에 관하여 부정한 청탁을 받고 제3자에게 뇌물을 공여하게 하는 행위를 구성요건으로 하고 있고, 그중 부정한 청탁은 명시적인 의사표시뿐만 아니라 묵시적인 의사표시로도 가능하며 청탁의 대상인 직무행위의 내용도 구체적일 필요가 없다.

③ 형법 제129조 제1항 뇌물수수죄는 공무원이 직무에 관하여 뇌물을 수수한 때에 적용되는 것으로서, 공무원이 직접 뇌물을 받지 아니하고 증뢰자로 하여금 다른 사람에게 뇌물을 공여하도록 한 경우라도 다른 사람이 공무원의 사자 또는 대리인으로서 뇌물을 받은 경우 등과 같이 사회통념상 다른 사람이 뇌물을 받은 것을 공무원이 직접 받은 것과 같이 평가할 수 있는 관계가 있는 경우에는 형법 제129조 제1항 뇌물수수죄가 성립한다.

④ 제3자뇌물수수죄에서 제3자란 행위자와 공범관계에 있지 않은 사람을 말한다. 그러므로 공무원 또는 중재인이 부정한 청탁을 받고 제3자에게 뇌물을 제공하게 하고 제3자가 그러한 공무원 또는 중재인의 범죄행위를 알면서 방조한 경우, 별도의 처벌규정이 없는 이상 제3자에게 제3자뇌물수수방조죄는 성립할 수 없다.

> 해설 ① 대판 2008.2.1, 2007도5190
> ② 대판 2019.8.29, 2018도2738 전원합의체
> ③ 대판 2002.4.9, 2001도7056
> ④ × : 제3자뇌물수수죄에서 제3자란 행위자와 공동정범 이외의 사람을 말하고, 교사자나 방조자도 포함될 수 있다. 그러므로 공무원 또는 중재인이 부정한 청탁을 받고 제3자에게 뇌물을 제공하게 하고 제3자가 그러한 공무원 또는 중재인의 범죄행위를 알면서 방조한 경우에는 그에 대한 별도의 처벌규정이 없더라도 방조범에 관한 형법총칙의 규정이 적용되어 제3자뇌물수수방조죄가 인정될 수 있다(대판 2017.3.15, 2016도19659).

19 다음 설명 중 가장 옳지 않은 것은?(다툼이 있는 경우 판례에 의함) 17. 법원행시, 19. 9급 검찰·마약수사

① 자동차를 뇌물로 받은 경우 자동차등록원부에 그 소유자로 등록되지 않았다고 하더라도 자동차의 사실상 소유자로서 자동차에 대한 실질적인 사용 및 처분권한이 있다면 자동차 자체를 뇌물로 취득하였다고 보아야 한다.

② 알선뇌물수수죄에서 '그 지위를 이용하여'라 함은 친구, 친족관계 등 사적인 관계를 이용하는 경우에는 이에 해당한다고 할 수 없으나, 다른 공무원이 취급하는 사무의 처리에 법률상이거나 사실상으로 영향을 줄 수 있는 관계에 있는 공무원이 그 지위를 이용하는 경우에는 이에 해당하고, 그 사이에 상하관계, 협동관계, 감독권한 등의 특수한 관계가 있음을 요하지 않는다.

Answer   18. ④   19. ④

③ 알선뇌물요구죄가 성립하기 위하여는 뇌물을 요구할 당시 반드시 상대방에게 알선에 의하여 해결을 도모하여야 할 현안이 존재하여야 할 필요는 없다.

④ 알선뇌물요구죄는 반드시 알선상대방인 다른 공무원이나 그 직무의 내용이 구체적으로 특정될 필요가 없으므로, 상대방으로 하여금 뇌물을 요구하는 자에게 잘 보이면 그로부터 어떤 도움을 받을 수 있다거나 손해를 입을 염려가 없다는 정도의 막연한 기대감을 갖게 하며 뇌물을 요구하였다면 알선뇌물요구죄가 성립한다.

⑤ 공무원이 그 지위를 이용하여 다른 공무원의 정당한 직무에 속한 사항의 알선에 관하여 뇌물을 약속한 경우에도 알선뇌물약속죄가 성립한다.

해설 ① 대판 2006.4.27, 2006도735
② 대판 1994.10.21, 94도852
③ 대판 2009.7.23, 2009도3924
④ × : ~ (2줄) 특정될 필요까지는 없지만, 상대방으로 ~ 성립한다고 볼 수 없다(대판 2009.7.23, 2009도3924).
⑤ 대판 2006.4.27, 2006도735

20 뇌물죄에 대한 설명으로 가장 적절하지 않은 것은?(다툼이 있는 경우 판례에 의함) 21. 순경 1차

① 뇌물죄에서 말하는 '직무'에는 결정권자를 보좌하거나 영향을 줄 수 있는 직무행위뿐만 아니라, 관례상이나 사실상 소관하는 직무행위도 포함된다.

② 알선뇌물요구죄가 성립하기 위하여는 알선행위가 장래의 것이라도 무방하므로 뇌물을 요구할 당시 반드시 상대방에게 알선에 의하여 해결을 도모해야 할 현안이 존재하여야 할 필요는 없다.

③ 공무원이 장래에 담당할 직무에 대한 대가로 이익을 수수한 경우에도 뇌물수수죄가 성립할 수 있지만, 이익을 수수할 당시 장래에 담당할 직무에 속하는 사항이 그 수수한 이익과 관련된 것임을 확인할 수 없을 정도로 막연하고 추상적이거나, 장차 그 수수한 이익과 관련지을 만한 직무권한을 행사할지 자체도 알 수 없다면, 그 이익이 장래에 담당할 직무에 관하여 수수되었다고는 단정하기 어렵다.

④ 공무원이 직무와 관련하여 뇌물수수를 약속하고 퇴직 후 이를 수수하였다면, 뇌물약속과 뇌물수수 사이의 시간적 근접 여부를 불문하고 뇌물수수죄가 성립한다.

해설 ① 대판 1999.1.29, 98도3584
② 대판 2009.7.23, 2009도3924
③ 대판 2017.12.22, 2017도12346
④ × : ~ 불문하고 뇌물약속죄 및 사후수뢰죄가 성립할 수 있으나 뇌물수수죄는 성립하지 않는다(대판 2008.2.1, 2007도5190).

Answer   20. ④

21 뇌물죄에 관한 설명으로 옳지 않은 것을 모두 고른 것은?(다툼이 있는 경우 판례에 의함) 23. 순경 2차

> ㉠ 법령에 의한 임용권을 가지는 자에 의하여 임용되어 상당히 오랜 기간동안 공무에 종사하여 온 사람이 나중에 그가 임용결격자이었음이 밝혀져 당초의 임용행위가 무효라고 하더라도 형법 제129조에서 규정한 공무원으로 봄이 타당하고, 그가 그 직무에 관하여 뇌물을 수수한 때에는 수뢰죄로 처벌할 수 있다.
> ㉡ 타인을 기망하여 뇌물을 수수한 경우 뇌물을 수수한 공무원에게는 뇌물죄와 사기죄가 성립하고 양 죄는 실체적 경합관계에 있다.
> ㉢ 공무원이 직무집행을 빙자하여 타인의 재물을 갈취한 경우 뇌물공여죄가 성립하지 않는다.
> ㉣ 알선수뢰죄에서 '공무원이 그 지위를 이용하여'라 함은 친구, 친족관계 등 사적인 관계를 이용하는 경우뿐만 아니라 다른 공무원이 취급하는 사무처리에 법률상이거나 사실상으로 영향을 줄 수 있는 관계에 있는 공무원이 그 지위를 이용하는 경우도 포함한다.

① ㉠, ㉡   ② ㉡, ㉢   ③ ㉡, ㉣   ④ ㉢, ㉣

해설 ㉠ ○ : 대판 2014.3.27, 2013도11357
㉡ × : ~ 상상적(실체적 ×) 경합관계에 있다(대판 1977.6.7, 77도1069). ㉢ ○ : 대판 1994.12.22, 94도2528
㉣ × : 알선뇌물수수죄에서 '그 지위를 이용하여'라 함은 친구, 친족관계 등 사적인 관계를 이용하는 경우에는 이에 해당한다고 할 수 없으나, 다른 공무원이 취급하는 사무의 처리에 법률상이거나 사실상으로 영향을 줄 수 있는 관계에 있는 공무원이 그 지위를 이용하는 경우에는 이에 해당하고, 그 사이에 상하관계, 협동관계, 감독권한 등의 특수한 관계가 있음을 요하지 않는다(대판 1994.10.21, 94도852).

22 뇌물죄에 대한 설명으로 가장 적절한 것은?(다툼이 있는 경우 판례에 의함)   18. 순경 2차
① 공무원이 직무와 관련하여 금품을 수수하였더라도 특별한 청탁이 없이 사교적 의례의 형식을 갖추어 금품을 주고 받았다면 형법 제129조 제1항의 뇌물수수죄가 성립하지 않는다.
② 공무원이 직접 금품을 받지 않고 증뢰자로 하여금 다른 사람에게 금품을 공여하도록 한 경우라도 그가 직무에 관하여 부정한 청탁을 받은 사정이 없다면 이를 형법 제130조의 제3자뇌물제공죄로 처벌하지 못한다.
③ 공무원이 그 지위를 이용하여 다른 공무원의 직무에 관한 사항의 알선에 관하여 금품을 수수한 경우에는 그가 특별한 청탁을 받고 그 같은 행위를 한 사정이 없는 이상 이를 형법 제132조의 알선수뢰죄로 처벌하지 못한다.
④ 공무원에게 뇌물로 공여하기 위한 목적이라는 사정을 알면서 증뢰자로부터 금품을 교부받은 자는 그가 실제로 그 금품을 공무원에게 전달하지 않고 있는 이상 형법상 아무런 처벌을 받지 않는다.

해설 ① × : 뇌물수수죄 ○(대판 1999.1.29, 98도3584) ② ○ : 옳다(제130조).
③ × : 청탁의 유무나 알선행위가 실제로 이행되었는가는 불문하고 알선수뢰죄(제132조)가 성립한다.
④ × : 증뢰물전달죄 ○(제133조 제2항)(대판 1985.1.22, 84도1033 ∵ 금품을 교부받은 자가 실제로 금품을 공무원에게 전달하였는가는 본죄의 성립에 영향이 없다.)

Answer 21. ③ 22. ②

23 뇌물죄에 대한 설명으로 옳지 않은 것은?(다툼이 있는 경우 판례에 의함) 16. 경찰간부

① 형법 제133조 제2항의 제3자뇌물취득죄는 제3자가 증뢰자로부터 교부받은 금품을 수뢰할 사람에게 전달하였는지의 여부에 관계없이 제3자가 그 정을 알면서 금품을 교부받음으로써 성립한다.

② 뇌물을 여러 차례에 걸쳐 수수함으로써 그 행위가 여러 개이더라도 그것이 단일하고 계속적 범의에 의하여 이루어지고 동일법익을 침해한 때에는 포괄일죄로 처벌함이 상당하다.

③ 병역면제를 위해 1억원의 뇌물을 받은 헌병수사관 甲이 독자적 판단에 따라 군의관 乙에게 5천만원을 공여한 경우 甲에게 추징하여야 할 금액은 5천만원이다.

④ 피고인이 향응을 제공받는 자리에 피고인 스스로 제3자를 초대하여 함께 접대를 받은 경우 그 제3자가 피고인과는 별도의 지위에서 접대를 받는 공무원이라는 등의 특별한 사정이 없는 한 그 제3자의 접대에 요한 비용도 피고인의 수뢰액으로 보아야 한다.

해설 ① 대판 1985.1.22, 84도1033 ② 대판 2000.1.21, 99도4940
③ × : 금품 중의 일부를 받은 취지에 따르지 않고 독자적인 판단에 따라 경비로 사용한 경우 ⇨ 수뢰자(甲)로부터 전액(1억원) 추징(대판 2002.6.14, 2002도1283)
④ 대판 2001.10.12, 99도5294

24 뇌물에 관한 죄에 대한 설명 중 가장 적절하지 않은 것은?(다툼이 있는 경우 판례에 의함) 20. 경찰승진

① 배임수재자가 배임증재자에게서 무상으로 빌린 물건을 인도받아 사용하던 중 공무원이 되었고, 배임증재자가 뇌물공여 의사를 밝히면서 배임수재자가 물건을 계속 사용하도록 한 경우 처음에 정한 사용기간을 연장해 주는 등 새로운 이익을 제공한 것으로 평가할 만한 사정이 없다면 뇌물공여죄가 성립하지 않는다.

② 제3자뇌물공여죄에서 막연히 선처하여 줄 것이라는 기대에 의하거나 직무집행과는 무관한 다른 동기에 의하여 제3자에게 금품을 공여한 경우에는 묵시적인 의사표시에 의한 부정한 청탁이 있다고 보기 어렵다.

③ 뇌물약속죄에서 뇌물의 약속은 양 당사자의 뇌물수수의 합의를 말하고, 여기에서 '합의'란 그 방법에 아무런 제한이 없고 명시적일 필요도 없으므로, 양 당사자의 의사표시가 확정적으로 합치할 필요까지는 없다.

④ 공무원인 甲이 乙로부터 1,000만원을 뇌물로 받아 그중 500만원을 소비하고 나머지 500만원을 은행에 예금하여 두었다가 이를 인출하여 乙에게 반환한 경우, 甲으로부터 1,000만원을 추징하여야 한다.

해설 ① 대판 2015.10.15, 2015도6232 ② 대판 2009.1.30, 2008도6950
③ × : ~ 확정적으로 합치하여야 한다(대판 2012.11.15, 2012도9417).
④ 대판 1999.1.29, 98도3584

Answer 23. ③ 24. ③

25 뇌물죄에 대한 설명으로 **옳은** 것은?(다툼이 있는 경우 판례에 의함) 21. 7급 검찰

① 뇌물수수자가 공동수수자가 아닌 교사범 또는 종범에게 뇌물 중 일부를 사례금 등의 명목으로 교부한 경우 뇌물수수자에게 수뢰액 전부를 추징하여야 한다.

② 뇌물공여죄와 뇌물수수죄는 필요적 공범관계에 있으므로 뇌물을 수수한 사람에게 뇌물수수의 죄책을 물을 수 없는 경우라면 뇌물을 공여한 사람에게도 뇌물공여의 죄책을 물을 수 없다.

③ 국립대학교 의과대학 교수 겸 국립대학교병원 의사가 구치소로 왕진을 나가 진료하고 진단서를 작성해 주거나 구속집행정지신청에 관한 법원의 사실조회에 대하여 회신을 해주면서 사례금 명목으로 금품을 수수한 경우 뇌물죄의 직무관련성이 인정된다.

④ 수뢰자가 증뢰자에게서 수수한 뇌물을 일단 소비한 다음에 같은 액수의 금원을 증뢰자에게 반환했다면, 수뢰자가 아니라 증뢰자로부터 가액을 추징해야 한다.

해설 ① ○ : 대판 2011.11.24, 2011도9585

② × : ~ 뇌물수수의 죄책을 물을 수 없는 경우라도 ~ 뇌물공여의 죄책을 물을 수 있다(대판 1987.12.22, 87도1699 ∵ 뇌물공여죄가 성립되기 위하여서는 반드시 상대방 측에서 뇌물수수죄가 성립되어야만 하는 것은 아님).

③ × : ~ 직무관련성이 인정되지 않는다(대판 2006.6.15, 2005도1420 ∵ 의사로서의 진료업무이지 교육공무원의 직무와 밀접한 관련 있는 행위 ×).

④ × : 증뢰자가 아닌 수뢰자로부터 가액을 추징해야 한다(대판 1999.1.29, 98도3584).

26 뇌물죄에 대한 설명으로 **옳지 않은** 것은?(다툼이 있는 경우 판례에 의함) 23. 7급 검찰

① 수뢰죄에 있어서 직무라는 것은 공무원의 법령상 관장하는 직무행위뿐만 아니라 그 직무에 관련하여 사실상 처리하고 있는 행위 및 결정권자를 보좌하거나 영향을 줄 수 있는 직무행위도 포함된다.

② 공무원이 수수한 금품에 직무행위와 대가관계가 있는 부분과 그렇지 않은 부분이 불가분적으로 결합되어 있는 경우에는 수수한 금품 전액이 직무행위에 대한 대가로 수수한 뇌물이다.

③ 수뢰자가 뇌물로 받은 돈을 은행에 예금한 후 같은 액수의 돈을 증뢰자에게 반환한 경우, 그 뇌물을 반환한 것이므로 증뢰자로부터 이를 몰수·추징하여야 한다.

④ 알선수뢰죄에 있어서 알선행위는 다른 공무원의 직무에 속하는 사항에 관한 것이면 되는 것이지, 그것이 반드시 부정행위라거나 그 직무에 관하여 결재권한이나 최종 결정권한을 갖고 있어야 하는 것이 아니다.

해설 ① 대판 1999.1.29, 98도3584

② 대판 2012.1.12, 2011도12642

③ × : ~ (2줄) 그 뇌물을 그대로 보관하여 두었다가 증뢰자에게 반환한 것과 달리 수뢰자(증뢰자 ×)로부터 이를 몰수·추징하여야 한다(대판 1999.1.29, 98도3584).

④ 대판 2006.4.27, 2006도735

Answer 25. ① 26. ③

27 뇌물죄에 대한 설명으로 가장 적절하지 않은 것은?(다툼이 있는 경우 판례에 의함)   22. 경찰승진

① 공무원과 공동정범 관계에 있는 비공무원이 뇌물을 받은 경우, 비공무원은 제3자 뇌물수수죄에서 말하는 제3자가 될 수 없다.

② 공무원들이 공모하여 특별사업비를 횡령하고 이를 공범자끼리 수수한 행위가 공동정범들 사이의 범행에 의하여 취득한 돈을 내부적으로 분배한 것에 지나지 않는다면 별도로 그 돈의 수수행위에 관하여 뇌물죄가 성립하는 것은 아니다.

③ 공무원 甲이 A에게 2,000만원을 뇌물로 요구하였으나 A가 이를 즉각 거부한 경우에는 요구한 금품이 특정되었으므로, 甲으로부터 2,000만원을 몰수하여야 한다.

④ 공무원이 뇌물을 수수함에 있어 공여자를 기망한 경우에도 뇌물수수죄 및 뇌물공여죄의 성립에는 영향이 없다.

해설 ① 대판 2019.8.29, 2018도2738 전원합의체 ② 대판 2019.11.28, 2019도11766
③ × : ~ 요구한 금품이 특정되지 않아 이를 몰수할 수 없으므로 그 가액을 추징할 수도 없다(대판 2015. 10.29, 2015도12838).
④ 대판 1985.2.8, 84도2625

28 뇌물죄에 관한 설명 중 옳지 않은 것은?(다툼이 있는 경우 판례에 의함)   22. 변호사시험, 23. 해경승진

① 제3자뇌물수수죄에서 제3자란 행위자와 공동정범 및 교사자와 방조자 이외의 사람을 말한다.

② 공무원이 아닌 사람이 공무원과 공동가공의 의사와 이를 기초로 한 기능적 행위지배를 통하여 공무원의 직무에 관하여 뇌물을 수수하는 범죄를 실행하였다면 공무원이 직접 뇌물을 받은 것과 동일하게 평가할 수 있으므로 공무원과 비공무원에게 형법 제129조 제1항에서 정한 뇌물수수죄의 공동정범이 성립한다.

③ 단지 상대방으로 하여금 뇌물을 수수하는 자에게 잘 보이면 어떤 도움을 받을 수 있다거나 손해를 입을 염려가 없다는 정도의 막연한 기대감을 갖게 하는 정도에 불과하고, 뇌물을 수수하는 자 역시 상대방이 그러한 기대감을 가질 것이라고 짐작하면서 수수하였다는 사정만으로는 알선뇌물수수죄가 성립하지 않는다.

④ 공무원 또는 중재인이 부정한 청탁을 받고 제3자에게 뇌물을 제공하게 하고 제3자가 그러한 공무원 또는 중재인의 범죄행위를 알면서 방조한 경우에는 그에 대한 별도의 처벌규정이 없더라도 방조범에 관한 형법총칙의 규정이 적용되어 제3자뇌물수수방조죄가 인정될 수 있다.

⑤ 공무원이 뇌물을 받는 데에 필요한 경비를 지출한 경우 그 경비는 뇌물수수의 부수적 비용에 불과하여 뇌물의 가액과 추징액에서 공제할 항목에 해당하지 않는다.

해설 ① × : ~ 행위자와 공동정범 이외의 사람을 말하고, 교사자나 방조자도 포함될 수 있다(대판 2017. 3.15, 2016도19659).
②④ 대판 2019.8.29, 2018도2738 전원합의체
③ 대판 2009.7.23, 2009도3924 ⑤ 대판 2017.3.22, 2016도21536

Answer   27. ③   28. ①

29 직권남용죄에 대한 설명으로 옳지 않은 것은?(다툼이 있는 경우 판례에 의함)   24. 7급 검찰

① 직권의 '남용'에 해당하는지는 구체적인 직무행위의 목적, 그 행위가 당시의 상황에서 필요성이나 상당성이 있는 것이었는지 여부, 직권 행사가 허용되는 법령상의 요건을 충족했는지 등의 여러 요소를 고려하여 결정하여야 한다.

② 어떠한 직무가 공무원의 일반적 직무권한에 속하는 사항이라고 하기 위해서는 그에 관한 법령상 근거가 필요하고, 이러한 법령상 근거는 명문에 구체적으로 기술되어 있어야 한다.

③ 공무원이었던 자가 퇴임 후에도 실질적 영향력을 행사하는 등으로 퇴임 전 공모한 범행에 관한 기능적 행위지배가 계속되었다고 인정할 만한 특별한 사정이 있으면 퇴임 후의 범행에 관하여 공범으로서 책임을 질 수 있다.

④ 공무원 甲이 자신의 직무권한에 속하는 사항에 관하여 그 권한을 위법·부당하게 행사하여 실무 담당자로 하여금 그 직무집행을 보조하는 사실행위를 하도록 지시한 경우, 해당 실무 담당자에게 직무집행의 기준을 적용하고 절차에 관여할 고유한 권한과 역할이 부여되어 있지 않다면 甲에게 직권남용죄가 성립하지 않는다.

해설 ① 대판 2021.3.11, 2020도12583
② × : 어떠한 직무가 공무원의 일반적 권한에 속하는 사항이라고 하기 위해서는 그에 관한 법령상의 근거가 필요하다. 다만, 법령상의 근거는 반드시 명문의 근거만을 의미하는 것은 아니고, 명문이 없는 경우라도 법·제도를 종합적, 실질적으로 관찰해서 그것이 해당 공무원의 직무권한에 속한다고 해석되고 그것이 남용된 경우 상대방으로 하여금 의무 없는 일을 행하게 하거나 상대방의 권리를 방해하기에 충분한 것이라고 인정되는 경우에는 직권남용죄에서 말하는 일반적 권한에 포함된다(대판 2019.3.14, 2018도18646).
③ 대판 2020.2.13, 2019도5186
④ 대판 2019.3.14, 2018도18646(∵ 공무원 자신의 직무집행으로 귀결될 뿐, '의무 없는 일을 하게 한 때'에 해당 ×)

30 공무원의 직무상 범죄에 관한 설명으로 가장 적절하지 않은 것은?(다툼이 있는 경우 판례에 의함)
24. 순경 2차

① 직무유기죄에 있어서 그 직무를 유기한 때라 함은 직장의 무단이탈, 직무의 의식적인 포기 등과 같이 그것이 국가의 기능을 저해하며 국민에게 피해를 야기시킬 가능성이 있는 경우를 말하는 것이므로 병가 중인 자는 직무유기죄의 주체가 될 수 없다.

② 형법 제123조의 직권남용죄에 있어서 직권남용행위의 상대방이 일반 사인인 경우에는 그가 권리에 대응하여 어떠한 일을 한 것이 의무 없는 일인지 여부는 관계법령 등의 내용에 따라 개별적으로 판단하여야 한다.

③ 형법 제126조의 피의사실공표죄는 검찰, 경찰 그 밖에 범죄수사에 관한 직무를 수행하는 자 또는 이를 감독하거나 보조하는 자가 그 직무를 수행하면서 알게 된 피의사실을 공소제기 전에 공표한 경우에 성립한다.

Answer   29. ②   30. ②

④ 인신구속에 관한 직무를 행하는 자 또는 이를 보조하는 자가 피해자를 구속하기 위하여 진술조서 등을 허위로 작성한 후 이를 기록에 첨부하여 구속영장을 신청하고, 진술조서 등이 허위로 작성된 정을 모르는 검사와 영장전담판사를 기망하여 구속영장을 발부받은 후 그 영장에 의하여 피해자를 구금하였다면 형법 제124조 제1항의 직권남용감금죄가 성립한다.

해설 ① 대판 1997.4.22, 95도748

② × : ㉠ 직권남용 행위의 상대방이 일반 사인인 경우 특별한 사정이 없는 한 직권에 대응하여 따라야 할 의무가 없으므로 그에게 어떠한 행위를 하게 하였다면 '의무 없는 일을 하게 한 때'에 해당할 수 있다. ㉡ 그러나 상대방이 공무원이거나 법령에 따라 일정한 공적 임무를 부여받고 있는 공공기관 등의 임직원인 경우에는 법령에 따라 임무를 수행하는 지위에 있으므로 그가 직권에 대응하여 어떠한 일을 한 것이 의무 없는 일인지 여부는 관계 법령 등의 내용에 따라 개별적으로 판단하여야 한다(대판 2020.1.30, 2018도2236 전원합의체).

③ 제126조

④ 대판 2006.5.25, 2003도3945

31 뇌물죄에 관한 다음 설명 중 가장 옳지 않은 것은?(다툼이 있는 경우 판례에 의함) 　24. 법원직

① 뇌물죄에서 뇌물의 내용인 이익은 금전, 물품 기타의 재산적 이익뿐만 아니라 사람의 수요욕망을 충족시키기에 족한 일체의 유형·무형의 이익을 포함하므로, 장기간 처분하지 못하던 재산을 처분함으로써 생기는 무형의 이익 역시 뇌물의 내용인 이익에 해당된다.

② 공무원이 아닌 사람과 공무원이 공모하여 금품을 수수한 경우에도 각 수수자가 수수한 금품별로 직무 관련성 유무를 달리 볼 수 있다면, 각 금품마다 직무와의 관련성을 따져 뇌물성을 인정하는 것이 책임주의 원칙에 부합한다.

③ 수뢰자가 뇌물을 그대로 보관하다가 증뢰자에게 반환한 경우, 몰수·추징은 수뢰자로부터 하여야 한다.

④ 뇌물죄는 직무집행의 공정과 이에 대한 사회의 신뢰에 기초하여 직무행위의 불가매수성을 보호법익으로 하고 있고, 직무에 관한 청탁이나 부정한 행위를 필요로 하지 않으므로 뇌물성을 인정하는 데 특별히 의무위반 행위나 청탁의 유무 등을 고려할 필요가 없고, 금품수수 시기와 직무집행 행위의 전후를 가릴 필요도 없다.

해설 ① 대판 2023.6.15, 2023도1985

② 대판 2024.3.12, 2023도17394

③ × : ～ 몰수·추징은 증뢰자(수뢰자 ×)로부터 하여야 한다(대판 1984.2.28, 83도2783).

④ 대판 2003.6.13, 2003도1060

Answer　31. ③

32 뇌물죄에 관한 설명으로 가장 적절하지 않은 것은?(다툼이 있는 경우 판례에 의함)　　24. 순경 2차

① 공무원이 아닌 사람('비공무원')과 공무원이 공모하여 금품을 수수한 경우에 각 수수자가 수수한 금품별로 직무관련성 유무가 다르더라도, 각 금품마다 직무와의 관련성을 따질 것이 아니라 그 수수한 금품 전부가 불가분적으로 직무행위에 대한 대가로서의 성질을 가지므로 형법 제129조 제1항에서 정한 뇌물수수죄의 공동정범이 성립한다.

② 비공무원이 공무원과 공동가공의 의사와 이를 기초로 한 기능적 행위지배를 통하여 공무원의 직무에 관하여 뇌물을 수수하는 범죄를 실행하였다면 공무원이 직접 뇌물을 받은 것과 동일하게 평가할 수 있으므로 공무원과 비공무원에게 형법 제129조 제1항에서 정한 뇌물수수죄의 공동정범이 성립한다.

③ 공무원인 수뢰자가 먼저 뇌물을 요구하여 증뢰자가 제공하는 돈을 받았다면, 그 액수가 수뢰자의 예상보다 너무 많아서 후에 이를 반환하였다고 하더라도 형법 제129조 제1항에서 정한 뇌물수수죄의 성립에는 영향이 없다.

④ 금품이나 이익 전부에 관하여 형법 제129조 제1항에서 정한 뇌물수수죄의 공동정범이 성립한 이후에 뇌물이 실제로 공동정범인 공무원 또는 비공무원 중 누구에게 귀속되었는지는 이미 성립한 뇌물수수죄에 영향을 미치지 않는다.

해설　① × : 그 금품의 수수가 수회에 걸쳐 이루어졌고 각 수수 행위별로 직무 관련성 유무를 달리 볼 여지가 있는 경우에는 그 행위마다 직무와의 관련성 여부를 가릴 필요가 있다. 그리고 공무원이 아닌 사람과 공무원이 공모하여 금품을 수수한 경우에도 각 수수자가 수수한 금품별로 직무 관련성 유무를 달리 볼 수 있다면, 각 금품마다 직무와의 관련성을 따져 뇌물성을 인정하는 것이 책임주의 원칙에 부합한다(대판 2024.3.12, 2023도17394).
② 대판 2019.8.29, 2018도2738 전원합의체
③ 대판 2007.3.29, 2006도9182
④ 대판 2019.8.29, 2018도2738 전원합의체

Answer　32. ①

33 공무원의 직무에 대한 죄에 관한 설명 중 옳고 그름의 표시(○, ×)가 바르게 된 것은?(다툼이 있는 경우 판례에 의함) 24. 순경 1차

ⓒ 지방자치단체의 교육기관의 장이 수사기관으로부터 징계사유를 통보받고도 징계요구를 하지 아니하여 주무부장관으로부터 징계요구를 하라는 직무이행명령을 받았다 하더라도 그에 대한 이의의 소를 제기한 경우, 수사기관으로부터 통보받은 자료 등으로 보아 징계사유에 해당함이 객관적으로 명백한 경우 등 특별한 사정이 없는 한 징계사유를 통보받은 날로부터 1개월 내에 징계요구를 하지 않았다는 것만으로 곧바로 직무를 유기한 것에 해당하지 않는다.

ⓒ 공무원이 수수 요구 또는 약속한 금품에 그 직무행위에 대한 대가로서의 성질과 직무 외의 행위에 대한 사례로서의 성질이 불가분적으로 결합되어 있는 경우, 그 수수 요구 또는 약속한 금품 전부가 불가분적으로 직무행위에 대한 대가로서의 성질을 가진다.

ⓒ 법령에 기한 임명권자에 의하여 임용되어 공무에 종사하여 온 사람이 나중에 임용결격자임이 밝혀져 당초의 임용행위가 무효가 된 경우, 그가 임용행위라는 외관을 갖추어 실제로 공무를 수행하였다 하더라도 수뢰죄의 주체인 공무원이 될 수 없다.

ⓒ 직무유기죄는 공무원이 법령 내규 등에 의한 추상적 충근 의무를 태만히 하는 일체의 경우에 성립하는 것이 아니므로 어떠한 형태로든 직무집행의 의사로 자신의 직무를 수행한 경우 그 직무집행의 내용이 위법하다고 평가된다는 점만으로 직무유기죄의 성립을 인정할 수는 없다.

---

① ㉠(○), ㉡(○), ㉢(×), ㉣(○)

② ㉠(○), ㉡(×), ㉢(○), ㉣(×)

③ ㉠(×), ㉡(○), ㉢(×), ㉣(○)

④ ㉠(×), ㉡(×), ㉢(○), ㉣(○)

해설 ㉠ ○ : 대판 2013.6.27, 2011도797

㉡ ○ : 대판 2012.1.12, 2011도12642

㉢ × : ~ (2줄) 임용행위가 무효라고 하더라도, 그가 임용행위라는 외관을 갖추어 실제로 공무를 수행하였다면 수뢰죄의 주체인 공무원이 될 수 있다(대판 2014.3.27, 2013도11357).

㉣ ○ : 대판 2007.7.12, 2006도1390

Answer 33. ①

34 직권남용권리행사방해죄에 관한 설명 중 옳지 않은 것을 모두 고른 것은?(다툼이 있는 경우 판례에 의함)

25. 변호사시험

> ㉠ 직권남용권리행사방해죄는 공무원이 그 일반적 직무권한에 속하는 사항에 관하여 직권의 행사에 가탁하여 실질적, 구체적으로 위법·부당한 행위를 한 경우에 성립하며, 그 일반적 직무권한은 법률상의 강제력을 수반하여야 한다.
> ㉡ '권리행사를 방해'하는 것에 해당하려면 구체화된 권리의 현실적인 행사가 방해된 경우라야 할 것이므로, 공무원의 직권남용행위가 있었다 할지라도 현실적인 권리행사의 방해라는 결과가 발생하지 아니한 경우에는 본죄의 미수범으로 처벌한다.
> ㉢ 공무원 또는 법령에 따라 일정한 공적 임무를 부여받고 있는 공공기관 등의 임직원이 직권남용의 상대방이라면 법령에 따라 임무를 수행하는 지위에 있으므로, 그가 직권에 대응하여 어떠한 일을 한 것이 의무 없는 일인지 여부는 관계 법령 등의 내용에 따라 개별적으로 판단하여야 하고, 사인은 직권남용의 상대방이 될 수 없다.
> ㉣ 인신구속에 관한 직무를 집행하는 사법경찰관이 체포 당시 상황을 고려하여 경험칙에 비추어 현저하게 합리성을 잃지 않은 채 판단하면 체포 요건이 충족되지 아니함을 충분히 알 수 있었는데도, 자신의 재량 범위를 벗어난다는 사실을 인식하고 그 결과를 용인한 채 사람을 체포하여 권리행사를 방해하였다면, 직권남용체포죄와 직권남용권리행사방해죄가 성립한다.
> ㉤ 상급 경찰관이 직권을 남용하여 부하 경찰관의 수사를 중단시키거나 사건을 다른 경찰관서로 이첩하게 한 경우, 부하 경찰관의 수사권 행사를 방해한 것에 해당함과 아울러 부하 경찰관으로 하여금 수사를 중단하거나 사건을 이첩할 의무가 없음에도 불구하고 이를 하게 한 것에도 해당하므로, '권리행사를 방해함으로 인한 직권남용권리행사방해죄'와 '의무 없는 일을 하게 함으로 인한 직권남용권리행사방해죄'가 별개로 성립한다.

① ㉠, ㉡, ㉣　　　② ㉠, ㉢, ㉣　　　③ ㉡, ㉢, ㉤
④ ㉠, ㉡, ㉢, ㉤　　　⑤ ㉡, ㉢, ㉣, ㉤

해설 ㉠ × : ~ (3줄) 법률상의 강제력을 수반하는 것임을 요하지 아니한다(대판 2004.5.27, 2002도6251).
㉡ × : ~ (3줄) 발생하지 아니한 경우에는 본죄의 기수를 인정할 수 없고(대판 2008.12.24, 2007도9287), 본죄의 미수범으로도 처벌할 수 없다(∵ 본죄의 미수범 처벌규정 ×).
㉢ × : ~ (3줄) 판단하여야 하고, 직권남용 행위의 상대방이 일반 사인인 경우 특별한 사정이 없는 한 직권에 대응하여 따라야 할 의무가 없으므로 그에게 어떠한 행위를 하게 하였다면 '의무 없는 일을 하게 한 때'에 해당할 수 있다(대판 2020.1.30, 2018도2236 전원합의체).
㉣ ○ : 대판 2017.3.9, 2013도16162
㉤ × : ~ (3줄) 불구하고 이를 하게 한 것에도 해당된다고 볼 여지가 있으나, 이는 어디까지나 하나의 사실을 각기 다른 측면에서 해석한 것에 불과한 것으로서 위 두 가지 행위태양에 모두 해당하는 것으로 기소된 경우, 권리행사를 방해함으로 인한 직권남용권리행사방해죄만 성립하고 의무 없는 일을 하게 함으로 인한 직권남용권리행사방해죄는 따로 성립하지 아니한다(대판 2010.1.28, 2008도7312).

Answer　34. ④

제2절 공무방해에 관한 죄

1. 직무·사직강요죄(제136조), 법정·국회회의장모욕죄(제138조)만 목적범 ○, 나머지는 목적범 ×
2. ┌ 미수범 처벌 ○ : 공무상 비밀표시무효죄, 공무상 비밀침해죄, 부동산강제집행효용침해죄, 공용서류 등
　　　　　 무효죄, 공용물파괴죄, 공무상 보관물무효죄 20. 경찰간부
　　└ 미수범 처벌 × : 공무집행방해죄, 위계에 의한 공무집행방해죄, 법정·국회회의장모욕죄, 인권옹호직무
　　　　　 방해죄, 특수공무방해죄

1 공무집행방해죄

제136조 제1항 직무를 집행하는 공무원에 대하여 폭행 또는 협박한 자는 5년 이하의 징역 또는 1천만원 이하의 벌금에 처한다.

🏆 미수범 처벌 × 20. 경찰간부

(1) 객체 : 직무를 집행하는 공무원

① **공무원** : 군 도시과 단속계 요원인 청원경찰(청원경찰법 ; 대판 1986.1.28, 85도2448), 파출소 근무 방범대원(지방공무원법 ; 대판 1991.3.27, 90도2930)

> **관련판례**
>
> 1. 피고인이 국민기초생활보장법상 '자활근로자'로 선정되어 주민자치센터 사회복지담당 공무원의 복지도우미로 근무하던 甲을 협박하여 그 직무집행을 방해한 경우 ⇨ 공무집행방해죄 ×(대판 2011.1. 27, 2010도14484 ∵ 甲이 공무원으로서 공무를 담당하고 있었다고 볼 수 없다.) 13. 경찰간부, 21. 해경승진
> 2. 국민권익위원회 운영지원과 소속 기간제 근로자로서 청사 안전관리 및 민원인 안내 등의 사무를 담당한 A의 공무집행을 甲이 방해한 경우, A는 법령의 근거에 기하여 국가 등의 사무에 종사하는 형법상 공무원으로 보기 어려워, 甲을 공무집행방해죄로 처벌할 수 없다(대판 2015.5.29, 2015도3430). 19. 법원행시, 24. 경찰간부

🏆 외국의 공무원 ⇨ 본죄의 객체 ×

② **직무집행** : 공무원이 직무상 취급할 수 있는 일체의 사무를 처리하는 것을 말한다.

> **관련판례**
>
> 형법 제136조 제1항의 공무집행방해죄에 있어서 '직무를 집행하는'이라 함은 공무원이 직무수행에 직접 필요한 행위를 현실적으로 행하고 있는 때만을 가리키는 것이 아니라 공무원이 직무수행을 위하여 근무 중인 상태에 있는 때를 포괄한다(대판 2009.1.15, 2008도9919). 15. 순경 1차, 18. 순경 3차, 19. 법원행시·법원직, 21. 해경승진, 22. 해경간부, 23. 경찰간부

1. 불법주차 차량에 불법주차 스티커를 붙였다가 이를 다시 떼어 낸 직후에 있는 주차단속 공무원을 폭행한 경우, 폭행 당시 주차단속 공무원은 일련의 직무수행을 위하여 근무 중인 상태에 있었다고 보아야 한다는 이유로 공무집행방해죄가 성립한다(대판 1999.9.21, 99도383). 16. 경찰승진, 18. 순경 1차, 19. 경력채용, 22. 해경 2차

2. 노동조합관계자들과 사용자 측 사이의 다툼을 수습하려 하였으나 노동조합측이 지시에 따르지 않자 경비실 밖으로 나와 회사의 노사분규 동향을 파악하거나 파악하기 위해 대기 또는 준비 중이던 근로 감독관을 폭행한 행위는 공무집행방해죄를 구성한다(대판 2002.4.12, 2000도3485). 08. 법원행시, 10. 경찰승진, 15. 법원직

3. 불법주차 단속권한이 없는 야간 당직 근무 중인 구청 소속 청원경찰에게 불법주차 단속을 요구하였으나 그 청원경찰이 현장을 확인만 하고 주간 근무자에게 전달하여 단속하겠다고 했다는 이유로 민원인이 청원경찰을 폭행한 경우, 그 민원인에게는 공무집행방해죄가 성립한다(대판 2009.1.15, 2008도9919). 10. 사시, 21. 해경승진, 22. 순경 2차, 24. 법원직

4. 단순히 장래의 직무집행을 예상하여 폭행·협박을 가하는 행위는 공무집행방해죄에 해당하지 않는다(대판 1979.7.24, 79도1201 ∵ 공무집행 중 ×). 07. 법원직, 24. 해경간부

③ **직무집행의 적법성** : 직무집행은 적법한 것이어야 한다(명문규정 ×).

> 공무집행방해죄는 공무원의 직무집행이 적법한 경우에 한하여 성립하는 것이고, 여기서 적법한 공무집행이라고 함은 그 행위가 공무원의 추상적 권한에 속할 뿐 아니라 구체적 직무집행에 관한 법률상 요건과 방식을 갖춘 경우를 가리키는 것이므로, 이러한 적법성이 결여된 직무행위를 하는 공무원에게 대항하여 폭행을 가하였다고 하더라도 이를 공무집행방해죄로 다스릴 수는 없다(대판 1992.5.22, 92도506). 17. 경찰승진, 18. 순경 3차, 19. 경찰간부, 20. 법원행시, 21. 해경간부, 24. 법원직

관련판례

• **적법한 직무집행 ×** ⇨ 폭행·협박 ⇨ 공무집행방해죄 ×, 폭행·협박죄·상해죄 ×(∵ 정당방위)

1. 경찰관이 적법절차를 준수하지 않은 채 실력으로 피의자를 체포하려고 하였다면 적법한 공무집행이라고 할 수 없다. 그리고 경찰관의 체포행위가 적법한 공무집행을 벗어나 불법하게 체포한 것으로 볼 수밖에 없다면, 피의자가 그 체포를 면하려고 반항하는 과정에서 경찰관에게 상해를 가한 것은 불법체포로 인한 신체에 대한 현재의 부당한 침해에서 벗어나기 위한 행위로서 정당방위에 해당하여 위법성이 조각된다(대판 2017.9.21, 2017도10866 ∴ 공무집행방해죄 ×, 상해죄 ×). 18. 경찰승진

▶ **유사판례** : ① 피고인이 경찰관의 불심검문을 받아 운전면허증을 교부한 후 경찰관에게 큰 소리로 욕설을 하였는데, 경찰관이 피고인을 모욕죄의 현행범으로 체포하려고 하자 피고인이 반항하면서 경찰관에게 상해를 가한 경우(대판 2011.5.26, 2011도3682) ② 경찰관 乙이 현행범 甲을 체포하면서 범죄사실의 요지와 구속의 이유 등을 고지하지 아니한 채 체포하려고 하자 甲이 그 체포를 면하려고 반항하는 과정에서 乙에게 상해를 가한 경우(대판 2006.11.23, 2006도2732) 15. 9급 검찰·철도경찰, 21. 변호사시험, 22. 경찰간부 ③ 검사가 참고인조사를 받는 줄 알고 검찰청에 자진출석한 변호사사무실 사무장을 합리적 근거 없이 긴급체포하자 그 변호사가 이를 제지하는 과정에서 위 검사에게 상해를 가한 경우(대판 2006.9.8, 2006도148) 16. 경찰승진, 17. 변호사시험, 22. 해경 2차, 24. 해경간부 ④ 출입국관

리법 위반으로 범죄사실의 요지와 구속의 이유 등을 고지받지 못한 채 경찰관에게 현행범으로 체포되어 피고인의 차로 이동하던 중 뒷좌석 유리창을 내리고 도주하려 하였고, 이에 경찰관이 수갑을 채우면서 제지하려고 하자 경찰관의 얼굴을 때려 찰과상을 입힌 경우(대판 2006.11.23, 2006도2732) 11. 7급 검찰

2. 경찰관이 벌금형에 따르는 노역장유치의 집행을 위하여 형집행장을 소지하지 아니한 채 피고인을 구인할 목적으로 그의 주거지를 방문하여 임의동행의 형식으로 데리고 가다가, 피고인이 동행을 거부하며 다른 곳으로 가려는 것을 제지하면서 체포·구인하려고 하자 피고인이 이를 거부하면서 경찰관을 폭행한 경우 ⇨ 공무집행방해죄 ×, 폭행죄 ×(대판 2010.10.14, 2010도8591) 13. 경찰승진, 16. 수사경과, 17. 법원행시

▶ **비교판례** : 경찰관이 도로를 순찰하던 중 벌금 미납으로 수배된 피고인과 조우(遭遇)하여 형집행장을 소지하지 아니한 채 급속을 요하여 그에게 형집행 사유와 더불어 형집행장이 발부되어 있는 사실을 고지하고 벌금 미납으로 인한 노역장유치의 집행을 위해 구인하려 하였는데, 피고인이 이에 저항하여 그 경찰관을 폭행한 경우 공무집행방해죄가 성립한다(대판 2017.9.26, 2017도9458, 그러나 이 경우에 형집행장이 발부되어 있는 사실을 고지하지 않고 형집행 사유와 벌금 미납으로 인한 지명수배 사실을 고지한 경우 ⇨ 공무집행방해죄 ×, 폭행죄 ×). 18. 순경 2차, 21. 법원행시, 22. 경찰승진, 23. 해경승진

3. 피의자에 대한 구속영장을 소지하였다 하더라도 체포 당시 피의자에게 범죄사실의 요지, 체포의 이유 및 변호인을 선임할 권리 등을 고지하지 않고 실력으로 연행하려 하는 경찰관에게 피의자가 반항하며 폭행한 경우 ⇨ 공무집행방해죄 ×, 폭행죄 ×(대판 1996.12.23, 96도2673) 13. 수사경과

▶ **유사판례** : ① 현행범인으로서의 요건을 갖추고 있었다고 인정되지 않는 상황에서 경찰관들이 동행을 거부하는 자를 체포하거나 강제로 연행하려고 하자 피고인이 강제연행을 거부하는 자를 도와 경찰관들에 대하여 폭행을 하는 등의 방법으로 그 연행을 방해한 경우(대판 1991.9.24, 91도1314) 17·21. 법원행시, 25. 변호사시험 ② 경찰관들이 현행범이나 준현행범도 아닌 피고인을 법원의 영장도 없이 체포하려고 피고인의 집에 강제로 들어가려고 하여 피고인이 이를 제지하는 행위를 한 경우(대판 1991.12.10, 91도2395) ③ 위법한 집회·시위가 장차 특정 지역에서 개최될 것이 예상된다고 하더라도, 이와 시간적·장소적으로 근접하지 않은 다른 지역에서 그 집회·시위에 참가하기 위하여 출발 또는 이동하는 행위를 함부로 제지하는 경우(대판 2008.11.13, 2007도9794) 14. 수사경과, 16. 순경 1차, 22. 순경 2차 ④ 한미FTA 비준동의안에 대한 국회 외교통상 상임위원회(이하 '외통위'라 한다.)의 처리 과정에서, 甲정당 당직자인 피고인들이 甲정당 소속 외통위 위원 등과 함께 외통위 회의장 출입문 앞에 배치되어 출입을 막고 있던 국회 경위들을 밀어내기 위해 국회 경위들의 옷을 잡아당기거나 밀치는 등의 행위를 한 경우(대판 2013.6.13, 2010도13609) 14. 순경 2차 ⑤ 경찰관이 자신을 폭행한 피고인을 공무집행방해죄의 현행범으로 체포함에 있어 범죄사실의 요지는 고지하였으나 변호인을 선임할 수 있음은 말하지 아니하고 변명할 기회를 주지 아니한 경우 피고인이 연행을 거부하면서 경찰관을 폭행한 경우(대판 2004.11.26, 2004도5894) 07. 법원행시

4. 법무부 의정부출입국관리소 소속 출입국관리공무원이 관리자(공장장)의 사전 동의 없이 사업장(공장)에 진입하여 불법체류자 단속업무를 개시한 경우, 공무집행행위의 적법성이 부인되어 공무집행방해죄가 성립하지 않는다(대판 2009.3.12, 2008도7156). 14. 순경 1차·수사경과, 20. 경찰간부

5. 적법한 직무집행 × ⇨ ① 의경이 면허증 제시요구에 응하지 않는 자나 음주측정을 거절한 자를 파출소로 연행하려고 한 경우(대판 1992.2.11, 91도2797 ; 대판 1994.10.25, 94도2283) 21. 해경승진 ② 운전 중 운전면허증의 제시요구에 응하지 않는다고 무리하게 면허증제시를 계속 요구하는 경찰관을 폭행한 경우(대판 1992.2.11, 91도2797) ③ 법정형이 긴급체포사유에 해당되지 않는 범죄혐의로 기소중지된 자를 경찰관이 연행하려고 한 경우(대판 1991.5.10, 91도453) 07. 법원직 ④ 경찰관 甲이 음주운전을 종료한 후 40분 이상이 경과한 시점에서 길가에 앉아 있던 운전자를 술냄새가 난다는 점만을 근거로 음주운전의 현행범으로 체포한 경우(대판 2007.4.13, 2007도1249) 18. 경찰승진

6. 도심광장에 무단설치된 천막에 대해 행정대집행법이 정한 계고 및 대집행영장에 의한 통지절차를 거치지 아니하고 행하는 공무원 A의 철거대집행에 대항하여, 甲이 A에게 폭행·협박을 가한 행위는 특수공무집행방해죄에 해당하지 않는다(대판 2010.11.11, 2009도11523). 24. 경찰간부

7. 질서유지선은 집회 또는 시위의 장소 안에도 설정할 수 있으나 최소한의 범위를 정하여 설정되어야 하고, 경찰관들을 줄지어 서는 등의 방법으로 배치하는 것은 집시법상 질서유지선이라고 할 수는 없으므로, 경찰이 집회장소 내 화단 앞에 플라스틱 구조물 등으로 질서유지선을 설정하고 경찰관들을 배치하여 질서유지선을 형성한 것은 위법하다(대판 2019.1.10, 2016도21311).

● **적법한 직무집행** ○ ⇨ 폭행·협박 ⇨ 공무집행방해죄 ○, 상해 ⇨ 공무집행방해죄와 폭행치상죄(상해죄)의 상상적 경합(공무집행방해치상죄 ×) 19. 법원직, 22. 해경간부

1. 검문 중이던 경찰관들이, 자전거를 이용한 날치기 사건 범인과 흡사한 인상착의의 피고인이 자전거를 타고 다가오는 것을 발견하고 정지를 요구하였으나 멈추지 않아, 앞을 가로막고 소속과 성명을 고지한 후 검문에 협조해 달라는 취지로 말하였음에도 불응하고 그대로 전진하자, 따라가서 재차 앞을 막고 검문에 응하라고 요구하였는데, 이에 피고인이 경찰관들의 멱살을 잡아 밀치거나 욕설을 하는 등 항의한 경우 ⇨ 공무집행방해죄 ○(대판 2012.9.13, 2010도6203 ∵ 경찰관들의 행위는 적법한 불심검문에 해당한다.) 14. 순경 1차, 15·16. 수사경과, 17. 법원행시

2. 경찰관이 신분증을 제시하지 않고 불심검문을 하였으나, 검문하는 사람이 경찰관이고 검문하는 이유가 범죄행위에 관한 것임을 피고인이 충분히 알고 있었다고 보이는 경우에는 신분증을 제시하지 않았다고 하여 그 불심검문이 위법한 공무집행이라고 할 수 없다(대판 2014.12.11, 2014도7976). 16. 순경 1차, 21. 경찰승진·해경 1차

3. 음주운전 신고를 받고 출동한 경찰관 A는 만취한 상태로 시동이 걸린 차량 운전석에 앉아있는 甲을 발견하고 음주측정을 위해 하차를 요구하였고, 甲이 차량을 운전하지 않았다고 다투자 지구대로 가서 차량 블랙박스를 확인하자고 하였다. 이에 甲이 명시적인 거부 의사표시 없이 도주하자, A가 甲을 10m 정도 추격하여 앞을 막고 제지하는 과정에서 甲이 A를 폭행하였다면 공무집행방해죄가 성립한다(대판 2020.8.20, 2020도7193 ∵ 정당한 직무집행 ○). 21. 순경 2차, 22. 변호사시험, 23. 경찰간부

4. 피의사실의 요지 및 변호인선임권 등의 고지나 체포영장의 제시 및 고지 등은 체포를 위한 실력행사에 들어가기 전에 미리 하는 것이 원칙이다. 그러나 달아나는 피의자를 쫓아가 붙들거나 폭력으로 대항하는 피의자를 실력으로 제압하는 경우에 적법한 현행범인 체포라고 하려면, 피의자를 붙들거나 제압하는 과정에서 피의사실의 요지 등을 고지하거나, 그것이 여의치 않은 경우에는 일단 붙들거나 제압한 후에 지체 없이 고지하여야 한다(대판 2017.3.15, 2013도2168). 18. 경찰간부, 19. 변호사시험

> 예 경찰관들이 甲에 대한 현행범인의 체포 또는 긴급체포 과정에서 미란다 원칙상 고지사항의 일부만 고지하고 신원확인절차를 밟으려는 순간 甲이 유리조각을 쥐고 휘둘러 이를 제압하려는 경찰관

들에게 상해를 입힌 경우, 그 제압과정 중이나 후에 지체 없이 미란다 원칙을 고지하면 되는 것이므로 甲은 위 경찰관들의 긴급체포업무에 관한 정당한 직무집행을 방해한 것으로 볼 수 있다(대판 2007.11.29, 2007도7961). 24. 법원행시

5. 피고인이 甲시청 옆 도로의 보도에서 철야농성을 위해 천막을 설치하던 중 이를 제지하는 甲시청 소속 공무원들에게 폭행을 가한 경우, 도로관리권에 근거한 공무집행을 하는 공무원에 대하여 폭행을 가한 피고인의 행위는 공무집행방해죄를 구성한다(대판 2014.2.13, 2011도10625). 14. 순경 2차, 20. 법원행시

6. 야간에 집에서 음악을 크게 틀어놓는 등 인근소란행위를 하면서도 경찰관의 개문 요청을 거부하는 자를 집 밖으로 나오게 하기 위해 일시적으로 전기를 차단한 것이 경찰관직무집행법에 따른 적법한 직무집행이라고 보아야 한다(대판 2018.12.13, 2016도19417 **예** 인근소란으로 몇 개월 동안 수십 차례 112신고를 당한 피고인이 신고를 받고 출동한 경찰관들의 개문요청을 거부하였고 경찰관들이 피고인을 집 밖으로 나오게 하기 위해 전기를 차단하자 식칼을 들고 나와 경찰관들을 협박한 경우 ⇨ 특수공무집행방해죄 ○) 21. 순경 2차, 24. 경찰간부

7. 공사현장 출입구 앞 도로 한복판을 점거하고 공사차량의 출입을 방해하던 피고인의 팔과 다리를 잡고 도로 밖으로 옮기려고 한 경찰관의 행위는 적법한 공무집행에 해당하므로 경찰관의 팔을 물어뜯은 피고인의 행위는 공무집행방해죄 및 상해죄가 성립한다(대판 2013.9.26, 2013도643). 18. 경찰간부

8. 재개발지역 내 주민들이 철거에 반대하여 건물 옥상에 망루를 설치하고 농성하던 중 피고인 등이 던진 화염병에 의해 발생한 화재로 일부 농성자 및 진압작전 중이던 일부 경찰관이 사망하거나 상해를 입은 경우 ⇨ 특수공무집행방해치사상죄 ○(용산철거민사건 : 대판 2010.11.11, 2010도7621) 18. 경찰승진

9. 교육인적자원부 장관이 약학대학 학제개편에 관한 공청회를 개최하면서 행정절차법상 통지 절차를 위반했다는 이유로 다중이 위력으로 공청회 진행을 방해한 경우 ⇨ 특수공무집행방해죄 ○(대판 2007. 10.12, 2007도6088 ∵ 통지 절차 위반은 경미한 흠에 불과 ⇨ 적법한 공무집행 ○) 20. 경찰간부

10. 법외 단체인 전국공무원노동조합의 지부장 등과 위 지부 소속 군청 공무원들이 군(郡) 청사시설인 사무실을 임의로 사용하자 지방자치단체장의 자진폐쇄 요청 후 행정대집행법에 따라 행정대집행을 행하던 공무원들을 폭행한 경우 ⇨ 특수공무집행방해죄(대판 2011.4.28, 2007도7514 ∵ 적법한 직무집행 ○) 13. 경찰승진

11. 강제집행시에 집행관이 데리고 있는 인부에게 폭행을 가한 경우(대판 1970.5.12, 70도561), 08. 순경 피고인이 가옥명도를 집행하는 집행관에게 욕설을 하고 그를 마루 밑으로 떨어뜨리면서 불법집행이라고 소리친 경우(대판 1969.2.18, 68도44)

12. 경찰공무원이 3회에 걸친 음주측정 후에도 확인할 수 없어 다시 검사받을 것을 요구한 경우(대판 1992.4.28, 92도220) 07. 경찰승진

13. 대학생들에 의해 전경 50여 명이 납치·감금되어 있는 대학교 도서관 건물에 경찰관이 압수·수색영장 없이 진입한 경우(대판 1990.6.22, 90도767) 07. 경찰승진

14. 적법한 소집절차를 밟아 소집된 지방의회 회의의 의결사항 중에 지방의회에 속하지 아니하는 사항이 포함되어 있었다고 하더라도 지방의회 의원들이 그 회의에 참석하고 그 회의에서 의사진행을 하는 직무행위를 적법한 것으로 볼 수 있다(대판 1998.5.12, 98도662). 08. 순경

15. 덕수궁 대한문 화단 앞 인도('농성 장소')를 불법적으로 점거한 뒤 천막·분향소 등을 설치하고 농성을 계속하다가 관할 구청이 행정대집행으로 농성 장소에 있던 물건을 치웠음에도 대책위 관계자들이

이에 대한 항의의 일환으로 기자회견 명목의 집회를 개최하려고 하자, 출동한 경찰 병력이 농성 장소를 둘러싼 채 대책위 관계자들의 농성 장소 진입을 제지하는 과정에서 피고인들이 경찰관을 밀치는 등으로 공무집행을 방해한 경우 ⇨ 공무집행방해죄 ○(대판 2021.10.14, 2018도2993 ∵ 경찰 행정상 즉시강제로서 적법한 공무집행 ○) 24. 순경 2차

16. 경찰관의 현행범인 체포경위 및 그에 관한 현행범인체포서와 범죄사실의 기재에 다소 차이가 있더라도, 그것이 논리와 경험칙상 장소적·시간적 동일성이 인정되는 범위 내라면 그 체포행위가 공무집행 방해죄의 요건인 적법한 공무집행에 해당한다(대판 2008.10.9, 2008도3640). 21. 법원행시

17. 시청 청사 내 주민생활복지과 사무실에 술에 취한 상태로 찾아가 소란을 피우던 피고인을 소속 공무원 甲과 乙이 제지하며 밖으로 데리고 나가려 하자, 피고인이 甲과 乙의 멱살을 잡고 수회 흔든 다음 휴대전화를 휘둘러 甲의 뺨을 때린 경우 ⇨ 공무집행방해죄 ○(대판 2022.3.17, 2021도13883 ∵ 민원상담 시도 종료 이후 소란을 피우고 있는 민원인을 사무실에서 퇴거시키는 등의 후속조치는 민원안내 업무와 관련된 직무수행이라고 할 수 있음. ⇨ 적법한 직무집행 ○) 24. 해경간부·법원행시·순경 2차

● 적법성의 판단

1. 공무집행방해죄는 공무원의 적법한 공무집행이 전제되어야 하고, 공무집행이 적법하기 위해서는 그 행위가 공무원의 추상적 직무 권한에 속할 뿐만 아니라 구체적으로 그 권한 내에 있어야 하며, 직무행위로서 중요한 방식을 갖추어야 한다. 추상적인 권한에 속하는 공무원의 어떠한 공무집행이 적법한지는 행위 당시의 구체적 상황에 기초를 두고 객관적·합리적으로 판단해야 하고, 사후적으로 순수한 객관적 기준에서 판단할 것은 아니다(대판 2021.10.14, 2018도2993). 21. 9급 검찰·마약수사, 22. 법원직·수사경과, 23. 경찰승진·법원행시, 24. 해경간부·순경 2차

2. 공무원이 구체적 상황에 비추어 그 인적·물적 능력의 범위 내에서 적절한 조치라는 판단에 따라 직무를 수행한 경우에는, 그러한 직무수행이 객관적 정당성을 상실하여 현저하게 불합리한 것으로 인정되지 않는 한 이를 위법하다고 할 수 없다(대판 2021.9.16, 2015도12632).

(2) 행위 : 폭행·협박

형법 제136조에 규정된 공무집행방해죄에 있어서의 폭행은 공무를 집행하는 공무원에 대하여 유형력을 행사하는 행위를 말하는 것으로 그 폭행은 공무원에 직접적으로나 간접적으로 하는 것을 포함한다고 해석되며, 또 동조에 규정된 협박이라 함은 사람을 공포케 할 수 있는 해악을 고지함을 말하는 것이나 그 방법도 언어·문서, 직접·간접 또는 명시·묵시를 가리지 아니한다(대판 1981.3.24, 81도326). 09. 순경, 21. 해경승진

① 폭행 : 광의의 폭행(공무집행 중인 공무원에 대한 직접·간접적 유형력의 행사 : 대판 1998.5.12, 98도662) 사람에 대한 유형력의 행사로 족하고 반드시 그 신체에 대한 것임을 요하지 아니하며(대판 2018.3.29, 2017도21537), 18. 순경 2차, 20. 경찰간부, 22. 법원행시, 21·23. 해경승진, 24. 법원직 제3자(예 집행관 대리가 아니고 그 인부 : 대판 1970.5.12, 70도561 08. 순경)나 물건에 대한 유형력의 행사라도 간접적으로 공무원에 대한 유형력의 행사가 되면 본죄는 성립한다.

┌ **관련판례**

1. 집회·시위과정에서 음향을 이용하여 청각기관을 직접 자극하는 경우, 일시적으로 상당한 소음이 발생하였다는 사정만으로는 공무집행방해죄의 폭행이 있었다고 할 수 없으나, 그것이 의사전달수단으로서 합리적 범위를 넘어서 상대방에게 고통을 줄 의도로 음향을 이용하였다면 이를 공무집행방해죄의 폭행으로 인정할 수 있다(대판 2009.10.29, 2007도3584). 16. 사시, 19. 수사경과, 22. 9급 검찰·마약수사, 23. 경찰승진

2. 피고인이 노조원들과 함께 경찰관인 피해자들이 파업투쟁 중인 공장에 진입할 경우에 대비하여 그들의 부재중에 미리 윤활유나 철판조각을 바닥에 뿌려 놓은 것에 불과하고, 위 피해자들이 이에 미끄러져 넘어지거나 철판조각에 찔려 다쳤다는 것에 지나지 않은 경우 ⇨ 특수공무집행방해치상죄 ×(부평 쌍용자동차 로디우스공장사건 : 대판 2010.12.23, 2010도7412 ∵ 면전에서 그들의 공무집행을 방해할 의도로 뿌린 것 × ⇨ 폭행 ×) 17. 경찰승진, 22. 해경 2차·7급 검찰·순경 2차

3. 피고인이 甲과 주차문제로 언쟁을 벌이던 중, 112 신고를 받고 출동한 경찰관 乙이 甲을 때리려는 피고인을 제지하자 자신만 제지를 당한 데 화가 나서 손으로 乙의 가슴을 밀치고, 피고인을 현행범으로 체포하며 순찰차 뒷좌석에 태우려고 하는 乙의 정강이 부분을 양발로 걷어차는 등 폭행한 경우 ⇨ 공무집행방해죄 ○(대판 2018.3.29, 2017도21537 ∵ 적법한 직무집행 ○, 폭행 ○) 21. 법원행시, 24. 순경 1차

4. 피고인이 지구대 내에서 약 1시간 이상 경찰관에게 큰소리로 욕을 하고 의자에 드러눕거나 다른 사람들에게 시비를 걸고, 경찰관들이 피고인을 내보낸 뒤 문을 잠그자 다시 들어오기 위해 출입문을 계속해서 두드리는 등 소란을 피운 경우, 공무원에 대한 간접적인 유형력의 행사로 볼 수 있어 공무집행방해죄가 성립할 수 있다(대판 2013.12.26, 2013도11050). 18. 순경 2차, 22. 수사경과, 23. 해경승진

5. 차량을 일단 정차한 다음 경찰관의 운전면허증 제시요구에 불응하고 다시 출발하는 과정에서 경찰관이 잡고 있던 운전석 쪽의 열린 유리창 윗부분을 놓지 않은 채 어느 정도 진행하다가 차량속도가 빨라지자 더 이상 따라가지 못하고 손을 놓아 버린 경우 ⇨ 폭행 ×(대판 1996.4.26, 96도281) 17·23. 법원행시

6. 파출소 바닥에 인분이 들어있는 물통을 던지고 재떨이에 인분을 담아 바닥에 던지는 행위 ⇨ 본죄의 폭행 ○(대판 1981.3.24, 81도326) 13. 수사경과

7. 甲과 乙이 술값을 내지 않고 행패를 부린다는 신고를 받고 출동한 경찰관이 현장정리를 마치고 복귀할 때 순찰차 앞바퀴덮개에 몸을 밀착시키고, 순찰차 보닛 위에 드러누워 15분간 순찰차의 이동을 방해한 경우 ⇨ 공무집행방해죄 ○(대판 2017.4.11, 2016도9660 ∵ 직접 경찰관을 폭행하지는 않았지만 甲과 乙이 합세해 순찰차의 진행을 방해한 것은 직무를 집행하는 경찰관들에 대한 간접적인 유형력행사로 공무집행방해죄의 폭행에 해당한다.)

② **협박** : 협박은 객관적으로 상대방으로 하여금 공포심을 느끼게 할 정도의 것으로 족하고 피해자(공무원)에게 현실로 공포심을 일으켰거나 현실적으로 피해자의 자유의사가 제압된 것을 요하는 것은 아니다(대판 1987.4.28, 87도453). 14. 9급 검찰·마약수사

관련판례

> 공무집행방해죄에 있어서 협박이라 함은 상대방에게 공포심을 일으킬 목적으로 해악을 고지하는 행위를 의미하는 것으로서 고지하는 해악의 내용이 그 경위, 행위 당시의 주위 상황, 행위자의 성향, 행위자와 상대방과의 친숙함의 정도, 지위 등의 상호관계 등 행위 당시의 여러 사정을 종합하여 객관적으로 상대방으로 하여금 공포심을 느끼게 하는 것이어야 하고, 그 협박이 경미하여 상대방이 전혀 개의치 않을 정도인 경우에는 협박에 해당하지 않는다(대판 2006.1.13, 2005도4799).
> 12. 법원행시, 13. 경찰간부, 15 · 19. 순경 1차

1. 경찰관의 임의동행 요구에 이를 거절하고 자신의 방으로 피하여 문을 잠그고 면도칼로 가슴을 그어 피를 내어 죽어버리겠다고 한 경우 ⇨ 피고인의 행위가 자해 · 자학행위는 될지언정 경찰관에 대한 유형력의 행사시 해악의 고지표시가 되는 폭행 · 협박으로 볼 수 없다(대판 1976.3.9, 75도3779). 16. 경찰승진, 19. 경력채용, 22. 해경 2차
2. 폭력행위 등 전과 12범인 피고인이 자신이 운영하는 술집에서 떠들며 놀다가 주민의 신고를 받고 출동한 경찰로부터 조용히 하라는 주의를 받은 것에 앙심을 품고 새벽 4시에 파출소에 뒤쫓아가 "우리 집에 무슨 감정이 있느냐, 이 순사새끼들 죽고 싶으냐"는 등의 폭언을 한 경우 ⇨ 공무집행방해죄 ○(대판 1989.12.26, 89도1204 ∵ 협박 ○) 17. 법원행시
3. 지역사회에 상당한 영향력을 행사할 수 있는 수산업협동조합 조합장인 피고인이 수사 중인 해양경찰서 소속 경찰공무원에게 전화를 걸어 해양경찰청 고위간부들과의 친분관계를 이용하여 인사상 불이익을 가하겠다고 폭언한 경우 ⇨ 공무집행방해죄 ○(대판 2011.2.11, 2010도15986 ∵ 협박 ○) 13. 경찰승진
4. 가옥명도를 집행하는 집달리에게 욕설을 하고 그를 마루 밑으로 떨어뜨리면서 불법집행이라고 소리를 친 경우 ⇨ 협박 ○(대판 1969.2.18, 68도44) 07. 경찰승진

③ **폭행 · 협박의 정도** : 폭행 · 협박 · 위계가 아닌 방법(위력)으로 공무원이 직무상 수행하는 공무를 방해한 경우 공무집행방해죄는 물론 업무방해죄로도 처벌할 수 없다〔대판 2009.11.19, 2009도4166 전원합의체 **예** ① 동사무소에서 기초생활수급자 지원금이 줄어들었다는 이유로 담당 직원에게 소리를 지르고 욕설을 하면서 기물을 파손하는 등 정상적인 근무를 못하게 한 경우(대판 2009.11.19, 2009도4166 전원합의체) ② 경찰청 민원실에서 말똥을 책상 및 민원실 바닥에 뿌리고 소리를 지르는 등 난동을 부린 행위(대판 2010.2.25, 2008도9049) ③ 위력으로 시장(市長)의 기자회견 업무를 방해한 행위(대판 2011.7.28, 2009도11104)〕. 17. 7급 검찰 · 순경 2차, 18. 법원직, 19. 법원행시 · 경찰간부 · 수사경과, 22. 해경 2차

④ **기수시기** : 추상적 위험범(구체적 위험범 ×)으로서 공무원에 대하여 폭행 · 협박을 하면 기수에 이르며, 구체적으로 직무집행의 방해라는 결과발생을 요하지도 아니한다(대판 2018.3.29, 2017도21537). 19. 변호사시험, 20. 경찰간부 · 경력채용, 18 · 22. 순경 2차, 23. 해경승진, 19 · 23. 순경 1차

(3) 주관적 구성요건 : 고의

공무집행방해죄에 있어서의 범의는 상대방이 직무를 집행하는 공무원이라는 사실, 그리고 이에 대하여 폭행 또는 협박을 한다는 사실을 인식하는 것을 그 내용으로 하고, 그 인식은 불확정적인

것이라도 소위 미필적 고의가 있다고 보아야 하며, 그 직무집행을 방해할 의사를 필요로 하지
아니한다(대판 1995.1.24, 94도1949). 16. 순경 1차, 19. 경찰간부, 21. 해경 1차, 22. 법원직

⑷ 죄수 및 타죄와의 관계

┌─ **관련판례**

1. 동일한 공무를 집행하는 수인의 공무원에 대하여 폭행한 경우에는 공무원의 수에 따라 수개의 공무집
   행방해죄가 성립하므로, 범죄피해신고를 받고 출동한 두 명의 경찰관에게 욕설을 하면서 순차로 폭행
   을 하여 신고처리 및 수사업무에 관한 정당한 직무집행을 방해한 경우, 두 경찰관에 대한 공무집행방
   해죄는 상상적 경합관계에 있다(대판 2009.6.25, 2009도3505 ∵ 동일한 장소·기회에 이루어진 폭행행
   위는 사회관념상 1개의 행위임). 18. 순경 1차·2차, 20. 경찰승진, 21. 해경승진·해경 1차, 22. 해경간부, 23. 법원
   행시, 24. 법원직·경위공채

2. 절도범인이 체포를 면탈할 목적으로 경찰관에게 폭행, 협박을 가한 때에는 준강도죄와 공무집행방해
   죄를 구성하고 양 죄는 상상적 경합관계에 있으나, 강도범인이 체포를 면탈할 목적으로 경찰관에게
   폭행을 가한 때에는 강도죄와 공무집행방해죄는 실체적 경합관계에 있고 상상적 경합관계에 있는
   것이 아니다(대판 1992.7.28, 92도917). 10. 경찰승진, 22. 7급 검찰, 24. 해경순경

② 직무 · 사직강요죄

> **제136조 제2항** 공무원에 대하여 그 직무상의 행위를 강요 또는 저지하거나 그 직을 사퇴하게 할 목적으
> 로 폭행 또는 협박한 자도 전항의 형과 같다.

🛎 목적범 ○, 미수범 처벌 ×

③ 위계에 의한 공무집행방해죄

> **제137조** 위계로써 공무원의 직무집행을 방해한 자는 5년 이하의 징역 또는 1천만원 이하의 벌금에 처한다.

🛎 미수범 처벌 ×

⑴ 행위 : 위계로써 직무집행을 방해하는 것

① **위계** : 위계에 의한 공무집행방해죄에서 위계란 행위자의 행위목적을 이루기 위하여 상대방에
게 오인, 착각, 부지를 일으키게 하여 그 오인, 착각, 부지를 이용하는 것을 말하는 것으로
상대방이 이에 따라 그릇된 행위나 처분을 하여야만 이 죄가 성립하는 것이고, 만약 범죄행위
가 구체적인 공무집행을 저지하거나 현실적으로 곤란하게 하는 데까지는 이르지 아니하고
미수에 그친 경우에는 위계에 의한 공무집행방해죄로 처벌할 수 없다(대판 2021.4.29, 2018도
18582). 22. 경찰승진·법원행시, 24. 순경 1차 **따라서 담당 공무원들 모두의 공모 또는 양해 아래 부정한**

행위가 이루어졌다면 이로 말미암아 오인 등을 일으킨 상대방이 있다고 할 수 없으므로, 그러한 행위는 위계에 의한 공무집행방해죄에서의 위계에 해당한다고 볼 수 없다(대판 2015.2.26, 2013도13217).

② **직무집행** : 위계에 의한 공무집행방해죄에서의 공무원의 직무집행이란 법령의 위임에 따른 공무원의 적법한 직무집행인 이상 공권력의 행사를 내용으로 하는 권력적 작용뿐만 아니라 사경제주체로서의 활동을 비롯한 비권력적 작용도 포함된다(대판 2003.12.26, 2001도6349). 15. 순경 3차, 19. 수사경과, 21. 해경간부, 22. 법원행시·경찰간부·경찰승진·해경 2차, 24. 해경순경

┌ 관련판례 ─────────────────────────────────────

● **위계에 의한 공무집행방해죄 ○**

1.
> 국가시험과 관련된 경우 ⇨ 위계에 의한 공무집행방해죄 ○

① 자신이 마치 자신의 형인 양 시험감독자를 속이고 원동기장치자전거 운전면허시험에 대리로 응시한 경우(대판 1986.9.9, 86도1245) 17. 경찰간부·법원행시, 21. 해경승진

② 고등학교입학원서 추천서란을 사실과 다르게 조작·허위기재하여 그 추천서 성적이 학교입학전형자료가 되게 한 경우(대판 1983.9.27, 83도1864) 10. 법원행시

③ 간호보조원양성소의 경영주인 피고인이 간호보조원자격시험에 응시하려는 자로 하여금 사용하게 할 의도로 그 시험의 응시자격을 증명하는 간호보조원 교육과정이수에 관한 수료증명서를 허위로 작성·교부하여, 그들이 시험관리당국에 제출하여 응시자격을 인정받아 응시한 경우(대판 1982.7.27, 82도1301) 08. 순경

2.
> 행정관청에 허위의 출원사유나 허위의 소명자료를 제출한 경우 ⇨ 담당 공무원이나 해당 관청의 충분한 심사 ○ ⇨ 불충분한 심사가 원인 ×, 출원인의 위계행위가 원인 ○ ⇨ 위계에 의한 공무집행방해죄 ○ 16. 경찰간부, 22. 법원행시

① 등기신청인이 제출한 허위의 소명자료 등에 대하여 등기관이 나름대로 충분히 심사를 하였음에도 이를 발견하지 못하여 등기가 마쳐진 경우, 등기관에게 등기신청이 실체법상의 권리관계와 일치하는지를 심사할 실질적인 권한이 없다고 하더라도 위계에 의한 공무집행방해죄가 성립할 수 있다(대판 2016.1.28, 2015도17297). 17. 7급 검찰, 20. 법원행시, 21. 9급 검찰·마약수사, 22. 경찰간부

② 개인택시 운송사업을 양도할 수 없는 사람이 허위의 진단서를 첨부하여 직접 운전을 할 수 없는 것처럼 행정관청을 기망하고 이른 신뢰한 행정관청으로부터 양도인가처분을 받은 경우(대판 2002.9.4, 2002도2064) 14. 변호사시험, 15. 경찰승진·순경 3차, 17. 경찰간부·수사경과

③ 범죄행위로 인하여 강제출국당한 전력이 있는 사람이 외국 주재 한국영사관 담당직원에게 허위의 호구부 및 외국인등록신청서 등을 제출하여 사증 및 외국인등록증을 발급받고 귀화허가신청서까지 제출한 경우(대판 2009.2.26, 2008도11862). 17. 수사경과, 22. 법원직, 23. 순경 2차, 24. 해경경장

▶ **유사판례** : 신청인이 허위의 자료를 첨부하여 비자발급 신청을 하였고, 이에 대하여 외국 주재 한국영사관 업무 담당자가 충분히 심사하였으나 신청사유 및 소명자료가 허위인 것을 발견하지 못하여 이를 수리한 경우(대판 2011.4.28, 2010도14696) 12. 경찰간부, 16. 법원행시

304 **제3편** 국가적 법익에 대한 죄

④ 병역법상 지정업체에서 전문연구요원이나 산업기능요원으로 근무할 의사가 없음에도 해당 지정 업체의 장과 공모하여 허위내용의 편입신청서를 제출하여 관할지방병무청장으로부터 전문연구요원이나 산업기능요원 편입을 승인받고, 실태조사를 회피하기 위하여 허위 서류를 작성·제출하는 등의 방법으로 파견근무를 신청하여 관할관청으로부터 파견근무를 승인받은 경우(대판 2008.6.26, 2008도1011 ; 대판 2009.3.12, 2008도1321). 16. 법원직, 18. 경력채용, 22. 해경간부

⑤ 지방자치단체의 공사입찰에 있어서 허위서류를 제출하여 입찰참가자격을 얻고 낙찰자로 결정되어 계약을 체결한 경우(대판 2003.10.9, 2000도4993) 14. 경찰승진

⑥ 감척어선 입찰자격이 없는 자가 제3자와 공모하여 제3자의 대리인 자격으로 제3자 명의로 입찰에 참가하고, 낙찰받은 후 낙찰대금을 자신의 자금으로 지급하여 감척어선에 대한 실질적 소유권을 취득한 경우(대판 2003.12.26, 2001도6349) 14. 경찰승진

3.
> 수사기관에 적극적으로 허위의 증거를 조작·제출한 경우(수사기관이 충분한 수사를 하더라도 증거가 허위임을 발견 ×) ⇨ 위계에 의한 공무집행방해죄 ○ 17. 순경 2차, 21. 9급 검찰·마약수사, 22. 경찰승진, 24. 법원행시

① 음주운전을 하다가 교통사고를 야기한 후 그 형사처벌을 면하기 위하여 타인의 혈액을 자신의 혈액인 것처럼 교통사고 조사 경찰관에게 제출하여 감정하도록 한 경우(대판 2003.7.25, 2003도1609) 17. 법원행시, 18. 순경 1차·경력채용·법원직·수사경과, 21·23. 경찰승진, 24. 경위공채

> ▶ **유사판례** : 타인의 소변을 마치 자신의 소변인 것처럼 수사기관에 건네주어 필로폰 음성반응이 나오게 한 경우(대판 2007.10.11, 2007도6101) 20. 해경승진, 23. 순경 1차·2차, 24. 해경경장

② 수산업협동조합장이 동양화를 뇌물로 수수한 혐의에 대하여 조사받으면서 작성일자를 소급하여 허위기재한 기증물관리대장을 제출하여 무혐의처분을 받은 경우(대판 2011.2.11, 2010도15986)

4. 기 타

① 변호사가 접견을 핑계로 수용자를 위하여 휴대전화와 증권거래용 단말기를 구치소 내로 몰래 반입하여 이용하게 한 행위(대판 2005.8.25, 2005도1731) 15. 경찰승진, 17. 법원행시·수사경과, 18. 순경 1차, 20. 해경승진

② 공무원(중간결재자)이 어업허가를 받을 수 없는 사실을 알면서도 오히려 부하직원으로 하여금 어업허가 처리기안문서를 작성하게 한 다음 중간 결재를 한 후 정을 모르는 농수산국장의 최종결재를 받은 경우 ⇨ 위계에 의한 공무집행방해죄 ○, 직무유기죄 ×(대판 1997.2.28, 96도2825) 12. 사시, 13. 변호사시험, 20. 해경승진, 24. 순경 1차

③ 피고인들 등은 甲 정당 소속 시(市)의회 의원으로서 시의회 의장선거를 앞두고 개최된 甲 정당 의원총회에서 乙을 의장으로 선출하기로 합의한 다음, 합의 내용의 이행을 확보하고 이탈표 발생을 방지하기 위하여 공모에 따라 피고인별로 미리 정해 둔 투표용지의 가상의 구획 안에 '乙'의 이름을 각각 기재하는 방법으로 투표하여 乙이 의장으로 당선되게 한 경우 ⇨ 무기명·비밀투표 권한을 가진 투·개표 업무에 관한 감표위원들과 무기명투표 원칙에 따라 의장선거를 진행하는 사무국장에 대한 위계에 의한 공무집행방해죄 ○, 공모하지 않은 의원들에 대한 위계에 의한 공무집행방해죄 ×(대판 2024.3.12, 2023도7760)

● **위계에 의한 공무집행방해죄** ×

1.

> 행정관청에 허위의 출원사유나 허위의 소명자료를 제출한 경우 ⇨ 담당 공무원이나 해당 관청의 불충분한 심사 ○, 출원자의 위계가 원인 × ⇨ 위계에 의한 공무집행방해죄 × 15. 법원직

① 개인택시운송면허신청서에 허위의 소명자료(허위로 발급받은 운전면허경력증명서)를 첨부하여 개인택시운송사업면허를 받은 경우(대판 1988.5.10, 87도2079) 14. 9급 검찰, 15. 순경 3차

② 화물자동차 운송주선사업자가 관할 행정청에 주기적으로 허가기준에 관한 사항을 신고하는 과정에서 가장납입에 의하여 발급받은 허위의 예금잔액증명서를 제출하는 부정한 방법으로 허가를 받은 경우(대판 2011.8.25, 2010도7033) 16. 법원행시, 17. 수사경과, 22. 경찰간부·해경간부

③ 외국 주재 한국영사관에 허위의 소명자료를 제출하여 비자를 신청하였는데 업무담당자가 사실을 충분히 확인하지 아니한 채 신청인 제출의 허위의 소명자료를 가볍게 믿고 비자를 발급하였다면 위계에 의한 공무집행방해죄는 성립하지 않는다(대판 2011.4.28, 2010도14696). 17. 법원직, 21. 경찰승진

④ 건축공사를 하면서 허위의 준공신고서, 준공검사 현장조사서 등을 첨부하여 준공검사를 신청하였고, 이를 진실한 것으로 알고 받아들인 관계공무원으로부터 준공필증을 교부받은 경우(대판 1982.12.14, 82도2207) 10. 법원행시

2.

> 단순히 공무원의 감시·단속을 피하여 금지규정을 위반한 것에 지나지 않는다면 그에 대하여 벌칙을 적용하는 것은 별론으로 하고 그 행위가 위계에 의한 공무집행방해죄에 해당한다고 할 수 없다. 피고인이 금지규정을 위반하여 감시·단속을 피하는 것을 공무원이 적발하지 못하였다면 이는 공무원이 감시·단속이라는 직무를 소홀히 한 결과일 뿐 위계로 공무집행을 방해한 것이라고 볼 수 없다(대판 2022.3.31, 2018도15213). 24. 경찰간부

① 과속단속카메라에 촬영되더라도 불빛을 반사시켜 차량 번호판이 식별되지 않도록 하는 기능이 있는 제품('파워매직세이퍼')을 차량 번호판에 뿌린 상태로 차량을 운행한 행위(대판 2010.4.15, 2007도8024) 17. 7급 검찰, 18. 법원직, 20. 경찰승진, 22. 수사경과, 23. 순경 2차, 24. 해경경장

② 교도관과 재소자가 상호 공모하여 재소자가 교도관으로부터 담배를 교부받아 이를 흡연한 행위 및 휴대폰을 교부받아 외부와 통화한 행위(대판 2003.11.13, 2001도7045) 17. 법원행시·순경 2차

③ 녹음·녹화 등을 할 수 있는 전자장비가 교정시설의 안전 또는 질서를 해칠 우려가 있는 금지물품에 해당하여 반입을 금지할 필요가 있는 경우, 수용자가 아닌 사람이 교도관의 검사·단속을 피하여 위와 같은 금지물품을 교정시설 내로 반입한 행위(예 방송국 프로듀서와 촬영감독이 수용 중인 피의자를 접견하면서 촬영하기 위하여, 피의자의 지인인 것처럼 접견을 허가 받은 후, 반입이 금지되어 있는 명함지갑 모양의 녹음·녹화 장비를 교정시설 내로 반입한 행위) ⇨ 위계에 의한 공무집행방해죄 ×(대판 2022.3.31, 2018도15213 ∵ 교도관의 검사·단속을 피하여 단순히 금지규정을 위반하는 행위를 한 것일 뿐임) 23. 법원행시

3.

> 수사기관에 대하여 허위진술·허위신고·허위증거를 제출한 경우 ⇨ 수사기관의 불충분한 수사에 의한 것 ○, 위계에 의한 수사방해 × ⇨ 위계에 의한 공무집행방해죄 × 20. 법원행시

① 수사기관에 대하여 피의자가 허위자백을 하거나 참고인이 허위진술을 한 경우(대판 1971.3.9, 71도

186) 또는 허위신고를 한 경우(대판 1974.12.10, 74도2841) 18. 순경 3차, 22. 변호사시험, 24. 경위공채

② 피의자나 참고인이 아닌 자가 자발적이고 계획적으로 피의자를 가장하여 수사기관에 대해 허위사실을 진술한 경우(대판 1977.2.8, 76도3685 ∴ 범인은닉죄 ○) 23. 순경 2차, 24. 해경경장

4. 기 타

① 민사소송을 제기함에 있어 피고의 주소를 허위로 기재하여 변론기일소환장 등을 허위주소로 송달하게 한 경우(대판 1996.10.11, 96도312 ∵ 법원공무원의 구체적이고 현실적인 어떤 직무집행이 방해되었다고 할 수 없음) 15. 순경 3차·경찰승진, 17. 수사경과, 19. 경력채용, 22. 경찰간부·해경간부·법원직

▶ **유사판례** : 법원은 당사자의 허위 주장 및 증거 제출에도 불구하고 진실을 밝혀야 하는 것이 그 직무이므로, 가처분신청시 당사자가 허위의 주장을 하거나 허위의 증거를 제출하였다 하더라도 이로써 바로 위계에 의한 공무집행방해죄가 성립한다고 볼 수 없다(대판 2012.4.26, 2011도17125 **예** 허위의 매매계약서 및 영수증을 소명자료로 첨부하여 가처분 신청을 한 후 법원으로부터 유체동산에 대한 가처분 결정을 받은 경우 ➡ 위계에 의한 공무집행방해죄 ×). 16·17. 법원직·7급 검찰, 21. 9급 검찰·마약수사·순경 2차, 20·22. 경찰간부·경찰승진, 23. 법원행시

② 범죄행위가 구체적인 공무집행을 저지하거나 현실적으로 곤란하게 하는 데까지 이르지 아니하고 미수에 그친 경우(대판 2003.2.11, 2002도4293 ∵ 미수범 처벌 ×) 16. 순경 1차, 18. 경찰간부, 19. 수사경과, 20·22. 경찰승진, 22. 법원행시

예 ㉠ 甲은 경매브로커로부터 丙의 입찰가격을 알아내어 乙에게 알려줌으로써 乙로 하여금 부동산을 낙찰받게 한 경우 ➡ 경매·입찰방해죄 ○, 본죄 ×(대판 2000.3.24, 2000도102) 16. 사시

㉡ 피고인이 허위사실이 기재된 귀화허가신청서를 담당공무원에게 제출하여 그에 따라 귀화허가업무를 담당하는 행정청이 그릇된 행위나 처분을 하여야만 위계에 의한 공무집행방해죄가 기수 및 종료에 이른다고 할 것이고, 한편 단지 허위사실이 기재된 귀화허가신청서를 제출하여 접수되게 한 사정만으로는 구체적인 직무집행을 저지하거나 현실적으로 곤란하게 하는 데까지 이르렀다고 단정할 수 없다(대판 2017.4.27, 2017도2583 ∴ 위계에 의한 공무집행방해죄 ×).

㉢ 미결수용자 甲이 6명의 집사변호사를 고용하여 총 51회에 걸쳐 변호인 접견을 가장하여 개인적인 업무와 심부름을 하게 하고 소송서류 외의 문서를 수수한 경우 ➡ 위계에 의한 공무집행방해죄 ×(대판 2022.6.30, 2021도244 ∵ 피고인이 이 사건 접견변호사들에게 지시한 접견이 접견교통권 행사의 한계를 일탈한 경우에 해당할 수는 있겠지만, 그 행위가 위계에 해당한다거나 그로 인해 교도관의 구체적이고 현실적인 직무집행이 방해되었다고 보기 어렵다.) 23. 경찰승진

③ 국립대학교의 전임교원 공채심사위원인 학과장이 지원자의 부탁을 받고 이미 논문접수가 마감된 학회지에 지원자의 논문이 게재되도록 돕고, 그 후 연구실적심사의 기준을 강화하자고 제안한 경우(대판 2009.4.23, 2007도1554) 14. 법원행시, 18. 경력채용, 21. 순경 2차

④ 건물점유자로서 명도집행을 저지할 수 있는 정당한 권능이 있는 자가 그 점유사실을 입증하기 위한 수단으로 실효된 임대차계약서 사본을 제시하면서 자신이 정당한 임차인인 것처럼 주장한 경우(대판 1984.1.31, 83도2290) 16. 사시, 18. 수사경과

⑤ 특정 정당 소속 지방의회의원인 피고인들 등이 지방의회 의장 선거를 앞두고 '甲을 의장으로 추대'하기로 서면합의하고 그 이행을 확보하기 위해 투표용지에 가상의 구획을 설정하고 각 의원별로 기표할 위치를 미리 정하기로 구두합의하는 방법으로 선거를 사실상 기명·공개투표로 치르기로

공모한 다음 그 정을 모르는 임시의장 乙이 선거를 진행할 때 사전공모에 따라 투표하여 단독 출마한 甲이 의장에 당선되도록 한 경우 ⇨ 위계에 의한 공무집행방해죄 ×(대판 2020.12.10, 2015 도9296 ∵ 피고인들 등이 '지방의회 임시의장의 무기명투표 관리에 관한 직무집행을 방해'하였다고 평가할 사정에 관한 검사의 증명이 없거나 부족하다.) 21. 법원행시

⑥ 甲은 乙이 리스기간이 만료하고도 차량을 납부하지 않자 차량 도난신고를 하면 전국수배가 되어 차량을 신속히 회수할 수 있다는 점을 알고 경찰서 지구대에 허위차량도난신고를 한 경우 ⇨ 위계에 의한 공무집행방해죄 ×(∵ 경찰공무원의 적법한 수사직무에 관해 잘못된 행위나 처분을 하게 했다거나 경찰공무원의 구체적인 직무집행을 저지하거나 현실적으로 곤란하게 하는 데 이르렀다고 보기는 어렵다.) 무고죄 ○(∵ 차량 운전자를 절도용의자로 만든 것) : 대판 2012.4.13, 2011도11761 13. 경찰간부

⑦ 초등학교를 졸업하였음에도 초등학교 중퇴 이하의 학력자라는 허위내용의 인우보증서를 첨부하여 운전면허 구술시험에 응시하였다는 사실만으로는 위계에 의한 공무집행방해죄가 성립하지 않는다(대판 2007.3.29, 2006도8189). 14. 법원행시

⑧ 행정청에 대한 일방적 통고로 효과가 완성되는 '신고'의 경우 신고인이 신고서에 허위사실을 기재하였다 하더라도 그것만으로는 담당 공무원의 구체적이고 현실적인 직무집행이 방해받았다고 볼 수 없어 위계에 의한 공무집행방해죄는 성립하지 않는다(대판 2011.9.8, 2010도7034). 17. 법원직, 22. 법원행시, 24. 순경 2차

(2) 주관적 구성요건

고의 이외에 공무집행을 방해하려는 의사가 있어야 한다(다수설·판례). 17. 경찰승진, 19. 경찰간부, 22. 수사경과, 24. 해경순경

┌─ 관련판례

자가용차를 운전하다가 교통사고를 낸 사람이 경찰관서에 신고함에 있어 가해차량이 자가용일 경우 피해자와 합의하는 데 불리하다고 생각하여 영업용택시를 운전하다가 사고를 내었다고 허위신고를 하였다 하더라도 이 사실만으로 공무원의 직무집행을 방해할 의사가 있었다고 단정하기 어려우므로 위계로 인한 공무집행방해죄가 성립하지 않는다(대판 1974.12.10, 74도2841). 14. 순경 2차, 18. 수사경과

4 법정·국회회의장모욕죄

> 제138조 법원의 재판 또는 국회의 심의를 방해 또는 위협할 목적으로 법정이나 국회회의장 또는 그 부근에서 모욕 또는 소동한 자는 3년 이하의 징역 또는 700만원 이하의 벌금에 처한다.

1. 목적범 ○, 미수범 처벌 × 20. 경찰간부
2. 법원의 재판 또는 국회의 심의를 방해 또는 위협할 목적으로 법정이나 국회회의 장 또는 그 부근에서 모욕 또는 소동한 자를 처벌하는 형법 제138조(법정소동죄)에서의 '법원의 재판'에 '헌법재판소의 심판'을 포함시키는 해석이 피고인에게 불리한 확장해석이나 유추해석에 해당하지 않는다(대판 2021.8.26, 2020도12017).

⑤ 인권옹호직무방해죄

> **제139조** 경찰의 직무를 행하는 자 또는 이를 보조하는 자가 인권옹호에 관한 검사의 직무집행을 방해하거나 그 명령을 준수하지 아니한 때에는 5년 이하의 징역 또는 10년 이하의 자격정지에 처한다.

1. 미수범 처벌 ×
2. 인권옹호직무명령불준수죄가 직무유기죄에 대하여 법조경합 중 특별관계에 있다고 보기는 어렵고 양 죄를 상상적 경합관계로 보아야 한다(대판 2010.10.28, 2008도11999).

⑥ 공무상 비밀표시무효죄

> **제140조 제1항** 공무원이 그 직무에 관하여 실시한 봉인, 압류 기타 강제처분의 표시를 손상 또는 은닉하거나 기타 방법으로 그 효용을 해한 자는 5년 이하의 징역 또는 700만원 이하의 벌금에 처한다.

미수범 처벌(제143조) 20. 경찰간부

① **객체** : 공무원이 그 직무에 관하여 실시한 봉인 또는 압류나 기타 강제처분의 표시

┌ 관련판례

1. 공무상 비밀표시무효죄가 성립하기 위하여는 행위 당시에 강제처분의 표시가 현존할 것을 요한다(대판 1997.3.11, 96도2801). 12. 법원직, 15. 경찰간부

2. 공무원이 그 직권을 남용하여 위법하게 실시한 봉인 또는 압류 기타 강제처분의 표시임이 명백하여 법률상 당연무효 또는 부존재라고 볼 수 있는 경우에는 그 봉인 등의 표시는 공무상 표시무효죄의 객체가 되지 아니하여 이를 손상 또는 은닉하거나 기타 방법으로 그 효용을 해한다 하더라도 공무상 표시무효죄가 성립하지 아니한다 할 것이지만, 12. 법원행시 공무원이 실시한 봉인 등의 표시에 절차상 또는 실체상의 하자가 있다고 하더라도 객관적·일반적으로 그것이 공무원이 그 직무에 관하여 실시한 봉인 등으로 인정할 수 있는 상태에 있다면 적법한 절차에 의하여 취소되지 아니하는 한 공무상 표시무효죄의 객체로 된다고 할 것이다(대판 2001.1.16, 2000도1757 ; 대판 2007.3.15, 2007도312 **예** ① 유체동산의 가압류집행에 있어 가압류공시서의 기재에 다소의 흠이 있으나 그 기재 내용을 전체적으로 보아 가압류공시서에 그 가압류목적물이 특정되었다고 인정할 수 있다면 그 가압류가 유효하고, 해당 가압류공시서는 공무상 표시무효죄의 객체가 될 수 있다. ② 특허권을 침해하였다는 소명에 따라 가처분집행이 행하여졌으나 그 가처분에 위반되는 행위를 하였고, 그 후의 본안소송에서 위 특허가 무효라는 취지의 대법원 판결이 선고된 경우 ⇨ 공무상 표시무효죄 ○). 17. 경찰간부, 18. 순경 3차, 19. 법원행시, 21. 해경간부

② **행위** : 손상·은닉 기타 방법으로 효용을 해하는 것(표시 자체의 효력을 사실상으로 감살 또는 멸각시키는 것을 의미하는 것이지, 그 표시의 근거인 처분의 법률상의 효력까지 상실케 한다는 의미는 아니다. : 대판 2004.10.28, 2003도8238)

관련판례

1. 출입금지가처분의 대상이 된 건조물 등에 가처분 채권자의 승낙을 얻어 출입하는 경우, 비록 가처분결정이나 그 결정의 집행으로서 집행관이 실시한 고시에 그러한 취지가 명시되어 있지 않다고 하더라도, 출입금지가처분 표시의 효용을 해한 것이라고 할 수 없다(대판 2006.10.13, 2006도4740). 18. 법원행시, 20. 경찰간부

   ▶ **유사판례** : 채무자가 불가피한 사정으로 채권자의 승낙을 얻어 압류물을 이동시켰으나 집행관의 승인을 얻지 못한 경우 공무상 표시무효죄가 성립하지 않는다(대판 2004.7.9, 2004도3029). 09. 법원직, 15. 경찰간부

2. 가처분은 가처분 채무자에 대한 부작위 명령을 집행하는 것이므로 가처분의 채무자가 아닌 제3자가 그 부작위 명령을 위반한 행위는 그 가처분집행 표시의 효용을 해한 것으로 볼 수 없다(대판 2007. 11.16, 2007도5539 **에** 온천수사용금지가처분결정이 있기 전부터 온천이용허가권자인 가처분채무자로부터 이를 양수하고 임대차계약의 형식을 빌어 온천수를 이용하여 온 사람이 위 금지명령을 위반하여 계속 온천수를 사용한 경우). 15. 경찰간부, 17. 법원행시·법원직

3. 집행관이 영업방해금지 가처분결정의 취지를 고시한 공시서를 게시하였을 뿐 어떠한 구체적 집행행위를 하지 않은 상태에서 위 가처분에 의하여 부과된 부작위명령을 피고인이 위반한 경우 ⇨ 공무상 표시무효죄 ×(대판 2010.9.30, 2010도3364) 15. 경찰간부, 17. 법원행시

4. 직접점유자(임차인)에 대한 점유이전금지가처분결정이 집행된 후 직접점유자가 그 가처분 목적물의 간접점유자(소유자)에게 그 점유를 이전하였을지라도 그 가처분표시의 효용을 해하는 경우에 해당한다(대판 1980.12.23, 80도1963 ∴ 공무상 비밀표시무효죄 ○). 12. 법원행시, 20. 경찰간부

5. 집행관이 채무자 겸 소유자의 건물에 대한 점유를 해제하고 이를 채권자에게 인도한 후 채무자의 출입을 봉쇄하기 위하여 출입문을 판자로 막아둔 것을 채무자가 이를 뜯어내고 그 건물에 들어갔다 하더라도 이는 강제집행이 완결된 후의 행위로서 채권자들의 점유를 침범하는 것은 별론으로 하고 공무상 표시무효죄에 해당하지는 않는다(대판 1985.7.23, 85도1092). 12. 법원행시, 20. 경찰간부

6. 압류된 골프장시설을 보관하는 회사의 대표이사가 위 압류시설의 사용 및 봉인의 훼손을 방지할 수 있는 적절한 조치 없이 골프장을 개장하게 하여 봉인이 훼손되게 한 경우, 부작위에 의한 공무상 표시무효죄에 해당한다(대판 2005.7.22, 2005도3034). 20. 경찰간부, 23. 순경 1차

7. 집행관이 유체동산을 가압류하면서 이를 채무자에게 보관하도록 한 경우, 채무자가 가압류된 유체동산을 제3자에게 양도하고 그 점유를 이전한 경우 ⇨ 공무상 표시무효죄 ○(대판 2018.7.11, 2015도5403) 22. 7급 검찰, 24. 법원행시

8. 압류상태에서 그 용법에 따라 종전대로 사용하는 경우(**에** 압류표시된 원동기를 가동시켜 사용한 경우) ⇨ 본죄 ×(대판 1984.3.13, 83도3291 ∴ 압류의 효용을 해하는 것이 아님) 01. 법원행시

9. 변호사의 자문을 받아 문제가 없다는 말을 듣고 압류물을 집달관의 승인 없이 관할구역 밖으로 옮긴 경우 공무상 표시무효죄가 성립한다(대판 1992.5.26, 91도894). 08. 법원행시·법원직, 20. 경찰간부

③ 공무상 봉인 등 표시무효죄의 봉인 등의 적법성에 대한 착오

┌ **관련판례**

1. 공무원이 그 직무에 관하여 실시한 봉인 등의 표시를 손상 또는 은닉 기타의 방법으로 그 효용을 해함에 있어서 그 봉인 등의 표시가 법률상 효력이 없다고 믿은 것은 법규의 해석을 잘못하여 행위의 위법성을 인식하지 못한 것이라고 할 것이므로 그와 같이 믿은 데에 정당한 이유가 없는 이상, 그와 같이 믿었다는 사정만으로는 공무상 표시무효죄의 죄책을 면할 수 없다고 할 것이다(대판 2000.4.21, 99도5563 ∵ 제16조의 정당한 이유 ×). 08·17. 법원행시

2. 민사소송법 기타 공법의 해석을 잘못하여 압류물의 효력이 없어진 것으로 착오하였거나 또는 봉인 등을 손상 또는 효력을 해할 권리가 있다고 오신한 경우에는 형벌법규의 부지와 구별되어 범의를 조각한다(제16조)고 해석할 것이다(대판 1970.9.22, 70도1206).

[7] 부동산강제집행효용침해죄

제140조의 2 강제집행으로 명도 또는 인도된 부동산에 침입하거나 기타 방법으로 강제집행의 효용을 해한 자는 5년 이하의 징역 또는 700만원 이하의 벌금에 처한다.

☝ 1. 미수범 처벌(제143조)
2. 강제집행으로 명도 또는 인도된 부동산(▶ 강제집행으로 퇴거집행된 부동산도 포함 : 대판 2003.5.13, 2001도3212 예 퇴거집행이 된 지상주차장에 침입한 경우 ⇨ 본죄 ○) 11. 경찰승진, 12. 법원직, 19. 순경 1차

[8] 공용서류 등 무효죄

제141조 제1항 공무소에서 사용하는 서류 기타 물건 또는 전자기록 등 특수매체기록을 손상 또는 은닉하거나 기타 방법으로 그 효용을 해한 자는 7년 이하의 징역 또는 1천만원 이하의 벌금에 처한다.

☝ 미수범 처벌(제143조)

┌ **관련판례**

형법 제141조 제1항(공용서류무효죄)의 '공무소에서 사용하는 서류 기타 전자기록'에는 공문서로서의 효력이 생기기 이전의 서류라거나, 정식의 접수 및 결재 절차를 거치지 않은 문서, 결재 상신 과정에서 반려된 문서 등을 포함하는 것으로, 미완성의 문서라고 하더라도 본죄의 성립에는 영향이 없다(대판 2020.12.10, 2015도19296). 23. 순경 1차

1. 경찰이 작성한 진술조서가 미완성이고 작성자와 진술자가 서명·날인 또는 무인한 것이 아니어서 공문서로서의 효력이 없다고 하더라도 **공용서류무효죄의 '공무소에서 사용하는 서류'**에 해당한다(대판 1987.4.14, 86도2799). 11. 경찰승진, 24. 법원행시

2. 진술자의 서명무인과 간인까지 받아 작성한 진술조서를 아직 상사에게 정식보고 하지 않고 수사기록에 편철되지 아니한 채 보관하다가 휴지통에 자의로 폐기한 경우 ⇨ 공용서류무효죄 ○(대판 1982. 10.12, 82도368) 17. 경찰간부

3. 고소사건을 조사하던 경찰관이 수사기록에 철하지 아니한 채 보관하던 참고인 乙의 진술서를 돌려 달라는 甲의 부탁을 받고 이 진술서가 없더라도 수사에 지장이 없겠다는 스스로의 판단에 따라 내어 주면서 乙에게 확인시키고 찢어버리라고 하였고, 甲이 이를 받아와서 乙에게 보여주고 찢어버린 경우(대판 1999.2.24, 98도4350 ∵ 보관책임자가 장차 이를 공무소에서 사용하지 아니하고 폐기할 의도로 처분한 것임 ∴ 공무소에서 사용하거나 보관하는 문서 ×) 22. 7급 검찰

4. 피고인이 면사무소에 비치되어 있는 정상적으로 작동되는 소화기에 들어 있던 분말액과 질소가스를 빼낸 경우 ⇨ 공공물건손상죄(대판 2011.2.24, 2010도14262)

⑨ 특수공무방해죄 · 특수공무방해치사상죄

제144조 ① 단체 또는 다중의 위력을 보이거나 위험한 물건을 휴대하여 제136조, 제138조와 제140조 내지 전조의 죄를 범한 때에는 각조에 정한 형의 2분의 1까지 가중한다.
② 제1항의 죄를 범하여 공무원을 상해에 이르게 한 때에는 3년 이상의 유기징역에 처한다. 사망에 이르게 한 때에는 무기 또는 5년 이상의 징역에 처한다.

☝ 특수공무방해치사상죄(제2항)는 특수공무방해죄(제1항)의 결과적 가중범이다. 특수공무방해상죄는 부진정 결과적 가중범이다(대판 1995.1.20, 94도2842). 12. 경찰승진, 21. 해경간부

┌ **관련판례**

1. 직무를 집행하는 공무원에 대하여 위험한 물건을 휴대하여 고의로 상해를 가한 경우에는 특수공무집행방해치상죄(부진정결과적 가중범)만 성립할 뿐, 이와는 별도로 특수상해죄를 구성하는 것으로 볼 수 없다(대판 2008.11.27, 2008도7311). 14. 법원행시, 15. 법원직, 22. 변호사시험

2. 피고인이 자동차를 운전하고 가다 경찰관을 차 앞범퍼로 들이받고, 차를 그대로 몰고 진행하던 중 가로수를 들이받아 차범퍼와 가로수 사이에 피해자가 끼어 사망에 이른 경우 위험한 물건을 휴대한 것이다(대판 2008.2.28, 2008도3 ∴ 특수공무방해치사죄). 12. 7급 검찰

3. 형법 제144조 제2항의 특수공무집행방해치상죄는 단체 또는 다중의 위력을 보이거나 위험한 물건을 휴대하여 직무를 집행하는 공무원에 대하여 폭행 또는 협박하여 공무원을 상해에 이르게 함으로써 성립하는 범죄이고, 여기에서의 폭행은 유형력을 행사하는 것을 말한다(대판 2010.12.23, 2010도7412). 22. 법원행시

4. 형법 제144조 제2항의 특수공무집행방해치상죄는 결과적 가중범이므로 행위자가 그 결과를 의도할 필요는 없고, 그 결과의 발생을 예견할 수 있으면 족하다(대판 1980.5.27, 80도796). 22. 법원행시

1 불법주차차량에 스티커를 붙였다가 장애인차량임을 알고 이를 떼어낸 직후의 주차단속공무원을 폭행한 경우 폭행 당시 이미 주차단속업무는 종료된 시점이므로 공무집행방해죄에 해당하지 않는다. (   )
16. 경찰승진, 18. 순경 1차, 19. 경력채용, 22. 해경 2차

2 공무집행방해죄에 있어서의 공무집행이라 함은 그 행위가 공무원의 추상적 권한에 속하면 되고 구체적 직무집행에 관한 법률상 요건과 방식을 갖출 필요는 없다. (   )
17. 경찰승진, 18. 순경 3차, 19. 경찰간부, 20. 법원행시, 21. 해경간부, 22. 해경 2차

3 경찰관이 벌금형에 따르는 노역장 유치의 집행을 위하여 형집행장을 소지하지 아니한 채 피고인을 체포·구인하려고 하자 피고인이 이를 거부하면서 경찰관을 폭행한 경우, 공무집행방해죄는 성립하지 아니한다. (   )
13. 경찰승진, 16. 수사경과, 17. 법원행시

4 경찰관의 체포행위가 적법한 공무집행을 벗어나 불법하게 체포한 것으로 볼 수밖에 없다면, 피의자가 그 체포를 면하려고 반항하는 과정에서 경찰관에게 상해를 가한 경우, 공무집행방해죄 및 상해죄가 성립하지 아니한다. (   )
15. 9급 검찰, 18. 경찰승진, 21. 변호사시험, 22. 경찰간부

5 경찰관이 도로를 순찰하던 중 벌금 미납으로 수배된 피고인과 조우(遭遇)하여 형집행장을 소지하지 아니한 채 급속을 요하여 그에게 형집행 사유와 더불어 형집행장이 발부되어 있는 사실을 고지하고 벌금 미납으로 인한 노역장 유치의 집행을 위해 구인하려 하였는데, 피고인이 이에 저항하여 그 경찰관을 폭행한 경우 공무집행방해죄가 성립한다. (   )
18. 순경 2차, 21. 법원행시, 22. 경찰승진, 23. 해경승진

6 형법상 공무집행방해죄는 직무를 집행하는 공무원에 대하여 폭행 또는 협박한 경우에 성립하는 범죄로서 여기서의 폭행은 반드시 신체에 대한 것임을 요하지 아니하며, 또한 구체적 위험범으로서 구체적으로 직무집행의 방해라는 결과발생을 필요로 한다. (   )
19. 변호사시험, 20. 경찰간부·경력채용, 18·22. 순경 2차, 19·23. 순경 1차, 23. 해경승진

7 공무집행방해죄에 있어서 협박이라 함은 상대방에게 공포심을 일으킬 목적으로 해악을 고지하는 행위를 의미하는 것으로서 그 협박이 경미하여 상대방이 전혀 개의치 않을 정도인 경우도 이에 해당한다. (   )
12. 법원행시, 13. 경찰간부, 15·19. 순경 1차

8 폭행·협박에 이르지 않는 정도의 위력으로 공무원이 직무상 수행하는 공무를 방해한 경우 공무집행방해죄는 물론 업무방해죄로도 처벌할 수 없다. (   )
17. 7급 검찰·순경 2차, 18. 법원직, 19. 경찰간부·수사경과·법원행시, 22. 해경 2차

9 범죄피해신고를 받고 출동한 두 명의 경찰관에게 욕설을 하면서 순차로 폭행을 하여 신고처리 및 수사업무에 관한 정당한 직무집행을 방해한 경우, 두 경찰관에 대한 공무집행방해죄는 실체적 경합관계에 있다. (   )
18. 순경 1차·2차, 20. 경찰승진, 21. 해경승진, 22. 해경간부, 23. 법원행시

Answer ▸ 1. × 2. × 3. ○ 4. ○ 5. ○ 6. × 7. × 8. ○ 9. ×

10 위계에 의한 공무집행방해죄에서의 공무집행이란 법령의 위임에 따른 공무원의 적법한 직무집행인 이상 공권력의 행사를 내용으로 하는 권력적 작용뿐만 아니라 사경제주체로서의 활동을 비롯한 비권력적 작용도 포함되는 것으로 봄이 상당하다. ( )
15. 순경 3차, 19. 법원행시·수사경과, 22. 경찰승진·경찰간부·해경 2차

11 개인택시 운송사업 양도·양수를 위하여 허위의 출원사유를 주장하면서 의사로부터 허위 진단서를 발급받아 이를 소명자료로 제출하여 행정관청으로부터 양도·양수 인가처분을 받은 경우, 위계에 의한 공무집행방해죄가 성립한다. ( )
14. 변호사시험, 15. 경찰승진·순경 3차, 17. 경찰간부·수사경과

12 등기신청인이 제출한 허위의 소명자료 등에 대하여 등기관이 나름대로 충분히 심사를 하였음에도 이를 발견하지 못하여 등기가 마쳐진 경우, 등기관에게 등기신청이 실체법상의 권리관계와 일치하는지를 심사할 실질적인 권한이 없다면 위계에 의한 공무집행방해죄가 성립하지 아니한다. ( )
17.7급 검찰, 19·20. 법원행시, 18·22. 경찰간부, 21.9급 검찰·마약수사

13 음주운전 중 교통사고를 내고 형사처벌을 면하기 위하여 타인의 혈액을 자신의 혈액인 것처럼 경찰관에게 제출하여 감정하도록 한 경우, 위계에 의한 공무집행방해죄가 성립한다. ( )
17. 법원행시, 18. 법원직·수사경과·순경 1차, 21·23. 경찰승진

14 변호사가 접견을 핑계로 수용자를 위하여 휴대전화와 증권거래용 단말기를 구치소 내로 몰래 반입하여 이용하게 한 행위는 위계에 의한 공무집행방해죄에 해당한다. ( )
15. 경찰승진, 17. 법원행시·수사경과, 18. 순경 1차, 20. 해경승진

15 교도관과 재소자가 상호 공모하여 재소자가 교도관으로부터 담배를 교부받아 이를 흡연한 행위 및 휴대폰을 교부받아 외부와 통화한 행위 등은 위계에 의한 공무집행방해죄에 해당하지 않는다. ( )
11. 경찰승진, 17. 법원행시·순경 2차

16 과속단속카메라에 촬영되더라도 불빛을 반사시켜 차량 번호판이 식별되지 않도록 하는 기능이 있는 제품을 차량 번호판에 뿌린 상태로 차량을 운행한 행위만으로는 위계에 의한 공무집행방해죄를 구성하지 아니한다. ( )
17.7급 검찰, 18. 법원직, 20. 경찰승진·수사경과, 23. 순경 2차

17 화물자동차 운송주선사업자인 피고인이 관할 행정청에 주기적으로 허가기준에 관한 사항을 신고하는 과정에서 허위 서류를 제출하는 부정한 방법으로 허가를 받아왔다면, 위계에 의한 공무집행방해죄가 성립한다. ( )
15. 순경 3차, 16. 법원행시, 17. 수사경과, 22. 경찰간부·해경간부

18 피의자나 참고인이 아닌 자가 피의자를 가장하여 수사기관에 대하여 허위사실을 진술한 경우 위계에 의한 공무집행방해죄가 성립한다. ( )
18. 순경 3차, 19·22. 변호사시험, 23. 순경 2차

19 민사소송을 제기하면서 피고의 주소를 허위로 기재하여 법원공무원으로 하여금 변론기일소환장 등을 허위주소로 송달케 한 행위는 위계에 의한 공무집행방해죄를 구성한다. ( )
15. 경찰승진·순경 3차, 18. 법원직, 19. 경력채용, 22. 경찰간부·해경간부

Answer 10. ○ 11. ○ 12. × 13. ○ 14. ○ 15. ○ 16. ○ 17. × 18. × 19. ×

20 가처분신청시 당사자가 법원에 허위의 주장을 하거나 허위의 증거를 제출하였다 하더라도 이로 써 바로 위계에 의한 공무집행방해죄가 성립한다고 볼 수 없다. ( )
17. 법원직 · 7급 검찰, 21. 9급 검찰 · 순경 2차, 20 · 22. 경찰간부 · 경찰승진, 23. 법원행시

21 범죄행위가 구체적인 직무집행을 저지하거나 현실적으로 곤란하게 하는 데까지는 이르지 않았 다고 하더라도 위계에 의한 공무집행방해죄의 미수죄로 처벌할 수 있다. ( )
16. 순경 1차, 18. 경찰간부, 19. 수사경과, 20 · 22. 경찰승진, 22. 법원행시

22 위계에 의한 공무집행방해죄에 있어서 고의 이외에 직무집행을 방해할 의사는 요구되지 않는다. ( )
17. 경찰승진, 19. 경찰간부, 22. 수사경과

23 공무원이 실시한 봉인 등의 표시에 절차상 또는 실체상의 하자가 있는 경우, 객관적 · 일반적으 로 공무원이 그 직무에 관하여 실시한 봉인 등으로 인정할 수 있는 상태에 있더라도 공무상 표 시무효죄의 객체에 해당하지 않는다. ( )   17 · 19. 법원행시, 17. 경찰간부, 18. 순경 3차, 21. 해경간부

24 출입금지가처분이 집행되어 고시되어 있는 경우에는 가처분 채권자의 승낙을 얻었다 하더라도 그 건조물에 출입하면 공무상 표시의 효용을 해하는 행위에 해당한다. ( )
17. 법원행시, 20. 경찰간부

25 부동산강제집행효용침해죄의 객체인 강제집행으로 명도 또는 인도된 부동산에는 강제집행으로 퇴거집행된 부동산은 포함되지 않는다. ( )   11. 경찰승진, 12. 법원직, 19. 순경 1차

26 직무를 집행하는 공무원에 대하여 위험한 물건을 휴대하여 고의로 상해를 가한 경우에는 특수 공무집행방해치상죄만이 성립하고, 이와 별도로 특수상해죄는 성립하지 않는다. ( )
14. 법원행시, 15. 법원직, 21. 해경간부, 22. 변호사시험

27 집회 · 시위과정에서 음향을 이용하여 청각기관을 직접 자극하는 경우 그것이 의사전달수단으 로서 합리적 범위를 넘어서 상대방에게 고통을 줄 의도로 음향을 이용하였다면 이를 공무집행 방해죄의 폭행으로 인정할 수 있다. ( )   16. 사시, 19. 수사경과, 22. 9급 검찰 · 마약수사, 23. 경찰승진

28 개인택시 운송사업면허 신청서에 허위의 소명자료를 첨부하여 개인택시면허를 받은 경우 위계에 의한 공무집행방해죄가 성립한다. ( )   14. 변호사시험, 15. 경찰승진 · 순경 3차, 17. 경찰간부 · 수사경과

29 불법체류를 이유로 강제출국 당한 중국 동포가 중국에서 이름과 생년월일을 변경한 호구부를 발급받아 중국 주재 대한민국 총영사관에 제출하여 입국사증을 받은 다음, 다시 입국하여 외국 인등록증을 발급받고 귀화허가신청서를 제출한 경우 위계에 의한 공무집행방해죄가 성립한다. ( )   17. 수사경과, 22. 법원직, 23. 순경 2차

30 공무상 표시무효죄는 공무원이 그 직무에 관하여 실시한 봉인 또는 압류 기타 강제처분의 표시 를 적극적으로 손상 · 은닉하거나 기타 방법으로 그 효용을 해하는 것을 요건으로 하므로, 부작 위에 의한 방법으로는 공무상 표시무효죄를 범할 수 없다. ( )   20. 경찰간부, 23. 순경 1차

Answer ← 20. ○ 21. × 22. × 23. × 24. × 25. × 26. ○ 27. ○ 28. × 29. ○ 30. ×

01 다음 중 공무집행방해죄가 성립하지 않는 것을 모두 고른 것은?(다툼이 있는 경우 판례에 의함)

17. 법원행시

⊙ 피고인이 차량을 일단 정차한 다음 경찰관의 운전면허증 제시요구에 불응하고 다시 출발하는 과정에서 경찰관이 잡고 있던 운전석 쪽의 열린 유리창 윗부분을 놓지 않은 채 어느 정도 진행하다가 차량속도가 빨라지자 더 이상 따라가지 못하고 손을 놓아버린 경우

⊙ 현행범인으로서의 요건을 갖추고 있었다고 인정되지 않는 상황에서 경찰관들이 동행을 거부하는 자를 체포하거나 강제로 연행하려고 하자 피고인이 강제연행을 거부하는 자를 도와 경찰관들에 대하여 폭행을 하는 등의 방법으로 그 연행을 방해한 경우

⊙ 경찰관이 벌금형에 따르는 노역장 유치의 집행을 위하여 형집행장을 소지하지 아니한 채 피고인을 구인할 목적으로 그의 주거지를 방문하여 임의동행의 형식으로 데리고 가다가, 피고인이 동행을 거부하며 다른 곳으로 가려는 것을 제지하면서 체포·구인하려고 하자 피고인이 이를 거부하면서 경찰관을 폭행한 경우

⊙ 검문 중이던 경찰관들이 자전거를 이용한 날치기 사건 범인과 흡사한 인상착의의 피고인이 자전거를 타고 다가오는 것을 발견하고 정지를 요구하였으나 멈추지 않아 앞을 가로막고 검문에 협조해 달라고 하였음에도 불응하고 그대로 전진하자, 따라가서 재차 앞을 막고 검문에 응하라고 요구하였는데, 이에 피고인이 경찰관들의 멱살을 잡아 밀치는 등 항의하면서 폭행한 경우

⊙ 폭력행위 등 전과 12범인 피고인이 자신이 운영하는 술집에서 떠들며 놀다가 주민의 신고를 받고 출동한 경찰로부터 조용히 하라는 주의를 받은 것에 앙심을 품고 새벽 4시에 파출소에 뒤쫓아가 "우리 집에 무슨 감정이 있느냐, 이 순사새끼들 죽고 싶으냐."는 등의 폭언을 한 경우

① ㉠, ㉣　　　　　② ㉠, ㉡, ㉢　　　　　③ ㉠, ㉡, ㉣

④ ㉡, ㉢　　　　　⑤ ㉡, ㉢, ㉤

해설 • **공무집행방해죄 ○ :** ㉣ 대판 2010.10.14, 2010도8591(∵ 적법한 불심검문 ○) ㉤ 대판 1989.12.26, 89도1204(∵ 협박 ○)
• **공무집행방해죄 × :** ㉠ 대판 1996.4.26, 96도281(∵ 폭행 ×) ㉡ 대판 1991.9.24, 91도1314(∵ 적법한 직무집행 ×) ㉢ 대판 2010.10.14, 2010도8591(∵ 적법한 직무집행 ×)

Answer 01. ②

02 다음 설명 중 옳은 것을 모두 고른 것은?(다툼이 있는 경우 판례에 의함)　　18. 순경 2차, 23. 해경승진

> ㉠ 경찰관이 도로를 순찰하던 중 벌금 미납으로 수배된 피고인과 조우(遭遇)하여 형집행장을 소지하지 아니한 채 급속을 요하여 그에게 형집행 사유와 더불어 형집행장이 발부되어 있는 사실을 고지하고 벌금 미납으로 인한 노역장 유치의 집행을 위해 구인하려 하였는데, 피고인이 이에 저항하여 그 경찰관을 폭행한 경우 공무집행방해죄가 성립한다.
> ㉡ 형법상 공무집행방해죄는 직무를 집행하는 공무원에 대하여 폭행 또는 협박한 경우에 성립하는 범죄로서 여기서의 폭행은 반드시 신체에 대한 것임을 요하지 아니하며, 또한 구체적 위험범으로서 구체적으로 직무집행의 방해라는 결과발생을 필요로 한다.
> ㉢ 피고인이 지구대 내에서 약 1시간 이상 경찰관에게 큰소리로 욕을 하고 의자에 드러눕거나 다른 사람들에게 시비를 걸고, 경찰관들이 피고인을 내보낸 뒤 문을 잠그자 다시 들어오기 위해 출입문을 계속해서 두드리는 등 소란을 피운 경우, 공무원에 대한 간접적인 유형력의 행사로 볼 수 있어 공무집행방해죄가 성립할 수 있다.
> ㉣ 피고인이 같은 장소에서 함께 출동한 경찰관들 중 먼저 경찰관 A를 폭행하고 곧이어 이를 제지하는 경찰관 B를 폭행한 경우, 위와 같이 동일한 장소에서 동일한 기회에 이루어진 폭행행위는 사회관념상 1개의 행위로 평가하는 것이 상당하므로 A와 B에 대한 공무집행방해죄는 포괄일죄의 관계에 있다.

① ㉠, ㉡　　　② ㉠, ㉢　　　③ ㉡, ㉢　　　④ ㉢, ㉣

해설 ㉠ ○ : 대판 2017.9.26, 2017도9458(그러나 이 경우에 형집행장이 발부되어 있는 사실을 고지하지 않고 형집행 사유와 벌금 미납으로 인한 지명수배 사실을 고지한 경우 ⇨ 공무집행방해죄 ×, 폭행죄 ×)
㉡ × : 형법상 공무집행방해죄는 직무를 집행하는 공무원에 대하여 폭행 또는 협박한 경우에 성립하는 범죄로서, 여기서의 폭행은 사람에 대한 유형력의 행사로 족하고 반드시 신체에 대한 것임을 요하지 아니하며, 또한 추상적 위험범으로서 구체적으로 직무집행의 방해라는 결과발생을 요하지도 아니한다(대판 2018.3.29, 2017도21537).
㉢ ○ : 대판 2013.12.26, 2013도11050
㉣ × : 상상적 경합 ○, 포괄일죄 ×(대판 2009.6.25, 2009도3505)

03 다음 설명 중 가장 옳지 않은 것은?(다툼이 있는 경우 판례에 따름)　　21. 해경 1차

① 공무집행방해죄에 있어서의 범의는 상대방이 직무를 집행하는 공무원이라는 사실, 그리고 이에 대하여 폭행 또는 협박을 한다는 사실을 인식하는 것을 그 내용으로 하고, 그 인식은 불확정적인 것이라도 소위 미필적 고의가 있다고 보아야 하며, 그 직무집행을 방해할 의사를 반드시 필요로 한다.
② 불심검문을 하게 된 경우, 불심검문 당시의 현장 상황과 검문을 하는 경찰관들의 복장, 피고인이 공무원증 제시나 신분 확인을 요구하였는지 여부 등을 종합적으로 고려하여, 검문하는 사람이 경찰관이고 검문하는 이유가 범죄행위에 관한 것임을 피고인이 충분히 알고 있었다고 보이는 경우에는 신분증을 제시하지 않았다고 하여 그 불심검문이 위법한 공무집행이라고 할 수 없다.

Answer　02. ②　03. ①

③ 공무집행방해죄에서 폭행이라 함은 공무원에 대하여 직접적인 유형력의 행사뿐만 아니라 간접 적으로 유형력을 행사하는 행위도 포함하는 것이고, 음향으로 상대방의 청각기관을 직접적으로 자극하여 육체적·정신적 고통을 주는 행위도 유형력의 행사로서 폭행에 해당할 수 있다.

④ 피고인이 범죄 피해 신고를 받고 출동한 두명의 경찰관에게 욕설을 하면서 순차로 폭행을 하여 신고처리 및 수사업무에 관한 정당한 직무집행을 방해한 경우, 두명의 경찰관에 대한 공무집행방해죄는 상상적 경합관계에 있다.

해설 ① × : ~ 방해할 의사를 필요로 하지 않는다(대판 1995.1.24, 94도1949).
② 대판 2014.12.11, 2014도7976
③ 대판 2009.10.28, 2007도3584
④ 대판 2009.6.25, 2009도3505

04 공무방해에 관한 죄에 대한 설명으로 가장 옳지 않은 것은?(다툼이 있는 경우 판례에 의함)

24. 해경간부

① 단순히 장래의 직무집행을 예상하여 폭행·협박을 가하는 행위는 공무집행방해죄에 해당하지 않는다.

② 민원상담 시도 종료 이후 소란을 피우고 있는 민원인을 사무실에서 퇴거시키는 등의 후속조치는 민원안내 업무와 관련된 직무수행이라고 할 수 없다.

③ 직무행위의 적법성에 대한 판단은 당해 직무행위 시점에서의 구체적 상황을 토대로 하는 객관적 판단이어야 한다.

④ 검사나 사법경찰관이 긴급체포의 요건을 갖추지 못하였음에도 불구하고 수사기관에 자진출석한 자를 실력으로 체포하려고 하였다면 적법한 공무집행이라고 할 수 없다.

해설 ① 대판 1979.7.24, 79도1201
② × : ~ 직무수행이라고 할 수 있다(대판 2022.3.17, 2021도13883).
③ 대판 2021.10.14, 2018도2993 ④ 대판 2006.9.8, 2006도148

05 위계에 의한 공무집행방해죄에 대한 설명이다. 아래 설명 중 옳지 않은 것은 모두 몇 개인가?(다툼이 있는 경우 판례에 의함)

22. 경찰간부

> ㉠ 민사소송을 제기하면서 피고의 주소를 허위로 기재하여 법원공무원으로 하여금 변론기일소환장 등을 허위주소로 송달케 한 행위는 법원공무원의 구체적이고 현실적인 직무의 집행을 방해한 것으로 평가할 수 있으므로 위계에 의한 공무집행방해죄가 성립한다.
> ㉡ 화물자동차 운송주선사업자인 피고인이 관할 행정청에 주기적으로 허가기준에 관한 사항을 신고하는 과정에서 허위 서류를 제출하는 부정한 방법으로 허가를 받은 경우 위계에 의한 공무집행방해죄가 성립하지 않는다.

Answer | 04. ② 05. ③

ⓒ 등기신청은 단순한 '신고'가 아니라 그 신청에 따른 등기관의 심사 및 처분을 예정하고 있는 것이므로, 등기신청인이 제출한 허위의 소명자료 등에 대하여 등기관이 나름대로 충분히 심사를 하였음에도 이를 발견하지 못하여 그 등기가 마쳐지게 되었다면 위계에 의한 공무집행방해죄가 성립할 수 있다.

ⓔ 허위의 매매계약서 및 영수증을 소명자료로 첨부하여 가처분신청을 하여 법원으로부터 유체동산에 대한 가처분결정을 받은 행위는 위계에 의한 공무집행방해죄에 해당한다.

ⓜ 위계에 의한 공무집행방해죄에서 공무원의 직무집행이란 법령의 위임에 따른 공무원의 적법한 직무집행 중 공권력의 행사를 내용으로 하는 권력적 작용을 의미하고 사경제주체로서의 활동을 비롯한 비권력적 작용은 포함되지 않는다.

ⓗ 폭행·협박·위계가 아닌 방법으로 공무원이 직무상 수행하는 공무를 방해한 경우에는 공무집행방해죄는 물론 업무방해죄로도 처벌할 수 없다.

① 1개   ② 2개   ③ 3개   ④ 4개

해설 ⓐ × : ~ (3줄) 평가할 수 없으므로 ~ 성립하지 않는다(대판 1996.10.11, 96도312).
ⓑ ○ : 대판 2011.8.25, 2010도7033
ⓒ ○ : 대판 2016.1.28, 2015도17297
ⓔ × : 위계에 의한 공무집행방해죄 ×(대판 2012.4.26, 2011도17125 ∵ 그것만으로는 법원의 구체적이고 현실적인 어떤 직무집행이 방해되었다고 볼 수 없음)
ⓜ × : ~ (2줄) 권력적 작용뿐만 아니라 ~ 비권력적 작용도 포함된다(대판 2003.12.26, 2001도6349).
ⓗ ○ : 대판 2009.11.19, 2009도4166 전원합의체

06 공무방해에 관한 죄에 대한 설명으로 가장 적절한 것은?(다툼이 있는 경우 판례에 의함)
23. 순경 2차, 24. 해경경장

① 불법체류를 이유로 강제출국 당한 중국 동포인 피고인이 중국에서 이름과 생년월일을 변경한 호구부를 발급받아 중국 주재 대한민국 총영사관에 제출하여 입국사증을 받은 다음, 다시 입국하여 외국인등록증을 발급받고 귀화허가신청서까지 제출한 경우, 출원인의 적극적인 위계에 의해 사증 및 외국인등록증이 발급되었던 것이므로 위계에 의한 공무집행방해죄가 성립하고, 귀화허가가 이루어지지 아니하였더라도 위 죄의 성립에 아무런 영향이 없다.

② 과속단속카메라에 촬영되더라도 불빛을 반사시켜 차량 번호판이 식별되지 않도록 하는 기능이 있는 제품을 차량 번호판에 뿌린 상태로 차량을 운행한 경우, 이는 공무원의 감시·단속업무를 적극적으로 방해한 것으로 위계에 의한 공무집행방해죄가 성립한다.

③ 마약범죄 피의자가 타인의 소변을 마치 자신의 소변인 것처럼 수사기관에 건네주어 필로폰음성반응이 나오게 한 경우, 위계에 의한 공무집행방해죄는 성립하지 않는다.

④ 피의자나 참고인이 아닌 자가 자발적이고 계획적으로 피의자를 가장하여 수사기관에 대하여 허위사실을 진술한 경우 위계에 의한 공무집행방해죄가 성립한다.

해설 ① ○ : 대판 2009.2.26, 2008도11862

Answer   **06.** ①

② × : 위계에 의한 공무집행방해죄 ×(대판 2010.4.15, 2007도8024 ∵ 이는 단순히 공무원의 감시·단속을 피하여 금지규정에 위반하는 행위를 한 것에 불과하지 공무원의 감시·단속업무를 적극적으로 방해한 것으로 볼 수 없음)
③ × : 위계에 의한 공무집행방해죄 ○(대판 2007.10.11, 2007도6101)
④ × : 위계에 의한 공무집행방해죄 ×(대판 1977.2.8, 76도3685)

07 공무집행방해죄에 관한 설명 중 가장 적절하지 않은 것은?(다툼이 있는 경우 판례에 의함)

17. 경찰승진

① 공무집행방해죄는 공무원의 적법한 공무집행이 전제로 된다 할 것이고, 그 공무집행이 적법하기 위하여는 그 행위가 당해 공무원의 추상적 직무 권한에 속할 뿐 아니라 구체적으로도 그 권한 내에 있어야 한다.
② 위계에 의한 공무집행방해죄에서의 공무원의 직무집행이란 법령의 위임에 따른 공무원의 적법한 직무집행인 이상 사경제주체로서의 활동을 비롯한 비권력적 작용도 포함된다.
③ 피고인이 노조원들과 함께 경찰관이 파업투쟁 중인 공장에 진입할 경우에 대비하여 그들의 부재중에 미리 윤활유나 철판조각을 바닥에 뿌려 놓아 위 경찰관들이 이에 미끄러져 넘어지거나 철판조각에 찔려 다쳤다면, 특수공무집행방해치상죄가 성립한다.
④ 위계에 의한 공무집행방해죄가 성립되려면 자기의 위계행위로 인하여 공무집행을 방해하려는 의사가 있어야 한다.

해설 ① 대판 1992.5.22, 92도506 ② 대판 2003.12.26, 2001도6349
③ × : 특수공무집행방해치상죄 ×(대판 2010.12.23, 2010도7412 ∵ 폭행 ×)
④ 대판 1974.12.10, 74도2841

08 공무방해에 관한 죄에 대한 설명 중 가장 적절하지 않은 것은?(다툼이 있는 경우 판례에 의함)

18. 순경 1차

① 동일한 공무를 집행하는 여럿의 공무원에 대하여 폭행·협박 행위를 한 경우에는 공무를 집행하는 공무원의 수에 따라 여럿의 공무집행방해죄가 성립하고, 위와 같은 폭행·협박 행위가 동일한 장소에서 동일한 기회에 이루어진 것으로서 사회관념상 1개의 행위로 평가되는 경우에는 여럿의 공무집행방해죄는 상상적 경합의 관계에 있다.
② 불법주차 차량에 불법주차 스티커를 붙였다가 이를 다시 떼어 낸 직후에 있는 주차단속 공무원을 폭행한 경우, 공무집행방해죄가 성립한다.
③ 음주운전을 하다가 교통사고를 야기한 후 그 형사처벌을 면하기 위하여 타인의 혈액을 자신의 혈액인 것처럼 교통사고 조사 경찰관에게 제출하여 감정하도록 한 경우, 위계에 의한 공무집행방해죄가 성립하지 않는다.
④ 변호사가 접견을 핑계로 수용자를 위하여 휴대전화와 증권거래용 단말기를 구치소 내로 몰래 반입하여 이용하게 한 행위는 위계에 의한 공무집행방해죄에 해당한다.

Answer 07. ③ 08. ③

해설 ① 대판 2009.6.25, 2009도3505
② 대판 1999.9.21, 99도383
③ ×: 위계에 의한 공무집행방해죄 ○(대판 2003.7.25, 2003도1609)
④ 대판 2005.8.25, 2005도1731

09 공무집행방해에 관한 죄에 대한 설명으로 가장 적절하지 않은 것은?(다툼이 있는 경우 판례에 의함)
21. 순경 2차

① 甲은 평소 집에서 심한 고성과 욕설 등으로 이웃 주민들로부터 수회에 걸쳐 112신고가 있어왔던 사람으로, 한밤중에 甲의 집이 소란스러워 잠을 이룰 수 없다는 112신고를 받고 출동한 경찰관들이 인터폰으로 문을 열어달라고 하였으나 욕설을 하며 소란행위를 계속하였다. 이에 경찰관들이 甲을 만나기 위해 일시적으로 전기차단기를 내리자 식칼을 들고 나와 욕설을 하며 경찰관들을 향해 찌를 듯이 협박하였더라도 경찰관들의 단전조치를 적법한 공무집행으로 볼 수 없어 甲에게는 특수공무집행방해죄가 성립하지 아니한다.
② 국립대학교의 전임교원 공채심사위원인 학과장 甲이 지원자 A의 부탁을 받고 이미 논문접수가 마감된 학회지에 A의 논문이 게재되도록 돕고, 그 후 연구실적심사의 기준을 강화하자고 제안한 경우에는 설사 甲의 행위가 결과적으로는 A에게 유리한 결과가 되었다 하더라도 위계공무집행방해죄가 성립하지 아니한다.
③ 음주운전 신고를 받고 출동한 경찰관 A는 만취한 상태로 시동이 걸린 차량 운전석에 앉아있는 甲을 발견하고 음주측정을 위해 하차를 요구하였고, 甲이 차량을 운전하지 않았다고 다투자 지구대로 가서 차량 블랙박스를 확인하자고 하였다. 이에 甲이 명시적인 거부 의사표시 없이 도주하자, A가 甲을 10m 정도 추격하여 앞을 막고 제지하는 과정에서 甲이 A를 폭행하였다면 공무집행방해죄가 성립한다.
④ 甲이 허위의 매매계약서 및 영수증을 소명자료로 첨부하여 가처분신청을 하여 법원으로부터 유체동산에 대한 가처분결정을 받은 경우에는 甲의 행위만으로 법원의 구체적이고 현실적인 어떤 직무집행이 방해되었다고 볼 수 없으므로 위계공무집행방해죄가 성립하지 아니한다.

해설 ① ×: 특수공무집행방해죄 ○(대판 2018.12.13, 2016도19417 ∵ 경찰관들의 단전조치 ⇨ 적법한 공무집행 ○)
② 대판 2009.4.23, 2007도1554
③ 대판 2020.8.20, 2020도7193(∵ 정당한 직무집행 ○)
④ 대판 2012.4.26, 2011도17125

10 공무집행방해죄에 대한 설명으로 옳은 것은?(다툼이 있는 경우 판례에 의함)   23. 경찰간부
① 공무집행방해죄의 폭행은 사람에 대한 유형력의 행사이고 이는 반드시 신체에 대한 것임을 요하며, 본죄에서 '직무를 집행하는'이란 공무원이 직무수행에 직접 필요한 행위를 현실적으로 행하고 있는 때만을 가리킨다.

Answer   09. ① 10. ②

② 음주운전 신고를 받고 출동한 경찰관 P가 시동이 걸린 차량 운전석에 앉아 있던 만취한 甲을 발견하고 음주측정을 위하여 하차를 요구하자 甲이 운전하지 않았다고 다투었고, 이에 P가 차량 블랙박스 확인을 위해 경찰서로 임의동행할 것을 요구하자, 甲이 차량에서 내리자마자 도주하여 P가 이미 착수한 음주측정 직무를 계속하기 위하여 甲을 10미터 정도 추격하여 도주를 제지한 것은 정당한 직무집행에 해당한다.

③ 위계에 의한 공무집행방해죄에서 '공무원의 직무집행'이란 법령의 위임에 따른 공무원의 적법한 직무집행으로서 공권력을 내용으로 하는 권력적 작용에 한정하므로, 사경제주체로서의 활동을 비롯한 비권력적 작용은 포함하지 아니한다.

④ 위력으로써 공무원이 직무상 수행하는 공무를 방해하는 행위에 대해서는 형법 제314조의 업무방해죄로 처단할 수 있다.

해설 ① × : ~ 유형력의 행사로 족하고 반드시 그 신체에 대한 것임을 요하지 아니하며, ~ 행하고 있는 때만을 가리키는 것이 아니라 공무원이 직무수행을 위하여 근무 중인 상태에 있는 때를 포괄한다(대판 2018. 3.29, 2017도21537).
② ○ : 대판 2020.8.20, 2020도7193
③ × : 위계에 의한 공무집행방해죄에서의 공무원의 직무집행이란 법령의 위임에 따른 공무원의 적법한 직무집행인 이상 공권력의 행사를 내용으로 하는 권력적 작용뿐만 아니라 사경제주체로서의 활동을 비롯한 비권력적 작용도 포함된다(대판 2003.12.26, 2001도6349).
④ × : ~ 처단할 수 없다(대판 2009.11.19, 2009도4166 전원합의체 ∵ '공무' ⇨ 업무방해죄의 '업무' ×).

11 공무방해에 관한 죄에 대한 설명 중 가장 적절하지 않은 것은?(다툼이 있는 경우 판례에 의함)

23. 경찰승진

① 공무원의 직무집행이 적법한지 여부는 행위 당시의 구체적인 상황을 토대로 객관적 합리적으로 판단해야 한다.

② 공무원의 직무수행에 대한 비판이나 시정 등을 요구하는 집회 시위 과정에서 상대방에게 고통을 줄 의도로 의사전달 수단으로서 합리적인 범위를 넘어서는 정도의 음향을 이용하였다면 공무집행방해죄의 폭행에 해당할 수 있다.

③ 음주운전을 하다가 교통사고를 야기한 후 그 형사처벌을 면하기 위해 타인의 혈액을 자신의 혈액인 것처럼 교통사고 조사 경찰관에게 제출하여 감정하도록 한 경우 위계에 의한 공무집행방해죄가 성립한다.

④ 미결수용자 甲이 변호사 6명을 고용하여 총 51회에 걸쳐 변호인 접견을 가장해 변호사들로 하여금 甲의 개인적 업무와 심부름을 하도록 하고, 소송서류 외의 문서를 수수한 경우 변호인 접견 업무 담당 교도관의 직무집행을 대상으로 한 위계에 의한 공무집행방해죄가 성립한다.

해설 ① 대판 2021.10.14, 2018도2993 ② 대판 2009.10.29, 2007도3584 ③ 대판 2003.7.25, 2003도1609
④ × : 위계에 의한 공무집행방해죄 ×(대판 2022.6.30, 2021도244 ∵ 피고인이 이 사건 접견변호사들에게 지시한 접견이 접견교통권 행사의 한계를 일탈한 경우에 해당할 수는 있겠지만, 그 행위가 위계에 해당한다거나 그로 인해 교도관의 구체적이고 현실적인 직무집행이 방해되었다고 보기 어렵다.)

Answer 11. ④

12 다음 중 공무상 표시무효죄가 인정된 경우로 옳은 것을 모두 고르면?(다툼이 있는 경우 판례에 의함)

20. 경찰간부

㉠ 출입금지가처분의 대상이 된 건조물 등에 가처분 채권자의 승낙을 얻어 출입했는데 가처분결정이나 그 결정의 집행으로서 집행관이 실시한 고시에는 그러한 취지가 명시되어 있지 않은 경우

㉡ 집행관이 채무자 겸 소유자의 건물에 대한 점유를 해제하고 이를 채권자에게 인도한 후 채무자의 출입을 봉쇄하기 위하여 출입문을 판자로 막아둔 것을 채무자가 뜯어내고 그 건물에 들어간 경우

㉢ 직접점유자(임차인)에 대한 점유이전금지가처분결정이 집행된 후 직접점유자가 그 가처분 목적물의 간접점유자(소유자)에게 그 점유를 이전한 경우

㉣ 변호사의 자문을 받아 문제가 없다는 말을 듣고 압류물을 집행관의 승인 없이 관할구역 밖으로 옮긴 경우

㉤ 압류된 골프장시설을 보관하는 회사의 대표이사가 압류시설의 사용 및 봉인의 훼손을 방지할 수 있는 적절한 조치 없이 골프장을 개장하여 봉인이 훼손된 경우

---

① ㉠, ㉡

② ㉡, ㉢, ㉣

③ ㉢, ㉣, ㉤

④ ㉣, ㉤

해설 • **공무상 표시무효죄** ○ : ㉢ 대판 1980.12.23, 80도1963 ㉣ 대판 1992.5.26, 91도894 ㉤ 대판 2005. 7.22, 2005도3034
• **공무상 표시무효죄** × : ㉠ 대판 2006.10.13, 2006도4740 ㉡ 대판 1985.7.23, 85도1092

13 공무방해에 관한 죄에 대한 설명 중 가장 적절하지 않은 것은?(다툼이 있는 경우 판례에 의함)

19. 순경 1차

① 공무집행방해죄에서 공무원의 공무집행이 적법한지 여부는 행위 당시의 구체적 상황에 기하여 객관적 합리적으로 판단하여야 하고 사후적으로 순수한 객관적 기준에서 판단할 것은 아니다.

② 공무집행방해죄에서 협박이란 상대방에게 공포심을 일으킬 목적으로 해악을 고지하는 행위를 의미하는 것으로서 그 협박이 경미하여 상대방이 전혀 개의치 않을 정도인 경우에는 협박에 해당하지 않는다.

③ 부동산강제집행효용침해죄의 객체인 강제집행으로 명도 또는 인도된 부동산에는 강제집행으로 퇴거집행된 부동산은 포함되지 않는다.

④ 공무집행방해죄는 추상적 위험범으로서 구체적으로 직무집행의 방해라는 결과발생을 요하지 않는다.

해설 ① 대판 1991.5.10, 91도453
② 대판 2006.1.13, 2005도4799
③ × : ~ 부동산도 포함된다(대판 2003.5.13, 2001도3212).
④ 대판 2018.3.29, 2017도21537

Answer ▶ **12.** ③ **13.** ③

14 다음 설명 중 가장 옳지 않은 것은?(다툼이 있는 경우 판례에 의함)   20. 경찰간부

① 공무상 비밀표시무효죄와 공용물파괴죄는 미수범 처벌규정이 있으나 공무집행방해죄와 국회의장모욕죄는 미수범 처벌규정이 없다.

② 출입국관리공무원이 관리자의 사전 동의 없이 사업장에 진입하여 불법체류자 단속업무를 개시하였다면 그 상태에서 피고인이 단속공무원을 칼로 찔렀다 할지라도 특수공무집행방해죄는 성립하지 않는다.

③ 법원은 당사자의 허위 주장 및 증거 제출에도 불구하고 진실을 밝혀야 하는 것이 그 직무이므로 가처분신청시 당사자가 허위의 주장을 하거나 허위의 증거를 제출하였다 하더라도 이로써 바로 위계에 의한 공무집행방해죄가 성립한다고 볼 수 없다.

④ 교육인적자원부 장관이 약학대학 학제개편에 관한 공청회를 개최하면서 행정절차법상 통지절차를 위반했다면 다중이 위력으로 공청회 진행을 방해했을지라도 특수공무집행방해죄는 성립하지 않는다.

> 해설 ① 제143조
> ② 대판 2009.3.12, 2008도7156(∵ 적법한 직무집행 ×)
> ③ 대판 2012.4.26, 2011도17125
> ④ × : 특수공무집행방해죄 ○(대판 2007.10.12, 2007도6088 ∵ 통지 절차 위반은 경미한 흠에 불과 ⇨ 적법한 공무집행 ○)

15 공무방해에 관한 죄에 대한 다음 설명 중 옳고 그름의 표시(○, ×)가 모두 바르게 된 것은?(다툼이 있는 경우 판례에 의함)   22. 순경 2차

> ㉠ 형법 제136조에서 정한 공무집행방해죄는 직무를 집행하는 공무원에 대하여 폭행 또는 협박한 경우에 성립하는 범죄로서 여기서의 폭행은 사람에 대한 유형력의 행사로 족하고 반드시 그 신체에 대한 것임을 요하지 아니하며, 또한 추상적 위험범으로서 구체적으로 직무집행의 방해라는 결과발생을 요하지도 아니한다.
>
> ㉡ 甲이 노조원들과 함께 경찰관 P 등이 파업투쟁 중인 공장에 진입할 경우에 대비하여 미리 윤활유나 철판조각을 바닥에 뿌려 놓았고, P 등이 이에 미끄러져 넘어지거나 철판조각에 찔려 다친 경우, 설령 甲 등이 그 윤활유나 철판조각을 P 등의 면전에서 그들의 공무 집행을 방해할 의도로 뿌린 것이 아니라 하더라도 甲의 행위는 특수공무집행방해치상죄에 해당한다.
>
> ㉢ 야간 당직 근무 중인 청원경찰이 불법주차 단속요구에 응하여 현장을 확인만 하고 주간 근무자에게 전달하여 단속하겠다고 했다는 이유로 민원인이 청원경찰을 폭행한 경우, 야간 당직 근무자는 불법주차 단속권한이 없기 때문에 민원인의 행위는 공무집행방해죄에 해당하지 않는다.
>
> ㉣ 집회를 주최하거나 참가하는 것이 형사처벌의 대상이 되는 위법한 집회·시위가 장차 특정지역에서 개최될 것이 예상되자, 경찰관 P가 이와 시간적·장소적으로 근접하지 않은 다른 지역에서 그 집회·시위에 참가하기 위하여 출발 또는 이동하는 행위를 제지한 경우, 이는 공무집행방해죄의 보호대상이 되는 공무원의 적법한 직무집행에 해당하지 않는다.

Answer   14. ④   15. ②

① ㉠(○) ㉡(○) ㉢(×) ㉣(○)

② ㉠(○) ㉡(×) ㉢(×) ㉣(○)

③ ㉠(×) ㉡(○) ㉢(○) ㉣(○)

④ ㉠(○) ㉡(×) ㉢(○) ㉣(×)

해설 ㉠ ○ : 대판 2018.3.29, 2017도21537

㉡ × : ~ (4줄) 의도로 뿌린 것이 아니라면 甲의 행위는 ~ 해당하지 않는다(대판 2010.12.23, 2010도7412 ∵ 피해자들에 대한 유형력의 행사 × ⇨ 폭행 ×)

㉢ × : ~ (3줄) 폭행한 경우, 야간 당직 근무자는 불법주차 단속권한은 없지만 민원 접수를 받아 다음날 관련 부서에 전달하여 처리하고 있으므로 불법주차 단속업무는 야간 당직 근무자들의 민원업무이자 경비업무로서 공무집행방해죄의 '직무집행'에 해당하여 공무집행방해죄가 성립한다(대판 2009.1.15, 2008도9919).

㉣ ○ : 대판 2008.11.13, 2007도9794

16 공무방해에 관한 죄에 설명으로 가장 적절하지 않은 것은?(다툼이 있는 경우 판례에 의함)

24. 경찰간부

① 국민권익위원회 운영지원과 소속 기간제 근로자로서 청사 안전관리 및 민원인 안내 등의 사무를 담당한 A의 공무집행을 甲이 방해한 경우, A는 법령의 근거에 기하여 국가 등의 사무에 종사하는 형법상 공무원으로 보기 어려워, 甲을 공무집행방해죄로 처벌할 수 없다.

② 법령에서 일정한 행위를 금지하면서 이를 위반하는 행위에 대한 벌칙을 정하고 공무원 A로 하여금 그 금지규정의 위반 여부를 감시·단속하도록 한 경우, A의 감시·단속을 단순히 피하여 금지규정을 위반한 甲의 행위는 위계에 의한 공무집행방해죄에 해당한다.

③ 甲의 집이 소란스럽다는 주민들의 112신고를 받고 출동한 경찰관 A가 甲에게 인터폰으로 문을 열어달라고 하였으나 욕설을 하고 문을 열어주지 않아, A가 甲을 만나기 위해 전기차단기를 내리자 화가 난 甲이 식칼을 들고 나와 욕설을 하면서 A를 향해 찌를 듯이 협박한 경우, 특수공무집행방해죄에 해당한다.

④ 도심광장에 무단설치된 천막에 대해 행정대집행법이 정한 계고 및 대집행영장에 의한 통지 절차를 거치지 아니하고 행하는 공무원 A의 철거대집행에 대항하여, 甲이 A에게 폭행·협박을 가한 행위는 특수공무집행방해죄에 해당하지 않는다.

해설 ① 대판 2015.5.29, 2015도3430

② × : ~ 위계에 의한 공무집행방해죄에 해당한다고 할 수 없다(대판 2022.3.31, 2018도15213).

③ 대판 2018.12.13, 2016도19417

④ 대판 2010.11.11, 2009도11523

Answer 16. ②

17 공무방해에 관한 죄에 대한 설명으로 옳지 않은 것은?(다툼이 있는 경우 판례에 의함) 22. 7급 검찰

① 노조원들이 파업투쟁 중인 공장에 경찰관들이 진입할 것에 대비하여 경찰관들의 부재중에 미리 윤활유나 철판 조각을 바닥에 뿌려 놓은 경우, 그 후 공장에 진입하던 경찰관들이 이로 인해 미끄러져 넘어지거나 철판 조각에 찔려 다쳤다고 하더라도 특수공무집행방해치상죄가 성립하지 않는다.

② 절도범인이 체포를 면탈할 목적으로 경찰관에게 폭행을 가한 때에는 준강도죄와 공무집행방해죄를 구성하고 양 죄는 상상적 경합관계에 있으나, 강도범인이 체포를 면탈할 목적으로 경찰관에게 폭행을 가한 때에는 강도죄와 공무집행방해죄는 실체적 경합관계에 있다.

③ 집행관이 법원으로부터 피신청인에 대하여 부작위를 명하는 가처분이 발령되었음을 고시하는 데 그치고 나아가 봉인 또는 물건을 자기의 점유로 옮기는 등의 구체적인 집행행위를 하지 아니한 경우, 단순히 피신청인이 가처분의 부작위명령을 위반하였다는 것만으로는 공무상 표시무효죄가 성립하지 않는다.

④ 집행관이 유체동산을 가압류하면서 이를 채무자에게 보관하도록 한 경우, 채무자가 가압류된 유체동산을 제3자에게 양도하고 그 점유를 이전한 경우라도 채무자와 양수인이 가압류된 유체동산을 원래 있던 장소에 그대로 두었다면 특별한 사정이 없는 한 공무상 표시무효죄가 성립하지 않는다.

해설 ① 대판 2010.12.23, 2010도7412(∵ 폭행 ×) ② 대판 1992.7.28, 92도917
③ 대판 2010.9.30, 2010도3364(∵ 집행관이 부작위명령을 고지하였을 뿐 구체적인 집행행위를 하지 아니하였다면, 단순히 피신청인이 위 가처분의 부작위명령을 위반하였다는 것만으로는 공무상 표시의 효용을 해하는 행위에 해당하지 않는다.)
④ × : 공무상 표시무효죄 ○(대판 2018.7.11, 2015도5403 ∵ ~ (2줄) 그 점유를 이전한 경우, 이는 가압류 집행이 금지하는 처분행위로서, 특별한 사정이 없는 한 가압류 표시 자체의 효력을 사실상으로 감쇄 또는 멸각시키는 행위에 해당한다. 이는 채무자와 양수인이 가압류된 유체동산을 원래 있던 장소에 그대로 두었더라도 마찬가지이다.)

18 공무방해의 죄에 관한 설명 중 가장 적절하지 않은 것은?(다툼이 있는 경우 판례에 의함) 23. 순경 1차

① 형법 제136조에서 정한 공무집행방해죄는 직무를 집행하는 공무원에 대하여 폭행 또는 협박한 경우에 성립하는 범죄로서, 구체적으로 직무집행의 방해라는 결과가 발생할 것을 요하지는 않는다.

② 공용서류 등 무효죄의 '공무소에서 사용하는 서류 기타 전자기록'에는 공문서로서의 효력이 생기기 이전의 서류, 정식의 접수 및 결재 절차를 거치지 않은 문서, 결재 상신 과정에서 반려된 문서도 포함된다.

③ 타인의 소변을 마치 자신의 소변인 것처럼 수사기관에 건네주어 필로폰 음성반응이 나오게한 경우, 수사기관의 착오를 이용하여 적극적으로 피의사실에 관한 증거를 조작한 것이므로 위계에 의한 공무집행방해죄를 구성한다.

Answer 17. ④ 18. ④

④ 공무상 표시무효죄는 공무원이 그 직무에 관하여 실시한 봉인 또는 압류 기타 강제처분의 표시를 적극적으로 손상·은닉하거나 기타 방법으로 그 효용을 해하는 것을 요건으로 하므로, 부작위에 의한 방법으로는 공무상 표시무효죄를 범할 수 없다.

해설 ① 대판 2018.3.29, 2017도21537
② 대판 2020.12.10, 2015도19296
③ 대판 2007.10.11, 2007도6101
④ × : ~ (2줄)의 표시를 손상·은닉하거나 기타 방법으로 그 효용을 해하는 것을 요건으로 하므로, 부작위에 의한 방법으로도 공무상 표시무효죄를 범할 수 있다(대판 2005.7.22, 2005도3034).

19 공무방해에 대한 죄에 관한 설명으로 가장 적절한 것은?(다툼이 있는 경우 판례에 의함) 24. 순경 1차
① 위계로써 구체적인 공무집행을 저지하거나 현실적으로 곤란하게 하는 데까지 이르지 아니하였다 하더라도 위계에 의한 공무집행방해죄가 성립한다.
② 공무원 甲이 출원인이 어업허가를 받을 수 없는 자라는 사실을 알면서도 그 직무상의 의무에 따른 적절한 조치를 취하지 않고 오히려 부하직원으로 하여금 어업허가 처리기안문을 작성하게 한 다음 甲 스스로 중간결재를 하는 등 위계로써 결재권자의 최종 결재를 받은 경우, 甲에게는 작위범인 위계에 의한 공무집행방해죄만이 성립하고 부작위범인 직무유기죄는 따로 성립하지 아니한다.
③ 甲과 A가 주차문제로 언쟁을 벌이던 중 112신고를 받고 출동한 경찰관 P가 A를 때리려는 甲을 제지하자, 甲이 자신만 제지를 당한 데 화가 나서 손으로 P의 가슴을 밀치고 계속 욕설을 하면서 자신을 현행범으로 체포하며 순찰차 뒷자석에 태우려는 P의 정강이 부분을 수 차례 걷어차는 등 폭행한 경우, 이는 공무집행방해죄의 '폭행'에 해당하지 않는다.
④ 형법 제136조의 공무집행방해죄는 침해범으로서 현실적으로 직무집행이 방해되어야 기수에 이른다.

해설 ① × : ~ 이르지 아니한 경우 위계에 의한 공무집행방해죄가 성립하지 않는다(대판 2003.2.11, 2002도4293).
② ○ : 대판 1997.2.28, 96도2825
③ × : ~ '폭행'에 해당한다(대판 2018.3.29, 2017도21537).
④ × : 형법 제136조의 공무집행방해죄는 추상적 위험범(구체적 위험범 ×, 침해범 ×)으로서 공무원에 대하여 폭행·협박을 하면 기수에 이르며, 구체적으로 직무집행의 방해라는 결과발생을 요하지도 아니한다(대판 2018.3.29, 2017도21537).

Answer 19. ②

20 공무집행방해죄에 관한 설명으로 가장 적절하지 않은 것은?(다툼이 있는 경우 판례에 의함)

24. 순경 2차

① 공무집행방해죄는 공무원의 적법한 공무집행을 전제로 하는데, 추상적인 권한에 속하는 공무원의 어떠한 공무집행이 적법한지 여부는 행위 당시의 구체적 상황에 기하여 객관적 합리적으로 판단하여야 하고 사후적으로 순수한 객관적 기준에서 판단할 것은 아니다.

② 행정청에 대한 일방적 통고로 효과가 완성되는 '신고'의 경우에는 신고인이 신고서에 허위사실을 기재하거나 허위의 소명 자료를 제출하였더라도, 그것만으로는 담당 공무원의 구체적이고 현실적인 직무집행이 방해받았다고 볼 수 없어 특별한 사정이 없는 한 허위 신고가 위계에 의한 공무집행방해죄를 구성한다고 볼 수 없다.

③ 피고인들이 불법적인 농성을 계속하다가 관할구청이 행정대집행으로 농성 장소에 있던 물건을 치웠음에도 피고인들이 이에 대한 항의의 일환으로 집회를 개최하려고 하자, 또다시 같은 장소를 점거하고 물건을 다시 비치하는 것을 막기 위해 출동하여 농성 장소를 미리 둘러싼 경찰관들이 농성 장소 진입을 소극적으로 제지하는 과정에서 피고인들이 경찰관들을 밀치는 등 유형력을 행사한 행위는 공무집행방해죄를 구성한다.

④ 시청청사 내 주민생활복지과 사무실에서 소란을 피우던 甲을 소속 공무원 A가 제지하며 밖으로 데리고 나가려 하자 甲이 A를 폭행한 경우, 민원상담을 시도한 순간부터 민원상담 시도를 종료한 순간까지만 소속 공무원의 직무범위인 민원업무에 해당하는 것이므로 甲을 사무실에서 퇴거시키는 등의 후속조치는 직무범위에 포함되지 않는다고 할 것이므로 공무집행방해죄를 구성하지 않는다.

해설 ① 대판 2021.10.14, 2018도2993
② 대판 2011.9.8, 2010도7034
③ 대판 2021.10.14, 2018도2993
④ × : 시청 청사 내 주민생활복지과 사무실에 술에 취한 상태로 찾아가 소란을 피우던 피고인을 소속 공무원 甲과 乙이 제지하며 밖으로 데리고 나가려 하자, 피고인이 甲과 乙의 멱살을 잡고 수회 흔든 다음 휴대전화를 휘둘러 甲의 뺨을 때린 경우 ⇨ 공무집행방해죄 ○(대판 2022.3.17, 2021도13883 ∵ 민원상담 시도 종료 이후 소란을 피우고 있는 민원인을 사무실에서 퇴거시키는 등의 후속조치는 민원안내 업무와 관련된 직무수행이라고 할 수 있음. ⇨ 적법한 직무집행 ○)

Answer 20. ④

21 공무방해에 관한 죄에 관한 설명 중 옳은 것은 모두 몇 개인가?(다툼이 있는 경우 판례에 의함)

24. 법원행시

⊙ 경찰관들이 甲에 대한 현행범인의 체포 또는 긴급체포 과정에서 미란다 원칙상 고지사항의 일부만 고지하고 신원확인절차를 밟으려는 순간 甲이 유리조각을 쥐고 휘둘러 이를 제압하려는 경찰관들에게 상해를 입힌 경우, 그 제압과정 중이나 후에 지체 없이 미란다 원칙을 고지하면 되는 것이므로 甲은 위 경찰관들의 긴급체포업무에 관한 정당한 직무집행을 방해한 것으로 볼 수 있다.

⊙ 시청 청사 내 주민생활복지과 사무실에 술에 취한 상태로 찾아가 소란을 피우던 乙을 소속 공무원 A와 B가 제지하며 밖으로 데리고 나가려 하자, 乙이 A와 B의 멱살을 잡고 수회 흔든 다음 휴대전화를 휘둘러 A의 뺨을 때린 것은 시청 소속 공무원들의 적법한 직무집행을 방해한 행위에 해당하므로 공무집행방해죄를 구성한다고 보아야 한다.

⊙ 피의자가 적극적으로 허위의 증거를 조작하여 제출하고 그 증거 조작의 결과 수사기관이 그 진위에 관하여 나름대로 충실한 수사를 하더라도 제출된 증거가 허위임을 발견하지 못할 정도에 이르렀다면, 이는 위계로 수사기관의 수사행위를 적극적으로 방해한 것으로서 위계 공무집행방해죄가 성립한다.

⊙ 집행관이 유체동산을 가압류하면서 이를 채무자에게 보관하도록 한 경우 그 가압류의 효력은 압류된 물건의 처분행위를 금지하는 효력이 있으므로, 채무자가 가압류된 유체동산을 제3자에게 양도하고 그 점유를 이전한 경우, 이는 가압류집행이 금지하는 처분행위로서, 특별한 사정이 없는 한 가압류표시 자체의 효력을 사실상으로 감쇄 또는 멸각시키는 행위에 해당하고, 이는 채무자와 양수인이 가압류된 유체동산을 원래 있던 장소에 그대로 두었더라도 마찬가지이다.

⊙ 형법 제141조 제1항이 규정하고 있는 공용서류은닉죄에 있어서의 범의란 피고인에게 공무소에서 사용하는 서류라는 사실과 이를 은닉하는 방법으로 그 효용을 해한다는 사실의 인식을 의미하므로, 경찰이 작성한 진술조서가 미완성이고 작성자와 진술자가 서명·날인 또는 무인한 것이 아니어서 공문서로서의 효력이 없다면 공무소에서 사용하는 서류라고 할 수는 없다.

① 1개 ② 2개 ③ 3개
④ 4개 ⑤ 5개

해설 ⊙ ○ : 대판 2007.11.29, 2007도7961

⊙ ○ : 대판 2022.3.17, 2021도13883(∵ 민원상담 시도 종료 이후 소란을 피우고 있는 민원인을 사무실에서 퇴거시키는 등의 후속조치는 민원안내 업무와 관련된 직무수행이라고 할 수 있음. ⇨ 적법한 직무집행 ○)

⊙ ○ : 대판 2003.7.25, 2003도1609

⊙ ○ : 대판 2018.7.11, 2015도5403

⊙ × : ~ (4줄) 공문서로서의 효력이 없다고 하더라도 '공무소에서 사용하는 서류'에 해당한다(대판 2006. 5.25, 2003도3945).

Answer 21. ④

제3절 도주와 범인은닉의 죄

📖 **도주죄와 범인은닉죄, 위증죄와 증거인멸죄, 무고죄의 법조문 정리**

1. 도주죄의 미수는 모두 처벌된다(도주죄, 집합명령위반죄, 특수도주죄, 도주원조죄, 간수자도주원조죄).
2. 예비·음모 처벌 : (단순)도주원조죄, 간수자도주원조죄 11. 경찰승진, 22. 법원행시
   ▶ 범인은닉죄, 위증죄, 증거인멸죄, 무고죄 ⇨ 미수·예비·음모 처벌 ×
3. 친족간의 특례규정 ⇨ 도주죄 ×, 위증죄 ×, 범인은닉죄 ○, 증거인멸죄 ○ 20. 법원행시
4. 자수·자백 특례규정(필요적 감면) ⇨ 위증죄, 무고죄

1 (단순)도주죄

> **제145조 제1항** 법률에 따라 체포되거나 구금된 자가 도주한 경우에는 1년 이하의 징역에 처한다.

📌 미수범 처벌(제149조)

(1) **주 체** : 법률에 의하여 체포 또는 구금된 자(가석방이나 보석 중에 있는 자와 형집행정지나 구속집행 정지 중에 있는 자 ⇨ 주체 ×) 20. 경찰승진

┌ **관련판례**

1. 사법경찰관이 피고인을 수사관서까지 동행한 것이 사실상의 강제연행, 즉 불법체포에 해당하고, 불법 체포로부터 6시간 상당이 경과한 후에 이루어진 긴급체포 또한 위법하므로 피고인은 불법체포된 자로서 형법 제145조 제1항에 정한 '법률에 의하여 체포 또는 구금된 자'가 아니어서 도주죄의 주체가 될 수 없다(대판 2006.7.6, 2005도6810). 14. 법원행시, 17. 경찰간부, 21. 해경간부·해경승진
2. 법원이 선고기일에 피고인에 대하여 실형을 선고하면서 구속영장을 발부하는 경우 검사가 법정에 재정하여 법원으로부터 구속영장을 전달받아 집행을 지휘하고, 그에 따라 피고인이 피고인 대기실로 인치되었다면 다른 특별한 사정이 없는 한 피고인은 형법 제145조 제1항의 '법률에 의하여 체포 또는 구금된 자'에 해당한다(대판 2023.12.28, 2020도12586).

(2) **행 위** : 도주(체포나 구금상태로부터 이탈하는 것 : 일시적인 이탈이나 부작위에 의한 도주도 가능)

┌ **관련판례**

도주죄는 즉시범으로서 범인이 간수자의 실력적 지배를 이탈한 상태에 이르렀을 때에 기수가 되어 도주행위가 종료하는 것이고, 도주원조죄는 도주죄에 있어서의 범인의 도주행위를 야기시키거나 이를 용이하게 하는 등 그와 공범관계에 있는 행위를 독립한 구성요건으로 하는 범죄이므로, 도주죄의 범인이 도주행위를 하여 기수에 이르른 이후에 범인의 도피를 도와 주는 행위는 범인도피죄에 해당할 수 있을 뿐 도주원조죄에는 해당하지 아니한다(대판 1991.10.11, 91도1656 **예** 甲이 수감되어 있던 병원에서 간수자를 폭행하고 병원 밖으로 도주해 나오자, 甲이 보다 먼 지역으로 달아날 수 있도록 甲의 친형인 피고인이 승용차를 甲에게 인도하여 준 경우 ⇨ 도주원조죄 ×). 20. 경찰간부·경찰승진, 21. 해경간부·해경 2차, 22. 법원행시·변호사시험·순경 2차, 23. 해경승진, 24. 해경수사

② 특수도주죄

> **제146조** 수용설비 또는 기구를 손괴하거나 사람에게 폭행 또는 협박을 가하거나 2인 이상이 합동하여 전조 제1항의 죄를 범한 자는 7년 이하의 징역에 처한다. 19. 경찰승진

☀ 미수범 처벌(제149조), 예비 · 음모처벌 × 22. 법원행시

③ (단순)도주원조죄, 간수자도주원조죄

> **제147조** 법률에 의하여 구금된 자를 탈취하거나 도주하게 한 자는 10년 이하의 징역에 처한다.
> **제148조** 법률에 의하여 구금된 자를 간수 또는 호송하는 자가 이를 도주하게 한 때에는 1년 이상 10년 이하의 징역에 처한다.

☀ 1. 미수범 처벌(제149조), 예비 · 음모 처벌(제150조) 11. 경찰승진
　2. 본죄는 도주죄에 대한 교사 · 방조행위를 독립된 구성요건으로 규정한 것으로 총칙상의 공범규정이 적용 안 된다(다수설 · 판례).
　3. 도주죄의 범인이 기수에 이른 후에 그 범인의 도피를 도와주는 경우 ⇨ 도주원조죄 ×, 범인도피죄 ○(대판 1991.10.11, 91도1656) 13. 경찰승진, 19. 수사경과 · 법원행시 · 변호사시험 · 순경 2차, 20. 경찰간부

④ 범인은닉죄

> **제151조** ① 벌금 이상의 형에 해당하는 죄를 범한 자를 은닉 또는 도피하게 한 자는 3년 이하의 징역 또는 500만원 이하의 벌금에 처한다.
> ② 친족 또는 동거의 가족이 본인을 위하여 전항의 죄를 범한 때에는 처벌하지 아니한다.

☀ 미수범 처벌 ×, 목적범 ×

(1) 주체 : 범인 이외의 자

┌ 관련판례

　1. 범인이 자신을 위하여 타인으로 하여금 허위의 자백을 하게 하여 범인도피죄를 범하게 하는 행위는 방어권의 남용으로 범인도피죄의 교사죄에 해당한다(대판 2000.3.24, 2000도20). 16. 경찰승진, 19. 9급 검찰, 22. 경찰간부, 24. 해경승진 · 순경 1차
　2. 범인이 자신을 위하여 타인으로 하여금 허위의 자백을 하게 범인도피죄를 범하게 하는 행위는 방어권의 남용으로 범인도피교사죄에 해당하는데 이 경우 그 타인이 형법 제151조 제2항에 의하여 처벌을 받지 아니하는 친족, 호주 또는 동거가족에 해당한다 하여 달리 볼 것이 아니므로, 무면허운전으로 사고를 낸 사람이 동생을 경찰서에 대신 출두시켜 피의자로 조사받도록 한 행위는 범인도피교사죄를 구성한다(대판 2006.12.7, 2005도3707). 16. 법원직 · 수사경과, 21. 경찰간부, 22. 변호사시험 · 경찰승진, 23. 7급 검찰, 24. 법원행시 이와 같은 법리는 범인을 위해 타인이 범하는 범인도피죄를 범인 스스로 방조하는

경우에도 마찬가지로 적용된다(대판 2008.11.13, 2008도7647 **예** 甲이 배우자로 하여금 허위의 자백을 하게 하여 범인도피죄를 범하게 한 경우 ⇨ 범인도피방조죄 ○). 11. 사시, 21. 7급 검찰

3. 범인 스스로 도피하는 행위는 처벌되지 아니하므로, 범인이 도피를 위하여 타인에게 도움을 요청하는 행위 역시 도피행위의 범주에 속하는 한 처벌되지 아니하며, 범인의 요청에 응하여 범인을 도운 타인의 행위가 범인도피죄에 해당한다고 하더라도 이를 방어권의 남용으로 볼 수 없는 한 마찬가지이다(대판 2014.4.10, 2013도12079 **예** 벌금 이상의 형에 해당하는 죄를 범하고 도피 중이던 甲이 친구에게 그런 사실을 설명하고 수사기관의 추적을 피하기 위해 위 친구에게 요청하여 속칭 '대포폰'을 개설하여 받고, 위 친구를 전화로 불러 그가 운전하는 차를 타고 시내를 이동하여 다닌 경우 ⇨ 乙 : 범인도피죄 ○, 甲 : 범인도피교사죄 ×(∵ 통상적 도피의 한 유형으로 방어권의 남용으로 볼 수 없음)]. 15. 사시, 18. 법원직, 19. 법원행시 · 수사경과, 20. 해경 1차

4. 범인도피죄는 타인을 도피하게 하는 경우에 성립하는데, 여기에서 타인에는 공범도 포함되나 범인 스스로 도피하는 행위는 처벌되지 않는다. 또한 공범 중 1인이 그 범행에 관한 수사절차에서 참고인 또는 피의자로 조사받으면서 자기의 범행을 구성하는 사실관계에 관하여 허위로 진술하고 허위 자료를 제출하는 것은 자신의 범행에 대한 방어권행사의 범위를 벗어난 것으로 볼 수 없기 때문에, 다른 공범을 도피하게 하는 결과가 된다고 하더라도 범인도피죄로 처벌할 수 없다. 이때 공범이 이러한 행위를 교사하였더라도 범죄가 될 수 없는 행위를 교사한 것에 불과하여 범인도피교사죄가 성립하지 않는다(대판 2018.8.1, 2015도20396 **예** 피고인들이 강제집행면탈죄의 공동정범으로서 한 범인도피교사 행위와 범인도피 행위는 자신들의 범행 은닉과 밀접불가분 관계에 있어 자기도피와 마찬가지로 적법행위에 대한 기대가능성이 없고 방어권 남용으로 보기 어렵다). 20. 해경 1차, 22. 경찰승진 · 순경 1차, 23. 7급 검찰, 24. 법원행시

---

(2) **객 체** : 법정형이 벌금 이상의 형에 해당하는 죄를 범한 자 21. 수사경과

┌─ **관련판례**

1. 제151조 제1항의 '죄를 범한 자'라 함은 범죄의 혐의를 받아 수사대상이 되어 있는 자를 포함하며, 나아가 도피하게 한 당시에는 아직 수사대상이 되어 있지 않았더라도 범인도피죄가 성립한다(대판 2003.12.12, 2003도4533). 14. 순경 2차, 18. 수사경과, 22. 경찰간부 · 해경간부, 24. 순경 1차

2. 진범인에 한하지 않고 범죄혐의로 수사 또는 소추 중인 자를 포함한다(대판 1982.1.26, 81도1931 ∴ 구속수사의 대상이 된 공소외인이 그 후 무혐의로 석방되었다 하더라도 본죄의 성립에는 영향이 없다). 13. 법원행시, 15. 사시

---

(3) **행 위** : 은닉 또는 도피하게 하는 것

① 범인은닉죄라 함은 죄를 범한 자임을 인식하면서 장소를 제공하여 체포를 면하게 하는 것만으로 성립한다 할 것이고, 죄를 범한 자에게 장소를 제공한 후 동인에게 일정 기간 동안 경찰에 출두하지 말라고 권유하는 언동을 하여야만 범인은닉죄가 성립하는 것이 아니며, 또 그 권유에 따르지 않을 경우 강제력을 행사하여야만 한다거나, 죄를 범한 자가 은닉자의 말에 복종하는 관계에 있어야만 범인은닉죄가 성립하는 것은 더욱 아니다(대판 2002.10.11, 2002도3332). 23. 법원행시

② 형법 제151조의 범인도피죄에서 '도피하게 하는 행위'는 은닉 이외의 방법으로 범인에 대한 수사, 재판 및 형의 집행 등 형사사법의 작용을 곤란 또는 불가능하게 하는 일체의 행위를 말한다.23. 7급 검찰 또한, 위 죄는 위험범으로서 현실적으로 형사사법의 작용을 방해하는 결과를 초래할 것이 요구되지 아니하지만,13. 7급 검찰, 21. 수사경과, 20. 해경 1차 같은 조에 함께 규정되어 있는 은닉행위에 비견될 정도로 수사기관의 발견·체포를 곤란하게 하는 행위, 즉 직접 범인을 도피시키는 행위 또는 도피를 직접적으로 용이하게 하는 행위에 한정된다(대판 2013.1.10, 2012도13999).21. 해경간부, 24. 해경수사 그 자체로는 도피시키는 것을 직접적인 목적으로 하였다고 보기 어려운 어떤 행위의 결과 간접적으로 범인이 안심하고 도피할 수 있게 한 경우까지 포함하는 것은 아니다(대판 2008.12.24, 2007도11137).19. 법원행시, 20. 순경 1차, 24. 해경승진

③ 범인도피죄에 있어서 벌금 이상의 형에 해당하는 자에 대한 인식은 실제로 벌금 이상의 형에 해당하는 범죄를 범한 자라는 것을 인식함으로써 족하고 그 법정형이 벌금 이상이라는 것까지 알 필요는 없는 것이고 범죄의 구체적인 내용이나 범인의 인적사항 및 공범이 있는 경우 공범의 구체적 인원수 등까지 알 필요는 없다(대판 1995.12.26, 93도904).14. 경찰승진, 19. 수사경과, 21. 해경승진

관련판례

• **본죄에 해당하는 경우**

1. 범인이 기소중지자임을 알고도 다른 사람(피고인의 처)의 명의로 대신 임대차계약을 체결해 준 경우(대판 2004.3.26, 2003도8226) 16. 순경 1차, 20. 경찰승진, 21. 경찰간부·해경간부·해경승진, 23. 법원행시

2. 범인 아닌 자가 수사기관에서 범인임을 자처하고 허위사실을 진술하여 진범의 체포와 발견에 지장을 초래하게 한 경우(대판 1996.6.14, 96도1016 **에** 다른 사람의 교통사고 사실을 숨기고 자신이 교통사고를 일으켰다고 경찰에 신고한 경우), 범인에게 수사진행상황을 알려주는 경우(대판 1967.5.23, 67도366) 16. 법원직·경찰승진, 19. 순경 1차, 21. 경찰간부

3. 수표가 지급거절이 되리라는 것을 알면서 그 수표부도 직전에 발행인을 은닉한 경우(대판 1990.3.27, 89도1480 ∴ 범인은닉에 관한 범의 ○) 11. 경찰승진

4. ① 범인으로 혐의를 받아 수사기관으로부터 수사 중인 경우에 범인 아닌 다른 자로 하여금 범인으로 가장케 하여 수사를 받도록 함으로써 범인체포에 지장을 초래케 하는 경우(대판 1967.5.23, 67도366) ② 피의자 아닌 자가 수사기관에 대하여 피의자임을 자처하고 허위사실을 진술하거나(대판 2000.11.24, 2000도4078) ③ 공범이 더 있다는 사실을 숨긴 채 허위보고를 하고 조사받고 있는 범인에게 다른 공범이 더 있다는 사실을 실토하지 못하도록 하여(대판 1995.12.26, 93도904) 범인의 체포와 발견에 지장을 초래하게 하는 행위

• **본죄에 해당하지 않는 경우**

1.
수사기관에서 피의자나 참고인이 조사를 받으면서(적극적으로 수사기관을 기만하여 착오에 빠지게 하여 범인의 발견·체포를 곤란 내지 불가능하게 할 정도의 것이 아닌) 단순히 알고 있는 사실을 묵비하거나 허위로 진술한 경우(대판 2003.2.14, 2002도5374 ; 대판 1997.9.9, 97도1596

∴ 수사기관은 범죄사건을 수사함에 있어서 피의자나 참고인의 진술 여하에 불구하고 피의자를 확정하고 그 피의사실을 인정할 만한 객관적인 제반 증거를 수집·조사하여야 할 권리와 의무가 있다.) 12. 법원행시·법원직, 13·19. 경찰승진, 21. 해경 2차

① 참고인이 수사기관에서 진술을 함에 있어 단순히 범인으로 체포된 사람과 동인이 목격한 범인이 동일함에도 불구하고 동일한 사람이 아니라고 하여 허위진술을 하여 진정한 범인이 석방된 경우(대판 1987.2.10, 85도897) 14. 경찰승진, 18. 수사경과, 21. 7급 검찰

② 참고인이 실제의 범인이 누군지도 정확하게 모르는 상태에서 수사기관에서 실제의 범인이 아닌 어떤 사람을 범인이 아닐지도 모른다고 생각하면서도 그를 범인이라고 지목하는 허위의 진술을 한 결과 범인으로 지목된 사람이 구속기소됨으로써 실제의 범인이 용이하게 도피하는 결과를 초래한 경우(대판 1997.9.9, 97도1596) 16. 경찰승진, 18. 수사경과, 21·22. 경찰간부

③ 피의자가 사법경찰관으로부터 신문을 받으면서 공범의 이름을 알면서도 이를 알려주지 않은 경우(대판 1984.4.10, 83도3288), 피의자가 수사기관에서 공범에 관하여 묵비하거나 허위로 진술한 경우(대판 2010.3.25, 2009도14065) 12. 법원행시, 16. 법원직

④ 게임산업진흥에 관한 법률 위반 혐의로 수사기관에서 조사받는 피의자가 사실은 게임장·오락실·피씨방 등의 실제 업주가 아님에도 불구하고 자신이 실제 업주라고 허위로 진술한 경우(대판 2010.2.11, 2009도12164) 14. 순경 2차·법원행시, 18. 법원직, 18·19. 수사경과, 20. 해경 1차

▶ 주의 : 그러나 甲이 실제 업주를 숨기고 자신이 대신하여 처벌받기로 하는 이른바 '바지사장'의 역할을 맡기로 하는 등 수사기관을 착오에 빠뜨리기로 하고, 범행경위에 대해 적극적으로 허위로 진술하거나 허위 자료를 제시하는 행위를 하는 경우 범인도피죄가 성립한다(대판 2010.2.11, 2009도12164). 21·23. 7급 검찰

⑤ 폭행사건 현장의 참고인이 출동한 경찰관에게 범인의 이름 대신 허무인의 이름을 대면서 구체적인 인적사항에 대한 언급을 피한 경우(대판 2008.6.26, 2008도1059) 21. 경찰간부·7급 검찰

2. 도로교통법 위반으로 체포된 범인이 타인의 성명을 모용하여 타인의 행세를 한다는 것을 알면서 신원보증서를 작성하여 수사기관에 제출하는 보증인이 피의자의 인적사항과 자신의 인적사항을 허위로 기재하여 제출한 경우(대판 2003.2.14, 2002도5374) 15. 사시, 18. 법원직·7급 검찰, 24. 법원행시

3. 범인에게 단순히 안부를 묻거나 통상의 안부인사를 한 경우(대판 1992.6.12, 92도736 예 피고인이 주점 개업식 날 찾아온 범인에게 "도망다니면서 이렇게 와 주니 고맙다. 항상 몸조심하고 주의하여 다녀라. 열심히 살면서 건강에 조심하라."고 말한 경우) 20. 순경 1차, 24. 해경승진

4. 일반인이 범인을 고소·고발하지 않거나 수사기관에 인계하지 않는 경우(대판 1984.2.14, 83도2209 예 피고인들이 부정수표단속법 피의자 A가 공소외 B에 대하여 지는 또 다른 노임채무를 인수키로 하는 지불각서를 작성하여 주고 위 B가 A를 수사당국에 인계하는 것을 포기하기로 하는 합의가 이루어져 위 A가 수사당국에 인계되지 않은 경우 ⇨ 범인도피죄 ×) 23. 법원행시

(4) 계속범

범인도피죄는 범인을 도피하게 함으로써 기수에 이르지만, 범인도피행위가 계속되는 동안에는 범죄행위도 계속되고 행위가 끝날 때 비로소 범죄행위가 종료된다. 따라서 공범자의 범인도피행위 도중에 그 범행을 인식하면서 그와 공동의 범의를 가지고 기왕의 범인도피상태를 이용하여 스스로 범인도피행위를 계속한 경우에는 범인도피죄의 공동정범(종범 ×)이 성립하고, 14. 법원행시, 18. 법원직, 19. 경찰승진, 20. 순경 1차, 21. 해경간부, 24. 해경승진 이는 공범자의 범행을 방조한 종범의 경우도 마찬가지이다(대판 2012.8.30, 2012도6027 **예** 변호인이 의뢰인의 요청에 따른 변론행위라는 명목으로 수사기관이나 법원에 대하여 적극적으로 허위의 진술을 하거나 피고인 또는 피의자로 하여금 허위진술을 하도록 하는 것은 허용되지 않으므로, 변호인이 진범을 은폐하는 허위자백을 적극적으로 유지하게 한 경우 범인도피방조죄의 죄책을 질 수 있다). 19. 경찰승진, 21. 수사경과, 22. 경찰간부, 24. 법원행시·해경수사

(5) 죄 수

관련판례

1. 사법경찰관이 검사의 검거지시를 받고도 오히려 범인에게 전화로 도피하라고 권유하여 도피하게 한 경우 ⇨ 범인도피죄 ○, 직무유기죄 ×(대판 1996.5.10, 96도51) 15. 사시, 21. 해경간부
   ▶ **유사판례** : 경찰공무원이 지명수배 중인 범인을 발견하고도 직무상 의무에 따른 적절한 조치를 취하지 아니하고 오히려 범인을 도피하게 하는 행위를 하였다면, 그 직무위배의 위법상태는 범인도피행위 속에 포함되어 있다고 보아야 할 것이므로, 이와 같은 경우에는 작위범인 범인도피죄만이 성립하고 부작위범인 직무유기죄는 따로 성립하지 아니한다(대판 2017.3.15, 2015도1456). 18. 경찰승진, 21. 경력채용·순경 2차, 22. 순경 1차
2. 하나의 행위가 부작위범인 직무유기죄와 작위범인 범인도피죄의 구성요건을 동시에 충족하는 경우 공소제기권자는 재량에 의하여 작위범인 범인도피죄로 공소를 제기하지 않고 부작위범인 직무유기죄로만 공소를 제기할 수도 있다(대판 1999.11.26, 99도1904).

(6) 친족간의 특례(제151조 제2항 : 친족 또는 동거의 가족이 본인을 위하여 범인은닉죄를 범한 때에는 벌하지 아니한다. 10. 경찰승진, 16. 순경 1차)

관련판례

사실혼관계에 있는 자는 민법소정의 친족이라 할 수 없어 제151조 제2항(범인은닉과 친족간의 특례) 및 제155조 제4항(증거인멸 등과 친족간의 특례)에서 말하는 친족에 해당하지 않는다(대판 2003.12.12, 2003도4533 : 동거하여 사실혼관계에 있는 자가 교통사고를 내자 사건 당일 그 증거물인 사고차량을 치워 수리하도록 하는 한편, 외국으로 도피케 한 경우 ⇨ 증거인멸죄와 범인도피죄) 18. 7급 검찰, 19. 법원행시·변호사시험·순경 2차·경찰승진, 21. 법원직·수사경과

기출지문 **확인학습**(다툼이 있는 경우 판례에 의함)

1 도주죄의 범인이 도주행위를 하여 기수에 이르른 이후에 범인의 도피를 도와주는 행위는 도주
원조죄에 해당할 수 있을 뿐 범인도피죄에는 해당하지 않는다. (   )
20. 경찰간부 · 경찰승진, 21. 해경간부 · 해경 2차, 22. 법원행시 · 변호사시험 · 순경 2차, 23. 해경승진

2 범인이 자신을 위하여 타인으로 하여금 허위의 자백을 하게 하여 범인도피죄를 범하게 하는 행
위는 방어권의 남용으로 범인도피교사죄에 해당한다. (   )
16. 경찰승진, 19. 9급 검찰, 20. 순경 1차, 22. 경찰간부, 24. 해경승진

3 범인이 자신을 위하여 타인으로 하여금 허위의 자백을 하게함으로써 범인도피의 행위를 하게
하였다하더라도, 그 타인이 형법 제151조 제2항에 의하여 처벌을 받지 아니하는 친족 또는 동거
가족인 경우에는, 본인의 행위도 범인도피교사죄를 구성하지 않는다. (   )
16. 법원직 · 수사경과, 21. 경찰간부, 22. 변호사시험 · 경찰승진, 23. 법원행시 · 7급 검찰

4 범인 스스로 도피하는 행위는 처벌되지 않으므로 범인이 도피를 위하여 타인에게 도움을 요청하였
고 실제 그 타인이 범인도피에 도움을 주었다 하더라도 타인에게 도움을 요청한 행위가 통상적
도피행위의 범주에 속하는 한 범인도피교사죄는 성립하지 않는다. (   )
15. 사시, 18. 법원직, 19. 법원행시 · 수사경과, 20. 해경 1차

5 범인도피죄에 있어서 '죄를 범한 자'에는 범죄의 혐의를 받아 수사대상이 되어 있는 자도 포함되
므로 그가 나중에 혐의 없음 처분을 받거나 무죄판결을 선고받은 경우에도 범인도피죄의 성립
에는 영향이 없으나, 아직 수사기관에 포착되지 않아 수사대상이 되어 있지 않은 자는 포함되지
않는다. (   )
14. 순경 2차, 18. 수사경과, 22. 경찰간부 · 해경간부

6 범인이 아닌 자가 수사기관에서 범인임을 자처하고 허위사실을 진술하여 진범의 체포와 발견에
지장을 초래하게 한 경우 범인은닉죄가 성립한다. (   ) 16. 경찰승진 · 법원직, 19. 순경 1차, 21. 경찰간부

7 범인이 기소중지자임을 알고도 범인의 부탁으로 다른 사람의 명의로 대신 임대차계약을 체결해
준 경우 범인도피죄가 성립한다. (   )
16. 순경 1차, 20. 경찰승진, 21. 경찰간부 · 해경간부 · 해경승진, 23. 법원행시

8 범인도피죄는 범인을 도피하게 함으로써 기수에 이르므로 공범자의 범임도피행위의 도중에 그
범행을 인식하면서 그와 공동의 범의를 가지고 기왕의 범인도피상태를 이용하여 스스로 범인도
피행위를 계속한 자에 대하여는 범인도피죄의 방조범이 성립한다. (   )
14. 법원행시, 18. 법원직, 19. 경찰승진, 20. 순경 1차, 21. 해경간부, 24. 해경승진

9 형법 제151조 제2항은 친족 또는 동거의 가족이 본인을 위하여 전항의 죄를 범한 때에는 처벌하
지 아니한다고 규정하고 있는데 여기서 말하는 친족에는 사실혼관계에 있는 자도 포함된다.
(   )
18. 7급 검찰, 19. 법원행시 · 변호사시험 · 경찰승진 · 순경 2차, 21. 법원직 · 수사경과

Answer ├─ 1. × 2. ○ 3. × 4. ○ 5. × 6. ○ 7. ○ 8. × 9. ×

01 범인도피죄에 관한 다음 설명 중 가장 옳지 않은 것은?　　　　18. 법원직

① 범인 스스로 도피하는 행위는 처벌되지 않으므로 범인이 도피를 위하여 타인에게 도움을 요청하였고 실제 그 타인이 범인도피에 도움을 주었다 하더라도 타인에게 도움을 요청한 행위가 통상적 도피행위의 범주에 속하는 한 범인도피교사죄는 성립하지 않는다.

② 공범자의 범인도피행위의 도중에 그 범행을 인식하면서 그와 공동의 범의를 가지고 기왕의 범인도피상태를 이용하여 스스로 범인도피행위를 계속한 경우에는 범인도피죄의 공동정범이 성립한다.

③ 피의자가 사실은 게임장·오락실·피씨방 등의 실제 업주가 아니라 그 종업원임에도 불구하고 자신이 실제 업주라고 허위로 진술하였다고 하더라도 그 자체만으로 범인도피죄를 구성하는 것은 아니다.

④ 신원보증인이 수사기관에 대하여 피의자의 신분, 직업, 주거 등을 보증하고 향후 수사기관이나 법원의 출석요구에 사실상 협조하겠다는 의사를 표시한 신원보증서에 피의자의 인적사항을 허위로 기재하여 제출한 행위는 범인도피죄를 구성한다.

해설 ① 대판 2014.4.10, 2013도12079 ② 대판 2012.8.30, 2012도6027 ③ 대판 2010.2.11, 2009도12164
④ × : 범인도피죄 ×(대판 2003.2.14, 2002도5374)

02 범인도피죄에 대한 설명으로 옳은 것은?(다툼이 있는 경우 판례에 의함)　　　　23. 7급 검찰

① '도피하게 하는 행위'란 은닉을 포함하여 범인에 대한 수사, 재판, 형의 집행 등 형사사법의 작용을 곤란하게 하거나 불가능하게 하는 일체의 행위를 말한다.

② 범인이 자신을 위하여 타인으로 하여금 허위의 자백을 하게 하여 범인도피죄를 범하게 하는 행위는 방어권의 남용으로 범인도피교사죄에 해당하지만, 그 타인이 형법 제151조 제2항에 의하여 처벌을 받지 아니하는 친족 또는 동거 가족에 해당한다면 범인도피교사죄에 해당하지 않는다.

③ 甲이 참고인조사절차에서 자기의 범행을 구성하는 사실관계에 관하여 허위로 진술함으로써 공범 乙을 도피하게 하는 결과가 된다고 하더라도 범인도피죄로 처벌할 수 없으며, 이때 乙이 甲에게 이러한 행위를 교사하였더라도 乙에게는 범인도피교사죄가 성립하지 않는다.

④ 참고인이 수사기관에서 범인에 관하여 조사를 받으면서 그가 알고 있는 사실을 묵비하거나 허위로 진술한 경우, 그것이 적극적으로 수사기관을 기만하여 착오에 빠지게 함으로써 범인의 발견 또는 체포를 곤란 내지 불가능하게 할 정도의 것이라 하더라도 그 참고인에게는 범인도피죄가 성립하지 않는다.

Answer　01. ④　02. ③

해설 ① × : '도피하게 하는 행위'란 은닉 이외의 방법으로(은닉을 포함하여 ×) 범인에 대한 수사, 재판, 형의 집행 등 형사사법의 작용을 곤란하게 하거나 불가능하게 하는 일체의 행위를 말한다(대판 2013.1.10, 2012도13999).
② × : ~ (2줄) 범인도피교사죄에 해당하는데 이 경우 그 타인이 형법 제151조 제2항에 의하여 처벌을 받지 아니하는 친족 또는 동거 가족에 해당하더라도 범인도피교사죄에 해당한다(대판 2006.12.7, 2005도3707).
③ ○ : 대판 2018.8.1, 2015도20396
④ × : ~ (3줄) 불가능하게 할 정도의 것이라면 그 참고인에게 범인도피죄가 성립한다(대판 2010.2.11, 2009 도12164).

03 도주와 범인은닉의 죄에 대한 설명으로 가장 적절하지 않은 것은?(다툼이 있는 경우 판례에 의함)
19. 경찰승진

① 법률에 의하여 체포 또는 구금된 자가 수용설비 또는 기구를 손괴하거나 위험한 물건을 휴대하거나 2인 이상이 합동하여 도주한 때에는 특수도주죄로 가중처벌된다.
② 형법 제151조 제2항은 친족 또는 동거의 가족이 본인을 위하여 범인도피죄를 범한 때에는 처벌하지 아니한다고 규정하고 있는데, 여기서 말하는 친족에는 사실혼 관계에 있는 자는 포함되지 않는다.
③ 참고인이 수사기관에서 범인에 관하여 조사를 받으면서 그가 알고 있는 사실을 묵비하거나 허위로 진술하였다고 하더라도, 그것이 적극적으로 수사기관을 기만하여 착오에 빠지게 함으로써 범인의 발견 또는 체포를 곤란 내지 불가능하게 할 정도가 아닌 한 범인도피죄를 구성하지 않고, 이러한 법리는 피의자가 수사기관에서 공범에 관하여 묵비하거나 허위로 진술한 경우에도 그대로 적용된다.
④ 공범자의 범인도피 행위 도중에 그 범행을 인식하면서 그와 공동의 범의를 가지고 기왕의 범인도피상태를 이용하여 스스로 범인도피행위를 계속한 경우에는 범인도피죄의 공동정범이 성립하고, 이는 공범자의 범행을 방조한 종범의 경우도 마찬가지이다.

해설 ① × : ~ 손괴하거나 폭행 또는 협박을 가하거나(위험한 물건을 휴대하거나 ×) 2인 ~ 된다(제146조).
② 대판 2003.12.12, 2003도4533 ③ 대판 2008.12.24, 2007도11137
④ 대판 2012.8.30, 2012도6027

04 범인은닉 도피죄에 관한 설명으로 가장 적절하지 않은 것은?(다툼이 있는 경우 판례에 의함)
20. 순경 1차

① 주점 개업식날 찾아 온 범인에게 '도망다니면서 이렇게 와 주니 고맙다. 항상 몸조심하고 주의하여 다녀라. 열심히 살면서 건강에 조심해라'고 말한 것은 단순히 안부를 묻거나 통상적인 인사말에 불과하므로 범인도피죄에 해당하지 않는다.
② 범인이 타인으로 하여금 허위의 자백을 하게 하는 등으로 범인도피죄를 범하게 하는 경우와 같이 그것이 방어권의 남용으로 볼 수 있을 때에는 범인도피교사죄에 해당할 수 있다.

Answer 03. ① 04. ③

③ 범인도피죄는 그 자체로 도피시키는 것을 직접적인 목적으로 하였다고 보기 어려운 행위를 한 결과 간접적으로 범인이 안심하여 도피할 수 있게 한 경우도 포함된다.

④ 범인도피죄는 범인을 도피하게 함으로써 기수에 이르지만 범인도피행위가 계속되는 동안에는 범죄행위도 계속되고 행위가 끝날 때 비로소 범죄행위가 종료되며, 공범자의 범인도피행위 도중에 그 범행을 인식하면서 그와 공동의 범의를 가지고 기왕의 범인도피상태를 이용하여 스스로 범인도피행위를 계속 한 자에 대하여는 범인도피죄의 공동정범이 성립한다.

해설 ① 대판 1992.6.12, 92도736 ② 대판 2000.3.24, 2000도20
③ ✕ : ~ 경우까지 포함하는 것은 아니다(대판 2008.12.24, 2007도11137). ④ 대판 2012.8.30, 2012도6027

05 도주와 범인은닉의 죄에 대한 설명 중 가장 적절하지 않은 것은?(다툼이 있는 경우 판례에 의함)

20. 경찰승진

① 도주죄는 즉시범으로서 범인이 간수자의 실력적 지배를 이탈한 상태에 이르렀을 때에 기수가 되어 도주행위가 종료하는 것이고, 도주죄의 범인이 도주행위를 하여 기수에 이른 이후에 범인의 도피를 도와주는 행위는 범인도피죄에 해당할 수 있을 뿐 도주원조죄에 해당하지 아니한다.

② 가석방 보석 중에 있는 자와 형집행정지 구속집행정지 중에 있는 자도 도주죄의 주체가 될 수 있다.

③ 범인이 기소중지자임을 알고도 범인의 부탁으로 다른 사람의 명의로 대신 임대차계약을 체결해 준 경우 범인도피죄가 성립한다.

④ 공범 중 1인이 그 범행에 관한 수사절차에서 참고인 또는 피의자로 조사받으면서 자기의 범행을 구성하는 사실관계에 관하여 허위로 진술하고 허위 자료를 제출하는 것은 자신의 범행에 대한 방어권행사의 범위를 벗어난 것으로 볼 수 없어, 이러한 행위가 다른 공범을 도피하게 하는 결과가 된다고 하더라도 범인도피죄로 처벌할 수 없다.

해설 ① 대판 1991.10.11, 91도1656
② ✕ : ~ 될 수 없다(∵ 법률에 의해 체포·구금된 자 ✕).
③ 대판 2004.3.26, 2003도8226 ④ 대판 2018.8.1, 2015도20396

06 도주와 범인은닉에 대한 설명으로 가장 적절하지 않은 것은?(다툼이 있는 경우 판례에 의함)

22. 경찰간부

① 乙이 수사기관 및 법원에 출석하여 丙 등의 사기 범행을 자신이 저질렀다는 취지로 허위자백하였는데, 그 후 乙의 사기 피고사건 변호인으로 선임된 甲이 乙의 결의를 강화하여 진범 丙 등을 은폐하는 허위자백을 유지하게 한 경우, 甲에 대하여 범인도피방조죄가 성립한다.

② 참고인이 실제의 범인이 누군지도 정확하게 모르는 상태에서 수사기관에서 실제의 범인이 아닌 어떤 사람을 범인이 아닐지도 모른다고 생각하면서도 그를 범인이라고 지목하는 허위의 진술을 한 경우 범인도피죄가 성립된다.

Answer 05. ② 06. ②

③ 범인 스스로 도피하는 행위는 처벌되지 아니하는 것이므로 범인이 도피를 위하여 타인에게 도움을 요청하는 행위 역시 도피행위의 범주에 속하는 한 처벌되지 않으나, 범인이 타인으로 하여금 허위의 자백을 하게 하는 등으로 범인도피죄를 범하게 하는 경우와 같이 방어권의 남용으로 볼 수 있을 때에는 범인도 피교사죄에 해당할 수 있다.

④ 형법 제151조 제1항의 '죄를 범한 자'는 범죄의 혐의를 받아 수사대상이 되어 있는 자를 포함하고, 벌금 이상의 형에 해당하는 죄를 범한 자라는 것을 인식하면서도 도피하게 한 경우에는 아직 수사대상이 되어 있지 않았다고 하더라도 범인도피죄가 성립한다.

해설 ① 대판 2012.8.30, 2012도6027
② × : 범인도피죄 ×(대판 1997.9.9, 97도1596)
③ 대판 2000.3.24, 2000도20 ④ 대판 2003.12.12, 2003도4533

07 범인은닉·도피죄에 관한 설명 중 옳지 않은 것은 모두 몇 개인가?(다툼이 있는 경우 판례에 의함)
23. 법원행시

㉠ 범인은닉죄라 함은 죄를 범한 자임을 인식하면서 장소를 제공하여 체포를 면하게 하는 것만으로 성립한다 할 것이고, 죄를 범한 자에게 장소를 제공한 후 동인에게 일정 기간 동안 경찰에 출두하지 말라고 권유하는 언동을 하여야만 범인은닉죄가 성립하는 것이 아니며, 또 그 권유에 따르지 않을 경우 강제력을 행사하여야만 한다거나, 죄를 범한 자가 은닉자의 말에 복종하는 관계에 있어야만 범인은닉죄가 성립하는 것은 더욱 아니다.

㉡ 甲이 乙이 기소중지자임을 알고도 乙의 부탁으로 다른 사람의 명의로 대신 임대차계약을 체결해 준 것만으로 甲이 乙을 은닉 내지 도피시키려는 의사가 있었다고 보기 어려우므로 甲에게는 범인도피죄를 인정할 수 없다.

㉢ 피고인들이 부정수표단속법 피의자 A가 공소외 B에 대하여 지는 또 다른 노임채무를 인수키로 하는 지불각서를 작성하여 주고 위 B가 A를 수사당국에 인계하는 것을 포기하기로 하는 합의가 이루어져 위 A가 수사당국에 인계되지 않은 경우이면 피고인들에 대하여 범인도피죄의 성립을 인정할 수 있다.

㉣ 범인이 자신을 위하여 타인으로 하여금 허위의 자백을 하게 하여 범인도피죄를 범하게 하는 행위는 방어권의 남용으로 범인도피교사죄에 해당하지만, 그 타인이 형법 제151조 제2항에 의하여 처벌을 받지 아니하는 친족 또는 동거의 가족에 해당할 경우 범인도피교사죄가 성립하지 않는다.

① 없 음　　　　② 1개　　　　③ 2개
④ 3개　　　　⑤ 4개

해설 ㉠ ○ : 대판 2002.10.11, 2002도3332
㉡ × : 범인도피죄 ○(대판 2004.3.26, 2003도8226 ∵ 은닉 내지 도피시키려는 의사 ○)
㉢ × : ~ 범인도피죄의 성립을 인정할 수 없다(대판 1984.2.14, 83도2209).
㉣ × : ~ (3줄) 해당한다 하여 달리 볼 것은 아니다(대판 2006.12.7, 2005도3707 ∵ 범인도피교사죄 ○).

Answer 07. ④

제4절 | 위증과 증거인멸의 죄

1 단순위증죄

> **제152조 제1항** 법률에 의하여 선서한 증인이 허위의 진술을 한 때에는 5년 이하의 징역 또는 1천만원 이하의 벌금에 처한다.
>
> **제153조** 전조의 죄를 범한 자가 그 공술한 사건의 재판 또는 징계처분이 확정되기 전에 자백 또는 자수한 때에는 그 형을 감경 또는 면제한다.

🔔 미수범처벌규정 ×, 목적범 ×

(1) 주체 : 법률에 의하여 선서한 증인(진정신분범) 15. 경찰승진 · 수사경과, 21. 해경승진

① **법률에 의한 선서** : 법률에 근거하여 법률이 정한 절차와 형식에 따라 유효하게 행해지는 것을 말한다(형사소송법 제156조).

┌ **관련판례**

1. 제3자가 심문절차로 진행되는 소송비용확정신청사건이나(대판 1995.4.11, 95도186) 가처분신청사건에서(대판 2003.7.25, 2003도180) 증인으로 선서를 하고 기억에 반하는 허위의 공술을 한 경우 ⇨ 위증죄 ×(∵ 그 선서는 법률상 근거가 없어 무효임) 16. 경찰간부, 17. 경찰승진 · 순경 1차, 19. 법원직, 21 · 23. 해경승진

2. 증인신문절차에서 법률에 규정된 증인 보호를 위한 규정이 지켜진 것으로 인정되지 않는 경우라 하더라도, 당해 사건에서 증인 보호에 사실상 장애가 초래되었다고 볼 수 없는 경우에까지 예외 없이 위증죄의 성립을 부정할 것은 아니라고 할 것이다(대판 2010.1.21, 2008도942). 17. 법원행시

② **증인** : 법원 또는 법관에 대하여 과거의 경험사실을 진술하는 제3자를 말한다(따라서 형사피고인이나 민사소송의 당사자 ⇨ 본죄의 주체 ×).

┌ **관련판례**

1. 민사소송의 당사자인 법인의 대표자가 위증한 경우 ⇨ 본죄 ×(대판 1998.3.10, 97도1168 ∵ 소송당사자는 증인능력 ×) 17. 7급 검찰, 18. 경찰승진, 22. 수사경과, 23. 해경승진 · 법원직, 24. 법원행시

2. 재판장이 신문 전에 증인에게 증언거부권을 고지하지 않은 경우에도 증인이 침묵하지 아니하고 진술한 것이 자신의 진정한 의사에 의한 것인지 여부를 기준으로 위증죄의 성립 여부를 판단하여야 한다 (대판 2010.1.21, 2008도942 전원합의체). 11. 법원직

   ① 증언거부사유가 있음에도 증인이 증언거부권을 고지받지 못함으로 인하여 그 증언거부권을 행사하는 데 사실상 장애가 초래되었다고 볼 수 있는 경우에는 위증죄의 성립을 부정하여야 할 것이다 (대판 2010.1.21, 2008도942 전원합의체 ﾖ 재판장이 선서할 증인에 대하여 선서 전에 위증의 벌을 경고하지 않았다는 등의 사유는 그 증인신문절차에서 증인 자신이 위증의 벌을 경고하는 내용의 선서서를 낭독하고 기명날인 또는 서명한 이상 위증의 벌을 몰랐다고 할 수 없을 것이므로 증인

보호에 사실상 장애가 초래되었다고 볼 수 없고, 따라서 위증죄의 성립에 지장이 없다). 18. 경찰간부 · 순경 1차, 21. 해경승진, 22. 경찰승진, 23. 법원행시, 24. 7급 검찰 · 순경 2차

예 ㉠ 甲은 乙과 쌍방 상해 사건으로 기소되어 공동피고인으로 함께 재판을 받던 중 乙에 대한 상해 사건이 변론분리되면서 피해자인 증인으로 채택되어 증언거부 사유가 발생하게 되었는데도, 재판장으로부터 증언거부권을 고지받지 못한 상태에서 자신은 폭행한 사실이 없다고 거짓 진술한 경우 ⇨ 위증죄 ×(대판 2010.1.21, 2008도942 전원합의체) 18. 변호사시험

㉡ 사촌관계에 있는 甲의 도박 사실 여부에 관하여 증언거부사유가 발생하게 되었는데도 재판 장으로부터 증언거부권을 고지받지 못한 상태에서 허위 진술을 하게 된 경우 ⇨ 위증죄 × (대판 2010.2.25, 2009도13257) 16. 경찰간부

㉢ 증 · 수뢰사건으로 기소되어 공동피고인으로 함께 재판을 받다가 상대방인 공동피고인에 대한 사건이 변론분리되어 뇌물공여 또는 뇌물수수의 증인으로 채택되었는데, 증언거부권을 고지받지 못한 상태에서 자신들의 종전 주장을 되풀이함에 따라 거짓 진술에 이르게 된 경우 ⇨ 위증죄 ×(대판 2012.3.29, 2009도11249)

② 선서 전에 재판장으로부터 증언거부권을 고지받지 아니하였다 하더라도 이로 인하여 증언거부권 이 사실상 침해당한 것으로 평가할 수는 없는 경우 ⇨ 위증죄 ○(대판 2010.2.25, 2007도6273)

예 전 남편에 대한 도로교통법 위반(음주운전) 사건의 증인으로 법정에 출석한 전처가 증언거부권을 고지받지 않은 채 공소사실을 부인하는 전 남편의 변명에 부합하는 내용을 적극적으로 허위 진술 한 경우 ⇨ 위증죄 ○(대판 2010.2.25, 2007도6273) 13. 변호사시험 · 순경 2차, 17. 수사경과, 24. 경찰간부

▶ **비교판례** : 민사소송절차에 증인으로 출석한 피고인이, 증언거부권이 있는데도 재판장으로부터 증언거부권을 고지받지 않은 상태에서 허위의 증언을 한 경우 ⇨ 위증죄 ○(대판 2011.7.28, 2009도 14928 ∵ 민사소송법은 형사소송법과는 달리 증언거부권 제도를 두면서도 증언거부권 고지에 관한 규정을 따로 두고 있지 않으므로) 18. 경찰간부, 22. 법원행시, 24. 7급 검찰

3. ① 자신의 강도상해 범행을 일관되게 부인하였으나 유죄판결이 확정된 피고인이 별건으로 기소된 공범의 형사사건에서 자신의 범행사실을 부인하는 증언을 한 경우, 피고인에게 사실대로 진술할 기대가능성이 있으므로 위증죄가 성립한다(대판 2008.10.23, 2005도10101) 16. 순경 2차, 18. 순경 3차, 19. 변호사시험, 21. 수사경과 · 해경간부, 24. 경찰승진

② 이미 유죄판결을 받아 확정된 후 별건으로 기소된 공범 甲에 대한 피고사건의 증인으로 출석하여 허위의 진술을 한 경우, 증언에 앞서 증언거부권을 고지받지 못하였더라도 위증죄가 성립한다(대판 2011.11.24, 2011도11994). 14. 법원행시, 15. 경찰간부

4. 공범인 공동피고인은 당해 소송절차에서는 피고인의 지위에 있어 다른 공동피고인에 대한 공소사실 에 관하여 증인이 될 수 없으나, 소송절차가 분리되어 피고인의 지위에서 벗어나게 되면 다른 공동피 고인에 대한 공소사실에 관하여 증인이 될 수 있다(대판 2024.2.29, 2023도7528). 10. 사시, 17. 경찰간부, 24. 법원행시, 25. 변호사시험 이는 대향범인 공동피고인의 경우에도 다르지 않다(대판 2012.3.29, 2009도 11249).

5. 증인신문절차에서 형사소송법 제160조에 따라 증언거부권이 고지되었음에도 불구하고 위와 같이 증인적격이 인정되는 피고인이 자기의 범죄사실에 대하여 증언거부권을 행사하지 아니한 채 허위 로 진술하였다면 위증죄가 성립된다(대판 2024.2.29, 2023도7528).

(2) 행위 : 허위의 진술을 하는 것

① 허위의 의미

　　㉠ **객관설** : 증인의 진술내용이 객관적 진실에 합치되느냐의 여부로 허위 여부를 판단

　　㉡ **주관설** : 증인의 주관적 기억을 기준으로 허위 여부를 판단(다수설·판례)

⌐ 관련판례

1. ① 기억에 반하는 진술을 하였으나 진술내용이 객관적 사실과 일치한 경우 ➡ 위증죄 ○(주관설 : 대판 1980.4.8, 80도2783) 15. 경찰승진, 17. 경찰간부, 18. 순경 3차, 19. 순경 2차, 20. 법원직, 21. 수사경과·해경간부, 23. 해경승진 ② 증인이 기억에 합치되는 진술을 하였으나 진술내용이 객관적 사실과 불일치한 경우 ➡ 위증죄 ×(주관설 : 대판 1984.2.14, 84도1098) 15. 수사경과, 22. 법원행시

2. ① 전문한 사실을 직접 목격한 것처럼 진술한 경우(대판 1984.3.27, 84도48), 전해들은 금품전달사실을 자신이 전달한 것으로 진술한 경우(대판 1990.5.8, 90도448) 14. 사시·수사경과, 15. 경찰승진, 19. 법원직 ② 잘 알지 못하면서 잘 알고 있다고 진술한 경우(대판 1986.9.9, 86도57) 15. 경찰간부, 16. 경찰승진, 17. 수사경과 ③ 상세한 내용의 증인신문사항에 대하여 증인이 그 상세한 신문사항 내용을 파악하지 못하였거나 또는 기억하지 못함에도 불구하고 이를 그대로 긍정하는 취지의 답변을 한 경우(대판 1981.6.23, 81도118) 10. 경찰승진 ➡ 허위의 진술 ○ ➡ 위증죄 ○

3. 증인이 선서 후 증인진술서에 기재된 구체적인 내용에 관하여 진술함이 없이 단지 그 증인진술서에 기재된 내용이 사실대로라는 취지의 진술만을 한 경우, 그것이 증인진술서에 기재된 내용 중 특정 사항을 구체적으로 진술한 것과 같이 볼 수 있는 등의 특별한 사정이 없는 한 기재된 내용에 허위가 있다 하더라도 그 부분에 관하여 법정에서 증언한 것으로 보아 위증죄로 처벌할 수는 없다(대판 2010.5.13, 2007도1397). 16. 사시, 17. 7급 검찰, 20. 해경 3차, 23. 해경승진

4. 증언이 기본적인 사항에 관한 것이 아니고 지엽적인 상황에 관한 진술이라 하더라도 그것이 허위진술인 이상 위증죄가 성립한다(대판 2018.5.15, 2017도19499). 21. 경력채용

② 허위의 진술 : 당해 신문절차에 있어서의 증언 전체를 일체로 파악하여 판단

　　㉠ **진술의 대상** : 경험한 사실에 한하고 이에 대한 가치판단은 제외된다.

⌐ 관련판례

1. 증인의 진술이 경험한 사실에 대한 법률적 평가이거나 단순한 의견에 지나지 아니하는 경우에는 위증죄에서 말하는 허위의 공술이라고 할 수 없으며, 경험한 객관적 사실에 대한 증인 나름의 법률적·주관적 평가나 의견을 부연한 부분에 다소의 오류나 모순이 있더라도 위증죄가 성립하는 것은 아니다(대판 2009.3.12, 2008도11007). 18. 경찰승진, 23. 법원직·순경 2차, 24. 법원행시

2. 증인의 증언이 기억에 반하는 허위진술인지 여부는 그 증언의 단편적인 구절에 구애될 것이 아니라 당해 신문절차에 있어서의 증언 전체를 일체로 파악하여 판단하여야 할 것이고, 22. 법원행시 ① 사소한 부분에 관하여 기억과 불일치하더라도 그것이 신문취지의 몰이해 또는 착오에 기인한 것이라면 위증이 될 수 없으며(대판 2007.10.26, 2007도5076), ② 그 진술이 객관적 사실과 부합하지 않는다고 하여 그 증언이 곧바로 기억에 반하는 진술이라고 단정할 수는 없다(대판 1996.8.23, 95도192). 22. 법원행시, 23. 법원직 ③ 증언의 의미가 그 자체로 불분명하거나 다의적으로 이해될 수 있는 경우에는 언어의

통상적인 의미와 용법, 문제된 증언이 나오게 된 전후 문맥, 신문의 취지, 증언이 행하여진 경위 등을 종합하여 당해 증언의 의미를 명확히 한 다음 허위성을 판단하여야 한다(대판 2001.12.27, 2001도5252). 24. 법원행시

3. 증언의 내용인 사실의 전체적 취지가 객관적 사실에 일치하고 그것이 기억에 반하는 공술이 아니라면 그 사실을 구성하는 일부 사소한 부분에 다른 점이 있어도 그 진술의 취지가 기억에 일치하는 것이라면 그것만으로는 위증죄의 성립이 인정될 수 없다(대판 1983.2.8, 81도207). 20. 법원행시

ⓒ **진술의 내용** : 증인신문(직접신문뿐만 아니라 반대신문 · 인정신문도 포함)의 대상이 되는 것이면 무엇이든지 해당되므로 요증사실일 필요도 없고, 재판결과에 영향을 미치는 것이 아니어도 무방하다(대판 1990.2.23, 89도1212). 15. 순경 3차, 17. 법원행시, 22. 경찰간부 · 수사경과, 23. 해경승진, 24. 경찰승진

③ **기수시기 및 죄수** : 형식범으로 미수 처벌 ×
- 선서 후에 증언하는 경우 ⇨ 신문절차가 종료한 때에 기수가 된다.
- 증언(진술)한 후에 선서한 경우 ⇨ 선서가 종료한 때에 기수가 된다(대판 1974.6.25, 74도1231).

┌ **관련판례**

1. 허위진술을 신문이 끝나기 전에 이를 취소 · 시정한 경우(대판 1983.2.8, 81도697), 원고대리인 신문시에 한 증언을 피고대리인과 재판장 신문시에 취소 시정한 경우 앞의 증언부분만을 따로 떼어 위증이라고 보는 것은 위법하다. ⇨ 위증죄 ×(대판 1984.3.27, 83도2853), 선서한 증인이 일단 기억에 반하는 허위의 진술을 하였더라도 그 신문이 끝나기 전에 그 진술을 철회 · 시정한 경우 위증이 되지 아니한다(대판 2008.4.24, 2008도1053). 19. 법원직, 21. 수사경과, 24. 경찰승진 · 순경 1차

   ▶ **비교판례** : 증인신문절차에서 허위의 진술을 하고 그 진술이 철회 · 시정된 바 없이 그대로 증인신문절차가 종료된 경우 그로써 위증죄는 기수에 달하고 11.9급 검찰, 그 후 별도의 증인 신청 및 채택절차를 거쳐 그 증인이 다시 신문을 받는 과정에서 종전 신문절차에서의 진술을 철회 · 시정한다 하더라도 제153조에 의한 형의 감면사유에 해당할 수 있을 뿐, 이미 종결된 종전 증인신문절차에서 행한 위증죄의 성립에 어떤 영향을 주는 것은 아니다(대판 2010.9.30, 2010도7525). 17. 7급 검찰, 20. 경찰승진 · 법원직, 23. 해경승진, 24. 변호사시험 · 법원행시

2. 하나의 사건에 관하여 한번 선서한 증인이 같은 기일에 여러 가지 사실에 관하여 허위진술을 한 때 ⇨ 포괄일죄(대판 1990.2.23, 89도1212). 16. 법원직, 17. 법원행시, 18. 경찰승진, 19. 변호사시험, 20. 수사경과, 22. 경찰간부

3. 민사소송사건이나 행정소송사건의 같은 심급에서 변론기일을 달리하여 수차 증인으로 나가 수개의 허위진술을 하더라도 최초로 한 선서의 효력을 유지시킨 후 증언한 이상 1개의 위증죄를 구성함에 그친다(대판 2005.3.25, 2005도60 ; 대판 2007.3.15, 2006도9463). 13. 법원직, 23. 해경승진

4. 하나의 소송사건에서 동일한 선서하에 이루어진 법원의 감정명령에 따라 감정인이 동일한 감정명령사항에 대하여 수차례에 걸쳐 허위의 감정보고서를 제출하는 경우에는 단일한 범의하에 계속하여 허위의 감정을 한 것으로서 포괄하여 1개의 허위감정죄를 구성한다(대판 2000.11.28, 2000도1089). 19. 법원행시

(3) **주관적 구성요건** : 고의(미필적 인식으로도 족함)

예 1. 오해 또는 착오에 의한 진술(허위의 사실을 진실이라 믿고 증언한 경우)이나(대판 1986.7.8, 86도1050) 기억이 분명하지 못하여 잘못 진술한 경우(대판 1985.3.26, 84도1098) ⇨ 위증죄 ×(∵ 고의 ×) 17. 법원행시
2. 증인이 착오에 빠져 기억에 반한다는 인식 없이 객관적 사실에 반하는 내용의 증언을 한 경우에 위증의 범의를 인정할 수 없다(대판 1991.5.10, 89도1748). 20. 7급 검찰, 24. 변호사시험

(4) **공 범**

☝ 형사피고인이 ┌ 자기의 형사사건에 관하여 위증한 경우 ⇨ 위증죄 ×
└ 타인(증인)을 교사하여 자기의 형사사건에 대해 위증하게 한 경우 ⇨ 위증교사죄 ○(대판 2004.1.27, 2003도5114 ∵ 방어권 남용) 18. 순경 3차, 19. 9급 검찰·수사경과, 21. 해경간부, 22. 경찰간부·법원행시, 23. 법원직, 24. 변호사시험·경찰승진

(5) **자백·자수의 특례**(제153조)

① **자백·자수** : 자백이란 허위진술한 사실을 고백하는 것을 말하며, 자수는 범인 자신이 자발적으로 자기의 범죄사실을 수사기관에 신고하여 그 소추를 구하는 의사표시이다.

┌ **관련판례**

자백의 절차에 관하여는 아무런 제한이 없으므로 그가 공술한 사건을 다루는 기관에 대한 자발적인 고백은 물론, 위증사건의 피고인 또는 피의자로서 법원이나 수사기관의 심문에 의한 고백도 위 자백의 개념에 포함된다(대판 1973.11.27, 73도1639). 10. 사시, 20. 경찰승진, 24. 순경 2차

② **필요적 감면** : 진술한 사건의 재판 또는 징계처분이 확정되기 전에 자백 또는 자수한 때에는 형을 감경 또는 면제한다. 17. 경찰승진, 19. 법원직·순경 1차, 20. 법원행시, 24. 변호사시험

② 모해위증죄

> **제152조 제2항** 형사사건 또는 징계사건에 관하여 피고인, 피의자 또는 징계혐의자를 모해할 목적으로 전항의 죄를 범한 때에는 10년 이하의 징역에 처한다(제152조 제2항).

☝ 1. 자백·자수의 특례규정(제153조) ○, 19. 법원직 위증죄 ⇨ 목적범 ×, 모해위증죄 ⇨ 목적범 ○
2. 甲이 乙을 모해할 목적으로 丙에게 위증을 교사한 경우(단, 丙에게는 모해의 목적이 없음)에 甲과 丙의 죄책은? (판례에 의함) ⇨ 甲은 모해위증교사죄로 처단, 丙은 단순위증죄로 처단(대판 1994.12.23, 93도1002 ∵ '모해할 목적'을 가지고 있었는가 아니면 그러한 목적이 없었는가 하는 점은 형법 제33조 단서 소정의 '신분관계로 인하여 형의 경중이 있는 경우'에 해당한다.) 15. 경찰간부, 17. 수사경과, 20. 법원행시, 21. 9급 검찰·마약수사, 23. 해경승진·순경 1차, 24. 변호사시험

┌ **관련판례**

모해위증죄에서 모해할 목적은 허위의 진술을 함으로써 피고인에게 불리하게 될 것이라는 인식이 있으면 충분하고 그 결과의 발생을 희망할 필요까지는 없다(대판 2007.12.27, 2006도3575). 17. 순경 1차, 20. 법원행시, 23. 해경승진

③ 허위감정 · 통역 · 번역죄

> **제154조** 법률에 의하여 선서한 감정인, 통역인 또는 번역인이 허위의 감정, 통역 또는 번역을 한 때에는 전 2조의 예에 의한다.

🔦 자백 · 자수의 특례규정(제153조) ○, 목적범 ×

④ 증거인멸죄

> **제155조 제1항** 타인의 형사사건 또는 징계사건에 관한 증거를 인멸 · 은닉 · 위조 또는 변조하거나 위조 또는 변조한 증거를 사용한 자는 5년 이하의 징역 또는 700만원 이하의 벌금에 처한다.
> **제155조 제4항** 친족, 동거의 가족이 본인을 위하여 본조의 죄를 범한 때에는 처벌하지 아니한다.

🔦 미수범처벌규정 ×, 목적범 ×

(1) **객 체** : 타인의 형사사건 또는 징계사건에 관한 증거

　① **타인** : 행위자 이외의 자〔자기사건에 대한 증거인멸 ⇨ ×(구성요건해당성 배제)〕19. 7급 검찰, 22. 경찰승진〕 24. 해경경위

┌ **관련판례**

1. 자신의 형사사건에 관한 증거은닉(인멸)을 위하여 타인에게 도움을 요청하는 행위는 원칙적으로 처벌하지 아니하나, 그것이 방어권의 남용이라고 볼 수 있을 때는 증거은닉(인멸)교사죄로 처벌할 수 있다(대판 2016.7.29, 2016도5596).

　① 자기의 형사사건이나 징계사건의 증거를 인멸(위조)하기 위해 타인을 교사한 경우 ⇨ 증거인멸죄(증거위조죄)의 교사범 ○(대판 2000.3.24, 99도5275 ; 대판 2011.2.10, 2010도15986 ∵ 방어권의 남용 ○) 15. 변호사시험, 18. 경찰승진, 19. 9급 검찰, 20. 법원행시, 24. 해경승진

　② 국회의원인 甲이 乙로부터 금품과 안마의자를 받은 후, 乙이 비자금을 조성하여 정치인들에게 로비하였다는 등의 혐의를 받게 되자, 금품은 乙에게 반환하면서도 정치활동과 무관한 안마의자를 A에게 보관하여 달라고 부탁하고 보좌관 B에게 그 운반을 지시하여 A와 B로 하여금 요청에 응하도록 한 경우 ⇨ 증거은닉교사죄 ×〔대판 2016.7.29, 2016도5596 ∵ 피고인(甲)의 행위가 형사사법작용에 중대한 장애를 초래하였다거나 그러한 위험성이 있었다고 보기 어렵고 자기 자신이 한 증거은닉 행위의 범주에 속한다고 볼 여지가 충분하여 방어권을 남용한 정도에 이르렀다고 단정하기 어렵다.〕

2. 피고인 자신이 직접 형사처분이나 징계처분을 받게 될 것을 두려워한 나머지 자기의 이익을 위하여 증거를 인멸한 행위가 동시에 공범자의 증거를 인멸하는 결과(공범자 아닌 자의 증거를 인멸하는 결과도 동일)가 된 경우 ⇨ 본죄 ×(대판 1995.9.29, 94도2608) 19. 7급 검찰, 22. 경찰간부, 23. 법원행시 · 순경 2차, 24. 해경간부, 25. 변호사시험

3. 피고인 자신이 직접 형사처분을 받게 될 것을 두려워한 나머지 자기의 이익을 위하여 그 증거가 될 자료를 은닉하였다면 증거은닉죄에 해당하지 않고, 제3자와 공동하여 그러한 행위를 하였다고 하더라도 마찬가지이다(대판 2018.10.25, 2015도1000). 22. 법원행시 · 경찰간부, 23. 순경 1차, 24. 해경간부

4. 피고인이 카카오톡을 통하여 대통령선거 후보자의 유세일정을 알리고 참석을 권유한 행위 등이 공직 선거법위반에 해당하고, 카카오톡 대화나 전화 통화 상대방으로 하여금 관련 부분을 삭제하도록 한 행위가 증거인멸교사에 해당한다(대판 2018.12.27, 2018도14492).

② 형사사건 또는 징계사건

┌ **관련판례**

1. 증거은닉죄에 있어서 타인의 형사사건 또는 징계사건이란 은닉행위시에 수사 또는 징계절차가 개시 되기 전이라도 장차 형사 또는 징계사건이 될 수 있는 것까지를 포함한다(대판 1982.4.27, 82도274). 16. 법원행시, 18. 순경 3차, 19. 변호사시험, 21. 수사경과·해경간부

▶ **유사판례** : 증거위조죄에서 '타인의 형사사건'이란 증거위조 행위시에 아직 수사절차가 개시되기 전이라도 장차 형사사건이 될 수 있는 것까지 포함하고, 그 형사사건이 기소되지 아니하거나 무죄가 선고되더라도 증거위조죄의 성립에 영향이 없다(대판 2011.2.10, 2010도15986). 17. 순경 1차, 21. 경찰간 부, 22. 해경간부, 23. 해경승진, 24. 법원행시

2. 증거인멸 등 죄는 위증죄와 마찬가지로 국가의 형사사법작용 내지 징계작용을 그 보호법익으로 하 므로, 위 법조문에서 말하는 '징계사건'이란 국가의 징계사건에 한정되고 사인(私人) 간의 징계사건 은 포함되지 않는다(대판 2007.11.30, 2007도4191). 21. 경찰간부, 22. 해경간부, 24. 해경경위

③ **증거** : '증거'란 타인의 형사사건 또는 징계사건에 관하여 수사기관이나 법원 또는 징계기관 이 국가의 형벌권 또는 징계권의 유무를 확인하는 데 관계있다고 인정되는 일체의 자료를 뜻한다. 따라서 범죄 또는 징계사유의 성립 여부에 관한 것뿐만 아니라 형 또는 징계의 경중 에 관계있는 정상을 인정하는 데 도움이 될 자료까지도 본조가 규정한 증거에 포함되며(대판 2021.1.28, 2020도2642), 23. 변호사시험·법원직·순경 1차, 24. 해경승진·법원행시·7급 검찰 **타인에게 유리 한 것이건 불리한 것이건 불문하며** 증거가치의 유무 및 정도를 불문한다(대판 2007.6.28, 2002 도3600). 11. 경찰승진, 23. 법원행시, 24. 해경경위

(2) **행위** : 증거를 인멸·은닉·위조 또는 변조하거나 위조·변조한 증거 사용

┌ **관련판례**

1. 범죄현장을 목격하지도 않은 선서무능력자에게 형사법정에서 현장을 목격한 것처럼 허위증언하도 록 하거나(대판 1998.2.10, 97도2961) 참고인이 수사기관에서 허위진술을 하거나 참고인에 대하여 허위진술을 하도록 교사하는 경우(대판 1995.4.7, 94도3412)는 증거위조에 해당하지 않는다(∵ 위조 란 증거 자체를 위조함을 말한 것임). 17. 9급 검찰·마약수사, 21. 경찰간부, 22. 해경간부·수사경과, 23. 해경승 진·법원직, 24. 법원행시

▶ **유사판례** : 참고인이 타인의 형사사건 등에서 직접 진술 또는 증언하는 것을 대신하거나 그 진술 등에 앞서서 허위의 사실확인서나 진술서를 작성하여 수사기관 등에 제출하거나 또는 제3자에 게 교부하여 제3자가 이를 제출한 경우 ⇨ 증거위조죄 ×(대판 2011.7.28, 2010도2244 ∵ 새로운 증거를 창조한 것이 아닐뿐더러, 참고인이 수사기관에서 허위의 진술을 하는 것과 차이가 없음) 15. 수사경과, 18. 경찰간부, 20. 법원행시, 24. 해경승진

▶ 비교판례 : 참고인이 타인의 형사사건 등에 관하여 제3자와 대화를 하면서 허위로 진술하고 위와 같은 허위 진술이 담긴 대화 내용을 녹음한 녹음파일 또는 이를 녹취한 녹취록을 만들어 수사기관 등에 제출하는 것은, 증거위조죄를 구성한다(대판 2013.12.26, 2013도8085). 16. 법원행시, 17. 9급 검찰·마약수사, 18. 경찰간부, 20. 해경승진, 22. 해경간부, 23. 변호사시험·순경 2차

2. 증거위조죄에서 '위조'란 문서에 관한 죄에서의 위조개념과는 달리 새로운 증거의 창조를 의미하는 것이므로 존재하지 아니한 증거를 이전부터 존재하고 있는 것처럼 만들어 내는 행위도 위조에 해당하며, 증거가 문서의 형식을 갖는 경우 증거위조죄의 증거에 해당하는지는 그 작성권한 유무나 내용의 진실성에 좌우되지 않는다(대판 2007.6.28, 2002도3600 匘 타인의 형사사건과 관련하여 수사기관이나 법원에 제출하거나 현출되게 할 의도로 법률행위 당시에는 존재하지 아니하였던 처분문서를 사후에 그 작성일을 소급하여 작성하는 것은 증거위조죄의 구성요건을 충족시키는 것이라고 보아야 하고, 비록 그 내용이 진실하다 하여도 국가의 형사사법기능에 대한 위험이 있다는 점은 부인할 수 없다). 17. 순경 1차·9급 검찰·마약수사, 21. 경력채용, 23. 해경승진·법원직, 24. 법원행시·7급 검찰

▶ 비교판례 : 그러나 사실의 증명을 위해 작성된 문서가 그 사실에 관한 내용이나 작성명의 등에 아무런 허위가 없다면 '증거위조'에 해당한다고 볼 수 없다. 설령 사실증명에 관한 문서가 형사사건 또는 징계사건에서 허위의 주장에 관한 증거로 제출되어 그 주장을 뒷받침하게 되더라도 마찬가지이다(대판 2021.1.28, 2020도2642 匘 변호인 甲이 A의 감형을 받기 위해서 A의 은행 계좌에서 B회사 명의의 은행 계좌로 금원을 송금하고 다시 되돌려 받는 행위를 반복한 후 그중 송금자료만을 발급받아서 이를 2억원을 변제하였다는 허위 주장과 함께 법원에 제출한 경우, 甲에게는 증거위조죄가 성립하지 않는다). 21. 법원행시, 22. 순경 1차·7급 검찰, 23. 법원직, 23·24. 변호사시험

3. 甲이 乙을 교사하여 자기의 형사사건에 관한 증거를 변조하도록 하였더라도, 乙이 甲과 공범관계에 있는 형사사건에 관한 증거를 변조한 것에 해당하여 乙이 증거변조죄로 처벌되지 않는 경우, 증거변조죄의 간접정범은 물론 교사범도 성립하지 않는다(대판 2011.7.14, 2009도13151). 17. 변호사시험

4. 수산업협동조합장이 풍어제 관련 기부금을 횡령한 후 조합 직원에게 허위증거를 만들라고 지시하였는데, 기부금 횡령사건에 관하여는 불기소처분을 받은 경우 ⇨ 증거위조죄의 교사범(대판 2011.2.11, 2010도15986) 12. 사시

(3) 주관적 구성요건

┌ 관련판례

대구지하철 사고현장에서 청소작업이 한참 중에 실종자 유족들로부터 이의제기가 있었음에도 대구지하철공사 사장이 즉각 청소작업중단을 지시하지 아니하였고 수사기관과 협의·확인하지 아니한 경우 ⇨ 증거인멸죄의 미필적 고의 ×(대판 2004.5.14, 2004도74)

(4) 죄수 및 타죄와의 관계

┌ 관련판례

경찰관이 압수물을 범죄혐의의 입증에 사용하도록 하는 등의 적절한 조치를 취하지 아니하고 피압수자에게 돌려준 경우, 작위범인 증거인멸죄만이 성립하고 부작위범인 직무유기(거부)죄는 따로 성립하지 아니한다(대판 2006.10.19, 2005도3909 전원합의체). 15. 변호사시험

(5) 친족간의 특례(제155조 제4항)

친족 또는 동거가족(가족 ×)이 본인을 위하여 본죄를 범한 때에는 처벌하지 않는다(제155조 제4항). 사실혼관계에 있는 자가 본인을 위하여 증거인멸행위를 한 경우 제155조 제4항에서 말하는 친족에 해당하지 아니한다(대판 2003.12.12, 2003도4533). 16. 수사경과, 19. 순경 2차, 23. 해경승진, 24. 해경경위

5 증인은닉 · 도피죄

> **제155조 제2항** 타인의 형사사건 또는 징계사건에 관한 증인을 은닉 또는 도피하게 한 자도 제1항의 형과 같다.

🏺 친족간 특례(제155조 제4항)

① **증인** : 형사소송법상의 증인뿐만 아니라 수사기관에서 조사하는 참고인도 포함된다.
② 단순히 타인의 형사피의사건에 관하여 수사기관에서 허위의 진술을 하거나 허위의 진술을 하도록 교사하는 정도의 행위로서는 증거를 위조하고 또는 그 위조를 교사한 죄를 구성한다고 볼 수 없다(대판 1977.9.13, 77도997).

> **관련판례**
>
> 피고인 자신이 직접 형사처분이나 징계처분을 받게 될 것을 두려워한 나머지 자기의 이익을 위하여 증인이 될 사람을 도피하게 한 행위가 동시에 다른 공범자의 형사사건이나 징계사건에 관한 증인을 도피하게 한 결과가 된 경우 ⇨ 증인도피죄 ×(대판 2003.3.14, 2002도6134) 14. 법원행시, 18. 경찰승진, 19. 9급 검찰, 20. 해경승진, 23. 순경 2차

6 모해증거인멸죄

> **제155조 제3항** 피고인, 피의자 또는 징계혐의자를 모해할 목적으로 전 2항의 죄를 범한 자는 10년 이하의 징역에 처한다.

🏺 친족간 특례(제155조 제4항), 증거인멸죄 ⇨ 목적범 ×, 모해증거인멸죄 ⇨ 목적범 ○

> **관련판례**
>
> 제155조 제3항(모해증거인멸죄)에서 말하는 '피의자'라고 하기 위해서는 수사기관에 의하여 범죄의 인지 등으로 수사가 개시되어 있을 것을 필요로 하고, 그 이전의 단계에서는 장차 형사입건될 가능성이 크다고 하더라도 그러한 사정만으로 '피의자'에 해당한다고 볼 수는 없다(대판 2010.6.24, 2008도12127). 17. 9급 검찰 · 마약수사, 21. 경찰간부, 22. 해경간부 · 수사경과

1 제3자가 심문절차로 진행되는 가처분신청사건에서 증인으로 출석하여 선서를 하고 허위의 진술을 한 경우 위증죄가 성립한다. (　　) 　16. 경찰간부, 17. 경찰승진·순경 1차, 19. 법원직, 23. 해경승진

2 민사소송의 당사자인 법인의 대표자가 선서하고 증언한 경우 위증죄의 주체가 될 수 있다. (　　) 　17.7급 검찰·경찰간부, 18. 경찰승진, 20. 수사경과·해경 3차, 23. 해경승진·법원직

3 자신의 강도상해 범행을 일관되게 부인하였음에도 불구하고 유죄판결이 확정된 피고인이 별건으로 기소된 공범의 형사사건에서 자신의 범행사실을 부인하는 증언을 한 경우 위증죄가 성립한다. (　　) 　16. 순경 2차, 18. 순경 3차, 19. 변호사시험, 21. 해경간부·수사경과, 24. 경찰승진

4 재판장이 신문 전에 증인에게 증언거부권을 고지하지 않은 경우, 전체적·종합적으로 고려하여 증인에게 증언거부권을 행사하는데 사실상 장애가 초래하였다고 볼 수 없는 경우에는 위증죄 성립을 부정하여야 한다. (　　) 　18. 경찰간부·순경 1차, 20.7급 검찰, 22. 경찰승진, 23. 법원행시

5 위증죄에 있어서의 허위의 진술이란 증인이 자기의 기억에 반하는 사실을 진술하는 것을 말하는 것이므로 그 내용이 객관적 사실과 부합한다고 하여도 위증죄는 성립한다. (　　)
　15. 경찰승진, 17. 경찰간부, 18·19. 순경 2차·3차, 20. 법원직, 21. 수사경과, 23. 해경승진

6 경험한 사실에 대한 법률적 평가나 단순한 의견에 지나지 아니한 경우 다소의 오류가 있더라도 허위의 진술에 해당하지 아니한다. (　　) 　18. 경찰승진, 22. 법원행시, 23. 법원직·순경 2차

7 위증죄에 있어서 진술의 내용은 요증사실에 관한 것으로 판결에 영향을 미친 것에 한정된다. (　　) 　15. 순경 3차, 17. 법원행시, 22. 경찰간부·수사경과, 23. 해경승진, 24. 경찰승진

8 증인의 증언은 그 전부를 일체로 관찰 판단하는 것이므로 선서한 증인이 일단 기억에 반하는 허위의 진술을 하였더라도 그 신문이 끝나기 전에 그 진술을 철회 시정한 경우에는 위증이 되지 않는다. (　　) 　19. 법원직, 20·21. 수사경과, 18·24. 경찰승진

9 증인신문절차에서 허위의 진술을 하고 그 진술이 철회·시정된 바 없이 그대로 증인신문절차가 종료된 경우 그로써 위증죄는 기수에 달하고, 그 후 별도의 증인 신청 및 채택절차를 거쳐 그 증인이 다시 신문을 받는 과정에서 종전 신문절차에서의 진술을 철회·시정한다 하더라도 이미 종결된 종전 증인신문절차에서 행한 위증죄의 성립에 어떤 영향을 주는 것은 아니다. (　　)
　17.7급 검찰, 20. 경찰승진·법원직, 23. 해경승진, 24. 변호사시험

10 하나의 사건에 관하여 한 번 선서한 증인이 같은 기일에 여러 가지 사실에 관하여 기억에 반하는 허위의 공술을 한 경우, 각 진술마다 수개의 위증죄를 구성한다. (　　)
　17. 법원행시, 18. 경찰승진, 19. 변호사시험, 20. 수사경과, 22. 경찰간부

Answer ← 1. ×　2. ×　3. ○　4. ×　5. ○　6. ○　7. ×　8. ○　9. ○　10. ×

11 자기의 형사사건에 관하여 타인을 교사하여 위증을 하게 하는 것은 피고인의 형사사건의 방어권 행사와 동일한 의미이므로 위증교사의 책임을 지지 않는다. (   )

18. 순경 3차, 19. 9급 검찰, 22. 법원행시 · 경찰간부, 23. 법원직, 24. 변호사시험 · 경찰승진

12 위증죄를 범한 자가 그 공술한 사건의 재판이 확정되기 전에 자수한 경우 그 형을 필요적으로 감경한다. (   )

17. 경찰승진, 19. 순경 1차 · 법원직, 20. 법원행시, 24. 변호사시험

13 자기의 형사사건에 관한 증거를 인멸하기 위하여 타인을 교사하여 죄를 범하게 한 자에 대하여는 증거인멸교사죄가 성립한다. (   )

15. 변호사시험, 18. 경찰승진, 19. 9급 검찰, 20. 법원행시, 24. 해경승진

14 피고인 자신이 직접 형사처분이나 징계처분을 받게 될 것을 두려워한 나머지 자기의 이익을 위하여 그 증거가 될 자료를 인멸하였다면, 그 행위가 동시에 다른 공범자의 형사사건이나 징계사건에 관한 증거를 인멸한 결과가 된다고 하더라도 이를 증거인멸죄로 처벌할 수 없다. (   )

19. 변호사시험 · 7급 검찰, 22. 경찰간부, 23. 법원행시 · 순경 2차, 24. 해경간부

15 피고인 자신이 직접 형사처분이나 징계처분을 받게 될 것을 두려워한 나머지 자기의 이익을 위하여 증인이 될 사람을 도피하게 한 것이더라도, 그 행위가 동시에 다른 공범자의 형사사건이나 징계사건에 관한 증인을 도피하게 한 결과가 되는 경우 이를 증인도피죄로 처벌할 수 있다. (   )

14. 법원행시, 18. 경찰승진, 19. 9급 검찰, 20. 해경승진, 23. 순경 2차

16 형법 제155조 제1항에서 말하는 '징계사건'이란 국가의 징계사건에 한정되는 것이 아니라 사인 간의 징계사건도 포함한다. (   )

14. 경찰승진, 21. 경찰간부, 22. 해경간부

17 증거은닉죄에 있어서 '타인의 형사사건 또는 징계사건'이란 은닉행위시에 아직 수사 또는 징계 절차가 개시되기 전이라도 장차 형사 또는 징계사건이 될 수 있는 것까지를 포함한다. (   )

16. 법원행시, 17. 순경 1차, 18. 순경 3차, 19. 변호사시험, 21. 경찰간부, 22. 해경간부

18 참고인이 타인의 형사사건과 관련하여 수사기관에서 조사를 받기에 앞서서 허위의 내용을 담은 진술서를 작성하여 수사기관에 제출한 경우 증거위조죄를 구성한다. (   )

15. 수사경과, 18. 경찰간부, 20. 법원행시, 24. 해경승진

19 사실혼관계에 있는 자가 본인을 위하여 증거인멸행위를 한 경우 사실혼관계에 있는 자에게도 증거인멸죄에 관한 친족간 특례규정(형법 제155조 제4항)이 적용된다. (   )

16. 수사경과, 19. 순경 2차, 24. 해경승진

20 참고인이 타인의 형사사건 등에 관하여 제3자와 대화를 하면서 허위로 진술하고 위와 같은 허위 진술이 담긴 대화 내용을 녹음한 녹음파일 또는 이를 녹취한 녹취록을 만들어 수사 기관 등에 제출하는 것은 증거위조죄를 구성하지 아니한다. (   )

16. 법원행시, 17. 9급 검찰 · 마약수사, 18. 경찰간부, 22. 해경간부, 23. 변호사시험 · 순경 2차

Answer ← **11.** × **12.** × **13.** ○ **14.** ○ **15.** × **16.** × **17.** ○ **18.** × **19.** × **20.** ×

01 위증죄에 대한 설명으로 옳은 것만을 모두 고른 것은?(다툼이 있는 경우 판례에 의함)

17. 7급 검찰, 20. 해경 3차, 23. 해경승진

> ㉠ 민사소송의 당사자는 증인능력이 없으므로 당해 사건의 증인으로 출석하여 선서하고 증언하였다고 하더라도 위증죄의 주체가 될 수 없다.
> ㉡ 민사소송절차에서 증인이 선서 후 증인진술서에 기재된 구체적인 내용에 관하여 진술함이 없이 단지 그 증인 진술서에 기재된 내용이 사실대로라는 취지의 진술만을 한 경우, 그것이 증인 진술서에 기재된 내용 중 특정 사항을 구체적으로 진술한 것과 같이 볼 수 있는 등의 특별한 사정이 없는 한 기재된 내용에 일부 허위가 있다고 하더라도 위증죄가 성립하지 아니한다.
> ㉢ 증인이 증인신문절차에서 허위의 진술을 하고 그대로 증인신문절차가 종료된 후, 별도의 증인 신청 및 채택 절차를 거쳐 그 증인이 다시 신문을 받는 과정에서 종전 증인신문절차에서의 진술을 철회·시정하더라도 종전 증인신문절차에서 행한 위증죄의 성립에는 영향이 없다.
> ㉣ 증인이 소송사건의 같은 심급에서 변론기일을 달리하여 수차 증인으로 나가 수 개의 허위진술을 하였더라도 최초에 한 선서의 효력을 유지시킨 후 증언하였다면 1개의 위증죄가 성립한다.

① ㉡, ㉢   ② ㉠, ㉡, ㉣   ③ ㉠, ㉢, ㉣   ④ ㉠, ㉡, ㉢, ㉣

해설 ㉠ ○ : 대판 1998.3.10, 97도1168
㉡ ○ : 대판 2010.5.13, 2007도1397
㉢ ○ : 대판 2010.9.30, 2010도7525
㉣ ○ : 대판 2007.3.15, 2006도9463

02 위증죄에 관한 다음 설명 중 가장 옳은 것은?(다툼이 있는 경우 판례에 의함)   20. 법원직

① 위증죄는 그 진술이 판결에 영향을 미쳤는지 여부나 지엽적인 사항인지 여부와 무관하게 성립하나, 경험한 사실에 대한 법률적 평가인 경우에는 위증죄가 성립하지 않는다.

② 위증죄에서의 허위의 진술이란 증인이 자신의 기억에 반하는 사실을 진술하는 것을 말하나, 그 내용이 객관적 사실과 부합하는 경우에는 위증죄가 성립하지 않는다.

③ 증인의 증언은 그 전부를 일체로 관찰·판단하는 것이므로, 증인이 증인신문절차에서 허위의 진술을 하고 그 진술이 철회·시정된 바 없이 그대로 증인신문절차가 종료된 후, 별도의 증인 신청 및 채택 절차를 거쳐 그 증인이 다시 신문을 받는 과정에서 종전 신문절차에서의 진술을 철회·시정한 경우에는 위증죄가 성립되지 않는다.

④ 피고인이 자기의 형사사건에 관하여 타인을 교사하여 위증죄를 범하게 하는 것은 형사소송에 있어서의 방어권을 인정하는 취지상 처벌의 대상이 되지 않는다.

> **Answer**   01. ④   02. ①

해설 ① ○ : 대판 2009.3.12, 2008도11007
② × : ~ 부합한다 하더라도 위증죄가 성립한다(대판 1980.4.8, 80도2783).
③ × : ~ (4줄) 경우에도 위증죄가 성립한다(대판 2010.9.30, 2010도7525).
④ × : 위증죄의 교사범 ○(대판 2004.1.27, 2003도5114 ∵ 방어권 남용)

03 위증죄에 관한 설명 중 가장 적절하지 **않은** 것은?(다툼이 있으면 판례에 의함)   17. 수사경과

① 증인이 선서를 하고서 진술한 증언 내용이 자신이 그 증언내용 사실을 잘 알지 못하면서도 잘 아는 것으로 증언한 것이라면 위증죄가 성립한다.

② 자기의 형사사건에 관하여 타인을 교사하여 위증죄를 범하게 한 경우에는 방어권 남용으로서 위증죄의 교사범이 성립한다.

③ 전 남편이 도로교통법위반(음주운전)으로 기소된 사건에서, 증인으로 출석한 전처가 증언거부권을 고지받지 않은 상태에서 전 남편인 피고인의 변명을 두둔하는 허위의 진술을 적극적으로 행한 경우 증언거부권의 불고지, 가족관계에 기초한 애정적 관계를 고려할 때 기대가능성이 없어 위증죄가 성립하지 아니한다.

④ 甲이 乙을 모해할 목적으로 丙에게 위증을 교사하여 丙이 위증을 한 경우, 丙에게 모해의 목적이 없었던 경우에도 甲을 모해위증교사죄로 처단할 수 있다.

해설 ① 대판 1986.9.9, 86도57 ② 대판 2004.1.27, 2003도5114
③ × : 위증죄 ○(대판 2010.2.25, 2007도6273 ∵ 증언거부권이 사실상 침해 당한 것으로 평가할 수 없음)
④ 대판 1994.12.23, 93도1002

04 다음 설명 중 가장 옳지 **않은** 것은?(다툼이 있는 경우 판례에 의함)   23. 법원직

① 위증죄에 있어서 증인의 증언이 기억에 반하는 허위진술인지 여부는 그 증언의 단편적인 구절에 구애될 것이 아니라 당해 신문절차에 있어서의 증언 전체를 일체로 파악하여 판단하여야 할 것이고, 그 진술이 객관적 사실과 부합하지 않는다고 하여 그 증언이 곧바로 기억에 반하는 진술이라고 단정할 수는 없다.

② 위증죄는 법률에 의하여 선서한 증인이 자기의 기억에 반하는 사실을 진술함으로써 성립하므로, 증인의 진술이 경험한 사실에 대한 법률적 평가이거나 단순한 의견에 지나지 아니하는 경우에는 위증죄에서 말하는 허위의 진술이라고 할 수 없고, 경험한 사실에 기초한 주관적 평가나 법률적 효력에 관한 견해를 부연한 부분에 다소의 오류가 있다 하여도 위증죄가 성립하지 않는다.

③ 피고인이 자기의 형사사건에 관하여 허위의 진술을 하는 행위는 피고인의 방어권을 인정하는 취지에서 처벌의 대상이 되지 않으나, 법률에 의하여 선서한 증인이 타인의 형사사건에 관하여 위증을 하면 형법 제152조 제1항의 위증죄가 성립되므로 자기의 형사사건에 관하여 타인을 교사하여 위증죄를 범하게 하는 것은 이러한 방어권을 남용하는 것이어서 교사범의 죄책을 부담한다.

Answer   03. ③   04. ④

④ 민사소송의 당사자는 증인능력이 없으므로 증인으로 선서하고 증언하였다고 하더라도 위증죄의 주체가 될 수 없으나, 민사소송에서의 당사자인 법인의 대표자의 경우에는 증인으로 선서하고 증언하는 것이 가능하므로 위증죄의 주체가 될 수 있다.

해설 ① 대판 1996.8.23, 95도192 ② 대판 2009.3.12, 2008도11007 ③ 대판 2004.1.27, 2003도5114
④ ×: 민사소송에서의 당사자인 법인의 대표자 ⇨ 위증죄의 주체 ×(대판 1998.3.10, 97도1168)

05 위증죄에 관한 설명으로 가장 적절한 것은?(다툼이 있는 경우 판례에 의함)　　　24. 경찰승진
① 자신의 범행을 일관되게 부인하였으나 유죄판결이 확정된 피고인이 별건으로 기소된 공범의 형사사건에서 증인으로 출석한 후 선서하고 증언함에 있어 자신의 기억에 반하는 허위의 진술을 한 경우 위증죄가 성립한다.
② 선서한 증인이 일단 기억에 반하는 허위의 진술을 하였다면 위증죄는 기수에 달하고 그 신문이 끝나기 전에 그 진술을 철회 시정한 경우에도 위증죄가 성립한다.
③ 피고인이 자기의 형사사건에 관하여 타인을 교사하여 위증죄를 범하게 한 경우 위증교사죄로 처벌할 수 없다.
④ 위증죄에 있어서 허위 진술의 내용은 요증사실에 관한 것이거나 판결에 영향을 미친 것에 한정된다.

해설 ① ○: 대판 2008.10.23, 2005도10101
② ×: 선서한 증인이 일단 기억에 반하는 허위의 진술을 하였더라도 그 신문이 끝나기 전에 그 진술을 철회·시정한 경우 위증이 되지 아니한다(대판 2008.4.24, 2008도1053).
③ ×: 위증교사죄 ○(대판 2004.1.27, 2003도5114)
④ ×: ~ 영향을 미치는 것이 아니어도 무방하다(대판 1990.2.23, 89도1212).

06 증거인멸죄 등에 관한 설명 중 옳지 않은 것은?(다툼이 있는 경우 판례에 의함)　　　15. 변호사시험
① 증거위조죄에서 '위조'란 문서에 관한 죄에서의 위조개념과는 달리 새로운 증거의 창조를 의미하는 것이므로 존재하지 아니한 증거를 이전부터 존재하고 있는 것처럼 만들어 내는 행위도 위조에 해당하며, 증거가 문서의 형식을 갖는 경우 증거위조죄의 증거에 해당하는지는 그 작성권한 유무나 내용의 진실성에 좌우되지 않는다.
② 경찰서 방범과장이 부하직원으로부터 게임산업진흥에 관한 법률위반 혐의로 오락실을 단속하여 증거물로 오락기의 변조된 기판을 압수하여 사무실에 보관 중임을 보고받아 알고 있었음에도 그 직무상의 의무에 따라 적절한 조치를 취하지 않고, 오히려 부하직원에게 위와 같이 압수한 변조된 기판을 돌려주라고 지시하여 오락실 업주에게 돌려준 경우 증거인멸죄가 성립한다.
③ 자기의 형사사건에 관한 증거를 인멸하기 위하여 타인을 교사하여 증거인멸죄를 범하게 한 자에 대하여는 증거인멸교사죄가 성립한다.

Answer　05. ①　06. ④

④ 자신이 직접 형사처분이나 징계처분을 받게 될 것을 두려워한 나머지 자기의 이익을 위하여 그 증거가 될 자료를 인멸하였다 하더라도, 그 행위가 동시에 다른 공범자의 형사사건이나 징계사건에 관한 증거를 인멸한 결과가 되는 경우 증거인멸죄가 성립한다.

⑤ 증거위조죄에서 '타인의 형사사건'이란 증거위조 행위시에 아직 수사절차가 개시되기 전이라도 장차 형사사건이 될 수 있는 것까지 포함하고 그 형사사건이 기소되지 아니하거나 무죄가 선고되더라도 증거위조죄의 성립에는 영향이 없다.

해설 ① 대판 2007.6.28, 2002도3600
② 대판 2006.10.19, 2005도3909 전원합의체 ③ 대판 2000.3.24, 99도5275
④ × : 증거인멸죄 ×(대판 1995.9.29, 94도2608) ⑤ 대판 2011.2.10, 2010도15986

07 증거위조죄에 대한 설명으로 옳지 않은 것은?(다툼이 있는 경우 판례에 의함)

17. 9급 검찰·마약수사, 22. 해경간부

① 피의자에 대한 모해목적의 증거위조죄에서 '피의자'에는 수사 개시 이전의 단계에서 장차 형사입건될 가능성이 있는 대상자도 포함된다.

② 선서무능력자로서 범죄현장을 목격하지 않은 사람으로 하여금 형사법정에서 범죄현장을 목격한 양 허위의 증언을 하도록 하는 것은 증거위조죄를 구성하지 않는다.

③ 참고인이 타인의 형사사건 등에 관하여 제3자와 대화를 하면서 허위로 진술하고 위와 같은 허위 진술이 담긴 대화 내용을 녹음한 녹음파일 또는 이를 녹취한 녹취록을 만들어 수사기관에 제출하는 것은 증거위조죄를 구성한다.

④ 타인의 형사사건과 관련하여 수사기관이나 법원에 제출하거나 현출되게 할 의도로 법률행위 당시에는 존재하지 아니하였던 처분문서를 사후에 그 작성일을 소급하여 작성하는 것은 증거위조죄를 구성한다.

해설 ① × : 모해증거인멸죄에서 말하는 '피의자'라고 하기 위해서는 수사기관에 의하여 범죄의 인지 등으로 수사가 개시되어 있을 것을 필요로 하고, 그 이전의 단계에서는 장차 형사입건될 가능성이 크다고 하더라도 그러한 사정만으로 '피의자'에 해당한다고 볼 수는 없다(대판 2010.6.24, 2008도12127).
② 대판 1998.2.10, 97도2961 ③ 대판 2013.12.26, 2013도8085 ④ 대판 2007.6.28, 2002도3600

08 증거인멸의 죄에 대한 설명 중 옳은 것은 모두 몇 개인가?(다툼이 있는 경우 판례에 의함)

21. 경찰간부, 22. 해경간부

㉠ 형법 제155조 제1항의 증거인멸 등 죄에서 말하는 '징계사건'에는 국가의 징계사건은 물론 사인 간의 징계사건도 포함된다.

㉡ 형법 제155조 제1항에서 타인의 형사사건에 관한 증거를 위조한다 함은, 증거 자체를 위조하는 것뿐 아니라 널리 참고인이 수사기관에서 허위의 진술을 하는 것까지를 포함하는 개념으로 보아야 한다.

Answer 07. ① 08. ①

> ⓒ 형법 제155조 제1항의 증거위조죄에서 '타인의 형사사건'이란 증거위조 행위시에 아직 수사절차가 개시되기 전이라도 장차 형사사건이 될 수 있는 것까지 포함하지만, 이후 그 형사사건이 기소되지 아니하거나 무죄가 선고된 경우 증거위조죄는 성립하지 않는다.
>
> ⓔ 형법 제155조 제3항의 모해목적 증거인멸 등 죄에서 '피의자'라고 하기 위해서는 수사기관에 의하여 수사가 개시되어 있을 것을 필요로 하고, 그 이전의 단계에서는 장차 형사입건될 가능성이 크다고 하더라도 피의자에 해당한다고 볼 수는 없다.

① 1개   ② 2개   ③ 3개   ④ 4개

해설 ㉠ × : 국가의 징계사건에 한정되고 사인 간의 징계사건은 포함되지 않는다(대판 2007.11.30, 2007도4191).

ⓛ × : ~ 함은 증거 자체를 위조함을 말하는 것이고, 참고인이 ~ 허위의 진술을 하는 것은 포함되지 않는다(대판 2011.7.28, 2010도2244).

ⓒ × : ~ (2줄) 포함하고, 이후 ~ 무죄가 선고되더라도 증거위조죄의 성립에 영향이 없다(대판 2011.2.10, 2010도15986).

ⓔ ○ : 대판 2010.6.24, 2008도12127

09 증거위조죄에 대한 설명으로 옳지 않은 것은?(다툼이 있는 경우 판례에 의함) 22. 7급 검찰

① 증거위조죄의 '증거'에는 범죄 또는 징계 사유의 성립 여부에 관한 것뿐만 아니라 형 또는 징계의 경중과 관계있는 정상을 인정하는 데 도움이 될 자료까지도 포함된다.

② 증거위조죄의 '위조'란 새로운 증거의 창조를 의미하는 것이므로 존재하지 아니한 증거를 이전부터 존재하고 있는 것처럼 작출하는 행위도 증거위조에 해당하며, 증거가 문서의 형식을 갖는 경우 증거위조죄에서의 증거에 해당하는지가 그 작성 권한의 유무나 내용의 진실성에 좌우되는 것은 아니다.

③ 사실의 증명을 위해 작성된 문서가 그 사실에 관한 내용이나 작성명의 등에 아무런 허위가 없다면 증거위조에 해당하지 않지만, 이 문서가 형사사건 또는 징계사건에서 허위의 주장에 관한 증거로 제출되어 그 주장을 뒷받침하게 되었다면 증거위조에 해당한다.

④ 참고인이 타인의 형사사건에서 직접 진술 또는 증언하는 것을 대신하거나 그 진술 등에 앞서서 허위의 사실확인서나 진술서를 작성하여 수사기관에 제출하더라도 증거위조죄가 성립하지 않는다.

해설 ① 대판 2021.1.28, 2020도2642

② 대판 2007.6.28, 2002도3600

③ × : ~ (2줄) 증거위조에 해당한다고 볼 수 없다. 설령 이 문서가 ~ (3줄) 그 주장을 뒷받침하게 되더라도 마찬가지이다(대판 2021.1.28, 2020도2642 ∴ 증거위조 ×).

④ 대판 2011.7.28, 2010도2244

Answer   09. ③

10 위증과 증거인멸의 죄에 대한 설명 중 가장 적절하지 않은 것은?(다툼이 있는 경우 판례에 의함)

① 제3자가 심문절차로 진행되는 가처분 신청사건에서 증인으로 출석하여 선서를 하고 허위 공술을 한 경우 위증죄가 성립하지 않는다.

② 모해위증죄에서 모해의 목적은 허위의 진술을 함으로써 피고인에게 불리하게 될 것이라는 인식이 있으면 충분하고 그 결과의 발생까지 희망할 필요는 없다.

③ 증거위조죄에서 '타인의 형사사건'이란 증거위조 행위시에 아직 수사절차가 개시되기 전이라도 장차 형사사건이 될 수 있는 것까지 포함하나 그 형사사건이 기소되지 아니하거나 무죄가 선고될 경우 증거위조죄가 성립하지 않는다.

④ 타인의 형사사건과 관련하여 수사기관이나 법원에 제출하거나 현출되게 할 의도로 법률행위 당시에는 존재하지 아니하였던 처분문서를 사후에 그 작성일을 소급하여 작성하는 것은 증거위조죄의 구성요건을 충족시키는 것이라고 보아야 하고, 비록 그 내용이 진실하다 하여도 국가의 형사사법기능에 대한 위험이 있다는 점은 부인할 수 없다.

해설 ① 대판 2003.7.25, 2003도180 ② 대판 2007.12.27, 2006도3575
③ × : ~ (2줄) 것까지 포함하고, ~ 선고되더라도 증거위조죄의 성립에 영향이 없다(대판 2011.2.10, 2010도15986).
④ 대판 2007.6.28, 2002도3600

11 위증과 증거인멸에 대한 설명이다. 아래 설명 중 옳은 것은 모두 몇 개인가?(다툼이 있는 경우 판례에 의함)

㉠ 피고인이 자기의 형사사건에 관하여 허위의 진술을 하는 행위는 위증죄의 처벌대상이 되지 않으나, 자기의 형사사건에 관하여 타인을 교사하여 위증죄를 범하게 하는 경우에는 교사범의 죄책을 부담한다.

㉡ 피고인 자신이 직접 형사처분이나 징계처분을 받게 될 것을 두려워한 나머지 자기의 이익을 위하여 그 증거가 될 자료를 인멸한 경우, 그 행위가 동시에 다른 공범자의 형사사건이나 징계사건에 관한 증거를 인멸한 결과가 된다면 증거인멸죄의 죄책을 부담한다.

㉢ 위증죄는 선서한 증인이 고의로 자신의 기억에 반하는 증언을 함으로써 성립하고, 그 진술이 당해 사건의 요증사항인 여부 및 재판의 결과에 영향을 미친 여부는 위증죄의 성립에 아무 관계가 없다.

㉣ 피고인 자신이 자기의 이익을 위하여 제3자와 공동하여 증거가 될 자료를 은닉한 경우 증거은닉죄에 해당하지 않는다.

㉤ 하나의 사건에 관하여 한 번 선서한 증인이 같은 기일에 여러 가지 사실에 관하여 기억에 반하는 허위의 진술을 한 경우 이는 각 진술마다 수 개의 위증죄를 구성한다.

① 2개   ② 3개   ③ 4개   ④ 5개

Answer 10. ③ 11. ②

해설 ㉠ ○ : 대판 2004.1.27, 2003도5114(∵ 방어권 남용)
㉡ × : 증거인멸죄 ×(대판 1995.9.29, 94도2608)
㉢ ○ : 대판 1990.2.23, 89도1212
㉣ ○ : 대판 2018.10.25, 2015도1000
㉤ × : ~ 한 경우 한 개의 위증죄를 구성한다(대판 1990.2.23, 89도1212).

12 국가의 기능에 대한 죄에 관한 설명으로 가장 적절하지 않은 것은?(다툼이 있는 경우 판례에 의함)
22. 순경 1차

① 범인도피죄는 타인을 도피하게 하는 경우에 성립할 수 있고 여기에서 타인에는 공범도 포함
되므로, 공범 중 1인이 그 범행에 관한 수사절차에서 참고인 또는 피의자로 조사받으면서 자
기의 범행을 구성하는 사실관계에 관하여 허위로 진술하고 허위자료를 제출하는 행위가 다
른 공범을 도피하게 하는 결과가 되는 경우 범인도피죄가 성립할 수 있다.
② 피의자 등이 적극적으로 허위의 증거를 조작하여 제출하고 그 증거조작의 결과 수사기관이
그 진위에 관하여 나름대로 충실한 수사를 하더라도 제출된 증거가 허위임을 발견하지 못할
정도에 이르렀다면, 이는 위계에 의하여 수사기관의 수사행위를 적극적으로 방해한 것으로서
위계공무집행방해죄가 성립된다.
③ 사실의 증명을 위해 작성된 문서가 그 사실에 관한 내용이나 작성명의 등에 아무런 허위가
없다면 증거위조죄에서의 '증거위조'에 해당한다고 볼 수 없는 것이고, 설령 사실증명에 관한
문서가 형사사건 또는 징계사건에서 허위의 주장에 관한 증거로 제출되어 그 주장을 뒷받침
하게 되더라도 마찬가지이다.
④ 경찰공무원이 지명수배 중인 범인을 발견하고도 직무상 의무에 따른 적절한 조치를 취하지
아니하고 오히려 범인을 도피하게 하는 행위를 한 경우, 범인도피죄만이 성립하고 직무유기
죄는 따로 성립하지 아니한다.

해설 ① × : 공범 중 1인이 그 범행에 관한 수사절차에서 참고인 또는 피의자로 조사받으면서 자신의 범행
을 구성하는 사실관계에 관하여 허위로 진술하고 허위 자료를 제출하는 것은 자신의 범행에 대한 방어권행
사의 범위를 벗어난 것으로 볼 수 없어, 이러한 행위가 다른 공범을 도피하게 하는 결과가 된다고 하더라도
범인도피죄로 처벌할 수 없다(대판 2018.8.1, 2015도20396).
② 대판 2003.7.25, 2003도1609 ③ 대판 2021.1.28, 2020도2642 ④ 대판 2017.3.15, 2015도1456

13 위증과 증거인멸의 죄에 대한 설명으로 옳지 않은 것은?(다툼이 있는 경우 판례에 의함) 24. 7급 검찰
① 증언거부사유가 있음에도 증언거부권을 고지받지 못하여 증언거부권을 행사하는 데 사실상
장애가 초래되었다고 볼 수 있는 경우 위증죄가 성립하지 않는다.
② 민사소송절차에 증인으로 출석하여 선서한 피고인이, 민사소송법 제314조에 따라 증언거부
권이 있는데도 재판장으로부터 증언거부권을 고지받지 않은 상태에서 허위의 증언을 한 경
우 특별한 사정이 없는 한 위증죄가 성립한다.

Answer | 12. ① 13. ④

③ 형법 제155조 제1항의 증거위조죄에서 말하는 '증거'에는 범죄 또는 징계사유의 성립 여부에 관한 것뿐만 아니라 형 또는 징계의 경중에 관계있는 정상을 인정하는 데 도움이 될 자료까지도 포함된다.

④ 사실의 증명을 위해 작성된 문서가 그 사실에 관한 내용이나 작성명의 등에 아무런 허위가 없더라도 형사사건 또는 징계사건에서 허위의 주장에 관한 증거로 제출되어 그 주장을 뒷받침하게 되는 경우 형법 제155조 제1항의 증거위조에 해당한다.

해설 ① 대판 2010.1.21, 2008도942 전원합의체

② 대판 2011.7.28, 2009도14928

③ 대판 2021.1.28, 2020도2642

④ × : ~ (1줄) 허위가 없다면 형사사건 또는 징계사건에서 허위의 주장에 관한 증거로 제출되어 그 주장을 뒷받침하게 되더라도 형법 제155조 제1항의 증거위조에 해당하지 않는다(대판 2021.1.28, 2020도2642).

14 국가의 기능에 대한 죄에 관한 설명으로 가장 적절하지 않은 것은?(다툼이 있는 경우 판례에 의함)

24. 순경 1차

① 범인 스스로 도피하는 행위는 처벌되지 않으므로, 범인이 도피를 위하여 타인에게 도움을 요청하는 행위 역시 도피행위의 범주에 속하는 한 처벌되지 않고, 범인이 타인으로 하여금 허위의 자백을 하게 하는 등으로 범인도피죄를 범하게 하는 경우와 같이 그것이 방어권의 남용으로 볼 수 있을 때라 하더라도 범인도피교사죄로 처벌할 수 없다.

② 직권남용권리행사방해죄는 단순히 공무원이 직권을 남용하는 행위를 하였다는 것만으로 곧바로 성립하는 것이 아니라, 직권을 남용하여 현실적으로 다른 사람으로 하여금 법령상 의무 없는 일을 하게 하였거나 다른 사람의 구체적인 권리행사를 방해하는 결과가 발생하여야 하고, 그 결과의 발생은 직권남용 행위로 인한 것이어야 한다.

③ 형법 제151조 제1항의 범인도피죄에서 '죄를 범한 자'라 함은 범죄의 혐의를 받아 수사대상이 되어 있는 자를 포함하고, 나아가 벌금 이상의 형에 해당하는 죄를 범한 자라는 것을 인식하면서도 도피하게 한 경우에는 그 자가 당시에는 아직 수사 대상이 되어 있지 않았다고 하더라도 범인도피죄가 성립한다.

④ 증인의 증언은 그 전부를 일체로 관찰·판단하는 것이므로 선서한 증인이 일단 기억에 반하는 허위의 진술을 하였더라도 그 신문이 끝나기 전에 그 진술을 철회·시정한 경우 위증이 되지 않는다.

해설 ① × : ~ (4줄) 방어권의 남용으로 볼 수 있을 때에는 범인도피교사죄에 해당할 수 있다(대판 2000. 3.24, 2000도20).

② 대판 2020.1.30, 2018도2236 전원합의체

③ 대판 2003.12.12, 2003도4533

④ 대판 2008.4.24, 2008도1053

Answer 14. ①

제5절 무고의 죄

> **제156조【무고】** 타인으로 하여금 형사처분 또는 징계처분을 받게 할 목적으로 공무소 또는 공무원에
> 대하여 허위의 사실을 신고한 자는 10년 이하의 징역 또는 1천 500만원 이하의 벌금에 처한다.
> **제157조【자백, 자수】** 제153조는 전조에 준용한다.

☝ 목적범 ○, 친족간의 특례규정 ×, 과실범처벌규정 ×, 상습범처벌규정 ×, 미수범처벌규정 ×

(1) 성질 및 보호법익

무고죄는 국가의 형사사법권 또는 징계권의 적정한 행사를 주된 보호법익으로 하고 다만 개인의
부당하게 처벌 또는 징계받지 아니할 이익을 부수적으로 보호하는 죄이므로, 설사 무고에 있어서
피무고자의 승낙이 있었다고 하더라도 무고죄의 성립에는 영향을 미치지 못한다(대판 2005.9.30,
2005도2712). 16. 법원행시·7급 검찰·철도경찰·경찰승진, 18. 경찰간부·순경 3차, 20. 수사경과, 21. 해경 2차, 22. 법원직,
23. 순경 2차

(2) 객관적 구성요건

① **주체** : 제한이 없다.

┌ **관련판례**

타인 명의의 고소장을 대리하여 작성하고 제출하는 형식으로 고소가 이루어진 경우 명의자를 대리한
자가 실제 고소의 의사를 가지고 고소행위를 주도한 경우라면 무고죄의 주체는 명의자를 대리한 자로
보아야 한다(대판 2007.3.30, 2006도6017). 16. 수사경과, 21. 7급 검찰, 23. 경찰승진, 24. 해경승진

② **행위의 대상**(상대방) : 공무소 또는 공무원

┌ **관련판례**

1. 사립학교 교원에 대한 학교법인 등의 징계처분은 형법 제156조(무고죄)의 '징계처분'에 포함되지
   않는다(대판 2014.7.24, 2015도6377 ∵ '징계처분'이란 공법상의 감독관계에서 질서유지를 위하여 과하
   는 신분적 제재를 말함. 예 피고인이 사립대학교 교수인 피해자들로 하여금 징계처분을 받게 할 목적
   으로 국민권익위원회에서 운영하는 범정부 국민포털인 국민신문고에 민원을 제기한 경우, 피해자들
   은 사립학교 교원이므로 피고인의 행위가 무고죄에 해당하지 않는다. ∴ 무죄). 15. 법원직·순경 3차,
   18. 수사경과·순경 1차·경력채용, 22. 해경간부, 21·23. 변호사시험
2. 변호사로 하여금 징계처분을 받게 할 목적으로 서울지방변호사회에 위 변호사회 회장을 수취인으로
   하는 허위 내용의 진정서를 제출한 경우 ⇨ 무고죄 ○(대판 2010.11.25, 2010도10202 ∵ 변호사에 대한
   징계처분은 형법 제156조에서 정하는 '징계처분'에 포함된다고 봄이 상당하고, 그 징계 개시의 신청
   권이 있는 지방변호사회의 장은 형법 제156조에서 정한 '공무소 또는 공무원'에 포함된다.) 16. 순경
   2차, 17·18. 경찰승진, 20·21. 해경승진, 22. 수사경과

③ **행위** : 허위사실을 신고하는 것

 ㉠ **허위의 사실** : 객관적 진실에 반하는 사실을 말한다.

  ⓐ 허위 여부의 판단

관련판례

• **객관적 사실에 부합하는 경우** ⇨ 무고죄 ×

1. 신고자가 그 신고내용을 허위라고 믿었다 하더라도 그것이 객관적으로 진실한 사실에 부합할 때에는 허위사실의 신고에 해당하지 않아 무고죄는 성립하지 않는 것이며, 한편 위 신고한 사실의 허위 여부는 그 범죄의 구성요건과 관련하여 신고사실의 핵심 또는 중요내용이 허위인가에 따라 판단하여 무고죄의 성립 여부를 가려야 한다(대판 1991.10.11, 91도1950). 19. 순경 1차·2차, 20. 경찰간부·수사경과, 23. 해경승진

2. 신고한 사실이 진실한 사실로서 허위의 사실을 신고한 것이 아닌 이상 그 신고된 사실에 대해 형사책임을 부담할 자를 잘못 선택한 경우라도 무고죄가 성립하지 않는다(대판 2017.5.30, 2015도15398). 15. 경찰간부, 21. 경력채용

3. 객관적 사실관계를 그대로 신고한 이상 그러한 사실관계를 토대로 한 나름대로의 주관적 법률평가를 잘못하고 이를 신고하였다고 하여 그 사실만 가지고 허위의 사실을 신고한 것에 해당한다고 할 수는 없다(대판 2024.5.30, 2021도2656). 17. 순경 2차

• **일부 객관적 진실에 반하는 내용이 포함된 경우**

1. 정황을 과장한 경우 ⇨ 무고죄 ×

> 무고죄에 있어서 '허위의 사실'이라 함은 그 신고된 사실로 인하여 상대방이 형사처분이나 징계처분 등을 받게 될 위험이 있는 것이어야 하고, 비록 신고내용에 일부 객관적 진실에 반하는 내용이 포함되었다 하더라도 그것이 독립하여 형사처분 등의 대상이 되지 아니하고 단지 신고사실의 정황을 과장하는 데 불과하거나 허위인 일부 사실의 존부가 전체적으로 보아 범죄사실의 성립 여부에 직접 영향을 줄 정도에 이르지 아니하는 내용에 관계되는 것이라면 무고죄가 성립하지 아니한다(대판 2008.8.21, 2008도3754). 16. 경찰간부, 24. 순경 2차·해경경위

 ① 피고인 자신이 상대방의 범행에 공범으로 가담하였음에도 자신의 가담사실을 숨기고 상대방만을 고소한 경우, 이를 허위의 사실로 볼 수 없고, 전체적으로 보아 상대방의 범죄사실의 성립 여부에 직접 영향을 줄 정도에 이르지 아니하는 내용에 관계되는 것이므로 무고죄가 성립하지 않는다(대판 2008.8.21, 2008도3754). 15. 변호사시험, 19. 법원직, 20. 경찰승진·수사경과, 21. 해경간부, 24. 해경승진

 ② 고소인이 甲에게 대여하였다가 이미 변제받은 금원에 관하여 甲이 수개월간 변제치 않고 있었던 점을 들어 위 금원을 착복하였다고 고소장에 기재한 경우 그것이 甲으로부터 아직 변제받지 못한 금원에 관한 고소내용의 정황을 과장한 것이라면 특별의 사정이 없는 한 무고죄가 성립하지 않는다(대판 1987.6.9, 87도1029). 17. 법원직, 21. 해경 2차

 ③ 피고인이 구타를 당한 것이 사실인 이상 이를 고소함에 있어서 입지 않은 상해사실을 포함시킨 경우(대판 1973.12.26, 73도2771) 15. 경찰간부

 ④ 피고인이 강간을 당한 것이 사실인 이상 이를 고소함에 있어서 강간으로 입은 것이 아닌 상해사실을 포함시킨 경우(대판 1983.1.18, 82도2170) 08. 경찰승진, 23. 법원행시

⑤ 폭행을 당하지는 않았더라도 그와 다투는 과정에서 시비가 되어 서로 허리띠나 옷을 잡고 밀고 당기면서 평소에 좋은 상태가 아니던 요추부에 경도의 염좌증세가 생겼을 가능성이 충분히 있는 상태에서 구타를 당하여 상해를 입었다고 고소한 경우(대판 1996.5.31, 96도771) 08. 경찰승진

2. 정황을 과장한 경우로 볼 수 없거나 일부 허위인 사실이 보호법익을 침해할 우려가 있을 정도로 고소사실 전체의 성질을 변경시키는 때 ⇨ 무고죄 ○

> 일부 허위인 사실이 국가의 심판 작용을 그르치거나 부당하게 처벌을 받지 아니할 개인의 법적 안정성을 침해할 우려가 있을 정도로 고소사실 전체의 성질을 변경시키는 때에는 무고죄가 성립한다(대판 2009.1.30, 2008도8573). 17. 경찰승진, 22. 순경 1차

① 피고인이 차용인을 차용금 사기죄로 고소하면서 대여금의 용도에 관하여 '도박자금'으로 빌려준 사실을 감추고 ㉠ 고소내용이 차용인이 차용금의 용도를 속이는 바람에 대여하게 되었다는 취지로 고소한 경우 ⇨ 무고죄 ○(∵ 허위사실 신고 ○), 22. 법원직 ㉡ 고소내용이 차용인이 변제의사와 능력도 없이 차용금 명목으로 돈을 편취하였으니 사기죄로 처벌하여 달라고 고소한 경우 ⇨ 무고죄 ×(대판 2011.9.8, 2011도3489 ∵ 사기죄의 성립 여부에 영향을 줄 정도의 중요한 부분을 허위로 신고 ×)

> **예** 1. 금원을 대여한 甲은 차용금을 갚지 않은 乙을 '乙이 변제의사와 능력도 없이 차용금 명목으로 돈을 편취하였으니 사기죄로 처벌하여 달라.'는 내용으로 고소하면서, 대여금의 용도에 관하여 '도박자금'으로 빌려준 사실을 감추고 '내비게이션 구입에 필요한 자금'이라고 허위기재한 경우 ⇨ 무고죄 ×(대판 2011.9.8, 2011도3489 ∵ ①㉡에 해당) 14. 사시, 19. 경찰간부, 20. 해경 1차, 21. 경찰승진, 22. 수사경과
> 2. 도박자금으로 빌려주었다는 사실을 감추고 단순한 대여금인 것처럼 하여 "피고소인이 사고가 나서 급하다고 하면서 120만원을 빌려간 후 변제하지 아니하고 있으니 사기로 처벌하여 달라."는 취지로 고소한 경우 ⇨ 무고죄 ○(대판 2004.1.16, 2003도7178 ∵ ①㉠에 해당) 07. 경찰승진, 20. 해경 1차

② 경찰관이 甲을 현행범으로 체포하려는 상황에서 乙이 경찰관을 폭행하여 乙을 현행범으로 체포하였는데, 乙이 경찰관의 현행범 체포업무를 방해한 일이 없다며 경찰관을 불법체포로 고소한 경우(대판 2009.1.30, 2008도8573) 11. 경찰승진

③ 피고인이 먼저 자신을 때려 주면 돈을 주겠다고 하여 甲, 乙이 피고인을 때리고 지갑을 교부받아 그 안에 있던 현금을 가지고 간 것임에도, '甲 등이 피고인을 폭행하여 돈을 빼앗았다'는 취지로 허위사실을 신고한 경우(대판 2010.4.29, 2010도2745) 11. 경찰승진

④ 피고소인들이 피고인과 甲과의 싸움을 말리려고 하다가 피고인이 말을 듣지 아니하여 만류를 포기하고 옆에서 보고만 있었을 뿐 피고소인들이 피고인이 팔을 잡은 사실이 없었는데도 "피고소인들이 피고인의 양팔을 잡아 가세하고 甲이 피고인의 안면부를 때려 상해를 입혔다."라고 고소한 경우 ⇨ 무고죄 ○(대판 1995.2.24, 94도3068 ∵ 단지 신고사실의 정황을 과장하는 데 불과하다고 볼 수 없음) 05. 경찰승진

⑤ 피고인이 고소를 통하여 甲에게 실제로 돈을 대여한 바 없거나 또는 일부 대여한 돈을 이미 변제받았음에도 불구하고 마치 돈을 대여하였거나 그로 인한 채권이 여전히 존재하는 것처럼 내세워 허위내용의 사실을 신고한 경우 무고죄가 성립한다(대판 1995.3.10, 94도2598).

• 기 타

1. 위증으로 고소·고발한 사실 중 위증한 당해사건의 요증사항이 아니고 재판결과에 영향을 미친 바 없는 사실만이 허위라고 인정되더라도 무고죄의 성립에는 영향이 없다(대판 1989.9.26, 88도1533). 16. 경찰승진, 17·22. 수사경과, 24. 해경경위

2. 범죄의 성립을 조각하는 사유(위법성조각사유)를 알고 있었음에도 불구하고 이를 숨기고 범죄가 되는 사실만 신고한 때에는 허위의 사실을 신고한 경우에 해당한다(대판 1998.3.24, 97도2956). 13. 수사경과, 16·19. 경찰간부

3. 1통의 고소, 고발장에 의하여 수개의 혐의사실을 들어 무고로 고소, 고발한 경우 그중 일부사실은 진실이나 다른 사실은 허위인 때에는 그 허위사실부분만이 독립하여 무고죄를 구성한다(대판 1989. 9.26, 88도1533). 16. 법원행시, 21. 수사경과, 22. 해경 2차, 24. 해경경위

4. 성폭행 등의 피해를 입었다는 신고사실에 관하여 불기소처분 내지 무죄판결이 내려졌다고 하여, 그 자체를 무고를 하였다는 적극적인 근거로 삼아 신고내용을 허위라고 단정하여서는 아니 된다(대판 2019.7.11, 2018도2614). 21. 법원직, 24. 경찰간부·경찰승진 따라서 피해자임을 주장하는 사람이 성폭행 등의 피해를 입었다고 신고한 사실에 대하여 증거불충분 등을 이유로 불기소처분되거나 무죄판결이 선고된 경우 반대로 이러한 신고내용이 객관적 사실에 반하여 무고죄가 성립하는지를 판단할 때에는 개별적·구체적인 사건에서 성폭행 등의 피해자가 처하여 있는 특별한 사정이 고려되어야 한다(대판 2024.5.30, 2021도2656).

5. 증언을 한 자가 그 재판 과정에서 자신의 증언과 반대되는 취지의 증언을 한 다른 증인을 위증죄로 고소하였다가 그 고소가 허위임이 밝혀진 경우 무고죄가 성립한다(대판 2005.4.14, 2003도1080).

6. 피고인이 甲주식회사에서 리스한 승용차를 乙에게 담보로 제공하고 돈을 차용하면서 약정기간 내에 갚지 못할 경우 이를 처분하더라도 아무런 이의를 제기하지 않기로 하였는데, 변제기 이후 乙 등이 차량을 처분하자 피고인의 허락 없이 마음대로 처분하였다는 취지로 고소한 경우, 위 고소 내용은 허위사실 기재로서 그 자체로 독립하여 무고죄가 성립한다(대판 2012.5.24, 2011도11500).

ⓑ 허위사실은 형사처분 또는 징계처분의 원인이 될 수 있는 것이어야 한다.

┌ 관련판례

1. 타인에게 형사처벌을 받게 할 목적으로 허위의 사실을 신고하였다 하더라도 그 사실 자체가 범죄가 되지 않는다면 무고죄는 성립하지 않는다(대판 2013.9.26, 2013도6862). 15. 변호사시험·경찰간부, 15·16. 수사경과, 16·19. 법원직

2. 허위사실의 적시정도는 수사기관·감독기관에 대해 수사권·징계권의 발동을 촉구할 수 있는 정도의 것이면 충분하고 반드시 범죄구성요건사실이나 징계요건사실을 구체적으로 명시하거나 법률적 평가까지 기재하여야 할 필요는 없다(대판 2006.5.25, 2005도4642). 16. 법원직, 17. 수사경과, 19. 경찰간부, 21·23. 경찰승진, 24. 해경승진

3. 허위의 사실을 신고하였다 하더라도 그 사실 자체가 형사범죄로 구성되지 아니한다면 무고죄는 성립하지 아니하므로, "피고소인이 송이의 채취권을 이중으로 양도하여 손해를 입었으니 엄벌하여 달라."는 내용의 고소사실은 횡령죄나 배임죄 기타 형사범죄를 구성하지 않는 내용의 신고에 불과하여 그 신고내용이 허위라고 하더라도 무고죄가 성립할 수 없다(대판 2007.4.13, 2006도558). 14. 사시, 16. 7급 검찰·철도경찰, 17. 법원직, 18. 경찰승진

4. "이미 채무를 변제받았음에도 공정증서를 보관하고 있음을 기화로 주택을 가압류하였다."는 취지의 허위의 고소장을 제출한 경우 ⇨ 무고죄 ×〔대판 2003.6.13, 2003도1060 ∵ 본안소송을 제기하지 아니한 채 가압류를 한 것만으로 ⇨ 사기죄의 실행의 착수 × ⇨ 신고된 사실 자체가 형사처분의 원인(형사범죄구성)이 안됨〕

5. 피고인(중국 국적의 불법체류자)이 공소외인에게 이 사건 주택에 관한 임대차보증금으로 950만원을 지급하였는데, 공소외인이 900만원을 받았다고 주장하며 900만원을 초과하는 임대차보증금을 돌려주지 않기 위해 피고인을 불법체류자로 고발하였다는 허위내용의 고소장을 경찰서에 제출한 경우 ⇨ 무고죄 ×〔대판 2013.9.26, 2013도6862 ∵ 허위사실 자체가 형사범죄 ×(공소외인이 초과하는 임대차보증금의 반환을 거부하였더라도 횡령죄나 배임죄 성립 ×)〕.

관련판례

1. 공소시효가 완성되었더라도 마치 공소시효가 완성되지 않은 것처럼 고소한 경우 ⇨ 본죄 ○(대판 1995.12.5, 95도1728 ∵ 국가기관의 직무를 그르칠 염려가 있음) 16. 사시·경찰승진·경찰간부, 17·19. 수사경과, 20. 변호사시험·법원직, 21. 해경승진

2. 신고사실에 대한 벌칙규정이 없거나 사면 또는 공소시효가 완성되었음이 신고내용 자체에 의해 분명한 경우 ⇨ 본죄 ×(대판 1994.2.8, 93도3445 ∵ 형사처분의 대상이 되지 않는 것) 12. 순경 3차, 15. 법원행시, 18. 경찰승진

3. 친고죄에 해당하여 고소기간의 경과로 공소제기할 수 없음이 신고내용 자체에 의해 분명한 경우 ⇨ 본죄 ×(대판 1998.4.14, 98도150 ∵ 국가기관의 직무를 그르치게 할 위험이 없음) 15. 법원행시, 21. 법원직, 20. 경찰간부, 21·24. 변호사시험

4. 허위사실의 요건은 적극적 증명이 있어야 하고 단지 신고사실의 진실성을 인정할 수 없다는 소극적 증명만으로 곧 그 신고사실이 객관적 진실에 반하는 허위사실이라고 단정하여 무고죄의 성립을 인정할 수는 없다(대판 2004.1.27, 2003도5114 ; 대판 2007.10.11, 2007도6406). 16. 사시, 16·17. 순경 2차, 18. 순경 1차, 20. 경찰간부·수사경과, 21. 변호사시험·경찰승진, 22. 법원직·7급 검찰

ⓛ **신고** : 자진하여(자발적으로) 사실을 고지하는 것을 말한다.
　　ⓐ 수사기관의 요청에 의해 알고 있는 사실을 말하는 경우나 수사기관의 신문에 대하여 허위의 진술을 하는 경우, 피고인이 수사기관에 한 진정 및 그와 관련된 부분을 수사하기 위한 검사의 추문에 대한 대답으로서 진정내용 이외의 사실에 관하여 한 진술 ⇨ 신고 ×(대판 1985.7.26, 85모14 ; 대판 1990.8.14, 90도595), 08. 경찰승진 다만 고소장에 기재하지 않은 사실을 고소보충조서를 받으면서 자진하여 진술한 경우 ⇨ 신고 ○(대판 1996.2.9, 95도2652), 15. 법원직, 16. 사시, 22. 수사경과·순경 1차 피고인이 위조수표에 대한 부정수표단속법 제7조의 고발의무가 있는 은행원을 도구로 이용하여 수사기관에 고발을 하게 하고 이어 수사기관에 대하여 특정인을 위조자로 지목한 경우, 이는 사법경찰관의 질문에 답변으로 한 것이라 할지라도 자발성이 인정되어 무고죄가 성립한다(대판 2005.12.22, 2005도3203). 12. 법원행시·순경 3차
　　ⓑ **신고의 방법** : 제한이 없다(구두·문서, 익명·기명, 고소장·진정서 불문). 17. 법원직

© **기수시기** : 허위의 신고가 당해 공무소 또는 공무원에게 도달한 때

    ⓐ 도달한 이상 수사착수 여부나 공소제기 여부는 불문하고(대판 1983.9.27, 83도1775) 21. 수사경과·해경승진 피고인이 최초에 작성한 허위내용의 고소장을 경찰관에게 제출한 이상 그 후에 그 고소장을 되돌려 받았다 하더라도 무고죄의 성립에 영향이 없다(대판 1985. 2.8, 84도2215). 16. 7급 검찰·철도경찰, 19. 수사경과·9급 검찰, 23. 경찰승진, 24. 해경승진

    ⓑ 허위사실을 신고하였으나 도달하지 않았을 때 ⇨ 무죄(∵ 본죄의 미수범처벌 ×)

> **관련판례**
>
> 1. 허위로 신고한 사실이 무고행위 당시 형사처분의 대상이 될 수 있었던 경우에는 무고죄는 기수에 이르고, 이후 그러한 사실이 형사범죄가 되지 않는 것으로 판례가 변경되었더라도 특별한 사정이 없는 한 이미 성립한 무고죄에는 영향을 미치지 않는다(대판 2017.5.30, 2015도15398). 17. 순경 2차·법원행시, 18. 경찰간부·7급 검찰·경력채용, 21. 해경 2차, 22. 순경 1차, 23. 법원직, 24. 변호사시험
>
> 2. 범행일시를 특정하지 않은 고소장을 제출한 후, 고소보충진술시에 범죄사실의 공소시효가 아직 완성되지 않은 것으로 진술한 피고인이 그 이후 검찰이나 제1심 법정에서 다시 범의의 공소시효가 완성된 것으로 정정 진술한 경우, 이미 고소보충진술시에 무고죄가 성립하였다(대판 2008.3.27, 2007도11153 ∵ 신고된 범죄사실이 이미 공소시효가 완성된 것이어서 무고죄가 성립하지 아니하는 경우에 해당하는지 여부는 그 신고시를 기준으로 하여 판단하여야 함). 16. 사시, 21. 7급 검찰·해경승진

(3) **주관적 구성요건** : 고의＋목적

① 허위의 사실에 대한 인식도 고의의 내용에 포함된다.

> **관련판례**
>
> 무고죄에 있어서 신고사실이 객관적 사실과 일치하지 않는 것이라도 신고자가 진실이라고 확신하고 신고하였을 때에는 무고죄가 성립하지 않는다고 할 것이나, 신고자가 알고 있는 객관적 사실관계에 의하여 신고사실이 허위라거나 허위일 가능성이 있다는 인식을 하면서도 이를 무시한 채 무조건 자신의 주장이 옳다고 생각하고 허위사실을 신고하는 경우에는 무고죄가 성립한다(대판 2008.5.29, 2006도6347). 16. 사시, 22. 순경 1차, 23. 법원직, 24. 경찰승진

② 본죄의 고의는 허위사실에 대한 미필적 인식(고의)으로 족하며 확정적 고의(인식)임을 요하지 않는다(다수설·판례). 13. 수사경과

> **관련판례**
>
> 1. 무고죄의 범의는 반드시 확정적 고의일 필요가 없고 미필적 고의로도 충분하므로, 신고자가 허위라고 확신한 사실을 신고한 경우뿐만 아니라 진실하다는 확신 없는 사실을 신고하는 경우에도 그 범의를 인정할 수 있다(대판 2022.6.30, 2022도3413). 13. 법원행시, 24. 변호사시험·경찰간부
>
> 2. 고소당한 범죄가 유죄로 인정되는 경우, 고소를 당한 사람이 자신을 고소한 사람에 대하여 "고소당한 죄의 혐의가 없는 것으로 인정된다면 고소인이 자신을 무고한 것에 해당하므로 고소인을 처벌해 달라."는 내용의 고소장을 수사기관에 제출하였다면 자신의 결백을 주장하기 위한 것이라고 하더라

도 무고죄의 범의를 인정할 수 있다(대판 2007.3.15, 2006도9453). 15. 순경 3차, 17. 경찰승진 · 수사경과, 21. 7급 검찰 · 해경승진

3. 피무고자의 승낙을 받아 허위사실을 기재한 고소장을 제출하였다면 피무고자에 대한 형사처분이라는 결과발생을 의욕한 것은 아니라 하더라도 적어도 그러한 결과발생에 대한 미필적인 인식은 있었던 것으로 보아야 하며(대판 2005.9.30, 2005도2712), 14. 변호사시험, 17. 수사경과, 18. 경찰승진 고소인이 고소장을 접수하면서 수사기관의 고소인 출석요구에 응하지 않음으로써 고소가 각하될 것으로 의도하고 있었다고 하더라도 무고죄가 성립한다(대판 2006.8.25, 2006도3631). 13. 변호사시험 · 법원행시, 24. 순경 2차

4. 허위사실의 신고라 함은 신고사실이 객관적 사실에 반한다는 것을 확정적이거나 미필적으로 인식하고 신고하는 것을 말하는 것이므로, 설령 고소사실이 객관적 사실에 반하는 허위의 것이라 할지라도 그 허위성에 대한 인식이 없을 때에는 무고에 대한 고의는 인정할 수 없다(대판 2000.11.24, 99도822). 10. 법원행시

5. 甲의 처가 간통한 사실이 없지만 만취하여 떠드는 甲을 달랠 방편으로 甲에게 간통한 사실이 있다고 자백을 하자 甲이 부인을 간통으로 고소한 경우 ⇨ 무고죄 ×(대판 1983.7.12, 83도1395 ∵ 무고의 범의 ×) 06. 경찰승진

6. 종업원이 의약품을 처방 · 판매하지 아니하였음에도, 약사가 무자격자인 종업원으로 하여금 불특정 다수의 환자들에게 의약품을 판매하도록 지시하거나 실제로 자신에게 의약품을 판매하였다는 취지로 기재하여 신고한 경우 ⇨ 무고죄 ○(대판 2022.6.30, 2022도3413 ∵ 피고인의 민원은 객관적 사실관계에 반하는 허위사실이고, 미필적으로나마 그 허위 또는 허위의 가능성을 인식한 무고의 고의가 있었음.)

---

③ **목적** : 타인으로 하여금 형사처분 또는 징계처분을 받게 할 목적

┌ **관련판례**

1. '형사처분 또는 징계처분을 받게 할 목적'은 허위신고를 함에 있어서 다른 사람이 그로 인하여 형사 또는 징계처분을 받게 될 것이라는 인식이 있으면 족한 것이고 그 결과발생을 희망하는 것까지를 요하는 것은 아니므로, 고소인이 피무고자의 승낙을 받아 고소장을 수사기관에 제출한 이상 그러한 인식은 있었다고 보아야 한다(대판 2005.9.30, 2005도2712). 15. 법원행시, 16. 법원직, 18. 경력채용, 22. 경찰승진 · 수사경과, 24. 경찰간부

2. 고소인이 고소장을 수사기관에 제출한 이상 그러한 인식은 있다 할 것이고, 나아가 고소를 한 목적이 상대방을 처벌받도록 하는 데 있지 않고 시비를 가려 달라는 데에 있다고 하여 무고죄의 범의가 없다고 할 수 없다(대판 1995.12.12, 94도3271). 08. 순경

▶ **유사판례**

1. 피고인이 고소를 한 목적이 피고소인들을 처벌받도록 하는 데에 있지 아니하고 단지 회사 장부상의 비리를 밝혀 정당한 정산을 구하는 데에 있다하여 무고죄의 범의가 없다고 할 수 없다(대판 1991.5.10, 90도2601). 18. 경찰승진, 21. 해경간부

2. 신고자가 허위 내용임을 알면서도 신고한 이상 그 목적이 필요한 조사를 해 달라는 데에 있다는 등의 이유로 무고의 범의가 없다고 할 수 없다(대판 2022.6.30, 2022도3413). 23. 법원직

♣ **타인**: 특정되고 인식할 수 있는 범인(자기) 이외의 제3자(자연인·법인 불문) 06. 경찰간부

1. 살아 있는 실재인이어야 하므로 사자(死者)나 허무인(虛無人)에 대한 무고 ⇨ 무고죄 ×(특정되지 않은 성명불상자에 대한 무고죄는 성립하지 않는다. 공무원에게 무익한 수고를 끼치는 일은 있어도 심판 자체를 그르치게 할 염려가 없으며 피무고자를 해할 수도 없기 때문이다.; 대판 2022.9.29, 2020도11754) 22. 법원행시, 24. 경찰승진

2. 스스로 본인을 무고하는 자기무고는 무고죄의 구성요건에 해당하지 아니하여 무고죄를 구성하지 않으나, 피무고자의 교사·방조하에 제3자가 피무고자에 대한 허위의 사실을 신고한 경우에는 제3자의 행위는 무고죄의 구성요건에 해당하여 무고죄를 구성하므로, 제3자를 교사·방조한 피무고자도 교사·방조범으로서의 죄책을 부담한다(대판 2008.10.23, 2008도4852). 17. 순경 2차, 20. 변호사시험·7급 검찰, 22. 법원행시·수사경과, 23. 경찰승진, 24. 해경승진

   ▶ **비교판례**: 자기 자신을 무고하기로 제3자와 공모하고 이에 따라 무고행위에 가담하였더라도 이는 자기 자신에게는 무고죄의 구성요건에 해당하지 않아 범죄가 성립할 수 없는 행위를 실현하고자 한 것에 지나지 않아 무고죄의 공동정범으로 처벌할 수 없다(대판 2017.4.26, 2013도12592). 18. 경찰간부, 20. 변호사시험·7급 검찰·해경 1차, 21. 경찰승진, 22·23. 순경 1차, 23. 법원직

3. 공동피고인 중 1인이 타범죄로 조사를 받는 과정에서 사법경찰관 및 검사의 심문에 따라 다른 공동피고인의 범죄사실을 진술한 경우에 위 진술내용이 허위라 하더라도 이를 무고라고는 할 수 없다(대결 1985.7.26, 85모14). 23. 법원행시, 24. 경찰승진

(4) 자백·자수에 대한 특례(제157조)

무고죄를 범한 자가 그 신고한 사건에 대한 재판 또는 징계처분이 확정되기 전에 자백 또는 자수한 때에는 형을 감경 또는 면제한다(필요적 감면). 22. 수사경과

┌ **관련판례**

1. 자백이란 자신의 범죄사실(타인으로 하여금 형사처분 또는 징계처분을 받게 할 목적으로 공무소 또는 공무원에 대하여 허위의 사실을 신고하였음)을 자인하는 것을 말하고, 단순히 그 신고한 내용이 객관적 사실에 반한다고 인정함에 지나지 아니하는 것은 이에 해당하지 아니한다(대판 1995.9.5, 94도755). 15. 수사경과, 22. 법원행시

2. 자백의 절차에 관해서는 아무런 법령상의 제한이 없으므로 그가 신고한 사건을 다루는 기관에 대한 고백이나 그 사건을 다루는 재판부에 증인으로 다시 출석하여 전에 그가 한 신고가 허위의 사실이었음을 고백하는 것은 물론 무고 사건의 피고인 또는 피의자로서 법원이나 수사기관에서의 신문에 의한 고백 또한 자백의 개념에 포함된다. 형법 제153조에서 정한 '재판이 확정되기 전'에는 피고인의 고소사건 수사 결과 피고인의 무고 혐의가 밝혀져 피고인에 대한 공소가 제기되고 피고소인에 대해서는 불기소결정이 내려져 재판절차가 개시되지 않은 경우도 포함된다(대판 2018.8.1, 2018도7293). 20. 경찰간부, 22. 법원행시, 21·23·25. 변호사시험

(5) 죄수결정의 기준

피무고자의 수를 표준으로 죄수를 결정해야 한다(1개의 서면신고행위로 수인을 무고 ⇨ 무고죄의 상상적 경합). 08. 경찰승진

1 타인 명의의 고소장을 대리하여 작성하고 제출하는 형식으로 고소가 이루어진 경우, 명의자를 대리한 자가 실제 고소의 의사를 가지고 고소행위를 주도했더라도 그 명의자를 무고죄의 주체로 보아야 한다. ( )
16. 수사경과, 21. 7급 검찰, 23. 경찰승진, 24. 해경승진

2 甲이 변호사 乙로 하여금 징계처분을 받게 할 목적으로 서울지방변호사회에 허위 내용의 진정서를 제출한 경우 甲에 대하여는 무고죄가 성립한다. ( )
16. 순경 2차, 17 · 18. 경찰승진, 20 · 21. 해경승진, 22. 수사경과

3 피고인이 사립대학교 교수 甲, 乙로 하여금 징계처분을 받게 할 목적으로 국민권익위원회에서 운영하는 범정부 국민포털인 국민신문고에 민원을 제기한 경우에 무고죄가 성립한다. ( )
15. 법원행시 · 법원직 · 순경 3차, 18. 순경 1차 · 경력채용, 22. 해경간부, 21 · 23. 변호사시험

4 신고자가 그 신고내용이 허위라고 믿었다 하더라도 그것이 객관적으로 진실한 사실에 부합할 때에는 무고죄는 성립하지 아니한다. ( )
19. 순경 1차 · 2차, 20. 경찰간부, 23. 해경승진

5 상대방의 범행에 공범으로 가담한 자가 자신의 가담사실을 숨기고 상대방만 고소한 경우에는 무고죄가 성립한다. ( )
15. 변호사시험, 16 · 19. 법원직, 18 · 20. 경찰승진, 21. 해경간부

6 A는 甲이 변제의사와 능력도 없이 차용금 명목으로 돈을 편취하였으니 사기죄로 처벌하여 달라는 내용으로 고소하면서, 대여금의 용도에 관하여 '도박자금'으로 빌려준 사실을 감추고 '내비게이션 구입에 필요한 자금'이라고 허위로 기재하고, 대여의 일시 · 장소도 사실과 달리 기재하였다. 이 경우 A의 행위는 무고죄를 구성한다. ( )
14. 사시, 19. 경찰간부, 20. 해경 1차, 21. 경찰승진, 22. 수사경과

7 위법성조각사유가 있음을 알면서도 이를 숨기고 범죄사실만 고소한 경우에는 무고죄의 허위신고가 되지 않는다. ( )
13. 수사경과, 16 · 19. 경찰간부

8 타인에게 형사처벌을 받게 할 목적으로 허위의 사실을 신고하였다 하더라도 그 사실 자체가 범죄가 되지 않는다면 무고죄는 성립하지 않는다. ( )
15. 변호사시험 · 경찰간부, 16. 수사경과, 16 · 19. 법원직

9 객관적으로 고소사실에 대한 공소시효가 완성되었다면 마치 공소시효가 완성되지 아니한 것처럼 고소하였더라도 국가의 심판기능을 저해하거나 당해 국가기관의 직무를 그르치게 할 위험이 없으므로 무고죄가 성립하지 아니한다. ( )
16. 사시 · 경찰간부, 18. 경찰승진, 19. 수사경과, 20. 변호사시험 · 법원직, 21. 해경승진

10 신고한 사실이 객관적 사실에 반하는 허위사실이라는 요건은 적극적인 증명이 있을 필요는 없고, 신고사실의 진실성을 인정할 수 없다는 소극적 증명만으로 족하다. ( )
16. 사시, 17. 순경 2차, 18. 순경 1차, 20. 경찰간부, 21. 변호사시험 · 경찰승진, 22. 법원직 · 7급 검찰

Answer ← 1. ✕ 2. ○ 3. ✕ 4. ○ 5. ✕ 6. ✕ 7. ✕ 8. ○ 9. ✕ 10. ✕

11 타인으로 하여금 형사처분을 받게 할 목적으로 공무소에 허위의 사실을 신고하였다면 신고사실이 친고죄로서 고소기간이 경과하였음이 분명할지라도 당해 국가기관의 직무를 그르치게 할 위험은 인정되므로 무고죄 성립에는 아무런 지장이 없다. (   )
15. 법원행시, 20. 경찰간부, 21. 법원직, 21 · 24. 변호사시험

12 무고죄에 있어서 허위사실 적시의 정도는 수사관서 또는 감독관서에 대하여 수사권 또는 징계권의 발동을 촉구하는 정도의 것이면 충분하고 반드시 범죄구성요건 사실이나 징계요건 사실을 구체적으로 명시하여야 하는 것은 아니다. (   )
16. 법원직, 17. 수사경과, 19. 경찰간부, 21 · 23. 경찰승진

13 성폭행 등의 피해를 입었다는 신고사실에 관하여 불기소처분 내지 무죄판결이 내려졌다고 하여, 그 자체를 무고를 하였다는 적극적인 근거로 삼아 신고내용을 허위라고 단정하여서는 아니 된다. (   )
21. 법원직, 24. 경찰간부 · 경찰승진

14 범행일시를 특정하지 않은 고소장을 제출한 후 고소보충진술시에 범죄사실의 공소시효가 아직 완성되지 않은 것으로 허위 진술한 다음, 그 이후 검찰이나 제1심 법정에서 다시 범죄의 공소시효가 완성된 것으로 정정 진술하였더라도 고소보충진술시에 무고죄가 성립하였다고 보아야 한다. (   )
16. 사시, 21. 7급 검찰 · 해경승진

15 허위로 신고한 사실이 무고행위 당시 형사처분의 대상이 될 수 있었던 경우라면, 이후 그러한 사실이 형사범죄가 되지 않는 것으로 판례가 변경되었더라도 특별한 사정이 없는 한 이미 성립한 무고죄에는 영향을 미치지 않는다. (   )
17. 순경 2차 · 법원행시, 18. 경찰간부 · 7급 검찰, 22. 순경 1차, 23. 법원직, 24. 변호사시험

16 피고인이 허위내용의 고소장을 경찰관에게 제출한 후 나중에 그 고소장을 되돌려 받았다 하더라도 무고죄의 성립에 아무런 영향이 없다. (   )
16. 7급 검찰 · 철도경찰, 19. 9급 검찰 · 수사경과, 23. 경찰승진, 24. 해경승진

17 무고죄에 있어서 '형사처분 또는 징계처분을 받게 할 목적'은 허위신고를 함에 있어서 다른 사람이 그로 인하여 형사 또는 징계처분을 받게 될 것이라는 인식이 있으면 족하고 그 결과 발생을 희망하는 것을 요하는 것은 아니다. (   ) 15. 법원행시, 18. 경력채용, 22. 경찰승진 · 수사경과 · 법원직, 24. 경찰간부

18 피무고자의 교사 · 방조하에 제3자가 피무고자에 대한 허위의 사실을 신고한 경우 피무고자의 행위는 자기무고의 교사 · 방조에 불과하므로 무고죄의 교사 · 방조범으로서의 죄책을 부담하지 아니한다. (   ) 15. 법원직, 17. 순경 2차, 20. 변호사시험 · 7급 검찰, 22. 법원행시 · 수사경과, 23. 경찰승진

19 甲이 자기 자신을 무고하기로 乙과 공모하고 이에 따라 무고행위에 가담하였다면 甲은 乙과 함께 무고죄의 공동정범으로 처벌된다. (   )
18. 경찰간부, 20. 변호사시험 · 7급 검찰, 21. 경찰승진, 22 · 23. 순경 1차, 23. 법원직

20 피무고자의 승낙을 받은 후 무고한 때에는 무고죄가 성립하지 아니한다. (   )
16. 법원행시 · 7급 검찰 · 철도경찰 · 경찰승진, 17. 법원직, 18. 경찰간부 · 순경 3차, 21. 해경 2차, 23. 순경 2차

Answer ← **11.** × **12.** ○ **13.** ○ **14.** ○ **15.** ○ **16.** ○ **17.** ○ **18.** × **19.** × **20.** ×

01 무고죄에 관한 다음 설명 중 옳은 것은 몇 개인가?(다툼이 있는 경우 판례에 의함)   18. 경찰간부

> ○ 무고죄는 부수적으로 개인이 부당하게 처벌받거나 징계를 받지 않을 이익도 보호하지만, 국가의 형사사법권 또는 징계권의 적정한 행사를 주된 보호법익으로 한다.
> ○ 허위의 사실을 신고하였더라도 신고 당시 그 사실 자체가 형사범죄를 구성하지 않으면 무고죄는 성립하지 않는다.
> ○ 허위로 신고한 사실이 무고행위 당시 형사처분의 대상이 될 수 있었던 경우라면, 이후 그러한 사실이 형사범죄가 되지 않는 것으로 판례가 변경되었더라도 특별한 사정이 없는 한 이미 성립한 무고죄에는 영향을 미치지 않는다.
> ② 甲이 자기 자신을 무고하기로 乙·丙과 공모하고 이에 따라 무고행위에 가담하였더라도 甲을 무고죄의 공동정범으로 처벌할 수 없다.

① 1개   ② 2개   ③ 3개   ④ 4개

해설 ○ ○ : 대판 2005.9.30, 2005도2712
○ ○ : 대판 2017.5.30, 2015도15398
○ ○ : 대판 2017.5.30, 2015도15398
② ○ : 대판 2017.4.26, 2013도12592(∵ 자기 자신에게는 무고죄의 구성요건에 해당하지 않아 범죄가 성립할 수 없는 행위를 실현하고자 한 것에 지나지 않음)

02 무고죄에 대한 설명으로 가장 적절하지 않은 것은?(다툼이 있는 경우 판례에 의함)   18. 경찰승진
① 무고죄에서의 무고는 '타인으로 하여금 형사처분 또는 징계처분'을 받게 할 목적으로 허위의 사실을 신고하는 행위를 말하며 이때 '징계처분'에는 변호사에 대한 징계처분도 포함된다.
② 피무고자의 승낙을 받아 허위사실을 기재한 고소장을 제출하였다면 피무고자에 대한 형사처분이라는 결과발생을 의욕하지 않았더라도 그러한 결과발생에 대한 미필적 인식은 있었으므로 무고죄가 인정될 수 있다.
③ 피고인이 허위사실을 신고하였지만 신고된 범죄사실에 대한 공소시효가 완성되었음이 신고내용 자체에 의하여 분명한 경우 무고죄가 성립하지 않는다.
④ 피고인 자신이 상대방의 범행에 가담하였음에도 자신의 가담사실을 숨기고 상대방만을 고소한 경우에 무고죄가 성립한다.

해설 ① 대판 2010.11.25, 2010도10202
② 대판 2005.9.30, 2005도2712 ③ 대판 1994.2.8, 93도3445
④ × : 무고죄 ×(대판 2008.8.21, 2008도3754 ∵ 허위사실로 볼 수 없고, 범죄사실의 성립 여부에 직접 영향을 줄 정도에 이르지 아니하는 내용에 관계되는 것임)

Answer   01. ④   02. ④

03 무고죄에 관한 다음 설명 중 가장 옳지 않은 것은?(다툼이 있는 경우 판례에 의함)   21. 법원직

① 성폭행 등의 피해를 입었다는 신고사실에 관하여 불기소처분 내지 무죄판결이 내려졌다고 하여, 그 자체를 무고를 하였다는 적극적인 근거로 삼아 신고내용을 허위라고 단정하여서는 아니 된다.

② 개별적, 구체적인 사건에서 성폭행 등의 피해자임을 주장하는 자가 처하였던 특별한 사정을 충분히 고려하지 아니한 채 진정한 피해자라면 마땅히 이렇게 하였을 것이라는 기준을 내세워 성폭행 등의 피해를 입었다는 점 및 신고에 이르게 된 경위 등에 관한 변소를 쉽게 배척하여서는 아니 된다.

③ 타인으로 하여금 형사처분을 받게 할 목적으로 공무소에 대하여 허위의 사실을 신고하였다면, 그 사실이 친고죄로서 그에 대한 고소기간이 경과하여 공소를 제기할 수 없음이 그 신고내용 자체에 의하여 분명한 경우에도 당해 국가기관의 직무를 그르치게 할 위험이 없다고 할 수 없으므로 무고죄가 성립한다.

④ 무고죄에서 신고한 사실이 객관적 진실에 반하는 허위사실이라는 요건은 적극적 증명이 있어야 하고, 신고사실의 진실성을 인정할 수 없다는 소극적 증명만으로 곧 그 신고사실이 객관적 진실에 반하는 허위의 사실이라 단정하여 무고죄의 성립을 인정할 수는 없다.

> 해설 ①② 대판 2019.7.11, 2018도2614
> ③ × : ~ 위험이 없으므로 무고죄가 성립하지 아니한다(대판 1998.4.14, 98도150).
> ④ 대판 2007.10.11, 2007도6406

04 무고죄에 대한 설명으로 적절하지 않은 것을 모두 고른 것은?(다툼이 있는 경우 판례에 의함)
21. 경찰승진

> ㉠ 무고죄에서의 허위사실 적시의 정도는 수사관서 또는 감독관서에 대하여 수사권 또는 징계권의 발동을 촉구하는 정도의 것이면 충분하고 반드시 범죄구성요건 사실이나 징계요건 사실을 구체적으로 명시하여야 하는 것은 아니다.
>
> ㉡ 신고한 사실이 객관적 진실에 반하는 허위사실이라는 점에 관하여는 적극적인 증명이 있어야 하며, 신고사실의 진실성을 인정할 수 없다는 점만으로 곧 그 신고사실이 객관적 진실에 반하는 허위사실이라고 단정하여 무고죄의 성립을 인정할 수는 없다.
>
> ㉢ 피고인이 돈을 갚지 않는 甲을 차용금 사기로 고소하면서 대여금의 용도에 관하여 '도박자금'으로 빌려준 사실을 감추고 '내비게이션 구입에 필요한 자금'이라고 허위 기재했을 뿐 甲이 차용금의 용도를 속이는 바람에 대여하게 되었다는 취지로 주장한 사실이 없더라도, 피고인이 대여의 일시·장소를 사실과 달리 기재하였다면 무고죄가 성립한다.
>
> ㉣ 甲이 자기 자신을 무고하기로 乙과 공모하고 이에 따라 무고행위에 가담하였다면 甲은 乙과 함께 무고죄의 공동정범으로 처벌된다.

① ㉠, ㉡   ② ㉠, ㉣   ③ ㉡, ㉢   ④ ㉢, ㉣

Answer   03. ③   04. ④

해설 ㉠ ○ : 대판 2006.5.25, 2005도4642 ㉡ ○ : 대판 2007.10.11, 2007도6406
㉢ × : ~ (3줄) 주장한 사실이 없었다면, 피고인이 ~ 달리 기재하였더라도 무고죄가 성립하지 않는다(대판 2011.9.8, 2011도3489).
㉣ × : 甲이 자기 자신을 무고하기로 乙과 공모하고 이에 따라 무고행위에 가담하였더라도 甲을 무고죄의 공동정범으로 처벌할 수 없다(대판 2017.4.26, 2013도12592 ∵ 자기 자신에게는 무고죄의 구성요건에 해당하지 않아 범죄가 성립할 수 없는 행위를 실현하고자 한 것에 지나지 않음).

05 무고죄에 대한 설명으로 옳지 않은 것은?(다툼이 있는 경우 판례에 의함)　　21. 7급 검찰
① 신고한 사실이 객관적 진실에 반하는 허위사실이라는 요건은 적극적 증명이 있어야 하고, 신고사실의 진실성을 인정할 수 없다는 소극적 증명만으로 무고죄의 성립을 인정할 수 없다.
② 타인 명의의 고소장을 대리하여 작성하고 제출하는 형식으로 고소가 이루어진 경우, 그 명의자는 고소의 의사가 없이 이름만 빌려준 것에 불과하고 명의자를 대리한 자가 실제 고소의 의사를 가지고 고소행위를 주도한 경우라 하더라도 그 명의자를 무고죄의 주체로 보아야 한다.
③ 범행일시를 특정하지 않은 고소장을 제출한 후 고소보충진술시에 범죄사실의 공소시효가 아직 완성되지 않은 것으로 허위 진술한 다음, 그 이후 검찰이나 제1심 법정에서 다시 범죄의 공소시효가 완성된 것으로 정정 진술하였더라도 고소보충진술시에 무고죄가 성립하였다고 보아야 한다.
④ 고소를 당한 甲이 자신의 결백을 주장하기 위하여 고소인에 대하여 '고소당한 죄의 혐의가 없는 것으로 인정된다면 고소인이 자신을 무고한 것에 해당하므로 고소인을 처벌해 달라.'는 내용의 고소장을 제출하였는데 甲이 고소당한 범죄가 유죄로 인정되는 경우, 甲에게 무고죄가 성립한다.

해설 ① 대판 2004.1.27, 2003도5114
② × : 타인 명의의 고소장을 대리하여 작성하고 제출하는 형식으로 고소가 이루어진 경우 명의자를 대리한 자가 실제 고소의 의사를 가지고 고소행위를 주도한 경우라면 무고죄의 주체는 명의자를 대리한 자로 보아야 한다(대판 2007.3.30, 2006도6017).
③ 대판 2008.3.27, 2007도11153 ④ 대판 2007.3.15, 2006도9453

06 무고죄에 관한 설명으로 옳지 않은 것을 모두 고른 것은?(다툼이 있는 경우 판례에 의함) 22. 순경 1차
㉠ 자기자신을 무고하기로 제3자와 공모하고 이에 따라 무고행위에 가담한 경우 무고죄의 공동정범으로 처벌할 수 없다.
㉡ 신고사실의 일부에 허위의 사실이 포함되어 있다고 하더라도 그 허위부분이 범죄의 성부에 영향을 미치는 중요한 부분이 아니고 단지 신고한 사실을 과장한 것에 불과한 경우에는 무고죄에 해당하지 아니하지만, 그 일부 허위인 사실이 국가의 심판작용을 그르치거나 부당하게 처벌을 받지 아니할 개인의 법적 안정성을 침해할 우려가 있을 정도로 고소사실 전체의 성질을 변경시키는 때에는 무고죄가 성립될 수 있다.

Answer　05. ② 06. ④

ⓒ 신고자가 진실이라고 확신하고 신고하였을 때에는 무고죄가 성립하지 않는다고 할 것이고, '진실이라고 확신한다' 함에는 신고자가 알고 있는 객관적 사실관계에 의하여 신고사실이 허위라거나 허위일 가능성이 있다는 인식을 하면서도 이를 무시한 채 무조건 자신의 주장이 옳다고 생각하는 경우까지 포함되는 것은 아니다.

ⓔ 무고죄에 있어서의 신고는 자발적인 것이어야 하고 수사기관 등의 추문에 대하여 허위의 진술을 하는 것은 무고죄를 구성하지 않는 것이므로, 당초 고소장에 기재하지 않은 사실을 수사기관에서 고소보충조서를 받을 때 자진하여 진술하였다 하더라도 이 진술부분까지 신고한 것으로 볼 수는 없다.

ⓜ 타인에게 형사처분을 받게 할 목적으로 '허위의 사실'을 신고한 행위가 무고죄를 구성하기 위해서는 신고된 사실 자체가 형사처분의 대상이 될 수 있어야 하므로, 허위로 신고한 사실이 신고 당시에는 형사처분의 대상이 될 수 있었으나 이후 그러한 사실이 형사처분의 대상이 되지 않는 것으로 대법원판례가 변경된 경우 무고죄는 성립하지 않는다.

① ㉠, ㉡   ② ㉡, ㉢   ③ ㉢, ㉣   ④ ㉣, ㉤

해설 ㉠ ○ : 대판 2017.4.26, 2013도12592
㉡ ○ : 대판 2009.1.30, 2008도8573   ㉢ ○ : 대판 2008.5.29, 2006도6347
㉣ × : ~ (3줄) 자진하여 진술하였다면 이 진술부분까지 신고한 것으로 볼 수 있다(대판 1996.2.9, 95도2652).
㉤ × : 허위로 신고한 사실이 무고행위 당시 형사처분의 대상이 될 수 있었다면 무고죄는 기수에 이르고, 이후 그 사실이 형사범죄가 되지 않는 것으로 판례가 변경되었다고 하더라도 특별한 사정이 없는 한 이미 성립한 무고죄에는 영향을 미치지 않는다(대판 2017.5.30, 2015도15398).

07 무고죄에 관한 설명 중 가장 옳지 않은 것은?(다툼이 있는 경우 판례에 의함)   22. 법원행시

① 허무인에 대한 무고는 공무원에게 무익한 수고를 끼치는 일은 있어도 심판 자체를 그르치게 할 염려는 없으며, 또한 피무고자를 해할 수도 없으므로 피무고자는 실재인임을 요한다.

② 스스로 본인을 무고하는 자기무고는 무고죄의 구성요건에 해당하지 아니하나 피무고자의 교사·방조하에 제3자가 피무고자에 대한 허위의 사실을 신고한 경우 제3자의 행위는 무고죄의 구성요건에 해당하여 무고죄를 구성하므로, 제3자를 교사·방조한 피무고자는 교사·방조범으로서의 죄책을 부담한다.

③ 피고인이 甲, 乙에 대하여 무고한 고소사건의 처리 결과를 심리해 보고, 이들에 대하여 불기소결정 등이 내려져 그 재판이 확정된 적이 없으며 피고인이 甲, 乙에 대해 허위의 사실을 고소하였음을 법원에 자백하였다면 형법 제157조, 제153조에 따라 형의 필요적 감면조치를 하여야 한다.

④ 무고에 있어서 피무고자의 승낙이 있었다고 하더라도 무고죄의 성립에는 영향을 미치지 못한다.

⑤ 무고죄에 있어서 형의 필요적 감면사유에 해당하는 자백이란 자신의 범죄사실, 즉 타인으로 하여금 형사처분 또는 징계처분을 받게 할 목적으로 공무소 또는 공무원에 대하여 허위의 사실을 신고하였음을 자인하는 것을 말하므로, 단순히 그 신고한 내용이 객관적 사실에 반한다고 인정하는 것도 자백에 해당한다.

Answer   07. ⑤

해설 ① 대판 2022.9.29, 2020도11754 ② 대판 2008.10.23, 2008도4852
③ 대판 2018.8.1, 2018도7293 ④ 대판 2005.9.30, 2005도2712
⑤ × : ~ 인정하는 것은 자백에 해당하지 아니한다(대판 1995.9.5, 94도755).

08 무고죄에 관한 다음 설명 중 가장 옳지 않은 것은?(다툼이 있는 경우 판례에 의함) 22. 법원직

① 무고죄는 국가의 형사사법권 또는 징계권의 적정한 행사를 주된 보호법익으로 하는 것이지 개인의 부당하게 처벌 또는 징계받지 아니할 이익을 보호하는 죄는 아니므로, 설사 무고에 있어서 피무고자의 승낙이 있었다고 하더라도 무고죄의 성립에는 영향을 미치지 못한다 할 것이다.

② 고소인이 차용금을 갚지 않는 차용인을 사기죄로 고소함에 있어서, 피고소인이 차용금의 용도를 속이는 바람에 대여하였다고 주장하는 경우, 실제 용도에 관하여 고소인이 허위로 신고를 할 경우에는 그것만으로도 무고죄에 있어서의 허위의 사실을 신고한 경우에 해당한다.

③ 무고죄에서 신고한 사실이 객관적 사실에 반하는 허위사실이라는 요건은 적극적인 증명이 있어야 하며, 신고사실의 진실성을 인정할 수 없다는 소극적 증명만으로 곧 그 신고 사실이 객관적 진실에 반하는 허위사실이라고 단정하여 무고죄의 성립을 인정할 수는 없다.

④ 무고죄에 있어서 형사처분 또는 징계처분을 받게 할 목적은 허위신고를 함에 있어서 다른 사람이 그로 인하여 형사 또는 징계처분을 받게 될 것이라는 인식이 있으면 족한 것이고 그 결과발생을 희망하는 것까지를 요하는 것은 아니므로, 고소인이 고소장을 수사기관에 제출한 이상 그러한 인식은 있었다고 보아야 한다.

해설 ① × : ~ 적정한 행사를 주된 보호법익으로 하고 개인의 부당하게 ~ 이익을 부수적으로 보호하는 죄이므로, 설사 ~ 것이다(대판 2005.9.30, 2005도2712).
② 대판 2011.9.8, 2011도3489 ③ 대판 2007.10.11, 2007도6406 ④ 대판 2005.9.30, 2005도2712

09 무고죄에 관한 설명으로 옳지 않은 것을 모두 고른 것은?(다툼이 있는 경우 판례에 의함) 24. 경찰승진

> ㉠ 무고죄에 있어 타인은 자연인은 물론 법인도 포함하므로 특정되지 않은 이름을 알 수 없는 사람(성명불상자)에 대한 무고죄는 성립한다.
> ㉡ 성폭행 등의 피해를 입었다는 신고사실에 관하여 불기소처분 내지 무죄판결이 내려졌다고 하여, 그 자체를 무고를 하였다는 적극적인 근거로 삼아 신고내용을 허위라고 단정하여서는 아니 된다.
> ㉢ 신고자가 알고 있는 객관적인 사실관계에 의하더라도 신고 사실이 허위라거나 또는 허위일 가능성이 있다는 인식을 하지 못하였다면 무고의 고의를 부정할 수 있다.
> ㉣ 공동피고인 중 1인이 타범죄로 조사를 받는 과정에서 사법경찰관의 신문에 따라 다른 공동피고인의 범죄사실을 진술한 경우에 위 진술내용이 허위라면 이는 무고에 해당한다.

① ㉠, ㉢   ② ㉠, ㉣   ③ ㉡, ㉢   ④ ㉢, ㉣

Answer 08. ① 09. ②

해설 ㉠ × : 특정되지 않은 성명불상자에 대한 무고죄는 성립하지 않는다. 공무원에게 무익한 수고를 끼치는 일은 있어도 심판 자체를 그르치게 할 염려가 없으며 피무고자를 해할 수도 없기 때문이다(대판 2022.9.29, 2020도11754).

㉡ ○ : 대판 2019.7.11, 2018도2614 ㉢ ○ : 대판 2008.5.29, 2006도6347

㉣ × : ~ 진술내용이 허위라 하더라도 이를 무고라고는 할 수 없다(대결 1985.7.26, 85모14).

10 '증거인멸 및 무고의 죄'에 대한 설명으로 가장 적절한 것은?(다툼이 있는 경우 판례에 의함)

18. 경찰승진

① 자기의 형사사건에 관한 증거를 인멸하기 위하여 타인을 교사하여 죄를 범하게 한 자에 대하여 교사범의 죄책을 부담하게 할 수 없다.

② 피고인 자신이 직접 형사처분이나 징계처분을 받게 될 것을 두려워한 나머지 자기의 이익을 위하여 증인이 될 사람을 도피하게 하였다면, 그 행위가 동시에 다른 공범자의 형사사건이나 징계사건에 관한 증인을 도피하게 한 결과가 된다고 하더라도 이를 증인도피죄로 처벌할 수 없다.

③ 피고인이 고소를 한 목적이 피고소인들을 처벌받도록 하는 데에 있지 아니하고 단지 회사 장부상의 비리를 밝혀 정당한 정산을 구하는 데에 있다면 무고의 범의가 없다.

④ 甲이 경찰서에 "A가 송이의 채취권을 이중으로 양도하여 손해를 입었으니 엄벌하여 달라."는 내용의 고소장을 제출하였다면, 고소사실이 횡령이나 배임죄 기타 형사범죄를 구성하지 않는다고 하더라도 그 신고 내용이 허위라면 무고죄가 성립한다.

해설 ① × : 증거인멸죄의 교사범 ○(대판 2000.3.24, 99도5275 ∵방어권의 남용 ○)

② ○ : 대판 2003.3.14, 2002도6134

③ × : ~ 있다고 하여 무고죄의 범의가 없다고 할 수 없다(대판 1991.5.10, 90도2601).

④ × : 무고죄 ×(대판 2007.4.13, 2006도558 ∵ 횡령죄나 배임죄 기타 형사범죄를 구성하지 않는 내용의 신고에 불과)

11 다음 설명 중 옳고 그름의 표시(○, ×)가 바르게 된 것은?(다툼이 있는 경우 판례에 의함)

23. 순경 1차

㉠ 범죄 또는 징계사유의 성립 여부에 관한 것뿐만 아니라 형 또는 징계의 경중에 영향을 미치는 정상을 인정하는 데 도움이 될 자료까지도 증거위조죄에서 규정한 '증거'에 포함된다.

㉡ 자신이 직접 형사처분을 받게 될 것을 두려워한 나머지 자기의 이익을 위하여 그 증거가 될 자료를 은닉하였다면 증거은닉죄에 해당하지 않고, 제3자와 공동하여 그러한 행위를 하였더라도 마찬가지이다.

㉢ 모해위증죄에 있어서 甲이 A를 모해할 목적으로 그러한 목적이 없는 乙에게 위증을 교사한 경우, 공범종속성에 관한 일반 규정인 형법 제31조 제1항이 공범과 신분에 관한 형법 제33조 단서에 우선하여 적용되므로 신분이 있는 甲이 신분이 없는 乙보다 무겁게 처벌된다.

Answer 10. ② 11. ②

> ㉣ 甲이 자기 자신을 무고하기로 乙과 공모하고 공동의 의사에 따라 乙과 함께 자신을 무고한 경우, 甲과 乙은 무고죄의 공동정범으로서의 죄책을 진다.

① ㉠(○), ㉡(○), ㉢(○), ㉣(×)   ② ㉠(○), ㉡(○), ㉢(×), ㉣(×)

③ ㉠(×), ㉡(○), ㉢(○), ㉣(○)   ④ ㉠(×), ㉡(×), ㉢(○), ㉣(○)

해설 ㉠ ○ : 대판 2021.1.28, 2020도2642

㉡ ○ : 2018.10.25, 2015도1000

㉢ × : ~ 교사한 경우, 형법 제33조 단서가 공범종속성에 관한 일반 규정인 형법 제31조 제1항에 우선하여 적용되므로 신분이 있는 甲이 신분이 없는 乙보다 무겁게 처벌된다(대판 1994.12.23, 93도1002).

㉣ × : 자기 자신을 무고하기로 제3자와 공모하고 이에 따라 무고행위에 가담하였더라도 이는 자기 자신에게는 무고죄의 구성요건에 해당하지 아니하여 범죄가 성립할 수 없는 행위를 실현하고자 한 것에 지나지 않아 무고죄의 공동정범으로 처벌할 수 없다(대판 2017.4.26, 2013도12592).

12 증거인멸죄 및 무고죄 등에 관한 다음 설명 중 가장 옳은 것은?(다툼이 있는 경우 판례에 의함)

23. 법원행시

① 증거인멸죄는 피고인 자신이 직접 형사처분이나 징계처분을 받게 될 것을 두려워한 나머지 자기의 이익을 위하여 그 증거가 될 자료를 인멸한 경우에는 성립하지 않지만 그 행위가 동시에 다른 공범자의 형사사건이나 징계사건에 관한 증거를 인멸한 결과가 될 경우에는 성립한다.

② 증거인멸죄에서 '증거'라 함은 타인의 형사사건 또는 징계사건에 관하여 수사기관이나 법원 또는 징계기관이 국가의 형벌권 또는 징계권의 유무를 확인하는 데 관계있다고 인정되는 일체의 자료를 의미하고, 타인에게 유리한 것이건 불리한 것이건 가리지 아니하며 또 증거가치의 유무 및 정도를 불문한다.

③ 공동피고인 중 1인이 타범죄로 조사를 받는 과정에서 사법경찰관 및 검사의 심문에 따라 다른 공동피고인의 범죄사실을 진술한 경우에 위 진술내용이 허위라면 이는 무고에 해당한다.

④ 고소인이 A에게 대여하였다가 이미 변제받은 금원에 관하여 A가 이를 수개월간 변제치 않고 있었던 점을 들어 위 금원을 착복하였다는 표현으로 고소장에 기재한 경우 이것이 A로부터 아직 변제받지 못한 나머지 금원에 관한 고소내용의 정황을 과장한 것이거나 또는 주관적 법률평가를 잘못하였음에 지나지 아니한 것이라 하더라도 이는 허위의 사실을 들어 고소한 것이다.

⑤ 강간을 당하여 상해를 입었다는 고소내용은 하나의 강간행위에 대한 고소사실이나, 이를 분리하여 강간에 관한 고소사실과 상해에 관한 고소사실의 두 가지 고소내용이라고 볼 수 있고, 피고인이 공소외 A로부터 강간을 당한 것이 사실인 이상 이를 고소함에 있어서 강간으로 입은 것이 아닌 상해사실을 포함시킨 경우에는 고소내용의 정황을 단순히 과장한 것이 아니므로 따로이 무고죄를 구성한다.

Answer   12. ②

해설 ① × : ~ (2줄) 성립하지 않고, 그 행위가 동시에 다른 공범자의 형사사건이나 징계사건에 관한 증거를 인멸한 결과가 될 경우에도 성립하지 않는다(대판 1995.9.29, 94도2608).
② ○ : 대판 2021.1.28, 2020도2642
③ × : ~ (2줄) 진술내용이 허위라 하더라도 이를 무고라고는 할 수 없다(대결 1985.7.26, 85모14).
④ × : ~ (4줄) 지나지 아니한 것이라면 특별한 사정이 없는 한 허위의 사실을 들어 고소하였다고 단정할 수는 없다(대판 1987.6.9, 87도1029).
⑤ × : ~ 하나의 강간행위에 대한 고소사실이고, 이를 분리하여 강간에 관한 고소사실과 상해에 관한 고소사실의 두 가지 고소내용이라고 볼 수는 없으므로, 피고인이 공소외 A로부터 강간을 당한 것이 사실인 이상 이를 고소함에 있어서 강간으로 입은 것이 아닌 상해사실을 포함시켰다 하더라도 이는 고소내용의 정황을 과장한 것에 지나지 아니하여 따로이 무고죄를 구성하지 아니한다(대판 1983.1.18, 82도2170).

13 위증과 무고의 죄에 대한 설명 중 가장 적절한 것은?(다툼이 있는 경우 판례에 의함)   20. 경찰승진
① 유죄판결이 확정된 피고인이 별건으로 기소된 공범의 형사사건에서 자신의 범행사실을 부인하는 증언을 한 경우 피고인에게 사실대로 진술할 것이라는 기대가능성이 없으므로 위증죄가 성립하지 않는다.
② 별도의 증인신청 및 채택 절차를 거쳐 그 증인이 다시 신문을 받는 과정에서 종전 신문절차에서 한 허위의 진술을 철회 시정한 경우 위증죄가 성립하지 아니한다.
③ 상대방의 범행에 공범으로 가담한 자가 자신의 범죄 가담사실을 숨기고 상대방인 공범자만을 고소하였다면 무고죄가 성립한다.
④ 위증죄에 있어서 형의 감면 규정은 재판 확정전의 자백을 형의 필요적 감면 사유로 한다는 것이고, 자발적인 고백은 물론 법원이나 수사기관의 심문에 의한 고백도 위 자백의 개념에 포함된다.

해설 ① × : 위증죄 ○(대판 2008.10.23, 2005도10101 ∵ 기대가능성 ○)
② × : 위증죄 ○(대판 2010.9.30, 2010도7525 ∵ 종전 신문절차가 종료된 경우 ⇨ 위증죄 기수 ○)
③ × : 무고죄 ×(대판 2008.8.21, 2008도3754 ⇨ 허위의 사실 ×, 상대방의 범죄사실의 성립 여부에 직접 영향을 줄 정도 ×)
④ ○ : 대판 1973.11.27, 73도1639

14 위증죄 및 무고죄에 대한 설명 중 가장 적절하지 않은 것은?(다툼이 있는 경우 판례에 의함)
21. 경력채용
① 증언이 기본적인 사항에 관한 것이 아니고 지엽적인 상황에 관한 진술인 경우에는 허위 진술이더라도 위증죄가 성립하지 않는다.
② 증거위조죄에서 '위조'란 문서에 관한 죄에 있어서의 위조 개념과는 달리 새로운 증거의 창조를 의미하는 것이므로, 증거가 문서의 형식을 갖는 경우 증거위조죄에 있어서의 증거에 해당하는지 여부가 그 작성권한의 유무나 내용의 진실성에 좌우되는 것은 아니다.

Answer   13. ④   14. ①

③ 신고한 사실이 진실한 사실로서 허위의 사실을 신고한 것이 아닌 이상 그 신고된 사실에 대해 형사책임을 부담할 자를 잘못 선택한 경우라도 무고죄가 성립하지 않는다.

④ 형사사건에 관하여 피고인을 모해할 목적으로 위증죄를 범한 경우에, 그러한 목적없이 위증죄를 범한 경우와 마찬가지로 재판이 확정되기 전에 자백하였다면 그 형을 감경 또는 면제한다.

해설 ① × : 증언이 기본적인 사항에 관한 것이 아니고 지엽적인 상황에 관한 진술이라 하더라도 그것이 허위 진술인 이상 위증죄가 성립한다(대판 2018.5.15, 2017도19499).
② 대판 2007.6.28, 2002도3600 ③ 대판 2017.5.30, 2015도15398 ④ 제153조

15 위증과 무고의 죄에 관한 설명으로 가장 적절하지 않은 것은?(다툼이 있는 경우 판례에 의함)
24. 경찰간부

① 무고죄의 범의는 반드시 확정적 고의일 필요가 없고 미필적 고의로도 충분하다. 이에 신고자가 허위라고 확신한 사실을 신고한 경우와 달리 진실하다는 확신 없는 사실을 신고한 경우에는 무고죄의 범의를 인정할 수 없다.

② 모해위증죄에 있어서 '모해할 목적'은 허위의 진술을 함으로써 피고인에게 불리하게 될 것이라는 인식이 있으면 충분하고, 그 결과의 발생까지 희망할 필요는 없다.

③ 증인신문절차에서 법률에 규정된 증인 보호를 위한 규정이 지켜진 것으로 인정되지 않은 경우라도, 당해 사건에서 증인보호에 사실상 장애가 초래되었다고 볼 수 없는 경우에까지 예외 없이 위증죄의 성립이 부정되는 것은 아니다.

④ 성폭행 등의 피해를 입었다는 신고사실에 관하여 불기소처분 내지 무죄판결이 내려졌다고 하여, 그 자체를 무고를 하였다는 적극적인 근거로 삼아 신고내용을 허위라고 단정하여서는 아니 된다.

해설 ① × : 무고죄의 범의는 반드시 확정적 고의일 필요가 없고 미필적 고의로도 충분하므로, 신고자가 허위라고 확신한 사실을 신고한 경우뿐만 아니라 진실하다는 확신 없는 사실을 신고하는 경우에도 그 범의를 인정할 수 있다(대판 2022.6.30, 2022도3413).
② 대판 2007.12.27, 2006도3575 ③ 대판 2010.1.21, 2008도942 ④ 대판 2019.7.11, 2018도2614

16 다음 설명 중 가장 적절하지 않은 것은?(다툼이 있는 경우 판례에 의함)
22. 경찰승진

① 甲이 무면허운전으로 교통사고를 내자 자신의 아들 乙을 경찰서에 대신 출석시켜 피의자로 조사받도록 한 경우, 乙을 범인도피죄로 처벌할 수는 없고 甲의 행위 역시 범인도피교사죄에 해당하지 않는다.

② 乙과 공동정범 관계에 있는 甲이 수사절차에서 조사받으면서 자기의 범행을 구성하는 사실관계에 관하여 허위로 진술하고 허위자료를 제출한 경우, 그것이 乙을 도피하게 하는 결과가 되더라도 甲을 범인도피죄로 처벌할 수 없고 乙이 그러한 행위를 교사하였더라도 범인도피교사죄가 성립하지 않는다.

Answer 15. ① 16. ①

③ 증인이 증언거부권을 고지받지 못함으로 인하여 그 증언거부권을 행사하는 데 사실상 장애가 초래되었다고 볼 수 있는 경우에는 위증죄의 성립이 부정된다.

④ 무고죄에 있어서 '형사처분 또는 징계처분을 받게 할 목적'은 허위신고를 함에 있어서 다른 사람이 그로 인하여 형사 또는 징계처분을 받게 될 것이라는 인식이 있으면 족하고 그 결과 발생을 희망하는 것을 요하는 것은 아니다.

해설 ① × : 乙 ⇨ 범인도피죄 ×(제151조 제2항), 甲 ⇨ 범인도피교사죄 ○(대판 2006.12.7, 2005도3707)
② 대판 2018.8.1, 2015도20396
③ 대판 2010.1.21, 2008도942 전원합의체
④ 대판 2005.9.30, 2005도2712

17 국가적 법익에 대한 죄에 관한 설명 중 옳지 않은 것은?(다툼이 있는 경우 판례에 의함)

23. 변호사시험

① 수의계약을 체결하는 공무원이 공사업자와 계약금액을 부풀려서 계약하고 부풀린 금액을 자신이 되돌려 받기로 사전에 약정한 다음 그에 따라 수수한 돈은 성격상 뇌물이 아니고 횡령금에 해당한다.

② 참고인이 타인의 형사사건 등에 관하여 제3자와 대화를 하면서 허위로 진술하고 위와 같은 허위 진술이 담긴 대화 내용을 녹음한 녹음파일 또는 이를 녹취한 녹취록을 만들어 수사기관에 제출한 것은 증거위조죄를 구성하지 않는다.

③ 공무상 비밀누설죄에서의 '법령에 의한 직무상 비밀'이란 반드시 법령에 의하여 비밀로 규정되었거나 비밀로 분류 명시된 사항에 한정되지는 않는다.

④ 무고죄에서의 '징계처분'은 공법상의 감독관계에서 질서유지를 위하여 과하는 신분적 제재를 의미하므로, 사립대학교 교수로 하여금 소속 학교법인에 의한 인사권의 행사로서 징계처분을 받게 할 목적으로 허위의 민원을 제기하더라도 무고죄는 성립하지 않는다.

⑤ 甲의 고소 내용이 허위임이 확인되어 피고소인에 대해 불기소결정이 내려져 재판절차가 개시되지 않고 이후 甲이 무고로 기소된 사안에서, 甲이 위 허위고소로 인한 무고 재판 중 자신의 무고 범행을 자백하였다면, 甲의 위 무고죄에 대하여는 형을 감경 또는 면제하여야 한다.

해설 ① 대판 2007.10.12, 2005도7112
② × : ~ 증거위조죄를 구성한다(대판 2013.12.26, 2013도8085).
③ 대판 1996.5.10, 95도780
④ 대판 2014.7.24, 2014도6377
⑤ 대판 2018.8.1, 2018도7293

Answer 17. ②

18 다음 중 가장 옳지 않게 설명한 사람은?(다툼이 있는 경우 판례에 의함)

- (영준) 약사가 아닌 사람이 이미 개설된 약국의 시설과 인력을 인수하고 그 운영을 지배·관리하는 등 종전 개설자의 약국 개설·운영행위와 단절되는 새로운 개설·운영행위를 한 것으로 볼 수 있는 경우라면 약사법에서 금지하는 약사가 아닌 사람의 약국 개설행위에 해당해!
- (미영) 성폭력범죄의 처벌 등에 관한 특례법 제6조에서 정하는 '정신적인 장애가 있는 사람'이란 '정신적인 기능이나 손상 등의 문제로 일상생활이나 사회생활에서 상당한 제약을 받는 사람'을 가리켜. 따라서 장애인복지법에 따른 장애인 등록을 하지 않았다거나 그 등록기준을 충족하지 못하더라도 여기에 해당할 수 있어!
- (수정) 피고인이 甲의 부재중에 甲의 처 乙과 혼외 성관계를 가질 목적으로 乙이 열어준 현관출입문을 통하여 甲과 乙이 공동으로 거주하는 아파트에 들어갔다면, 피고인이 乙로부터 현실적인 승낙을 받아 통상적인 출입방법에 따라 주거에 들어갔으므로 주거의 사실상 평온상태를 해치는 행위태양으로 주거에 들어간 것이 아니어서 주거에 침입한 것으로 볼 수 없어 주거침입죄는 성립하지 않아!
- (학식) 주거침입강간죄는 사람의 주거 등을 침입한 자가 피해자를 간음한 경우에 성립하는 것으로서, 주거침입죄를 범한 후에 사람을 강간하는 행위를 하여야 하는 일종의 신분범이야. 따라서 그 실행의 착수시기는 주거침입행위를 한 때야!
- (철호) 골프시설의 운영자가 골프회원에게 불리하게 변경된 내용의 회칙에 대하여 동의한다는 내용의 등록신청서를 제출하지 아니하면 회원으로 대우하지 아니하겠다고 통지한 것은 강요죄에 해당해!

① 영준 ② 미영 ③ 수정
④ 학식 ⑤ 철호

해설 • 영준 ○ : 대판 2021.7.29, 2021도6092
- 미영 ○ : 대판 2021.10.28, 2021도9051
- 수정 ○ : 대판 2021.9.9, 2020도12630 전원합의체
- 학식 × : 주거침입강간죄는 사람의 주거 등을 침입한 자가 피해자를 간음한 경우에 성립하는 것으로서, 주거침입죄를 범한 후에 사람을 강간하는 행위를 하여야 하는 일종의 신분범이고, 선후가 바뀌어 강간죄를 범한 자가 그 피해자의 주거에 침입한 경우에는 이에 해당하지 않고 강간죄와 주거침입죄의 실체적 경합범이 된다. 그 실행의 착수시기는 주거침입 행위 후 강간죄의 실행행위에 나아간 때이다(대판 2021.8.12, 2020도17796).
- 철호 ○ : 대판 2003.9.26, 2003도763

Answer 18. ④

19 다음 설명 중 옳은 것을 모두 고른 것은?(다툼이 있는 경우 판례에 의함)   22. 변호사시험

> ㉠ 특수강간이 미수에 그쳤다 하더라도 그로 인하여 피해자가 상해를 입었다면 성폭력범죄의 처벌 등에 관한 특례법에 의한 특수강간치상죄의 기수가 성립한다.
> ㉡ 강도가 재물강취의 뜻을 재물의 부재로 이루지 못한 채 미수에 그쳤으나 그 자리에서 항거불능의 상태에 빠진 피해자를 간음할 것을 결의하고 실행에 착수했으나 역시 미수에 그쳤더라도 반항을 억압하기 위한 폭행으로 피해자에게 상해를 입힌 경우에는 강도강간미수죄와 강도치상죄의 실체적 경합범이 성립한다.
> ㉢ 재물을 강취한 후 피해자를 살해할 목적으로 현주건조물에 방화하여 사망에 이르게 한 경우, 강도살인죄와 현주건조물방화치사죄에 해당하고 그 두 죄는 상상적 경합관계에 있다.
> ㉣ 수뢰 후 부정처사죄는 반드시 뇌물수수 등의 행위가 완료된 이후에 부정한 행위가 이루어져야 함을 의미하는 것은 아니고, 결합범 또는 결과적 가중범 등에서의 기본행위와 마찬가지로 뇌물수수 등의 행위를 하는 중에 부정한 행위를 한 경우도 포함한다.

① ㉠, ㉡   ② ㉡, ㉢   ③ ㉢, ㉣
④ ㉠, ㉢, ㉣   ⑤ ㉡, ㉢, ㉣

해설 ㉠ ○ : 대판 2008.4.24, 2007도10058
㉡ × : ~ 상상적(실체적 ×) 경합범이 성립한다(대판 1988.6.28, 88도820).
㉢ ○ : 대판 1998.12.8, 98도3416
㉣ ○ : 대판 2021.2.4, 2020도12103

20 주관적 범죄성립요건에 관한 설명 중 옳은 것은?(다툼이 있는 경우 판례에 의함)   24. 변호사시험

① 살의를 가지고 피해자를 구타하여 (ⓐ행위) 피해자가 정신을 잃고 축 늘어지자 죽은 것으로 오인하고 증거를 인멸할 목적으로 피해자를 모래에 파묻었는데 (ⓑ행위) 피해자는 ⓑ행위로 사망한 것이 판명된 경우, 사망의 직접 원인은 ⓑ행위이므로 살인미수죄가 성립한다.
② 행위자의 행위가 긴급피난에 해당하기 위해서는 긴급피난상황에 대한 인식만 있으면 족하며, 위난을 피하고자 하는 의사까지 필요한 것은 아니다.
③ 모해의 목적을 가지고 모해의 목적을 가지지 않은 사람을 교사하여 위증하게 한 경우, 공범종속성에 따라 모해위증교사죄가 아니라 위증교사죄가 성립한다.
④ 증인이 착오에 빠져 자신의 기억에 반한다는 인식 없이 객관적 사실에 반하는 내용의 증언을 한 경우에 위증의 범의를 인정할 수 있다.
⑤ 물품대금 청구소송 중인 거래회사로부터 우연히 착오송금을 받은 행위자가 물품대금에 대한 적법한 상계권을 행사한다는 의사로 착오송금된 금원의 반환을 거부한 경우, 횡령죄 요건인 불법영득의사의 성립을 부정할 수 있다.

해설 ① × : ~ (3줄) 판명된 경우, 전 과정을 개괄적으로 보면 피해자의 살해라는 처음에 예견된 사실이 결국 실현된 것으로서 살인죄의 죄책을 면할 수 없다(대판 1988.6.28, 88도650 ∴ 살인기수죄 ○).

Answer   19. ④   20. ⑤

② × : ~ 긴급피난상황에 대한 인식만으로는 부족하고, 위난을 피하고자 하는 의사(주관적 정당화요소 : 피난의사)가 있어야 한다(대판 1997.4.17, 96도3376).

③ × : ~ 경우, 형법 제33조 단서에 따라 모해위증교사죄로 처벌된다(대판 1994.12.23, 93도1002).

④ × : ~ 인정할 수 없다(대판 1991.5.10, 89도1748). ⑤ ○ : 대판 2022.12.29, 2021도2088

21 범죄와 그 보호법익에 대한 설명으로 가장 적절한 것은?(다툼이 있는 경우 판례에 의함) 18. 순경 3차

① 형법 제287조의 미성년자 약취유인죄는 미성년자의 자유 외에 보호감독자의 감호권도 보호법익으로 한다.

② 형법 제127조의 공무상 비밀누설죄는 비밀누설에 의하여 위협받는 국가의 기능이 아니라 비밀 그 자체를 보호법익으로 한다.

③ 성폭력범죄의 처벌 등에 관한 특례법 제13조의 통신매체이용음란죄는 성적 자기결정권에 반하여 성적 수치심을 일으키는 그림 등을 개인의 의사에 반하여 접하지 않을 권리를 보장하기 위한 것으로 개인의 성적 자유를 보호하기 위한 것이며, 사회적 법익으로서 건전한 성풍속을 보호하기 위한 구성요건이 아니다.

④ 형법 제156조의 무고죄는 국가의 형사사법권 또는 징계권의 적정한 행사를 보호법익으로 하며, 부당하게 처벌 또는 징계받지 않을 개인적 이익을 보호하기 위한 구성요건이 아니다.

해설 ① ○ : 대판 2003.2.11, 2002도7115 ② × : 국가의 기능 ○, 비밀 그 자체 ×(대판 1996.5.10, 95도780)
③ × : ~ (3줄) 보호하기 위한 것으로 성적 자기결정권과 일반적 인격권의 보호, 사회의 건전한 성풍속 확립을 보호법익으로 한다(대판 2018.9.13, 2018도9775).
④ × : ~ 적정한 행사를 주된 보호법익으로 하고, 다만 개인에게 부당하게 처벌 또는 징계받지 않을 개인적 이익을 부수적으로 보호한다(대판 2005.9.30, 2005도2712).

22 다음 설명 중 옳지 않은 것은?(다툼이 있는 경우 판례에 의함) 24. 7급 검찰

① 음주로 인한 특정범죄 가중처벌 등에 관한 법률위반(위험운전치사상)죄와 도로교통법위반(음주운전)죄는 한 개의 행위가 여러 개의 죄에 해당하는 경우이므로 두 죄는 상상적 경합관계에 있다.

② 피해자인 주식회사가 특정 신문들에 광고를 편중했다는 이유로 해당 주식회사에 대하여 불매운동을 하겠다고 하면서 특정 신문들에 대한 광고를 중단할 것과 다른 신문들에 대해서도 동등하게 광고를 집행할 것을 피고인이 요구한 경우, 이는 강요죄나 공갈죄의 수단으로서의 협박에 해당한다.

③ 형법상 몰수의 대상이 되는 '범죄행위에 제공한 물건'은 범죄 실행행위 자체에 사용한 물건에만 한정되는 것이 아니라 실행행위의 착수 전의 행위 또는 실행행위 종료 후의 행위에 사용한 물건이더라도 그것이 범죄행위의 수행에 실질적으로 기여하였다고 인정되는 한 몰수의 대상이 될 수 있으므로, 대형할인매장에서 수회 상품을 절취하여 자신의 승용차에 싣고 간 경우 해당 승용차는 범죄행위에 제공한 물건으로서 몰수할 수 있다.

Answer 21. ① 22. ①

④ 형법 제238조에 있어 부정사용한 공기호인 자동차등록번호판의 용법에 따른 사용행위인 행사라 함은 그것이 부착된 자동차를 운행함을 의미한다고 할 것이고, 그 운행과는 별도로 부정사용한 자동차등록번호판을 타인에게 제시하는 등 행위가 있어야 그 행사죄가 성립한다고 볼 수 없다.

해설 ① × : ~ (2줄) 두 죄는 실체적(상상적 ×) 경합관계에 있다(대판 2008.11.13, 2008도7143).
② 대판 2013.4.11, 2010도1374
③ 대판 2006.9.14, 2006도4075
④ 대판 1997.7.8, 96도3319

23 위증 및 무고의 죄에 관한 설명으로 옳은 것을 모두 고른 것은?(다툼이 있는 경우 판례에 의함)

24. 순경 2차

㉠ 헌법 제12조 제2항에 정한 불이익 진술의 강요금지 원칙을 구체화한 자기부죄거부특권에 관한 것이거나 기타 증언거부 사유가 있음에도 증인이 증언거부권을 고지받지 못함으로 인하여 그 증언거부권을 행사하는 데 사실상 장애가 초래되었다고 볼 수 있는 경우에는 위증죄의 성립을 부정하여야 할 것이다.

㉡ 무고죄에 있어서 '허위의 사실'이라 함은 그 신고된 사실로 인하여 상대방이 형사처분이나 징계처분 등을 받게 될 위험이 있는 것이어야 하고, 독립하여 형사처분 등의 대상이 되지 아니하고 단지 신고사실의 정황을 과장하는 데 불과하거나 전체적으로 보아 범죄사실의 성립 여부에 직접 영향을 줄 정도에 이르지 아니하는 내용에 관계되는 것이라면 무고죄가 성립하지 아니한다.

㉢ 형법 제153조 소정의 위증죄를 범한 자가 자백, 자수를 한 경우의 형의 감면규정은 재판 확정 전의 자백을 형의 필요적 감경 또는 면제사유로 한다는 것이며, 또 위 자백의 절차에 관하여는 공술한 사건을 다루는 기관에 대한 자발적인 고백은 포함되나, 위증사건의 피고인 또는 피의자로서 법원이나 수사기관의 신문에 의한 고백은 위 자백의 개념에 포함되지 않는다.

㉣ 고소인이 고소장을 접수하더라도 수사기관의 고소인 출석요구에 응하지 않음으로써 그 단계에서 수사중지를 의도하고 있었고, 더 나아가 피고소인들에 대한 출석요구와 피의자신문 등의 수사권까지 발동될 것은 의욕하지 않았다고 하더라도 고소장을 수사기관에 제출한 이상 무고죄는 성립한다.

① ㉠, ㉡　　　　② ㉠, ㉡, ㉣　　　　③ ㉠, ㉢, ㉣　　　　④ ㉡, ㉢, ㉣

해설 ㉠ ○ : 대판 2010.1.21, 2008도942 전원합의체
㉡ ○ : 대판 2008.8.21, 2008도3754
㉢ × : 자백의 절차에 관하여는 아무런 제한이 없으므로 그가 공술한 사건을 다루는 기관에 대한 자발적인 고백은 물론, 위증사건의 피고인 또는 피의자로서 법원이나 수사기관의 심문에 의한 고백도 위 자백의 개념에 포함된다(대판 1973.11.27, 73도1639).
㉣ ○ : 대판 2006.8.25, 2006도3631(∵ 형사처분을 받게 될 수도 있다는 점에 대한 인식이 있었고, 국가의 형사사법권의 적정한 행사가 저해될 위험도 발생하였음.)

Answer 23. ②

24 甲은 2024. 7. 5.경 A에게 "보험사기를 치려고 하는데, 나를 때려 주면 돈을 주겠다."라고 부탁하여 A가 甲을 때리고 甲은 약속대로 현금을 지불하였다. 한편 A의 행위로 인하여 甲은 다발성 좌상 등의 상해를 입었다. 이후 甲은 A를 무고하기 위해 2024. 7. 10.경 "A가 나를 폭행한 다음 현금을 빼앗아 갔다."라는 취지로 수사기관에 A를 고소하였다. 이 사례에 관한 설명 중 옳지 않은 것은?(다툼이 있는 경우 판례에 의함)   25. 변호사시험

① 甲의 요청에 따라 A가 甲을 폭행하였고, 그 과정에서 甲이 다발성 좌상 등의 상해를 입게 된 것이라고 하더라도 그러한 甲의 요청은 윤리적·도덕적으로 사회상규에 어긋나는 것이어서 위법성조각사유인 피해자의 승낙에 해당한다고 하기는 어렵다.

② A의 행위는 폭행 내지 상해의 범죄에 해당할 수 있는 것인 반면, 甲의 고소사실은 A가 갈취 내지 강취의 범죄를 범하였다는 것이어서 그 고소사실의 일부가 허위인 경우에 해당한다.

③ 甲이 자신의 의사에 따라 폭행을 당한 것인지 여부는 갈취 내지 강취 범죄의 성부에 영향을 미치는 중요한 부분이므로, 위 고소 내용은 고소사실 전체의 성질을 변경시키는 것에 해당한다.

④ 무고죄는 개인이 부당하게 처벌 또는 징계받지 아니할 이익을 부수적으로 보호하는 죄이므로, 만약 A가 甲의 고소를 승낙한 경우에도 무고죄 성립에 영향이 없다.

⑤ 만약 검사가 甲에게 무고죄가 인정된다고 판단하여 甲을 무고죄로 기소하고 A에 대해서는 불기소결정을 하였는데 甲이 자신의 무고죄에 대한 재판절차에서 무고를 자백한 경우, A에 대한 불기소결정이 내려짐으로써 형법 제157조, 제153조에서 정하는 '재판이 확정되기 전'에 해당되지 아니하므로 甲에게 자백·자수 감면 규정을 적용하지 못한다.

해설 ① 대판 2008.12.11, 2008도9606
②③ 대판 2010.4.29, 2010도2745
④ 대판 2005.9.30, 2005도2712
⑤ ×: ~ (3줄) 불기소결정이 내려져 재판절차가 개시되지 않은 경우에도 형법 제157조, 제153조에서 정하는 '재판이 확정되기 전'에 해당되므로 甲에게 자백·자수 감면 규정을 적용한다(대판 2018.8.1, 2018도7293).

Answer 24. ⑤

25 다음 설명 중 옳은 것(○)과 옳지 않은 것(×)을 올바르게 조합한 것은?(다툼이 있는 경우 판례에 의함)

> ㉠ 공무원 또는 중재인이 부정한 청탁을 받고 제3자에게 뇌물을 제공하게 하고 제3자가 그러한 공무원 또는 중재인의 범죄행위를 알면서 방조한 경우에는 그에 대한 별도의 처벌규정이 없더라도 방조범에 관한 형법총칙의 규정이 적용되어 제3자뇌물수수방조죄가 인정될 수 있다.
>
> ㉡ 사법경찰관인 甲이 검사로부터 '교통사고 피해자들로부터 사고 경위에 대해 구체적인 진술을 청취하여 운전자 A의 도주 여부에 대해 재수사할 것'을 요청받고, 재수사 결과서의 '재수사 결과'란에 피해자들로부터 진술을 청취하지 않았음에도 진술을 듣고 그 진술내용을 적은 것처럼 기재한 경우, 피해자들 진술로 기재된 내용 중 일부가 결과적으로 사실과 부합하고 재수사 요청을 받은 사법경찰관이 검사에 의하여 지목된 참고인이나 피의자 등에 대한 재조사 여부와 재조사 방식 등에 대해 재량을 가지고 있다면 甲에게 허위공문서작성죄가 성립하지 않는다.
>
> ㉢ 전기통신금융사기 범행의 공범이 아닌 계좌명의인이 개설한 예금계좌가 그 범행에 이용되어 피해자가 그 계좌에 사기피해금을 송금·이체한 경우, 계좌명의인은 피해자를 위하여 사기피해금을 보관하는 지위에 있으므로 계좌명의인이 그 돈을 영득할 의사로 인출하면 피해자에 대한 횡령죄가 성립한다.
>
> ㉣ 甲이 피해자 A에게 자동차를 매도하겠다고 거짓말하고 자동차를 양도하면서 소유권이전등록에 필요한 일체의 서류를 교부한 후 매매대금을 수령한 다음, 자동차에 미리 부착해 놓은 지피에스(GPS)로 위치를 추적하여 그 자동차를 절취한 경우, 甲에게는 그 자동차를 양도한 후 다시 절취할 의사가 있었고 자동차의 소유권을 이전하여 줄 의사가 있었다고 볼 수 없으므로 사기죄가 성립한다.
>
> ㉤ A언론사 논설주간으로서 사설 작성 방향에 관여하거나 경제분야에 관한 칼럼을 작성하는 등 언론계에서 상당한 영향력이 있다고 평가받는 甲이 B기업의 대표이사인 乙로부터 우호적인 여론형성에 도움을 달라는 취지의 청탁과 함께 자신의 유럽여행 비용 약 4,000만원을 지불받았다면 甲에게는 배임수재죄가 성립한다.

① ㉠(○), ㉡(○), ㉢(○), ㉣(○), ㉤(×)

② ㉠(×), ㉡(○), ㉢(×), ㉣(×), ㉤(○)

③ ㉠(○), ㉡(×), ㉢(○), ㉣(×), ㉤(○)

④ ㉠(×), ㉡(○), ㉢(○), ㉣(×), ㉤(○)

⑤ ㉠(○), ㉡(×), ㉢(×), ㉣(○), ㉤(×)

해설 ㉠ ○ : 대판 2017.3.15, 2016도19659

㉡ × : ~ (4줄) 결과적으로 사실과 부합하는지, 재수사 요청을 받은 사법경찰관이 검사에 의하여 지목된 참고인이나 피의자 등에 대한 재조사 여부와 재조사 방식 등에 대해 재량을 가지는지 등과 무관하게 甲에게 허위공문서작성죄가 성립한다(대판 2023.3.30, 2022도6886).

㉢ ○ : 대판 2018.7.19, 2017도17494 전원합의체

㉣ × : ~ (4줄) 절취할 의사를 가지고 있었더라도 자동차의 소유권을 이전하여 줄 의사가 없었다고 볼 수 없어 자동차를 매도할 당시 기망행위가 없었으므로 사기죄가 성립하지 않는다(대판 2016.3.24, 2015도17452).

㉤ ○ : 대판 2024.3.12, 2020도1263

Answer 25. ③

조충환·양건

형법각론

부록

형법

제　　정	1953. 9. 18.	법률 제　293호	일부개정	2018. 12. 18.	법률 제15982호
일부개정	2016. 1. 6.	법률 제13719호	일부개정	2020. 5. 19.	법률 제17265호
일부개정	2016. 5. 29.	법률 제14178호	일부개정	2020. 10. 20.	법률 제17511호
일부개정	2016. 12. 20.	법률 제14415호	일부개정	2020. 12. 8.	법률 제17571호
일부개정	2017. 12. 12.	법률 제15163호	일부개정	2023. 8. 8.	법률 제19582호
일부개정	2018. 10. 16.	법률 제15793호			

제1편 ▌총 칙

제1장　형법의 적용범위

제1조【범죄의 성립과 처벌】 ① 범죄의 성립과 처벌은 행위 시의 법률에 따른다.

② 범죄 후 법률이 변경되어 그 행위가 범죄를 구성하지 아니하게 되거나 형이 구법보다 가벼워진 경우에는 신법에 따른다.

③ 재판이 확정된 후 법률이 변경되어 그 행위가 범죄를 구성하지 아니하게 된 경우에는 형의 집행을 면제한다.

[전문개정 2020.12.8]

제2조【국내범】 본법은 대한민국영역내에서 죄를 범한 내국인과 외국인에게 적용한다.

제3조【내국인의 국외범】 본법은 대한민국영역외에서 죄를 범한 내국인에게 적용한다.

제4조【국외에 있는 내국선박 등에서 외국인이 범한 죄】 본법은 대한민국영역외에 있는 대한민국의 선박 또는 항공기내에서 죄를 범한 외국인에게 적용한다.

제5조【외국인의 국외범】 본법은 대한민국영역외에서 다음에 기재한 죄를 범한 외국인에게 적용한다.

1. 내란의 죄
2. 외환의 죄
3. 국기에 관한 죄
4. 통화에 관한 죄
5. 유가증권, 우표와 인지에 관한 죄
6. 문서에 관한 죄 중 제225조 내지 제230조
7. 인장에 관한 죄 중 제238조

제6조【대한민국과 대한민국국민에 대한 국외범】 본법은 대한민국영역외에서 대한민국 또는 대한민국국민에 대하여 전조에 기재한 이외의 죄를 범한 외국인에게 적용한다. 단, 행위시의 법률에 의하여 범죄를 구성하지 아니하거나 소추 또는 형의 집행을 면제할 경우에는 예외로 한다.

제7조【외국에서 집행된 형의 산입】 죄를 지어 외국에서 형의 전부 또는 일부가 집행된 사람에 대해서는 그 집행된 형의 전부 또는 일부를 선고하는 형에 산입한다.

[전문개정 2016.12.20]

제8조【총칙의 적용】 본법 총칙은 타법령에 정한 죄에 적용한다. 단, 그 법령에 특별한 규정이 있는 때에는 예외로 한다.

제2장　죄

제1절　죄의 성립과 형의 감면

제9조【형사미성년자】 14세 되지 아니한 자의 행위는 벌하지 아니한다.

제10조【심신장애인】 ① 심신장애로 인하여 사물을 변별할 능력이 없거나 의사를 결정할 능력이 없는 자의 행위는 벌하지 아니한다.

② 심신장애로 인하여 전항의 능력이 미약한 자의 행위는 형을 감경할 수 있다. <개정 2018.12.18>

③ 위험의 발생을 예견하고 자의로 심신장애를 야기한 자의 행위에는 전2항의 규정을 적용하지 아니한다.

제11조【청각 및 언어 장애인】 듣거나 말하는 데 모두 장애가 있는 사람의 행위에 대해서는 형을 감경한다.
[전문개정 2020.12.8]

제12조【강요된 행위】 저항할 수 없는 폭력이나 자기 또는 친족의 생명, 신체에 대한 위해를 방어할 방법이 없는 협박에 의하여 강요된 행위는 벌하지 아니한다.

제13조【고의】 죄의 성립요소인 사실을 인식하지 못한 행위는 벌하지 아니한다. 다만, 법률에 특별한 규정이 있는 경우에는 예외로 한다.
[전문개정 2020.12.8]

제14조【과실】 정상적으로 기울여야 할 주의를 게을리하여 죄의 성립요소인 사실을 인식하지 못한 행위는 법률에 특별한 규정이 있는 경우에만 처벌한다.
[전문개정 2020.12.8]

제15조【사실의 착오】 ① 특별히 무거운 죄가 되는 사실을 인식하지 못한 행위는 무거운 죄로 벌하지 아니한다.
② 결과 때문에 형이 무거워지는 죄의 경우에 그 결과의 발생을 예견할 수 없었을 때에는 무거운 죄로 벌하지 아니한다.
[전문개정 2020.12.8]

제16조【법률의 착오】 자기의 행위가 법령에 의하여 죄가 되지 아니하는 것으로 오인한 행위는 그 오인에 정당한 이유가 있는 때에 한하여 벌하지 아니한다.

제17조【인과관계】 어떤 행위라도 죄의 요소되는 위험발생에 연결되지 아니한 때에는 그 결과로 인하여 벌하지 아니한다.

제18조【부작위범】 위험의 발생을 방지할 의무가 있거나 자기의 행위로 인하여 위험발생의 원인을 야기한 자가 그 위험발생을 방지하지 아니한 때에는 그 발생된 결과에 의하여 처벌한다.

제19조【독립행위의 경합】 동시 또는 이시의 독립행위가 경합한 경우에 그 결과발생의 원인된 행위가 판명되지 아니한 때에는 각 행위를 미수범으로 처벌한다.

제20조【정당행위】 법령에 의한 행위 또는 업무로 인한 행위 기타 사회상규에 위배되지 아니하는 행위는 벌하지 아니한다.

제21조【정당방위】 ① 현재의 부당한 침해로부터 자기 또는 타인의 법익을 방위하기 위하여 한 행위는 상당한 이유가 있는 경우에는 벌하지 아니한다.
② 방위행위가 그 정도를 초과한 경우에는 정황에 따라 그 형을 감경하거나 면제할 수 있다.
③ 제2항의 경우에 야간이나 그 밖의 불안한 상태에서 공포를 느끼거나 경악하거나 흥분하거나 당황하였기 때문에 그 행위를 하였을 때에는 벌하지 아니한다.
[전문개정 2020.12.8]

제22조【긴급피난】 ① 자기 또는 타인의 법익에 대한 현재의 위난을 피하기 위한 행위는 상당한 이유가 있는 때에는 벌하지 아니한다.
② 위난을 피하지 못할 책임이 있는 자에 대하여는 전항의 규정을 적용하지 아니한다.
③ 전조 제2항과 제3항의 규정은 본조에 준용한다.

제23조【자구행위】 ① 법률에서 정한 절차에 따라서는 청구권을 보전할 수 없는 경우에 그 청구권의 실행이 불가능해지거나 현저히 곤란해지는 상황을 피하기 위하여 한 행위는 상당한 이유가 있는 때에는 벌하지 아니한다.
② 제1항의 행위가 그 정도를 초과한 경우에는 정황에 따라 그 형을 감경하거나 면제할 수 있다.
[전문개정 2020.12.8]

제24조【피해자의 승낙】 처분할 수 있는 자의 승낙에 의하여 그 법익을 훼손한 행위는 법률에 특별한 규정이 없는 한 벌하지 아니한다.

제2절 미수범

제25조【미수범】 ① 범죄의 실행에 착수하여 행위를 종료하지 못하였거나 결과가 발생하지 아니한 때에는 미수범으로 처벌한다.
② 미수범의 형은 기수범보다 감경할 수 있다.

제26조【중지범】 범인이 실행에 착수한 행위를 자의로 중지하거나 그 행위로 인한 결과의 발생을 자의로 방지한 경우에는 형을 감경하거나 면제한다.
[전문개정 2020.12.8]

제27조【불능범】 실행의 수단 또는 대상의 착오로 인하여 결과의 발생이 불가능하더라도 위험성이 있는 때에는 처벌한다. 단, 형을 감경 또는 면제할 수 있다.

제28조【음모, 예비】 범죄의 음모 또는 예비행위가 실행의 착수에 이르지 아니한 때에는 법률에 특별한 규정이 없는 한 벌하지 아니한다.

제29조【미수범의 처벌】 미수범을 처벌할 죄는 각칙의 해당 죄에서 정한다.
[전문개정 2020.12.8]

제3절 공 범

제30조【공동정범】 2인 이상이 공동하여 죄를 범한 때에는 각자를 그 죄의 정범으로 처벌한다.

제31조【교사범】 ① 타인을 교사하여 죄를 범하게 한 자는 죄를 실행한 자와 동일한 형으로 처벌한다.
② 교사를 받은 자가 범죄의 실행을 승낙하고 실행의 착수에 이르지 아니한 때에는 교사자와 피교사자를 음모 또는 예비에 준하여 처벌한다.
③ 교사를 받은 자가 범죄의 실행을 승낙하지 아니한 때에도 교사자에 대하여는 전항과 같다.

제32조【종범】 ① 타인의 범죄를 방조한 자는 종범으로 처벌한다.
② 종범의 형은 정범의 형보다 감경한다.

제33조【공범과 신분】 신분이 있어야 성립되는 범죄에 신분 없는 사람이 가담한 경우에는 그 신분 없는 사람에게도 제30조부터 제32조까지의 규정을 적용한다. 다만, 신분 때문에 형의 경중이 달라지는 경우에 신분이 없는 사람은 무거운 형으로 벌하지 아니한다.
[전문개정 2020.12.8]

제34조【간접정범, 특수한 교사, 방조에 대한 형의 가중】 ① 어느 행위로 인하여 처벌되지 아니하는 자 또는 과실범으로 처벌되는 자를 교사 또는 방조하여 범죄행위의 결과를 발생하게 한 자는 교사 또는 방조의 예에 의하여 처벌한다.
② 자기의 지휘, 감독을 받는 자를 교사 또는 방조하여 전항의 결과를 발생하게 한 자는 교사인 때에는 정범에 정한 형의 장기 또는 다액에 그 2분의 1까지 가중하고 방조인 때에는 정범의 형으로 처벌한다.

제4절 누 범

제35조【누범】 ① 금고 이상의 형을 선고받아 그 집행이 종료되거나 면제된 후 3년 내에 금고 이상에 해당하는 죄를 지은 사람은 누범으로 처벌한다.
② 누범의 형은 그 죄에 대하여 정한 형의 장기의 2배까지 가중한다.
[전문개정 2020.12.8]

제36조【판결선고 후의 누범발각】 판결선고 후 누범인 것이 발각된 때에는 그 선고한 형을 통산하여 다시 형을 정할 수 있다. 단, 선고한 형의 집행을 종료하거나 그 집행이 면제된 후에는 예외로 한다.

제5절 경합범

제37조【경합범】 판결이 확정되지 아니한 수개의 죄 또는 금고 이상의 형에 처한 판결이 확정된 죄와 그 판결확정 전에 범한 죄를 경합범으로 한다.

제38조【경합범과 처벌례】 ① 경합범을 동시에 판결할 때에는 다음 각 호의 구분에 따라 처벌한다.
1. 가장 무거운 죄에 대하여 정한 형이 사형, 무기징역, 무기금고인 경우에는 가장 무거운 죄에 대하여 정한 형으로 처벌한다.
2. 각 죄에 대하여 정한 형이 사형, 무기징역, 무기금고 외의 같은 종류의 형인 경우에는 가장 무거운 죄에 대하여 정한 형의 장기 또는 다액에 그 2분의 1까지 가중하되 각 죄에 대하여 정한 형의 장기 또는 다액을 합산한 형기 또는 액수를 초과할 수 없다. 다만, 과료와 과료, 몰수와 몰수는 병과할 수 있다.
3. 각 죄에 대하여 정한 형이 무기징역, 무기금고 외의 다른 종류의 형인 경우에는 병과한다.
② 제1항 각 호의 경우에 징역과 금고는 같은 종류의 형으로 보아 징역형으로 처벌한다.
[전문개정 2020.12.8]

제39조【판결을 받지 아니한 경합범, 수개의 판결과 경합범, 형의 집행과 경합범】 ① 경합범중 판결을 받지 아니한 죄가 있는 때에는 그 죄와 판결이 확정된 죄를 동시에 판결할 경우와 형평을 고려하여 그 죄에 대하여 형을 선고한다. 이 경우 그 형을 감경 또는 면제할 수 있다.
② 삭제 <2005.7.29>
③ 경합범에 의한 판결의 선고를 받은 자가 경합범 중의 어떤 죄에 대하여 사면 또는 형의 집행이 면제된 때에는 다른 죄에 대하여 다시 형을 정한다.
④ 전 3항의 형의 집행에 있어서는 이미 집행한 형기를 통산한다.

제40조【상상적 경합】 한 개의 행위가 여러 개의 죄에 해당하는 경우에는 가장 무거운 죄에 대하여 정한 형으로 처벌한다.
[전문개정 2020.12.8]

제3장 형

제1절 형의 종류와 경중

제41조【형의 종류】 형의 종류는 다음과 같다.
1. 사형   2. 징역   3. 금고
4. 자격상실   5. 자격정지   6. 벌금
7. 구류   8. 과료   9. 몰수

제42조【징역 또는 금고의 기간】 징역 또는 금고는 무기 또는 유기로 하고 유기는 1개월 이상 30년 이하로 한다. 단, 유기징역 또는 유기금고에 대하여 형을 가중하는 때에는 50년까지로 한다.

제43조【형의 선고와 자격상실, 자격정지】 ① 사형, 무기징역 또는 무기금고의 판결을 받은 자는 다음에 기재한 자격을 상실한다.
1. 공무원이 되는 자격
2. 공법상의 선거권과 피선거권
3. 법률로 요건을 정한 공법상의 업무에 관한 자격
4. 법인의 이사, 감사 또는 지배인 기타 법인의 업무에 관한 검사역이나 재산관리인이 되는 자격
② 유기징역 또는 유기금고의 판결을 받은 자는 그 형의 집행이 종료하거나 면제될 때까지 전항 제1호 내지 제3호에 기재된 자격이 정지된다. 다만, 다른 법률에 특별한 규정이 있는 경우에는 그 법률에 따른다. <개정 2016.1.6>

제44조【자격정지】 ① 전조에 기재한 자격의 전부 또는 일부에 대한 정지는 1년 이상 15년 이하로 한다.
② 유기징역 또는 유기금고에 자격정지를 병과한 때에는 징역 또는 금고의 집행을 종료하거나 면제된 날로부터 정지기간을 기산한다.

제45조【벌금】 벌금은 5만원 이상으로 한다. 다만, 감경하는 경우에는 5만원 미만으로 할 수 있다.

제46조【구류】 구류는 1일 이상 30일 미만으로 한다.

제47조【과료】 과료는 2천원 이상 5만원 미만으로 한다.

제48조【몰수의 대상과 추징】 ① 범인 외의 자의 소유에 속하지 아니하거나 범죄 후 범인 외의 자가 사정을 알면서 취득한 다음 각 호의 물건은 전부 또는 일부를 몰수할 수 있다.
1. 범죄행위에 제공하였거나 제공하려고 한 물건
2. 범죄행위로 인하여 생겼거나 취득한 물건
3. 제1호 또는 제2호의 대가로 취득한 물건
② 제1항 각 호의 물건을 몰수할 수 없을 때에는 그 가액을 추징한다.
③ 문서, 도화, 전자기록 등 특수매체기록 또는 유가증권의 일부가 몰수의 대상이 된 경우에는 그 부분을 폐기한다.
[전문개정 2020.12.8]

제49조【몰수의 부가성】 몰수는 타형에 부가하여 과한다. 단, 행위자에게 유죄의 재판을 아니할 때에도 몰수의 요건이 있는 때에는 몰수만을 선고할 수 있다.

제50조【형의 경중】 ① 형의 경중은 제41조 각 호의 순서에 따른다. 다만, 무기금고와 유기징역은 무기금고를 무거운 것으로 하고 유기금고의 장기가 유기징역의 장기를 초과하는 때에는 유기금고를 무거운 것으로 한다.
② 같은 종류의 형은 장기가 긴 것과 다액이 많은 것을 무거운 것으로 하고 장기 또는 다액이 같은 경우에는 단기가 긴 것과 소액이 많은 것을 무거운 것으로 한다.
③ 제1항 및 제2항을 제외하고는 죄질과 범정을 고려하여 경중을 정한다.
[전문개정 2020.12.8]

제2절 형의 양정

제51조【양형의 조건】 형을 정함에 있어서는 다음 사항을 참작하여야 한다.
1. 범인의 연령, 성행, 지능과 환경
2. 피해자에 대한 관계
3. 범행의 동기, 수단과 결과
4. 범행 후의 정황

제52조【자수, 자복】 ① 죄를 지은 후 수사기관에 자수한 경우에는 형을 감경하거나 면제할 수 있다.
② 피해자의 의사에 반하여 처벌할 수 없는 범죄의 경우에는 피해자에게 죄를 자복하였을 때에도 형을 감경하거나 면제할 수 있다.
[전문개정 2020.12.8]

제53조【정상참작감경】 범죄의 정상에 참작할 만한 사유가 있는 경우에는 그 형을 감경할 수 있다.
[전문개정 2020.12.8]

제54조【선택형과 정상참작감경】 한 개의 죄에 정한 형이 여러 종류인 때에는 먼저 적용할 형을 정하고 그 형을 감경한다.
[전문개정 2020.12.8]

제55조【법률상의 감경】 ① 법률상의 감경은 다음과 같다.
1. 사형을 감경할 때에는 무기 또는 20년 이상 50년 이하의 징역 또는 금고로 한다.
2. 무기징역 또는 무기금고를 감경할 때에는 10년 이상 50년 이하의 징역 또는 금고로 한다.
3. 유기징역 또는 유기금고를 감경할 때에는 그 형기의 2분의 1로 한다.
4. 자격상실을 감경할 때에는 7년 이상의 자격정지로 한다.
5. 자격정지를 감경할 때에는 그 형기의 2분의 1로 한다.
6. 벌금을 감경할 때에는 그 다액의 2분의 1로 한다.
7. 구류를 감경할 때에는 그 장기의 2분의 1로 한다.
8. 과료를 감경할 때에는 그 다액의 2분의 1로 한다.
② 법률상 감경할 사유가 수개 있는 때에는 거듭 감경할 수 있다.

제56조【가중·감경의 순서】 형을 가중·감경할 사유가 경합하는 경우에는 다음 각 호의 순서에 따른다.
1. 각칙 조문에 따른 가중
2. 제34조 제2항에 따른 가중
3. 누범 가중
4. 법률상 감경
5. 경합범 가중
6. 정상참작감경
[전문개정 2020.12.8]

제57조【판결선고 전 구금일수의 통산】 ① 판결선고 전의 구금일수는 그 전부를 유기징역, 유기금고, 벌금이나 과료에 관한 유치 또는 구류에 산입한다.
② 전항의 경우에는 구금일수의 1일은 징역, 금고, 벌금이나 과료에 관한 유치 또는 구류의 기간의 1일로 계산한다.

제58조【판결의 공시】 ① 피해자의 이익을 위하여 필요하다고 인정할 때에는 피해자의 청구가 있는 경우에 한하여 피고인의 부담으로 판결공시의 취지를 선고할 수 있다.
② 피고사건에 대하여 무죄의 판결을 선고하는 경우에는 무죄판결공시의 취지를 선고하여야 한다. 다만, 무죄판결을 받은 피고인이 무죄판결공시 취지의 선고에 동의하지 아니하거나 피고인의 동의를 받을 수 없는 경우에는 그러하지 아니하다.
③ 피고사건에 대하여 면소의 판결을 선고하는 경우에는 면소판결공시의 취지를 선고할 수 있다.

제3절 형의 선고유예

제59조【선고유예의 요건】 ① 1년 이하의 징역이나 금고, 자격정지 또는 벌금의 형을 선고할 경우에 제51조의 사항을 고려하여 뉘우치는 정상이 뚜렷할 때에는 그 형의 선고를 유예할 수 있다. 다만, 자격정지 이상의 형을 받은 전과가 있는 사람에 대해서는 예외로 한다.
② 형을 병과할 경우에도 형의 전부 또는 일부에 대하여 선고를 유예할 수 있다.
[전문개정 2020.12.8]

제59조의 2【보호관찰】 ① 형의 선고를 유예하는 경우에 재범방지를 위하여 지도 및 원호가 필요한 때에는 보호관찰을 받을 것을 명할 수 있다.
② 제1항의 규정에 의한 보호관찰의 기간은 1년으로 한다.

제60조【선고유예의 효과】 형의 선고유예를 받은 날로부터 2년을 경과한 때에는 면소된 것으로 간주한다.

제61조【선고유예의 실효】 ① 형의 선고유예를 받은 자가 유예기간중 자격정지 이상의 형에 처한 판결이 확정되거나 자격정지 이상의 형에 처한 전과가 발견된 때에는 유예한 형을 선고한다.
② 제59조의 2의 규정에 의하여 보호관찰을 명한 선고유예를 받은 자가 보호관찰기간중에 준수사항을 위반하고 그 정도가 무거운 때에는 유예한 형을 선고할 수 있다.

제4절 형의 집행유예

제62조【집행유예의 요건】 ① 3년 이하의 징역이나 금고 또는 500만원 이하의 벌금의 형을 선고할 경우에 제51조의 사항을 참작하여 그 정상에 참작할 만한 사유가 있는 때에는 1년 이상 5년 이하의 기간 형의 집행을 유예할 수 있다. 다만, 금고 이상의 형을 선고한 판결이 확정된 때부터 그 집행을 종료하거나 면제된 후 3년까지의 기간에 범한 죄에 대하여 형을 선고하는 경우에는 그러하지 아니하다. <개정 2016.1.6>

② 형을 병과할 경우에는 그 형의 일부에 대하여 집행을 유예할 수 있다.

제62조의 2【보호관찰, 사회봉사 · 수강명령】 ① 형의 집행을 유예하는 경우에는 보호관찰을 받을 것을 명하거나 사회봉사 또는 수강을 명할 수 있다.

② 제1항의 규정에 의한 보호관찰의 기간은 집행을 유예한 기간으로 한다. 다만, 법원은 유예기간의 범위내에서 보호관찰기간을 정할 수 있다.

③ 사회봉사명령 또는 수강명령은 집행유예기간내에 이를 집행한다.

제63조【집행유예의 실효】 집행유예의 선고를 받은 자가 유예기간 중 고의로 범한 죄로 금고 이상의 실형을 선고받아 그 판결이 확정된 때에는 집행유예의 선고는 효력을 잃는다.

제64조【집행유예의 취소】 ① 집행유예의 선고를 받은 후 제62조 단행의 사유가 발각된 때에는 집행유예의 선고를 취소한다.

② 제62조의 2의 규정에 의하여 보호관찰이나 사회봉사 또는 수강을 명한 집행유예를 받은 자가 준수사항이나 명령을 위반하고 그 정도가 무거운 때에는 집행유예의 선고를 취소할 수 있다.

제65조【집행유예의 효과】 집행유예의 선고를 받은 후 그 선고의 실효 또는 취소됨이 없이 유예기간을 경과한 때에는 형의 선고는 효력을 잃는다.

제5절 형의 집행

제66조【사형】 사형은 교정시설 안에서 교수하여 집행한다.

[전문개정 2020.12.8]

제67조【징역】 징역은 교정시설에 수용하여 집행하며, 정해진 노역에 복무하게 한다.

[전문개정 2020.12.8]

제68조【금고와 구류】 금고와 구류는 교정시설에 수용하여 집행한다.

[전문개정 2020.12.8]

제69조【벌금과 과료】 ① 벌금과 과료는 판결확정일로부터 30일내에 납입하여야 한다. 단, 벌금을 선고할 때에는 동시에 그 금액을 완납할 때까지 노역장에 유치할 것을 명할 수 있다.

② 벌금을 납입하지 아니한 자는 1일 이상 3년 이하, 과료를 납입하지 아니한 자는 1일 이상 30일 미만의 기간 노역장에 유치하여 작업에 복무하게 한다.

제70조【노역장 유치】 ① 벌금이나 과료를 선고할 때에는 이를 납입하지 아니하는 경우의 노역장 유치기간을 정하여 동시에 선고하여야 한다. <개정 2020.12.8>

② 선고하는 벌금이 1억원 이상 5억원 미만인 경우에는 300일 이상, 5억원 이상 50억원 미만인 경우에는 500일 이상, 50억원 이상인 경우에는 1천일 이상의 노역장 유치기간을 정하여야 한다. <신설 2014.5.14, 개정 2020.12.8>

[제목개정 2020.12.8]

제71조【유치일수의 공제】 벌금이나 과료의 선고를 받은 사람이 그 금액의 일부를 납입한 경우에는 벌금 또는 과료액과 노역장 유치기간의 일수에 비례하여 납입금액에 해당하는 일수를 뺀다.

[전문개정 2020.12.8]

제6절 가석방

제72조【가석방의 요건】 ① 징역이나 금고의 집행 중에 있는 사람이 행상이 양호하여 뉘우침이 뚜렷한 때에는 무기형은 20년, 유기형은 형기의 3분의 1이 지난 후 행정처분으로 가석방을 할 수 있다.

② 제1항의 경우에 벌금이나 과료가 병과되어 있는 때에는 그 금액을 완납하여야 한다.

[전문개정 2020.12.8]

제73조【판결선고 전 구금과 가석방】 ① 형기에 산입된 판결선고 전 구금일수는 가석방을 하는 경우 집행한 기간에 산입한다.

② 제72조 제2항의 경우에 벌금이나 과료에 관한 노역장 유치기간에 산입된 판결선고 전 구금일수는 그에 해당하는 금액이 납입된 것으로 본다.
[전문개정 2020.12.8]

제73조의 2 【가석방의 기간 및 보호관찰】 ① 가석방의 기간은 무기형에 있어서는 10년으로 하고, 유기형에 있어서는 남은 형기로 하되, 그 기간은 10년을 초과할 수 없다.
② 가석방된 자는 가석방기간중 보호관찰을 받는다. 다만, 가석방을 허가한 행정관청이 필요가 없다고 인정한 때에는 그러하지 아니한다.

제74조 【가석방의 실효】 가석방 기간 중 고의로 지은 죄로 금고 이상의 형을 선고받아 그 판결이 확정된 경우에 가석방 처분은 효력을 잃는다.
[전문개정 2020.12.8]

제75조 【가석방의 취소】 가석방의 처분을 받은 자가 감시에 관한 규칙을 위배하거나, 보호관찰의 준수사항을 위반하고 그 정도가 무거운 때에는 가석방처분을 취소할 수 있다.

제76조 【가석방의 효과】 ① 가석방의 처분을 받은 후 그 처분이 실효 또는 취소되지 아니하고 가석방기간을 경과한 때에는 형의 집행을 종료한 것으로 본다.
② 전2조의 경우에는 가석방중의 일수는 형기에 산입하지 아니한다.

제7절 형의 시효

제77조 【형의 시효의 효과】 형(사형은 제외한다)을 선고받은 자에 대해서는 시효가 완성되면 그 집행이 면제된다. <개정 2023.8.8>
[전문개정 2020.12.8]

제78조 【형의 시효의 기간】 시효는 형을 선고하는 재판이 확정된 후 그 집행을 받지 아니하고 다음 각 호의 구분에 따른 기간이 지나면 완성된다. <개정 2012.12.12, 2020.12.8, 2023.8.8>
 1. 삭제 <2023.8.8>
 2. 무기의 징역 또는 금고 : 20년
 3. 10년 이상의 징역 또는 금고 : 15년
 4. 3년 이상의 징역이나 금고 또는 10년 이상의 자격정지 : 10년
 5. 3년 미만의 징역이나 금고 또는 5년 이상의 자격

정지 : 7년
 6. 5년 미만의 자격정지, 벌금, 몰수 또는 추징 : 5년
 7. 구류 또는 과료 : 1년
[제목개정 2020.12.8]

제79조 【형의 시효의 정지】 ① 시효는 형의 집행의 유예나 정지 또는 가석방 기타 집행할 수 없는 기간은 진행되지 아니한다.
② 시효는 형이 확정된 후 그 형의 집행을 받지 아니한 사람이 형의 집행을 면할 목적으로 국외에 있는 기간 동안은 진행되지 아니한다. <개정 2023.8.8>
[제목개정 2023.8.8]

제80조 【형의 시효의 중단】 시효는 징역, 금고 및 구류의 경우에는 수형자를 체포한 때, 벌금, 과료, 몰수 및 추징의 경우에는 강제처분을 개시한 때에 중단된다.
[전문개정 2023.8.8]

제8절 형의 소멸

제81조 【형의 실효】 징역 또는 금고의 집행을 종료하거나 집행이 면제된 자가 피해자의 손해를 보상하고 자격정지 이상의 형을 받음이 없이 7년을 경과한 때에는 본인 또는 검사의 신청에 의하여 그 재판의 실효를 선고할 수 있다.

제82조 【복권】 자격정지의 선고를 받은 자가 피해자의 손해를 보상하고 자격정지 이상의 형을 받음이 없이 정지기간의 2분의 1을 경과한 때에는 본인 또는 검사의 신청에 의하여 자격의 회복을 선고할 수 있다.

제4장 기 간

제83조 【기간의 계산】 연 또는 월로 정한 기간은 연 또는 월 단위로 계산한다.
[전문개정 2020.12.8]

제84조 【형기의 기산】 ① 형기는 판결이 확정된 날로부터 기산한다.
② 징역, 금고, 구류와 유치에 있어서는 구속되지 아니한 일수는 형기에 산입하지 아니한다.

제85조 【형의 집행과 시효기간의 초일】 형의 집행과 시효기간의 초일은 시간을 계산함이 없이 1일로 산정한다.

제86조 【석방일】 석방은 형기종료일에 하여야 한다.

제2편 │ 각 칙

제1장 내란의 죄

제87조【내란】 대한민국 영토의 전부 또는 일부에서 국가권력을 배제하거나 국헌을 문란하게 할 목적으로 폭동을 일으킨 자는 다음 각 호의 구분에 따라 처벌한다.
1. 우두머리는 사형, 무기징역 또는 무기금고에 처한다.
2. 모의에 참여하거나 지휘하거나 그 밖의 중요한 임무에 종사한 자는 사형, 무기 또는 5년 이상의 징역이나 금고에 처한다. 살상, 파괴 또는 약탈 행위를 실행한 자도 같다.
3. 부화수행하거나 단순히 폭동에만 관여한 자는 5년 이하의 징역이나 금고에 처한다.
[전문개정 2020.12.8]

제88조【내란목적의 살인】 대한민국 영토의 전부 또는 일부에서 국가권력을 배제하거나 국헌을 문란하게 할 목적으로 사람을 살해한 자는 사형, 무기징역 또는 무기금고에 처한다.
[전문개정 2020.12.8]

제89조【미수범】 전2조의 미수범은 처벌한다.

제90조【예비, 음모, 선동, 선전】 ① 제87조 또는 제88조의 죄를 범할 목적으로 예비 또는 음모한 자는 3년 이상의 유기징역이나 유기금고에 처한다. 단, 그 목적한 죄의 실행에 이르기 전에 자수한 때에는 그 형을 감경 또는 면제한다.
② 제87조 또는 제88조의 죄를 범할 것을 선동 또는 선전한 자도 전항의 형과 같다.

제91조【국헌문란의 정의】 본장에서 국헌을 문란할 목적이라 함은 다음 각호의 1에 해당함을 말한다.
1. 헌법 또는 법률에 정한 절차에 의하지 아니하고 헌법 또는 법률의 기능을 소멸시키는 것
2. 헌법에 의하여 설치된 국가기관을 강압에 의하여 전복 또는 그 권능행사를 불가능하게 하는 것

제2장 외환의 죄

제92조【외환유치】 외국과 통모하여 대한민국에 대하여 전단을 열게 하거나 외국인과 통모하여 대한민국에 항적한 자는 사형 또는 무기징역에 처한다.

제93조【여적】 적국과 합세하여 대한민국에 항적한 자는 사형에 처한다.

제94조【모병이적】 ① 적국을 위하여 모병한 자는 사형 또는 무기징역에 처한다.
② 전항의 모병에 응한 자는 무기 또는 5년 이상의 징역에 처한다.

제95조【시설제공이적】 ① 군대, 요새, 진영 또는 군용에 공하는 선박이나 항공기 기타 장소, 설비 또는 건조물을 적국에 제공한 자는 사형 또는 무기징역에 처한다.
② 병기 또는 탄약 기타 군용에 공하는 물건을 적국에 제공한 자도 전항의 형과 같다.

제96조【시설파괴이적】 적국을 위하여 전조에 기재한 군용시설 기타 물건을 파괴하거나 사용할 수 없게 한 자는 사형 또는 무기징역에 처한다.

제97조【물건제공이적】 군용에 공하지 아니하는 병기, 탄약 또는 전투용에 공할 수 있는 물건을 적국에 제공한 자는 무기 또는 5년 이상의 징역에 처한다.

제98조【간첩】 ① 적국을 위하여 간첩하거나 적국의 간첩을 방조한 자는 사형, 무기 또는 7년 이상의 징역에 처한다.
② 군사상의 기밀을 적국에 누설한 자도 전항의 형과 같다.

제99조【일반이적】 전7조에 기재한 이외에 대한민국의 군사상 이익을 해하거나 적국에 군사상의 이익을 공여한 자는 무기 또는 3년 이상의 징역에 처한다.

제100조【미수범】 전8조의 미수범은 처벌한다.

제101조【예비, 음모, 선동, 선전】 ① 제92조 내지 제99조의 죄를 범할 목적으로 예비 또는 음모한 자는 2년 이상의 유기징역에 처한다. 단, 그 목적한 죄의 실행에 이르기 전에 자수한 때에는 그 형을 감경 또는 면제한다.
② 제92조 내지 제99조의 죄를 선동 또는 선전한 자도 전항의 형과 같다.

제102조【준적국】 제93조 내지 전조의 죄에 있어서는 대한민국에 적대하는 외국 또는 외국인의 단체는 적국으로 간주한다.

제103조【전시군수계약불이행】 ① 전쟁 또는 사변에 있어서 정당한 이유없이 정부에 대한 군수품 또는 군용공작물에 관한 계약을 이행하지 아니한 자는 10년 이하의 징역에 처한다.
② 전항의 계약이행을 방해한 자도 전항의 형과 같다.

제104조 【동맹국】 본장의 규정은 동맹국에 대한 행위에 적용한다.

제104조의 2 삭제 <88.12.31>

제3장 국기에 관한 죄

제105조 【국기, 국장의 모독】 대한민국을 모욕할 목적으로 국기 또는 국장을 손상, 제거 또는 오욕한 자는 5년 이하의 징역이나 금고, 10년 이하의 자격정지 또는 700만원 이하의 벌금에 처한다.

제106조 【국기, 국장의 비방】 전조의 목적으로 국기 또는 국장을 비방한 자는 1년 이하의 징역이나 금고, 5년 이하의 자격정지 또는 200만원 이하의 벌금에 처한다.

제4장 국교에 관한 죄

제107조 【외국원수에 대한 폭행 등】 ① 대한민국에 체재하는 외국의 원수에 대하여 폭행 또는 협박을 가한 자는 7년 이하의 징역이나 금고에 처한다.

② 전항의 외국원수에 대하여 모욕을 가하거나 명예를 훼손한 자는 5년 이하의 징역이나 금고에 처한다.

제108조 【외국사절에 대한 폭행 등】 ① 대한민국에 파견된 외국사절에 대하여 폭행 또는 협박을 가한 자는 5년 이하의 징역이나 금고에 처한다.

② 전항의 외국사절에 대하여 모욕을 가하거나 명예를 훼손한 자는 3년 이하의 징역이나 금고에 처한다.

제109조 【외국의 국기, 국장의 모독】 외국을 모욕할 목적으로 그 나라의 공용에 공하는 국기 또는 국장을 손상, 제거 또는 오욕한 자는 2년 이하의 징역이나 금고 또는 300만원 이하의 벌금에 처한다.

제110조 【피해자의 의사】 제107조 내지 제109조의 죄는 그 외국정부의 명시한 의사에 반하여 공소를 제기할 수 없다.

제111조 【외국에 대한 사전】 ① 외국에 대하여 사전한 자는 1년 이상의 유기금고에 처한다.

② 전항의 미수범은 처벌한다.

③ 제1항의 죄를 범할 목적으로 예비 또는 음모한 자는 3년 이하의 금고 또는 500만원 이하의 벌금에 처한다. 단, 그 목적한 죄의 실행에 이르기 전에 자수한 때에는 감경 또는 면제한다.

제112조 【중립명령위반】 외국간의 교전에 있어서 중립에 관한 명령에 위반한 자는 3년 이하의 금고 또는 500만원 이하의 벌금에 처한다.

제113조 【외교상 기밀의 누설】 ① 외교상의 기밀을 누설한 자는 5년 이하의 징역 또는 1천만원 이하의 벌금에 처한다.

② 누설할 목적으로 외교상의 기밀을 탐지 또는 수집한 자도 전항의 형과 같다.

제5장 공안을 해하는 죄

제114조 【범죄단체 등의 조직】 사형, 무기 또는 장기 4년 이상의 징역에 해당하는 범죄를 목적으로 하는 단체 또는 집단을 조직하거나, 이에 가입하거나 그 구성원으로 활동한 사람은 그 목적한 죄에 정한 형으로 처벌한다. 다만, 형을 감경할 수 있다.

[전문개정 2013.4.5]

제115조 【소요】 다중이 집합하여 폭행, 협박 또는 손괴의 행위를 한 자는 1년 이상 10년 이하의 징역이나 금고 또는 1천500만원 이하의 벌금에 처한다.

제116조 【다중불해산】 폭행, 협박 또는 손괴의 행위를 할 목적으로 다중이 집합하여 그를 단속할 권한이 있는 공무원으로부터 3회 이상의 해산명령을 받고 해산하지 아니한 자는 2년 이하의 징역이나 금고 또는 300만원 이하의 벌금에 처한다.

제117조 【전시공수계약불이행】 ① 전쟁, 천재 기타 사변에 있어서 국가 또는 공공단체와 체결한 식량 기타 생활필수품의 공급계약을 정당한 이유없이 이행하지 아니한 자는 3년 이하의 징역 또는 500만원 이하의 벌금에 처한다.

② 전항의 계약이행을 방해한 자도 전항의 형과 같다.

③ 전2항의 경우에는 그 소정의 벌금을 병과할 수 있다.

제118조 【공무원자격의 사칭】 공무원의 자격을 사칭하여 그 직권을 행사한 자는 3년 이하의 징역 또는 700만원 이하의 벌금에 처한다.

제6장 폭발물에 관한 죄

제119조【폭발물 사용】 ① 폭발물을 사용하여 사람의 생명, 신체 또는 재산을 해하거나 그 밖에 공공의 안전을 문란하게 한 자는 사형, 무기 또는 7년 이상의 징역에 처한다.
② 전쟁, 천재지변 그 밖의 사변에 있어서 제1항의 죄를 지은 자는 사형이나 무기징역에 처한다.
③ 제1항과 제2항의 미수범은 처벌한다.
[전문개정 2020.12.8]

제120조【예비, 음모, 선동】 ① 전조 제1항, 제2항의 죄를 범할 목적으로 예비 또는 음모한 자는 2년 이상의 유기징역에 처한다. 단, 그 목적한 죄의 실행에 이르기 전에 자수한 때에는 그 형을 감경 또는 면제한다.
② 전조 제1항, 제2항의 죄를 범할 것을 선동한 자도 전항의 형과 같다.

제121조【전시폭발물제조 등】 전쟁 또는 사변에 있어서 정당한 이유없이 폭발물을 제조, 수입, 수출, 수수 또는 소지한 자는 10년 이하의 징역에 처한다.

제7장 공무원의 직무에 관한 죄

제122조【직무유기】 공무원이 정당한 이유없이 그 직무수행을 거부하거나 그 직무를 유기한 때에는 1년 이하의 징역이나 금고 또는 3년 이하의 자격정지에 처한다.

제123조【직권남용】 공무원이 직권을 남용하여 사람으로 하여금 의무없는 일을 하게 하거나 사람의 권리행사를 방해한 때에는 5년 이하의 징역, 10년 이하의 자격정지 또는 1천만원 이하의 벌금에 처한다.

제124조【불법체포, 불법감금】 ① 재판, 검찰, 경찰 기타 인신구속에 관한 직무를 행하는 자 또는 이를 보조하는 자가 그 직권을 남용하여 사람을 체포 또는 감금한 때에는 7년 이하의 징역과 10년 이하의 자격정지에 처한다.
② 전항의 미수범은 처벌한다.

제125조【폭행, 가혹행위】 재판, 검찰, 경찰 그 밖에 인신구속에 관한 직무를 수행하는 자 또는 이를 보조하는 자가 그 직무를 수행하면서 형사피의자나 그 밖의 사람에 대하여 폭행 또는 가혹행위를 한 경우에는 5년 이하의 징역과 10년 이하의 자격정지에 처한다.
[전문개정 2020.12.8]

제126조【피의사실공표】 검찰, 경찰 그 밖에 범죄수사에 관한 직무를 수행하는 자 또는 이를 감독하거나 보조하는 자가 그 직무를 수행하면서 알게 된 피의사실을 공소제기 전에 공표한 경우에는 3년 이하의 징역 또는 5년 이하의 자격정지에 처한다.
[전문개정 2020.12.8]

제127조【공무상 비밀의 누설】 공무원 또는 공무원이었던 자가 법령에 의한 직무상 비밀을 누설한 때에는 2년 이하의 징역이나 금고 또는 5년 이하의 자격정지에 처한다.

제128조【선거방해】 검찰, 경찰 또는 군의 직에 있는 공무원이 법령에 의한 선거에 관하여 선거인, 입후보자 또는 입후보자되려는 자에게 협박을 가하거나 기타 방법으로 선거의 자유를 방해한 때에는 10년 이하의 징역과 5년 이상의 자격정지에 처한다.

제129조【수뢰, 사전수뢰】 ① 공무원 또는 중재인이 그 직무에 관하여 뇌물을 수수, 요구 또는 약속한 때에는 5년 이하의 징역 또는 10년 이하의 자격정지에 처한다.
② 공무원 또는 중재인이 될 자가 그 담당할 직무에 관하여 청탁을 받고 뇌물을 수수, 요구 또는 약속한 후 공무원 또는 중재인이 된 때에는 3년 이하의 징역 또는 7년 이하의 자격정지에 처한다.

제130조【제3자뇌물제공】 공무원 또는 중재인이 그 직무에 관하여 부정한 청탁을 받고 제3자에게 뇌물을 공여하게 하거나 공여를 요구 또는 약속한 때에는 5년 이하의 징역 또는 10년 이하의 자격정지에 처한다.

제131조【수뢰 후 부정처사, 사후수뢰】 ① 공무원 또는 중재인이 전2조의 죄를 범하여 부정한 행위를 한 때에는 1년 이상의 유기징역에 처한다.
② 공무원 또는 중재인이 그 직무상 부정한 행위를 한 후 뇌물을 수수, 요구 또는 약속하거나 제3자에게 이를 공여하게 하거나 공여를 요구 또는 약속한 때에도 전항의 형과 같다.
③ 공무원 또는 중재인이었던 자가 그 재직중에 청탁을 받고 직무상 부정한 행위를 한 후 뇌물을 수

수, 요구 또는 약속한 때에는 5년 이하의 징역 또는 10년 이하의 자격정지에 처한다.

④ 전3항의 경우에는 10년 이하의 자격정지를 병과할 수 있다.

제132조【알선수뢰】 공무원이 그 지위를 이용하여 다른 공무원의 직무에 속한 사항의 알선에 관하여 뇌물을 수수, 요구 또는 약속한 때에는 3년 이하의 징역 또는 7년 이하의 자격정지에 처한다.

제133조【뇌물공여 등】 ① 제129조부터 제132조까지에 기재한 뇌물을 약속, 공여 또는 공여의 의사를 표시한 자는 5년 이하의 징역 또는 2천만원 이하의 벌금에 처한다.

② 제1항의 행위에 제공할 목적으로 제3자에게 금품을 교부한 자 또는 그 사정을 알면서 금품을 교부받은 제3자도 제1항의 형에 처한다.

[전문개정 2020.12.8]

제134조【몰수, 추징】 범인 또는 사정을 아는 제3자가 받은 뇌물 또는 뇌물로 제공하려고 한 금품은 몰수한다. 이를 몰수할 수 없을 경우에는 그 가액을 추징한다.

[전문개정 2020.12.8]

제135조【공무원의 직무상 범죄에 대한 형의 가중】 공무원이 직권을 이용하여 본장 이외의 죄를 범한 때에는 그 죄에 정한 형의 2분의 1까지 가중한다. 단, 공무원의 신분에 의하여 특별히 형이 규정된 때에는 예외로 한다.

제8장 공무원에 관한 죄

제136조【공무집행방해】 ① 직무를 집행하는 공무원에 대하여 폭행 또는 협박한 자는 5년 이하의 징역 또는 1천만원 이하의 벌금에 처한다.

② 공무원에 대하여 그 직무상의 행위를 강요 또는 제지하거나 그 직을 사퇴하게 할 목적으로 폭행 또는 협박한 자도 전항의 형과 같다.

제137조【위계에 의한 공무집행방해】 위계로써 공무원의 직무집행을 방해한 자는 5년 이하의 징역 또는 1천만원 이하의 벌금에 처한다.

제138조【법정 또는 국회회의장모욕】 법원의 재판 또는 국회의 심의를 방해 또는 위협할 목적으로 법정이나 국회회의장 또는 그 부근에서 모욕 또는 소

동한 자는 3년 이하의 징역 또는 700만원 이하의 벌금에 처한다.

제139조【인권옹호직무방해】 경찰의 직무를 행하는 자 또는 이를 보조하는 자가 인권옹호에 관한 검사의 직무집행을 방해하거나 그 명령을 준수하지 아니한 때에는 5년 이하의 징역 또는 10년 이하의 자격정지에 처한다.

제140조【공무상 비밀표시무효】 ① 공무원이 그 직무에 관하여 실시한 봉인 또는 압류 기타 강제처분의 표시를 손상 또는 은닉하거나 기타 방법으로 그 효용을 해한 자는 5년 이하의 징역 또는 700만원 이하의 벌금에 처한다.

② 공무원이 그 직무에 관하여 봉함 기타 비밀장치한 문서 또는 도화를 개봉한 자도 제1항의 형과 같다.

③ 공무원이 그 직무에 관하여 봉함 기타 비밀장치한 문서, 도화 또는 전자기록등특수매체기록을 기술적 수단을 이용하여 그 내용을 알아 낸 자도 제1항의 형과 같다.

제140조의 2【부동산강제집행효용침해】 강제집행으로 명도 또는 인도된 부동산에 침입하거나 기타 방법으로 강제집행의 효용을 해한 자는 5년 이하의 징역 또는 700만원 이하의 벌금에 처한다.

제141조【공용서류 등의 무효, 공용물의 파괴】 ① 공무소에서 사용하는 서류 기타 물건 또는 전자기록등 특수매체기록을 손상 또는 은닉하거나 기타 방법으로 그 효용을 해한 자는 7년 이하의 징역 또는 1천만원 이하의 벌금에 처한다.

② 공무소에서 사용하는 건조물, 선박, 기차 또는 항공기를 파괴한 자는 1년 이상 10년 이하의 징역에 처한다.

제142조【공무상 보관물의 무효】 공무소로부터 보관명령을 받거나 공무소의 명령으로 타인이 관리하는 자기의 물건을 손상 또는 은닉하거나 기타 방법으로 그 효용을 해한 자는 5년 이하의 징역 또는 700만원 이하의 벌금에 처한다.

제143조【미수범】 제140조 내지 전조의 미수범은 처벌한다.

제144조【특수공무방해】 ① 단체 또는 다중의 위력을 보이거나 위험한 물건을 휴대하여 제136조, 제138조와 제140조 내지 전조의 죄를 범한 때에는 각 조에 정한 형의 2분의 1까지 가중한다.

② 제1항의 죄를 범하여 공무원을 상해에 이르게 한 때에는 3년 이상의 유기징역에 처한다. 사망에 이르게 한 때에는 무기 또는 5년 이상의 징역에 처한다.

제9장 도주와 범인은닉의 죄

제145조【도주, 집합명령위반】 ① 법률에 따라 체포되거나 구금된 자가 도주한 경우에는 1년 이하의 징역에 처한다.

② 제1항의 구금된 자가 천재지변이나 사변 그 밖에 법령에 따라 잠시 석방된 상황에서 정당한 이유없이 집합명령에 위반한 경우에도 제1항의 형에 처한다. [전문개정 2020.12.8]

제146조【특수도주】 수용설비 또는 기구를 손괴하거나 사람에게 폭행 또는 협박을 가하거나 2인 이상이 합동하여 전조 제1항의 죄를 범한 자는 7년 이하의 징역에 처한다.

제147조【도주원조】 법률에 의하여 구금된 자를 탈취하거나 도주하게 한 자는 10년 이하의 징역에 처한다.

제148조【간수자의 도주원조】 법률에 의하여 구금된 자를 간수 또는 호송하는 자가 이를 도주하게 한 때에는 1년 이상 10년 이하의 징역에 처한다.

제149조【미수범】 전4조의 미수범은 처벌한다.

제150조【예비, 음모】 제147조와 제148조의 죄를 범할 목적으로 예비 또는 음모한 자는 3년 이하의 징역에 처한다.

제151조【범인은닉과 친족간의 특례】 ① 벌금 이상의 형에 해당하는 죄를 범한 자를 은닉 또는 도피하게 한 자는 3년 이하의 징역 또는 500만원 이하의 벌금에 처한다.

② 친족, 동거의 가족이 본인을 위하여 전항의 죄를 범한 때에는 처벌하지 아니한다.

제10장 위증과 증거인멸의 죄

제152조【위증, 모해위증】 ① 법률에 의하여 선서한 증인이 허위의 진술을 한 때에는 5년 이하의 징역 또는 1천만원 이하의 벌금에 처한다.

② 형사사건 또는 징계사건에 관하여 피고인, 피의자 또는 징계혐의자를 모해할 목적으로 전항의 죄를 범한 때에는 10년 이하의 징역에 처한다.

제153조【자백, 자수】 전조의 죄를 범한 자가 그 공술한 사건의 재판 또는 징계처분이 확정되기 전에 자백 또는 자수한 때에는 그 형을 감경 또는 면제한다.

제154조【허위의 감정, 통역, 번역】 법률에 의하여 선서한 감정인, 통역인 또는 번역인이 허위의 감정, 통역 또는 번역을 한 때에는 전2조의 예에 의한다.

제155조【증거인멸 등과 친족간의 특례】 ① 타인의 형사사건 또는 징계사건에 관한 증거를 인멸, 은닉, 위조 또는 변조하거나 위조 또는 변조한 증거를 사용한 자는 5년 이하의 징역 또는 700만원 이하의 벌금에 처한다.

② 타인의 형사사건 또는 징계사건에 관한 증인을 은닉 또는 도피하게 한 자도 제1항의 형과 같다.

③ 피고인, 피의자 또는 징계혐의자를 모해할 목적으로 전2항의 죄를 범한 자는 10년 이하의 징역에 처한다.

④ 친족, 동거의 가족이 본인을 위하여 본조의 죄를 범한 때에는 처벌하지 아니한다.

제11장 무고의 죄

제156조【무고】 타인으로 하여금 형사처분 또는 징계처분을 받게 할 목적으로 공무소 또는 공무원에 대하여 허위의 사실을 신고한 자는 10년 이하의 징역 또는 1천500만원 이하의 벌금에 처한다.

제157조【자백·자수】 제153조는 전조에 준용한다.

제12장 신앙에 관한 죄

제158조【장례식 등의 방해】 장례식, 제사, 예배 또는 설교를 방해한 자는 3년 이하의 징역 또는 500만원 이하의 벌금에 처한다.

제159조【시체 등의 오욕】 시체, 유골 또는 유발을 오욕한 자는 2년 이하의 징역 또는 500만원 이하의 벌금에 처한다. [전문개정 2020.12.8]

제160조【분묘의 발굴】 분묘를 발굴한 자는 5년 이하의 징역에 처한다.

제161조【시체 등의 유기 등】 ① 시체, 유골, 유발 또는 관 속에 넣어 둔 물건을 손괴, 유기, 은닉 또는 영득한 자는 7년 이하의 징역에 처한다.

② 분묘를 발굴하여 제1항의 죄를 지은 자는 10년 이하의 징역에 처한다.

[전문개정 2020.12.8]

제162조【미수범】 전2조의 미수범은 처벌한다.

제163조【변사체 검시 방해】 변사자의 시체 또는 변사로 의심되는 시체를 은닉하거나 변경하거나 그 밖의 방법으로 검시를 방해한 자는 700만원 이하의 벌금에 처한다.

[전문개정 2020.12.8]

제13장 방화와 실화의 죄

제164조【현주건조물 등 방화】 ① 불을 놓아 사람이 주거로 사용하거나 사람이 현존하는 건조물, 기차, 전차, 자동차, 선박, 항공기 또는 지하채굴시설을 불태운 자는 무기 또는 3년 이상의 징역에 처한다.

② 제1항의 죄를 지어 사람을 상해에 이르게 한 경우에는 무기 또는 5년 이상의 징역에 처한다. 사망에 이르게 한 경우에는 사형, 무기 또는 7년 이상의 징역에 처한다.

[전문개정 2020.12.8]

제165조【공용건조물 등 방화】 불을 놓아 공용으로 사용하거나 공익을 위해 사용하는 건조물, 기차, 전차, 자동차, 선박, 항공기 또는 지하채굴시설을 불태운 자는 무기 또는 3년 이상의 징역에 처한다.

[전문개정 2020.12.8]

제166조【일반건조물 등 방화】 ① 불을 놓아 제164조와 제165조에 기재한 외의 건조물, 기차, 전차, 자동차, 선박, 항공기 또는 지하채굴시설을 불태운 자는 2년 이상의 유기징역에 처한다.

② 자기 소유인 제1항의 물건을 불태워 공공의 위험을 발생하게 한 자는 7년 이하의 징역 또는 1천만원 이하의 벌금에 처한다.

[전문개정 2020.12.8]

제167조【일반물건 방화】 ① 불을 놓아 제164조부터 제166조까지에 기재한 외의 물건을 불태워 공공의 위험을 발생하게 한 자는 1년 이상 10년 이하의 징역에 처한다.

② 제1항의 물건이 자기 소유인 경우에는 3년 이하의 징역 또는 700만원 이하의 벌금에 처한다.

[전문개정 2020.12.8]

제168조【연소】 ① 제166조 제2항 또는 전조 제2항의 죄를 범하여 제164조, 제165조 또는 제166조 제1항에 기재한 물건에 연소한 때에는 1년 이상 10년 이하의 징역에 처한다.

② 전조 제2항의 죄를 범하여 전조 제1항에 기재한 물건에 연소한 때에는 5년 이하의 징역에 처한다.

제169조【진화방해】 화재에 있어서 진화용의 시설 또는 물건을 은닉 또는 손괴하거나 기타 방법으로 진화를 방해한 자는 10년 이하의 징역에 처한다.

제170조【실화】 ① 과실로 제164조 또는 제165조에 기재한 물건 또는 타인 소유인 제166조에 기재한 물건을 불태운 자는 1천500만원 이하의 벌금에 처한다.

② 과실로 자기 소유인 제166조의 물건 또는 제167조에 기재한 물건을 불태워 공공의 위험을 발생하게 한 자도 제1항의 형에 처한다.

[전문개정 2020.12.8]

제171조【업무상 실화, 중실화】 업무상 과실 또는 중대한 과실로 인하여 제170조의 죄를 범한 자는 3년 이하의 금고 또는 2천만원 이하의 벌금에 처한다.

제172조【폭발성물건파열】 ① 보일러, 고압가스 기타 폭발성있는 물건을 파열시켜 사람의 생명, 신체 또는 재산에 대하여 위험을 발생시킨 자는 1년 이상의 유기징역에 처한다.

② 제1항의 죄를 범하여 사람을 상해에 이르게 한 때에는 무기 또는 3년 이상의 징역에 처한다. 사망에 이르게 한 때에는 무기 또는 5년 이상의 징역에 처한다.

제172조의 2【가스·전기 등 방류】 ① 가스, 전기, 증기 또는 방사선이나 방사성 물질을 방출, 유출 또는 살포시켜 사람의 생명, 신체 또는 재산에 대하여 위험을 발생시킨 자는 1년 이상 10년 이하의 징역에 처한다.

② 제1항의 죄를 범하여 사람을 상해에 이르게 한 때에는 무기 또는 3년 이상의 징역에 처한다. 사망에 이르게 한 때에는 무기 또는 5년 이상의 징역에 처한다.

제173조【가스·전기 등 공급방해】 ① 가스, 전기 또는 증기의 공작물을 손괴 또는 제거하거나 기타 방법으로 가스, 전기 또는 증기의 공급이나 사용을 방해하여 공공의 위험을 발생하게 한 자는 1년 이상 10년 이하의 징역에 처한다.

② 공공용의 가스, 전기 또는 증기의 공작물을 손괴 또는 제거하거나 기타 방법으로 가스, 전기 또는 증기의 공급이나 사용을 방해한 자도 전항의 형과 같다.
③ 제1항 또는 제2항의 죄를 범하여 사람을 상해에 이르게 한 때에는 2년 이상의 유기징역에 처한다. 사망에 이르게 한 때에는 무기 또는 3년 이상의 징역에 처한다.

제173조의 2【과실폭발성물건파열 등】 ① 과실로 제172조 제1항, 제172조의 2 제1항, 제173조 제1항과 제2항의 죄를 범한 자는 5년 이하의 금고 또는 1천 500만원 이하의 벌금에 처한다.
② 업무상 과실 또는 중대한 과실로 제1항의 죄를 범한 자는 7년 이하의 금고 또는 2천만원 이하의 벌금에 처한다.

제174조【미수범】 제164조 제1항, 제165조, 제166조 제1항, 제172조 제1항, 제172조의 2 제1항, 제173조 제1항과 제2항의 미수범은 처벌한다.

제175조【예비, 음모】 제164조 제1항, 제165조, 제166조 제1항, 제172조 제1항, 제172조의 2 제1항, 제173조 제1항과 제2항의 죄를 범할 목적으로 예비 또는 음모한 자는 5년 이하의 징역에 처한다. 단, 그 목적한 죄의 실행에 이르기 전에 자수한 때에는 형을 감경 또는 면제한다.

제176조【타인의 권리대상이 된 자기의 물건】 자기의 소유에 속하는 물건이라도 압류 기타 강제처분을 받거나 타인의 권리 또는 보험의 목적물이 된 때에는 본장의 규정의 적용에 있어서 타인의 물건으로 간주한다.

제14장 일수와 수리에 관한 죄

제177조【현주건조물 등에의 일수】 ① 물을 넘겨 사람이 주거에 사용하거나 사람이 현존하는 건조물, 기차, 전차, 자동차, 선박, 항공기 또는 광갱을 침해한 자는 무기 또는 3년 이상의 징역에 처한다.
② 제1항의 죄를 범하여 사람을 상해에 이르게 한 때에는 무기 또는 5년 이상의 징역에 처한다. 사망에 이르게 한 때에는 무기 또는 7년 이상의 징역에 처한다.

제178조【공용건조물 등에의 일수】 물을 넘겨 공용 또는 공익에 공하는 건조물, 기차, 전차, 자동차, 선박, 항공기 또는 광갱을 침해한 자는 무기 또는 2년 이상의 징역에 처한다.

제179조【일반건조물 등에의 일수】 ① 물을 넘겨 전2조에 기재한 이외의 건조물, 기차, 전차, 자동차, 선박, 항공기 또는 광갱 기타 타인의 재산을 침해한 자는 1년 이상 10년 이하의 징역에 처한다.
② 자기의 소유에 속하는 전항의 물건을 침해하여 공공의 위험을 발생하게 한 때에는 3년 이하의 징역 또는 700만원 이하의 벌금에 처한다.
③ 제176조의 규정은 본조의 경우에 준용한다.

제180조【방수방해】 수재에 있어서 방수용의 시설 또는 물건을 손괴 또는 은닉하거나 기타 방법으로 방수를 방해한 자는 10년 이하의 징역에 처한다.

제181조【과실일수】 과실로 인하여 제177조 또는 제178조에 기재한 물건을 침해한 자 또는 제179조에 기재한 물건을 침해하여 공공의 위험을 발생하게 한 자는 1천만원 이하의 벌금에 처한다.

제182조【미수범】 제177조 내지 제179조 제1항의 미수범은 처벌한다.

제183조【예비, 음모】 제177조 내지 제179조 제1항의 죄를 범할 목적으로 예비 또는 음모한 자는 3년 이하의 징역에 처한다.

제184조【수리방해】 둑을 무너뜨리거나 수문을 파괴하거나 그 밖의 방법으로 수리를 방해한 자는 5년 이하의 징역 또는 700만원 이하의 벌금에 처한다.
[전문개정 2020.12.8]

제15장 교통방해의 죄

제185조【일반교통방해】 육로, 수로 또는 교량을 손괴 또는 불통하게 하거나 기타 방법으로 교통을 방해한 자는 10년 이하의 징역 또는 1천500만원 이하의 벌금에 처한다.

제186조【기차, 선박 등의 교통방해】 궤도, 등대 또는 표지를 손괴하거나 기타 방법으로 기차, 전차, 자동차, 선박 또는 항공기의 교통을 방해한 자는 1년 이상의 유기징역에 처한다.

제187조【기차 등의 전복 등】 사람의 현존하는 기차, 전차, 자동차, 선박 또는 항공기를 전복, 매몰, 추락 또는 파괴한 자는 무기 또는 3년 이상의 징역에 처한다.

제188조【교통방해치사상】 제185조 내지 제187조의 죄를 범하여 사람을 상해에 이르게 한 때에는 무기 또는 3년 이상의 징역에 처한다. 사망에 이르게 한 때에는 무기 또는 5년 이상의 징역에 처한다.

제189조【과실, 업무상 과실, 중과실】 ① 과실로 인하여 제185조 내지 제187조의 죄를 범한 자는 1천만원 이하의 벌금에 처한다.

② 업무상 과실 또는 중대한 과실로 인하여 제185조 내지 제187조의 죄를 범한 자는 3년 이하의 금고 또는 2천만원 이하의 벌금에 처한다.

제190조【미수범】 제185조 내지 제187조의 미수범은 처벌한다.

제191조【예비, 음모】 제186조 또는 제187조의 죄를 범할 목적으로 예비 또는 음모한 자는 3년 이하의 징역에 처한다.

제16장 먹는 물에 관한 죄

제192조【먹는 물의 사용방해】 ① 일상생활에서 먹는 물로 사용되는 물에 오물을 넣어 먹는 물로 쓰지 못하게 한 자는 1년 이하의 징역 또는 500만원 이하의 벌금에 처한다.

② 제1항의 먹는 물에 독물이나 그 밖에 건강을 해하는 물질을 넣은 사람은 10년 이하의 징역에 처한다.
[전문개정 2020.12.8]

제193조【수돗물의 사용방해】 ① 수도를 통해 공중이 먹는 물로 사용하는 물 또는 그 수원에 오물을 넣어 먹는 물로 쓰지 못하게 한 자는 1년 이상 10년 이하의 징역에 처한다.

② 제1항의 먹는 물 또는 수원에 독물 그 밖에 건강을 해하는 물질을 넣은 자는 2년 이상의 유기징역에 처한다.

[전문개정 2020.12.8]

제194조【먹는 물 혼독치사상】 제192조 제2항 또는 제193조 제2항의 죄를 지어 사람을 상해에 이르게 한 경우에는 무기 또는 3년 이상의 징역에 처한다. 사망에 이르게 한 경우에는 무기 또는 5년 이상의 징역에 처한다.

[전문개정 2020.12.8]

제195조【수도불통】 공중이 먹는 물을 공급하는 수도 그 밖의 시설을 손괴하거나 그 밖의 방법으로 불통하게 한 자는 1년 이상 10년 이하의 징역에 처한다.

[전문개정 2020.12.8]

제196조【미수범】 제192조 제2항, 제193조 제2항과 전조의 미수범은 처벌한다.

제197조【예비, 음모】 제192조 제2항, 제193조 제2항 또는 제195조의 죄를 범할 목적으로 예비 또는 음모한 자는 2년 이하의 징역에 처한다.

제17장 아편에 관한 죄

제198조【아편 등의 제조 등】 아편, 몰핀 또는 그 화합물을 제조, 수입 또는 판매하거나 판매할 목적으로 소지한 자는 10년 이하의 징역에 처한다.

제199조【아편흡식기의 제조 등】 아편을 흡식하는 기구를 제조, 수입 또는 판매하거나 판매할 목적으로 소지한 자는 5년 이하의 징역에 처한다.

제200조【세관공무원의 아편 등의 수입】 세관의 공무원이 아편, 몰핀이나 그 화합물 또는 아편흡식기구를 수입하거나 그 수입을 허용한 때에는 1년 이상의 유기징역에 처한다.

제201조【아편흡식 등, 동장소제공】 ① 아편을 흡식하거나 몰핀을 주사한 자는 5년 이하의 징역에 처한다.

② 아편흡식 또는 몰핀주사의 장소를 제공하여 이익을 취한 자도 전항의 형과 같다.

제202조【미수범】 전4조의 미수범은 처벌한다.

제203조【상습범】 상습으로 전5조의 죄를 범한 때에는 각조에 정한 형의 2분의 1까지 가중한다.

제204조【자격정지 또는 벌금의 병과】 제198조 내지 제203조의 경우에는 10년 이하의 자격정지 또는 2천만원 이하의 벌금을 병과할 수 있다.

제205조【아편 등의 소지】 아편, 몰핀이나 그 화합물 또는 아편흡식기구를 소지한 자는 1년 이하의 징역 또는 500만원 이하의 벌금에 처한다.

제206조【몰수, 추징】 본장의 죄에 제공한 아편, 몰핀이나 그 화합물 또는 아편흡식기구는 몰수한다. 그를 몰수하기 불능한 때에는 그 가액을 추징한다.

제18장 통화에 관한 죄

제207조【통화의 위조 등】 ① 행사할 목적으로 통용하는 대한민국의 화폐, 지폐 또는 은행권을 위조 또는 변조한 자는 무기 또는 2년 이상의 징역에 처한다.

② 행사할 목적으로 내국에서 유통하는 외국의 화폐, 지폐 또는 은행권을 위조 또는 변조한 자는 1년 이상의 유기징역에 처한다.

③ 행사할 목적으로 외국에서 통용하는 외국의 화폐, 지폐 또는 은행권을 위조 또는 변조한 자는 10년 이하의 징역에 처한다.

④ 위조 또는 변조한 전3항 기재의 통화를 행사하거나 행사할 목적으로 수입 또는 수출한 자는 그 위조 또는 변조의 각죄에 정한 형에 처한다.

제208조【위조통화의 취득】 행사할 목적으로 위조 또는 변조한 제207조 기재의 통화를 취득한 자는 5년 이하의 징역 또는 1천500만원 이하의 벌금에 처한다.

제209조【자격정지 또는 벌금의 병과】 제207조 또는 제208조의 죄를 범하여 유기징역에 처할 경우에는 10년 이하의 자격정지 또는 2천만원 이하의 벌금을 병과할 수 있다.

제210조【위조통화 취득 후의 지정행사】 제207조에 기재한 통화를 취득한 후 그 사정을 알고 행사한 자는 2년 이하의 징역 또는 500만원 이하의 벌금에 처한다.
[전문개정 2020.12.8]

제211조【통화유사물의 제조 등】 ① 판매할 목적으로 내국 또는 외국에서 통용하거나 유통하는 화폐, 지폐 또는 은행권에 유사한 물건을 제조, 수입 또는 수출한 자는 3년 이하의 징역 또는 700만원 이하의 벌금에 처한다.

② 전항의 물건을 판매한 자도 전항의 형과 같다.

제212조【미수범】 제207조, 제208조와 전조의 미수범은 처벌한다.

제213조【예비, 음모】 제207조 제1항 내지 제3항의 죄를 범할 목적으로 예비 또는 음모한 자는 5년 이하의 징역에 처한다. 단, 그 목적한 죄의 실행에 이르기 전에 자수한 때에는 그 형을 감경 또는 면제한다.

제19장 유가증권, 우표와 인지에 관한 죄

제214조【유가증권의 위조 등】 ① 행사할 목적으로 대한민국 또는 외국의 공채증서 기타 유가증권을 위조 또는 변조한 자는 10년 이하의 징역에 처한다.

② 행사할 목적으로 유가증권의 권리의무에 관한 기재를 위조 또는 변조한 자도 전항의 형과 같다.

제215조【자격모용에 의한 유가증권의 작성】 행사할 목적으로 타인의 자격을 모용하여 유가증권을 작성하거나 유가증권의 권리 또는 의무에 관한 사항을 기재한 자는 10년 이하의 징역에 처한다.

제216조【허위유가증권의 작성 등】 행사할 목적으로 허위의 유가증권을 작성하거나 유가증권에 허위사항을 기재한 자는 7년 이하의 징역 또는 3천만원 이하의 벌금에 처한다.

제217조【위조유가증권등의 행사 등】 위조, 변조, 작성 또는 허위기재한 전3조 기재의 유가증권을 행사하거나 행사할 목적으로 수입 또는 수출한 자는 10년 이하의 징역에 처한다.

제218조【인지·우표의 위조 등】 ① 행사할 목적으로 대한민국 또는 외국의 인지, 우표 기타 우편요금을 표시하는 증표를 위조 또는 변조한 자는 10년 이하의 징역에 처한다.

② 위조 또는 변조된 대한민국 또는 외국의 인지, 우표 기타 우편요금을 표시하는 증표를 행사하거나 행사할 목적으로 수입 또는 수출한 자도 제1항의 형과 같다.

제219조【위조인지·우표 등의 취득】 행사할 목적으로 위조 또는 변조한 대한민국 또는 외국의 인지, 우표 기타 우편요금을 표시하는 증표를 취득한 자는 3년 이하의 징역 또는 1천만원 이하의 벌금에 처한다.

제220조【자격정지 또는 벌금의 병과】 제214조 내지 제219조의 죄를 범하여 징역에 처하는 경우에는 10년 이하의 자격정지 또는 2천만원 이하의 벌금을 병과할 수 있다.

제221조【소인말소】 행사할 목적으로 대한민국 또는 외국의 인지, 우표 기타 우편요금을 표시하는 증표의 소인 기타 사용의 표지를 말소한 자는 1년 이하의 징역 또는 300만원 이하의 벌금에 처한다.

제222조【인지·우표유사물의 제조 등】 ① 판매할 목적으로 대한민국 또는 외국의 공채증서, 인지, 우표

기타 우편요금을 표시하는 증표와 유사한 물건을 제조, 수입 또는 수출한 자는 2년 이하의 징역 또는 500만원 이하의 벌금에 처한다.

② 전항의 물건을 판매한 자도 전항의 형과 같다.

제223조【미수범】 제214조 내지 제219조와 전조의 미수범은 처벌한다.

제224조【예비, 음모】 제214조, 제215조와 제218조 제1항의 죄를 범할 목적으로 예비 또는 음모한 자는 2년 이하의 징역에 처한다.

제20장 문서에 관한 죄

제225조【공문서등의 위조·변조】 행사할 목적으로 공무원 또는 공무소의 문서 또는 도화를 위조 또는 변조한 자는 10년 이하의 징역에 처한다.

제226조【자격모용에 의한 공문서 등의 작성】 행사할 목적으로 공무원 또는 공무소의 자격을 모용하여 문서 또는 도화를 작성한 자는 10년 이하의 징역에 처한다.

제227조【허위공문서작성 등】 공무원이 행사할 목적으로 그 직무에 관하여 문서 또는 도화를 허위로 작성하거나 변개한 때에는 7년 이하의 징역 또는 2천만원 이하의 벌금에 처한다.

제227조의 2【공전자기록 위작·변작】 사무처리를 그르치게 할 목적으로 공무원 또는 공무소의 전자기록등 특수매체기록을 위작 또는 변작한 자는 10년 이하의 징역에 처한다.

제228조【공정증서원본 등의 부실기재】 ① 공무원에 대하여 허위신고를 하여 공정증서 원본 또는 이와 동일한 전자기록등 특수매체기록에 부실의 사실을 기재 또는 기록하게 한 자는 5년 이하의 징역 또는 1천만원 이하의 벌금에 처한다.

② 공무원에 대하여 허위신고를 하여 면허증, 허가증, 등록증 또는 여권에 부실의 사실을 기재하게 한 자는 3년 이하의 징역 또는 700만원 이하의 벌금에 처한다.

제229조【위조 등 공문서의 행사】 제225조 내지 제228조의 죄에 의하여 만들어진 문서, 도화, 전자기록 등 특수매체기록, 공정증서원본, 면허증, 허가증, 등록증 또는 여권을 행사한 자는 그 각 죄에 정한 형에 처한다.

제230조【공문서 등의 부정행사】 공무원 또는 공무소의 문서 또는 도화를 부정행사한 자는 2년 이하의 징역이나 금고 또는 500만원 이하의 벌금에 처한다.

제231조【사문서 등의 위조·변조】 행사할 목적으로 권리·의무 또는 사실증명에 관한 타인의 문서 또는 도화를 위조 또는 변조한 자는 5년 이하의 징역 또는 1천만원 이하의 벌금에 처한다.

제232조【자격모용에 의한 사문서의 작성】 행사할 목적으로 타인의 자격을 모용하여 권리·의무 또는 사실증명에 관한 문서 또는 도화를 작성한 자는 5년 이하의 징역 또는 1천만원 이하의 벌금에 처한다.

제232조의 2【사전자기록 위작·변작】 사무처리를 그르치게 할 목적으로 권리·의무 또는 사실증명에 관한 타인의 전자기록 등 특수매체기록을 위작 또는 변작한 자는 5년 이하의 징역 또는 1천만원 이하의 벌금에 처한다.

제233조【허위진단서 등의 작성】 의사, 한의사, 치과의사 또는 조산사가 진단서, 검안서 또는 생사에 관한 증명서를 허위로 작성한 때에는 3년 이하의 징역이나 금고, 7년 이하의 자격정지 또는 3천만원 이하의 벌금에 처한다.

제234조【위조사문서 등의 행사】 제231조 내지 제233조의 죄에 의하여 만들어진 문서, 도화 또는 전자기록등 특수매체기록을 행사한 자는 그 각 죄에 정한 형에 처한다.

제235조【미수범】 제225조 내지 제234조의 미수범은 처벌한다.

제236조【사문서의 부정행사】 권리·의무 또는 사실증명에 관한 타인의 문서 또는 도화를 부정행사한 자는 1년 이하의 징역이나 금고 또는 300만원 이하의 벌금에 처한다.

제237조【자격정지의 병과】 제225조 내지 제227조의 2 및 그 행사죄를 범하여 징역에 처할 경우에는 10년 이하의 자격정지를 병과할 수 있다.

제237조의 2【복사문서 등】 이 장의 죄에 있어서 전자복사기, 모사전송기 기타 이와 유사한 기기를 사용하여 복사한 문서 또는 도화의 사본도 문서 또는 도화로 본다.

제21장 인장에 관한 죄

제238조【공인 등의 위조, 부정사용】 ① 행사할 목적으로 공무원 또는 공무소의 인장, 서명, 기명 또는 기호를 위조 또는 부정사용한 자는 5년 이하의 징역에 처한다.

② 위조 또는 부정사용한 공무원 또는 공무소의 인장, 서명, 기명 또는 기호를 행사한 자도 전항의 형과 같다.

③ 전2항의 경우에는 7년 이하의 자격정지를 병과할 수 있다.

제239조【사인 등의 위조, 부정사용】 ① 행사할 목적으로 타인의 인장, 서명, 기명 또는 기호를 위조 또는 부정사용한 자는 3년 이하의 징역에 처한다.

② 위조 또는 부정사용한 타인의 인장, 서명, 기명 또는 기호를 행사한 때에도 전항의 형과 같다.

제240조【미수범】 본장의 미수범은 처벌한다.

제22장 성풍속에 관한 죄

제241조 삭제 <2016.1.6>

제242조【음행매개】 영리의 목적으로 사람을 매개하여 간음하게 한 자는 3년 이하의 징역 또는 1천 500만원 이하의 벌금에 처한다.

제243조【음화반포 등】 음란한 문서, 도화, 필름 기타 물건을 반포, 판매 또는 임대하거나 공연히 전시 또는 상영한 자는 1년 이하의 징역 또는 500만원 이하의 벌금에 처한다.

제244조【음화제조 등】 제243조의 행위에 공할 목적으로 음란한 물건을 제조, 소지, 수입 또는 수출한 자는 1년 이하의 징역 또는 500만원 이하의 벌금에 처한다.

제245조【공연음란】 공연히 음란한 행위를 한 자는 1년 이하의 징역, 500만원 이하의 벌금, 구류 또는 과료에 처한다.

제23장 도박과 복표에 관한 죄

제246조【도박, 상습도박】 ① 도박을 한 사람은 1천만원 이하의 벌금에 처한다. 다만, 일시오락 정도에 불과한 경우에는 예외로 한다.

② 상습으로 제1항의 죄를 범한 사람은 3년 이하의

징역 또는 2천만원 이하의 벌금에 처한다.

[전문개정 2013.4.5]

제247조【도박장소 등 개설】 영리의 목적으로 도박을 하는 장소나 공간을 개설한 사람은 5년 이하의 징역 또는 3천만원 이하의 벌금에 처한다.

[전문개정 2013.4.5]

제248조【복표의 발매 등】 ① 법령에 의하지 아니한 복표를 발매한 사람은 5년 이하의 징역 또는 3천만원 이하의 벌금에 처한다.

② 제1항의 복표발매를 중개한 사람은 3년 이하의 징역 또는 2천만원 이하의 벌금에 처한다.

③ 제1항의 복표를 취득한 사람은 1천만원 이하의 벌금에 처한다.

[전문개정 2013.4.5]

제249조【벌금의 병과】 제246조 제2항, 제247조와 제248조 제1항의 죄에 대해서는 1천만원 이하의 벌금을 병과할 수 있다.

[전문개정 2013.4.5]

제24장 살인의 죄

제250조【살인, 존속살해】 ① 사람을 살해한 자는 사형, 무기 또는 5년 이상의 징역에 처한다.

② 자기 또는 배우자의 직계존속을 살해한 자는 사형, 무기 또는 7년 이상의 징역에 처한다.

제251조【영아살해】 삭제 <2023.8.8>

제252조【촉탁, 승낙에 의한 살인 등】 ① 사람의 촉탁이나 승낙을 받아 그를 살해한 자는 1년 이상 10년 이하의 징역에 처한다.

② 사람을 교사하거나 방조하여 자살하게 한 자도 제1항의 형에 처한다.

[전문개정 2020.12.8]

제253조【위계 등에 의한 촉탁살인 등】 전조의 경우에 위계 또는 위력으로써 촉탁 또는 승낙하게 하거나 자살을 결의하게 한 때에는 제250조의 예에 의한다.

제254조【미수범】 제250조, 제252조 및 제253조의 미수범은 처벌한다.

[전문개정 2023.8.8]

제255조【예비, 음모】 제250조와 제253조의 죄를

범할 목적으로 예비 또는 음모한 자는 10년 이하의 징역에 처한다.

제256조【자격정지의 병과】 제250조, 제252조 또는 제253조의 경우에 유기징역에 처할 때에는 10년 이하의 자격정지를 병과할 수 있다.

제25장 상해와 폭행의 죄

제257조【상해, 존속상해】 ① 사람의 신체를 상해한 자는 7년 이하의 징역, 10년 이하의 자격정지 또는 1천만원 이하의 벌금에 처한다.

② 자기 또는 배우자의 직계존속에 대하여 제1항의 죄를 범한 때에는 10년 이하의 징역 또는 1천500만원 이하의 벌금에 처한다.

③ 전2항의 미수범은 처벌한다.

제258조【중상해, 존속중상해】 ① 사람의 신체를 상해하여 생명에 대한 위험을 발생하게 한 자는 1년 이상 10년 이하의 징역에 처한다.

② 신체의 상해로 인하여 불구 또는 불치나 난치의 질병에 이르게 한 자도 전항의 형과 같다.

③ 자기 또는 배우자의 직계존속에 대하여 전2항의 죄를 범한 때에는 2년 이상 15년 이하의 징역의 유기징역에 처한다. <개정 2016.1.6>

제258조의 2【특수상해】 ① 단체 또는 다중의 위력을 보이거나 위험한 물건을 휴대하여 제257조 제1항 또는 제2항의 죄를 범한 때에는 1년 이상 10년 이하의 징역에 처한다.

② 단체 또는 다중의 위력을 보이거나 위험한 물건을 휴대하여 제258조의 죄를 범한 때에는 2년 이상 20년 이하의 징역에 처한다.

③ 제1항의 미수범은 처벌한다.

[본조신설 2016.1.6]

제259조【상해치사】 ① 사람의 신체를 상해하여 사망에 이르게 한 자는 3년 이상의 유기징역에 처한다.

② 자기 또는 배우자의 직계존속에 대하여 전항의 죄를 범한 때에는 무기 또는 5년 이상의 징역에 처한다.

제260조【폭행, 존속폭행】 ① 사람의 신체에 대하여 폭행을 가한 자는 2년 이하의 징역, 500만원 이하의 벌금, 구류 또는 과료에 처한다.

② 자기 또는 배우자의 직계존속에 대하여 제1항의 죄를 범한 때에는 5년 이하의 징역 또는 700만원 이하의 벌금에 처한다.

③ 제1항 및 제2항의 죄는 피해자의 명시한 의사에 반하여 공소를 제기할 수 없다.

제261조【특수폭행】 단체 또는 다중의 위력을 보이거나 위험한 물건을 휴대하여 제260조 제1항 또는 제2항의 죄를 범한 때에는 5년 이하의 징역 또는 1천만원 이하의 벌금에 처한다.

제262조【폭행치사상】 제260조와 제261조의 죄를 지어 사람을 사망이나 상해에 이르게 한 경우에는 제257조부터 제259조까지의 예에 따른다.

[전문개정 2020.12.8]

제263조【동시범】 독립행위가 경합하여 상해의 결과를 발생하게 한 경우에 있어서 원인된 행위가 판명되지 아니한 때에는 공동정범의 예에 의한다.

제264조【상습범】 상습으로 제257조, 제258조, 제258조의 2, 제260조 또는 제261조의 죄를 범한 때에는 그 죄에 정한 형의 2분의 1까지 가중한다. <개정 2016.1.6>

제265조【자격정지의 병과】 제257조 제2항, 제258조, 제258조의 2, 제260조 제2항, 제261조 또는 전조의 경우에는 10년 이하의 자격정지를 병과할 수 있다. <개정 2016.1.6>

제26장 과실치사상의 죄

제266조【과실치상】 ① 과실로 인하여 사람의 신체를 상해에 이르게 한 자는 500만원 이하의 벌금, 구류 또는 과료에 처한다.

② 제1항의 죄는 피해자의 명시한 의사에 반하여 공소를 제기할 수 없다.

제267조【과실치사】 과실로 인하여 사람을 사망에 이르게 한 자는 2년 이하의 금고 또는 700만원 이하의 벌금에 처한다.

제268조【업무상과실·중과실 치사상】 업무상과실 또는 중대한 과실로 사람을 사망이나 상해에 이르게 한 자는 5년 이하의 금고 또는 2천만원 이하의 벌금에 처한다.

[전문개정 2020.12.8]

제27장 낙태의 죄

제269조【낙태】① 부녀가 약물 기타 방법으로 낙태한 때에는 1년 이하의 징역 또는 200만원 이하의 벌금에 처한다.

② 부녀의 촉탁 또는 승낙을 받아 낙태하게 한 자도 제1항의 형과 같다.

③ 제2항의 죄를 범하여 부녀를 상해에 이르게 한 때에는 3년 이하의 징역에 처한다. 사망에 이르게 한 때에는 7년 이하의 징역에 처한다.

제270조【의사 등의 낙태, 부동의낙태】① 의사, 한의사, 조산사, 약제사 또는 약종상이 부녀의 촉탁 또는 승낙을 받아 낙태하게 한 때에는 2년 이하의 징역에 처한다.

② 부녀의 촉탁 또는 승낙없이 낙태하게 한 자는 3년 이하의 징역에 처한다.

③ 제1항 또는 제2항의 죄를 범하여 부녀를 상해에 이르게 한 때에는 5년 이하의 징역에 처한다. 사망에 이르게 한 때에는 10년 이하의 징역에 처한다.

④ 전3항의 경우에는 7년 이하의 자격정지를 병과한다.

제28장 유기와 학대의 죄

제271조【유기, 존속유기】① 나이가 많거나 어림, 질병 그 밖의 사정으로 도움이 필요한 사람을 법률상 또는 계약상 보호할 의무가 있는 자가 유기한 경우에는 3년 이하의 징역 또는 500만원 이하의 벌금에 처한다.

② 자기 또는 배우자의 직계존속에 대하여 제1항의 죄를 지은 경우에는 10년 이하의 징역 또는 1천500만원 이하의 벌금에 처한다.

③ 제1항의 죄를 지어 사람의 생명에 위험을 발생하게 한 경우에는 7년 이하의 징역에 처한다.

④ 제2항의 죄를 지어 사람의 생명에 위험을 발생하게 한 경우에는 2년 이상의 유기징역에 처한다.
[전문개정 2020.12.8]

제272조【영아유기】 삭제 <2023.8.8>

제273조【학대, 존속학대】① 자기의 보호 또는 감독을 받는 사람을 학대한 자는 2년 이하의 징역 또는 500만원 이하의 벌금에 처한다.

② 자기 또는 배우자의 직계존속에 대하여 전항의 죄를 범한 때에는 5년 이하의 징역 또는 700만원 이하의 벌금에 처한다.

제274조【아동혹사】 자기의 보호 또는 감독을 받는 16세 미만의 자를 그 생명 또는 신체에 위험한 업무에 사용할 영업자 또는 종업자에게 인도한 자는 5년 이하의 징역에 처한다. 그 인도를 받은 자도 같다.

제275조【유기등 치사상】① 제271조 또는 제273조의 죄를 범하여 사람을 상해에 이르게 한 때에는 7년 이하의 징역에 처한다. 사망에 이르게 한 때에는 3년 이상의 유기징역에 처한다. <개정 2023.8.8>

② 자기 또는 배우자의 직계존속에 대하여 제271조 또는 제273조의 죄를 범하여 상해에 이르게 한 때에는 3년 이상의 유기징역에 처한다. 사망에 이르게 한 때에는 무기 또는 5년 이상의 징역에 처한다.
[제목개정 2023.8.8]

제29장 체포와 감금의 죄

제276조【체포, 감금, 존속체포, 존속감금】① 사람을 체포 또는 감금한 자는 5년 이하의 징역 또는 700만원 이하의 벌금에 처한다.

② 자기 또는 배우자의 직계존속에 대하여 제1항의 죄를 범한 때에는 10년 이하의 징역 또는 1천500만원 이하의 벌금에 처한다.

제277조【중체포, 중감금, 존속중체포, 존속중감금】① 사람을 체포 또는 감금하여 가혹한 행위를 가한 자는 7년 이하의 징역에 처한다.

② 자기 또는 배우자의 직계존속에 대하여 전항의 죄를 범한 때에는 2년 이상의 유기징역에 처한다.

제278조【특수체포, 특수감금】 단체 또는 다중의 위력을 보이거나 위험한 물건을 휴대하여 전2조의 죄를 범한 때에는 그 죄에 정한 형의 2분의 1까지 가중한다.

제279조【상습범】 상습으로 제276조 또는 제277조의 죄를 범한 때에는 전조의 예에 의한다.

제280조【미수범】 전4조의 미수범은 처벌한다.

제281조【체포·감금 등의 치사상】① 제276조 내지 제280조의 죄를 범하여 사람을 상해에 이르게 한 때에는 1년 이상의 유기징역에 처한다. 사망에 이르게 한 때에는 3년 이상의 유기징역에 처한다.

부록

② 자기 또는 배우자의 직계존속에 대하여 제276조 내지 제280조의 죄를 범하여 상해에 이르게 한 때에는 2년 이상의 유기징역에 처한다. 사망에 이르게 한 때에는 무기 또는 5년 이상의 징역에 처한다.

제282조【자격정지의 병과】 본장의 죄에는 10년 이하의 자격정지를 병과할 수 있다.

제30장 협박의 죄

제283조【협박, 존속협박】 ① 사람을 협박한 자는 3년 이하의 징역, 500만원 이하의 벌금, 구류 또는 과료에 처한다.

② 자기 또는 배우자의 직계존속에 대하여 제1항의 죄를 범한 때에는 5년 이하의 징역 또는 700만원 이하의 벌금에 처한다.

③ 제1항 및 제2항의 죄는 피해자의 명시한 의사에 반하여 공소를 제기할 수 없다.

제284조【특수협박】 단체 또는 다중의 위력을 보이거나 위험한 물건을 휴대하여 전조 제1항, 제2항의 죄를 범한 때에는 7년 이하의 징역 또는 1천만원 이하의 벌금에 처한다.

제285조【상습범】 상습으로 제283조 제1항, 제2항 또는 전조의 죄를 범한 때에는 그 죄에 정한 형의 2분의 1까지 가중한다.

제286조【미수범】 전3조의 미수범은 처벌한다.

제31장 약취, 유인의 죄 및 인신매매의 죄

제287조【미성년자의 약취, 유인】 미성년자를 약취 또는 유인한 사람은 10년 이하의 징역에 처한다.
[전문개정 2013.4.5]

제288조【추행 등 목적 약취, 유인 등】 ① 추행, 간음, 결혼 또는 영리의 목적으로 사람을 약취 또는 유인한 사람은 1년 이상 10년 이하의 징역에 처한다.

② 노동력 착취, 성매매와 성적 착취, 장기적출을 목적으로 사람을 약취 또는 유인한 사람은 2년 이상 15년 이하의 징역에 처한다.

③ 국외에 이송할 목적으로 사람을 약취 또는 유인하거나 약취 또는 유인된 사람을 국외에 이송한 사람도 제2과 동일한 형으로 처벌한다.
[전문개정 2013.4.5]

제289조【인신매매】 ① 사람을 매매한 사람은 7년 이하의 징역에 처한다.

② 추행, 간음, 결혼 또는 영리의 목적으로 사람을 매매한 사람은 1년 이상 10년 이하의 징역에 처한다.

③ 노동력 착취, 성매매와 성적 착취, 장기적출을 목적으로 사람을 매매한 사람은 2년 이상 15년 이하의 징역에 처한다.

④ 국외에 이송할 목적으로 사람을 매매하거나 매매된 사람을 국외로 이송한 사람도 제3항과 동일한 형으로 처벌한다.
[전문개정 2013.4.5]

제290조【약취, 유인, 매매, 이송 등 상해 · 치상】 ① 제287조부터 제289조까지의 죄를 범하여 약취, 유인, 매매 또는 이송된 사람을 상해한 때에는 3년 이상 25년 이하의 징역에 처한다.

② 제287조부터 제289조까지의 죄를 범하여 약취, 유인, 매매 또는 이송된 사람을 상해에 이르게 한 때에는 2년 이상 20년 이하의 징역에 처한다.
[전문개정 2013.4.5]

제291조【약취, 유인, 매매, 이송 등 살인 · 치사】 ① 제287조부터 제289조까지의 죄를 범하여 약취, 유인, 매매 또는 이송된 사람을 살해한 때에는 사형, 무기 또는 7년 이상의 징역에 처한다.

② 제287조부터 제289조까지의 죄를 범하여 약취, 유인, 매매 또는 이송된 사람을 사망에 이르게 한 때에는 무기 또는 5년 이상의 징역에 처한다.
[전문개정 2013.4.5]

제292조【약취, 유인, 매매, 이송된 사람의 수수 · 은닉 등】 ① 제287조부터 제289조까지의 죄로 약취, 유인, 매매 또는 이송된 사람을 수수 또는 은닉한 사람은 7년 이하의 징역에 처한다.

② 제287조부터 제289조까지의 죄를 범할 목적으로 사람을 모집, 운송, 전달한 사람도 제1항과 동일한 형으로 처벌한다.
[전문개정 2013.4.5]

제293조【상습범】 삭제 <2013.4.5>

제294조【미수범】 제287조부터 제289조까지, 제290조 제1항, 제291조 제1항과 제292조 제1항의 미수범은 처벌한다.
[전문개정 2013.4.5]

제295조 【벌금의 병과】 제288조부터 제291조까지, 제292조 제1항의 죄와 그 미수범에 대해서는 5천만원 이하의 벌금을 병과할 수 있다.

[전문개정 2013.4.5]

제295조의 2 【형의 감경】 제287조부터 제290조까지, 제292조와 제294조의 죄를 범한 사람이 약취, 유인, 매매 또는 이송된 사람을 안전한 장소로 풀어준 때에는 그 형을 감경할 수 있다.

[전문개정 2013.4.5]

제296조 【예비, 음모】 제287조부터 제289조까지, 제290조 제1항, 제291조 제1항과 제292조 제1항의 죄를 범할 목적으로 예비 또는 음모한 사람은 3년 이하의 징역에 처한다.

[본조신설 2013.4.5]

제296조의 2 【세계주의】 제287조부터 제292조까지 및 제294조는 대한민국 영역 밖에서 죄를 범한 외국인에게도 적용한다.

[본조신설 2013.4.5]

제32장 강간과 추행의 죄

제297조 【강간】 폭행 또는 협박으로 사람을 강간한 자는 3년 이상의 유기징역에 처한다. <개정 2012.12.18>

제297조의 2 【유사강간】 폭행 또는 협박으로 사람에 대하여 구강, 항문 등 신체(성기는 제외한다)의 내부에 성기를 넣거나 성기, 항문에 손가락 등 신체(성기는 제외한다)의 일부 또는 도구를 넣는 행위를 한 사람은 2년 이상의 유기징역에 처한다.

[본조신설 2012.12.18]

제298조 【강제추행】 폭행 또는 협박으로 사람에 대하여 추행을 한 자는 10년 이하의 징역 또는 1천500만원 이하의 벌금에 처한다.

제299조 【준강간, 준강제추행】 사람의 심신상실 또는 항거불능의 상태를 이용하여 간음 또는 추행을 한 자는 제297조, 제297조의 2 및 제298조의 예에 의한다. <개정 2012.12.18>

제300조 【미수범】 제297조, 제297조의 2, 제298조 및 제299조의 미수범은 처벌한다. <개정 2012.12.18>

제301조 【강간 등 상해·치상】 제297조, 제297조의 2 및 제298조부터 제300조까지의 죄를 범한 자가 사람을 상해하거나 상해에 이르게 한 때에는 무기 또는 5년 이상의 징역에 처한다. <개정 2012.12.18>

제301조의 2 【강간 등 살인·치사】 제297조, 제297조의 2 및 제298조부터 제300조까지의 죄를 범한 자가 사람을 살해한 때에는 사형 또는 무기징역에 처한다. 사망에 이르게 한 때에는 무기 또는 10년 이상의 징역에 처한다. <개정 2012.12.18>

제302조 【미성년자 등에 대한 간음】 미성년자 또는 심신미약자에 대하여 위계 또는 위력으로써 간음 또는 추행을 한 자는 5년 이하의 징역에 처한다.

제303조 【업무상 위력 등에 의한 간음】 ① 업무, 고용 기타 관계로 인하여 자기의 보호 또는 감독을 받는 사람에 대하여 위계 또는 위력으로써 간음한 자는 7년 이하의 징역 또는 3천만원 이하의 벌금에 처한다. <개정 2012.12.18, 2018.10.16>

② 법률에 의하여 구금된 사람을 감호하는 자가 그 사람을 간음한 때에는 10년 이하의 징역에 처한다. <개정 2012.12.18, 2018.10.16>

제304조 삭제 <2012.12.18>

제305조 【미성년자에 대한 간음, 추행】 ① 13세 미만의 사람에 대하여 간음 또는 추행을 한 자는 제297조, 제297조의 2, 제298조, 제301조 또는 제301조의 2의 예에 의한다. <개정 2012.12.18, 2020.5.19>

② 13세 이상 16세 미만의 사람에 대하여 간음 또는 추행을 한 19세 이상의 자는 제297조, 제297조의 2, 제298조, 제301조 또는 제301조의 2의 예에 의한다. <신설 2020.5.19>

제305조의 2 【상습범】 상습으로 제297조, 제297조의 2, 제298조부터 제300조까지, 제302조, 제303조 또는 제305조의 죄를 범한 자는 그 죄에 정한 형의 2분의 1까지 가중한다. <개정 2012.12.18>

[본조신설 2010.4.15]

제305조의 3 【예비, 음모】 제297조, 제297조의 2, 제299조(준강간죄에 한정한다), 제301조(강간 등 상해죄에 한정한다) 및 제305조의 죄를 범할 목적으로 예비 또는 음모한 사람은 3년 이하의 징역에 처한다.

[본조신설 2020.5.19]

제306조 삭제 <2012.12.18>

제33장 명예에 관한 죄

제307조 【명예훼손】 ① 공연히 사실을 적시하여 사람의 명예를 훼손한 자는 2년 이하의 징역이나 금고 또는 500만원 이하의 벌금에 처한다.
② 공연히 허위의 사실을 적시하여 사람의 명예를 훼손한 자는 5년 이하의 징역, 10년 이하의 자격정지 또는 1천만원 이하의 벌금에 처한다.

제308조 【사자의 명예훼손】 공연히 허위의 사실을 적시하여 사자의 명예를 훼손한 자는 2년 이하의 징역이나 금고 또는 500만원 이하의 벌금에 처한다.

제309조 【출판물 등에 의한 명예훼손】 ① 사람을 비방할 목적으로 신문, 잡지 또는 라디오 기타 출판물에 의하여 제307조 제1항의 죄를 범한 자는 3년 이하의 징역이나 금고 또는 700만원 이하의 벌금에 처한다.
② 제1항의 방법으로 제307조 제2항의 죄를 범한 자는 7년 이하의 징역, 10년 이하의 자격정지 또는 1천500만원 이하의 벌금에 처한다.

제310조 【위법성의 조각】 제307조 제1항의 행위가 진실한 사실로서 오로지 공공의 이익에 관한 때에는 처벌하지 아니한다.

제311조 【모욕】 공연히 사람을 모욕한 자는 1년 이하의 징역이나 금고 또는 200만원 이하의 벌금에 처한다.

제312조 【고소와 피해자의 의사】 ① 제308조와 제311조의 죄는 고소가 있어야 공소를 제기할 수 있다.
② 제307조와 제309조의 죄는 피해자의 명시한 의사에 반하여 공소를 제기할 수 없다.

제34장 신용, 업무와 경매에 관한 죄

제313조 【신용훼손】 허위의 사실을 유포하거나 기타 위계로써 사람의 신용을 훼손한 자는 5년 이하의 징역 또는 1천500만원 이하의 벌금에 처한다.

제314조 【업무방해】 ① 제313조의 방법 또는 위력으로써 사람의 업무를 방해한 자는 5년 이하의 징역 또는 1천500만원 이하의 벌금에 처한다.
② 컴퓨터등 정보처리장치 또는 전자기록등 특수매체기록을 손괴하거나 정보처리장치에 허위의 정보 또는 부정한 명령을 입력하거나 기타 방법으로 정보처리에 장애를 발생하게 하여 사람의 업무를 방해한 자도 제1항의 형과 같다.

제315조 【경매, 입찰의 방해】 위계 또는 위력 기타 방법으로 경매 또는 입찰의 공정을 해한 자는 2년 이하의 징역 또는 700만원 이하의 벌금에 처한다.

제35장 비밀침해의 죄

제316조 【비밀침해】 ① 봉함 기타 비밀장치한 사람의 편지, 문서 또는 도화를 개봉한 자는 3년 이하의 징역이나 금고 또는 500만원 이하의 벌금에 처한다.
② 봉함 기타 비밀장치한 사람의 편지, 문서, 도화 또는 전자기록등 특수매체기록을 기술적 수단을 이용하여 그 내용을 알아낸 자도 제1항의 형과 같다.

제317조 【업무상 비밀누설】 ① 의사, 한의사, 치과의사, 약제사, 약종상, 조산사, 변호사, 변리사, 공인회계사, 공증인, 대서업자나 그 직무상 보조자 또는 차등의 직에 있던 자가 그 업무처리중 지득한 타인의 비밀을 누설한 때에는 3년 이하의 징역이나 금고, 10년 이하의 자격정지 또는 700만원 이하의 벌금에 처한다.
② 종교의 직에 있는 자 또는 있던 자가 그 직무상 지득한 사람의 비밀을 누설한 때에도 전항의 형과 같다.

제318조 【고소】 본장의 죄는 고소가 있어야 공소를 제기할 수 있다.

제36장 주거침입의 죄

제319조 【주거침입, 퇴거불응】 ① 사람의 주거, 관리하는 건조물, 선박이나 항공기 또는 점유하는 방실에 침입한 자는 3년 이하의 징역 또는 500만원 이하의 벌금에 처한다.
② 전항의 장소에서 퇴거요구를 받고 응하지 아니한 자도 전항의 형과 같다.

제320조 【특수주거침입】 단체 또는 다중의 위력을 보이거나 위험한 물건을 휴대하여 전조의 죄를 범한 때에는 5년 이하의 징역에 처한다.

제321조 【주거·신체 수색】 사람의 신체, 주거, 관리하는 건조물, 자동차, 선박이나 항공기 또는 점유하는 방실을 수색한 자는 3년 이하의 징역에 처한다.

제322조 【미수범】 본장의 미수범은 처벌한다.

제37장 권리행사를 방해하는 죄

제323조【권리행사방해】 타인의 점유 또는 권리의 목적이 된 자기의 물건 또는 전자기록등 특수매체 기록을 취거, 은닉 또는 손괴하여 타인의 권리행사를 방해한 자는 5년 이하의 징역 또는 700만원 이하의 벌금에 처한다.

제324조【강요】 ① 폭행 또는 협박으로 사람의 권리 행사를 방해하거나 의무없는 일을 하게 한 자는 5년 이하의 징역 또는 3천만원 이하의 벌금에 처한다. <개정 2016.1.6>

② 단체 또는 다중의 위력을 보이거나 위험한 물건을 휴대하여 제1항의 죄를 범한 자는 10년 이하의 징역 또는 5천만원 이하의 벌금에 처한다. <신설 2016.1.6>

제324조의 2【인질강요】 사람을 체포·감금·약취 또는 유인하여 이를 인질로 삼아 제3자에 대하여 권리행사를 방해하거나 의무없는 일을 하게 한 자는 3년 이상의 유기징역에 처한다.

제324조의 3【인질상해·치상】 제324조의 2의 죄를 범한 자가 인질을 상해하거나 상해에 이르게 한 때에는 무기 또는 5년 이상의 징역에 처한다.

제324조의 4【인질살해·치사】 제324조의 2의 죄를 범한 자가 인질을 살해한 때에는 사형 또는 무기징역에 처한다. 사망에 이르게 한 때에는 무기 또는 10년 이상의 징역에 처한다.

제324조의 5【미수범】 제324조 내지 제324조의 4의 미수범은 처벌한다.

제324조의 6【형의 감경】 제324조의 2 또는 제324조의 3의 죄를 범한 자 및 그 죄의 미수범이 인질을 안전한 장소로 풀어준 때에는 그 형을 감경할 수 있다.

제325조【점유강취, 준점유강취】 ① 폭행 또는 협박으로 타인의 점유에 속하는 자기의 물건을 강취한 자는 7년 이하의 징역 또는 10년 이하의 자격정지에 처한다.

② 타인의 점유에 속하는 자기의 물건을 취거하는 과정에서 그 물건의 탈환에 항거하거나 체포를 면탈하거나 범죄의 흔적을 인멸할 목적으로 폭행 또는 협박한 때에도 제1항의 형에 처한다.

③ 제1항과 제2항의 미수범은 처벌한다.
[전문개정 2020.12.8]

제326조【중권리행사방해】 제324조 또는 제325조의 죄를 범하여 사람의 생명에 대한 위험을 발생하게 한 자는 10년 이하의 징역에 처한다.

제327조【강제집행면탈】 강제집행을 면할 목적으로 재산을 은닉, 손괴, 허위양도 또는 허위의 채무를 부담하여 채권자를 해한 자는 3년 이하의 징역 또는 1천만원 이하의 벌금에 처한다.

제328조【친족간의 범행과 고소】 ① 직계혈족, 배우자, 동거친족, 동거가족 또는 그 배우자간의 제323조의 죄는 형을 면제한다.

② 제1항 이외의 친족간에 제323조의 죄를 범한 때에는 고소가 있어야 공소를 제기할 수 있다.

③ 제2항의 신분관계가 없는 공범에 대하여는 전2항을 적용하지 아니한다.

제38장 절도와 강도의 죄

제329조【절도】 타인의 재물을 절취한 자는 6년 이하의 징역 또는 1천만원 이하의 벌금에 처한다.

제330조【야간주거침입절도】 야간에 사람의 주거, 관리하는 건조물, 선박, 항공기 또는 점유하는 방실에 침입하여 타인의 재물을 절취한 자는 10년 이하의 징역에 처한다.
[전문개정 2020.12.8]

제331조【특수절도】 ① 야간에 문이나 담 그 밖의 건조물의 일부를 손괴하고 제330조의 장소에 침입하여 타인의 재물을 절취한 자는 1년 이상 10년 이하의 징역에 처한다.

② 흉기를 휴대하거나 2명 이상이 합동하여 타인의 재물을 절취한 자도 제1항의 형에 처한다.
[전문개정 2020.12.8]

제331조의 2【자동차등 불법사용】 권리자의 동의없이 타인의 자동차, 선박, 항공기, 또는 원동기장치자전거를 일시 사용한 자는 3년 이하의 징역, 500만원 이하의 벌금, 구류 또는 과료에 처한다.

제332조【상습범】 상습으로 제329조 내지 제331조의 2의 죄를 범한 자는 그 죄에 정한 형의 2분의 1까지 가중한다.

제333조【강도】 폭행 또는 협박으로 타인의 재물을 강취하거나 기타 재산상의 이익을 취득하거나 제3자로 하여금 이를 취득하게 한 자는 3년 이상의 유기징역에 처한다.

부록

제334조【특수강도】 ① 야간에 사람의 주거, 관리하는 건조물, 선박이나 항공기 또는 점유하는 방실에 침입하여 제333조의 죄를 범한 자는 무기 또는 5년 이상의 징역에 처한다.
② 흉기를 휴대하거나 2인 이상이 합동하여 전조의 죄를 범한 자도 전항의 형과 같다.

제335조【준강도】 절도가 재물의 탈환에 항거하거나 체포를 면탈하거나 범죄의 흔적을 인멸할 목적으로 폭행 또는 협박한 때에는 제333조 및 제334조의 예에 따른다.
[전문개정 2020.12.8]

제336조【인질강도】 사람을 체포·감금·약취 또는 유인하여 이를 인질로 삼아 재물 또는 재산상의 이익을 취득하거나 제3자로 하여금 이를 취득하게 한 자는 3년 이상의 유기징역에 처한다.

제337조【강도상해, 치상】 강도가 사람을 상해하거나 상해에 이르게 한 때에는 무기 또는 7년 이상의 징역에 처한다.

제338조【강도살인·치사】 강도가 사람을 살해한 때에는 사형 또는 무기징역에 처한다. 사망에 이르게 한 때에는 무기 또는 10년 이상의 징역에 처한다.

제339조【강도강간】 강도가 사람을 강간한 때에는 무기 또는 10년 이상의 징역에 처한다.

제340조【해상강도】 ① 다중의 위력으로 해상에서 선박을 강취하거나 선박내에 침입하여 타인의 재물을 강취한 자는 무기 또는 7년 이상의 징역에 처한다.
② 제1항의 죄를 범한 자가 사람을 상해하거나 상해에 이르게 한 때에는 무기 또는 10년 이상의 징역에 처한다.
③ 제1항의 죄를 범한 자가 사람을 살해 또는 사망에 이르게 하거나 강간한 때에는 사형 또는 무기징역에 처한다.

제341조【상습범】 상습으로 제333조, 제334조, 제336조 또는 전조 제1항의 죄를 범한 자는 무기 또는 10년 이상의 징역에 처한다.

제342조【미수범】 제329조 내지 제341조의 미수범은 처벌한다.

제343조【예비, 음모】 강도할 목적으로 예비 또는 음모한 자는 7년 이하의 징역에 처한다.

제344조【친족간의 범행】 제328조의 규정은 제329조 내지 제332조의 죄 또는 미수범에 준용한다.

제345조【자격정지의 병과】 본장의 죄를 범하여 유기징역에 처할 경우에는 10년 이하의 자격정지를 병과할 수 있다.

제346조【동력】 본장의 죄에 있어서 관리할 수 있는 동력은 재물로 간주한다.

제39장 사기와 공갈의 죄

제347조【사기】 ① 사람을 기망하여 재물의 교부를 받거나 재산상의 이익을 취득한 자는 10년 이하의 징역 또는 2천만원 이하의 벌금에 처한다.
② 전항의 방법으로 제3자로 하여금 재물의 교부를 받게 하거나 재산상의 이익을 취득하게 한 때에도 전항의 형과 같다.

제347조의 2【컴퓨터등 사용사기】 컴퓨터등 정보처리장치에 허위의 정보 또는 부정한 명령을 입력하거나 권한없이 정보를 입력·변경하여 정보처리를 하게 함으로써 재산상의 이익을 취득하거나 제3자로 하여금 취득하게 한 자는 10년 이하의 징역 또는 2천만원 이하의 벌금에 처한다.

제348조【준사기】 ① 미성년자의 사리분별력 부족 또는 사람의 심신장애를 이용하여 재물을 교부받거나 재산상 이익을 취득한 자는 10년 이하의 징역 또는 2천만원 이하의 벌금에 처한다.
② 제1항의 방법으로 제3자로 하여금 재물을 교부받게 하거나 재산상 이익을 취득하게 한 경우에도 제1항의 형에 처한다.
[전문개정 2020.12.8]

제348조의 2【편의시설부정이용】 부정한 방법으로 대가를 지급하지 아니하고 자동판매기, 공중전화 기타 유료자동설비를 이용하여 재물 또는 재산상의 이익을 취득한 자는 3년 이하의 징역, 500만원 이하의 벌금, 구류 또는 과료에 처한다.

제349조【부당이득】 ① 사람의 곤궁하고 절박한 상태를 이용하여 현저하게 부당한 이익을 취득한 자는 3년 이하의 징역 또는 1천만원 이하의 벌금에 처한다.
② 제1항의 방법으로 제3자로 하여금 부당한 이익을 취득하게 한 경우에도 제1항의 형에 처한다.
[전문개정 2020.12.8]

제350조【공갈】 ① 사람을 공갈하여 재물의 교부를

받거나 재산상의 이익을 취득한 자는 10년 이하의 징역 또는 2천만원 이하의 벌금에 처한다.

② 전항의 방법으로 제3자로 하여금 재물의 교부를 받게 하거나 재산상의 이익을 취득하게 한 때에도 전항의 형과 같다.

제350조의 2 【특수공갈】 단체 또는 다중의 위력을 보이거나 위험한 물건을 휴대하여 전조의 죄를 범한 자는 1년 이상 15년 이하의 징역에 처한다.
[본조신설 2016.1.6]

제351조 【상습범】 상습으로 제347조 내지 전조의 죄를 범한 자는 그 죄에 정한 형의 2분의 1까지 가중한다.

제352조 【미수범】 제347조 내지 제348조의 2, 제350조, 제350조의 2와 제351조의 미수범은 처벌한다. <개정 2016.1.6>

제353조 【자격정지의 병과】 본장의 죄에는 10년 이하의 자격정지를 병과할 수 있다.

제354조 【친족간의 범행, 동력】 제328조와 제346조의 규정은 본장의 죄에 준용한다.

제40장 횡령과 배임의 죄

제355조 【횡령, 배임】 ① 타인의 재물을 보관하는 자가 그 재물을 횡령하거나 그 반환을 거부한 때에는 5년 이하의 징역 또는 1천500만원 이하의 벌금에 처한다.

② 타인의 사무를 처리하는 자가 그 임무에 위배하는 행위로써 재산상의 이익을 취득하거나 제3자로 하여금 이를 취득하게 하여 본인에게 손해를 가한 때에도 전항의 형과 같다.

제356조 【업무상의 횡령과 배임】 업무상의 임무에 위배하여 제355조의 죄를 범한 자는 10년 이하의 징역 또는 3천만원 이하의 벌금에 처한다.

제357조 【배임수증재】 ① 타인의 사무를 처리하는 자가 그 임무에 관하여 부정한 청탁을 받고 재물 또는 재산상의 이익을 취득하거나 제3자로 하여금 이를 취득하게 한 때에는 5년 이하의 징역 또는 1천만원 이하의 벌금에 처한다. <개정 2016.5.29>

② 제1항의 재물 또는 재산상 이익을 공여한 자는 2년 이하의 징역 또는 500만원 이하의 벌금에 처한다. <개정 2020.12.8>

③ 범인 또는 그 사정을 아는 제3자가 취득한 제1항의 재물은 몰수한다. 그 재물을 몰수하기 불가능하거나 재산상의 이익을 취득한 때에는 그 가액을 추징한다. <개정 2016.5.29, 2020.12.8>
[제목개정 2016.5.29]

제358조 【자격정지의 병과】 전3조의 죄에는 10년 이하의 자격정지를 병과할 수 있다.

제359조 【미수범】 제355조 내지 제357조의 미수범은 처벌한다.

제360조 【점유이탈물횡령】 ① 유실물, 표류물 또는 타인의 점유를 이탈한 재물을 횡령한 자는 1년 이하의 징역이나 300만원 이하의 벌금 또는 과료에 처한다.

② 매장물을 횡령한 자도 전항의 형과 같다.

제361조 【친족간의 범행, 동력】 제328조와 제346조의 규정은 본장의 죄에 준용한다.

제41장 장물에 관한 죄

제362조 【장물의 취득, 알선 등】 ① 장물을 취득, 양도, 운반 또는 보관한 자는 7년 이하의 징역 또는 1천500만원 이하의 벌금에 처한다.

② 전항의 행위를 알선한 자도 전항의 형과 같다.

제363조 【상습범】 ① 상습으로 전조의 죄를 범한 자는 1년 이상 10년 이하의 징역에 처한다.

② 제1항의 경우에는 10년 이하의 자격정지 또는 1천500만원 이하의 벌금을 병과할 수 있다.

제364조 【업무상 과실, 중과실】 업무상 과실 또는 중대한 과실로 인하여 제362조의 죄를 범한 자는 1년 이하의 금고 또는 500만원 이하의 벌금에 처한다.

제365조 【친족간의 범행】 ① 전3조의 죄를 범한 자와 피해자간에 제328조 제1항, 제2항의 신분관계가 있는 때에는 동조의 규정을 준용한다.

② 전3조의 죄를 범한 자와 본범간에 제328조 제1항의 신분관계가 있는 때에는 그 형을 감경 또는 면제한다. 단, 신분관계가 없는 공범에 대하여는 예외로 한다.

제42장 손괴의 죄

제366조 【재물손괴 등】 타인의 재물, 문서 또는 전자기록등 특수매체기록을 손괴 또는 은닉 기타 방

부록

법으로 그 효용을 해한 자는 3년 이하의 징역 또는 700만원 이하의 벌금에 처한다.

제367조【공익건조물파괴】 공익에 공하는 건조물을 파괴한 자는 10년 이하의 징역 또는 2천만원 이하의 벌금에 처한다.

제368조【중손괴】 ① 전2조의 죄를 범하여 사람의 생명 또는 신체에 대하여 위험을 발생하게 한 때에는 1년 이상 10년 이하의 징역에 처한다.

② 제366조 또는 제367조의 죄를 범하여 사람을 상해에 이르게 한 때에는 1년 이상의 유기징역에 처한다. 사망에 이르게 한 때에는 3년 이상의 유기징역에 처한다.

제369조【특수손괴】 ① 단체 또는 다중의 위력을 보이거나 위험한 물건을 휴대하여 제366조의 죄를 범한 때에는 5년 이하의 징역 또는 1천만원 이하의 벌금에 처한다.

② 제1항의 방법으로 제367조의 죄를 범한 때에는 1년 이상의 유기징역 또는 2천만원 이하의 벌금에 처한다.

제370조【경계침범】 경계표를 손괴, 이동 또는 제거하거나 기타 방법으로 토지의 경계를 인식불능하게 한 자는 3년 이하의 징역 또는 500만원 이하의 벌금에 처한다.

제371조【미수범】 제366조, 제367조와 제369조의 미수범은 처벌한다.

제372조【동력】 본장의 죄에는 제346조를 준용한다.

부 칙〈법률 제12575호, 2014.5.14〉

제1조【시행일】 이 법은 공포한 날부터 시행한다.
제2조【적용례 및 경과조치】 ① 제70조 제2항의 개정규정은 이 법 시행 후 최초로 저지른 범죄부터 적용한다. <개정 2020.10.20>

② 제79조 제2항의 개정규정은 이 법 시행 당시 형의 시효가 완성되지 아니한 자에 대해서도 적용한다.

부 칙〈법률 제13719호, 2016.1.6〉

제1조【시행일】 이 법은 공포한 날부터 시행한다. 다만, 제62조의 개정 규정은 공포 후 2년이 경과한 날부터 시행한다.

부 칙〈법률 제14415호, 2016.12.20〉

이 법은 공포한 날부터 시행한다.

부 칙〈법률 제15163호, 2017.12.12〉

제1조【시행일】 이 법은 공포한 날부터 시행한다.
제2조【시효의 기간에 관한 적용례】 제78조 제5호 및 제6호의 개정규정은 이 법 시행 후 최초로 재판이 확정되는 경우부터 적용한다.

부 칙〈법률 제15793호, 2018.10.16〉

이 법은 공포한 날부터 시행한다.

부 칙〈법률 제15982호, 2018.12.18〉

이 법은 공포한 날부터 시행한다.

부 칙〈법률 제17265호, 2020.5.19〉

이 법은 공포한 날부터 시행한다.

부 칙〈법률 제17511호, 2020.10.20〉

이 법은 공포한 날부터 시행한다.

부 칙〈법률 제17571호, 2020.12.8〉

이 법은 공포 후 1년이 경과한 날부터 시행한다.

부 칙〈법률 제19582호, 2023.8.8〉

제1조【시행일】 이 법은 공포한 날부터 시행한다. 다만, 제251조, 제254조, 제272조 및 제275조의 개정규정은 공포 후 6개월이 경과한 날부터 시행한다.
제2조【사형의 시효 폐지에 관한 적용례】 제77조, 제78조 제1호 및 제80조의 개정규정은 이 법 시행 전에 사형을 선고받은 경우에도 적용한다.

공편저자 약력·저서

조충환

- 중앙대학교 법학박사(형사법전공)
- 現 · 박문각 경찰승진 형사소송법 대표교수
- 前 · 중앙대·울산대 출강
  - 노량진 남부경찰학원 대표강사
  - 노량진 남부행정고시학원 대표강사
  - 노량진 한교경찰학원 대표강사
  - 노량진 베리타스경찰학원 대표강사
  - 법무부 출간 교정지 출제위원
  - 경찰청 인터넷방송 초빙교수

주요저서

- SPA 형법
- SPA 형사소송법
- 객관식 테마 형법
- 객관식 테마 형사소송법
- ALL THAT 올댓 형사법 형법 총론
- ALL THAT 올댓 형사법 형법 각론
- ALL THAT 올댓 형사법 수사·증거
- 수사경과 대비 형사법능력평가
- COPSPA 경찰 형법
- COPSPA 경찰 형사소송법
- 3+3 형법
- 3+3 형사소송법
- 논문 다수

상 훈

- 중앙대 강의평가 우수강사 총장 표창(3회)
- 모범강사 전국학원연합회 회장표창

양 건

- 現 · 박문각 경찰승진 형법 대표교수
  - 공무원저널 형사법 판례교실 집필위원
  - 법률저널 경찰·교정직 집필위원
- 前 · 조이에듀경찰학원 형법 대표강사
  - 신림동 태학관 법정연구회 강의
  - 종로행정고시학원 경찰승진 형법 대표강사
  - 중앙경찰고시학원 형법 대표강사
  - 경찰승진특강
  - 노량진 한교경찰학원 대표강사(형법)
  - 노량진 베리타스경찰학원 대표강사(형법)

주요저서

- SPA 형법
- SPA 형사소송법
- 객관식 테마 형법
- 객관식 테마 형사소송법
- ALL THAT 올댓 형사법 형법 총론
- ALL THAT 올댓 형사법 형법 각론
- ALL THAT 올댓 형사법 수사·증거
- 수사경과 대비 형사법능력평가
- COPSPA 경찰 형법
- COPSPA 경찰 형사소송법
- 3+3 형법
- 3+3 형사소송법

조충환·양건
형법각론 Ⅱ

2026 판례·기출 증보판

초판인쇄 : 2025년 2월 10일
초판발행 : 2025년 2월 15일
편   저 : 조충환·양건
발 행 인 : 박 용
발 행 처 : (주)박문각출판
등   록 : 2015. 4. 29. 제2019-000137호
주   소 : 06654 서울시 서초구 효령로 283 서경 B/D
전   화 : (02) 6466-7202
팩   스 : (02) 584-2927

저자와의
협의하에
인지생략

정가 40,000원
ISBN 979-11-7262-541-2
ISBN 979-11-7262-539-9(각론세트)